UNE TERRE PROMISE

BARACK OBAMA

UNE
TERRE
PROMISE

Traduit de l'anglais (États-Unis)
par Pierre Demarty, Charles Recoursé et Nicolas Richard

Fayard

L'éditeur et les traducteurs tiennent à remercier Leslie Talaga
pour sa précieuse contribution à l'édition française de cet ouvrage.

Maquette de couverture : Christopher Brand
Photographie en couverture : Pari Dukovic
Photographie en quatrième : Dan Winters
Adaptation graphique pour la France : Patrick Tanguy

La lettre de Nicole Brandon, à la page 345,
a été remaniée et élaguée par souci de clarté.

Cet ouvrage est la traduction intégrale,
publiée pour la première fois en France, du livre de langue anglaise :

A PROMISED LAND

Publié aux États-Unis par Crown, marque de Random House,
division de Penguin Random House LCC, New York

ISBN : 978-2-213-70612-2

Dépôt légal : novembre 2020

À Michelle – mon amour et la femme de ma vie,

et à

Malia et Sasha – dont la lumière radieuse rend le monde plus éblouissant

Ô, vole et jamais ne fatigue,
Vole et jamais ne fatigue,
Vole et jamais ne fatigue,
Un grand rassemblement se tient en Terre promise.

— Extrait d'un spiritual afro-américain

N'ignorez pas nos pouvoirs ;
Nous avons touché
À l'infini.

— ROBERT FROST, « Kitty Hawk »

PRÉFACE

J'AI COMMENCÉ À ÉCRIRE CE LIVRE peu après la fin de ma présidence – Michelle et moi étions montés à bord d'Air Force One pour la dernière fois et avions mis le cap à l'ouest pour prendre des vacances longtemps reportées. L'humeur dans l'avion était douce-amère. Nous étions l'un et l'autre épuisés, physiquement et mentalement, pas seulement par le labeur des huit années écoulées, mais aussi par l'issue inattendue d'une élection qui avait vu quelqu'un de diamétralement opposé à tout ce que nous défendions choisi pour me succéder. Toutefois, ayant assuré notre part de la course jusqu'au bout, nous éprouvions une certaine satisfaction à savoir que nous avions fait de notre mieux – et, en dépit de tout ce que je n'avais pu accomplir en tant que président, même si je n'avais pu mener à bien tout ce que j'avais espéré, le pays était à présent en meilleure voie que lorsque j'avais pris mes fonctions. Pendant un mois, Michelle et moi avons fait la grasse matinée, dîné en prenant notre temps, effectué de longues promenades, nagé dans l'océan, fait le bilan, ravivé notre complicité, redécouvert notre amour et envisagé un deuxième acte moins tumultueux mais, espérions-nous, pas moins épanouissant. Et, quand j'ai été prêt à me remettre au travail, à m'asseoir à ma table avec un stylo et un carnet (j'aime encore écrire à la main, je trouve que l'ordinateur confère même à mes premiers brouillons un lustre trop brillant et pare les idées inabouties d'une netteté factice), j'avais en tête les grandes lignes du livre.

Je souhaitais d'abord et avant tout rendre compte avec honnêteté des années de ma présidence – pas seulement évoquer les événements historiques qui avaient jalonné mes deux mandats et les personnalités importantes que j'avais côtoyées, mais également raconter certains vents contraires, politiques, économiques et culturels, qui avaient défini les défis à relever par mon gouvernement, et les choix que moi-même et mon équipe avions faits en conséquence. Je voulais, autant que possible, offrir au lecteur une idée de ce que c'est qu'être président des États-Unis ; je voulais lever un coin du voile et rappeler aux gens que, au-delà du pouvoir et du faste, il ne s'agit que d'un travail, que notre gouvernement fédéral n'est qu'une entreprise humaine comme n'importe quelle autre, et que les hommes et les femmes employés à la Maison-Blanche connaissent le même mélange quotidien de satisfactions, de déceptions, de tensions au bureau, de bourdes et de menus triomphes que le reste de leurs concitoyens. Je voulais en définitive raconter une histoire plus personnelle, susceptible d'inspirer les jeunes gens envisageant une carrière dans la fonction publique : comment mon parcours politique avait réellement démarré, alors que je cherchais une place qui me conviendrait, un moyen d'expliquer les différentes branches enchevêtrées de mon héritage, et comment ce fut seulement en arrimant mon chariot à quelque chose de plus ample que moi que j'avais finalement été en mesure de me trouver une communauté et un but dans la vie.

J'imaginais pouvoir faire cela en cinq cents pages environ. Je pensais pouvoir y arriver en un an.

On peut affirmer que le processus d'écriture ne s'est pas tout à fait déroulé comme je l'avais prévu. Malgré mes meilleures intentions, le livre n'a cessé de croître en longueur et en ambition – ce qui explique pourquoi j'ai finalement décidé de le scinder en deux volumes. Je ne doute hélas pas qu'un écrivain plus talentueux aurait su raconter la même histoire avec davantage de concision (après tout, mon bureau privé lorsque j'étais à la Maison-Blanche jouxtait la chambre Lincoln où se trouvait un exemplaire sous verre des deux cent soixante-douze mots du discours de Gettysburg). Mais, chaque fois que je m'installais pour écrire – que ce soit pour raconter les premières phases de ma campagne, la gestion de la crise financière par mon gouvernement, les négociations avec les Russes sur la réduction des armements nucléaires ou les forces qui ont abouti au Printemps arabe –, je constatais mes réticences à produire un simple récit linéaire. Souvent, je me suis senti obligé de fournir des éléments de contexte aux décisions que moi et d'autres avions prises, et je ne souhaitais pas reléguer cet arrière-plan en notes de bas de page ou en fin d'ouvrage (je déteste les notes de bas de page et en fin d'ouvrage). Je me suis rendu compte que je n'étais pas toujours en mesure d'expliquer mes choix en citant des masses de données économiques ou en me remémorant de manière exhaustive un briefing au Bureau ovale, car ils avaient été façonnés par une discussion avec un inconnu pendant la campagne électorale, une visite dans un hôpital militaire ou une leçon apprise de ma mère quand j'étais petit. À maintes reprises, ma mémoire exhumait des détails en apparence anecdotiques (tâcher de trouver un endroit discret pour fumer une clope le soir ; un fou rire en jouant aux cartes avec mon staff à bord d'Air Force One) qui en disaient plus long que les archives officielles sur mes huit ans passés à la Maison-Blanche.

Au-delà de la difficulté à coucher les mots sur la page, je n'avais pas anticipé la tournure que prendraient les événements au cours des trois ans et demi après ce dernier vol sur Air Force One. Au moment où j'écris ces lignes, le pays est confronté à une pandémie mondiale et à la crise économique qui s'ensuit ; plus de 178 000 Américains ont déjà péri, nombre d'entreprises ont dû mettre la clé sous la porte et des millions d'Américains sont au chômage. Dans tout le pays, des personnes de tous horizons ont envahi les rues pour dénoncer les actes de policiers ayant entraîné la mort de femmes et d'hommes noirs qui n'étaient pas armés. Le plus troublant est que notre démocratie semble vaciller, être à la lisière d'une crise – une crise qui s'enracine dans la lutte entre deux visions fondamentalement opposées de ce qu'est et devrait être l'Amérique ; une crise qui laisse le corps politique divisé, furieux et méfiant, et a permis une violation des normes institutionnelles, des garde-fous réglementaires et une rupture de l'adhésion à la réalité factuelle que républicains et démocrates considéraient jadis comme allant de soi.

Cette lutte n'est pas nouvelle, bien sûr. À bien des égards, elle est constitutive de l'expérience américaine. Elle est inscrite dans les documents fondateurs qui, tout en proclamant l'égalité de tous les hommes, pouvaient considérer qu'un esclave ne comptait que pour trois cinquièmes d'un homme libre. Elle trouve son expression dans les premiers verdicts de nos tribunaux, comme lorsque le président de la Cour suprême explique sans ambages à des Amérindiens que les droits de leur tribu à transmettre des terres ne sont pas applicables, car les tribunaux du conquérant ne sont pas habilités à reconnaître les revendications légitimes des vaincus. C'est une lutte qui fut livrée sur le champ de bataille à Gettysburg et à Appomattox, mais aussi dans les enceintes du Congrès, sur un pont à Selma, dans les vignobles de Californie et les rues de New York ; une lutte à laquelle se sont livrés des soldats, mais plus souvent des militants syndicaux, des partisans du droit de vote pour les femmes, des porteurs Pullman, des leaders étudiants, des vagues d'immigrants, des activistes LGBTQ, seulement armés de pancartes, de tracts et d'une bonne paire de chaussures de marche. Au cœur de cette bataille qui dure depuis si longtemps se pose une question simple : nous soucions-nous de faire coïncider la réalité de l'Amérique avec ses idéaux ? Si tel est le cas, croyons-nous vraiment que nos principes – autodétermination et liberté individuelle, égalité des chances et égalité devant la loi – s'appliquent à tout un chacun ? Ou bien tenons-nous, en pratique si ce n'est en théorie, à réserver ces grandes idées à quelques privilégiés ?

Je sais que certains croient qu'il est temps de tirer un trait sur le mythe – qu'un examen du passé des États-Unis, voire un bref coup d'œil aux gros titres des journaux, montre que la conquête et l'assujettissement, tout comme un système de castes raciales et un capitalisme rapace, ont toujours primé sur les idéaux de cette nation, et que prétendre le contraire, c'est se rendre complice d'un jeu truqué dès le départ. Et je dois avouer que par moments, au cours de l'écriture de ce livre, alors que je réfléchissais à ma présidence et à tout ce qui s'est passé depuis, je me suis demandé si je n'étais pas trop mesuré lorsqu'il s'agissait de dire la vérité telle que je la voyais, trop prudent à la fois en paroles et en actes, tant j'étais convaincu qu'en appeler à ce que Lincoln nomme la part d'ange en nous augmentait mes chances de nous conduire vers l'Amérique qu'on nous avait promise.

Je l'ignore. Ce que je peux dire avec certitude, c'est que je ne suis pas prêt à renoncer à la possibilité de l'Amérique – pas seulement au nom des générations futures d'Américains, mais pour l'humanité dans son ensemble. Car je suis persuadé que la pandémie que nous traversons actuellement est à la fois une manifestation et une simple interruption de la marche inexorable vers un monde interconnecté, un monde où les peuples et les cultures ne pourront s'empêcher de s'entrechoquer. Dans ce monde-là – un monde de chaîne logistique mondiale, de transferts instantanés de capitaux, de réseaux sociaux, de changement climatique, de filières terroristes transnationales et de complexité toujours croissante –, nous apprendrons à vivre ensemble, à coopérer et à reconnaître la dignité des autres, faute de quoi nous périrons. Le monde observe donc l'Amérique – la seule grande puissance de l'Histoire à être constituée de personnes venues des quatre coins de la planète, comprenant toutes les races, religions et pratiques culturelles – pour voir si notre expérience en matière de démocratie peut fonctionner. Pour voir si nous pouvons faire ce qu'aucune autre nation n'a jamais fait. Pour voir si nous pouvons nous hisser à la hauteur de nos convictions.

Le jury n'a pas encore rendu son verdict. Quand ce premier volume sera publié, une élection aura eu lieu aux États-Unis et, si je crois les enjeux éminemment importants, je sais aussi qu'une élection ne réglera pas le problème. Si j'ai encore bon espoir, c'est que j'ai appris à faire confiance à mes concitoyens, notamment ceux de la nouvelle génération, qui tiennent l'égalité de tous les êtres humains pour une évidence et insistent pour que les principes que leurs parents et leurs professeurs leur ont enseignés deviennent réalité, sans peut-être y croire toujours eux-mêmes. Ce livre est avant tout pour ces jeunes gens une invitation à refaire le monde une nouvelle fois, et à faire advenir, par le travail, la détermination et une bonne dose d'imagination, une Amérique qui se mettra enfin au diapason de tout ce qu'il y a de meilleur en nous.

Août 2020

PREMIÈRE PARTIE

Le pari

CHAPITRE 1

DE TOUS LES LIEUX EMBLÉMATIQUES qui constituent le domaine et le bâtiment de la Maison-Blanche, tous les bureaux, tous les salons, c'était la colonnade ouest que je préférais.

Pendant huit ans, cette passerelle a encadré mes journées : un trajet d'une minute à pied, à l'air libre, de la résidence au bureau, aller-retour. C'est là, chaque matin, que me saisissait la première gifle du vent glacial en hiver, ou la première bouffée d'air chaud en été ; là que je rassemblais mes pensées, passais en revue les divers rendez-vous qui m'attendaient, affûtais les arguments que j'allais devoir déployer face au scepticisme d'un élu du Congrès ou à l'impatience d'un électeur ; là que je me préparais à affronter tel choix décisif un jour, telle crise lancinante le lendemain.

À l'origine, les bureaux de l'exécutif et les quartiers privés de la famille présidentielle étaient réunis sous le même toit, et la colonnade ouest n'était guère plus qu'une petite allée menant aux écuries. Mais quand Teddy Roosevelt s'installa à la Maison-Blanche, il jugea qu'un seul bâtiment ne suffisait pas pour accueillir un staff moderne, six enfants turbulents, et ne pas devenir fou. Il fit donc construire ce qui deviendrait l'aile ouest et le Bureau ovale, et peu à peu, au fil des décennies et des présidences successives, la colonnade telle que nous la connaissons aujourd'hui prit forme : une parenthèse ouverte sur la roseraie au nord et à l'ouest – la façade massive côté nord, sobre et sans fioritures à l'exception des hautes fenêtres en demi-lune ; les majestueuses colonnes blanches côté ouest, telle une garde d'honneur balisant le chemin.

En règle générale, je marche d'un pas assez lent – une démarche hawaïenne, comme dit Michelle, non sans une pointe d'agacement parfois. Mais quand je traversais la colonnade, j'adoptais une allure différente, conscient des moments historiques qui s'étaient joués ici, dans ce lieu qui avait vu défiler tant de mes prédécesseurs. Ma foulée s'allongeait, devenait plus nerveuse, le bruit de mes pas sur les dalles talonné de près en écho par celui des agents du Secret Service à quelques mètres de distance. Quand j'atteignais la rampe à l'extrémité de la colonnade (aménagée du temps de Franklin Roosevelt, pour son fauteuil roulant – je l'imagine, sourire aux lèvres, menton levé, fume-cigarette coincé entre les dents, en train de s'échiner à grimper la pente), je saluais d'un geste de la main le garde en uniforme posté dans l'embrasure de la porte-fenêtre vitrée. Il arrivait qu'il doive barrer le chemin à un groupe de visiteurs ébahis de me voir. Si j'avais le temps, j'allais leur serrer la main, leur demander d'où ils venaient. Mais en général je tournais tout de suite à gauche et longeais le mur extérieur de la salle du conseil pour me faufiler dans le Bureau ovale par la porte latérale. Je saluais alors mon staff, j'attrapais ma feuille de route de la journée et une tasse de thé, puis je me mettais au travail.

Plusieurs fois par semaine, en sortant sur la colonnade, j'apercevais les jardiniers, tous employés par le Service des parcs nationaux, à l'œuvre dans la roseraie. C'étaient des hommes pour la plupart assez âgés, vêtus d'un uniforme vert kaki, assorti parfois d'un chapeau mou quand le soleil cognait ou d'un manteau épais quand il faisait froid. Si j'avais quelques minutes devant moi, je m'arrêtais un moment pour les complimenter à propos des parterres qu'ils venaient de planter ou leur demander si la tempête de la nuit précédente n'avait pas provoqué trop de dégâts, et ils me parlaient de leur travail avec une fierté discrète. C'étaient des hommes plutôt taiseux : même entre eux, ils communiquaient souvent par un simple geste ou un hochement de tête ; chacun restait concentré sur sa tâche, mais tous évoluaient en un ballet gracieux et parfaitement synchronisé. L'un des plus anciens était Ed Thomas, un grand Noir élancé aux joues creusées qui travaillait à la Maison-Blanche depuis quarante ans. La première fois que nous nous sommes croisés, il a sorti un chiffon de la poche arrière de son pantalon pour essuyer ses paumes pleines de terre avant de serrer la main que je lui tendais et qu'il a engloutie dans la sienne, striée de veines épaisses et noueuses comme les racines d'un arbre. Je lui ai demandé combien de temps encore il pensait rester à la Maison-Blanche avant de prendre sa retraite.

« Je ne sais pas, monsieur le Président, m'a-t-il répondu. J'aime beaucoup mon travail. Bon, même si les articulations commencent à fatiguer un peu. Mais je me dis que je pourrais encore rester tant que vous êtes là. Pour être sûr que le jardin soit bien entretenu. »

Oh, ça, il l'était ! Les magnolias ombragés qui se dressaient majestueusement à chaque coin ; les haies, denses et d'un vert luxuriant ; les pommiers sauvages élagués avec un soin minutieux. Et les fleurs, cultivées en serre à quelques kilomètres de là, qui nimbaient en permanence ce jardin d'une myriade de couleurs éclatantes – des rouges, des jaunes, des roses, des violets ; au printemps, c'était une profusion de tulipes serrées les unes contre les autres, tournées vers le soleil ; en été, des héliotropes couleur lavande, des géraniums, des lys ; à l'automne, des chrysanthèmes, des marguerites et des fleurs des champs. Et toujours des roses, rouges pour la plupart mais parfois aussi des jaunes ou des blanches, fraîchement écloses et toutes plus resplendissantes les unes que les autres.

Chaque fois que je traversais la colonnade ou que je regardais par la fenêtre du Bureau ovale, j'apercevais ces hommes et ces femmes à l'ouvrage dehors. Ils me faisaient penser à la petite toile de Norman Rockwell que j'avais accrochée dans le bureau, à côté du portrait de George Washington et au-dessus du buste de Martin Luther King : cinq minuscules silhouettes aux couleurs de peau diverses, des ouvriers en bleu de travail, suspendus par des cordes dans l'azur limpide du ciel pour polir la torche de la statue de la Liberté. Les personnages de ce tableau, les jardiniers de la roseraie – ces hommes étaient des gardiens, me disais-je, les prêtres silencieux d'un ordre solennel et bienveillant. Et je songeais que j'avais le devoir de mettre autant de cœur et de soin dans mon travail qu'ils en mettaient dans le leur.

Au fil du temps, mes va-et-vient sur la colonnade allaient se charger de souvenirs. Il y avait les grands événements officiels, bien sûr – les allocutions devant la horde des caméras, les conférences de presse avec les dirigeants étrangers. Mais d'autres moments aussi, dont les témoins étaient moins nombreux – Malia et Sasha qui faisaient la course pour venir m'embrasser dans mon bureau à l'improviste un après-midi, ou nos chiens, Bo et Sunny, qui bondissaient dans la neige, s'y enfonçant si profondément qu'ils en ressortaient le museau tout blanc. Quelques passes de football par une belle journée d'automne, quelques instants à réconforter un collaborateur aux prises avec des difficultés personnelles.

Ce genre d'images me traversaient souvent l'esprit, interrompant mes ruminations du moment. Elles me rappelaient combien le temps passe, et m'inspiraient parfois une sorte de nostalgie – le désir de revenir en arrière et de tout recommencer. Mais pas le matin, quand je rejoignais mon bureau, car, à ce moment-là, la flèche du temps ne filait que dans une seule direction ; les obligations du jour m'appelaient ; je devais me concentrer uniquement sur l'avenir.

Le soir, c'était différent. Au moment de regagner la résidence, ma serviette remplie à craquer de dossiers, je m'efforçais de ralentir le pas, voire de m'arrêter. Je prenais le temps de respirer les parfums de terre, d'herbe et de pollen qui flottaient dans l'air et d'écouter le souffle du vent ou le crépitement de la pluie. Parfois, j'observais les jeux de lumière sur les colonnes et je regardais l'édifice majestueux de la Maison-Blanche, le drapeau qui brillait au sommet du toit sous le feu des éclairages, ou bien encore je me tournais vers le Washington Monument, dont l'obélisque transperçait la nuit noire dans le lointain et au-dessus duquel j'apercevais de temps à autre la lune et les étoiles, ou les lumières clignotantes d'un avion qui fendait le ciel.

Dans ces moments-là, je songeais avec étonnement au chemin étrange – et à l'idée – qui m'avait mené jusqu'ici.

Je ne viens pas d'une famille politisée. Mes grands-parents maternels étaient originaires du Midwest, de souche irlando-écossaise pour l'essentiel. On pourrait dire qu'ils étaient de gauche, surtout à l'aune des sensibilités de l'époque dans les petites villes du Kansas où ils avaient vu le jour pendant la Grande Dépression, et ils mettaient un point d'honneur à se tenir régulièrement au courant de l'actualité. « Ça fait partie des devoirs de tout bon citoyen informé », me disait ma grand-mère, que tout le monde appelait Toot (diminutif de Tutu, ou « Mamie » en hawaïen), en me jetant un coup d'œil par-dessus son exemplaire matinal du *Honolulu Advertiser*. Mon grand-père et elle ne se réclamaient d'aucune tendance idéologique ou partisane à proprement parler, au-delà de ce qui relevait à leurs yeux du bon sens le plus élémentaire. Ils se préoccupaient essentiellement de leur travail – ma grand-mère était vice-présidente des comptes en dépôt fiduciaire dans une banque locale, mon grand-père représentant en assurances-vie –, des factures à payer et des quelques distractions que la vie était susceptible d'offrir.

Il faut dire aussi qu'ils vivaient sur l'île d'Oahu, où rien ne semblait jamais d'une urgence capitale. Après avoir vécu plusieurs années dans des endroits aussi divers que l'Oklahoma, le Texas et l'État de Washington, ils avaient fini par s'installer à Hawaï en 1960, un an après que l'archipel eut accédé au statut d'État. Un vaste océan les séparait désormais des émeutes, des manifestations et autres turbulences de l'époque. La seule question de nature politique dont je me souvienne de les avoir entendus discuter durant mon enfance avait à voir avec un bar de plage : le maire de Honolulu avait fait démolir la buvette préférée de Gramps pour rénover le front de mer à la pointe de Waikiki.

Gramps ne lui a jamais pardonné.

Ma mère en revanche, Ann Dunham, avait des opinions bien arrêtées, et elle en avait beaucoup. Enfant unique, elle s'était rebellée contre les conventions au lycée – lisant les poètes beat et les existentialistes français, partant en virée à San Francisco avec une amie pendant plusieurs jours sans prévenir personne. Quand j'étais petit, elle me parlait des marches pour les droits civiques et m'expliquait pourquoi la guerre du Vietnam était un désastre dans lequel le pays s'était fourvoyé ; elle me parlait du mouvement pour l'émancipation des femmes (l'égalité des salaires, très bien ; mais de là à ne plus se raser les jambes, elle était déjà moins convaincue) et de la « guerre contre la pauvreté » initiée par le président Johnson. Quand nous sommes partis vivre en Indonésie avec mon beau-père, elle a pris soin de m'instruire sur les péchés de la corruption gouvernementale (« C'est du vol pur et simple, Barry »), même si tout le monde semblait s'y livrer. Plus tard, l'été de mes 12 ans, alors que nous passions nos vacances en famille à traverser les États-Unis pendant un mois, elle a tenu à ce que nous regardions tous les soirs les auditions sénatoriales du Watergate, qu'elle agrémentait de ses propres commentaires sans discontinuer (« À quoi tu veux t'attendre de la part d'un maccarthyste ? »).

Du reste, elle ne s'intéressait pas qu'aux gros titres de l'actualité. Un jour, ayant appris que je faisais partie d'une petite bande qui malmenait un gamin à l'école, elle m'a fait asseoir devant elle, les lèvres pincées, l'air consternée.

« Tu sais, Barry, m'a-t-elle dit (c'était le surnom que me donnaient mes grands-parents et elle quand j'étais petit, souvent abrégé en "Bar", mais prononcé "*Bear*"), il y a des gens dans la vie qui ne pensent qu'à eux. Ils se fichent de ce qui arrive aux autres, du moment qu'ils obtiennent ce qu'ils veulent. Ils rabaissent les autres pour se sentir importants.

« Et puis il y a des gens qui font l'inverse, qui sont capables de se mettre à la place des autres et qui veillent à ne jamais se comporter d'une façon qui pourrait leur faire du mal.

« Alors, a-t-elle conclu en me regardant droit dans les yeux. Quel genre de personne veux-tu être ? »

J'étais mortifié. Sa question m'a travaillé pendant longtemps – et c'était précisément son but.

Pour ma mère, le monde offrait sans cesse des occasions de parfaire son instruction morale. Mais jamais, à ma connaissance, elle ne s'est impliquée dans une campagne politique. Comme mes grands-parents, les professions de foi, les doctrines et les grandes déclarations ne lui inspiraient que de la méfiance, et elle préférait exprimer ses valeurs dans un cadre plus modeste. « Le monde est compliqué, Bar. C'est pour ça qu'il est intéressant. » Affligée par la guerre en Asie du Sud-Est, elle finirait par passer la majeure partie de son existence là-bas, s'imprégnant de la langue et de la culture, montant des projets de microfinance pour les plus défavorisés longtemps avant que la tendance du microcrédit ne s'impose dans les politiques de développement international. Horrifiée par le racisme, elle épouserait non pas une mais deux fois un homme d'une origine ethnique différente de la sienne, et prodiguerait toute sa vie une affection sans bornes à ses deux enfants métis. Révoltée par le carcan dans lequel la société enfermait les femmes, elle divorça de ses deux maris dès lors qu'ils tentèrent de lui imposer leur autorité ou qu'ils déçurent ses attentes, décida de bâtir seule la carrière professionnelle de son choix, d'élever ses enfants selon ses propres principes d'éducation – bref, d'agir comme bon lui semblait sans rien demander à personne.

Dans le monde tel que le concevait ma mère, « le privé est politique » n'était pas un vain mot – même si elle n'était pas du genre à brandir ce type de slogans.

Ce qui ne veut pas dire qu'elle manquait d'ambitions pour son fils. En dépit de leurs difficultés financières, mes grands-parents et elle m'envoyèrent à Punahou, la meilleure école privée de Hawaï. L'idée que je ne fasse pas d'études supérieures n'était même pas envisageable. Mais personne dans ma famille n'aurait jamais imaginé que je sois élu un jour à des fonctions officielles. Si l'on avait interrogé ma mère à ce sujet, elle aurait pu concevoir à la rigueur que je finisse à la tête d'une grande institution philanthropique comme la Fondation Ford. Mes grands-parents, eux, auraient adoré me voir devenir juge, ou ténor du barreau comme le héros de la série *Perry Mason*.

« Une langue bien pendue comme ça, autant que ça serve à quelque chose », disait Gramps.

Comme je ne connaissais pas mon père, son avis sur la question comptait peu. Je savais vaguement qu'il avait travaillé pour le gouvernement kenyan pendant un temps et, quand j'avais 10 ans, il était venu du Kenya passer un mois avec nous à Honolulu. Ce fut la première et la dernière fois que je le vis ; par la suite, j'eus sporadiquement de ses nouvelles par les lettres qu'il m'écrivait sur ces fines feuilles pré-pliées de papier bleu de la poste aérienne qu'on pouvait adresser et cacheter sans les glisser dans une enveloppe. « Ta mère m'a dit que tu envisageais de faire des études d'architecture, m'écrivait-il par exemple. Je trouve que c'est un métier qui a une vraie dimension pratique, et qu'on peut exercer n'importe où dans le monde. »

Avec ça, je n'étais guère avancé.

Quant à tous les autres, au-delà de la sphère familiale – eh bien, le visage que je leur montrerais pendant la majeure partie de mon adolescence n'était pas celui d'un grand homme d'État en herbe, mais plutôt celui d'un étudiant nonchalant, d'un joueur de basket à peu près aussi passionné que dépourvu de talent et d'un noceur impénitent, toujours prêt à faire la fête. Militer dans une association étudiante, intégrer les Eagle Scouts ou décrocher un stage au cabinet du député local – très peu pour moi. Durant toutes mes années de lycée, mes amis et moi n'avons guère discuté d'autre chose que de sport, de filles, de musique et de combines pour se mettre la tête à l'envers.

Trois d'entre eux – Bobby Titcomb, Greg Orme et Mike Ramos – sont restés parmi mes amis les plus proches. Aujourd'hui encore, il peut nous arriver de pleurer de rire pendant des heures en évoquant certaines anecdotes de notre jeunesse dissolue. Quelques années plus tard, ils s'investiraient corps et âme dans mes campagnes, avec une loyauté dont je leur serai éternellement reconnaissant, s'évertuant à défendre mon bilan avec autant de verve que n'importe quel chroniqueur de la chaîne d'information MSNBC.

Mais à certains moments, au cours de mes deux mandats présidentiels – quand ils me voyaient m'adresser à une foule immense, par exemple, ou passer en revue de jeunes Marines au garde-à-vous sur une base militaire –, je lisais aussi sur leur visage une certaine stupéfaction, comme s'ils avaient du mal à croire que cet homme grisonnant en costume-cravate était bien le même que l'ado mal dégrossi qu'ils avaient connu autrefois.

Lui ? Mais comment un truc pareil a-t-il pu arriver ? devaient-ils se dire.

Et si mes amis avaient eu l'idée un jour de me poser directement la question, je ne suis pas certain que j'aurais su quoi leur répondre.

CE QUE JE SAIS en revanche, c'est qu'à un moment, pendant ces années de lycée, j'ai commencé à me poser certaines questions – à propos de l'absence de mon père et des choix de ma mère ; à propos des raisons pour lesquelles je vivais dans un endroit où si peu de gens me ressemblaient. Bon nombre de ces interrogations avaient trait à la question raciale : pourquoi y avait-il tant de Noirs dans les équipes de basket professionnel, mais aucun au poste d'entraîneur ? Qu'avait voulu dire cette fille de ma classe en affirmant que, lorsqu'elle pensait à moi, ce n'était pas en tant que Noir ? Pourquoi est-ce que tous les Noirs dans les films d'action étaient des mabouls qui dégainaient leur cran d'arrêt à tout bout de champ, à une exception près – le coéquipier sympa, bien sûr, qui se faisait toujours tuer à la fin ?

Mais ce n'était pas le seul sujet qui me préoccupait. Il y avait aussi la question de la classe sociale. En Indonésie, pendant mon enfance, j'avais pu constater qu'il existait un fossé béant entre les élites fortunées et les masses défavorisées. J'avais pris conscience des tensions tribales qui agitaient le pays de mon père – la haine qui pouvait exister entre ceux qui semblaient les mêmes en apparence. Jour après jour, je prenais la mesure des conditions de vie étriquées de mes grands-parents, des déceptions dont ils se consolaient en regardant la télé, en buvant, en achetant de temps à autre un nouvel appareil électroménager ou en remplaçant leur voiture. J'avais remarqué que ma mère avait acquis sa liberté intellectuelle au prix de difficultés financières chroniques et d'une situation personnelle parfois chaotique, et j'ai commencé à comprendre les différences hiérarchiques, pas très subtiles au demeurant, entre mes camarades de classe, qui tenaient pour l'essentiel au niveau de richesse de leurs parents. Et puis j'étais assez troublé de voir que, quoi qu'en dise ma mère, les tyrans, les hypocrites et les prétentieux paraissaient très bien s'en sortir, tandis que tous ceux qu'elle tenait pour des gens aimables et honnêtes semblaient toujours finir par se faire avoir.

Bref, j'étais tiraillé. C'était comme si, en raison de la singularité de mon ascendance, des différents univers entre lesquels je naviguais, j'étais de partout et nulle part à la fois, un assemblage de qualités hétéroclites et mal assorties, comme un ornithorynque ou je ne sais quelle créature imaginaire, confiné dans un habitat fragile, incertain de la place que j'occupais dans le monde. Et j'avais l'intuition, sans véritablement comprendre pourquoi ni comment, qu'à moins de donner à mon existence la cohérence dont elle manquait, et un cap solide par rapport auquel me situer, je risquais tout simplement de passer le reste de ma vie dans la plus grande solitude.

Je ne parlais à personne de ces réflexions, et surtout pas à mes amis ou à ma famille. Je ne voulais pas leur faire de la peine ou paraître plus singulier encore que je ne l'étais déjà. En revanche, je trouvais toujours du réconfort dans les livres. La passion de la lecture, je la dois à ma mère, qui m'en a inoculé le virus dès l'enfance – c'était la parade à laquelle elle recourait chaque fois que je me plaignais de m'ennuyer, à l'époque où elle n'avait pas les moyens de m'envoyer au lycée international en Indonésie, ou quand elle devait m'emmener avec elle au bureau parce qu'elle n'avait pas de baby-sitter.

« Prends un livre, me disait-elle. Lis-le et reviens ensuite me raconter ce que tu as appris. »

J'ai vécu pendant quelques années avec mes grands-parents à Hawaï tandis que ma mère, restée en Indonésie, travaillait et s'occupait de ma petite sœur, Maya. En son absence, affranchi du feu roulant de ses remarques continuelles, je n'ai plus appris grand-chose, comme l'attestaient clairement mes résultats scolaires. Mais, à partir de la seconde, les choses ont soudain changé. Je me revois encore aller avec mes grands-parents à une vente de charité à l'église Central Union, juste en face de chez nous, et m'arrêter devant une caisse remplie de vieux bouquins. Sans trop savoir pourquoi, je me suis mis à en sortir quelques-uns, dont le titre me plaisait ou me disait vaguement quelque chose – des ouvrages de Ralph Ellison et Langston Hughes, Robert Penn Warren et Dostoïevski, D. H. Lawrence et Ralph Waldo Emerson. Gramps, qui lorgnait de son côté sur un set de clubs de golf, a froncé les sourcils en me voyant rappliquer avec mon carton de livres.

« Tu comptes ouvrir une bibliothèque ? »

Ma grand-mère lui a fait les gros yeux, enchantée par mon intérêt soudain pour la littérature. Toujours aussi pragmatique, elle m'a néanmoins suggéré de me concentrer d'abord sur mes devoirs avant de m'attaquer à *Crime et Châtiment*.

J'ai fini par tous les lire, ces livres, parfois tard le soir, en rentrant de l'entraînement de basket et d'un rendez-vous entre copains autour d'un pack de bières, parfois après une séance de bodysurf le samedi après-midi, installé dans la vieille Ford Granada déglinguée de Gramps, seul, une serviette enroulée autour de la taille pour ne pas mouiller les sièges. Quand je suis arrivé au bout du premier carton, je suis reparti écumer les vide-greniers pour en trouver d'autres. Souvent, je ne comprenais que de manière très approximative ce que je lisais, et j'avais pris l'habitude d'entourer les mots dont j'ignorais le sens pour en chercher la définition dans le dictionnaire ; je ne me donnais pas autant de mal, en revanche, pour percer à jour les questions de prononciation – jusqu'à mes 20 ans et même plus tard, je connaissais la signification de certains mots que je ne savais pas prononcer. J'avançais sans aucune méthode, sans rime ni raison. J'étais comme un jeune apprenti bricoleur qui ramasse tout ce qui lui tombe sous la main dans le garage de ses parents, de vieux tubes cathodiques, un boulon par-ci, un morceau de câble par-là, sans trop savoir ce que j'allais bien pouvoir faire de tout ça, mais convaincu que j'en aurais un jour l'usage, dès que j'aurais découvert ma vocation.

MON GOÛT POUR LA LECTURE explique sans doute non seulement que j'aie réussi à survivre au lycée, mais que j'aie pu me prévaloir, quand je suis entré à l'Occidental College de Los Angeles en 1979, de posséder une culture politique correcte, quoique limitée, ainsi que toute une théorie d'opinions plus ou moins bien affirmées que je débitais à la cantonade lors des joutes verbales qui animaient la résidence universitaire jusque tard dans la nuit.

Je reconnais aujourd'hui, non sans un certain embarras, que ma curiosité intellectuelle, pendant ces deux premières années de fac, était en grande partie influencée par les centres d'intérêt des diverses jeunes filles auxquelles je m'intéressais : Marx et Marcuse, afin de pouvoir entamer la discussion avec la jolie militante de gauche aux jambes interminables qui vivait dans la même résidence que moi ; Frantz Fanon et la poétesse Gwendolyn Brooks, pour les beaux yeux de l'étudiante en sociologie qui ne daignait jamais m'accorder un regard ; Michel Foucault et Virginia Woolf, pour l'évanescente jeune fille bisexuelle toujours habillée en noir. Comme arme de séduction auprès des filles, mon pseudo-intellectualisme se révélait d'une inefficacité à peu près totale ; je n'arrivais à nouer que des amitiés, certes pleines de tendresse, mais d'une chasteté désespérante.

Ces efforts acharnés ne furent toutefois pas en pure perte : une ébauche de vision du monde commença à prendre forme dans mon esprit, que m'aidèrent à développer les rares professeurs qui toléraient mon attitude légèrement désinvolte en classe et mes affectations juvéniles. Quelques-uns de mes condisciples, plus âgés que moi pour la plupart, me furent d'une aide encore plus précieuse – des Noirs issus des quartiers urbains défavorisés, des Blancs originaires de petites bourgades qui avaient sué sang et eau pour entrer à l'université, des gamins latinos de la première génération, des étudiants étrangers venus du Pakistan, d'Inde ou de pays africains vacillant au bord du chaos. Ces gens-là savaient ce qui importait à leurs yeux ; quand ils prenaient la parole en classe, les opinions qu'ils exprimaient étaient fondées sur leur connaissance intime de telle ou telle communauté, sur une expérience concrète des difficultés de la vie. *Voilà comment se traduisent ces restrictions budgétaires dans mon quartier. Attends, je vais te raconter comment ça se passait dans mon école, et ensuite on en reparle, de ce qui te choque dans la discrimination positive. C'est bien beau, le Premier amendement, mais pourquoi le gouvernement américain ne dit-il rien sur la question des prisonniers politiques dans mon pays ?*

Les deux années que j'ai passées à Occidental ont marqué les débuts de mon éveil politique. Cela ne voulait pas dire pour autant que je croyais à la politique. À quelques exceptions près, tout ce que j'observais du spectacle offert par les responsables politiques à la télévision me semblait douteux : les brushings, les sourires carnassiers, les discours convenus et l'auto-promo permanente tandis qu'en coulisses ils se disputaient les faveurs des grandes entreprises et autres groupes d'intérêts financiers. Ce n'étaient que des pions dans un jeu truqué, décrétai-je, et je n'avais aucune envie de prendre part à ce genre de mascarade.

Je commençais cependant à m'intéresser à une autre forme d'action, d'une portée plus large et d'une nature moins conventionnelle – non pas les campagnes politiques, mais les mouvements sociaux, qui rassemblaient des gens ordinaires ayant en commun la volonté de faire bouger les choses. Je me suis penché sur l'histoire des suffragistes et des premières organisations syndicales ; sur Gandhi, Lech Walesa et le Congrès national africain. Les personnages qui m'inspiraient le plus étaient les jeunes figures de proue du mouvement des droits civiques – pas seulement Martin Luther King, mais aussi John Lewis et Bob Moses, Fannie Lou Hamer et Diane Nash. Leurs actions héroïques – le porte-à-porte pour inscrire les gens sur les listes électorales, les *sit-in* au comptoir des restaurants, les marches au rythme des *freedom songs* – me laissaient entrevoir la possibilité de mettre en pratique les valeurs que m'avait transmises ma mère, d'exercer le pouvoir en tirant les gens vers le haut plutôt qu'en les écrasant. Voilà à quoi ressemblait la vraie démocratie à l'œuvre – non pas la démocratie entendue comme un cadeau tombé du ciel, ni comme un butin à se répartir entre groupes d'intérêts, mais une démocratie du mérite, fruit du travail de chacun. Il en résultait non seulement un changement dans les conditions de vie matérielles, mais aussi un sentiment accru de dignité chez les individus et au sein des communautés, un lien entre des gens qu'hier encore tout semblait séparer.

Voilà, décidai-je, un idéal qui valait la peine d'être poursuivi. Il fallait simplement que je puisse me tenir à cet objectif. À la fin de ma deuxième année, j'ai donc changé d'université pour m'inscrire à Columbia, une façon pour moi, me disais-je, de prendre un nouveau départ. Pendant les trois années que j'ai passées à New York, terré dans une série d'appartements décrépits, ayant plus ou moins coupé les ponts avec mes anciennes fréquentations et renoncé à mes mauvaises habitudes, j'ai vécu comme un moine – je lisais, j'écrivais, je rédigeais fiévreusement mon journal, sans presque jamais aller à des fêtes d'étudiants ni même manger un repas chaud. Je me perdais dans des réflexions sans fin, préoccupé par des questions qui s'enchaînaient les unes aux autres. Pour quelle raison certains mouvements réussissaient-ils là où d'autres échouaient ? Lorsque la politique conventionnelle reprenait à son compte certaines revendications, était-ce un succès pour ceux qui les avaient défendues, ou cela voulait-il dire que leur cause avait été détournée ? Jusqu'où était-il acceptable de faire des compromis, à quel moment était-ce le signe qu'on avait vendu son âme, et comment faire la différence ?

Oh, quel jeune homme sérieux je faisais – quelle ardeur, et quel manque d'humour ! Quand je relis mon journal de ces années-là, j'éprouve une immense tendresse à l'égard de ce jeune homme qui brûlait de laisser sa marque sur le monde, qui voulait prendre part à quelque chose de grandiose et d'idéaliste, quelque chose qui à l'évidence n'existait pas. C'était l'Amérique du début des années 1980, après tout. Les mouvements sociaux de la décennie précédente avaient perdu leur flamme. Un nouveau conservatisme s'était imposé. Ronald Reagan était président ; l'économie, en récession ; la guerre froide battait son plein.

Si je pouvais remonter dans le temps, je conseillerais sans doute à ce jeune homme de laisser ses livres de côté pendant un moment et d'ouvrir les fenêtres pour laisser entrer un peu d'air frais (à cette époque, je fumais encore comme un pompier). Je lui dirais de prendre du recul, de sortir, de voir des gens et de profiter des plaisirs que la vie réserve à la jeunesse. Les quelques amis que j'avais à New York me donnaient des conseils similaires.

« Il faut que tu te détendes, Barack. »

« Il faut que tu tires un coup. »

« Tu es tellement idéaliste. C'est génial, mais je ne sais pas si tout ce que tu racontes est réellement possible. »

Je résistais à ces voix. Je leur résistais précisément parce que je craignais qu'elles n'aient raison. Quel que soit le grand projet qui bouillonnait en moi pendant ces longues heures de solitude, quel que soit ce monde meilleur dont la vision incubait et s'épanouissait dans la serre de mon esprit juvénile, rien de tout cela ne tenait vraiment la route et ces belles idées s'effondraient dès qu'elles étaient mises à l'épreuve.

Dans la lumière grise de l'hiver new-yorkais et au regard du cynisme triomphant de l'époque, les opinions que je proférais en classe ou au café avec des amis paraissaient saugrenues et alambiquées. Et je le savais très bien. C'est d'ailleurs cela, en grande partie, qui m'a permis de ne pas devenir un parfait hurluberlu avant même d'avoir soufflé mes vingt-deux bougies ; au fond, je comprenais à quel point ma vision du monde était absurde, à quel point mes grandes ambitions étaient déconnectées de mon expérience réelle de la vie. J'étais comme Walter Mitty dans la nouvelle de James Thurber : un doux rêveur ; un Don Quichotte qui n'aurait pas eu de Sancho Panza à ses côtés.

De tout cela aussi, mon journal a conservé la trace, déroulant une chronique assez fidèle de mes travers. Mon penchant pour le nombrilisme plutôt que l'action. Une certaine réserve, voire une franche timidité, imputable à mon éducation hawaïenne et indonésienne, peut-être, mais due aussi à une profonde inhibition. La crainte d'être rejeté ou de passer pour un idiot. Peut-être même une nature foncièrement paresseuse.

J'ai alors résolu de me débarrasser de ces faiblesses en m'astreignant à un régime disciplinaire que je n'ai jamais complètement cessé d'observer. (Michelle et les filles me font remarquer, aujourd'hui encore, que je ne peux pas mettre un orteil dans une piscine ou dans l'océan sans me sentir obligé de faire des longueurs. « Tu ne pourrais pas te contenter de barboter ? me demandent-elles d'un ton moqueur. C'est chouette, tu sais… Viens, on va te montrer comment faire. ») Je dressais des listes. J'ai commencé à faire de l'exercice, à courir autour du réservoir de Central Park ou sur les berges de l'East River, et à carburer au thon en conserve et aux œufs durs. Je me suis délesté de tout bagage inutile – qui a besoin de plus de cinq chemises dans son placard ?

En vue de quelle grande épreuve m'entraînais-je ? Je sais en tout cas que je n'étais pas prêt. Mes doutes, mon incertitude m'interdisaient de me fier trop hâtivement aux réponses faciles. J'ai pris l'habitude systématique de remettre en question mes propres idées, et je crois que cela m'a servi, en fin de compte, non seulement parce que cela m'a empêché de devenir insupportable, mais parce que cela m'a vacciné contre les formules révolutionnaires toutes faites que brandissaient beaucoup de gens à gauche à l'aube de l'ère Reagan.

C'était incontestablement le cas pour ce qui était des questions raciales. Je n'ai pas été épargné à titre personnel par les attaques racistes, et les traces durables de la période de l'esclavage et des lois Jim Crow, régissant la ségrégation raciale, me sautaient aux yeux chaque fois que je marchais dans les rues de Harlem ou de certains quartiers du Bronx. Mais ma propre expérience m'a appris à ne pas me réfugier trop vite derrière le statut revendiqué de victime et à me méfier de l'idée selon laquelle, comme j'entendais beaucoup de Noirs l'affirmer dans mon entourage, les Blancs étaient tous d'un racisme irrémédiable.

J'avais la conviction au contraire que le racisme n'était pas quelque chose d'inévitable, et c'était sans doute aussi l'une des raisons pour lesquelles j'avais tellement à cœur de défendre cette grande idée qu'était l'Amérique : ce qu'était notre pays, et ce qu'il pouvait devenir.

Ma mère et mes grands-parents n'avaient jamais eu le patriotisme très démonstratif. Réciter le serment d'allégeance à l'école, agiter de petits drapeaux lors de la fête nationale le 4 juillet – ce genre de gestes étaient à leurs yeux de sympathiques rituels, pas des devoirs sacrés (leur attitude vis-à-vis des fêtes de Pâques et de Noël était d'ailleurs à peu près similaire). Même les faits d'armes de Gramps pendant la Seconde Guerre mondiale étaient plus ou moins passés sous silence ; il m'a plus parlé des rations K qu'on leur donnait à manger – « Atroce ! » – que du sentiment glorieux qu'il avait pu éprouver à défiler dans les rangs de l'armée de Patton.

Et pourtant, la fierté d'être américain, l'idée que l'Amérique était le plus grand pays au monde, n'étaient jamais remises en cause – ça allait de soi. Quand j'étais jeune, les ouvrages qui rejetaient la notion d'exceptionnalisme américain m'exaspéraient ; je me lançais dans d'interminables débats avec ceux de mes amis pour qui l'hégémonie américaine était à l'origine du malheur des peuples opprimés du monde entier. J'avais vécu à l'étranger ; j'en savais trop. Que l'Amérique échoue constamment à se montrer à la hauteur de ses idéaux, je le concédais volontiers. L'histoire américaine telle qu'on l'enseignait à l'école, dans une version qui n'évoquait qu'en passant l'esclavage et ne disait presque pas un mot du massacre des peuples amérindiens – tout cela, je ne le cautionnais pas. Les errements du pouvoir militaire, la rapacité des multinationales – ça va, c'est bon, j'étais au courant.

Mais l'idée de l'Amérique, la promesse de l'Amérique : ça, je m'y accrochais avec une obstination qui me surprenait moi-même. « Nous tenons pour évidentes pour elles-mêmes les vérités suivantes : tous les hommes sont créés égaux » – voilà l'Amérique telle que je la concevais. L'Amérique de la Déclaration d'indépendance, de Tocqueville, le pays de Whitman et de Thoreau, où nul ne m'était inférieur ou supérieur ; l'Amérique des pionniers qui étaient partis vers l'Ouest en quête d'une vie meilleure ou des immigrés qui avaient débarqué à Ellis Island, poussés par la soif de la liberté.

C'était l'Amérique de Thomas Edison et des frères Wright qui avaient donné des ailes aux rêves des hommes, l'Amérique des exploits de Jackie Robinson sur le marbre des terrains de baseball. C'était Chuck Berry et Bob Dylan, Billie Holiday au Village Vanguard et Johnny Cash à la prison d'État de Folsom – tous ces marginaux qui s'étaient emparés des rebuts ignorés ou négligés par les autres pour en faire des œuvres d'une beauté inouïe.

C'était l'Amérique de Lincoln à Gettysburg, du centre d'œuvres sociales de la militante des droits des femmes Jane Addams à Chicago, des GI épuisés sur les plages de Normandie et de Martin Luther King appelant la nation tout entière, et lui le premier, à s'armer de courage.

C'était la Constitution et le Bill of Rights, rédigés par des penseurs brillants, même s'ils n'étaient pas sans défauts, qui avaient su fonder sur la raison un système à la fois solide et souple, ouvert aux changements.

Une Amérique qui pouvait expliquer l'individu que j'étais.

« C'est ça, continue de rêver, Barack. » Voilà comment se terminaient en général mes grandes discussions avec mes camarades, l'un de ces salopards se fendant alors d'un petit sourire satisfait en me mettant sous le nez la une du journal qui annonçait à grand bruit l'invasion de la Grenade par les États-Unis, des coupes dans le budget des cantines scolaires ou toute autre nouvelle décourageante. « Désolé, mais c'est ça, ton Amérique. »

Voilà où j'en étais au moment de quitter l'université en 1983, diplôme en poche : de grandes idées et nulle part où aller. Aucun mouvement auquel se joindre, aucun leader désintéressé à suivre. Le projet qui se rapprochait le plus de ce que j'avais en tête était une initiative appelée l'« organisation de communauté » – un travail associatif, sur le terrain, consistant à mobiliser des citoyens ordinaires autour de certains sujets à l'échelle locale. Après avoir papillonné d'un job à un autre à New York sans jamais trouver ce qui me correspondait, j'ai entendu parler d'un poste à Chicago, au sein d'une association d'églises qui s'étaient regroupées pour essayer de maintenir à flot des populations ravagées à la suite de la fermeture des aciéries. Rien de très spectaculaire, mais ce serait un début.

J'ai déjà raconté ailleurs cette expérience. Les victoires étaient bien maigres et éphémères, dans ces quartiers ouvriers majoritairement noirs où je passais mon temps ; l'organisation pour laquelle je travaillais ne faisait guère le poids face aux changements qui bouleversaient le paysage urbain, non seulement à Chicago mais partout ailleurs aux États-Unis – le déclin de l'industrie, l'exode des populations blanches loin des centres-villes, la paupérisation de toute une frange de la population, silencieuse et isolée, tandis que l'apparition d'une nouvelle classe éduquée accentuait le phénomène de gentrification dans certains quartiers.

Si les actions que j'ai pu mener à Chicago n'ont eu que peu d'impact, cette ville en a eu un décisif, en revanche, sur mon parcours.

Elle m'a permis tout d'abord de reprendre pied dans le monde réel. Il me fallait désormais être à l'écoute des problèmes des gens au lieu de broder des théories. Je devais demander à des inconnus de se joindre à moi et de collaborer sur des projets concrets – réhabiliter un parc, désamianter des logements sociaux ou monter un programme de cours du soir. J'ai connu des échecs et j'ai appris à me retrousser les manches afin de mobiliser tous ceux qui avaient placé leur confiance en moi. J'ai essuyé suffisamment de brimades et d'insultes pour ne plus en avoir peur.

Autrement dit, j'ai grandi – et j'ai retrouvé mon sens de l'humour.

J'ai fini par m'attacher aux hommes et aux femmes avec qui je travaillais : la mère célibataire qui vivait dans un quartier dévasté et qui s'était pourtant débrouillée, Dieu sait comment, pour envoyer ses quatre enfants à l'université ; le prêtre irlandais qui ouvrait grand les portes de son église tous les soirs afin que les gamins du coin aient une autre option que de traîner avec les gangs ; le sidérurgiste au chômage qui reprenait ses études pour devenir travailleur social. Les épreuves que toutes ces personnes avaient traversées et leurs modestes triomphes ne cessaient de me conforter dans l'idée que les gens étaient foncièrement bons et honnêtes. Grâce à eux, j'ai vu à quelles transformations on pouvait aboutir quand les citoyens demandaient à leurs dirigeants et aux institutions de leur rendre des comptes, même sur les questions les plus triviales, par exemple pour réclamer l'installation d'un panneau stop à un carrefour très passant ou des patrouilles de police plus fréquentes. J'ai remarqué que les gens se tenaient soudain un peu plus droit, qu'ils avaient d'eux-mêmes une image différente, quand ils s'apercevaient que leur voix ne comptait pas pour rien.

Grâce à eux, j'ai pu résoudre les questions qui me taraudaient à propos de ma propre identité raciale. Car je me suis rendu compte qu'il n'existait pas une seule et unique façon d'être noir ; essayer d'être un type bien était déjà suffisant.

Grâce à eux, j'ai découvert une communauté de croyances – j'ai compris qu'on avait le droit de douter, de remettre en cause, sans pour autant cesser d'aspirer à de meilleurs lendemains.

Et comme j'entendais, dans les salles en sous-sol des églises ou sur les vérandas, exalter ces mêmes valeurs – l'honnêteté, le travail, la compassion – que m'avaient inculquées ma mère et mes grands-parents, j'en suis venu à croire en la force du lien commun qui unissait les gens.

Je ne peux pas m'empêcher de me demander parfois ce que je serais devenu si j'avais continué à travailler dans l'action sociale, ou dans une activité de ce genre. J'aurais peut-être réussi, à l'instar des nombreux héros du quotidien que j'ai eu l'occasion de côtoyer au fil de ces années sur le terrain, à monter une institution capable de redonner ses couleurs à un quartier ou à une partie de la ville. Ancré dans une communauté, j'aurais pu soulever suffisamment de fonds et d'imaginations pour changer non pas le monde mais un lieu bien précis, un seul, ou l'existence d'une poignée de gamins, en faisant un travail susceptible d'avoir un impact réel et quantifiable sur la vie d'un groupe de voisins et d'amis.

Mais je ne suis pas resté. Je suis parti étudier le droit à Harvard. Et c'est ici que l'histoire devient plus trouble dans mon esprit, mes motivations sujettes à interprétation.

JE ME SUIS DIT ALORS – comme j'aime à le croire aujourd'hui encore – que j'avais lâché le monde associatif parce que le travail que j'y faisais était trop lent à mes yeux, trop limité, inapte à répondre aux attentes des gens à qui je voulais venir en aide. Un centre de formation local ne pouvait pas soulager les milliers de personnes qui avaient perdu leur emploi à cause de la fermeture d'une aciérie. Quelques cours du soir ne pouvaient pas compenser le déficit chronique des fonds alloués aux écoles de quartier, ou changer la donne pour des enfants qui se retrouvaient à la charge de leurs grands-parents parce que leur mère et leur père étaient tous deux derrière les barreaux. Quel que soit le problème, nous avions l'impression de nous heurter systématiquement à quelqu'un – un homme politique, un fonctionnaire, un lointain PDG – qui avait le pouvoir d'améliorer les choses, mais ne le faisait pas. Et quand nous réussissions à obtenir des concessions, celles-ci se révélaient souvent insuffisantes et arrivaient trop tard. Le pouvoir d'établir des budgets et une politique d'action globale, voilà ce dont nous avions besoin, et ce pouvoir, ce n'était pas ici qu'il fallait le chercher.

Par ailleurs, j'avais pris conscience que, deux ans avant que je m'y installe, il s'était bel et bien produit une amorce de changement à Chicago, un changement à la fois social et politique – un mouvement profond et rapide dont je n'avais pas su saisir l'ampleur sur le moment parce qu'il n'entrait pas dans le cadre de mes théories. C'était le mouvement qui avait permis à Harold Washington de devenir le premier maire noir de la ville.

Ce phénomène semblait avoir jailli de nulle part, adossé à la campagne la plus locale qu'on ait jamais connue dans toute l'histoire de la politique moderne. Un petit groupe de militants et de chefs d'entreprise noirs, fatigués de se retrouver constamment en butte aux préjugés et aux inégalités dans la ville la plus ségréguée des États-Unis, s'étaient démenés pour faire inscrire un nombre record de citoyens sur les listes électorales, et avaient convaincu un député au physique corpulent, dont le talent était aussi prodigieux que son ambition était limitée, de briguer un poste qui semblait totalement inaccessible.

Personne n'aurait parié sur lui ; Harold lui-même était sceptique. La campagne s'était appuyée essentiellement sur le bouche-à-oreille, menée par une équipe composée en grande partie de bénévoles inexpérimentés. Et puis le miracle avait eu lieu, comme une espèce de combustion spontanée. Des gens qui ne s'étaient jamais intéressés à la politique, des gens qui de toute leur vie n'avaient jamais glissé le moindre bulletin dans l'urne, s'étaient ralliés à la cause. Même les retraités et les écoliers s'étaient mis à arborer le badge bleu de soutien au candidat. Un soulèvement collectif contre les injustices et les humiliations qui n'avaient cessé de s'accumuler – toutes ces interpellations abusives et tous ces manuels scolaires de seconde main ; toutes les fois où les Noirs passaient devant un gymnase municipal du quartier résidentiel de North Side et remarquaient à quel point il était mieux que celui de leur quartier ; toutes les fois où ils s'étaient vu refuser une promotion ou un emprunt bancaire – avait emporté la mairie comme une tornade.

À l'époque où je suis arrivé à Chicago, Harold en était à la moitié de son premier mandat. Le conseil municipal, hier encore une institution fantoche qui ne servait qu'à entériner les décisions de l'ancien maire, Richard J. « Old Man » Daley, voyait s'opposer deux camps, séparés par une ligne de fracture raciale, une majorité de conseillers blancs faisant obstacle à toutes les réformes proposées par Harold. Ce dernier s'efforçait tant bien que mal de les amadouer et de trouver des compromis, mais ils refusaient de bouger d'un pouce. Cela donnait lieu à des empoignades formidablement télégéniques, sauvages et sans pitié, mais limitait aussi la capacité de Harold à tenir les engagements qu'il avait pris auprès de ses électeurs. Il fallut attendre qu'un tribunal fédéral ordonne le redécoupage d'une carte électorale jusqu'alors biaisée par les inégalités raciales pour que Harold puisse enfin obtenir la majorité au conseil municipal et sortir de l'impasse. Mais, avant qu'il ait eu le temps de mettre en œuvre les changements qu'il avait promis, il succomba à un infarctus, et c'est un héritier de l'ordre ancien, Richard M. Daley, qui finit par reconquérir le trône de son père.

Sans être au cœur de l'action, j'avais suivi tous les épisodes du drame et tenté d'en retenir les leçons. Cela m'avait permis de me rendre compte qu'un mouvement politique, même animé par la plus formidable énergie, n'était pas viable à terme s'il ne s'appuyait pas sur une structure, une organisation et certaines compétences dans la conduite gouvernementale ; qu'une campagne fondée sur la lutte contre les inégalités raciales, si honorable soit-elle, suscitait l'inquiétude et des réactions violentes, et finissait ainsi par entraver toute possibilité de progrès. Et, en voyant avec quelle rapidité la coalition qui s'était formée autour de Harold s'était désagrégée au lendemain de sa mort, j'avais compris à quel point il est hasardeux de s'en remettre à un seul et unique leader charismatique pour faire advenir le changement.

Et pourtant, quelle énergie déployée pendant ces cinq années ! Malgré les obstacles, Chicago avait bel et bien changé pendant le mandat de Harold. Les services municipaux, de l'élagage des arbres au déblayage de la neige en passant par les travaux de voirie, étaient désormais mieux répartis dans l'ensemble de la ville. De nouvelles écoles avaient ouvert dans les quartiers pauvres. L'accession aux postes de la fonction publique n'était plus seulement une affaire de clientélisme, et l'on commençait enfin à se préoccuper de l'absence de diversité au sein des entreprises.

Mais, surtout, Harold avait donné de l'espoir aux gens. La façon dont les Noirs de Chicago parlaient de lui durant ces années-là n'était pas sans rappeler la façon dont une certaine génération de progressistes blancs évoquaient Bobby Kennedy – ce qui importait à leurs yeux, ce n'était pas tant ce qu'il faisait que le sentiment qu'il vous donnait. Le sentiment que tout était possible. Que vous pouviez changer le monde.

En ce qui me concerne, grâce à lui, une graine avait été semée. Pour la première fois, je me disais qu'un jour je briguerais un poste dans la fonction publique. (Je n'étais pas le seul que l'exemple de Harold ait inspiré – c'est au lendemain de son élection que Jesse Jackson annonça sa candidature à la présidence.) N'était-ce pas là que l'énergie du mouvement pour les droits civiques s'était déportée – dans la politique électorale ? Certains de ses plus illustres représentants, comme John Lewis, Andrew Young ou Julian Bond, ne s'étaient-ils pas présentés eux aussi devant les suffrages des citoyens, à présent convaincus que c'était dans cette arène-là qu'ils pourraient faire la différence ? Je savais que les pièges étaient nombreux – les compromis, la course perpétuelle aux financements, le risque de perdre de vue ses idéaux en cours de route, et la recherche effrénée de la victoire à tout prix.

Mais il y avait peut-être une autre façon de s'y prendre. Peut-être était-il possible de soulever la même énergie, de donner aux gens le même sentiment d'avoir une raison d'être, pas seulement au sein de la communauté noire, mais au-delà des lignes de division raciale. Peut-être, avec suffisamment de préparation, de connaissance des rouages de la politique et de compétence dans la gestion d'équipe, était-il possible de ne pas commettre les mêmes erreurs que Harold. Peut-être était-il possible d'appliquer les principes de l'action associative non seulement à la conduite d'une campagne, mais à l'exercice du pouvoir – d'encourager la participation active et l'initiative des citoyens parmi ceux qu'on avait laissés sur la touche, et de leur apprendre non pas simplement à faire confiance à leurs dirigeants élus, mais à se faire confiance entre eux, et à avoir confiance en eux-mêmes.

Voilà ce que je me disais. Mais ça ne s'arrêtait pas là. J'étais également en proie à des questionnements d'une portée plus personnelle, concernant mes propres ambitions. J'avais beau avoir énormément appris de mon travail sur le terrain à Chicago, je ne pouvais pas me prévaloir de grand-chose en termes de résultats concrets. Même ma mère, elle qui avait toujours marché au son d'un autre tambour que celui de l'ordre établi, s'inquiétait pour moi.

« Je ne sais pas, Bar, m'a-t-elle dit un jour à Noël. Tu pourrais très bien passer toute ta vie à travailler en dehors des institutions. Mais peut-être que tu arriverais à plus de choses en essayant de changer ces institutions de l'intérieur.

« Crois-en mon expérience, a-t-elle ajouté avec un petit rire triste. Être fauché, c'est très surfait. »

Et c'est ainsi qu'à l'automne 1988 je suis parti mettre à l'épreuve mes ambitions dans un endroit où l'ambition n'était pas vraiment une denrée rare. Majors de promo, présidents du conseil des étudiants, latinistes chevronnés, champions de concours d'éloquence – les étudiants de Harvard étaient pour la plupart des jeunes gens impressionnants qui, contrairement à moi, étaient convaincus depuis leur plus tendre enfance, et à raison, d'être destinés à accomplir de grandes choses dans la vie. Si je m'en suis moi-même plutôt bien sorti là-bas, je pense que c'est en grande partie parce que j'avais quelques années de plus que mes camarades. Alors que beaucoup d'entre eux se sentaient écrasés par la charge de travail, pour moi, bûcher pendant des journées entières à la bibliothèque – ou, mieux encore, sur mon canapé, loin du campus, devant un match de basket (sans le son) – représentait un luxe extraordinaire après ces trois années passées à organiser des réunions de quartier et à faire du porte-à-porte dans le froid.

Et puis il y avait autre chose. Étudier le droit se révéla pas si différent de ce que j'avais fait jadis, à l'époque où je me perdais en considérations sur les grandes questions civiques. Quels étaient les principes qui devaient gouverner la relation entre l'individu et la société, et jusqu'où s'étendaient nos obligations envers les autres ? Dans quelle mesure l'État devait-il intervenir dans la régulation du marché ? Comment le changement social advient-il, et comment la loi peut-elle faire en sorte que chacun ait voix au chapitre ?

Ces sujets me passionnaient. J'adorais en débattre pendant des heures avec les autres étudiants, surtout les plus conservateurs d'entre eux, qui en dépit de nos désaccords semblaient apprécier que je prenne leurs arguments au sérieux. En classe, je levais la main en permanence, ce qui me valait souvent des coups d'œil agacés de la part de mes condisciples, et c'était bien mérité. Je ne pouvais pas m'en empêcher ; c'était comme si, après avoir passé des années enfermé dans mon coin à nourrir une obsession bizarre – jongler, mettons, ou avaler des sabres –, je me retrouvais subitement dans une grande école du cirque.

L'enthousiasme compense bien des défauts, comme je le répète sans cesse à mes filles – c'est en tout cas ce qui s'est passé pour moi à Harvard. Pendant ma deuxième année, j'ai été élu à la tête de la *Law Review* ; c'était la première fois qu'un Noir accédait à ce poste, ce qui a piqué la curiosité de la presse nationale. J'ai signé un contrat pour écrire un livre. Des propositions d'embauche sont arrivées d'un peu partout, et tout le monde pensait que mon chemin était désormais tout tracé, comme ç'avait été le cas pour mes prédécesseurs à la *Law Review* : je commencerais par devenir l'assistant d'un juge à la Cour suprême, puis j'entrerais dans un grand cabinet d'avocats ou au bureau du procureur fédéral et, le moment venu, je pourrais, si j'en avais envie, me lancer en politique.

Tout cela était assez enivrant. La seule personne qui semblait avoir des doutes sur cette glorieuse trajectoire annoncée, c'était moi. Tout était allé trop vite. Les promesses de salaires mirobolants, l'attention médiatique – je flairais le piège.

Heureusement, j'avais un peu de temps devant moi pour décider quel serait mon prochain coup. Et de toute façon, comme je n'allais pas tarder à m'en apercevoir, la décision la plus importante qui m'attendait au tournant n'avait strictement rien à voir avec le droit.

CHAPITRE 2

Michelle LaVaughn Robinson exerçait déjà le droit quand nous nous sommes rencontrés. Elle avait 25 ans et elle était associée dans le cabinet Sidley & Austin, basé à Chicago, où je suis allé travailler l'été après ma première année de droit. Elle était grande, belle, drôle, pleine d'entrain, généreuse et d'une intelligence redoutable – et je suis tombé sous son charme au premier regard. Le cabinet l'avait chargée de me prendre sous son aile, de s'assurer que je savais où se trouvait la photocopieuse et qu'on me faisait bon accueil. Cela voulait dire aussi que nous allions souvent déjeuner ensemble, ce qui nous permettait de discuter tranquillement – de notre travail dans un premier temps, et bientôt de tout le reste.

Au cours des deux années suivantes, pendant les vacances et quand Michelle venait à Harvard avec l'équipe de Sidley chargée de trouver de futures recrues pour le cabinet, nous allions dîner ensemble et nous promener le long du fleuve Charles, parler de cinéma, de nos familles, des endroits du monde que nous avions envie de visiter. Quand son père est brutalement décédé des suites d'une sclérose en plaques, j'ai sauté dans un avion pour être auprès d'elle, et elle m'a réconforté à son tour quand j'ai appris que Gramps souffrait d'un cancer de la prostate à un stade avancé.

Bref, nous sommes devenus non seulement un couple, mais des amis l'un pour l'autre, et quand la fin de mes études à Harvard s'est profilée à l'horizon, nous avons timidement commencé à envisager la possibilité de nous installer ensemble. Un jour, je l'ai emmenée dans un atelier d'initiative sociale que j'avais accepté d'animer à la demande d'un ami qui dirigeait un centre associatif dans le quartier du South Side. Les participants étaient principalement des mères célibataires, dont certaines vivaient des allocations, et elles étaient peu nombreuses à posséder des compétences susceptibles de leur permettre de trouver du travail. Je leur ai demandé de décrire leur monde tel qu'il était et tel qu'elles auraient aimé qu'il soit. C'était un exercice tout simple, auquel j'avais souvent eu recours, un moyen pour les gens d'établir un pont entre leur vie au sein de leur communauté et les changements qui étaient à leur portée. À la fin de cet atelier, alors que nous regagnions notre voiture, Michelle a glissé un bras sous le mien et m'a dit qu'elle avait été touchée par l'aisance avec laquelle je m'étais adressé à ces femmes.

« Tu leur as donné de l'espoir.

– L'espoir ne suffit pas, elles ont besoin d'autre chose », ai-je répondu. Je lui ai parlé alors du dilemme qui me tourmentait : l'envie d'œuvrer pour le changement à l'intérieur du système tout en luttant contre celui-ci ; l'envie de diriger, mais aussi de donner aux gens les moyens de faire évoluer les choses par eux-mêmes ; l'envie de faire de la politique sans faire partie du monde politique.

Michelle s'est tournée vers moi. « Le monde tel qu'il est et le monde tel qu'il devrait être, a-t-elle dit d'une voix douce.

– Quelque chose comme ça, oui. »

Michelle était unique en son genre ; je n'avais encore jamais rencontré quelqu'un comme elle. Et même si le moment n'était pas encore venu, je commençais à songer que je pourrais bien la demander en mariage un jour. Pour Michelle, le mariage allait de soi – c'était l'étape suivante naturelle dans une relation aussi sérieuse que la nôtre. Pour ma part, moi qui avais été élevé par une mère deux fois divorcée, je ne ressentais pas le même besoin d'officialiser les choses. Par ailleurs, dans les premiers temps de notre relation, il pouvait nous arriver de nous disputer violemment. Michelle était aussi orgueilleuse que moi et ne cédait jamais un pouce de terrain. Son frère, Craig, star de l'équipe de basket de Princeton qui avait travaillé dans le milieu des banques d'affaires avant de devenir entraîneur, racontait souvent en riant que, dans leur famille, personne ne pensait que Michelle (« Miche », comme ils la surnommaient) se marierait un jour, parce qu'elle était trop dure – aucun homme ne pourrait jamais tenir la route. Le plus étrange, c'est que ça me plaisait, cette façon qu'elle avait de toujours me mettre au défi et de m'inciter à rester droit.

Et elle, que pensait-elle de tout cela ? Je l'imagine, juste avant notre rencontre, un modèle de jeune femme professionnelle et dynamique, toujours tirée à quatre épingles, concentrée sur sa carrière et menant sa barque sans dévier, la tête sur les épaules. Et voilà que ce drôle de type de Hawaï déboule dans sa vie, avec ses frusques négligées et ses rêves chimériques. C'est justement ça qui l'avait séduite, m'avouerait-elle plus tard, le fait que j'étais différent des hommes avec lesquels elle avait grandi et de ceux qu'elle avait fréquentés. Différent, même, de son père, qu'elle adorait : un homme qui n'avait pas fini ses études supérieures dans le public, qui avait été frappé par la sclérose en plaques peu après son trentième anniversaire, mais qui ne s'était jamais plaint, qui avait travaillé tous les jours de sa vie, qui avait accompagné Michelle à tous ses spectacles de danse et Craig à tous ses matchs de basket, et qui avait toujours été là pour sa famille, sa plus grande joie et sa plus grande fierté.

La vie à mes côtés, c'était la promesse d'autre chose pour Michelle, de tout ce qu'elle n'avait pas pu connaître dans son enfance. L'aventure. Les voyages. L'effacement de certaines contraintes. De même que son enracinement à Chicago – sa famille nombreuse, son pragmatisme, son désir par-dessus tout d'avoir des enfants un jour et d'être une bonne mère – représentait pour moi la promesse d'un ancrage dont j'avais été privé pendant une grande partie de ma jeunesse. Entre nous, il ne s'agissait pas seulement d'amour, de fous rires, de valeurs partagées – nous étions liés également par une symétrie, nous étions complémentaires. Nous pouvions veiller l'un sur l'autre, pallier nos faiblesses respectives. Nous pouvions former une équipe.

Bien entendu, tout cela n'est qu'une autre façon de dire que nous étions différents, tant en termes d'expérience que de tempérament. Pour Michelle, la route qui menait au bonheur était étroite et semée d'embûches. On ne pouvait réellement compter que sur sa famille, on ne prenait pas de risque à la légère, et on n'était jamais dupe des signes extérieurs de réussite – une belle carrière, une belle maison –, parce qu'on voyait partout autour de soi l'échec, la pauvreté et la menace du chômage ou d'une fusillade tapie en permanence au coin de la rue. Michelle ne craignait pas de trahir ce qu'elle était, parce qu'avoir grandi dans le South Side signifiait qu'on était toujours un outsider, d'une manière ou d'une autre. Les obstacles à la réussite étaient très clairs dans son esprit ; inutile d'aller les chercher bien loin. Si l'on pouvait parfois se retrouver en proie au doute, c'est parce qu'il fallait constamment prouver, quand bien même on collectionnait les succès, qu'on avait sa place à la table – et il fallait le prouver non seulement à tous ceux qui doutaient de vous, mais aussi à soi-même.

Alors que ma dernière année de droit touchait à sa fin, j'ai confié mes projets à Michelle. Je ne serais pas assistant juridique. Je retournerais à Chicago, où je continuerais à œuvrer dans le domaine social tout en exerçant dans un petit cabinet spécialisé dans les droits civiques. Et si jamais une bonne occasion se présentait, ai-je ajouté, pourquoi pas briguer un poste d'élu dans la fonction publique.

Elle n'a pas été surprise le moins du monde. Elle était sûre, m'a-t-elle dit, que je ferais toujours les choix qui me paraissaient les plus justes.

« Mais je dois dire, Barack, m'a-t-elle prévenu, que ce que tu envisages de faire me paraît très difficile. J'aimerais avoir ton optimisme. Ça m'arrive, parfois. Mais les gens peuvent être terriblement égoïstes, et tout simplement ignorants. Je crois que beaucoup d'entre eux ne veulent pas entendre parler de tout ça. Et j'ai le sentiment qu'il y a plein de gens en politique qui sont prêts à tout pour obtenir le pouvoir, des gens qui ne pensent qu'à eux. Surtout à Chicago. Je ne suis pas sûre que tu puisses changer ça.

– Mais je peux toujours essayer, non ? ai-je répliqué en souriant. À quoi ça sert d'avoir un beau diplôme de droit si on ne prend pas quelques risques ? Et si ça ne marche pas, ça ne marche pas, c'est tout. Tout ira bien pour moi. Pour nous. »

Elle a pris mon visage entre ses mains. « Tu as déjà remarqué que, quand tu as le choix entre la facilité et la difficulté, tu choisis la difficulté à tous les coups ? Ça vient d'où, ça, à ton avis ? »

Nous avons ri. Mais j'ai bien vu que Michelle pensait avoir l'intuition de quelque chose. Une intuition qui allait se révéler lourde de conséquences pour tous les deux.

Au bout de quelques années, Michelle et moi nous sommes mariés à la Trinity United Church of Christ, le 3 octobre 1992, devant plus de trois cents personnes, amis, collègues et membres de nos familles respectives, tous joyeusement serrés sur les bancs de l'église. La cérémonie était célébrée par le pasteur de la paroisse, le révérend Jeremiah A. Wright Jr, que j'avais rencontré à l'époque où je travaillais dans le domaine associatif et pour qui j'avais une grande admiration. Nous étions heureux. C'était le coup d'envoi officiel de notre avenir ensemble.

J'avais passé l'examen du barreau, puis je m'étais mis en disponibilité pour un an afin de me consacrer au projet VOTE! en vue de l'élection présidentielle de 1992 – l'une des plus importantes campagnes d'inscription sur les listes électorales de toute l'histoire de l'Illinois. De retour de notre voyage de noces sur la côte californienne, j'ai enseigné à la fac de droit de l'université de Chicago, j'ai fini d'écrire mon livre et j'ai officiellement rejoint Davis, Miner, Barnhill & Galland, un petit cabinet d'avocats des droits civiques spécialisé dans les discriminations à l'embauche et les négociations immobilières destinées à faciliter l'accès aux logements sociaux. Michelle, de son côté, ayant décidé qu'elle avait fait le tour du droit des entreprises, est allée travailler pendant un an au département de l'urbanisme de Chicago, avant d'accepter de prendre la tête de « Public Allies », un programme bénévole de formation des jeunes dirigeants.

Nous aimions tous deux ce que nous faisions et les gens avec qui nous travaillions, et au fil du temps nous nous sommes impliqués dans diverses initiatives civiques et philanthropiques. Nous allions dîner en ville, assister à des matchs de basket et à des concerts avec des amis dont le cercle ne cessait de s'élargir. Nous avons pu nous acheter un appartement, modeste mais confortable, dans le quartier de Hyde Park, en face du lac Michigan et de la péninsule de Promontory Point, tout près de la maison où vivaient Craig et sa jeune famille. La mère de Michelle, Marian, habitait encore dans la maison de famille de South Shore, à moins d'un quart d'heure de chez nous ; nous allions souvent la voir et nous nous régalions tous ensemble de ses spécialités, poulet frit, légumes verts et *red velvet cake*, ou des barbecues de l'oncle Pete. Une fois repus, nous nous installions dans la cuisine pour écouter les oncles de Michelle raconter des anecdotes de leur enfance, et les éclats de rire résonnaient jusque tard dans la soirée, tandis que les cousins, cousines, neveux et nièces faisaient des cabrioles sur les coussins du canapé jusqu'à ce que leurs parents les envoient jouer dans le jardin.

Dans la voiture sur le chemin du retour, au crépuscule, Michelle et moi parlions parfois des enfants que nous aurions un jour, nous aussi – à quoi ils ressembleraient, ou combien nous en voulions, et pourquoi est-ce qu'on ne prendrait pas un chien ? –, et nous imaginions tout ce que nous ferions ensemble, en famille.

Une vie normale. Productive et heureuse. Cela aurait dû nous suffire.

Mais soudain, à l'été 1995, une opportunité politique s'est présentée, à la suite d'un curieux enchaînement d'événements. Le député de la deuxième circonscription de l'Illinois à la Chambre des représentants, Mel Reynolds, avait été mis en examen sous plusieurs chefs d'accusation ; il était notamment soupçonné d'avoir eu des relations sexuelles avec une bénévole de sa campagne âgée de 16 ans. Si jamais il était reconnu coupable, une élection anticipée serait organisée pour le remplacer.

Je n'habitais pas dans cette circonscription, mon nom n'était pas assez connu et je n'avais pas suffisamment de soutiens pour envisager de briguer un siège au Congrès. Mais la représentante de notre circonscription au sénat de l'Illinois, Alice Palmer, était éligible, et elle s'est lancée dans la course peu avant la condamnation du député au mois d'août. Ancienne éducatrice sociale, afro-américaine, Palmer avait de solides attaches dans la communauté. Son bilan était honorable, sans être exceptionnel, et elle jouissait d'une certaine popularité dans les cercles progressistes ainsi que chez certains militants noirs historiques qui avaient contribué à l'élection de Harold Washington ; et, si je ne la connaissais pas personnellement, nous avions des amis en commun. Le travail que j'avais accompli pour le projet VOTE! m'a valu d'être appelé à rejoindre sa campagne, qui n'en était encore qu'à ses balbutiements, et, au fil des semaines, plusieurs personnes m'ont encouragé à réfléchir à la possibilité de me présenter aux élections pour remplacer Alice, dont le siège au sénat de l'Illinois serait bientôt vacant.

Avant d'en parler à Michelle, j'ai dressé une liste des pour et des contre. Le poste de sénateur d'État n'avait rien de très reluisant – la plupart des gens ne savaient absolument pas qui étaient les représentants de l'État dans lequel ils vivaient – et Springfield, la capitale de l'Illinois, était connue pour être une ville où se perpétuaient les bonnes vieilles pratiques douteuses du jeu politique – octroi de faveurs illicites, échange de bons procédés et autres pots-de-vin. D'un autre côté, il fallait bien que je commence quelque part et que je fasse mes preuves. Et puis la législature de l'Illinois ne siégeait que quelques semaines par an, ce qui voulait dire que je pourrais sans problème continuer à enseigner et à travailler au cabinet.

Mieux encore, Alice Palmer acceptait d'apporter son soutien officiel à ma candidature. Le procès de Reynolds n'ayant pas encore eu lieu, il était difficile d'y voir clair dans le calendrier à venir. D'un point de vue technique, Alice pouvait se présenter au Congrès tout en gardant l'option de conserver son siège au sénat de l'Illinois si jamais elle perdait, mais elle m'avait affirmé de manière catégorique, à moi comme à d'autres, qu'elle en avait terminé avec la politique locale et qu'elle était prête à passer à autre chose. Ajoutez à cela une offre de soutien de la part de notre conseillère municipale, Toni Preckwinkle, qui pouvait se vanter de disposer des meilleures équipes de la circonscription, et mes chances de l'emporter semblaient plutôt bonnes.

Je suis allé voir Michelle et je lui ai présenté mes arguments. « Vois ça comme un galop d'essai, lui ai-je dit.

– Mouais.

– Une façon de mettre le pied à l'étrier.

– Je vois.

– Alors, qu'est-ce que tu en penses ? »

Elle m'a planté un baiser sur la joue. « J'en pense que tu en as envie, alors tu devrais le faire. Promets-moi simplement que je ne serai pas obligée d'aller à Springfield. »

Il restait une personne dont je devais obtenir la bénédiction avant d'appuyer sur la gâchette. Peu de temps auparavant, ma mère était tombée malade et on lui avait diagnostiqué un cancer de l'utérus.

Le pronostic n'était pas bon. Au moins une fois par jour, je sentais mon cœur se serrer à l'idée de la perdre. J'avais sauté dans un avion pour Hawaï dès que nous avions appris la nouvelle et j'avais constaté avec soulagement qu'elle était toujours la même et qu'elle paraissait avoir le moral. Elle m'avait avoué qu'elle avait peur, mais qu'elle était prête à se soumettre au traitement le plus agressif possible.

« Je ne m'en irai nulle part, avait-elle ajouté, tant que tu ne m'auras pas donné des petits-enfants. »

Elle a accueilli l'annonce de ma possible candidature au sénat de l'Illinois avec son enthousiasme coutumier, insistant pour que je lui raconte tout dans les moindres détails. Elle a reconnu que ce ne serait pas facile, mais ma mère avait toujours été du genre à envisager les difficultés sous un angle positif.

« Assure-toi bien que Michelle est partante, m'a-t-elle dit encore. Non pas que je sois la plus grande autorité en matière de couple... Et je t'interdis de te servir de moi comme prétexte pour renoncer. J'ai bien assez à faire comme ça pour ne pas devoir en plus avoir l'impression que tout le monde autour de moi met sa vie entre parenthèses. Ce serait morbide, tu comprends ?

– Compris. »

Sept mois plus tard, la situation allait prendre un tour plus sombre. En septembre, Michelle et moi étions allés à New York retrouver Maya et ma mère pour consulter un spécialiste à l'hôpital Memorial Sloan Kettering. Elle était alors en pleine cure de chimiothérapie et physiquement méconnaissable. Ses longs cheveux noirs avaient disparu ; ses yeux avaient l'air vides. Pire, le spécialiste nous avait annoncé qu'elle en était au stade 4 de la maladie et que les options thérapeutiques étaient désormais limitées. Je regardais ma mère sucer des glaçons, parce que ses glandes salivaires ne fonctionnaient plus, et je m'efforçais de faire bonne figure. Je lui ai raconté quelques anecdotes amusantes sur mon travail et l'intrigue d'un film que j'avais vu récemment. Nous avons ri en écoutant Maya – de neuf ans ma cadette, et alors étudiante à New York University – me rappeler à quel point j'aimais jouer au petit chef avec elle pendant notre enfance. J'ai pris la main de ma mère, et je me suis assuré qu'elle était bien installée avant de la laisser se reposer. Puis je suis rentré à l'hôtel et j'ai pleuré.

C'est pendant ce séjour à New York que j'ai suggéré qu'elle vienne vivre chez nous, à Chicago ; ma grand-mère était trop vieille pour s'occuper d'elle à plein temps. Mais ma mère, qui demeurerait l'architecte de sa propre destinée jusqu'à son dernier souffle, a refusé. « Je préfère rester dans un endroit que je connais et où il fait chaud », a-t-elle déclaré en se tournant vers la fenêtre. Je suis resté assis à côté d'elle, impuissant, songeant au long chemin qu'elle avait parcouru, aux nombreux détours inattendus qui avaient jalonné son existence pleine de rebondissements heureux. Jamais, pas une seule fois, je ne l'ai entendue s'épancher sur les moments tristes de sa vie. Au contraire, on aurait dit qu'elle trouvait de petits plaisirs dans chaque occasion.

Jusqu'à maintenant.

« La vie est étrange, non ? » a-t-elle dit d'une voix douce.

Oui. Très étrange.

J'AI SUIVI LE CONSEIL de ma mère et je me suis lancé à corps perdu dans ma toute première campagne politique. Je ris aujourd'hui en songeant à quel point elle était rudimentaire – guère plus sophistiquée qu'une campagne pour être élu délégué de classe. Pas d'équipe de sondage, pas d'analystes, pas de spots télé ou radio. J'ai annoncé ma candidature le 19 septembre 1995 au Ramada Inn à Hyde Park, entre deux coupelles de chips et de bretzels, devant 200 ou 300 sympathisants – qui, pour le quart d'entre eux, étaient des membres de la famille de Michelle. Notre programme consistait en une affichette d'environ 10 centimètres par 20 sur laquelle figuraient un portrait de moi qui ressemblait plutôt à une photo de passeport, quelques lignes résumant mon parcours et une liste de quatre ou cinq idées générales que j'avais moi-même rédigée sur mon ordinateur avant d'aller faire imprimer le tout au magasin de photocopies du coin de la rue.

J'ai tout de même tenu à engager deux vieux routiers de la politique que j'avais rencontrés sur le projet VOTE! Carol Anne Harwell, ma directrice de campagne, était grande et d'un naturel impertinent ; la petite quarantaine, elle s'était mise en congé de son poste de conseillère dans une circonscription du West Side pour venir me prêter main-forte. Même si elle donnait l'impression d'être d'une humeur toujours légère et joyeuse que rien ne pouvait entamer, elle savait parfaitement naviguer dans les eaux troubles et impitoyables de la politique telle qu'elle se pratiquait à Chicago. Ron Davis, un type aux allures de grizzly, était notre expert en parrainages et supervisait les équipes sur le terrain. Il avait une coiffure afro poivre et sel, une fine barbe hirsute et d'épaisses lunettes à monture métallique, sa masse colossale dissimulée sous la chemise noire qu'il semblait porter tous les jours, sortie par-dessus le pantalon.

Ron s'est bientôt révélé indispensable : les règles d'éligibilité dans l'Illinois étaient très strictes, conçues pour compliquer la vie aux aspirants candidats qui ne bénéficiaient pas du soutien d'un parti. Pour avoir le droit de se présenter, il fallait obtenir la signature de plus de 700 électeurs inscrits sur les listes de la circonscription, puis ces parrainages devaient être visés et approuvés par un résident de cette même circonscription. Pour être valide, chaque signature devait être bien lisible, correspondre à une adresse complète, et émaner d'un électeur dûment inscrit sur les listes. Je me souviens encore de la première fois où nous nous sommes réunis chez moi, à la table de la salle à manger, autour de Ron qui soufflait comme un bœuf en nous distribuant les formulaires de parrainage attachés à des porte-blocs ainsi que les registres électoraux et une feuille d'instructions. J'ai suggéré que nous commencions, avant de nous occuper de cette histoire de signatures, par organiser des rencontres pour permettre aux électeurs de mieux connaître le candidat, et peut-être aussi par rédiger une note de synthèse sur nos positions. Carol et Ron se sont regardés et ont éclaté de rire.

« Boss, je vais te dire un truc, a commencé Carol. Ce genre de conneries pour les bonnes femmes de la Ligue de défense des électrices, tu peux les garder pour après la bataille. Pour l'instant, la seule chose qui compte, c'est les signatures. Les gars que tu as en face de toi, ils vont les passer au peigne fin pour vérifier que tout est réglo. S'ils trouvent quelque chose qui coince, tu resteras sur le banc de touche. Et on aura beau faire ça le plus scrupuleusement du monde, au bout du compte une bonne moitié de ces signatures seront invalidées. C'est pour ça qu'il faut qu'on en récolte au moins deux fois plus que ce qu'ils demandent.

– Quatre fois plus », a rectifié Ron en me tendant un porte-bloc.

Au temps pour moi. Je me suis donc rendu dans l'un des quartiers choisis par Ron pour récolter des signatures. J'avais l'impression d'être revenu à mes débuts dans l'organisation associative, à faire ainsi du porte-à-porte ; parfois les gens n'étaient pas chez eux, d'autres refusaient de m'ouvrir ; je me retrouvais nez à nez avec des femmes en bigoudis, une kyrielle d'enfants dans les pattes, tandis que le mari travaillait dans le jardin, ou avec des jeunes en tee-shirt, durag sur le crâne, l'haleine chargée d'alcool, qui jetaient des regards nerveux à droite et à gauche. Il y avait aussi ceux qui voulaient me parler des problèmes de l'école du coin, ou des armes à feu qui pullulaient dans leur quartier populaire autrefois tranquille. Mais, la plupart du temps, les gens prenaient le porte-bloc, se dépêchaient de signer, puis retournaient vaquer à leurs affaires.

Si j'avais une certaine habitude de ce genre de démarches, c'était une expérience inédite en revanche pour Michelle, qui avait décidé de jouer le jeu et de consacrer une partie de son temps à m'aider le week-end. Elle récoltait souvent plus de signatures que moi – son sourire éblouissant et les anecdotes qu'elle racontait aux gens sur son enfance dans le quartier n'y étaient sans doute pas pour rien –, mais deux heures plus tard elle ne souriait plus du tout quand nous remontions en voiture pour rentrer à la maison.

« Tout ce que je sais, m'a-t-elle dit un jour, c'est que je dois vraiment t'aimer beaucoup pour passer mes samedis matin à faire ça. »

En l'espace de quelques mois, nous avons réussi à récolter quatre fois plus de parrainages que le nombre requis. Quand je ne travaillais pas au cabinet ou à l'université, j'allais à la rencontre des électeurs dans des associations de quartier, des réunions de paroisse ou des maisons de retraite, pour les convaincre de voter pour moi. Je n'étais pas très bon. Mon discours était emprunté, jargonnant, et il manquait singulièrement d'humour et d'inspiration. Et puis parler de moi ne me mettait pas très à l'aise. À l'époque où j'animais des groupes d'initiative sociale, j'avais appris à toujours rester en retrait pour laisser parler les autres.

J'ai cependant fini par faire des progrès, je me suis détendu, et peu à peu les rangs de mes supporters se sont étoffés. J'ai engrangé le soutien officiel de plusieurs élus locaux, d'hommes d'Église ainsi que d'une poignée d'organisations ; j'ai même réussi à obtenir qu'on rédige des notes de synthèse sur nos positions. Et j'aimerais pouvoir dire que c'est ainsi que s'est terminée ma première campagne – le jeune candidat fougueux et sa superbe épouse, pleine de sagesse et de patience, réunis avec quelques amis dans leur salle à manger, puis ralliés par la foule autour d'un projet politique innovant.

Mais ça ne s'est pas passé comme ça. En août 1995, Mel Reynolds, notre député tombé en disgrâce, a finalement été reconnu coupable et condamné à une peine de prison ; une élection partielle anticipée aurait donc lieu à la fin du mois de novembre. Dès que le calendrier a été officiellement fixé, Alice Palmer a été rejointe dans la course par d'autres candidats désireux de s'emparer du siège vacant, parmi lesquels Jesse Jackson Jr, qui avait attiré l'attention des grands médias nationaux grâce au vibrant discours d'introduction qu'il avait prononcé pour son père, Jesse Jackson, lors de la convention démocrate en 1988. Michelle et moi connaissions Jesse Jr et l'aimions beaucoup. Sa sœur Santita, l'une des meilleures amies de Michelle à l'époque du lycée, avait été demoiselle d'honneur à notre mariage. Il jouissait d'une popularité assez grande pour que l'annonce de sa candidature bouscule aussitôt l'équilibre des forces en présence, réduisant considérablement les chances d'Alice. Et, dans la mesure où cette élection anticipée allait avoir lieu quelques semaines avant la date limite du dépôt des parrainages pour le siège d'Alice au sénat de l'Illinois, mon équipe a commencé à s'inquiéter.

« Tu ferais bien de t'assurer qu'Alice ne te prépare pas un sale coup en douce au cas où elle perdrait contre Jesse Jr », m'a dit Ron.

J'ai secoué la tête. « Elle m'a promis qu'elle ne se représenterait pas. Elle m'a donné sa parole d'honneur. Et elle l'a dit publiquement. Y compris dans la presse.

– D'accord, Barack. Mais tu voudrais bien vérifier quand même, s'il te plaît ? »

J'ai donc appelé Alice, qui m'a une nouvelle fois assuré que, quoi qu'il arrive dans la course au Congrès, elle n'avait pas l'intention de revenir à la politique locale.

Mais quand Jesse Jr a remporté haut la main l'élection anticipée, Alice terminant loin derrière en troisième position, quelque chose a changé. Des rumeurs ont commencé à circuler dans la presse sur une campagne en sa faveur pour qu'elle retrouve son siège au sénat de l'Illinois. Quelques-uns de ses partisans de longue date ont demandé à me voir et, quand je suis arrivé devant eux, ils m'ont conseillé de retirer ma candidature. La communauté ne pouvait pas se permettre de renoncer à quelqu'un d'aussi expérimenté qu'Alice, m'ont-ils dit. Il fallait que je sois patient ; mon tour viendrait. J'ai défendu mes positions – beaucoup de bénévoles et de donateurs avaient déjà investi dans la campagne, après tout ; j'avais toujours soutenu Alice, même après l'entrée en lice de Jesse Jr –, mais mon auditoire est resté de marbre. Quand j'ai fini par discuter de la situation avec Alice, j'ai compris vers quelle issue on se dirigeait. Une semaine plus tard, elle tenait une conférence de presse à Springfield pour annoncer qu'elle lançait sa propre campagne de parrainages, juste avant la date limite du dépôt des signatures, afin de pouvoir être déclarée éligible et briguer sa propre succession au sénat.

« Qu'est-ce que je t'avais dit ? » a lâché Carol en tirant sur sa cigarette et en soufflant un fin serpentin de fumée vers le plafond.

Je me sentais découragé, trahi, mais je pensais que tout n'était pas perdu. Nous avions mené une belle campagne ces derniers mois, et presque tous les élus locaux qui m'avaient apporté leur soutien m'avaient assuré qu'ils ne me lâcheraient pas. Ron et Carol étaient moins optimistes.

« Désolée de te dire ça, boss, a déclaré Carol, mais la plupart des gens ne savent toujours pas qui tu es. Merde, elle non plus, ils ne la connaissent pas, mais bon – sans vouloir te vexer, hein –, "Alice Palmer", ça sonne quand même vachement mieux sur un bulletin de vote que "Barack Obama". »

Je comprenais son argument, mais je leur ai dit que nous irions jusqu'au bout, même si un certain nombre de personnalités en vue de Chicago me poussaient soudain à jeter l'éponge. Et puis, un après-midi, Ron et Carol ont débarqué chez moi, tout essoufflés ; on aurait dit qu'ils venaient de gagner au loto.

« Les parrainages d'Alice, a dit Ron. Ils sont catastrophiques. Jamais vu pire. Tous ces blacks qui voulaient te dégager de la course à coups de pied au cul, ils ne se sont même pas donné la peine de faire le job correctement. Elle risque de se retrouver inéligible. »

J'ai jeté un coup d'œil aux signatures que Ron et notre équipe de bénévoles avaient rapidement passées en revue. C'était vrai : les feuilles de parrainage d'Alice semblaient remplies de signatures invalides ; des gens dont l'adresse était située en dehors des limites de la circonscription, des signatures multiples correspondant à des noms différents mais avec la même écriture. Je me suis gratté la tête. « Je ne sais pas trop, les amis…

– Tu ne sais pas trop quoi ? a demandé Carol.

– Je ne sais pas si c'est comme ça que je veux gagner. Enfin bon, oui, bien sûr, je suis furieux à cause de ce qui s'est passé. Mais ces règles d'éligibilité sont vraiment absurdes. Je préférerais la battre à la régulière, dans les urnes. »

Carol s'est raidie, la mâchoire crispée. « Cette femme t'avait donné sa parole d'honneur, Barack ! On a tous bossé comme des chiens sur la foi de cette promesse. Et maintenant qu'elle essaie de te la faire à l'envers, et qu'elle n'est même pas fichue d'y arriver, tu vas la laisser s'en tirer à bon compte ? Tu crois qu'ils hésiteraient une seule seconde à te mettre hors jeu s'ils en avaient l'occasion, eux ? » Elle a secoué la tête. « C'est pas possible, Barack. T'es un type bien… c'est d'ailleurs pour ça qu'on croit en toi. Mais si tu laisses passer ça, tu ferais aussi bien de retourner enseigner ou de faire autre chose, ce que tu veux, parce que, dans ce cas, t'es pas fait pour la politique. Tu vas te faire bouffer tout cru et personne n'en sortira vainqueur. »

Je me suis tourné vers Ron, qui s'est contenté d'opiner d'une voix égale : « Elle a raison. »

Je me suis reculé sur ma chaise et j'ai allumé une cigarette. Je me sentais flottant ; j'essayais de déchiffrer ce que me disait mon instinct. À quel point étais-je motivé ? Je me suis rappelé tous les grands projets que je pensais pouvoir mettre en œuvre si j'étais élu, tout le travail que j'étais prêt à abattre si la chance m'en était donnée.

« OK, ai-je fini par lâcher.

– OK ! » s'est exclamée Carol, retrouvant instantanément son sourire. Ron a ramassé ses papiers et les a fourrés dans sa serviette.

L'élection n'aurait officiellement lieu que deux mois plus tard, mais, dès lors que j'avais pris cette décision, l'affaire était pliée. Nous avons déposé un recours auprès de la commission électorale de Chicago et, quand tout le monde a compris que celle-ci allait se prononcer en notre faveur, Alice s'est retirée de la course. Au passage, nous en avons profité pour écarter d'autres candidats démocrates dont les parrainages n'étaient pas conformes. Je n'avais plus d'adversaire dans les rangs démocrates, et le candidat des républicains n'était là que pour la figuration : les portes du sénat de l'Illinois s'ouvraient à moi.

Quant à mes nobles idéaux sur les pratiques politiques, ils n'étaient manifestement pas à l'ordre du jour.

J'imagine qu'il y a des leçons utiles à tirer de cette première campagne. J'ai appris à tenir compte des rouages de la politique, de l'attention aux détails qu'elle exigeait à chaque instant, du labeur quotidien, ingrat et répétitif, qui pouvait faire toute la différence entre la victoire et la défaite. Cela m'a également permis de vérifier une chose que je savais déjà : peu importe que je préfère jouer dans le respect des règles, je n'aimais surtout pas perdre.

Mais la leçon que j'ai retenue plus que toute autre n'avait rien à voir avec les mécanismes de la campagne ou la violence du combat politique. Elle était liée au coup de téléphone que j'ai reçu de Maya à Hawaï, un jour de début novembre, alors que je n'avais encore aucune idée de la tournure qu'allait prendre cette élection. « Son état s'est aggravé, Bar, m'a annoncé Maya.

– C'est-à-dire ?

– Je crois qu'il faudrait que tu viennes tout de suite. »

Je savais déjà que l'état de ma mère s'était dégradé ; je lui avais parlé quelques jours plus tôt et j'avais perçu dans sa voix une souffrance et une résignation inédites. J'avais aussitôt pris un billet pour me rendre à Hawaï la semaine suivante.

« Elle peut parler ? ai-je demandé à Maya.

– Je ne crois pas. Elle n'est plus consciente que par intermittence. »

J'ai raccroché, puis j'ai appelé la compagnie aérienne pour changer mon billet et prendre le premier vol du lendemain. Ensuite, j'ai appelé Carol pour annuler les événements prévus dans les jours à venir et faire un point rapide sur la poursuite de la campagne en mon absence. Quelques heures plus tard, Maya m'a rappelé.

« Je suis désolée, mon chéri. Maman est partie. » Elle n'avait jamais repris connaissance, m'a raconté ma sœur ; Maya, assise à son chevet, était en train de lui lire à voix haute un recueil de contes quand notre mère s'en était allée doucement.

Nous avons organisé une cérémonie cette semaine-là dans le jardin japonais derrière l'East-West Center de l'université de Hawaï. Je me suis remémoré les heures que j'avais passées pendant mon enfance à jouer dans cet endroit pendant que ma mère, assise au soleil, me regardait me rouler dans l'herbe, grimper sur les marches de pierre et attraper des têtards dans le ruisseau qui coulait en bordure du jardin. Puis Maya et moi sommes allés à Koko Head disperser ses cendres dans la mer du haut du promontoire, parmi les vagues qui venaient se briser contre les rochers. Et j'ai pensé alors à ma mère et à ma sœur, toutes seules dans cet hôpital, et moi qui n'étais pas là, accaparé par mes grandes ambitions. Je savais que jamais je ne pourrais rattraper ce moment. En plus de mon chagrin, j'éprouvais une immense honte.

À MOINS D'HABITER dans les quartiers les plus au sud de Chicago, le moyen le plus rapide pour rejoindre Springfield est de prendre l'autoroute I-55. Aux heures de pointe, quand on quitte le centre-ville et qu'on traverse les banlieues pavillonnaires de l'ouest, le trafic est ralenti ; mais, dès qu'on a passé Joliet, la route se dégage, et c'est un ruban d'asphalte lisse qui se déroule alors en ligne droite, direction sud-ouest, en passant par Bloomington (siège du groupe d'assurances

State Farm et des biscuits apéritifs Beer Nuts), puis Lincoln (ainsi baptisé en hommage au président qui avait contribué à fédérer la ville à l'époque où il n'était encore qu'un simple avocat), et des champs de maïs à perte de vue.

Près de huit années durant, j'ai fait ces trois heures et demie de route, en général seul, enchaînant les allers-retours à Springfield pendant quelques semaines à l'automne et une bonne partie de l'hiver et des premiers mois du printemps, périodes où la législature de l'Illinois accomplissait l'essentiel de son travail. Je partais le mardi soir après le dîner et je rentrais le jeudi soir ou le vendredi matin. Au bout d'environ une heure de route à la sortie de Chicago, on ne captait plus de réseau, et les seules fréquences encore accessibles étaient celles des radios musicales évangéliques ou de libre antenne. Pour me tenir éveillé, j'écoutais des livres audio, les plus longs possible – des romans la plupart du temps (John le Carré et Toni Morrison étaient en tête de mon hit-parade), mais aussi des ouvrages historiques, sur la guerre de Sécession, l'époque victorienne ou la chute de l'empire romain.

Quand mes amis m'interrogeaient, l'air sceptique, je leur disais à quel point cette expérience à Springfield était riche d'enseignements pour moi, et c'était vrai – les premières années en tout cas. Des cinquante États, l'Illinois était celui qui illustrait le mieux la diversité démographique de la nation : on y trouvait une métropole trépidante, de vastes banlieues pavillonnaires, des terres agricoles, des villes industrielles, et une région qui annonce déjà le sud du pays. Tous les jours, sous le grand dôme du capitole, c'était un échantillon représentatif de l'Amérique tout entière qui défilait, l'incarnation vivante d'un poème de Carl Sandburg. Il y avait des gamins de la ville en sortie scolaire qui chahutaient, des banquiers impeccablement coiffés sans cesse en train de dégainer leur portable à clapet, des fermiers en casquette venus plaider pour un assouplissement des règles permettant aux barges industrielles de transporter leurs produits sur le marché. On voyait des mères de famille latinos en quête de financements pour ouvrir une nouvelle crèche et des bandes de motards à veste en cuir et rouflaquettes venus protester contre le énième projet de loi visant à rendre obligatoire le port du casque.

Pendant les premiers mois, j'ai fait profil bas. Mon nom bizarre et mon diplôme de Harvard inspiraient une certaine méfiance à bon nombre de mes collègues, mais je faisais consciencieusement mes devoirs et j'aidais à lever des fonds pour financer la campagne d'autres sénateurs. J'ai fait peu à peu connaissance avec mes collègues des bancs du sénat et leurs équipes, pas seulement dans l'hémicycle mais aussi sur les terrains de basket, les parcours de golf, ou encore grâce aux parties de poker que

nous organisions chaque semaine, démocrates et républicains confondus
– 2 dollars la mise, la relance limitée à 3, la pièce enfumée, les jurons
qui fusaient et le lent chuintement des cannettes de bière décapsulées
les unes après les autres.

J'avais l'avantage de déjà connaître le leader de l'opposition démocrate au sénat, un homme corpulent âgé d'une soixantaine d'années
du nom d'Emil Jones. Il avait commencé sa carrière dans l'un des plus
anciens comités de coordination locale à l'époque de Richard J. Daley
et représentait la circonscription où j'avais travaillé jadis dans le milieu
associatif. C'est comme ça que nous nous étions rencontrés : j'étais venu
le voir dans ses bureaux avec un groupe de parents qui cherchaient des
financements pour monter un programme d'aide à l'entrée des jeunes
des quartiers dans les classes préparatoires aux grandes universités. Au
lieu de nous envoyer paître, il nous avait accueillis à bras ouverts.

« Vous ne le savez sans doute pas, nous avait-il dit, mais j'attends
votre visite avec impatience depuis un bout de temps ! » Il nous avait
expliqué que lui-même n'avait jamais eu la chance d'aller à l'université ;
il voulait faire en sorte que l'État alloue un budget plus conséquent aux
quartiers noirs défavorisés. « Je vous laisse réfléchir aux moyens dont
nous avons besoin, m'avait-il dit en me tapant sur l'épaule quand nous
étions ressortis de son bureau. De mon côté, je m'occupe des questions
politiques. »

Emil avait tenu parole, le programme avait pu voir le jour, et notre
amitié ne s'était jamais démentie depuis. Il éprouvait une sorte de fierté
à mon égard, je ne sais pas trop pourquoi, et il accueillait mes projets
réformistes avec une bienveillance protectrice. Même quand il avait
désespérément besoin de voix pour faire passer ses propres projets
(la légalisation des jeux d'argent sur les voies fluviales à Chicago,
notamment, était l'une de ses obsessions), il n'essayait jamais de me
tordre le bras si je lui disais que je ne pouvais pas le soutenir – même
s'il ne se gênait pas alors pour pester contre moi en sortant en trombe
de mon bureau pour frapper à une autre porte.

« Barack est différent, avait-il confié un jour à l'un de ses collaborateurs. Il ira loin. »

Malgré ma diligence et la bonne volonté d'Emil, ni l'un ni l'autre
ne pouvions rien changer à la dure réalité : nous appartenions au parti
minoritaire. Les sénateurs républicains de l'Illinois avaient adopté
la même attitude inflexible que le président ultra-conservateur de la
Chambre des représentants Newt Gingrich en son temps pour neutraliser les démocrates au Congrès. Le Parti républicain avait la mainmise
absolue sur les projets de loi qui passaient en commission d'examen et

sur les amendements. À Springfield, il y avait un terme spécial pour désigner les membres novices de l'opposition comme moi : les « champignons ». Parce qu'« on vous fait bouffer de la merde et moisir dans l'ombre ».

De temps en temps, j'arrivais à faire passer des projets qui avaient un impact significatif sur la législation. J'ai contribué à faire en sorte que la version propre à l'Illinois de la loi sur la réforme du système de santé signée par Bill Clinton apporte un soutien suffisant aux gens qui entraient sur le marché du travail. Au lendemain d'un nouveau scandale comme il y en avait en permanence à Springfield, Emil m'a demandé d'être le représentant de notre groupe parlementaire dans une commission chargée de réviser les lois sur la moralisation de la vie politique. Personne ne voulait se dévouer, parce que tout le monde pensait que c'était une cause perdue ; mais, grâce aux bons rapports que j'entretenais avec mon homologue républicain, Kirk Dillard, nous avons fait voter une loi prohibant certaines pratiques embarrassantes – il était désormais impossible, par exemple, de détourner des fonds de campagne pour des dépenses personnelles telles que des travaux de rénovation ou un nouveau manteau de fourrure. (Certains sénateurs ne nous ont plus adressé la parole pendant des semaines après cela.)

Autre exemple, plus typique : un jour, vers la fin de la première session parlementaire, je me suis levé pour prendre la parole et exprimer mon opposition à un allégement des charges fiscales concédé de manière outrageusement abusive à certains secteurs d'activité ainsi favorisés alors que, dans le même temps, l'État rognait sur les moyens alloués à l'aide aux plus pauvres. J'avais soigneusement rédigé mes arguments et m'étais préparé avec autant de méticulosité qu'un avocat appelé à plaider devant la cour d'assises ; j'ai expliqué que ces réductions d'impôts injustifiées allaient à l'encontre même des principes de marché conservateurs que les républicains prétendaient défendre. Quand je me suis rassis, le président du sénat, Pate Philip – un ex-Marine baraqué aux cheveux blancs, réputé pour les insultes dont il gratifiait régulièrement les femmes et les membres des minorités visibles avec une remarquable désinvolture –, s'est approché de mon pupitre.

« Sacré discours que vous nous avez fait là, m'a-t-il dit en mâchouillant un cigare éteint. Très bien argumenté.

– Merci.

– Il se peut même que vous ayez réussi à faire changer d'avis pas mal de monde, a-t-il continué. Mais pas à leur faire changer de vote. » Et, sur ce, il a adressé un signe au secrétaire des débats, puis regardé avec satisfaction s'allumer les lumières vertes signifiant « oui » sur le tableau du décompte des voix.

Voilà ce qu'était la politique à Springfield : une série de transactions, négociées la plupart du temps sous la table, et des législateurs qui mettaient en balance les pressions concurrentes de divers intérêts avec un détachement blasé de marchands de tapis, tout en restant prudents sur la poignée de sujets idéologiques sensibles – les armes à feu, l'avortement, les impôts – susceptibles de provoquer des remous au sein de leur base électorale.

Non pas que ces gens fussent incapables de faire la différence entre les bonnes et les mauvaises décisions politiques. Simplement, cette distinction n'avait aucune importance. Ce que tous les sénateurs à Springfield avaient compris, c'est que neuf fois sur dix les électeurs de leur circonscription ne prêtaient pas la moindre attention à ce qui se passait ici. Un compromis hasardeux mais louable, une entorse à la ligne orthodoxe du parti pour soutenir une idée innovante – cela pouvait vous coûter un soutien décisif, un partenaire financier de poids, un poste prestigieux, ou même une élection.

Était-il possible d'attirer l'attention des électeurs ? Je m'y évertuais en tout cas. Dans ma circonscription, je disais oui à presque toutes les sollicitations. J'ai commencé à tenir une chronique régulière dans le *Hyde Park Herald*, un hebdomadaire de quartier qui comptait moins de 500 lecteurs. J'organisais des rencontres citoyennes dans des salles des fêtes, j'installais les boissons et des piles de bulletins d'information sur l'avancée des projets législatifs, puis, en général, je restais assis là, en compagnie d'un pauvre collaborateur esseulé, à consulter ma montre en attendant une foule qui n'arrivait jamais.

Je ne pouvais pas en vouloir aux gens de ne pas venir. Ils n'avaient pas le temps, ils devaient s'occuper de leur famille, et les débats qui agitaient Springfield leur paraissaient probablement bien éloignés de leurs préoccupations quotidiennes. Du reste, sur les quelques sujets majeurs auxquels ils s'intéressaient bel et bien, mes électeurs devaient sans doute être déjà sur la même longueur d'onde que moi, dans la mesure où les limites de ma circonscription – comme pratiquement toutes celles de l'Illinois – avaient été tracées avec une précision chirurgicale afin que l'un ou l'autre parti soit assuré d'y exercer une domination sans partage. Si je voulais plus de fonds pour les écoles des quartiers pauvres, si je voulais faciliter l'accès des chômeurs à l'assurance-maladie ou à la formation, je n'avais pas besoin de rallier les électeurs à ma cause. Les gens qu'il me fallait démarcher et convaincre vivaient ailleurs.

Vers la fin de ma deuxième session parlementaire, j'ai senti que l'atmosphère du capitole commençait à me peser – la futilité de mes entreprises au sein de l'opposition, le cynisme presque fièrement affiché de tant de mes collègues. Et sans doute cela se voyait-il. Un jour, dans la rotonde, alors qu'un de mes projets de loi venait de se faire descendre en flammes, un lobbyiste bienveillant s'est approché de moi et m'a passé le bras autour des épaules.

« Il faut que tu arrêtes de te cogner la tête contre les murs, Barack, m'a-t-il dit. Le secret pour survivre dans cet endroit, c'est de comprendre qu'il s'agit d'un business. Comme vendre des voitures. Ou tenir le pressing du coin de la rue. Si tu commences à y voir autre chose que ça, tu vas perdre les pédales. »

CERTAINS POLITOLOGUES affirment que tout ce que j'ai pu raconter sur mon expérience à Springfield décrit très exactement la façon dont le pluralisme est censé fonctionner ; que les tractations entre groupes d'intérêts ne brillent peut-être pas par leur noblesse, mais que c'est ça qui permet à la démocratie d'avancer, bon an mal an. J'aurais probablement eu moins de mal à entendre cet argument à l'époque si ma vie de famille ne m'avait pas tant manqué.

Les deux premières années, tout allait encore bien – Michelle avait beaucoup de travail de son côté, et même si, fidèle à sa parole, elle ne venait jamais à Springfield (elle n'avait fait le déplacement que le jour de mon investiture au sénat), nous passions de longs moments au téléphone les soirs où je n'étais pas là. Et puis un jour, à l'automne 1997, elle m'a appelé au bureau, la voix tremblante.

« Ça y est.

– Ça y est quoi ?

– Tu vas devenir papa. »

J'allais devenir papa. Quelle joie durant les mois qui ont suivi ! Je me suis montré conforme en tous points au cliché du futur père : j'allais aux cours de préparation à l'accouchement sans douleur, je me suis échiné à monter un berceau, je me suis plongé dans les manuels de puériculture, crayon à la main pour souligner les passages cruciaux. Le 4 juillet, vers 6 heures du matin, Michelle m'a réveillé pour me dire qu'il fallait qu'on parte immédiatement à l'hôpital. Je me suis levé en titubant, j'ai fermé le sac que j'avais déjà préparé et posé devant la porte, et sept heures plus tard j'ai fait la connaissance de Malia Ann Obama, trois kilos et sept cents grammes de perfection.

Entre autres et nombreux talents, notre fille avait le sens du timing :
la session parlementaire et l'année scolaire étaient terminées, aucune
affaire d'importance ne m'attendait au cabinet, je pouvais donc me
mettre en congé pendant tout le reste de l'été. Comme je suis un animal
nocturne par nature, c'est moi qui prenais le quart de nuit afin que
Michelle puisse se reposer ; je posais Malia sur mes cuisses pour lui
faire la lecture tandis qu'elle me regardait de ses grands yeux pleins de
curiosité, ou bien je l'allongeais sur ma poitrine après lui avoir fait faire
son rot et changé sa couche, et elle s'endormait, sereine, toute tiède
contre ma peau. Je pensais alors à ces générations entières d'hommes
qui étaient passés à côté de ce genre de moments, je pensais à mon
propre père, dont l'absence avait eu plus d'impact sur moi que le peu
de temps que nous avions passé ensemble, et je songeais que pour rien
au monde je n'aurais voulu me trouver ailleurs.

Mais les contraintes que connaissent tous les jeunes parents ont fini
par nous rattraper. Après quelques mois de pure félicité, Michelle a
repris le travail et je suis reparti jongler entre mes trois casquettes. Nous
avons eu la chance de trouver une merveilleuse nounou qui s'occupait
de Malia durant la journée, mais l'embauche d'une employée à plein
temps dans notre petite entreprise familiale a sérieusement écorné nos
finances.

C'est Michelle qui a le plus souffert de cette situation ; constamment
prise entre son rôle de mère et ses obligations professionnelles, elle
n'était pas convaincue d'être à la hauteur, sur l'un comme sur l'autre
front. Tous les soirs, après avoir fait dîner Malia, après lui avoir donné
son bain, après lui avoir raconté une histoire, après avoir fait le ménage
dans l'appartement, après avoir essayé de se souvenir si elle était passée
au pressing et après s'être mis un rappel pour ne pas oublier de prendre
rendez-vous chez le pédiatre, elle s'écroulait souvent sur un lit vide,
sachant qu'elle n'avait que quelques heures de repos devant elle avant
que le cycle ne redémarre, pendant que son mari s'occupait de « choses
importantes ».

Nous avons commencé à nous disputer plus fréquemment, tard le
soir en général, quand nous étions tous les deux morts de fatigue. « Ce
n'est pas pour ça que j'ai signé, Barack, m'a dit un jour Michelle. J'ai
l'impression de tout faire toute seule. »

Ces paroles m'ont blessé. Quand je ne travaillais pas, j'étais là, à la
maison – et quand j'étais à la maison, si jamais il m'arrivait d'oublier de
nettoyer la cuisine après le dîner, c'était parce que j'allais devoir passer
une bonne partie de la nuit à corriger des copies ou à peaufiner un
rapport. Mais j'avais beau me défendre, je savais bien que je ne faisais

pas ce qu'il fallait. La colère de Michelle renfermait une vérité plus rude encore. J'essayais de donner beaucoup à beaucoup de gens. J'avais choisi la difficulté, comme elle l'avait prédit à l'époque où nos fardeaux étaient plus légers, nos diverses responsabilités personnelles moins enchevêtrées. Je me suis rappelé alors la promesse que je m'étais faite à la naissance de Malia : que je serais là pour voir mes enfants grandir, qu'ils me connaîtraient, qu'ils sauraient à quel point je les aimais et qu'ils sentiraient que je les avais toujours fait passer avant tout le reste.

Assise dans la pénombre de notre salon, Michelle n'avait plus l'air en colère à présent ; elle avait simplement l'air triste. « Est-ce que ça en vaut la peine ? » m'a-t-elle demandé.

Je ne sais plus ce que j'ai répondu. Je sais que je n'ai pas été capable de lui avouer que je n'en étais plus aussi sûr.

IL EST DIFFICILE, rétrospectivement, de comprendre pourquoi on fait quelque chose d'idiot. Et je ne parle pas des petites bêtises de tous les jours – tacher sa cravate préférée parce qu'on a essayé de manger une soupe en conduisant, ou se faire un tour de reins parce qu'on s'est laissé embarquer dans un match de foot à Thanksgiving. Je parle des choix désastreux qu'on fait à l'issue d'une longue réflexion : tous ces moments de la vie où, ayant identifié un problème, on prend le temps de l'analyser, puis, avec une confiance absolue, on y réagit très exactement comme il ne fallait pas.

Voilà comment je me suis lancé dans la course au Congrès. Au terme de nombreuses conversations, j'ai dû reconnaître que Michelle avait raison de soulever cette question : le peu que je parvenais à accomplir à Springfield valait-il autant de sacrifices ? Plutôt que de me délester d'un trop lourd fardeau, cependant, je suis allé dans la direction opposée, décidant qu'il était temps de donner un coup d'accélérateur et de viser un poste où j'aurais plus d'influence. Peu de temps auparavant, Bobby Rush, ancien membre des Black Panthers et vétéran du Congrès, s'était présenté contre Richard Daley à Chicago lors des élections municipales en 1999 et s'était fait étriller, même dans sa propre circonscription.

Je trouvais que Rush avait mené une campagne peu inspirée, sans réel projet hormis la vague promesse de reprendre le flambeau allumé par Harold Washington. Si c'était ainsi qu'il entendait s'acquitter de sa mission au Congrès, je me disais que je pourrais faire mieux. Après en avoir discuté avec quelques conseillers en qui j'avais toute confiance, j'ai demandé à mon staff de bricoler en interne un rapide sondage pour voir si j'avais des chances de l'emporter contre Rush. Notre échantillon informel paraissait probant. Sur la foi de ces résultats, j'ai réussi à convaincre plusieurs amis proches de m'aider à financer la campagne. Puis, malgré les avertissements d'un certain nombre de personnalités politiques plus expérimentées, d'après lesquelles Rush était plus solide qu'il n'en avait l'air, et malgré l'incrédulité de Michelle à l'idée que je puisse penser qu'elle serait plus heureuse de me voir travailler à Washington plutôt qu'à Springfield, j'ai annoncé ma candidature au siège de représentant de la première circonscription de l'Illinois au Congrès.

Pratiquement dès le départ, la campagne a été un désastre. Au bout de quelques semaines à peine, les attaques ont commencé à fuser du camp Rush : *Obama est un* outsider *; il est soutenu par les Blancs ; c'est un élitiste de Harvard. Et puis c'est quoi, ce nom – vous êtes sûr qu'il est noir ?*

Ayant récolté suffisamment d'argent pour faire réaliser un sondage en bonne et due forme, je me suis aperçu que Bobby était bien connu d'une immense majorité d'électeurs de la circonscription (à hauteur de 90 %) et que son taux de popularité atteignait les 70 %, alors qu'ils n'étaient que 11 % à être capables de m'identifier. Peu après, le fils de Bobby est mort dans des conditions tragiques, tué dans une fusillade, ce qui a soulevé une vague d'émotion. J'ai aussitôt suspendu ma campagne pendant un mois et j'ai regardé les funérailles à la télévision, organisées dans ma propre église, sous la conduite du révérend Jeremiah Wright. La situation sur le front familial étant déjà tendue, nous avons décidé de souffler un peu et de partir quelques jours à Hawaï pour Noël. À peine avions-nous atterri que le gouverneur appelait à une session extraordinaire pour voter une loi sur le renforcement du contrôle des armes à feu, que j'avais soutenue. Comme Malia, alors âgée de 18 mois, était malade et ne pouvait pas prendre l'avion, je n'ai pas pu rentrer pour participer au vote, ce qui m'a valu d'essuyer une volée de bois vert dans la presse de Chicago.

J'ai perdu avec 30 points d'écart.

Quand je parle aux jeunes de politique, je raconte parfois cette histoire comme l'illustration parfaite de ce qu'il ne faut *pas* faire. Et j'ajoute en général un petit épilogue : quelques mois après ma défaite, un de mes amis, craignant de me voir sombrer dans la déprime, avait insisté pour que je l'accompagne à la convention démocrate de 2000 qui devait se tenir à Los Angeles. (« Il faut que tu remontes en selle », m'avait-il dit.) Mais à mon arrivée, quand j'ai voulu louer une voiture à l'aéroport, ma carte American Express a été refusée parce que j'avais dépassé le plafond autorisé. Lorsque j'ai fini par réussir à rejoindre le

Staples Center, je me suis aperçu que le badge que m'avait procuré mon ami ne me permettait pas d'accéder à la salle, et je suis donc resté dehors à me morfondre en regardant les festivités sur des écrans télé. Enfin, après un nouvel épisode gênant un peu plus tard dans la soirée, lorsque mon ami n'est pas parvenu à me faire entrer dans une fête à laquelle il avait été invité, je suis retourné à l'hôtel en taxi, je me suis écroulé sur le canapé de sa suite, puis j'ai repris l'avion pour Chicago, où je suis arrivé juste au moment où Al Gore acceptait l'investiture.

Toute cette histoire est plutôt amusante, surtout au regard de ce qui allait m'arriver par la suite. Elle en dit long, comme je le confie à mon auditoire, sur la nature imprévisible de la politique et sur la résilience dont il faut être capable.

Je ne leur dis rien, en revanche, des sombres pensées que je ruminais dans l'avion qui me ramenait ce jour-là à Chicago. J'avais presque 40 ans, j'étais fauché, je sortais d'une défaite humiliante et mon couple traversait une passe difficile. J'ai songé, pour la première fois de ma vie peut-être, que j'avais pris un mauvais virage ; que les ressources d'énergie et d'optimisme que je croyais posséder, le potentiel sur lequel j'avais toujours parié, venaient d'être intégralement dépensés en pure perte pour une quête futile. Pire encore, j'étais conscient que ma prétention à me faire élire au Congrès m'avait été dictée non par je ne sais quel rêve désintéressé, l'ambition de changer le monde, mais par le besoin de justifier les choix que j'avais déjà faits, ou de flatter mon ego, ou encore d'apaiser le sentiment de jalousie que j'éprouvais à l'égard de ceux qui avaient réussi là où je n'avais encore rien accompli.

Autrement dit, j'étais devenu exactement ce que je m'étais promis, quand j'étais plus jeune, de ne jamais devenir. J'étais devenu un homme politique – et pas le plus brillant.

CHAPITRE 3

APRÈS MA DÉFAITE CUISANTE contre Bobby Rush, je me suis accordé quelques mois pour panser mes plaies avant de décider que je devais recadrer mes priorités et repartir de l'avant. J'ai dit à Michelle que j'étais conscient que je devais changer d'attitude. Nous attendions un deuxième enfant et, même si je n'étais pas aussi souvent à la maison qu'elle l'aurait souhaité, elle voyait au moins que je faisais des efforts. J'organisais mes rendez-vous à Springfield de manière à pouvoir rentrer plus tôt le soir. J'essayais d'être plus ponctuel, plus présent. Et le 10 juin 2001, un peu moins de trois ans après la naissance de Malia, nous avons éprouvé la même joie extraordinaire – la même sidération absolue – quand Sasha est arrivée, aussi joufflue et adorable que sa sœur, avec son irrésistible tignasse noire et bouclée.

Pendant les deux années suivantes, j'ai mené une vie plus tranquille, pleine de petits bonheurs ordinaires, satisfait de l'équilibre auquel il me semblait être parvenu. Je prenais un plaisir immense à aider Malia à enfiler son premier collant de danse, ou à me promener avec elle dans le parc en la tenant par la main ; à regarder la petite Sasha éclater de rire quand je lui mordillais les pieds ; à écouter la respiration de Michelle ralentir, sa tête posée sur mon épaule, quand elle s'endormait au milieu d'un vieux film. Je me suis remis au travail avec diligence au sénat de l'Illinois, et je profitais pleinement des moments passés en compagnie de mes étudiants en droit. Je me suis penché sérieusement sur l'état de nos finances et j'ai mis sur pied un plan pour alléger notre endettement. Le rythme apaisé de mon travail et les joies de la paternité m'ont permis de commencer à envisager l'avenir après la politique – je pourrais peut-être me consacrer à plein temps à l'enseignement et à l'écriture, ou bien reprendre ma carrière d'avocat, ou encore chercher du travail dans une fondation caritative, comme l'avait jadis imaginé ma mère.

Autrement dit, après ma candidature désastreuse au Congrès, j'ai pris du recul ; et si je n'avais pas renoncé pour autant à mon désir d'œuvrer d'une manière ou d'une autre à rendre le monde meilleur, en tout cas je n'étais plus obnubilé par l'idée qu'il fallait à tout prix voir grand pour y parvenir. La résignation qui avait sans doute été la mienne au début, face aux obstacles que le destin avait dressés sur mon chemin, avait peu à peu laissé la place à un sentiment de reconnaissance pour les nombreuses joies dont il m'avait déjà gratifié.

Deux choses, cependant, m'empêchaient de rompre avec la politique. Tout d'abord, les démocrates de l'Illinois avaient obtenu le droit de superviser le redécoupage de la carte électorale de l'État afin qu'elle reflète les nouvelles données du recensement effectué en 2000, grâce à une disposition pittoresque de la Constitution : elle prévoyait que, en cas de désaccord entre la chambre des représentants contrôlée par les démocrates et le sénat à majorité républicaine, il fallait laisser l'arbitrage au hasard, en tirant un nom de l'un des vieux chapeaux hauts de forme d'Abraham Lincoln. Avec cette carte en main, les démocrates avaient la possibilité de remanier à leur avantage un découpage électoral favorable aux républicains depuis une décennie, et ainsi de se donner de grandes chances de remporter la majorité au sénat lors des élections de 2002. Je savais qu'une année de mandat supplémentaire me permettrait de faire passer certains projets de loi, d'obtenir des résultats significatifs pour les gens que je représentais – et peut-être de terminer ma carrière politique sur un bilan plus positif qu'il ne l'était pour l'instant.

La deuxième raison avait à voir avec une intuition plutôt qu'un événement particulier. Depuis mon élection, j'essayais de passer quelques jours, chaque été, à rendre visite à divers collègues dans leur circonscription ici et là en Illinois. Je partais accompagné en général de mon principal collaborateur au sénat, Dan Shomon – un ancien reporter de l'agence United Press International qui avait d'épaisses lunettes, une inépuisable énergie et une voix de stentor. Nous balancions quelques clubs de golf, une carte routière et deux ou trois chemises dans le coffre de ma Jeep, puis nous tracions la route, cap au sud ou à l'ouest, avalant les kilomètres jusqu'à Rock Island ou Pinckneyville, Alton ou Carbondale.

Dan était mon conseiller politique en chef, un grand ami, et le compagnon idéal pour un *road trip* : il était aussi à l'aise dans la conversation que dans les moments de silence, et il aimait autant que moi fumer en voiture. Il avait par ailleurs une connaissance encyclopédique des dessous de la politique. La première fois que nous étions partis en tournée ensemble, j'avais bien vu qu'il appréhendait un peu la réaction des gens dans l'Illinois profond quand ils verraient débarquer un avocat noir de Chicago avec un nom à consonance arabe.

« Pas de chemises chic, m'avait-il instruit avant notre départ.

– Je n'ai pas de chemises chic.

– Parfait. Polos et pantalons décontractés, c'est tout.

– Bien reçu. »

Si Dan était inquiet à l'idée que je ne sois pas dans mon élément, ce qui m'avait le plus frappé au cours de nos voyages, c'était au contraire que tout me semblait très familier – que nous nous trouvions dans une foire agricole, dans les bureaux d'un syndicat ou sur la véranda d'un fermier. La façon dont les gens nous décrivaient leur famille ou leur travail. Leur modestie et leur hospitalité. Leur enthousiasme pour l'équipe de basket du lycée local. Les plats qu'ils nous préparaient, le poulet frit, les haricots et les desserts en gelée. Tout cela éveillait en moi des réminiscences de mes grands-parents, de ma mère, des parents de Michelle. Les mêmes valeurs. Les mêmes espoirs et les mêmes rêves.

Ces périples étaient devenus plus sporadiques après la naissance des enfants. Mais la leçon toute simple que j'avais tirée de chacune de ces occasions était demeurée profondément ancrée en moi. J'avais compris que, tant que les habitants de ma circonscription de Chicago et ceux des régions plus reculées de l'Illinois resteraient des étrangers les uns pour les autres, notre vie politique ne pourrait jamais réellement changer. Il serait toujours trop facile pour la classe politique d'entretenir les stéréotypes qui opposaient les Noirs aux Blancs, les immigrés aux Américains de naissance, les intérêts des régions rurales à ceux des grandes villes.

Mais si, en revanche, une campagne parvenait à remettre en question les préjugés politiques dominants qui perpétuaient l'image d'une Amérique divisée, alors peut-être serait-il possible de bâtir une nouvelle alliance entre ses citoyens. Les initiés ne pourraient plus jouer sur les dissensions entre tel groupe et tel autre. Les législateurs ne seraient plus obligés de définir les intérêts de leurs électeurs – et les leurs – de manière aussi étroite. Les médias pourraient focaliser leur attention et fonder leurs analyses en se préoccupant non plus de savoir qui avait gagné, qui avait perdu, mais uniquement de déterminer si nous avions atteint nos objectifs communs.

Finalement, n'était-ce pas cela que je recherchais – une politique capable d'établir un pont entre les lignes de partage de l'Amérique, raciales, ethniques et religieuses, ainsi qu'entre les divers aspects de ma propre existence ? Peut-être était-ce irréaliste de ma part ; peut-être ces divisions étaient-elles trop solidement enracinées. Mais j'avais beau essayer de me persuader moi-même du contraire, je n'arrivais pas à me débarrasser du sentiment qu'il était trop tôt pour renoncer à mes convictions les plus fortes. J'avais beau me dire que j'en avais terminé, ou presque, avec la vie politique, je savais au plus profond de moi que je n'étais pas prêt à tourner la page.

Poursuivant mes réflexions sur l'avenir, une chose m'est apparue avec évidence : ce n'était pas en me présentant à une élection législative que je pourrais mettre en œuvre la politique de rassemblement que j'avais en tête. Le problème était structurel ; tout dépendait des frontières tracées entre les circonscriptions. Dans une circonscription comme celle où je vivais, dont la population était très majoritairement noire, le position-nement qu'on attendait des hommes politiques se définissait en termes raciaux, tout comme c'était le cas dans de nombreuses circonscriptions rurales dont la population majoritairement blanche se sentait laissée pour compte. Comment allez-vous nous défendre face à tous ceux qui ne sont pas comme nous, demandaient les électeurs, tous ceux qui n'ont pas cessé de nous exploiter et de nous mépriser ?

Il n'était certes pas impossible de parvenir à des résultats en partant d'une base politique aussi étroite ; l'ancienneté aidant, on pouvait fournir aux citoyens des services de meilleure qualité, faire voter deux ou trois projets qui auraient un véritable impact au niveau local et, en nouant des alliances, essayer d'influencer le débat national. Mais ça ne suffisait pas pour lever les obstacles politiques qui rendaient si difficile d'obtenir une protection sociale pour ceux qui en avaient le plus besoin, de meilleures écoles pour les enfants défavorisés, la création d'emplois là où il n'y en avait pas, tous ces obstacles contre lesquels Bobby Rush devait lutter chaque jour.

J'avais compris que, pour faire vraiment bouger les choses, je devais pouvoir parler au plus grand nombre, et parler *au nom* du plus grand nombre. Et la meilleure façon d'y arriver, c'était de briguer un poste qui me permettrait de représenter l'Illinois tout entier – au Sénat des États-Unis, par exemple.

QUAND JE REPENSE aujourd'hui au culot qui était le mien – pour ne pas dire l'impudence – de vouloir me lancer dans une élection sénatoriale au niveau national, alors que je sortais tout juste d'une défaite cinglante, il n'est pas difficile d'admettre la possibilité que j'étais peut-être tout bonnement animé par une envie désespérée de repiquer au jeu, comme un alcoolique qui trouve toutes les bonnes raisons de se servir un dernier verre pour la route. Sauf que ce n'était pas du tout comme ça que je voyais les choses. Au contraire, plus je ruminais cette idée, plus elle me semblait évidente – non pas que je fusse convaincu que j'allais gagner, mais je pensais que je *pouvais* gagner, et que, si je gagnais, mon action politique pourrait avoir un véritable impact. Je le voyais, je le sentais, comme l'arrière au football américain qui repère une brèche dans la ligne de défense adverse et qui sait que, s'il parvient à s'y engouffrer suffisamment vite et à franchir l'obstacle, le terrain sera ensuite entièrement dégagé et plus rien ne pourra l'arrêter jusqu'à la zone d'en-but. Par ailleurs, je suis arrivé à une autre conclusion tout aussi évidente : si je ne réussissais pas mon coup, il serait temps pour moi de dire adieu à la politique – et, du moment que j'aurais fait tout mon possible, je partirais sans le moindre regret.

Discrètement, au cours de l'année 2002, j'ai commencé à soumettre cette idée au banc d'essai. En examinant attentivement la configuration du paysage politique dans l'Illinois, je me suis aperçu que la perspective d'envoyer au Sénat un représentant local noir et quasi inconnu du grand public n'était pas si extravagante que ça. Plusieurs personnalités afro-américaines avaient réussi à accéder à de tels postes de responsabilité, dont l'ancienne sénatrice démocrate Carol Moseley Braun, une femme politique talentueuse mais dont le manque de rigueur, après la vague d'enthousiasme soulevée dans tout le pays par sa victoire, lui avait valu de subir une série de revers, par sa propre faute, notamment des déboires liés à des opérations financières douteuses. Par ailleurs, le républicain qui l'avait battue, Peter Fitzgerald, était un banquier fortuné que ses opinions très conservatrices avaient rendu assez impopulaire dans un Illinois qui penchait de plus en plus du côté démocrate.

J'ai d'abord sondé trois de mes partenaires de poker au sénat de l'Illinois – les démocrates Terry Link, Denny Jacobs et Larry Walsh – pour savoir si, à leurs yeux, j'avais la moindre chance dans les enclaves blanches, rurales et populaires qu'ils représentaient. D'après ce qu'ils avaient vu quand j'étais venu dans leurs circonscriptions, ils pensaient que oui, et ils étaient prêts à me soutenir si je me lançais. Même son de cloche du côté d'un certain nombre d'élus blancs progressistes représentant les quartiers aisés au bord du lac Michigan à Chicago, ainsi que d'une poignée d'élus indépendants issus de la communauté latino. J'ai demandé à Jesse Jackson Jr s'il comptait se présenter, et il m'a répondu non, ajoutant qu'il était prêt, lui aussi, à m'apporter son soutien. Le chaleureux Danny Davis, troisième député noir de la délégation de l'Illinois à la Chambre des représentants, était également partant. (Quant à Bobby Rush, je ne pouvais guère lui en vouloir d'accueillir mon projet de candidature avec moins d'enthousiasme.)

Mais le soutien qu'il me fallait absolument obtenir était celui d'Emil Jones, qui était désormais bien placé pour devenir le président du sénat de l'Illinois, et donc l'une des trois personnalités politiques les plus influentes de l'État. Je suis allé le voir dans son bureau et je lui ai fait remarquer qu'aucun Noir ne siégeait au Sénat des États-Unis, et que les idées politiques pour lesquelles nous nous étions battus ensemble à Springfield gagneraient à être défendues à Washington. S'il aidait l'un des siens à se faire élire au Sénat, ai-je ajouté, cela ne manquerait pas d'exaspérer la vieille garde républicaine blanche de Springfield par laquelle il s'était toujours senti méprisé, et je crois qu'il a été particulièrement séduit par cette perspective.

Avec David Axelrod, j'ai opté pour un angle d'attaque différent. Ancien journaliste devenu conseiller en communication, qui comptait parmi ses clients Harold Washington, l'ancien sénateur Paul Simon et le maire Richard Daley, Axe avait la réputation d'être malin, impitoyable et très doué pour la publicité. J'admirais son travail et je savais que l'avoir à mes côtés donnerait de la crédibilité aux débuts de ma campagne, pas seulement au niveau de l'Illinois, mais auprès des donateurs et des observateurs à l'échelle nationale.

Je savais aussi qu'il ne serait pas facile à convaincre. « C'est un sacré pari », m'a-t-il lancé le jour où nous nous sommes retrouvés pour déjeuner dans un bistrot du quartier de River North. Axe avait été l'une des nombreuses personnes à m'avoir mis en garde contre Bobby Rush. Entre deux généreuses bouchées de sandwich, il m'a dit que je ne pouvais pas me permettre une deuxième défaite. Et il doutait qu'un candidat dont le nom rimait avec « Oussama » ait beaucoup de chances d'obtenir les suffrages de l'Illinois rural. Par ailleurs, il avait déjà été approché par au moins deux autres candidats sérieux – Dan Hynes, le secrétaire aux comptes du trésor public de l'État, et Blair Hull, un multimillionnaire à la tête d'un fonds spéculatif – qui semblaient tous les deux beaucoup mieux placés que moi pour gagner ; donc, si jamais il acceptait de me prendre comme client, ça risquait de coûter une somme rondelette à sa boîte.

« Attends que Rich Daley prenne sa retraite et présente-toi à la mairie, a-t-il conclu en essuyant un peu de moutarde sur sa moustache. C'est le pari le plus sûr. »

Il avait raison, évidemment. Mais je ne voulais pas jouer ma main de manière conventionnelle. Et je sentais en Axe – sous tous les sondages, les synthèses stratégiques et les argumentaires qui constituaient les outils de base de son métier – quelqu'un qui se voyait comme autre chose qu'un simple mercenaire ; quelqu'un qui pouvait être un véritable *alter ego*. Au lieu de débattre avec lui des mécanismes de campagne, j'ai fait appel à ses sentiments.

« Est-ce que ça t'arrive de penser à JFK et à Bobby Kennedy, à ce don qu'ils avaient pour faire appel à ce qu'il y a de meilleur en chacun de nous ? lui ai-je demandé. Ou à ce qu'ont dû éprouver tous ceux qui ont aidé Johnson à faire passer la loi contre les discriminations raciales, ou Roosevelt à instaurer le système de protection sociale, et qui avaient conscience qu'ils avaient amélioré la vie de millions de personnes ? Il n'y a aucune raison pour que la politique soit nécessairement conforme à l'image que s'en font les gens. Ça peut être autre chose. »

Les imposants sourcils d'Axe se sont dressés sur son front tandis qu'il me dévisageait. Il devait paraître évident que je n'essayais pas seulement de le convaincre lui, mais que j'essayais de me convaincre moi-même. Quelques semaines plus tard, il m'a appelé pour m'annoncer que, après en avoir discuté avec ses associés et avec son épouse, Susan, il avait décidé de me prendre comme client. Avant que j'aie eu le temps de le remercier, il a ajouté une condition.

« Ton idéalisme est touchant, Barack… mais, à moins de lever 5 millions de dollars pour faire passer le message à la télé, tu n'as pas la moindre chance. »

Dès lors, je me sentais enfin prêt à consulter Michelle. Elle était à présent directrice exécutive des affaires sociales du centre hospitalier de l'université de Chicago, un travail qui lui permettait une plus grande flexibilité, mais qui l'obligeait toujours à jongler entre d'importantes responsabilités professionnelles et l'organisation des loisirs et de la vie scolaire des filles. J'ai donc été un peu surpris de l'entendre suggérer – au lieu de me répondre : « Ah ça, non, Barack, hors de question ! » – qu'on en discute avec certains de nos amis les plus proches, dont Marty Nesbitt, un homme d'affaires éminent dont l'épouse, le Dr Anita Blanchard, avait accouché Michelle de nos deux filles, et Valerie Jarrett, une avocate brillante et au carnet d'adresses fourni, qui avait été la patronne de Michelle aux services d'urbanisme de la ville et était devenue comme une grande sœur pour nous. Ce que je ne savais pas à ce moment-là, c'est que

Michelle avait déjà contacté Marty et Valerie, et les avait chargés de me faire renoncer à ce projet complètement stupide.

Nous nous sommes retrouvés chez Valerie, dans le quartier de Hyde Park, et pendant notre long brunch j'ai exposé mon raisonnement, les divers scénarios que j'envisageais pour obtenir la nomination démocrate, et les raisons pour lesquelles cette campagne serait différente de la précédente. Devant Michelle, j'ai reconnu sans détour que cela me forcerait à être loin de la maison pendant de longues périodes. Mais c'était la dernière fois, promis : soit je remportais mon pari, soit c'était fini ; si je perdais, nous en aurions terminé pour de bon avec la politique.

À la fin de mon petit discours, Valerie et Marty étaient convaincus, au grand dépit de Michelle, sans doute. Ce n'était pas une question de stratégie pour elle, mis à part le fait que la perspective d'une nouvelle campagne l'enchantait à peu près autant que de se faire arracher une dent de sagesse. Ce qui l'inquiétait le plus, c'était l'impact qu'elle aurait sur nos finances, qui ne s'étaient pas encore tout à fait remises de la précédente. Elle m'a rappelé que nous avions chacun un emprunt étudiant à rembourser, un emprunt immobilier et des dépassements de crédit bancaire. Nous n'avions pas encore commencé à mettre de l'argent de côté pour les études des filles, sans compter que pour me présenter au Sénat je devrais mettre entre parenthèses ma carrière d'avocat, afin d'éviter les conflits d'intérêts, ce qui diminuerait d'autant nos revenus.

« Si tu perds, nous serons encore plus dans le rouge. Et qu'est-ce qui se passe si jamais tu gagnes ? Comment on est censés entretenir deux foyers, un à Washington et l'autre à Chicago, alors qu'on a déjà du mal à s'en sortir avec un seul ? »

J'avais anticipé cette réaction. « Si je gagne, ma chérie, ça va attirer l'attention au niveau national. Je deviendrai le seul Afro-Américain au Sénat. Comme je serai plus en vue, je pourrai écrire un autre livre, qui se vendra très bien, et ça nous permettra de couvrir les frais supplémentaires. »

Michelle a laissé échapper un éclat de rire. J'avais gagné un peu d'argent avec mon premier livre, mais rien comparé aux sommes nécessaires pour éponger les dépenses entraînées par le projet dont je parlais. Aux yeux de ma femme – comme aux yeux de la plupart des gens, j'imagine –, un livre dont pas une seule ligne n'avait encore été écrite ne constituait pas précisément un projet financier.

« Si je comprends bien, m'a-t-elle rétorqué, tu as des haricots magiques plein les poches. C'est ça que tu es en train de me dire. Tu as plein de haricots magiques, tu vas les planter, et demain matin une gigantesque tige de haricot aura poussé jusqu'au ciel, et tu vas grimper tout en haut, tuer l'ogre qui vit dans les nuages, et ensuite tu vas nous rapporter à la maison une poule aux œufs d'or. C'est bien ça ?

– Quelque chose comme ça, oui. »

Michelle a secoué la tête et s'est tournée vers la fenêtre. Nous savions tous les deux après quoi je courais. Un nouveau virage. Un nouveau pari. Un nouveau pas en direction de quelque chose que je voulais et dont elle ne voulait pas.

« Très bien, Barack, a dit Michelle. Mais c'est la dernière fois. Et ne compte pas sur moi pour faire campagne avec toi. D'ailleurs, ne compte même pas sur ma voix. »

QUAND J'ÉTAIS PETIT, j'observais parfois mon représentant de grand-père passer ses soirées à essayer de vendre des assurances-vie par téléphone, le visage maussade tandis qu'il enchaînait les coups de fil de démarchage dans notre appartement au neuvième étage d'un immeuble de Honolulu. Au cours des premiers mois de l'année 2003, il m'est souvent arrivé de repenser à lui, assis à mon bureau dans les locaux chichement meublés de ma campagne sénatoriale, sous un poster de Mohamed Ali posant d'un air triomphal devant un Sonny Liston étendu sur le ring, essayant de me motiver pour passer un énième coup de téléphone afin de récolter des dons.

Hormis Dan Shomon et un ressortissant du Kentucky du nom de Jim Cauley que nous avions recruté comme directeur de campagne, notre équipe était essentiellement composée de gamins qui n'avaient pas 30 ans et dont la moitié seulement étaient payés – deux d'entre eux étaient encore étudiants en premier cycle. Je me sentais surtout navré pour mon collecteur de fonds, notre seul employé à plein temps, qui devait sans cesse me pousser à décrocher le téléphone pour solliciter des dons.

Mes talents de politicien s'amélioraient-ils ? Je n'aurais su le dire. Pendant le premier forum de présentation des candidats en février 2003, j'étais raide et peu inspiré, incapable de plier mon esprit à l'usage des petites phrases toutes faites qu'exigeait ce genre d'exercice. Mais ma défaite face à Bobby Rush m'avait clairement indiqué la voie à suivre pour élever mon niveau de jeu : il fallait que je communique de manière plus efficace avec les médias, que j'apprenne à exprimer mes idées par des formules incisives. Il fallait que je construise une campagne moins axée sur le contenu politique et plus focalisée sur le lien personnel avec les électeurs. Et il fallait que je récolte de l'argent – beaucoup d'argent. Nous avions commandité plusieurs sondages, qui semblaient tous confirmer que j'avais des chances de l'emporter, mais uniquement à condition de gagner en visibilité grâce à de très onéreux spots télé.

Et pourtant, autant ma campagne pour entrer à la Chambre des représentants avait semblé maudite, autant celle-ci a été pour ainsi dire bénie des dieux. En avril, Peter Fitzgerald avait décidé de ne pas se présenter à sa propre succession. Carol Moseley Braun, qui aurait pu sans doute s'assurer la nomination aux primaires démocrates pour récupérer son ancien siège, avait inexplicablement choisi de se lancer dans la course présidentielle ; la compétition était dès lors entièrement ouverte. Opposé à six autres démocrates pour les primaires, j'ai réussi à obtenir le soutien de syndicats et de membres populaires de notre délégation parlementaire, ce qui m'a permis de consolider ma base dans les régions du sud de l'État et dans les bastions progressistes. Avec l'appui d'Emil et d'une nouvelle majorité démocrate au sénat de l'Illinois, j'ai fait passer toute une série de projets, de la loi rendant obligatoire l'enregistrement vidéo des interrogatoires dans les affaires de crimes passibles de la peine capitale à l'extension du crédit d'impôt sur le revenu, ce qui a renforcé ma crédibilité en tant que législateur.

La nouvelle configuration du paysage politique national jouait également en ma faveur. En octobre 2002, avant même l'annonce de ma candidature, j'avais été invité à prendre la parole sur l'invasion imminente de l'Irak par les États-Unis, à l'occasion d'un rassemblement contre la guerre à Chicago. Pour quelqu'un qui s'apprêtait à annoncer sa candidature au Sénat, c'était un sujet politique délicat. Axe et Dan étaient tous les deux d'avis qu'une prise de position ferme et sans ambiguïté contre la guerre me ferait gagner des points aux primaires démocrates. D'autres se montraient plus prudents : compte tenu de l'atmosphère dans le pays au lendemain du 11 Septembre (à l'époque, d'après les sondages, pas moins de 67 % des Américains étaient favorables à une intervention militaire en Irak), de la probabilité d'une victoire de l'armée américaine à court terme, et du handicap que pouvaient représenter mon nom et mes origines, mon opposition à la guerre risquait de me coûter cher le jour de l'élection.

« L'Amérique adore la bagarre », m'avait averti un ami.

Après deux ou trois jours de réflexion, j'ai décidé que c'était mon premier vrai test : étais-je prêt à assumer le genre de campagne que je m'étais engagé à mener ? J'ai écrit un bref discours, de cinq à six minutes – satisfait qu'il reflète mes convictions profondes –, puis je suis allé me coucher sans le soumettre à mon équipe pour avis. Le jour de la manifestation, plus de 1 000 personnes s'étaient rassemblées sur Federal Plaza, sous la houlette de Jesse Jackson. Il faisait froid, le vent soufflait en rafales. Quelques applaudissements étouffés par les gants ont retenti quand j'ai été appelé à prendre la parole, et je suis monté à la tribune.

« Je voudrais tout d'abord vous dire que, même si nous sommes rassemblés ici aujourd'hui contre la guerre, l'homme qui se tient devant vous n'est pas opposé au conflit armé en toutes circonstances. »

La foule a fait silence, se demandant où je voulais en venir. J'ai évoqué le sang versé pendant la guerre de Sécession pour préserver l'Union et permettre l'avènement d'une nouvelle liberté ; la fierté que m'inspirait l'engagement de mon grand-père au lendemain de Pearl Harbor ; mon soutien aux opérations militaires en Afghanistan et ma propre disposition à prendre les armes s'il le fallait pour éviter un nouveau 11 Septembre. « Je ne suis pas contre toutes les guerres, ai-je dit. Mais je suis opposé aux guerres absurdes. » Saddam Hussein, ai-je poursuivi, ne représentait pas une menace imminente contre les États-Unis ou leurs voisins, et « même un succès militaire en Irak entraînerait une occupation de l'armée américaine pendant une durée indéterminée, qui aurait un coût indéterminé et des conséquences indéterminées ». J'ai conclu en suggérant que, si le président Bush cherchait vraiment la bataille, il aurait mieux fait de finir le job contre Al-Qaida, d'arrêter de soutenir les régimes autoritaires et de mettre un terme à la dépendance des États-Unis vis-à-vis des puissances pétrolières du Moyen-Orient.

J'ai regagné ma place. La foule m'a acclamé. Au moment de quitter les lieux, j'étais sûr que mon petit discours ne resterait dans les mémoires que comme une note en bas de page. Les médias ont à peine mentionné ma présence à la manifestation.

QUELQUES MOIS APRÈS le début des bombardements de la coalition militaire menée par les États-Unis sur Bagdad, les démocrates se sont retournés contre la guerre en Irak. À mesure qu'augmentaient le nombre des victimes et le chaos, la presse a commencé à poser des questions qui auraient dû être posées dès le début. Une vague de contestation populaire a permis à une personnalité quasi inconnue du grand public, le gouverneur du Vermont, Howard Dean, de sortir des rangs pour défier les candidats à la présidentielle de 2004 comme le démocrate John Kerry qui s'étaient prononcés en faveur de la guerre. Mon bref discours lors du rassemblement contre l'intervention militaire en Irak prenait soudain des allures prémonitoires et a commencé à circuler sur Internet. Les jeunes recrues de mon équipe de campagne ont dû m'expliquer ce que des machins comme les « blogs » ou « MySpace » avaient à voir avec l'afflux de nouveaux bénévoles et les dons citoyens qui survenaient soudain de tous les côtés.

Dans mon rôle de candidat, je m'amusais énormément. À Chicago, je passais mes samedis à m'immerger dans divers quartiers – mexicain, italien, indien, polonais, grec –, à manger et à danser, à participer à des défilés, à embrasser les bébés et à serrer les mamies dans mes bras. Le dimanche, j'allais dans les églises de la communauté noire ; certaines n'étaient que de modestes devantures coincées entre une onglerie et un fast-food ; d'autres étaient d'immenses édifices, avec un parking de la taille d'un terrain de football. J'écumais les zones périphériques de Chicago, des enclaves résidentielles arborées du North Shore où s'alignaient les demeures majestueuses aux banlieues de l'ouest et du sud, dont la pauvreté et les bâtiments laissés à l'abandon évoquaient parfois les quartiers les plus durs du centre-ville. Toutes les deux semaines environ, je partais en visite dans le sud de l'État – prenant parfois seul le volant, mais accompagné le plus souvent de Jeremiah Posedel ou Anita Decker, les deux équipiers talentueux qui supervisaient les opérations de la campagne sur le terrain.

Au début, quand je m'adressais aux électeurs, j'avais tendance à ne parler que des questions sur lesquelles je focalisais ma campagne – l'interdiction des exonérations d'impôts pour les sociétés qui délocalisaient leurs activités à l'étranger, la promotion des énergies renouvelables, ou encore l'accès aux études supérieures. J'expliquais pourquoi je m'étais opposé à la guerre en Irak, saluant l'engagement remarquable de nos soldats tout en remettant en cause la décision de lancer le pays dans un nouveau conflit alors que les opérations entamées en Afghanistan n'étaient pas terminées et qu'Oussama Ben Laden courait encore dans la nature.

Peu à peu, cependant, je me suis mis plutôt à écouter ce que les gens avaient à dire. Et plus je les écoutais, plus ils se confiaient. Ils me racontaient ce que ça faisait d'être licencié du jour au lendemain après une vie entière de labeur, de voir sa maison saisie ou de devoir vendre la ferme familiale. De ne pas avoir les moyens de souscrire une assurance-maladie et de se retrouver obligé de couper en deux les cachets prescrits par le médecin pour que le flacon dure plus longtemps. Ils me parlaient des jeunes qui s'en allaient parce qu'il n'y avait pas de travail en ville pour eux, ou d'autres forcés d'abandonner leurs études alors qu'ils étaient sur le point de décrocher leur diplôme parce qu'ils n'avaient plus de quoi payer les frais de scolarité.

Je réorientais mon discours de campagne, qui consistait de moins en moins en une série de positionnements politiques et de plus en plus en une chronique rassemblant ces témoignages disparates, un chœur de voix américaines venues de tous les coins de l'Illinois.

« Je vais vous dire, expliquais-je. Au fond, la plupart des gens, peu importe d'où ils viennent ou à quoi ils ressemblent, veulent la même chose. Ils ne cherchent pas à s'en mettre plein les poches. Ils n'attendent pas que quelqu'un d'autre fasse pour eux ce qu'ils peuvent faire eux-mêmes.

« Ce qu'ils attendent, en revanche, s'ils veulent travailler, c'est de pouvoir trouver un emploi qui leur permette de faire vivre leur famille. Ce qu'ils attendent, c'est de ne pas devoir craindre de tout perdre simplement parce qu'ils tombent malades. Ce qu'ils attendent, c'est que leurs enfants aient accès à une bonne éducation, une éducation qui les prépare à cette nouvelle économie, et qu'ils puissent étudier à l'université s'ils ont fourni les efforts nécessaires pour y entrer. Ils veulent se sentir en sécurité face à la criminalité et au terrorisme. Et, après une vie entière de travail, ils veulent pouvoir profiter de leur retraite dans le respect et la dignité.

« Voilà ce qu'ils veulent. Ce n'est pas grand-chose. Et même s'ils ne demandent pas aux pouvoirs publics de résoudre tous leurs problèmes, ils savent, au plus profond d'eux-mêmes, qu'il suffirait d'une légère réorientation des priorités pour que le gouvernement puisse les aider. »

Silence dans la salle. Ensuite, je répondais à quelques questions. À la fin de chaque meeting, les gens faisaient la queue pour venir me serrer la main, prendre un exemplaire de notre programme ou discuter avec Jeremiah, Anita ou un bénévole local pour savoir comment ils pouvaient participer à l'effort de campagne. Puis je reprenais la route, certain que l'histoire que je racontais était vraie ; convaincu que ce n'était plus moi qui étais au centre de cette campagne, que j'étais devenu une simple caisse de résonance à travers laquelle ils pouvaient prendre conscience de la valeur de leurs propres expériences, de leurs propres mérites, et les partager ensemble.

En sport comme en politique, il n'est pas évident de déterminer en quoi consiste exactement ce moment de grâce où l'on atteint son meilleur niveau de jeu. Mais au début de l'année 2004, en tout cas, nous l'avions atteint. Axe nous a fait tourner deux spots télé : dans le premier, je parlais directement, face caméra, et terminais par le slogan « *Yes we can* ».

(Je le trouvais pour ma part un peu mièvre, mais Axe est aussitôt allé consulter les puissances supérieures, c'est-à-dire Michelle, qui a jugé qu'il n'était « pas mièvre du tout ».) Le deuxième spot donnait la parole à Sheila Simon, la fille du très populaire ancien sénateur Paul Simon, décédé des suites d'une opération du cœur quelques jours avant la date à laquelle il comptait annoncer officiellement son soutien à ma candidature.

Nous avons diffusé ces spots quatre semaines à peine avant les primaires. Très vite, le nombre de mes soutiens a presque doublé. Quand les cinq journaux les plus importants de l'Illinois se sont ralliés à ma cause, Axe a décidé de changer le montage des spots télé pour y intégrer cette nouvelle donnée, nous expliquant qu'une telle validation avait en général plus de poids pour un candidat noir que pour un candidat blanc. À peu près au même moment, le sol s'est effondré sous les pieds de mon plus sérieux rival aux primaires quand la presse a divulgué les détails de certains documents, jusqu'alors placés sous le sceau du secret judiciaire, dans lesquels son ex-femme faisait état de violences conjugales. Le 16 mars 2004, jour de la primaire démocrate, nous l'avons emporté avec près de 53 % des voix – autrement dit, non seulement plus que les six autres candidats démocrates réunis, mais plus que toutes les voix républicaines enregistrées sur l'ensemble de l'Illinois dans leur propre primaire.

Je ne me rappelle que deux moments de cette soirée-là : les cris de joie de nos filles (sans doute mêlés d'une nuance de frayeur dans le cas de Sasha, alors âgée de 2 ans) quand les canons à confettis ont explosé pendant la fête, et un Axelrod hystérique m'annonçant que j'avais remporté, à une exception près, toutes les circonscriptions majoritairement blanches de Chicago, qui constituaient autrefois l'épicentre des oppositions raciales à Harold Washington. (« De là-haut, Harold nous sourit ce soir », a dit Axe.)

Je me souviens aussi du lendemain matin. Nous n'avions quasiment pas fermé l'œil de la nuit, et j'ai fait un tour à la gare centrale pour saluer les usagers des transports en route vers leur lieu de travail. Il s'était mis à neiger doucement, les flocons étaient aussi épais que des pétales de fleurs, et les gens qui me reconnaissaient et me serraient la main semblaient tous afficher le même sourire – comme si nous avions accompli tous ensemble quelque chose d'incroyable.

« Un boulet qui vient d'être éjecté d'un canon » : voilà comment Axe décrirait les mois qui ont suivi, et c'était exactement ça. Du jour au lendemain, notre campagne faisait soudain les gros titres de l'actualité nationale, toutes les chaînes de télé voulaient nous interviewer et les élus politiques appelaient de partout dans le pays pour nous féliciter. Ce n'était pas simplement dû à notre victoire, ni même à la marge d'écart inattendue avec laquelle nous l'avions emporté ; ce qui intéressait les observateurs, c'était la façon dont nous avions gagné, le fait que nous avions obtenu des voix dans tous les segments démographiques de la population, y compris dans les comtés blancs du sud et des régions rurales de l'État. Les experts spéculaient sur ce que ma campagne disait de la question raciale en Amérique – et, compte tenu de l'opposition que j'avais très tôt exprimée au sujet de la guerre en Irak, sur ce qu'elle laissait peut-être présager des futures orientations du Parti démocrate.

Toutefois, nous ne pouvions pas nous permettre le luxe de nous reposer sur nos lauriers ; nous nous sommes hâtés de repartir au combat. Nous avons engagé de nouveaux collaborateurs, plus expérimentés, notamment le directeur de la communication Robert Gibbs, un ancien de la campagne Kerry originaire de l'Alabama, dur en affaires et à l'esprit particulièrement affûté. Les sondages me donnaient une vingtaine de points d'avance sur mon adversaire républicain, Jack Ryan, mais son pedigree m'incitait à la prudence – c'était un ancien banquier qui avait quitté Goldman Sachs pour enseigner dans une école paroissiale auprès d'enfants défavorisés et dont le physique de jeune premier adoucissait les contours de ses idées républicaines très traditionnelles.

Heureusement pour nous, tout cela n'a aucunement joué sur le cours de la campagne. Ryan s'est fait éreinter par la presse après avoir tenté de me faire passer pour un gauchiste enclin à dilapider l'argent du contribuable et à augmenter les impôts, exhibant à cette fin toute une série de tableaux dont les chiffres étaient à l'évidence complètement erronés. Puis il s'est fait clouer au pilori pour avoir envoyé un jeune employé de sa campagne, armé d'une caméra, me suivre agressivement à la trace, jusque dans les toilettes ou quand j'essayais de parler en privé avec Michelle et les filles, dans l'espoir de me prendre en flagrant délit au moindre faux pas. Enfin, dernier clou dans le cercueil, la presse a mis la main sur des documents confidentiels liés au divorce de Ryan, dans lesquels son ex-femme affirmait qu'il l'avait forcée à aller dans des boîtes échangistes et à avoir des rapports sexuels devant des inconnus. Moins d'une semaine plus tard, Ryan annonçait son retrait de la course.

Cinq mois nous séparaient de l'élection générale, et je n'avais soudain plus aucun adversaire.

« Tout ce que je sais, a déclaré Gibbs, c'est que quand tout ça sera fini, on file à Las Vegas. »

Cependant, j'ai continué à battre la campagne à un rythme effréné, prenant souvent la route à la fin de ma journée de travail à Springfield pour partir à la rencontre des électeurs dans de petites villes de la région. C'est au retour de l'un de ces meetings que j'ai reçu un coup de téléphone d'un membre de l'équipe de John Kerry m'invitant à prononcer le discours inaugural de la convention nationale démocrate qui aurait lieu à Boston à la fin du mois de juillet, et à l'issue de laquelle serait officiellement désigné le candidat du parti à l'élection présidentielle. Je n'éprouvais aucune fébrilité ni aucune inquiétude à cette perspective, ce qui en dit long sur le caractère totalement improbable de l'année que je venais de traverser. Axelrod m'a proposé de monter une équipe pour établir les grandes lignes de mon discours, mais j'ai refusé.

« Laisse-moi m'en charger tout seul. Je sais ce que je veux dire. »

Pendant les jours qui ont suivi, j'ai donc commencé à rédiger mon discours, la plupart du temps le soir, allongé sur mon lit à l'hôtel Renaissance de Springfield, un match de basket à la télé en bruit de fond, couchant mes idées sur un bloc-notes. Les mots me venaient avec facilité ; c'était un condensé de la vision politique que je cherchais à exprimer depuis mes premières années à l'université et des conflits intérieurs qui m'avaient poussé dans l'aventure où j'étais à présent embarqué. Les voix se bousculaient dans ma tête : celle de ma mère, celles de mes grands-parents, celle de mon père ; celles des gens que j'avais côtoyés dans mon travail associatif et celles des gens croisés pendant la campagne. Je repensais à tous ces hommes et ces femmes que j'avais rencontrés, qui auraient eu toutes les raisons du monde de devenir amers et cyniques, mais qui s'y étaient refusés, qui n'avaient pas cessé d'aspirer à quelque chose de plus haut, à construire quelque chose ensemble. À un moment, je me suis souvenu d'une expression que j'avais entendue dans un sermon de mon pasteur, Jeremiah Wright, une expression qui résumait parfaitement cet état d'esprit.

L'audace d'espérer.

Axe et Gibbs rivaliseraient d'anecdotes par la suite à propos des rebondissements qui se sont enchaînés jusqu'à la soirée où j'ai prononcé mon discours à la convention. Les négociations sur le temps de parole qui me serait imparti (huit minutes au départ, négociées à dix-sept au final). Les coupes cruelles que m'ont imposées Axe et son collaborateur avisé John Kupper, et qui ont grandement amélioré le texte que j'avais écrit. L'avion retardé pour Boston tandis que la session au sénat de Springfield s'éternisait. La première fois que je me suis entraîné à parler en lisant sur un prompteur, mon coach, Michael Sheehan, m'expliquant que les micros fonctionnaient très bien, donc « pas besoin de hurler comme ça ». Ma colère quand un jeune membre de l'équipe Kerry nous a informés que je devais couper l'une des formules que je préférais dans le texte parce que le candidat désigné avait l'intention de la reprendre à son compte dans son propre discours. (« Tu n'es qu'un sénateur d'État, m'a aimablement rappelé Axe, et ils te donnent accès à la scène nationale... Je ne trouve pas que ce soit une demande déraisonnable. ») Michelle en coulisses, tout en blanc, magnifique, qui serre ma main, plonge tendrement ses yeux dans les miens et me dit : « Tu as intérêt à ne pas te foirer sur ce coup-là ! » Nos fous rires, nos gloussements, comme à chaque fois dans les moments les plus forts de notre amour, et puis l'introduction du premier représentant de l'Illinois au Sénat, Dick Durbin : « Que je vous dise un mot de ce Barack Obama... »

Je n'ai regardé qu'une seule fois en intégralité l'enregistrement de mon discours à la convention de 2004. Seul, longtemps après l'élection, pour essayer de comprendre ce qui s'était passé dans la salle ce soir-là. Avec tout ce maquillage, j'ai l'air effroyablement jeune, et je vois bien que je suis un peu tendu au début, que je vais trop vite ou trop lentement à certains endroits, que mes gestes sont un peu empruntés, trahissant mon inexpérience.

Et puis, au bout d'un moment, je trouve mon rythme. La foule cesse de rugir et écoute en silence. C'est le genre de moments comme il m'arriverait d'en connaître par la suite, certains soirs magiques. C'est une sensation physique, une émotion qui se propage comme une onde électrique entre vous et l'auditoire, comme si votre vie et la leur étaient soudain indissociables, collées sur la même bobine de celluloïd qui se projette dans le temps, en avant et en arrière, et vous sentez votre voix prendre de l'ampleur, presque jusqu'à se briser, parce que, l'espace d'un instant, vous ressentez la présence de tous ces gens au plus profond de vous ; vous les voyez tous, d'un seul tenant. Vous avez touché au cœur d'un esprit collectif, vous avez atteint quelque chose que nous connaissons et désirons tous – le sentiment d'un lien qui abolit nos différences et les remplace par une immense vague de possibilités – et vous savez que ce moment, comme tous les moments les plus impor-tants de la vie, est éphémère, et que bientôt le charme sera rompu.

AVANT CE SOIR-LÀ, je croyais comprendre le pouvoir des médias. J'avais vu les spots d'Axelrod me propulser en tête des primaires ; les inconnus qui me klaxonnaient ou me saluaient au volant de leur voiture, ou les enfants qui se précipitaient vers moi dans la rue et me disaient d'un air grave : « Je vous ai vu à la télé. »

Mais, cette fois, l'exposition médiatique était d'une tout autre ampleur – c'était une retransmission en direct, sans filtre, qui touchait des millions de personnes, dont les extraits diffusés en boucle en touchaient plusieurs millions d'autres grâce aux chaînes d'information et à Internet. Au moment de sortir de scène, je savais que mon discours s'était bien passé, et je n'ai pas été surpris outre mesure par la foule venue assister à nos divers meetings dès le lendemain. Mais, si gratifiante que soit l'attention que j'avais suscitée à Boston, je pensais que c'était un simple effet des circonstances. Je me disais que tous ces gens étaient des fanas de la politique, des gens qui suivaient ce genre d'événements minute par minute.

Tout de suite après la convention, cependant, Michelle, les filles et moi avons fait nos bagages et nous sommes partis pour une semaine de tournée en camping-car dans le sud de l'État afin de montrer aux électeurs que je restais concentré sur l'Illinois et que je n'avais pas pris la grosse tête. Nous étions sur l'autoroute, à quelques minutes de notre première étape, quand Jeremiah, mon directeur de campagne local, a reçu un appel de notre staff sur place.

« D'accord… d'accord… je vais prévenir le chauffeur.

– Qu'est-ce qui se passe ? lui ai-je demandé, déjà un peu fatigué par le manque de sommeil et l'enchaînement trépidant des événements.

– On attendait une centaine de personnes, a dit Jeremiah, mais il y en aurait déjà 500. Ils nous demandent de ralentir pour leur laisser le temps de gérer l'afflux. »

Vingt minutes plus tard, à notre arrivée, nous nous sommes retrouvés au milieu d'une foule immense – on aurait dit que la ville tout entière s'était rassemblée dans le parc. Il y avait des parents avec leurs enfants juchés sur les épaules, des personnes âgées installées sur des chaises pliantes qui agitaient de petits drapeaux, des hommes en chemise écossaise et casquette, sans doute venus là par simple curiosité, pour voir ce qui pouvait bien provoquer une telle effervescence, tandis que d'autres attendaient patiemment debout au milieu de la foule. Malia s'est penchée par la fenêtre, ignorant Sasha qui essayait de la pousser sur le côté pour mieux voir.

« Qu'est-ce qu'ils font dans le parc, tous ces gens ? a demandé Malia.

– Ils sont venus voir papa, a répondu Michelle.

– Pourquoi ? »

Je me suis tourné vers Gibbs, qui a haussé les épaules en disant : « Il va te falloir un plus gros bateau. »

À partir de là, chaque fois que nous nous arrêtions quelque part, nous étions accueillis par des rassemblements quatre ou cinq fois plus importants que jamais auparavant. Et nous avions beau nous dire que cette curiosité finirait par retomber et le ballon par se dégonfler, nous avions beau faire attention à ne pas nous complaire dans l'autosatisfaction, l'élection elle-même est presque passée au second plan. Au mois d'août, les républicains – incapables de trouver un candidat local prêt à se lancer dans la bataille (même si l'ancien entraîneur de l'équipe de foot des Chicago Bears, Mike Ditka, a publiquement affirmé qu'il y songeait) – ont recruté le trublion conservateur Alan Keyes, ce qui était pour le moins déconcertant. (« Tu vois, a dit Gibbs avec un petit sourire, eux aussi ils ont leur candidat noir ! ») En dehors du fait que Keyes était résident du Maryland, ses prises de position moralisatrices et sans concessions sur l'avortement et l'homosexualité n'étaient pas très bien reçues parmi les citoyens de l'Illinois.

« Jésus-Christ ne voterait pas pour *Barack Obama* », assenait-il, écorchant délibérément la prononciation de mon nom à chaque fois.

Je l'ai battu avec une marge de plus de 40 points – le plus grand écart jamais observé lors d'une élection sénatoriale dans toute l'histoire de l'État.

Pourtant, le soir de l'élection, notre humeur était mitigée, non seulement parce que notre victoire ne faisait aucun doute depuis un certain temps, mais aussi à cause des résultats au niveau national. Kerry avait perdu contre Bush ; les républicains gardaient le contrôle du Sénat et de la Chambre des représentants ; même le chef de file de l'opposition démocrate au Sénat, Tom Daschle, du Dakota du Sud, avait été mis en échec. Karl Rove, l'éminence grise de George Bush, plastronnait en évoquant la majorité républicaine qu'il rêvait d'installer de manière permanente à la tête du pays.

De notre côté, Michelle et moi étions épuisés. Mon staff avait calculé que j'avais pris sept jours de repos en tout et pour tout au cours des dix-huit derniers mois. Nous avons mis à profit les six semaines qui nous séparaient de mon investiture au Sénat des États-Unis pour nous occuper de divers problèmes domestiques que nous avions largement négligés. Je suis allé à Washington rencontrer mes futurs collègues, faire passer des entretiens pour constituer mon équipe et trouver l'appartement le plus abordable possible. Michelle avait décidé qu'elle resterait à Chicago avec les enfants, où elle pouvait compter sur le soutien d'un vaste cercle familial et amical, sans parler de son travail auquel elle était très attachée. Même si la perspective d'être loin d'elles trois jours par semaine pendant une bonne partie de l'année m'attristait, je ne pouvais que me rendre à ses arguments.

Pour le reste, nous ne nous sommes pas éternisés sur ce qui venait de nous arriver. Nous avons passé Noël à Hawaï avec Maya et Toot. Nous avons chanté ensemble, construit des châteaux de sable et regardé les filles ouvrir leurs cadeaux. J'ai jeté une fleur de frangipanier dans l'océan, à l'endroit où ma sœur et moi avions dispersé les cendres de ma mère, et j'en ai déposé une autre au cimetière commémoratif national du Pacifique où était enterré mon grand-père. Après le Nouvel An, toute la famille s'est envolée pour Washington. La veille de mon investiture, Michelle se préparait dans la chambre de notre suite à l'hôtel pour le dîner d'accueil organisé en l'honneur des nouveaux membres du Sénat quand j'ai reçu un coup de téléphone de mon éditrice. Mon discours à la convention de Boston avait donné un nouveau souffle à mon livre, épuisé depuis plusieurs années, qui avait été réimprimé et se retrouvait à présent en tête des meilleures ventes. Elle m'appelait pour me féliciter et m'annoncer qu'elle était prête à signer un contrat pour un nouveau livre, assorti cette fois d'une avance astronomique.

Je l'ai remerciée et j'ai raccroché au moment où Michelle sortait de la chambre, vêtue d'une robe de gala étincelante.

« T'es trop jolie, maman », a lancé Sasha. Michelle a fait une petite pirouette sur elle-même.

« Bon, allez, les filles, soyez bien sages », leur ai-je dit avant d'embrasser la mère de Michelle, qui les gardait pour la soirée. Nous traversions le couloir pour rejoindre l'ascenseur quand Michelle s'est brusquement figée.

« Tu as oublié quelque chose ? » ai-je demandé.

Elle m'a regardé en secouant la tête d'un air incrédule. « Je n'arrive pas à croire que tu aies réussi. La campagne. Le livre. Tout ça. »

J'ai acquiescé et je l'ai embrassée sur le front. « Les haricots magiques, chérie. Les haricots magiques. »

En général, le plus gros défi pour un sénateur impétrant à Washington, c'est de faire en sorte que son travail ne passe pas inaperçu. Je me suis très vite retrouvé confronté au problème inverse. Au regard de mon statut réel en tant que nouveau sénateur, l'attention dont je faisais l'objet avait pris des proportions presque comiques. Les journalistes me demandaient régulièrement quels étaient mes projets ; la plupart du temps, ils voulaient savoir si je comptais me présenter à la prochaine élection présidentielle. Le jour où j'avais prêté serment, l'un d'eux m'avait demandé : « Comment voyez-vous votre rôle dans l'Histoire ? » J'avais éclaté de rire. Je venais à peine de débarquer à Washington, avais-je expliqué, j'occupais le quatre-vingt-dix-neuvième rang au Sénat en termes d'ancienneté, je n'avais pas encore eu l'occasion de participer au moindre vote, et je ne savais pas où se trouvaient les toilettes dans le Capitole.

Ce n'était pas de la fausse modestie. Le seul fait de présenter ma candidature au Sénat avait déjà été une sacrée gageure à mes yeux. J'étais heureux d'être là, et j'avais hâte de me mettre au travail. Afin de faire contrepoids aux attentes démesurées, mon équipe et moi-même avions décidé de nous inspirer de l'exemple de Hillary Clinton, dont l'entrée au Sénat quatre ans auparavant avait fait grand bruit et qui s'était forgé par la suite une solide réputation grâce à sa rigueur et à la qualité de son travail ainsi qu'à l'attention qu'elle témoignait à ses électeurs. Être une bête de travail, pas une bête de cirque – tel était mon objectif.

Personne n'était plus indiqué que mon nouveau directeur de cabinet, Pete Rouse, pour mettre en œuvre une telle stratégie. La petite soixantaine grisonnante, bâti comme un panda, Pete travaillait au Capitole depuis près de trente ans. Son expérience, auprès de Tom Daschle notamment ces dernières années, ainsi que son entregent à Washington, l'avaient fait affectueusement surnommer « le cent unième sénateur ». Tout le contraire du stéréotype des conseillers politiques à Washington, Pete était allergique aux feux de la rampe et, sous des abords de boute-en-train un peu bourru, il était presque timide, ce qui aidait à comprendre sa situation de célibataire endurci et l'affection quasi exclusive qu'il réservait à ses chats.

Il m'avait fallu déployer des efforts considérables pour convaincre Pete d'accepter de prendre la direction de mon cabinet débutant. Ce qui lui posait problème, m'avait-il affirmé, ce n'était pas tant le net recul que représentait ce poste pour lui-même en termes de prestige que le fait qu'il aurait moins de temps pour aider tous les jeunes employés de son staff, au chômage après la défaite de Daschle, à retrouver du travail.

C'étaient cette honnêteté et cette droiture, autant que son expertise, qui faisaient de Pete un cadeau du ciel. Et, grâce à sa réputation, j'ai pu recruter une équipe de tout premier ordre au sein de mon cabinet. Outre Robert Gibbs au poste de directeur de la communication, nous avons enrôlé Chris Lu, un des conseillers les plus expérimentés au Capitole, comme directeur des affaires législatives, Mark Lippert, un jeune et dynamique réserviste de la marine, comme attaché aux affaires étrangères, et Alyssa Mastromonaco, l'une des figures de proue de la campagne Kerry, dont le visage poupon dissimulait un talent incomparable pour la résolution des problèmes en tout genre et l'organisation événementielle, comme directrice de l'agenda. Enfin, nous avons recruté un jeune homme de 23 ans, aussi avisé que séduisant, Jon Favreau. Favs, ainsi que tout le monde a vite pris l'habitude de l'appeler, avait lui aussi travaillé sur la campagne de John Kerry, et c'était le choix numéro un de Gibbs comme de Pete pour le poste de rédacteur des discours.

« Je ne l'ai pas déjà vu quelque part, lui ? ai-je demandé à Gibbs après notre entretien.

– Si… c'est le gamin qui est venu te prévenir que Kerry allait te piquer l'une de tes répliques à la convention. »

Je l'ai quand même engagé.

Sous la supervision de Pete, l'équipe a installé ses quartiers à Washington, à Chicago ainsi que dans plusieurs antennes régionales. Afin de mettre l'accent sur la priorité que nous donnions à nos électeurs, Alyssa a élaboré un ambitieux programme de meetings dans diverses mairies de l'Illinois – trente-neuf rien qu'au cours de la première année. Nous nous sommes fixé pour règle stricte d'éviter la presse nationale et les matinales du dimanche, afin de concentrer nos efforts sur la presse et les chaînes de télévision locales. Autre élément crucial de notre stratégie, Pete a instauré un système très perfectionné pour répondre aux lettres et aux requêtes que nous envoyaient les électeurs, passant des heures avec de jeunes membres de l'équipe et des stagiaires employés au service du courrier, corrigeant leurs réponses avec la plus extrême méticulosité et s'assurant qu'ils connaissaient toutes les agences fédérales vers lesquelles renvoyer les gens en cas de perte d'un chèque d'allocations, d'une interruption de versement de la pension aux anciens combattants, ou pour toute question relative aux prêts octroyés par l'agence fédérale en charge du soutien aux petites et moyennes entreprises.

« Les gens ne seront peut-être pas toujours d'accord avec la façon dont tu votes au Sénat, me disait Pete, mais en tout cas ils ne pourront jamais t'accuser de ne pas répondre à ton courrier ! »

Les affaires courantes désormais en bonnes mains, je pouvais consacrer la majeure partie de mon temps à plancher sur les questions de fond et à faire connaissance avec mes collègues au Sénat. La tâche m'a été facilitée par la générosité du premier représentant de l'Illinois au Sénat, Dick Durbin, ami et disciple de Paul Simon et débatteur hors pair au sein de l'hémicycle. Dans un univers qui faisait la part belle aux ego surdimensionnés et où les sénateurs ne voyaient pas d'un œil particulièrement bienveillant un jeune collègue récolter plus de presse qu'eux, Dick était toujours prêt à me tendre la main. Il m'a présenté à tout le monde, il s'est battu pour nous associer à la réussite de certains projets de loi portés par son équipe, et il s'est montré d'une patience et d'une bonne humeur inébranlables quand – lors des petits déjeuners du jeudi avec les électeurs que nous organisions conjointement – nos visiteurs passaient une bonne partie de la matinée à me demander des photos et des autographes.

Je pourrais en dire tout autant du nouveau chef de file du groupe démocrate au Sénat, Harry Reid. Le chemin qui l'avait mené au Capitole était tout aussi improbable que le mien. Né dans une famille pauvre de la petite bourgade de Searchlight, dans le Nevada, d'un père mineur et d'une mère blanchisseuse, il avait grandi dans une bicoque sans eau courante ni téléphone. Il avait tout de même réussi, à force de volonté, à faire des études supérieures, puis à entrer à la fac de droit de l'université George-Washington, travaillant entre les cours sous l'uniforme de la police fédérale du Capitole pour payer ses frais de scolarité, et il était le premier à reconnaître qu'il avait toujours gardé un goût amer de ces épreuves.

« Tu sais, Barack, je faisais de la boxe quand j'étais gosse, m'a-t-il dit de sa voix tout en murmures la première fois que nous nous sommes rencontrés. Et, bon sang, on ne peut pas dire que j'étais un grand athlète. Je n'étais pas grand et fort. Mais j'avais deux qualités. Je savais encaisser les coups. Et je ne m'avouais jamais vaincu. »

Ce sentiment d'avoir réussi en dépit de l'adversité explique sans doute que Harry et moi, malgré notre différence d'âge et d'expérience, soyons devenus si proches. Il n'était pas du genre à montrer ses émotions, et il était même enclin à passer outre les amabilités de rigueur dans la conversation, surtout au téléphone, ce qui pouvait être assez déconcertant : soudain vous vous rendiez compte qu'il avait raccroché alors que vous étiez au beau milieu d'une phrase. Mais, à l'instar d'Emil Jones au sénat de l'Illinois, Harry s'est démené pour m'ouvrir les portes des commissions d'examen de projets de loi et pour que je sois au courant de toutes les affaires qui se tramaient dans les couloirs du Sénat, sans se soucier le moins du monde de mon rang subalterne.

Du reste, ce genre de solidarité entre sénateurs semblait constituer la norme. Les vieux briscards du Sénat, démocrates ou républicains – Ted Kennedy et Orrin Hatch, John Warner et Robert Byrd, Dan Inouye et Ted Stevens –, entretenaient des liens d'amitié qui dépassaient les clivages politiques et se comportaient entre eux avec une intimité sans façons qui me paraissait typique de la « Génération grandiose ». Les sénateurs plus jeunes se fréquentaient moins et manifestaient une plus grande agressivité idéologique, directement issue de la nouvelle radicalisation du discours à la Chambre des représentants après l'époque Gingrich. Mais, même avec mes collègues les plus conservateurs, je trouvais souvent des terrains d'entente : Tom Coburn, par exemple, sénateur de l'Oklahoma, chrétien fervent et contempteur infatigable de l'interventionnisme fédéral, allait devenir l'un de mes amis les plus sincères et attentionnés, nos deux équipes mettant leurs efforts en commun pour défendre des mesures visant à améliorer la transparence et réduire les dépenses liées à la passation des marchés publics.

À bien des égards, ma première année au Sénat me rappelait mes débuts sur les bancs de la législature de l'Illinois, même si les enjeux étaient plus importants cette fois, l'attention médiatique plus forte, et les lobbyistes beaucoup plus doués pour déguiser les intérêts de leurs clients sous les oripeaux des grands principes. Contrairement à ce qui prévalait au niveau local, où bon nombre de sénateurs se contentaient de faire profil bas et n'avaient souvent pas la moindre idée de ce qui se passait autour d'eux, mes nouveaux collègues étaient très bien informés et n'avaient pas peur d'exprimer leurs opinions, ce qui se traduisait par des débats interminables pendant les réunions de commission, lesquels m'inspiraient rétrospectivement une immense compassion pour tous ceux qui avaient dû subir mes propres envolées lyriques à la fac de droit et à Springfield.

En tant que membres de l'opposition, mes collègues démocrates et moi-même n'avions guère voix au chapitre sur l'examen des projets de loi en commission et la décision de les porter ou non au vote de l'assemblée sénatoriale. Nous regardions les républicains faire passer des budgets qui réduisaient les fonds alloués à l'enseignement ou sabordaient les mesures de protection de l'environnement avec un sentiment d'impuissance auquel nos grandes déclarations devant une chambre aux trois quarts vide et sous l'œil indifférent des caméras de la chaîne parlementaire C-SPAN ne pouvaient pas grand-chose. Nous passions notre temps à nous désoler de voir voter des résolutions dont l'objectif relevait moins d'un grand dessein politique que d'une volonté de faire pièce aux démocrates et de fourbir des armes en vue des prochaines campagnes. Comme au sénat de l'Illinois, j'ai fait mon possible pour peser à la marge sur les décisions politiques, en soutenant des projets modestes et non partisans – le financement de mesures de prévention contre les pandémies, par exemple, ou du reversement des pensions militaires à une classe de vétérans de l'Illinois.

Si frustrant que puisse être le Sénat par certains aspects, le rythme plus lent auquel j'étais contraint ne me dérangeait pas. Étant l'un de ses plus jeunes élus, et jouissant d'un taux de popularité de 70 % dans l'Illinois, je pouvais me permettre d'être patient. À un moment, j'ai songé à l'éventualité de me présenter au poste de gouverneur ou même, oui, à la présidentielle, convaincu qu'un rôle d'envergure au sein de l'exécutif me donnerait les moyens de fixer le cap politique de mon choix. Mais pour l'heure, à 43 ans et alors que je faisais tout juste mes premiers pas sur la scène nationale, je me disais que j'avais l'avenir devant moi.

J'étais d'humeur d'autant plus radieuse que la situation s'était nettement améliorée sur le front domestique. À condition que les caprices de la météo ne s'en mêlent pas, il ne me fallait pas plus de temps pour rentrer de Washington à Chicago que je n'en mettais auparavant pour me rendre à Springfield. Et, une fois à la maison, je n'étais pas aussi occupé ou distrait que lorsque j'étais en campagne ou que je devais jongler entre trois activités professionnelles, ce qui me laissait tout le temps d'emmener Sasha à son cours de danse le samedi ou de lire un chapitre de *Harry Potter* à Malia le soir avant de la border.

L'amélioration de notre situation financière nous avait aussi libérés d'un poids. Nous avons acheté une nouvelle maison, une magnifique demeure géorgienne en face d'une synagogue dans le quartier de Kenwood. Pour un tarif raisonnable, un jeune ami de la famille et aspirant chef, Sam Kass, a accepté de faire les courses pour nous et de nous préparer de bons petits plats équilibrés qui pouvaient nous durer la semaine. Mike Signator – ancien cadre de la compagnie d'électricité Commonwealth Edison, désormais à la retraite, qui avait rejoint la campagne en tant que bénévole – avait choisi de rester à mes côtés en qualité de chauffeur à mi-temps, devenant pratiquement un membre de notre famille.

Surtout, grâce à la marge de sécurité financière dont nous disposions à présent, ma belle-mère, Marian, a accepté de réduire ses heures de travail pour venir nous prêter main-forte avec les filles. Pleine de sagesse et d'humour, et encore assez dynamique pour courir après deux fillettes de 4 et 7 ans, elle a rendu la vie plus facile pour tout le monde. Il se trouve par ailleurs qu'elle avait une certaine affection pour son gendre, et elle prenait systématiquement ma défense quand j'étais en retard, désordonné, ou que je n'étais pas à la hauteur d'une manière ou d'une autre.

Ces soutiens nous ont permis, à Michelle et à moi, de retrouver un peu du temps ensemble qui nous avait manqué pendant si longtemps. Nous riions plus souvent et nous nous rappelions de nouveau que nous étions chacun le meilleur ami de l'autre. Mais pour le reste, ce qui nous a surpris tous les deux, c'est de constater que nous avions très peu changé au fond, en dépit de cette nouvelle situation. Nous étions toujours aussi casaniers, évitant autant que possible les fêtes clinquantes et les dîners mondains, parce que nous ne voulions pas sacrifier nos soirées avec les filles, parce qu'il nous semblait ridicule de nous mettre sur notre trente et un en permanence, et parce que Michelle, qui a toujours été une lève-tôt, piquait du nez à partir de 10 heures du soir. Nous passions nos week-ends comme nous l'avions toujours fait : j'allais jouer au basket ou j'emmenais Malia et Sasha à la piscine, tandis que Michelle faisait du shopping au grand magasin Target et organisait des sorties entre amis pour les filles. Nous dînions ou nous retrouvions autour d'un barbecue l'après-midi en famille ou avec quelques amis proches – notamment Valerie, Marty, Anita, Eric et Cheryl Whitaker (tous deux médecins, leurs enfants avaient le même âge que les nôtres), ainsi que Kaye et Wellington Wilson, appelés affectueusement « Mama Kaye » et « Papa Wellington », un couple plus âgé (lui était à la retraite, ancien directeur d'une université publique, et elle était responsable de projets dans une fondation locale, et un cordon-bleu hors pair) ; je les avais rencontrés à l'époque de mon travail dans les cercles associatifs et ils se voyaient un peu comme mes parents d'adoption à Chicago.

Cela ne signifie pas pour autant que Michelle et moi n'avons pas été obligés de nous adapter à certains changements. Les gens nous reconnaissaient désormais dans la rue et, même s'ils étaient en général bienveillants, nous étions assez désarçonnés par cette perte soudaine de notre anonymat. Un soir, peu après l'élection, nous sommes allés voir le film *Ray*, avec Jamie Foxx, et avons été sidérés quand les autres spectateurs se sont mis à nous applaudir lorsque nous sommes entrés dans la salle. Parfois, quand nous sortions dîner, nous remarquions que nos voisins cherchaient à entamer de longues conversations avec nous ou devenaient au contraire subitement silencieux pour essayer, sans grande discrétion, d'écouter ce que nous nous disions.

Les filles aussi ont bien vu que quelque chose avait changé. Un jour, pendant mon premier été en tant que sénateur, j'ai décidé d'emmener Malia et Sasha au zoo de Lincoln Park. Mike Signator m'avait prévenu que la foule, un dimanche après-midi ensoleillé, risquait d'être un peu difficile à gérer, mais j'ai insisté, persuadé que des lunettes de soleil et une casquette de baseball suffiraient à me faire passer inaperçu. Et, pendant une demi-heure environ, tout s'est déroulé comme prévu. Nous avons observé les lions derrière leur vitre qui arpentaient la maison des félins et avons fait des grimaces aux grands singes, sans être dérangés une seule fois. Et puis soudain, alors que nous nous étions arrêtés pour repérer sur notre carte où se trouvait le bassin des otaries, nous avons entendu un type crier.

« Obama ! Hé, regardez... c'est Obama ! Hé, Obama, je peux avoir une photo avec vous ? »

Quelques instants plus tard, nous étions cernés par des familles entières, des gens qui jouaient des coudes pour obtenir une poignée de main ou un autographe, des parents qui faisaient prendre la pose à leurs enfants à côté de moi pour une photo. J'ai fait signe à Mike pour qu'il emmène les filles voir les otaries sans moi. Pendant un quart d'heure, je me suis prêté à la curiosité de mes électeurs, dont les témoignages de sympathie étaient au demeurant très agréables, en me rappelant que c'était aussi pour cela que j'avais signé, mais j'étais un peu navré en songeant à mes filles qui devaient se demander ce qui était arrivé à leur papa.

J'ai fini par les rejoindre et Mike a suggéré que nous quittions le zoo pour aller manger une glace ailleurs, dans un endroit plus calme. Sur le trajet, il a eu l'indulgence de m'épargner ses commentaires – les filles, elles, se sont montrées moins charitables.

« Tu devrais prendre un alias, a déclaré Malia sur la banquette arrière.

– C'est quoi, un alias ? a demandé Sasha.

– C'est un faux nom que tu utilises quand tu ne veux pas que les gens sachent qui tu es, a expliqué Malia. Comme "Johnny McJohn John", par exemple. »

Sasha s'est mise à glousser. « Oh oui, papa... tu devrais t'appeler Johnny McJohn John !

– Et il faudrait aussi que tu transformes ta voix, a renchéri Malia. Les gens la reconnaissent. Il faut que tu parles avec une voix plus aiguë. Et plus rapide.

– Papa parle teeeellement lentement, a acquiescé Sasha.

– Allez, vas-y, papa, a dit Malia. Essaie. » Et elle s'est mise à chantonner à toute vitesse d'une voix de fausset : « Salut ! Je m'appelle Johnny McJohn John ! »

Mike, incapable de se retenir, a éclaté de rire. Un peu plus tard, de retour à la maison, Malia a fièrement exposé son plan à Michelle, qui lui a tapoté la tête.

« C'est une idée géniale, ma chérie, a-t-elle dit, mais le seul moyen pour ton père de passer inaperçu, ce serait de se faire recoller les oreilles. »

L'UN DES ASPECTS du Sénat qui me passionnaient était la possibilité de peser sur la politique étrangère, ce que la législature d'État ne permettait pas. Depuis l'université, je m'intéressais en particulier aux questions nucléaires ; avant même de prêter serment, j'avais donc écrit à Dick Lugar, président de la Commission des affaires étrangères, dont le cheval de bataille était la non-prolifération nucléaire, afin de lui faire savoir que j'étais désireux de travailler avec lui.

Dick avait réagi avec enthousiasme. Élu républicain de l'Indiana et vétéran du Sénat où il siégeait depuis vingt-huit ans, il était d'un conservatisme irréprochable sur les questions de politique intérieure telles que les impôts et l'avortement, mais son positionnement en matière de politique étrangère reflétait la prudence et l'internationalisme qui guidaient depuis longtemps les républicains modérés comme George H. W. Bush. En 1991, peu après l'effondrement de l'Union soviétique, Dick s'était allié au démocrate Sam Nunn pour rédiger et faire voter un projet de loi permettant aux États-Unis d'aider la Russie et les anciens États soviétiques à sécuriser et neutraliser leurs armes de destruction massive. La loi Nunn-Lugar, comme on l'appellerait par la suite, était une initiative audacieuse dont le succès se révélerait durable – plus de 7 500 ogives nucléaires seraient désactivées au cours des deux décennies suivantes – et dont la mise en œuvre aiderait à faciliter les relations entre les conseils de sécurité nationale américain et russe, élément crucial pour mener à bien une transition délicate.

Mais nous étions à présent en 2005, et des rapports de renseignement indiquaient que des groupes extrémistes comme Al-Qaida profitaient de certaines failles de sécurité pour écumer les avant-postes militaires de l'ancien bloc soviétique à la recherche de matériaux nucléaires, chimiques et biologiques. Dick et moi avons commencé à discuter de la possibilité d'élargir la loi Nunn-Lugar afin de renforcer notre protection contre de telles menaces. C'est ainsi qu'au mois d'août de cette même année, je suis monté avec Dick à bord d'un avion militaire pour une tournée d'une semaine en Russie, en Ukraine et en Azerbaïdjan. Si ce genre de périple était devenu routinier pour Dick dans le cadre du suivi de la loi Nunn-Lugar, pour ma part c'était mon tout premier voyage officiel à l'étranger, et l'on m'avait rapporté plusieurs anecdotes, au fil des années, sur ces déplacements parlementaires aux frais de la princesse – les horaires de travail tout sauf exténuants, les dîners somptueux et les séances de shopping. Mais si c'était bien ainsi qu'était censée se dérouler notre petite expédition, l'info n'était manifestement pas remontée jusqu'à Dick. Malgré ses 70 ans bien sonnés, il nous a imposé une cadence infernale. Après une journée entière de réunions avec des représentants officiels des autorités russes, nous nous sommes rendus en avion à Saratov, à deux heures de Moscou, puis de là sur un site nucléaire secret, à une heure de route, où l'aide financière américaine avait permis de renforcer la sécurité du stockage de missiles russes. (Nous avons aussi eu droit, en guise de festin d'accueil, à un bortsch accompagné d'une espèce de poisson en gelée que Dick a dévoré de bon cœur tandis que je l'étalais dans mon assiette comme un gamin de 6 ans.)

Dans les environs de Perm, au cœur de l'Oural, nous avons déambulé dans un cimetière de missiles SS-24 et SS-25, derniers vestiges d'une armada d'ogives nucléaires tactiques autrefois destinées à l'Europe. À Donetsk, dans l'est de l'Ukraine, nous avons visité des hangars dans lesquels des armes conventionnelles récupérées aux quatre coins du pays – munitions, explosifs militaires, missiles air-sol et même de minuscules bombes dissimulées dans des jouets pour enfants – avaient été entreposées en attendant d'être détruites. À Kiev, nos hôtes nous ont emmenés voir un complexe de trois étages en centre-ville, décrépit et laissé à l'abandon, sans surveillance, où la loi Nunn-Lugar finançait l'installation de nouveaux systèmes de stockage pour des échantillons biologiques datant de la guerre froide, notamment des souches d'anthrax et de peste bubonique. C'était un spectacle édifiant – tous ces témoignages de la capacité des hommes à mettre leur ingéniosité au service de la folie. Mais pour moi, qui m'étais concentré pendant si longtemps sur des questions de politique intérieure, ce voyage avait également quelque chose de revigorant – il me rappelait à quel point le monde était vaste et combien les décisions prises à Washington pouvaient peser sur le sort de la planète.

Observer Dick à la manœuvre allait me laisser une impression durable. Un sourire placide affiché en permanence sur son visage espiègle, il ne se lassait jamais de répondre à mes questions. J'étais frappé par l'attention, la précision et l'expertise dont il faisait preuve chaque fois qu'il prenait la parole lors de nos réunions avec des dirigeants étrangers. Je le regardais endurer sans ciller non seulement les retards de vol, mais aussi les anecdotes interminables et les shots de vodka à midi ; il savait que la courtoisie la plus élémentaire était un langage qui franchissait toutes les barrières culturelles et qui pouvait avoir une incidence réelle sur la promotion des intérêts américains à l'étranger. Pour moi, c'était une précieuse leçon de diplomatie, un exemple de l'impact concret que pouvait avoir un sénateur.

Puis une tempête a éclaté, et tout a changé.

AU COURS DE LA SEMAINE où je voyageais avec Dick, une perturbation tropicale qui s'était formée dans les Bahamas avait traversé la Floride pour se fixer au-dessus du golfe du Mexique, gagnant en intensité sous l'effet de la chaleur des eaux et menaçant à présent les côtes du sud des États-Unis. Quand notre délégation sénatoriale a atterri à Londres pour une rencontre avec le Premier Ministre Tony Blair, un désastre d'une ampleur et d'une violence cataclysmiques s'était abattu sur la région. Frappant les côtes avec des vents de 200 kilomètres à l'heure, l'ouragan Katrina avait ravagé des communautés entières le long de la Côte du Golfe, fait céder des barrages et noyé une bonne partie de La Nouvelle-Orléans sous les eaux.

J'ai passé la moitié de la nuit à suivre le déroulé des événements à la télévision, sidéré par le cauchemar boueux et sauvage qui envahissait l'écran. On voyait des cadavres qui flottaient, des personnes âgées prises au piège dans les hôpitaux, des fusillades et des pillages, des réfugiés blottis les uns contre les autres, au bord du désespoir. Le spectacle d'une telle souffrance était insoutenable ; la lenteur de la réaction du gouvernement, face à la vulnérabilité de tant de nos concitoyens parmi les plus pauvres, m'a fait honte.

Quelques jours plus tard, je me suis rendu à Houston en compagnie de George H. W. et Barbara Bush, ainsi que de Bill et Hillary Clinton. Des milliers de personnes chassées de chez elles par l'ouragan avaient été évacuées en bus dans des refuges installés en urgence dans l'immense complexe sportif de l'Astrodome. Avec l'aide de la Croix-Rouge et de la FEMA, l'agence fédérale en charge de la gestion des catastrophes, les services de la ville avaient travaillé sans relâche pour parer aux premières nécessités, mais j'ai songé soudain, en passant entre les lits de camp, que bon nombre des gens qui se trouvaient ici, et dont la plupart étaient noirs, avaient été livrés à eux-mêmes bien avant l'ouragan – forcés de survivre aux marges de la société, sans revenus ni assurance. Je les écoutais parler de leur maison engloutie par les flots et de leurs proches portés disparus, de l'impossibilité dans laquelle ils s'étaient retrouvés de fuir parce qu'ils n'avaient pas de voiture ou parce qu'ils avaient dû rester avec un parent malade qui ne pouvait pas se déplacer, tous ces gens qui n'étaient en rien différents de ceux auprès de qui j'avais travaillé dans le milieu associatif de Chicago, ou de certains des cousins ou des tantes de Michelle. Il m'apparaissait que, si ma situation personnelle avait changé, ce n'était pas le cas pour eux. Ni pour le pays dans son ensemble, d'un point de vue politique. Il restait partout des hommes et des femmes laissés pour compte, des voix ignorées, négligées par des pouvoirs publics qui semblaient souvent aveugles ou indifférents à leurs besoins.

Je vivais leur malheur comme un véritable camouflet et, en tant qu'unique représentant de la communauté afro-américaine au Sénat, j'ai décidé qu'il était temps de mettre un terme au moratoire que je m'étais imposé sur la scène médiatique nationale. J'ai fait le tour des émissions politiques des chaînes d'information, affirmant que si la réaction calamiteuse du gouvernement face à une telle catastrophe n'était pas due selon moi au racisme, elle en disait long néanmoins sur l'inertie dont avait fait preuve le parti au pouvoir, et les États-Unis dans leur ensemble, face aux problèmes d'isolement, de pauvreté intergénérationnelle et d'inégalité des chances qui continuaient de sévir dans de nombreuses couches de la population de ce pays.

De retour à Washington, j'ai travaillé avec mes collègues à l'élaboration de plans d'aide à la reconstruction de la région autour du golfe du Mexique dans le cadre de la commission de surveillance du département de la Sécurité intérieure. Combien d'années devrais-je passer sur les bancs du Sénat pour améliorer de manière concrète la vie des gens que j'avais rencontrés à Houston ? Par combien d'audiences, d'amendements avortés et de clauses budgétaires négociées de haute lutte avec un président de commission récalcitrant faudrait-il en passer pour contrebalancer les actions hasardeuses d'un directeur de la FEMA, d'un fonctionnaire de l'agence pour la protection de l'environnement ou d'un cadre subalterne du département du Travail ?

Le sentiment de frustration qui me taraudait s'est aggravé quelques mois plus tard, lorsque je me suis joint à une petite délégation de représentants du Congrès envoyée en Irak. Près de trois ans après l'invasion menée par les États-Unis, le gouvernement ne pouvait plus nier l'ampleur du désastre auquel avait conduit la guerre. En démembrant l'armée irakienne et en permettant à la majorité chiite d'exclure de manière violente un grand nombre de musulmans sunnites des instances gouvernementales, les responsables américains avaient ouvert la voie à une situation chaotique et de plus en plus périlleuse – un conflit sectaire sanglant, marqué par des attentats suicides, des explosions sur le bord des routes et des attentats à la voiture piégée sur des marchés bondés.

Notre délégation s'est rendue sur des bases militaires américaines à Bagdad, Falloujah et Kirkouk. Vu des hélicoptères Black Hawk qui nous transportaient d'un lieu à un autre, le pays tout entier avait l'air dévasté, les villes ravagées par les tirs de mortier, les routes figées dans un silence inquiétant, le paysage noyé sous la poussière. À chacune de nos étapes, nous rencontrions des officiers et des soldats intelligents, courageux, convaincus qu'avec le soutien militaire, la formation technique et l'apport de renforts adéquats, l'Irak pourrait sortir un jour de l'ornière. Mais les discussions que j'ai pu avoir avec les journalistes sur place et une poignée de hauts responsables irakiens m'ont fait entendre un tout autre son de cloche. Une boîte de Pandore avait été ouverte, me disaient-ils, et la vague d'assassinats et de représailles entre les communautés sunnite et chiite rendait toute perspective de réconciliation inenvisageable dans un futur proche, sinon tout bonnement inatteignable. Si le pays tenait encore debout, c'était uniquement grâce à la présence des jeunes soldats de l'armée et du corps des Marines que nous avions déployés, et qui pour la plupart sortaient à peine du lycée. On dénombrait déjà plus de 2 000 victimes parmi eux, et plusieurs milliers d'autres blessés. Il semblait évident que plus la guerre se prolongerait, plus nos troupes seraient prises pour cible par un ennemi qu'elles n'étaient souvent pas en mesure d'identifier ni de comprendre.

Dans l'avion qui me ramenait aux États-Unis, je ne pouvais m'empêcher de repenser à tous ces enfants victimes de l'arrogance d'hommes tels que le vice-président Dick Cheney et le secrétaire à la Défense Donald Rumsfeld, qui nous avaient précipités dans la guerre sur la foi d'informations fautives et qui refusaient toujours de regarder en face les conséquences de leurs décisions. Que plus de la moitié de mes collègues démocrates aient approuvé ce fiasco m'inspirait une inquiétude d'une tout autre nature. Je commençais à me demander ce qui risquait de m'arriver si je restais trop longtemps à Washington, si je finissais par y prendre mes marques et mes aises. Je voyais bien désormais ce qui pouvait se passer – la politique des petits pas et le respect du protocole, les prises de position dictées en permanence par l'horizon de la prochaine élection et la pensée unique relayée sur les plateaux des chaînes d'information, tout cela contribuait à saper vos instincts les plus nobles et à entamer peu à peu votre indépendance, jusqu'au jour où vous finissiez par complètement perdre de vue ce en quoi vous aviez toujours cru.

Si j'avais pu être tenté de me laisser aller à la satisfaction, de penser que j'étais au bon endroit pour prendre les bonnes décisions selon un calendrier raisonnable, Katrina et ma visite en Irak ont donné un coup d'arrêt brutal à ces élans optimistes. Le changement devait intervenir plus vite – et j'allais devoir décider du rôle que je voulais jouer pour y contribuer.

CHAPITRE 4

IL SE PASSE RAREMENT UNE SEMAINE sans que je croise quelqu'un – un ami, un sympathisant, une connaissance ou un parfait inconnu – qui me dise que, dès l'instant où il m'a rencontré ou entendu parler à la télé, il a su que j'allais devenir président. Les gens me font cette confidence avec affection, avec conviction, et non sans une certaine fierté eu égard à leur discernement politique, leur capacité à repérer les talents ou leurs dons de divination. Cet aveu prend parfois des allures religieuses. « Dieu avait un grand projet pour vous », m'affirment-ils. Je souris et je leur réponds que j'aurais aimé qu'ils me disent cela à l'époque où je songeais à me présenter ; cela m'aurait épargné pas mal de stress et de doutes.

La vérité, c'est que je n'ai jamais vraiment cru au destin. Je me suis toujours demandé si ce n'était pas une incitation à se résigner lorsque la vie vous met à l'épreuve et à se complaire lorsqu'on se trouve du côté des puissants. S'il existe bel et bien un grand projet divin, je le soupçonne d'avoir été conçu à une échelle bien trop vaste pour tenir compte de nos tribulations de pauvres mortels ; je pense que les accidents et les hasards qui émaillent le cours de notre existence ont plus d'incidence que nous ne voulons bien l'admettre, et que le mieux que nous puissions faire, c'est de nous efforcer de suivre le chemin qui nous paraît le plus juste, de bâtir une vie qui ait du sens dans un monde insensé, et de jouer à chaque instant, en faisant preuve d'élégance et de courage, avec les cartes que nous avons en main.

Pour ma part, je sais qu'au printemps 2006 l'idée de me présenter à la prochaine élection présidentielle, quoique improbable, ne me paraissait plus en dehors du domaine du possible. Tous les jours, les demandes des médias affluaient à notre bureau. Nous recevions deux fois plus de courrier que les autres sénateurs. Tous les partis et les candidats aux élections locales de mi-mandat qui se dérouleraient au mois de novembre voulaient m'inviter en vedette à leurs meetings. Et nos dénégations répétées, chaque fois qu'on nous questionnait pour savoir si je comptais me lancer dans la course, semblaient avoir pour seul effet de déclencher une nouvelle flambée de spéculations.

Un après-midi, Pete Rouse est entré dans mon bureau et a fermé la porte derrière lui.

« Il faut que je te demande quelque chose », m'a-t-il dit.

J'ai levé le nez du paquet de lettres de réponse aux électeurs que j'étais en train de signer. « Vas-y.

– Est-ce que tes plans ont changé pour 2008 ?

– Je ne sais pas. Ils devraient ? »

Pete a haussé les épaules. « Je pense que le plan initial, rester loin du feu des projecteurs et se concentrer sur l'Illinois, avait du sens. Mais ta cote ne descend pas. Dans l'éventualité, même minime, où tu envisagerais d'y aller, j'aimerais rédiger un mémo pour définir la stratégie à adopter afin que la porte reste ouverte. Ça te va ? »

Je me suis calé dans mon fauteuil, les yeux au plafond, parfaitement conscient des implications de ma réponse. « Ça me paraît raisonnable, ai-je fini par dire.

– OK ? a demandé Pete.

– OK. » J'ai hoché la tête et je me suis replongé dans mes papiers.

« Le Grand Manitou du Mémo » – tel est le surnom que certains des membres du staff avaient donné à Pete. Entre ses mains, le mémorandum le plus fastidieux frisait l'œuvre d'art, chacun plus efficace et étonnamment plus exaltant que le précédent. Quelques jours plus tard, il a distribué aux chefs d'équipe une version remaniée de la feuille de route pour le reste de l'année. Il était question d'une intensification des déplacements prévus pour soutenir un plus grand nombre de candidats démocrates aux élections de mi-mandat, de rendez-vous avec des cadres influents du parti et des donateurs, ainsi que d'un programme politique revu et corrigé.

Pendant des mois, j'ai suivi ce plan à la lettre, me présentant et exposant mes idées à de nouveaux publics, apportant mon soutien aux démocrates dans les États et les circonscriptions pouvant faire basculer une élection, m'aventurant dans des régions du pays où je n'avais encore jamais mis les pieds. De la soirée Jefferson-Jackson en Virginie-Occidentale au dîner de Gala Morrison Exon dans le Nebraska, nous avons coché toutes les cases, rempli les salles et rallié les troupes. Dès que quelqu'un me demandait si j'allais me présenter à l'élection présidentielle, je continuais à botter en touche. « Pour l'instant, je concentre tous mes efforts pour renvoyer Ben Nelson au Sénat, où nous avons besoin de lui », disais-je.

Les gens étaient-ils dupes ? L'étais-je moi-même ? Difficile à dire. Je prenais la température, j'imagine, je testais, j'essayais d'inscrire tout ce que je voyais, tout ce que je ressentais au cours de mes pérégrinations d'un bout à l'autre du pays, dans la perspective extravagante d'une campagne nationale. Je savais qu'une candidature sérieuse à la présidence ne pouvait pas relever de la simple toquade. Si on voulait faire les choses dans les règles, c'était une entreprise hautement stratégique, qui se construisait lentement et discrètement au fil du temps, qui impliquait non seulement une bonne dose de confiance et de conviction, mais aussi de très grosses sommes d'argent, ainsi que le soutien d'autres personnes suffisamment engagées et dévouées à votre cause pour vous permettre de survivre à la traversée des cinquante États et à deux années ininterrompues de primaires et de caucus.

Plusieurs de mes collègues démocrates au Sénat – Joe Biden, Chris Dodd, Evan Bayh et, bien sûr, Hillary Clinton – avaient déjà posé les jalons d'une possible candidature. Certains s'étaient déjà présentés par le passé ; d'autres s'y préparaient depuis des années et s'étaient entourés dans ce but précis d'un staff, de donateurs et de personnalités élues prêtes à déclarer leur soutien. Contrairement à moi, la plupart pouvaient se prévaloir d'un bilan législatif conséquent. Et puis je les aimais bien. Ils m'avaient accueilli avec générosité, ils partageaient les mêmes vues que moi sur l'essentiel des sujets, et chacun d'entre eux était plus que capable de conduire une campagne efficace et, au-delà, de conduire les affaires à la Maison-Blanche. Si j'étais de plus en plus convaincu que je possédais des atouts dont eux-mêmes étaient dépourvus pour mobiliser les électeurs – si j'imaginais que seule une coalition plus large que celle qu'ils étaient en mesure de rassembler, un discours différent du leur, avait des chances de faire bouger les choses à Washington et de redonner de l'espoir aux plus démunis –, je n'étais pas moins conscient que ma popularité était en partie une illusion, due à la conjonction d'une couverture médiatique bienveillante et d'une soif exacerbée de nouveauté. L'engouement pouvait s'inverser en un clin d'œil, je le savais, et l'étoile montante se transformer en jeune freluquet assez présomptueux pour se croire capable de présider aux destinées du pays alors qu'il n'avait pas encore atteint la moitié de son premier mandat au Sénat.

Mieux valait s'abstenir, me disais-je. Faire mes preuves, engranger les reconnaissances de dette, attendre mon tour.

Par un bel après-midi de printemps, Harry Reid m'a demandé de passer le voir dans son bureau. J'ai gravi le vaste escalier en marbre de la chambre du Sénat, sous le regard sombre et sévère des grands hommes depuis longtemps disparus dont les portraits s'alignaient aux murs. Harry est venu à ma rencontre dans le hall d'accueil du premier étage et m'a conduit dans son bureau, une immense pièce, haute de plafond, ornée de moulures chantournées, de carrelages et de fenêtres donnant sur un panorama spectaculaire, semblable à beaucoup d'autres bureaux de sénateurs, à cette différence près que le sien était très peu encombré d'objets souvenirs ou de photos encadrées de son occupant en train de serrer la main à des personnes célèbres.

« Bon, je vais aller droit au but, a commencé Harry, comme s'il était réputé pour sa propension au bavardage. Des tas de gens dans notre groupe envisagent de se présenter à la présidentielle. Je n'arrive même plus à les compter. Et ce sont tous des gens bien, Barack, donc je ne peux pas me permettre de sortir du bois et de prendre parti pour l'un ou pour l'autre…

– Écoute, Harry, je voudrais tout de suite mettre les choses au clair, je ne…

– Mais, m'a-t-il interrompu, je crois que tu devrais songer toi aussi à te lancer. Je sais bien que tu as déjà dit que ce n'était pas dans tes projets. Et oui, bien sûr, il y aura des tas de gens pour maintenir que tu n'as pas assez d'expérience. Mais je vais te dire une bonne chose : dix années de plus au Sénat, ce n'est pas ça qui fera de toi un meilleur président. Toi, tu sais mobiliser les gens, surtout les jeunes, les minorités, même les plus modérés dans l'électorat blanc. Ça, c'est différent, tu vois. Et c'est exactement ça que veulent les gens : quelque chose de différent. Bien sûr, ça sera difficile, mais je crois que tu peux gagner. Et Schumer le croit aussi. »

Il s'est levé et s'est dirigé vers la porte : manifestement, notre rendez-vous était terminé. « Voilà, c'est tout ce que je voulais te dire. Alors je te laisse y réfléchir, OK ? »

Je suis ressorti de son bureau abasourdi. Si Harry et moi nous entendions très bien, je savais que c'était aussi le plus pragmatique des politiciens. En descendant l'escalier, je me suis demandé si son message cachait quelque chose, s'il jouait à je ne sais quel jeu sophistiqué que j'étais incapable de déchiffrer. Mais quand j'ai parlé ensuite à Chuck Schumer, puis à Dick Durbin, ils m'ont dit exactement la même chose : le pays était avide d'une nouvelle voix. Je ne serais jamais en meilleure position pour me lancer et, grâce à ma popularité auprès des jeunes, dans les minorités et chez les indépendants, j'étais en mesure d'élargir le champ au profit des démocrates dans toutes les élections à venir.

Je n'ai parlé de ces conversations qu'aux directeurs de mon staff et à mes plus proches amis ; j'avais l'impression d'avoir posé le pied en terrain miné et qu'il me fallait à présent éviter tout mouvement brusque. Alors que Pete et moi réfléchissions ensemble, il m'a suggéré de consulter une dernière personne avant d'envisager de manière plus sérieuse toutes les implications d'une possible candidature.

« Il faut que tu ailles voir Kennedy, m'a dit Pete. Il connaît tous les ressorts. Il a lui-même été candidat. Ça te donnera un autre point de vue. Et, au moins, il te dira s'il compte soutenir quelqu'un d'autre. »

Héritier du nom le plus célèbre de toute l'histoire politique américaine, Ted Kennedy était à l'époque ce qui se rapprochait le plus d'une légende vivante à Washington. Depuis plus de quatre décennies, il avait joué au Sénat un rôle de premier plan dans les plus grandes causes progressistes, des droits civiques à l'assurance-maladie en passant par le salaire minimum. Avec sa stature imposante, son énorme tête et sa crinière blanche, il captait tous les regards dès qu'il entrait dans une pièce, et c'était l'un des rares sénateurs à imposer le respect et l'attention immédiate de son auditoire chaque fois qu'il se levait avec précaution de son fauteuil, cherchait ses lunettes ou ses notes dans sa poche de veste, puis lançait de sa légendaire voix de baryton aux accents bostoniens son rituel « Merci, madame la Présidente ». Les arguments défilaient, la voix s'amplifiait, le visage s'empourprait, le discours montait crescendo, tel le sermon exalté d'un pasteur évangélique, même sur les sujets les plus triviaux. Puis c'était terminé ; le rideau se baissait et Kennedy redevenait le vieux Teddy débonnaire qui descendait la travée pour jeter un œil au décompte d'un vote nominatif ou s'asseoir à côté d'un collègue, lui poser une main sur l'épaule ou l'avant-bras et lui glisser quelques mots à l'oreille ou partir d'un grand rire jovial – probablement destiné à se le mettre dans la poche en vue d'un prochain vote, mais tellement irrésistible que ça n'avait strictement aucune importance.

Le bureau de Teddy, au deuxième étage du bâtiment Russell du Sénat, était à l'image de l'homme – charmant et chargé d'histoire, ses murs encombrés de photos de la grande époque de « Camelot », la présidence de Kennedy, de maquettes de bateaux à voiles et de tableaux représentant la péninsule de Cape Cod. L'un d'eux en particulier a attiré mon regard : un paysage de rochers noirs et accidentés dont la courbe enserrait une mer houleuse aux vagues coiffées d'écume blanche.

« Celui-là, il m'a fallu un sacré bout de temps pour le réussir, a dit Teddy en s'approchant à mes côtés. Trois ou quatre tentatives.

– Ça valait le coup », ai-je commenté.

Nous nous sommes installés dans son sanctuaire, la lumière tamisée par les stores baissés, et il s'est mis à me raconter des anecdotes – sur la voile, sur ses enfants, et sur les divers combats qu'il avait livrés au Sénat. Des histoires hautes en couleur, des histoires drôles. Parfois, il se laissait dériver au fil d'une digression apparemment sans rapport avant de redresser la barre pour reprendre son cap initial, lâchant de temps à autre un fragment de réflexion. Nous étions conscients l'un comme l'autre que tout cela n'était qu'une mise en scène – que nous ne faisions que tourner autour de l'objet véritable de ma visite.

« Alors…, a-t-il fini par dire. Il paraît que vous envisagez de vous présenter. »

Je lui ai répondu que c'était très improbable, mais que son conseil me serait tout de même précieux.

« Oui, oh, vous savez, je ne sais plus qui a dit ça : il y a cent séna-teurs qui se regardent tous les matins dans le miroir et qui voient un président. » Teddy a pouffé de rire. « Ils se demandent : "Est-ce que j'ai l'étoffe ?" Jack, Bobby, moi aussi, il y a bien longtemps. Ça ne s'est pas passé comme prévu, mais bon, les choses prennent parfois une tournure inattendue, on n'y peut rien, j'imagine… »

Il a laissé sa réflexion en suspens, perdu dans ses pensées. En l'ob-servant, je me demandais quel regard il portait sur son propre parcours, sur celui de ses frères, et sur le terrible tribut que chacun d'eux avait payé à la poursuite de son rêve. Et puis, tout aussi subitement, il était là de nouveau, ses yeux bleus intenses rivés aux miens, plus sérieux que jamais.

« Je ne veux pas m'avancer trop tôt, a repris Teddy. Trop d'amis. Mais je peux vous dire une chose, Barack. Le pouvoir d'inspirer est rare. Des occasions comme celle-ci sont rares. Vous vous dites peut-être que vous n'êtes pas prêt, que vous ferez ça plus tard, à un moment plus opportun. Mais ce n'est pas vous qui choisissez le moment. C'est lui qui vous choisit. Soit vous saisissez la chance qui s'offre à vous aujourd'hui, et qui pourrait bien être la seule qui se présentera jamais, soit vous décidez que vous êtes disposé à continuer votre route en sachant que vous avez laissé passer cette chance. »

MICHELLE, BIEN ÉVIDEMMENT, n'était pas aveugle à ce qui était en train de se passer. Au début, elle a simplement ignoré toute cette effervescence. Elle a arrêté de regarder les émissions politiques et elle esquivait les questions empressées de ses amis et de ses collègues qui voulaient savoir si je comptais me présenter. Quand j'ai évoqué ma conversation avec Harry, un soir à la maison, elle s'est contentée de hausser les épaules, et je n'ai pas insisté.

Au cours de l'été, cependant, la rumeur a commencé à s'infiltrer par les moindres fissures de notre foyer. Nos soirées et nos week-ends se déroulaient de manière normale, tant que Malia et Sasha étaient là à gigoter dans tous les sens, mais je sentais peser la tension dès que Michelle et moi nous retrouvions seuls. Finalement, un soir, après le coucher des filles, je suis entré dans le petit salon où elle regardait la télévision et j'ai éteint le son.

« Tu sais bien que je n'avais rien prévu de tout ça », lui ai-je dit en m'asseyant à côté d'elle sur le canapé.

Michelle n'a pas quitté l'écran des yeux. « Je sais, a-t-elle répondu.

– Je suis conscient que nous avons à peine eu le temps de reprendre notre souffle. Et, il y a encore quelques mois, l'idée de me présenter semblait complètement dingue.

– Ouaip.

– Mais, étant donné tout ce qui s'est passé, je crois qu'il faut qu'on envisage sérieusement cette possibilité. J'ai demandé à l'équipe de préparer un petit topo. À quoi ressemblerait la feuille de route d'une telle campagne. Quelles seraient nos chances de gagner. Quel impact ça aurait sur notre famille. Je veux dire, si jamais nous décidions vraiment de nous lancer... »

Michelle m'a interrompu, la voix étranglée par l'émotion.

« *Nous* ? Je t'ai bien entendu dire *nous* ? Tu veux dire *toi*, Barack. Pas *nous*. C'est ton truc à *toi*. Je t'ai toujours soutenu, parce que je crois en toi, même si je hais la politique. Je hais le fait que ça empiète sur notre vie de famille. Tu le sais parfaitement. Et maintenant qu'on est enfin dans une situation à peu près stable... même si ce n'est toujours pas une vie normale, la vie que j'aurais voulue pour nous... et maintenant tu viens me dire que tu vas être candidat à la présidence ? »

Je lui ai pris la main. « Je n'ai pas dit que j'étais candidat, chérie. Je dis juste qu'on ne peut pas ne pas envisager cette possibilité. Mais je ne peux l'envisager que si tu es partante. » J'ai marqué un temps ; je voyais bien que sa colère ne se dissipait pas. « Si tu crois qu'on ne devrait pas y aller, alors on n'ira pas. C'est aussi simple que ça. C'est toi qui as le dernier mot. »

Michelle a levé les yeux au ciel, comme pour bien me faire comprendre qu'elle ne me croyait pas. « Si tu penses vraiment ce que tu viens de dire, alors la réponse est non, a-t-elle déclaré. Je ne veux pas que tu te présentes à l'élection présidentielle, en tout cas pas maintenant. » Puis elle m'a lancé un regard grave et elle s'est levée du canapé. « Bon sang, Barack... Quand est-ce que ça sera assez ? »

Avant que j'aie eu le temps de répondre, elle est partie dans la chambre et elle a fermé la porte.

Comment aurais-je pu lui en vouloir de réagir ainsi ? En évoquant la simple éventualité de ma candidature, en mettant mon staff dans la confidence avant même de lui avoir demandé sa bénédiction, je l'avais mise dans une situation impossible. Depuis des années, j'exigeais de Michelle courage et compréhension vis-à-vis de mes entreprises politiques, et elle en avait pleinement fait preuve – à contrecœur, mais avec amour. Et chaque fois je revenais à la charge, et j'exigeais plus encore.

Pourquoi lui faire subir une telle épreuve ? N'était-ce que de l'orgueil de ma part ? Ou quelque chose de plus sombre peut-être – une ambition dévorante et aveugle, dissimulée sous le voile diaphane de beaux discours altruistes ? Ou bien cherchais-je encore et toujours à prouver ma valeur aux yeux d'un père qui m'avait abandonné, à me montrer digne des espoirs que ma mère avait placés en moi, éblouie d'amour pour son fils unique, et à vaincre ce qui subsistait en moi du complexe d'être né métis ? « C'est comme s'il y avait un trou que tu t'acharnes à vouloir combler, m'avait dit un jour Michelle, au début de notre mariage, après une période où elle m'avait vu travailler jusqu'à l'épuisement. C'est pour ça que tu ne peux pas ralentir. »

En réalité, je pensais avoir résolu toutes ces questions depuis longtemps, avoir réussi à atteindre l'équilibre à travers mon travail, la sécurité et l'amour grâce à ma famille. Mais je me demandais à présent si je serais jamais capable d'échapper à cette plaie invisible qu'il me fallait constamment guérir, cette impulsion mystérieuse qui me poussait à vouloir toujours plus.

Peut-être était-il impossible de voir clair dans ses propres motivations. Un sermon de Martin Luther King me revenait en mémoire, « L'instinct du tambour-major ». Il y évoque le désir profond que nous ressentons tous d'être les premiers, d'être célébrés pour notre grandeur ; nous voulons tous « marcher en tête du cortège ». Mais il est possible de conjurer ce genre de pulsions égoïstes, poursuit King, en mettant cette quête de grandeur au service d'objectifs plus désintéressés. On peut ambitionner d'être le premier à tendre la main, le premier à prodiguer son amour. À mes yeux, c'était une façon satisfaisante de résoudre l'équation qui mettait aux prises en chacun d'entre nous les instincts les plus vils et les plus nobles. Sauf que je me heurtais à présent à une autre évidence : je n'étais pas le seul à devoir faire des sacrifices. C'était ma famille tout entière qui se retrouvait embarquée, exposée en première ligne. La cause que défendait Martin Luther King, et ses talents, justifiaient peut-être de tels sacrifices. Mais pouvais-je en dire autant ?

Je n'en savais rien. Quoi qu'il en soit par ailleurs de ma foi, je ne pouvais pas m'abriter derrière l'idée selon laquelle Dieu m'appelait à devenir président. Je ne pouvais pas non plus prétendre être le simple jouet des puissances invisibles de l'univers. Je ne pouvais pas prétendre être indispensable à la cause de la justice et de la liberté, ni me décharger de la responsabilité du fardeau que je ferais peser sur les épaules de ma famille.

Les circonstances avaient peut-être ouvert la porte à une possible candidature, mais rien au cours de ces derniers mois ne m'avait empêché de la refermer – et je pouvais d'ailleurs encore le faire très facilement. Mais je n'avais pas fermé cette porte, je l'avais même laissée s'entrouvrir un peu plus encore, et Michelle n'avait pas besoin d'en savoir davantage pour savoir à quoi s'en tenir. Si l'une des qualifications requises pour être candidat au poste de pouvoir le plus important au monde était la mégalomanie, il faut croire que j'avais réussi le test haut la main.

Telles étaient les réflexions qui m'occupaient quand je suis parti au mois d'août pour une tournée de dix-sept jours en Afrique. En Afrique du Sud, j'ai pris le ferry pour Robben Island et j'ai pénétré dans la minuscule cellule où Nelson Mandela avait passé la plus grande partie de ses vingt-sept années d'incarcération, sans jamais perdre l'espoir que le changement surviendrait un jour. J'ai rencontré des membres de la cour suprême sud-africaine, je me suis entretenu avec des médecins dans une clinique accueillant des patients atteints du SIDA, et j'ai passé quelques moments en compagnie de l'archevêque Desmond Tutu, dont j'avais déjà eu l'occasion d'apprécier l'esprit plein d'entrain lors de ses visites à Washington.

« Alors c'est vrai, Barack ? m'a-t-il dit avec un sourire mutin. Tu vas devenir notre premier président africain des États-Unis ? Ah, ça nous rendrait tous trrrrès fiers ! »

Puis je me suis envolé pour Nairobi, où Michelle et les filles – accompagnées d'Anita Blanchard et de ses enfants – m'ont rejoint. Dans le sillage de la presse locale qui consacrait l'intégralité de ses éditions à notre visite, les Kenyans nous ont réservé un accueil délirant. À notre arrivée à Kibera, l'un des plus grands bidonvilles d'Afrique, des milliers de personnes se pressaient le long des chemins sinueux de terre rouge et scandaient mon nom. Ma demi-sœur Auma avait eu l'idée attentionnée d'organiser un petit voyage en famille dans la province de Nyanza, afin que nous montrions à Sasha et à Malia la terre ancestrale de notre père, dans l'ouest du pays. Là-bas, nous avons eu la surprise d'être accueillis par une foule immense, alignée sur plusieurs kilomètres au bord de la route, qui nous faisait de grands signes. Et lorsque Michelle et moi nous sommes arrêtés dans un dispensaire ambulant pour passer en public un test VIH afin de démontrer que ce dernier ne présentait aucun danger, les gens ont fait cercle par milliers autour de notre véhicule, ce qui a valu une belle frayeur aux agents de sécurité du corps diplomatique qui nous escortaient. Ce n'est que lorsque nous sommes partis en safari et que nous nous sommes arrêtés en pleine savane, au milieu des lions et des gnous, que nous avons pu échapper à toute cette agitation.

« Je te jure, Barack, ces gens croient que tu es déjà président ! a dit Anita un soir sur le ton de la plaisanterie. Promets-moi juste de me garder une place sur Air Force One, d'accord ? »

Ni Michelle ni moi n'avons ri.

Tandis que la famille rentrait à Chicago, j'ai continué mon périple : je me suis rendu à la frontière entre le Kenya et la Somalie, où j'ai été briefé sur une opération menée conjointement par les forces américaines et kenyanes pour lutter contre le groupe terroriste Al-Shabaab ; j'ai pris un hélicoptère à Djibouti pour rejoindre l'Éthiopie, où des troupes de l'armée américaine étaient venues prêter main-forte aux efforts de reconstruction au lendemain d'une inondation ; et enfin je suis allé au Tchad visiter un camp de réfugiés du Darfour. À chacune de mes étapes, je voyais des hommes et des femmes œuvrer avec héroïsme, dans des circonstances effroyables. À chacune de mes étapes, on me répétait que l'Amérique aurait pu faire beaucoup plus pour aider à soulager la souffrance de ces populations.

Et, à chacune de mes étapes, je me demandais si j'étais candidat à la présidentielle.

Quelques jours à peine après mon retour aux États-Unis, je suis allé dans l'Iowa prononcer le discours inaugural du « Steak Fry », un grand barbecue public organisé chaque année par le sénateur Tom Harkin. Ce rituel annuel revêtait une importance particulière à l'approche de la course à la présidence, dans la mesure où la tradition veut que l'Iowa soit toujours le premier État à voter lors des primaires. J'avais accepté cette invitation plusieurs mois auparavant – Tom m'avait demandé de prendre la parole précisément pour éviter de devoir choisir entre tous les aspirants candidats qui convoitaient cet honneur –, mais ma présence à la tribune ne faisait à présent que redoubler les spéculations. Alors que nous quittions les lieux après mon discours, Steve Hildebrand, ancien directeur politique du comité de campagne sénatoriale démocrate et vieux routier de l'Iowa que Pete avait chargé de m'escorter, m'a pris à part.

« Je n'ai jamais vu un enthousiasme pareil, m'a dit Steve. Tu peux remporter l'Iowa, Barack. Je le sens. Et si tu remportes l'Iowa, tu peux décrocher la nomination. »

J'avais parfois l'impression d'être pris dans une lame de fond, ballotté au gré des attentes d'autrui alors que je n'avais même pas encore clairement défini les miennes. La température est encore montée d'un cran un mois plus tard, deux semaines à peine avant les élections de mi-mandat, avec la publication de mon deuxième livre. J'y avais travaillé toute l'année, le soir, dans mon appartement à Washington, et le week-end à Chicago quand Michelle et les filles dormaient ; même à Djibouti, où je m'étais éreinté pendant plusieurs heures à essayer de faxer à mon éditrice quelques pages de mon jeu d'épreuves corrigé. Je n'avais jamais eu l'intention de faire de ce livre un manifeste de campagne ; je voulais tout simplement exposer mes idées sur l'état actuel de la politique américaine d'une manière intéressante, et vendre suffisamment d'exemplaires pour justifier l'avance conséquente que j'avais touchée.

Mais ce n'est pas comme ça qu'il a été reçu par la presse politique et par les lecteurs. Faire la promotion du livre impliquait que je sois en permanence sur les plateaux de télévision et dans les studios de radio, et si l'on ajoutait à cela la très médiatique tournée dans laquelle je m'étais lancé pour soutenir les candidats démocrates aux législatives, le fait est que je ressemblais moi-même de plus en plus à un candidat.

Un jour, alors que nous rentrions en voiture de Philadelphie à Washington, où je devais participer à l'émission politique « Meet the Press » le lendemain matin, Gibbs et Axe, ainsi que le collaborateur de ce dernier, David Plouffe, m'ont demandé ce que je comptais répondre quand le présentateur Tim Russert, inévitablement, essaierait de me tirer les vers du nez.

« Il va te ressortir la vieille vidéo, a expliqué Axe. Celle où tu affirmes sans la moindre équivoque que tu ne seras pas candidat à la présidentielle de 2008. »

Pendant quelques minutes, je les ai laissés tous les trois passer en revue toutes les parades possibles pour contourner la question, puis je les ai interrompus.

« Et si je disais tout simplement la vérité ? Pourquoi je ne pourrais pas dire que je n'avais aucune intention de me présenter il y a deux ans, mais que les circonstances ont changé, et mon point de vue aussi, et que je compte me pencher sérieusement sur la question après les élections de mi-mandat ? »

Cette idée leur a plu – et ils ont admis que le fait qu'une réponse aussi franche paraisse originale en disait long sur la bizarrerie du monde politique. Gibbs m'a conseillé par ailleurs d'avertir Michelle, pressentant que la moindre suggestion de ma part laissant directement entendre que je pourrais me lancer dans la course allait aussitôt déclencher une hystérie médiatique.

Et c'est exactement ce qui s'est passé. Ma déclaration devant les caméras de « Meet the Press » a fait les gros titres et la une des infos du soir. Sur Internet, une pétition a été lancée en faveur de ma candidature, baptisée « Nominez Obama », et a presque aussitôt récolté des milliers de signatures. Les chroniqueurs politiques de la presse nationale, y compris dans les rangs conservateurs, se sont tous fendus d'une tribune pour m'exhorter à sauter le pas, et le magazine *Time* a fait sa couverture sur un article intitulé « Pourquoi Obama pourrait être le prochain président ».

Mais, apparemment, tout le monde ne misait pas autant sur mes chances. Gibbs nous a raconté que, lorsqu'il s'était arrêté à un kiosque sur Michigan Avenue pour acheter un exemplaire du *Time*, le vendeur d'origine indienne avait jeté un coup d'œil sur ma photo en couverture et lâché pour tout commentaire : « *Puuuutain*, jamais de la vie ! »

Cette anecdote nous a bien fait rire. Et, tandis que les spéculations ne cessaient de s'amplifier autour de ma candidature, Gibbs et moi répétions cette phrase comme une incantation, un mantra qui nous permettait de garder les pieds sur terre et de tenir à distance l'impression de plus en plus forte que nous commencions à être dépassés par les événements. La foule devant laquelle j'ai pris la parole lors du dernier meeting auquel j'ai participé avant les élections de mi-mandat, un rassemblement nocturne à Iowa City pour soutenir le candidat démocrate au poste de gouverneur, était particulièrement déchaînée. Debout sur l'estrade, face à ces milliers de gens réunis dont le souffle montait comme un immense banc de brume dans le faisceau des projecteurs, tous ces visages levés sur lesquels se lisaient l'espoir et l'impatience, ces acclamations sous lesquelles se noyait ma voix épuisée, j'ai eu l'impression que j'étais en train de regarder un film, et que cette silhouette sur la scène n'était pas la mienne.

Quand je suis rentré chez moi ce soir-là, toutes les lumières étaient éteintes dans la maison et Michelle dormait déjà. J'ai pris une douche, jeté un rapide coup d'œil à la pile de courrier, puis je me suis glissé sous les couvertures et j'ai commencé à m'assoupir. Dans cet étrange entre-deux qui sépare la veille du sommeil, je me suis vu franchir le seuil d'une espèce de portail et pénétrer dans un endroit lumineux, froid et étouffant, un lieu désert, coupé du reste du monde. Et derrière moi, montant de l'obscurité, j'ai entendu une voix, limpide et tranchante, comme si quelqu'un se trouvait juste à côté de moi, qui répétait le même mot, encore et encore.

Non. Non. Non.

Je me suis redressé d'un bond dans mon lit, le cœur battant à toute vitesse, et je suis descendu me servir un verre. Je suis resté assis dans le noir, une vodka à la main, les nerfs en pelote, le cerveau tout à coup en surchauffe. J'avais peur, je m'en rendais soudain compte, non pas à l'idée de me lancer dans un projet absurde, de courir le risque de me retrouver coincé au Sénat, ni même d'échouer à une élection présidentielle.

J'avais peur parce que je venais de comprendre que je pouvais gagner.

SURFANT SUR UNE VAGUE de mécontentement à l'égard de l'administration Bush et de la guerre en Irak, les démocrates ont remporté la quasi-intégralité des batailles clés en novembre et pris le contrôle de la Chambre des représentants et du Sénat. Même si nous avions travaillé dur pour y contribuer, mon équipe et moi n'avions pas le temps de célébrer cette victoire. Dès le lendemain, en effet, nous commencions à esquisser les plans d'un chemin possible vers la Maison-Blanche.

Notre spécialiste des sondages, Paul Harstad, a regardé les chiffres et conclu que je me trouvais d'ores et déjà dans le haut du panier des candidats. Nous avons discuté du calendrier des primaires et des caucus ; pour qu'une campagne aussi téméraire que la mienne aboutisse, nous étions conscients que tout dépendait d'une victoire dans les États qui votaient en premier, en particulier dans l'Iowa. Nous avons tracé les contours du budget le plus réaliste possible et réfléchi au moyen de lever les centaines de millions de dollars qu'il nous faudrait rien que pour obtenir la nomination démocrate. Pete et Alyssa ont élaboré un emploi du temps qui me permettrait de concilier mes déplacements de campagne avec mes devoirs au Sénat. Axelrod a rédigé un mémo décrivant, dans les grandes lignes, les thèmes d'une campagne potentielle et la façon dont il faudrait nous y prendre – compte tenu du mépris violent des électeurs à l'égard de Washington – pour que mon message, axé sur le changement, compense mon manque patent d'expérience.

Même si nous disposions de très peu de temps, tout le monde s'est acquitté de ses tâches avec soin et diligence. J'étais tout particulièrement impressionné par David Plouffe. La petite quarantaine, élancé, intense, les traits au couteau, d'un tempérament à la fois sec et décontracté, il avait quitté les bancs de la fac pour suivre plusieurs campagnes démocrates et avait également dirigé le comité de campagne législative démocrate avant de rejoindre le cabinet de conseil d'Axelrod. Je l'ai écouté un jour expliquer comment nous pourrions impulser un mouvement de mobilisation citoyenne État par État en mettant à profit à la fois notre base de bénévoles et les ressources d'Internet, et j'ai confié par la suite à Pete que si nous devions procéder de cette façon, alors Plouffe semblait tout indiqué pour endosser le rôle de directeur de campagne.

« Il est excellent, a acquiescé Pete. Mais ça ne va pas forcément être évident de le convaincre. C'est un jeune père de famille. »

C'est l'un des aspects les plus frappants qui ressortaient de nos discussions pendant ce premier mois : toute l'équipe manifestait une ambivalence qui n'avait rien à envier à la mienne. Et pas seulement parce que ma candidature paraissait encore improbable ; Plouffe et Axelrod me l'affirmaient tous les deux sans détour : pour battre Hillary Clinton, une « marque nationale », il nous faudrait sortir pour ainsi dire le jeu parfait. Non, ce qui les freinait dans leur enthousiasme, c'est que, contrairement à moi, ils avaient déjà été aux premières loges d'une campagne présidentielle. Ils savaient que c'était une entreprise harassante. Ils étaient conscients du prix à payer que cela représenterait, non seulement pour moi et ma famille, mais également pour eux-mêmes et leur propre famille.

Nous serions constamment sur la route. La presse nous scruterait à la loupe et se montrerait sans pitié – « une coloscopie non-stop », comme disait Gibbs, je crois. Je verrais très peu Michelle et les filles pendant au moins une année entière – deux, si nous avions l'heureuse surprise de remporter la primaire.

« Je ne vais pas te mentir, Barack, m'a dit Axe à la fin d'une réunion. C'est une aventure qui peut être exaltante, mais la plupart du temps c'est un calvaire. Comme un test d'effort, un électrocardiogramme qui te lessive jusqu'à la moelle. Et tu as beau être bourré de talent, je ne sais pas comment tu vas réagir. Et toi non plus. C'est un truc tellement dingue, tellement crasse et brutal, il faut forcément être un peu tordu pour tenir la distance et gagner. Et je ne sais pas si tu as ça en toi, cette avidité. Je n'ai pas l'impression que tu serais foncièrement malheureux si tu devais ne jamais devenir président.

– C'est vrai, ai-je admis.

– Je sais que c'est vrai, a dit Axe. Et, en tant qu'être humain, c'est une force. Mais, pour un candidat, c'est une faiblesse. Tu es peut-être un petit peu trop normal, trop équilibré pour vouloir devenir président. Et même si le consultant politique que je suis trouverait ça fabuleux que tu te lances, l'ami que je suis également pour toi en viendrait presque à espérer que tu ne le fasses pas. »

De son côté, Michelle tentait elle aussi d'y voir clair dans les sentiments que lui inspirait toute cette histoire. Elle assistait en silence à nos réunions de travail, posait simplement de temps à autre une question sur le calendrier, sur ce qu'on attendrait d'elle, sur ce que ça allait signifier pour les filles. Peu à peu, son hostilité à l'idée de ma candidature s'était estompée. Entendre la vérité brute sur ce qu'impliquait une campagne n'y était peut-être pas pour rien ; ses pires craintes devenaient concrètes, précises, et donc plus faciles à affronter. Peut-être était-ce grâce aux conversations qu'elle avait eues avec Valerie et Marty, deux de nos plus fidèles amis, des gens en qui elle avait toute confiance. Ou grâce à l'intervention de son frère, Craig – lui qui avait toujours poursuivi ses propres rêves improbables, celui de devenir joueur de basket professionnel d'abord, puis entraîneur, même s'il avait dû pour cela tourner le dos à une carrière lucrative dans l'univers de la banque.

« Elle a peur, c'est tout », m'a-t-il dit un après-midi où nous nous étions retrouvés pour boire une bière. Puis il m'a parlé de l'époque où Michelle et sa mère venaient le voir jouer au basket au lycée ; chaque fois que le score était trop serré, elles quittaient les tribunes pour aller l'attendre dans le tunnel des vestiaires, toutes les deux incapables de supporter la tension. « Elles ne voulaient pas me voir perdre, a dit Craig. Elles ne voulaient pas me voir vexé ou déçu. Je devais leur expliquer que ça faisait partie de la compétition. » Pour sa part, il était favorable à ce que je tente ma chance, et il m'a confié qu'il comptait en discuter avec sa sœur. « Je veux qu'elle voie les choses sous un autre angle. Quand l'opportunité se présente de jouer à ce niveau-là, on ne la laisse pas passer. »

Un jour de décembre, juste avant nos vacances de Noël à Hawaï, notre équipe s'est réunie une dernière fois pour décider si oui ou non nous allions nous lancer. Michelle a patiemment enduré une heure de discussion sur les effectifs et la logistique nécessaires à la préparation d'une éventuelle annonce de candidature, avant de nous interrompre pour poser une question cruciale.

« Tu as dit qu'il y avait beaucoup d'autres démocrates capables de remporter l'élection et de diriger le pays. Tu m'as dit que la seule raison valable pour que tu te présentes, ce serait ta capacité à proposer quelque chose que les autres n'ont pas. Sinon, ça ne vaudrait pas le coup. C'est bien ça ? »

J'ai acquiescé.

« Alors voici ma question, Barack : pourquoi toi ? Pourquoi est-ce que *toi*, tu veux devenir président ? »

Nous nous sommes regardés, chacun à un bout de la table. L'espace d'un instant, c'était comme si nous étions soudain seuls dans cette pièce. Je me suis remémoré tout à coup le jour de notre rencontre, dix-sept ans plus tôt, moi qui arrive en retard à son bureau, un peu mouillé à cause de la pluie, Michelle qui se lève, si belle et pleine d'aplomb dans sa jupe et son chemisier d'avocate, les quelques mots que nous avons échangés, tout de suite à l'aise l'un avec l'autre. J'avais alors décelé, derrière ces grands yeux sombres, une vulnérabilité dont je devinais qu'elle la laissait rarement transparaître. J'avais compris, dès cette première rencontre, qu'elle était unique, que j'avais besoin de mieux la connaître, que je me trouvais en face d'une femme dont je pourrais tomber amoureux. Quelle chance j'avais eue, me disais-je.

« Barack ? »

Je suis sorti de ma rêverie. « Oui, ai-je dit. Pourquoi moi ? » J'ai évoqué plusieurs raisons dont nous avions déjà discuté ensemble. Ma capacité à initier une nouvelle forme de pratique politique, ou à pousser une nouvelle génération à s'engager, ou à rassembler le pays par-delà ses divisions comme aucun des autres candidats ne pouvait le faire.

« Mais bon, qui sait ? ai-je ajouté en regardant tout le monde autour de la table. Rien ne garantit que nous y arrivions. Mais je sais une chose. Je sais que, le jour où je lèverai la main droite pour prêter serment en tant que nouveau président des États-Unis, le monde commencera à porter un regard différent sur l'Amérique. Je sais que tous les gamins de ce pays – les gamins noirs, les gamins latinos, tous les gamins qui ont l'impression de ne pas être à leur place ici – porteront eux aussi un regard différent sur eux-mêmes, leur horizon soudain dégagé, le champ des possibles soudain ouvert devant eux. Et rien que pour ça... ça en vaudrait la peine. »

Silence. Marty souriait. Valerie avait les larmes aux yeux. Je voyais certains membres de l'équipe en train d'imaginer la scène, l'investiture du premier président afro-américain de toute l'histoire des États-Unis.

Michelle m'a lancé un regard qui m'a paru durer une éternité. « Eh bien, mon chéri, a-t-elle fini par dire, c'était pas mal, comme réponse. »

Tout le monde s'est mis à rire, puis la réunion a repris son cours. Au fil des années suivantes, ceux qui étaient présents autour de la table ce jour-là y feraient parfois référence, ayant perçu que ma réponse à la question de Michelle avait été l'expression spontanée d'une foi partagée, le véritable élément déclencheur d'une aventure qui allait se révéler aussi longue et houleuse qu'improbable. Ils s'en souviendraient le jour où ils verraient un petit garçon tendre le bras pour me toucher les cheveux dans le Bureau ovale, ou un enseignant nous dire que les gamins de son école dans un quartier défavorisé en centre-ville s'étaient mis à travailler plus dur après mon élection.

Et c'est vrai : en répondant ainsi à la question de Michelle, je définissais déjà les contours de l'espoir qui était alors le mien, l'espoir de mener une campagne dont la crédibilité pourrait tout du moins débarrasser l'Amérique des vestiges de son passé racial. Mais, en mon for intérieur, je savais que cet objectif recouvrait aussi une dimension plus personnelle.

Si nous gagnions, songeais-je, cela voudrait dire que ma victoire à l'élection sénatoriale n'avait pas été qu'un coup de chance.

Si nous gagnions, cela voudrait dire que ce qui m'avait poussé à me lancer en politique ne relevait pas d'un rêve utopique, que l'Amérique en laquelle je croyais était possible, que la démocratie en laquelle je croyais était à portée de main.

Si nous gagnions, cela voudrait dire que je n'étais pas le seul à croire que le monde n'était pas nécessairement un endroit inhospitalier et impitoyable, où les forts écrasaient les faibles, où nous étions éternellement condamnés à nous organiser en clans et en tribus, à batailler contre des puissances inconnues et à nous blottir craintivement face aux ténèbres.

Si ces croyances prenaient corps dans la réalité, alors j'aurais trouvé un sens à ma vie, et je pourrais transmettre cette promesse, cette vision du monde, à mes enfants.

J'avais fait un pari, il y a très longtemps, et je me trouvais à présent à la croisée des chemins. J'étais sur le point de franchir une frontière invisible, qui allait changer de manière inexorable le cours de mon existence, dans des proportions qu'il m'était encore impossible d'imaginer, et qui ne me plairaient peut-être pas. Mais arrêter maintenant, renoncer maintenant, baisser les bras maintenant – c'était inacceptable.

Il fallait que je voie comment la partie allait se jouer.

DEUXIÈME PARTIE

Yes we can

CHAPITRE 5

P AR UNE BELLE MATINÉE DE FÉVRIER 2007, debout sur une estrade devant l'ancien capitole de Springfield – là où Abraham Lincoln avait prononcé son célèbre discours sur la « Maison divisée », à l'époque où il n'était encore que député à la chambre des représentants de l'Illinois –, j'ai annoncé ma candidature à la présidence des États-Unis. Nous avions craint que le froid glacial ne décourage les gens de venir – le thermomètre affichait moins 10 degrés –, mais quand je suis monté à la tribune, plus de 15 000 personnes étaient rassemblées sur la place et dans les rues adjacentes, toutes d'humeur festive, emmitouflées dans leurs parkas, écharpes, bonnets de laine et cache-oreilles, agitant des pancartes OBAMA qu'elles avaient elles-mêmes confectionnées ou que nos équipes leur avaient distribuées, leur souffle formant de petits nuages épars au-dessus de la foule.

Mon discours, retransmis en direct à la télévision, résumait les grands thèmes de notre campagne : la nécessité d'une transformation en profondeur ; la nécessité de s'attaquer à des questions à long terme comme le système de santé ou le changement climatique ; la nécessité de dépasser les vieux clivages partisans à Washington ; la nécessité d'un engagement citoyen actif. Michelle et les filles m'ont rejoint sur scène pour saluer la foule rugissante à la fin de mon discours, devant le décor spectaculaire des bâtiments alentour pavoisés d'immenses drapeaux américains.

Mon équipe et moi nous sommes ensuite envolés pour l'Iowa, où se livrerait, onze mois plus tard, la toute première bataille nationale pour la nomination, et où nous espérions remporter une victoire précoce qui nous propulserait devant nos adversaires plus expérimentés. Nous avons organisé plusieurs débats publics dans diverses salles municipales, où nous avons de nouveau été accueillis par des milliers de supporters et de curieux. En marge d'un rassemblement à Cedar Rapids, j'ai entendu un cacique des coulisses politiques de l'Iowa glisser à un reporter de la presse nationale, parmi la petite cinquantaine de journalistes qui nous suivaient : « Ce n'est pas normal. »

Quand on visionne les images de ce meeting, il est difficile de ne pas se laisser envahir par la nostalgie qui étreint aujourd'hui encore les anciens membres de mon staff et ceux de mes soutiens qui étaient présents ce jour-là – le sentiment que nous venions de donner le coup d'envoi d'une aventure magique ; qu'au cours des deux années suivantes nous allions accomplir l'impossible et toucher au cœur d'une part essentielle et authentique de l'Amérique. Mais si les foules, la frénésie, l'attention médiatique de cette journée-là présageaient bel et bien le succès possible de ma candidature, je dois me rappeler à moi-même que rien, à l'époque, ne paraissait facile ni gagné d'avance, que nous avions régulièrement le sentiment que notre campagne allait dérailler et que, sur la ligne de départ, j'avais l'impression – et je n'étais pas le seul, parmi tous ceux qui suivaient les événements de près – de ne pas être un très bon candidat.

À bien des égards, mes problèmes étaient directement liés à l'engouement que nous avions suscité, et aux espoirs qui en découlaient. Axe nous a expliqué que les débuts de la plupart des campagnes présidentielles étaient forcément modestes – « en mode circuit amateur », comme il disait : public modeste, salles modestes, couverture médiatique cantonnée aux chaînes de télé et aux feuilles de chou locales, où le candidat et son équipe pouvaient tester leurs slogans, ajuster leur angle de tir, faire un faux pas ou connaître un moment de trac sans trop attirer l'attention. Nous n'avions pas ce luxe. Dès le premier jour, c'était comme si nous nous trouvions en plein milieu de Times Square et, sous la lumière aveuglante des projecteurs, mon inexpérience était criante.

Mon staff craignait par-dessus tout que je ne commette une « bourde », selon le terme employé par la presse pour décrire n'importe quelle phrase maladroite prononcée par le candidat susceptible de révéler son ignorance, sa désinvolture, sa pensée approximative, son insensibilité, son machiavélisme, sa grossièreté, sa malhonnêteté, son hypocrisie – ou n'importe quelle phrase tout simplement jugée assez éloignée du bon sens commun pour rendre ledit candidat vulnérable aux attaques. Si l'on s'en tient à cette définition, la plupart des êtres humains commettent entre cinq et dix bourdes par jour en moyenne, et chacun d'entre nous ne peut que s'en remettre à la tolérance et à la bienveillance de sa famille, de ses collègues et de ses amis pour combler les failles de nos discours, saisir le sens véritable de nos paroles et, de manière générale, nous attribuer les meilleures intentions plutôt que les pires.

En vertu de quoi ma réaction instinctive était souvent d'ignorer les mises en garde de mon équipe. Ce jour-là, par exemple, alors que nous abordions la toute dernière étape de notre tournée express de l'Iowa dans la foulée de l'annonce de ma candidature, Axe a levé les yeux de son carnet de briefing.

« Tu sais, m'a-t-il dit, la ville où on va, ça se prononce "Waterloo".

– D'accord, ai-je dit. Waterloo. »

Axe a secoué la tête. « Non, Water-*loo*. Pas *Water*-loo.

– Attends, redis-moi ça pour voir ?

– Water-*loo*, a répété Axe en tendant les lèvres, la bouche en cul de poule.

– Encore une fois ? »

Axe a froncé les sourcils. « OK, Barack, c'est bon, arrête... c'est sérieux, là. »

Il ne m'a pas fallu longtemps, cela dit, pour comprendre que, dès la seconde où vous aviez annoncé votre candidature, les règles usuelles du langage ne s'appliquaient plus ; vous étiez cerné par les micros en permanence, et le moindre mot qui sortait de votre bouche était enregistré, amplifié, analysé, disséqué. À l'hôtel de ville d'Ames, dans l'Iowa, lors de cette première tournée après l'annonce de ma candidature, j'étais en train d'expliquer les raisons de mon opposition à la guerre en Irak quand tout à coup j'ai laissé échapper un mot malheureux : les décisions irréfléchies de l'administration Bush, ai-je déclaré, avaient entraîné le « gâchis » de la vie de plus de 3 000 jeunes soldats de notre armée. À l'instant même où j'ai prononcé ce mot, je l'ai regretté. J'avais toujours pris soin de faire la distinction entre mes positions vis-à-vis de la guerre et ma considération pour le sacrifice de nos soldats et de leurs familles. Seuls quelques journaux ont mentionné cette gaffe, et un rapide *mea culpa* a étouffé dans l'œuf toute polémique. Mais j'ai retenu la leçon de cet épisode : les mots étaient désormais chargés d'un poids différent, et j'étais mortifié en imaginant la peine que ma désinvolture avait pu causer à une famille portant encore le deuil d'un proche disparu.

Je suis, par nature, plutôt du genre à peser mes mots, ce qui, à l'aune du nombre de bourdes commises en général par les candidats à la présidence, me permettait de rester dans la moyenne basse. Mais le soin que je mettais à choisir mes mots a bientôt révélé un autre problème au cours de la campagne : je m'exprimais de manière beaucoup trop verbeuse, et ça, c'était un vrai souci. Quand on me posait une question, j'avais tendance à donner des réponses contournées et sentencieuses, décomposant instinctivement chaque question en plusieurs parties et sous-parties. S'il y avait deux façons de voir les choses, j'en proposais souvent quatre. S'il y avait un bémol à ajouter à une opinion que je venais d'émettre, je ne me contentais pas de le signaler ; j'en donnais une explication exhaustive. « Tu noies le poisson ! » fulminait Axe, lassé de m'écouter pérorer sans fin. Pendant deux ou trois jours, je me suis forcé à rester concis, jusqu'au moment où, c'était plus fort que moi, je me mettais à gloser pendant dix minutes sur les subtilités de la politique commerciale ou sur le rythme de la fonte des glaces dans l'océan Arctique.

« Alors, c'était comment ? demandais-je à Axe en quittant la tribune, ravi de m'être montré si précis et pointilleux.

– 20 sur 20 à l'interro. Nombre de bulletins dans l'urne : zéro. »

J'ai réussi à résoudre certains problèmes au fil du temps. Le plus préoccupant, alors que le printemps approchait, c'est que j'étais d'humeur massacrante, notamment en raison, je m'en rends compte aujourd'hui, de mon extrême fatigue au bout de deux années de campagne sénatoriale, suivies d'une année supplémentaire à faire la tournée des hôtels de ville en tant que sénateur, puis de plusieurs mois de déplacements pour soutenir d'autres candidats. Une fois retombée l'adrénaline de l'annonce de ma candidature, l'ampleur de la tâche exténuante qui se profilait à présent devant moi me percutait de plein fouet.

Et, de fait, « exténuant » n'est pas un terme trop fort. Quand je n'étais pas à Washington pour m'acquitter de mon devoir de sénateur, je me trouvais dans l'Iowa ou dans un autre État parmi les premiers à exprimer leurs suffrages, où je faisais campagne seize heures par jour, six jours et demi par semaine. Je descendais dans un motel quelconque, un Hampton Inn, un Holiday Inn, un AmericInn ou un Super 8, et après cinq ou six heures de sommeil j'essayais de faire un peu d'exercice si je trouvais une salle de sport dans les parages, ou ce qui s'en rapprochait le plus (je me souviens en particulier d'un vieux tapis de course au fond d'un salon de bronzage), avant de refaire mes valises et d'avaler en quatrième vitesse un semblant de petit déjeuner ; avant de sauter dans un van et de passer quelques coups de fil pour récolter des fonds en attendant d'arriver à notre première étape du jour ; avant de me prêter au jeu des interviews avec le journal ou la chaîne de télé locale, deux ou trois poignées de main avec les cadres du parti sur place, une pause pipi, et un petit détour éventuellement par le boui-boui du coin pour dire bonjour aux gens ; avant de remonter dans le van et de décrocher à nouveau le téléphone pour récolter de l'argent. Le tout à raison de trois ou quatre fois par jour, ponctué d'un sandwich froid ou d'une salade sur le pouce, puis, vers 21 heures, j'atterrissais sur les rotules dans un nouveau motel, j'essayais d'avoir Michelle et les filles au téléphone avant qu'elles aillent se coucher, et je me mettais à étudier la feuille de route du lendemain, qui finissait en général par me glisser des mains tandis que je m'écroulais, assommé de fatigue.

Il faut ajouter à cela les allers-retours à New York, Los Angeles, Chicago ou Dallas pour les soirées de collecte de fonds. C'était une vie non pas de strass et de paillettes, mais de monotonie, et, à l'idée de devoir tenir encore dix-huit mois à ce régime, je me suis très vite senti découragé. J'avais revendiqué ma place dans la course présidentielle, j'avais impliqué un grand nombre de personnes dans mon équipe, j'avais demandé de l'argent à des inconnus et j'avais insufflé une vision en laquelle je croyais. Mais ma femme me manquait. Mes enfants me manquaient. Je voulais dormir dans mon lit, pouvoir prendre une douche digne de ce nom, m'asseoir à une vraie table et faire un vrai repas. Je ne voulais plus être obligé de répéter exactement la même chose, exactement dans les mêmes termes, cinq, six ou sept fois par jour.

Heureusement, outre Gibbs (qui était suffisamment robuste, expérimenté et lui-même assez grincheux pour me pousser à garder le cap quand nous étions sur la route), j'avais à mes côtés deux fidèles compagnons pour m'aider à surmonter cette phase de déprime.

Le premier était Marvin Nicholson. Moitié canadien d'origine, doté d'un charme sans manières et d'un tempérament imperturbable, Marvin, du haut de sa trentaine bien entamée et de ses presque 2,10 mètres, avait exercé divers petits métiers, de caddy de golf à serveur dans un bar à strip-tease, avant d'être engagé comme assistant personnel de John Kerry quatre ans plus tôt. C'est un drôle de job, assistant personnel : aide de camp et homme à tout faire, chargé de veiller à ce que le candidat ait toujours ce dont il ou elle a besoin, que ce soit son casse-croûte préféré ou un cachet d'aspirine, un parapluie quand il pleut ou une écharpe quand il fait froid, ou le nom du président de l'antenne locale du parti qui s'avance vers vous pour vous serrer la main. Marvin s'acquittait de ce rôle avec une habileté et une délicatesse qui l'avaient rendu pour ainsi dire légendaire dans les cercles politiques. C'est pourquoi nous l'avions engagé en qualité de responsable des déplacements officiels : en liaison avec Alyssa et les équipes de campagne sur place, il coordonnait nos voyages, s'assurait que j'avais toujours à ma disposition le matériel technique requis et, dans la mesure du possible, que je respectais le déroulé horaire prévu de la journée sans trop déborder.

Et puis il y avait Reggie Love. Né dans une famille noire de la classe moyenne en Caroline du Nord, lui aussi d'une carrure impressionnante avec son 1,95 mètre, Reggie avait été une vedette des équipes de basket et de football américain à l'université Duke avant que Pete Rouse l'engage comme assistant au sein de mon équipe au Sénat. (Une remarque en passant : les gens sont souvent surpris de s'apercevoir que je suis moi-même assez grand – 1,85 mètre. À mon avis, c'est parce qu'ils m'ont vu pendant des années sur des photos en compagnie de Reggie et de Marvin, à côté de qui je fais figure de nabot.) Sous la tutelle de Marvin, Reggie, à 25 ans, est devenu mon assistant personnel et, même s'il lui a fallu un petit temps d'adaptation – il a réussi la prouesse d'oublier dans la même semaine ma serviette à Miami et la veste de mon costume dans le New Hampshire –, il s'est très vite attiré l'affection de tous dans l'équipe par sa conscience professionnelle et sa bonne humeur mâtinée d'un soupçon de gaucherie.

Pendant près de deux ans, Gibbs, Marvin et Reggie allaient être aux petits soins pour moi, m'aider à ne pas perdre le sens des réalités et me procurer d'innombrables occasions de me détendre en me faisant rire. Nous jouions ensemble aux cartes et au billard. Nous parlions de sport et nous échangions des conseils musicaux. (Reggie a contribué à mettre à jour ma playlist de hip-hop, qui s'était arrêtée à Public Enemy.) Ils me parlaient de leur vie sociale sur la route (compliquée) et de leurs aventures dans certaines de nos escales une fois la journée de travail terminée (il était parfois question de salons de tatouage et de jacuzzis). Nous taquinions Reggie sur son ignorance juvénile (un jour, j'ai mentionné le nom de Paul Newman, et Reggie a dit : « Ah oui, le mec qui fait de la vinaigrette, c'est ça ? ») et Gibbs sur son appétit d'ogre (lors de la foire annuelle de l'Iowa, alors qu'il hésitait entre un Twinkie et un Snickers plongés dans la friture, la gentille dame derrière son stand lui a dit : « Mais, mon chou, qui a dit que tu étais obligé de choisir ? »).

Dès que l'occasion se présentait, nous jouions au basket. Même dans le plus minuscule patelin, nous trouvions toujours un gymnase scolaire et, si nous n'avions pas le temps de disputer un vrai match, Reggie et moi nous retroussions les manches et nous lancions dans un concours de dribbles et de paniers en attendant qu'il soit l'heure pour moi de remonter sur scène. Comme tout bon athlète, il était très compétitif et ne lâchait jamais le morceau. Le lendemain d'une partie, il m'arrivait de me réveiller tellement perclus de courbatures que je pouvais à peine marcher, même si j'étais bien trop orgueilleux pour le laisser paraître. Un jour, nous avons joué contre une équipe de pompiers du New Hampshire, dont je cherchais à obtenir le soutien officiel. C'étaient des joueurs du dimanche, un peu plus jeunes que moi, mais moins entraînés. Quand Reggie leur a piqué le ballon au rebond et est allé planter un dunk fracassant pour la troisième fois d'affilée, j'ai déclaré un temps mort.

« Tu fais quoi, là ? lui ai-je demandé.

– Comment ça ?

– Rassure-moi, tu as bien compris que j'essayais d'avoir leur soutien ? »

Reggie m'a regardé d'un air incrédule. « Vous voulez qu'on fasse exprès de perdre contre ces nazes ? »

J'ai réfléchi une seconde.

« Non, je n'irais pas jusque-là. Fais juste en sorte que ce soit assez serré pour qu'ils ne l'aient pas trop mauvaise. »

Passer du temps avec Reggie, Marvin et Gibbs me permettait de lâcher un peu de la pression que la campagne faisait peser sur mes épaules : c'était une petite poche de liberté dans laquelle je n'étais plus un candidat, ou un symbole, ou la voix de toute une génération, ou même le patron – juste un gars de la bande. Ce qui, à mesure que défilaient ces premiers mois épuisants, m'a davantage aidé que n'importe quelles paroles encourageantes. Gibbs a bien essayé le coup du petit discours de motivation à un moment, un jour que nous montions dans un énième avion au terme d'une énième journée interminable, après une prestation particulièrement peu inspirée de ma part. Il m'a expliqué qu'il fallait que je sourie plus, que je garde en tête que nous vivions une aventure formidable et que les électeurs avaient envie de voir un combattant plein d'enthousiasme.

« Est-ce que ça t'amuse un peu, au moins ? m'a-t-il demandé.

– Non.

– On peut faire quelque chose pour que ce soit plus amusant ?

– Non. »

Assis dans la rangée devant nous, Reggie, qui nous avait entendus, s'est retourné vers moi, le sourire jusqu'aux oreilles. « Si ça peut vous consoler, a-t-il dit, moi, je ne me suis jamais autant éclaté. »

Oui, ça me consolait – même si je ne le lui ai pas avoué sur le moment.

PENDANT CE TEMPS-LÀ, cela dit, j'apprenais beaucoup, et vite. Je passais des heures à potasser avec application les épais dossiers de briefing préparés par mon staff, assimilant les toutes dernières études sur les vertus de la pédagogie de la petite enfance, sur les avancées les plus récentes de la technologie des batteries qui allaient faciliter le développement des énergies propres, ou sur les manipulations monétaires auxquelles se livrait la Chine pour booster ses exportations.

Rétrospectivement, je me rends compte que je faisais ce que nous avons tous tendance à faire quand nous sommes en proie à l'incertitude ou confrontés aux difficultés : nous nous raccrochons à ce qui nous paraît le plus familier, aux sujets sur lesquels nous nous sentons le plus à l'aise. Les dispositifs de mise en œuvre d'une politique, je connaissais ; absorber et analyser l'information, je savais faire. Il m'a fallu un certain temps pour comprendre que l'enjeu, pour moi, ce n'était pas d'avoir un programme en dix points. C'était plutôt de réussir à synthétiser les sujets pour les réduire à leur essence, à raconter une histoire susceptible d'aider les Américains à mieux comprendre le monde de plus en plus trouble dans lequel nous vivions, et à leur faire sentir que je pourrais, moi, en tant que président, les aider à y naviguer.

Mes adversaires, plus expérimentés que moi, savaient déjà très bien tout ça. Cela m'avait valu un grand moment d'embarras au tout début de la campagne, lors d'un forum sur le système de santé organisé par l'Union internationale des employés des services (SEIU) à Las Vegas, un samedi soir à la fin du mois de mars 2007. Plouffe était réticent à ce que j'y participe. Selon lui, ce genre de grand raout s'apparentant à une « audition collective », au cours duquel les candidats se présentaient devant tel ou tel groupe d'intérêts démocrate, favorisait les initiés et éloignait les autres du contact direct avec les électeurs. Je n'étais pas d'accord. Le système de santé était une question primordiale à mes yeux – d'une part, parce que j'avais entendu nombre de témoignages personnels édifiants à ce sujet au cours de mes diverses campagnes, et, d'autre part, parce que je n'avais jamais oublié les derniers jours de ma propre mère, pendant lesquels elle n'avait cessé de se demander non seulement si elle allait survivre, mais si son assurance allait lui donner les moyens de continuer à se soigner.

Il s'avère que j'aurais mieux fait d'écouter Plouffe. J'avais trop de données en tête, et pas assez de réponses. Devant une immense assemblée d'employés du secteur de la santé, j'avais passé tout mon temps de parole à baragouiner, à bafouiller et à me prendre les pieds dans le tapis. En réponse à une question directe, j'avais dû me résoudre à avouer que je n'avais pas encore de plan bien défini pour réformer le système de santé et le rendre plus accessible à tous. On aurait dit qu'une nuée de criquets venait d'envahir l'auditorium. L'agence Associated Press avait publié un compte rendu assassin de mon intervention – que les autres médias s'étaient empressés de relayer dans tout le pays – sous le titre cruel : « OBAMA – BEAUCOUP DE STYLE, PEU DE SUBSTANCE ? »

Mon intervention avait été d'autant plus catastrophique en comparaison de celles livrées par John Edwards et Hillary Clinton, les deux candidats en tête de la course à ce moment-là. Edwards, le séduisant et raffiné ancien candidat à la vice-présidence, avait quitté le Sénat en 2004 pour faire campagne comme colistier de John Kerry, puis il avait fait mine de se lancer dans la fondation d'une association de lutte contre la pauvreté, mais il n'avait jamais cessé en réalité de poursuivre ses ambitions présidentielles. Même si je ne le connaissais pas bien, Edwards ne m'avait jamais beaucoup impressionné : en dépit de ses authentiques origines modestes, les nouveaux accents populistes de son discours me paraissaient artificiels, élaborés à partir d'une étude de sondages, l'équivalent politique d'un de ces boys bands créés de toutes pièces par le service marketing d'une maison de disques. Mais ce jour-là, à Las Vegas, j'avais bien été forcé d'en rabattre en l'entendant exposer de manière limpide son projet de couverture universelle, avec tout le talent oratoire qui avait fait de lui un brillant avocat en Caroline du Nord.

Hillary était encore meilleure. Comme beaucoup de gens, j'avais observé de loin les Clinton pendant les années 1990. J'avais éprouvé une réelle admiration pour les dons prodigieux et la puissance intellectuelle de Bill. Si certains aspects de la politique dite de la « triangulation », soit de la recherche systématique du compromis, dont il se réclamait me laissaient dubitatif – sa loi sur la réforme des allocations, par exemple, qui ne protégeait pas assez les chômeurs, ou sa rhétorique intransigeante sur la question de la criminalité, qui contribuerait à une explosion de la surpopulation dans les prisons fédérales –, je saluais l'habileté avec laquelle il avait su redonner une légitimité électorale aux idées progressistes et au Parti démocrate.

Quant à l'ancienne First Lady, je la trouvais tout aussi impressionnante, et plus empathique. Peut-être parce que son histoire personnelle m'évoquait d'une certaine manière le parcours de ma mère et de ma grand-mère – toutes trois étaient des femmes brillantes et ambitieuses qui s'étaient heurtées aux contraintes de leur époque, qui avaient dû batailler face aux ego masculins et aux règles sociales édictées par les hommes. Si Hillary était devenue légèrement guindée, peut-être un peu trop bien calibrée pour le rôle, qui aurait pu le lui reprocher, compte tenu de toutes les attaques qu'elle avait subies ? Au Sénat, mon *a priori* favorable à son égard s'était trouvé amplement conforté. Chaque fois que nous avions eu affaire ensemble, j'avais pu constater sa puissance de travail peu commune, sa parfaite cordialité et le soin irréprochable qu'elle apportait à la préparation de ses dossiers. Elle avait aussi un rire franc et généreux qui avait le don de mettre tout le monde de bonne humeur.

Si j'avais décidé de briguer la nomination démocrate malgré la présence de Hillary dans la course, ce n'était pas en raison d'un quelconque jugement de ma part concernant les faiblesses propres de sa candidature, mais plutôt parce que j'avais le sentiment qu'elle ne pourrait de toute façon jamais surmonter l'amertume, la rancœur et les opinions sans appel qu'inspirait le souvenir des années Clinton à la Maison-Blanche. C'était peut-être injuste, mais je ne voyais pas comment elle pourrait mettre un terme aux vieux clivages politiques, changer le cours des affaires à Washington, ou donner au pays l'impulsion nouvelle dont il avait besoin. Mais en la regardant parler avec passion et précision de notre système de santé ce soir-là à la tribune du forum du SEIU, et en entendant la foule saluer la fin de son discours par un tonnerre d'applaudissements, je me suis demandé si je ne m'étais pas trompé.

Ce n'était certainement pas la dernière fois que je devais m'avouer vaincu face à Hillary – ou face à la moitié des autres candidats en lice, d'ailleurs, car bientôt, on aurait dit que nous nous retrouvions toutes les deux ou trois semaines pour croiser le fer. Je n'avais jamais été très bon dans ce genre d'exercice : mes longs développements et mon goût pour les réponses compliquées me désavantageaient, surtout quand j'étais entouré de sept professionnels aguerris et que nous n'avions chacun droit qu'à une minute chrono pour répondre à une question. Lors de notre premier débat, au mois d'avril, le modérateur m'a interrompu au moins à deux reprises au milieu d'une phrase parce que j'avais épuisé mon temps de parole. À la question de savoir comment je comptais réagir face à la menace terroriste, je me suis mis à expliquer qu'il fallait renforcer la coordination entre les divers intervenants au niveau fédéral, mais j'ai oublié d'évoquer le plus important : les moyens à mettre en œuvre pour traquer les terroristes. Au cours des minutes suivantes,

Hillary et les autres se sont fait un plaisir, chacun leur tour, de relever mon omission. Leur ton était grave, mais une lueur malicieuse dans leurs yeux me lançait : Tiens, prends ça, bleusaille.

À la fin de ce débat, Axe m'a transmis ses remarques d'après-match le plus délicatement possible.

« Ton problème, m'a-t-il dit, c'est que tu essaies systématiquement de répondre à la question.

– Mais… ce n'est pas le but, justement ?

– Non, Barack. Ce n'est pas le but, justement. Le but, c'est de faire passer ton message. Quelles sont tes valeurs ? Quelles sont tes priorités ? C'est ça qui compte pour les gens. Écoute, une fois sur deux, la question du modérateur a pour seul objectif de te faire trébucher. Ton boulot, c'est d'éviter le piège. Alors, quelle que soit la question, tu lâches deux ou trois mots rapides pour donner l'impression que tu as répondu… et ensuite tu parles des sujets dont *toi*, tu veux parler.

– Mais c'est se foutre de la gueule du monde ! me suis-je offusqué.

– Absolument. »

J'étais énervé contre Axe, et plus encore contre moi-même. Pourtant, je pouvais difficilement lui donner tort, comme je m'en suis rendu compte en regardant la vidéo du débat. Les réponses les plus percutantes n'étaient pas celles qui offraient une explication, mais celles qui provoquaient une émotion, ou qui pointaient du doigt l'ennemi, ou qui faisaient bien comprendre aux électeurs que vous et vous seul, plus que n'importe quel autre candidat sur ce plateau, étiez et seriez toujours de leur côté. Il était facile de fustiger la superficialité de l'exercice. Mais un président n'était ni un avocat, ni un expert-comptable, ni un pilote, engagé pour effectuer une tâche bien précise requérant des compétences spécifiques. Mobiliser l'opinion publique, former des coalitions pour faire avancer les choses – voilà en quoi consistait le job. Que ça me plaise ou non, ce qui faisait réagir les gens, c'étaient les émotions, pas les faits. Convoquer les plus nobles de ces émotions, et non pas les plus basses ; adosser « la part d'ange en nous », comme l'avait dit Lincoln, à une politique de bon sens et de raison ; faire le show tout en parlant vrai – voilà la barre qu'il me fallait franchir.

Tandis que je m'évertuais à corriger mes défauts, Plouffe menait les opérations de main de maître depuis notre QG de Chicago. Je ne le voyais pas très souvent, mais je me rendais compte peu à peu que nous avions beaucoup en commun, lui et moi. Nous étions tous deux réfléchis, pondérés, et nous avions tous deux une grande méfiance à l'égard des conventions et des faux-semblants. Mais alors qu'il pouvait m'arriver d'être distrait, indifférent aux menus détails, incapable de classer mes dossiers de manière rigoureuse, toujours à égarer les notes, le stylo ou le portable qu'on venait de me donner, Plouffe, de son côté, s'est révélé un véritable génie de l'organisation.

Dès le départ, il s'était focalisé avec une obstination dénuée de tout scrupule sur un unique objectif : remporter l'Iowa. Même lorsque les chroniqueurs et certains de nos supporters nous traitaient d'idiots parce que nous avions cette seule obsession en tête, il s'entêtait à ne pas dévier d'un pouce de cette stratégie, persuadé que c'était notre seule chance d'atteindre la victoire. Plouffe imposait une discipline martiale à toute l'équipe – depuis Axe jusqu'au plus néophyte de nos collaborateurs – laissant à chacun une marge d'autonomie tout en leur demandant de rendre des comptes et de respecter le protocole à la lettre. Il avait plafonné les salaires, afin de prévenir toute dissension inutile à ce sujet au sein du staff. Il veillait à ce que nos ressources ne soient pas dilapidées dans d'extravagants rapports de conseil et autres opérations médiatiques, mais dévolues au maximum aux besoins de nos équipes sur le terrain. Obnubilé par les chiffres, il avait enrôlé une poignée de petits génies d'Internet pour mettre au point une stratégie numérique qui avait des années-lumière d'avance sur les outils dont disposaient non seulement les autres candidats, mais aussi bon nombre de grandes sociétés privées.

Résultat : en l'espace de six mois, et en partant quasiment de rien, Plouffe avait monté un dispositif de campagne capable de rivaliser avec la machine Clinton. Il en éprouvait une sorte de jubilation tranquille. C'était un autre aspect de sa personnalité que j'avais découvert : derrière sa façade de sobriété et ses convictions profondes, Plouffe adorait la bagarre. La politique était son sport de prédilection, et il était aussi compétitif dans ce domaine que Reggie sur un terrain de basket. J'ai demandé un jour à Axe s'il s'était douté que son associé junior ferait preuve de tels talents d'architecte. Axe a fait non de la tête.

« Une putain de révélation », a-t-il dit.

Quand on joue au niveau présidentiel, la meilleure des stratégies politiques ne vaut pas grand-chose si vous n'avez pas les moyens de la mettre en œuvre, et c'était notre deuxième point fort : l'argent. Étant donné que les Clinton disposaient d'une base solide de donateurs dans tout le pays depuis près de trois décennies, nous étions partis du principe que Hillary aurait une énorme longueur d'avance sur nous pour lever des fonds. Mais il s'est avéré que la soif de changement aux États-Unis était encore plus forte que ce que nous avions prévu.

Très vite, nous avions mis en place un système de collecte de fonds qui suivait le schéma traditionnel : de gros donateurs dans de grandes villes signaient et récoltaient de gros chèques. Penny Pritzker, femme d'affaires et amie de longue date de Chicago, supervisait l'organisation du financement de notre campagne au niveau national, nous permettant de bénéficier de son savoir-faire en la matière ainsi que de son large réseau. Julianna Smoot, notre directrice financière, aussi expérimentée que brute de décoffrage, avait monté une équipe d'experts et révélé un talent singulier pour m'obliger à courir en permanence après les dollars, usant tantôt de la cajolerie, tantôt des remontrances, parfois même de l'intimidation pure et simple. Elle avait un sourire irrésistible – et un regard de tueuse.

J'ai fini par m'habituer à l'exercice, en partie par nécessité, mais aussi parce que, au fil du temps, nos donateurs étaient de plus en plus réceptifs à mon message. Ce n'était pas une histoire d'ego ou de prestige, leur disais-je, il s'agissait de bâtir un pays meilleur. J'écoutais leur point de vue sur tel ou tel sujet, surtout si c'était leur domaine d'expertise, mais je n'infléchissais pas le mien pour leur complaire. Et les mots de remerciements que je rédigeais quand j'en avais le temps, ou les coups de fil que je passais pour souhaiter un bon anniversaire, ce n'était pas à ces gens-là que je les adressais, mais aux bénévoles et aux membres de notre jeune équipe qui travaillaient pour nous sur le terrain.

Et si jamais je gagnais, ils pouvaient s'attendre à ce que j'augmente leurs impôts.

Cette attitude nous a valu de perdre quelques donateurs, mais a contribué à développer une culture, parmi nos soutiens, qui n'était pas fondée sur la recherche d'avantages ou de statut. Et quoi qu'il en soit, d'un mois sur l'autre, la physionomie de notre base de donateurs évoluait. Les petites contributions – par paliers de 10, 20, 100 dollars – ont commencé à affluer en masse, en général *via* Internet, de la part d'étudiants qui décidaient de nous reverser leur budget Starbucks pour toute la durée de la campagne ou de grand-mères qui mobilisaient leur club de tricot pour récolter des dons. En tout, ces contributions modestes, additionnées sur l'ensemble de la période des primaires, allaient représenter un apport de plusieurs millions de dollars, qui nous permettrait d'être compétitifs dans tous les États, dans chaque bureau de vote. Plus que l'argent proprement dit, l'esprit qu'on sentait à l'œuvre derrière chacun de ces petits gestes, cette impression, palpable dans les lettres et les e-mails qui les accompagnaient, que chacun de nos donateurs reprenait à son compte notre campagne, a insufflé à celle-ci une énergie profondément citoyenne. Il ne s'agit pas que de vous, nous disaient ces dons. Nous sommes là, nous aussi, sur le terrain, nous sommes des millions à travers tout le pays – et nous y croyons. Nous sommes tous impliqués.

Mais, plus encore que la force de notre stratégie opérationnelle ou que l'efficacité de notre collecte de fonds à l'échelon le plus individuel de l'électorat, un troisième élément nous a permis de tenir bon, tant au niveau de la campagne que du moral des troupes : le travail de notre équipe dans l'Iowa et de son infatigable directeur, Paul Tewes.

PAUL AVAIT PASSÉ SON ENFANCE à Mountain Lake, une petite ville de fermiers blottie dans le sud-ouest du Minnesota, un endroit où tout le monde se connaissait et où les gens veillaient les uns sur les autres, où les enfants circulaient partout librement à vélo, où personne ne fermait jamais sa porte à clé et où tous les étudiants pratiquaient tous les sports parce qu'aucun entraîneur n'aurait pu constituer une équipe complète autrement.

Mountain Lake était aussi un bastion conservateur, dans lequel la famille Tewes faisait figure d'exception. La mère de Paul avait éduqué son fils dans une allégeance au Parti démocrate que rien ne surpassait, sinon l'allégeance familiale à la foi luthérienne. À 6 ans, il avait patiemment expliqué à un camarade de classe qu'il ne devait pas soutenir les républicains « passque ta famille est pas riche ». Quatre ans plus tard, il avait versé des larmes de désespoir en voyant Jimmy Carter perdre la présidentielle contre Ronald Reagan. Le père de Paul était si fier de la passion de son fils pour la politique qu'il avait rapporté l'anecdote à un ami, le professeur d'instruction civique du lycée de la ville, lequel – sans doute dans l'espoir que l'intérêt d'un gamin de 10 ans pour les affaires de la cité allume une étincelle chez les adolescents avachis à qui il faisait cours – l'avait à son tour racontée devant toute la classe. Pendant plusieurs jours, les élèves plus âgés s'étaient impitoyablement moqués de Paul en lui adressant des grimaces de bébé pleurnichard chaque fois qu'ils le croisaient dans les couloirs.

Mais Paul ne s'était pas découragé. Au lycée, il avait organisé une boum afin de récolter de l'argent pour les candidats démocrates. À l'université, il s'était fait engager comme stagiaire au bureau d'un élu de la chambre des représentants locale et Dieu sait comment, il avait réussi la prouesse – dont il tirait une fierté toute particulière – de faire basculer l'une des deux circonscriptions de Mountain Lake en faveur de son candidat favori, Jesse Jackson, lors des primaires de l'élection présidentielle de 1988.

En 2007, à l'époque où je l'ai rencontré, Paul avait travaillé pour à peu près tous les types de campagnes possibles et imaginables, depuis les municipales jusqu'aux législatives. Il avait été le directeur du caucus de l'Iowa pour Al Gore et le directeur national des opérations de terrain pour le comité de campagne sénatoriale démocrate. Il avait 38 ans, mais en paraissait plus ; il était râblé, légèrement dégarni, et arborait une moustache blonde assortie à la pâleur de sa peau. Il n'y avait rien de très raffiné chez Paul Tewes ; il pouvait être d'un abord assez brusque et était toujours attifé comme l'as de pique, surtout quand venait l'hiver et qu'il s'emmitouflait, en bon ressortissant du Minnesota, dans toutes sortes de chemises en laine, doudounes et autres casquettes à fourrure. C'était le genre de type plus à son aise en compagnie d'un agriculteur dans un champ de maïs ou attablé devant un verre dans le coin d'un saloon qu'entouré de consultants politiques aux salaires confortables. Mais quand on discutait avec lui, on s'apercevait très vite qu'il savait de quoi il parlait. Mieux encore : derrière l'intelligence tactique, la maîtrise de l'historique électoral de chaque circonscription dans les moindres détails et les anecdotes politiques, on pouvait, en tendant bien l'oreille, entendre battre le cœur d'un gamin de 10 ans animé d'une foi et d'une conviction capables de le faire pleurer à cause du résultat d'une élection.

Quiconque s'est jamais lancé dans la course à la présidence vous le dira probablement : remporter l'Iowa n'est pas une partie de plaisir. C'est l'un des quelques États américains dans lesquels est organisé un caucus afin de désigner le candidat que leurs délégués soutiendront. Contrairement aux primaires traditionnelles, où les citoyens expriment leurs suffrages à bulletin secret et comme bon leur semble, un caucus s'apparente plutôt aux pratiques démocratiques d'une époque révolue où les électeurs se rassemblaient à une heure bien spécifique dans un lieu donné de leur circonscription, en général un gymnase scolaire ou une bibliothèque, puis débattaient dans une ambiance bon enfant des mérites de chaque candidat jusqu'à ce qu'ils tombent d'accord sur le nom du vainqueur. Ce genre de processus participatif avait ses qualités, mais il était extrêmement chronophage – un caucus pouvait durer plus de trois heures – et supposait que les participants soient bien informés, qu'ils acceptent de voter de manière publique et qu'ils soient suffisamment motivés pour y consacrer une soirée entière. Rien de surprenant dès lors si les caucus n'attiraient généralement qu'une frange réduite et immuable de l'électorat de l'Iowa, composée pour l'essentiel d'élec-teurs d'un certain âge, de fonctionnaires affiliés aux partis et de vieux militants – lesquels avaient tendance à donner leur voix, la plupart du temps, aux candidats qui avaient déjà fait leurs preuves. Cela signifiait, en l'occurrence, qu'une personnalité bien installée dans le paysage politique comme Hillary Clinton avait beaucoup plus de chances que moi de remporter leurs suffrages.

Dès le départ, Tewes a fait comprendre à Plouffe – et Plouffe, à son tour, m'a fait comprendre – que, pour gagner dans l'Iowa, il fallait que notre campagne soit différente. Il nous faudrait travailler plus dur et plus longtemps, face à face avec les électeurs traditionnels, pour les faire basculer dans le camp Obama. Plus important encore, il faudrait convaincre de nombreux électeurs d'ores et déjà acquis à notre cause – les jeunes, les minorités visibles, les indépendants – de surmonter les hésitations que pouvaient leur inspirer les complexités d'un tel exercice et les pousser à participer à un caucus pour la toute première fois de leur vie. À cette fin, Tewes a insisté pour que nous ouvrions tout de suite des permanences dans chacun des quatre-vingt-dix-neuf comtés de l'Iowa ; chacune de ces antennes serait placée sous la responsabilité d'un jeune équipier qui aurait pour tâche – contre un salaire modeste et presque sans aucun encadrement au jour le jour – d'animer son propre mouvement politique local.

C'était un gros investissement, et un pari audacieux en ce début de campagne, mais nous avons donné le feu vert à Tewes. Il s'est aussitôt mis au travail, entouré d'une formidable équipe de collaborateurs qui l'ont aidé à développer son plan : Mitch Stewart, Marygrace Galston, Anne Filipic et Emily Percell, tous dotés d'une grande intelligence, d'une discipline de fer et d'une solide expérience acquise au fil de nombreuses campagnes – et tous âgés de moins de 32 ans.

C'est avec Emily que j'ai eu l'occasion de passer le plus de temps. Née dans l'Iowa, elle avait travaillé pour l'ancien gouverneur Tom Vilsack. Tewes s'est dit qu'elle me serait particulièrement précieuse pour naviguer dans les méandres de la politique locale. À 26 ans, c'était l'une des plus jeunes recrues du groupe ; brune, toujours habillée de manière décontractée et plutôt menue, elle aurait pu passer pour une élève de terminale. Je n'ai pas tardé à me rendre compte qu'elle connaissait pour ainsi dire tous les démocrates de l'Iowa et qu'elle n'avait aucun scrupule à me donner des instructions bien spécifiques à chacune de nos étapes, m'indiquant à qui je devais aller parler et quels étaient les sujets les plus sensibles dans telle ou telle communauté. Emily me livrait ces informations d'un ton monocorde, dépourvu d'affect, accompagné d'un regard qui vous faisait clairement comprendre qu'elle n'était pas là pour plaisanter – une qualité qu'elle avait sans doute héritée de sa mère, qui avait réussi à suivre un cursus universitaire tout en travaillant pendant trente ans à l'usine Motorola.

Pendant les longues heures que nous passions ensemble sur la route, dans un van loué pour les besoins de la campagne, à courir d'un meeting à un autre, je m'étais donné pour mission d'arracher un sourire à Emily – blagues, boutades, jeux de mots, apartés sur la taille de la tête de Reggie. Mais mon charme et mon humour venaient invariablement se fracasser sur le rocher de son regard imperturbable et indifférent, si bien que j'ai fini par me résoudre à me contenter d'obéir de mon mieux à ses ordres.

Mitch, Marygrace et Anne m'expliqueraient par la suite en quoi consistait exactement leur travail – évoquant en particulier les réunions au cours desquelles ils devaient passer au crible les idées aussi peu orthodoxes que foisonnantes de Tewes.

« Il en avait dix par jour, racontait Mitch. Neuf d'entre elles étaient grotesques ; la dernière, c'était du génie. » Mitch, originaire du Dakota du Sud, était un grand type dégingandé qui avait déjà travaillé dans le cénacle politique de l'Iowa, mais qui n'avait encore jamais rencontré quelqu'un d'aussi passionnément éclectique que Tewes. « Quand il venait me parler de la même idée pour la troisième fois de suite, se rappelait-il, je finissais par me dire qu'il n'avait peut-être pas tort. »

Enrôler Norma Lyon, « Madame Vache-en-beurre », qui chaque année, à l'occasion de la foire de l'Iowa, sculptait une vache à taille réelle entièrement réalisée avec du beurre salé, pour enregistrer une annonce où elle déclarait nous soutenir, et la diffuser ensuite par haut-parleurs dans tout l'État – génial. (Elle a par la suite sculpté un « buste en beurre » de ma tête qui pesait 10 kilos – encore une idée de Tewes, sans doute.)

Installer des panneaux publicitaires le long de l'autoroute, avec des séquences de phrases qui rimaient à la manière des vieilles réclames pour la mousse à raser Burma-Shave dans les années 1960 (IL EST TEMPS DE CHANGER... ALORS UN SEUL CONSEIL... VOTEZ POUR LE TYPE... QUI A DE GRANDES OREILLES... OBAMA o8) – moins génial.

Promettre de se raser les sourcils si son staff parvenait à l'impossible : récolter 100 000 bulletins de soutien – pas génial non plus. Du moins jusqu'au moment, dans les tout derniers jours de la campagne, où l'équipe a réussi à dépasser la barre fatidique, après quoi cette idée s'est finalement révélée géniale. (« Mitch aussi s'est rasé les siens, m'a raconté Marygrace. On a des photos. C'était monstrueux. »)

Tewes a donné le ton de notre campagne dans l'Iowa : de la proximité, pas de hiérarchies, de l'irrévérence, et un zeste de folie. Personne – y compris les responsables du staff, les donateurs ou les dignitaires – n'était dispensé de faire du porte-à-porte. Les premières semaines, Tewes a accroché sur tous les murs de chaque bureau des pancartes sur lesquelles était inscrite une devise de son cru : RESPECTER, VALORISER, INCLURE. Si nous avions réellement l'intention d'impulser un nouveau genre de pratique politique, nous a-t-il expliqué, alors ça commençait ici, à la base, par un engagement de chacun à écouter les gens, à respecter ce qu'ils avaient à dire, et à traiter tout le monde – y compris nos adversaires et leurs partisans – comme nous voulions nous-mêmes être traités. Enfin, il insistait sur l'importance d'encourager les électeurs à se sentir impliqués dans la campagne, plutôt que de se contenter de leur vendre un candidat comme un paquet de lessive.

Quiconque désobéissait à ces directives se faisait réprimander, parfois même remercier purement et simplement. Un jour, durant notre téléconférence hebdomadaire, un nouveau-venu dans l'équipe a fait une blague sur les raisons qui l'avaient poussé à rejoindre la campagne, évoquant notamment le fait qu'il « détestait les femmes en tailleur-pantalon » (allusion à la tenue vestimentaire préférée de Hillary pendant la campagne). Tewes l'a longuement admonesté, en veillant bien à ce que tout le monde l'entende. « Ce ne sont pas les valeurs que nous défendons, a-t-il dit. Même en privé. »

Toute l'équipe a pris ces principes à cœur, notamment parce que Tewes était le premier à donner l'exemple. En dépit de quelques sautes d'humeur, il faisait toujours en sorte que les gens autour de lui aient conscience de leur importance. Quand l'oncle de Marygrace est décédé, Tewes a décrété une journée nationale en l'honneur de cette dernière et a demandé à tout le monde de venir au bureau habillé en rose. Il m'a également fait enregistrer un message annonçant que, pendant une journée entière, il serait obligé de se plier à toutes les exigences de Marygrace. (Évidemment, celle-ci, de son côté, a dû passer trois cents jours à entendre Tewes et Mitch mastiquer leur chique de tabac au bureau, donc cette mesure n'a pas totalement rééquilibré la balance.)

Tel est l'esprit de camaraderie qui régnait sur notre campagne dans l'Iowa. Pas seulement au sein de notre QG, mais surtout parmi les quelque 200 organisateurs que nous avions déployés dans tout l'État pour superviser les opérations sur le terrain. En tout, j'allais passer quatre-vingt-sept jours dans l'Iowa au cours de cette année-là. Je goûterais aux spécialités culinaires de chaque bourgade, je jouerais au basket avec des gamins à la moindre occasion, et je subirais toutes les avanies météorologiques possibles, de la tornade à la tempête de grêle. Pendant cette période, ces jeunes gens talentueux, qui travaillaient sans compter leurs heures pour un maigre salaire, me serviraient de guides. La plupart sortaient à peine de l'université. Pour beaucoup, c'était la première fois qu'ils participaient à une campagne et la première fois qu'ils étaient loin de chez eux. Certains avaient grandi dans l'Iowa ou dans le Midwest rural et connaissaient bien les mœurs et le mode de vie des villes moyennes telles que Sioux City ou Altoona. Mais ce n'était pas le cas pour la majorité d'entre eux. Si l'on avait rassemblé tous nos collaborateurs dans une seule pièce, on aurait vu se côtoyer des Italiens de Philadelphie, des Juifs de Chicago, des Noirs de New York et des Asiatiques de Californie ; des enfants d'immigrés sans ressources et des enfants élevés dans des banlieues résidentielles cossues ; des diplômés en ingénierie, d'anciens bénévoles du Peace Corps, des vétérans de l'armée et des jeunes qui avaient abandonné le lycée. En apparence du moins, il semblait impossible de concilier cette diversité de profils avec l'ordinaire de la population dont nous cherchions désespérément à capter les voix.

Et pourtant, un lien s'est bel et bien créé entre tous ces gens. Ils débarquaient en ville avec un sac de randonnée ou une petite valise, s'installaient dans la chambre d'amis ou le sous-sol d'un supporter local de la première heure, et passaient plusieurs mois à se familiariser avec leur nouvel environnement – ils allaient rendre visite au barbier, posaient leur table pliante devant l'épicerie, prenaient la parole à l'antenne locale du Rotary Club. Ils participaient à l'entraînement de l'équipe de baseball junior, donnaient un coup de main aux associations caritatives et appelaient leur mère pour qu'elle leur fournisse la recette de son fameux pudding à la banane afin de ne pas arriver les mains vides au grand pique-nique communal. Ils apprenaient à écouter les bénévoles du coin – qui étaient souvent beaucoup plus âgés qu'eux et avaient déjà un travail, une famille et leurs propres soucis – et à en recruter de nouveaux. Ils s'épuisaient tous les jours à la tâche et passaient par des moments de solitude et d'angoisse. Mois après mois, ils gagnaient la confiance des gens, et bientôt ils cessaient d'être des étrangers.

Quelle incroyable énergie j'ai puisée au contact de tous ces gamins pendant notre campagne dans l'Iowa ! Ils me remplissaient d'optimisme et de reconnaissance, et me donnaient l'impression qu'une boucle était bouclée : ils m'évoquaient le jeune homme de 25 ans que j'avais été un jour, moi aussi, et qui avait débarqué à Chicago avec ses rêves confus et idéalistes. Je repensais aux liens précieux que j'avais tissés avec des familles du South Side, aux erreurs et aux petites victoires, à la communauté dans laquelle j'avais trouvé ma place – très similaire à celle que nos organisateurs sur le terrain étaient en train de se forger pour eux-mêmes. Les expériences qu'ils vivaient me rappelaient les raisons pour lesquelles je m'étais engagé dans l'action publique, ce qui avait fait germer en moi l'intuition que la politique pouvait peut-être ne pas se résumer à une question de pouvoir et de prises de position, mais être d'abord et avant tout une affaire de communauté, de lien entre les gens.

Nos bénévoles partout dans l'Iowa croyaient peut-être en moi, me disais-je. Mais s'ils travaillaient aussi dur, c'était surtout grâce à ces jeunes organisateurs. De même, c'était peut-être quelque chose que j'avais dit ou fait qui avait poussé ces gamins à rejoindre la campagne, mais désormais ils appartenaient aux bénévoles. Ce qui les motivait, ce qui les faisait tenir, indépendamment du candidat ou de telle ou telle problématique particulière, c'était l'amitié, l'attachement, la loyauté mutuelle et le progrès né de l'effort collectif. Ça et leur boss colérique, dans son bureau de Des Moines, celui qui avait juré de se raser les sourcils si jamais ils réussissaient.

EN JUIN, notre campagne avait franchi un cap. Grâce à l'envolée spectaculaire des dons récoltés par Internet, notre situation financière dépassait à présent de loin nos projections initiales, ce qui nous a permis très tôt d'acheter des spots télé sur les chaînes de l'Iowa. Dès la fin de l'année scolaire et le début des vacances d'été, Michelle et les filles ont pu me rejoindre plus souvent sur la route. Bourlinguer en camping-car d'un bout à l'autre de l'Iowa, entendre le bruissement de leurs voix derrière moi tandis que je passais des coups de fil ; voir Reggie et Marvin affronter Malia et Sasha dans des parties marathon d'UNO ; sentir contre moi le poids plume de l'une ou l'autre de mes filles endormie pendant un long après-midi passé à avaler les kilomètres ; sans oublier, bien sûr, les arrêts obligatoires pour manger une glace – tous ces moments me remplissaient d'une joie qui se traduisait dans mes apparitions publiques.

Ces apparitions, elles aussi, ont sensiblement évolué. Quand la curiosité initiale suscitée par ma candidature a commencé à s'estomper, j'ai pu m'adresser aux électeurs dans des conditions plus raisonnables, devant quelques centaines de personnes plutôt que des milliers, ce qui me permettait de nouveau de passer des moments en tête-à-tête avec les gens et d'écouter leur histoire personnelle. Les épouses de soldats me parlaient de la difficulté de devoir chaque jour faire tourner le ménage tout en luttant contre l'angoisse permanente à l'idée de recevoir des nouvelles funestes du front. Les agriculteurs évoquaient les pressions qui les avaient contraints à renoncer à leur indépendance au profit des intérêts des géants de l'agro-industrie. Des travailleurs qui s'étaient fait licencier énuméraient les mille et une raisons pour lesquelles aucun programme de formation professionnelle n'avait été en mesure de les aider. Des patrons de petites entreprises me racontaient qu'ils s'étaient saignés aux quatre veines pour prendre à leur charge l'assurance-maladie de leurs employés, jusqu'au jour où l'un d'entre eux était tombé malade, ce qui avait entraîné une hausse subite des cotisations que plus personne dès lors – y compris le patron lui-même – n'avait les moyens de payer.

Grâce à ces témoignages, mon discours de campagne est devenu moins abstrait ; il parlait de moins en moins à l'intellect et de plus en plus au cœur. Les gens se reconnaissaient dans ces histoires où ils voyaient le reflet de leur propre vie, ils se rendaient compte qu'ils n'étaient pas seuls face à l'adversité, et ils étaient de plus en plus nombreux, encouragés par cette prise de conscience, à s'engager comme bénévoles pour défendre notre cause. Faire campagne à cette échelle plus personnelle, plus humaine, m'a par ailleurs offert l'opportunité de faire de belles rencontres à travers lesquelles la campagne s'incarnait.

C'est ce qui s'est passé un jour de juin, alors que je me trouvais à Greenwood, en Caroline du Sud. Si je passais la majeure partie de mon temps dans l'Iowa, cela ne m'empêchait pas en effet de visiter régulièrement d'autres États comme le New Hampshire, le Nevada et la Caroline du Sud, où les primaires et les caucus allaient se suivre coup sur coup. Je m'étais rendu à Greenwood pour honorer la promesse que j'avais faite, un peu à l'improviste, à une élue influente qui avait accepté de m'apporter son soutien à la condition expresse que je vienne la voir dans sa ville natale. Or ce déplacement intervenait à un mauvais moment ; nous venions de traverser une semaine particulièrement houleuse, plombée par de mauvais sondages, de mauvais articles dans la presse, une mauvaise humeur générale et de mauvaises nuits de sommeil. Pour ne rien arranger, Greenwood se trouvait à plus d'une heure de route de l'aéroport le plus proche, nous avions dû faire le trajet sous des torrents de pluie et, quand j'étais enfin arrivé devant le bâtiment municipal où devait avoir lieu la rencontre, il n'y avait qu'une vingtaine de personnes réunies à l'intérieur – toutes aussi dégoulinantes que moi à cause de l'orage.

Une journée gâchée, me suis-je dit en songeant à tout le travail que j'aurais pu faire à la place. J'étais en pilotage automatique, je serrais les mains, je demandais aux gens ce qu'ils faisaient dans la vie, tout en essayant de réfléchir, sans rien laisser paraître, au moyen le plus rapide de déguerpir de là, quand soudain j'ai entendu tonner une voix.

« Au taquet ! »

Mon staff et moi avons sursauté. Pendant une seconde nous avons cru qu'il s'agissait peut-être d'un perturbateur, mais tout le monde dans la salle a aussitôt répondu du tac au tac et à l'unisson.

« Prêts à foncer ! »

Ne sachant pas trop ce qui se passait, je me suis retourné et j'ai vu d'où provenait cette clameur : une femme noire d'un certain âge, habillée comme si elle revenait tout juste de la messe, avec une robe colorée, un grand chapeau et un large sourire au milieu duquel brillait une dent en or.

Elle s'appelait Edith Childs. Membre du conseil municipal de Greenwood et de l'antenne locale de l'Association nationale pour l'avancement des personnes de couleur (NAACP) – et détective privée dans le civil –, il s'est avéré qu'elle était réputée pour ce cri de ralliement particulier. Elle avait l'habitude de le lancer lors des matchs de foot pour encourager l'équipe de Greenwood, pendant le défilé du 4 juillet, les réunions associatives, ou chaque fois que l'envie lui en prenait.

Pendant plusieurs minutes, Edith a continué à mener le chœur en hurlant encore et encore : « Au taquet ! Prêts à foncer ! » J'étais un peu désarçonné au début, mais je me suis dit qu'il serait impoli de ma part de ne pas suivre le mouvement. Et bientôt, voilà que moi aussi je commençais à me sentir *au taquet* ! Moi aussi j'étais *prêt à foncer* ! Et j'ai remarqué que tout le monde dans la salle affichait soudain de grands sourires. Une fois ce petit cérémonial terminé, nous nous sommes assis tous ensemble et nous avons discuté pendant une heure de la communauté, du pays, et de ce que nous pouvions faire pour améliorer les choses. Après mon départ de Greenwood, pendant le reste de la journée, je pointais du doigt un membre de mon staff de temps à autre et je lui demandais : « T'es au taquet ? » Tant et si bien que ce rituel a fini par devenir l'un des cris de ralliement de la campagne. Et je crois que c'est cet aspect-là de la politique qui me procurerait toujours le plus de plaisir : l'aspect qui ne pouvait pas se traduire en diagrammes, qui échappait à toute planification, qui défiait toute analyse. Ce moment où, quand elle fonctionne, une campagne politique – et, par extension, une démocratie – devient une partition pour chœur plutôt qu'un solo.

AUTRE LEÇON QUE M'ONT APPRISE les électeurs : ils n'avaient aucune envie de m'entendre seriner les sempiternelles rengaines de la sagesse populaire. Pendant les premiers mois de la campagne, je m'étais inquiété, du moins inconsciemment, de ce que les faiseurs d'opinion à Washington pouvaient penser. Soucieux de paraître suffisamment « sérieux » ou d'avoir un « profil présidentiel », j'étais devenu raide et emprunté, sapant ainsi les fondements mêmes du raisonnement qui m'avait poussé à me présenter. Mais, au début de cet été-là, nous étions revenus à nos principes fondamentaux et saisissions désormais la moindre occasion de prendre le contrepied des pratiques politiques traditionnelles à Washington et de parler sans langue de bois. Lors d'une réunion avec les membres d'un syndicat enseignant, je m'étais prononcé en faveur d'une revalorisation des salaires et d'une plus grande flexibilité dans les salles de classe, mais aussi d'une responsabilité accrue des professeurs – cette dernière remarque avait été accueillie par un silence assourdissant dans l'assemblée, puis les huées avaient commencé à fuser de toutes parts. Devant le Detroit Economic Club, j'avais déclaré à des dirigeants de constructeurs automobiles qu'en tant que président je ferais tout mon possible pour défendre des normes plus strictes en matière de consommation de carburants, position contre laquelle les « Big Three », les trois plus gros constructeurs du pays, étaient vent debout. Quand un groupe répondant au nom de « Citoyens de l'Iowa pour la défense des priorités de bon sens », sponsorisé par les célèbres fabricants de glaces Ben & Jerry's, a réuni 10 000 signatures pour soutenir celui des candidats au caucus qui promettrait de couper dans le budget du Pentagone, j'ai dû appeler Ben ou Jerry – je ne me rappelle plus lequel des deux – pour dire que, même si j'étais d'accord avec leur objectif et si j'avais très envie d'obtenir leur soutien, je ne pouvais pas, en tant que président, me retrouver pieds et poings liés par un quelconque engagement pris pendant la campagne sur des questions de sécurité nationale. (Ce groupe a finalement décidé de soutenir John Edwards.)

J'ai commencé à me distinguer de mes adversaires démocrates au-delà de la plus évidente de nos différences. Au cours d'un débat à la fin du mois de juillet, on m'a montré des images de Fidel Castro, du président iranien Mahmoud Ahmadinejad, du leader nord-coréen Kim Jong-il ainsi que de deux ou trois autres despotes, et on m'a demandé si je serais prêt à les rencontrer durant la première année de mon mandat. J'ai répondu oui sans la moindre hésitation – j'étais disposé à rencontrer n'importe quel dirigeant si je pensais que cela pouvait servir les intérêts américains dans le monde.

Ma foi, j'aurais pu tout aussi bien affirmer que la Terre était plate. À la fin du débat, Clinton, Edwards et un bon nombre d'autres candidats s'en sont donné à cœur joie, m'accusant d'être naïf et déclarant que rencontrer le président des États-Unis était un privilège qui se méritait.

Dans l'ensemble, la presse semblait d'accord avec eux. Quelques mois plus tôt, j'aurais pu me laisser déstabiliser, regretter la manière dont j'avais formulé ma réponse et m'empresser de publier une déclaration pour clarifier mon propos.

Mais j'étais désormais bien campé sur mes deux jambes, et j'étais convaincu d'avoir raison, notamment sur le principe général selon lequel l'Amérique ne devait pas craindre d'affronter ses adversaires ou de privilégier la voie diplomatique pour résoudre les conflits. À mon sens, c'était précisément ce manque de considération pour les solutions diplomatiques qui avait conduit Hillary et tous les autres – sans parler des principaux organes de presse – à suivre George W. Bush dans la guerre.

Une autre question de politique étrangère a surgi quelques jours plus tard, quand j'ai déclaré à l'occasion d'un discours officiel que, si je tenais Oussama Ben Laden dans ma ligne de mire, sur le territoire pakistanais, et si les autorités pakistanaises ne parvenaient pas ou se refusaient à le capturer ou à le tuer, je n'hésiterais pas à appuyer sur la détente. Ces mots n'auraient dû surprendre personne ; en 2003, j'avais justifié mon opposition à la guerre en Irak en partie sur la conviction que cette intervention militaire nous éloignerait de l'objectif principal, à savoir la destruction d'Al-Qaida.

Mais ce genre de déclarations radicales allaient à l'encontre de la position publique de l'administration Bush. En effet, le gouvernement américain continuait d'alimenter la double fiction suivante : d'une part, que le Pakistan était un allié fiable dans la guerre contre le terrorisme ; d'autre part, que nous n'avions jamais enfreint les frontières du territoire pakistanais pour poursuivre des terroristes. Ma petite phrase a provoqué un tollé à Washington, et dans les deux camps : Joe Biden, alors président de la Commission des affaires étrangères du Sénat, et John McCain, candidat républicain à la présidence, ont tous deux déclaré que, selon eux, je n'étais pas prêt à devenir président.

À mes yeux, ces épisodes montraient clairement à quel point l'establishment de la politique étrangère à Washington se fourvoyait – se lançant dans des opérations militaires sans tester d'abord les options diplomatiques, et se perdant au contraire en ronds-de-jambe diplomatiques, au nom du maintien du *statu quo*, dans les situations où il aurait fallu justement passer à l'action. C'était par ailleurs la preuve éclatante du gouffre qui s'était creusé entre les instances décisionnaires à Washington et le peuple américain. Je ne parviendrais jamais tout à fait à convaincre les experts de la politique nationale que j'avais raison sur tous ces points, mais une drôle de tendance a commencé à se dessiner dans les sondages après chacune de ces empoignades – les électeurs de la primaire démocrate semblaient d'accord avec moi.

Disposer d'arguments aussi solides m'a libéré et m'a rappelé pourquoi je me présentais. Ils m'ont aidé à retrouver ma voix en tant que candidat. Cette confiance nouvelle s'est manifestée, quelques débats plus tard, lors d'une confrontation matinale à l'université Drake dans l'Iowa. Le modérateur, George Stephanopoulos, de la chaîne ABC, a très vite tendu la perche à Joe Biden pour lui donner tout loisir d'expliquer en quoi au juste je n'étais pas prêt à devenir président. Avant mon tour de parole, cinq minutes plus tard, j'ai dû écouter presque tous les candidats à la tribune me descendre en flèche.

« Eh bien, vous savez, afin de me préparer à ce débat, je suis allé faire quelques tours d'autos-tamponneuses », ai-je dit, reprenant une réplique que m'avait soufflée Axe, en référence à ma visite très médiatisée de la foire annuelle de l'Iowa en compagnie de Malia et Sasha quelques jours plus tôt. Le public a ri, et pendant les soixante minutes suivantes j'ai croisé le fer avec mes adversaires sur la même tonalité joyeuse ; j'ai suggéré qu'un électeur démocrate désireux de savoir qui représentait le vrai changement par rapport à la politique désastreuse de George Bush n'avait qu'à observer attentivement la place que chacun d'entre nous occupait sur cette scène. Pour la première fois depuis le début des débats, je m'amusais et, ce matin-là, le consensus parmi les experts était que j'avais gagné.

C'était un verdict très gratifiant – ne serait-ce que parce que je ne serais pas obligé, pour une fois, de voir les membres de mon staff afficher une mine déconfite.

« Tu les as massacrés ! m'a lancé Axe en me tapant dans le dos.

– On devrait demander à ce que tous les débats soient organisés à 8 heures du matin dorénavant ! a plaisanté Plouffe.

– Ah non, ai-je dit, arrête, ce n'est pas drôle. » (Je n'étais pas du matin – et je ne le suis toujours pas.)

Nous nous sommes entassés dans la voiture et nous sommes partis vers notre prochaine étape. Nos supporters étaient venus se presser en une foule compacte le long de la route, et nous les avons entendus crier longtemps encore après les avoir laissés derrière nous.

« Au taquet !

– Prêts à foncer ! »

Si les modérateurs avaient à ce point focalisé leur attention sur moi durant le débat à l'université Drake, c'était notamment en raison d'un sondage réalisé pour la chaîne ABC qui, pour la première fois, me donnait en tête, quoique d'un point à peine devant Clinton et Edwards. La course était serrée, à l'évidence (des sondages ultérieurs me rétrograderaient très vite à la troisième place), mais notre campagne dans l'Iowa avait manifestement eu un impact, surtout chez les jeunes électeurs. On le sentait dans les foules qui venaient nous voir – leur nombre, leur énergie et, surtout, la quantité de cartes de soutien et de nouvelles inscriptions de bénévoles que nous engrangions à chaque étape. À moins de six mois du caucus, nous montions chaque jour un peu plus en puissance.

Malheureusement, ces progrès ne se traduisaient pas dans les sondages à l'échelle nationale. Comme nous avions concentré nos efforts sur l'Iowa et, dans une moindre mesure, sur le New Hampshire, nous n'avions acheté que très peu de temps de passage sur les chaînes de télé ailleurs, si bien qu'en septembre nous avions encore 20 points de retard sur Hillary. Plouffe a fait tout ce qu'il pouvait pour expliquer à la presse que les sondages nationaux n'avaient aucune signification réelle à ce stade de la course, mais en vain. J'étais de plus en plus sollicité par des supporters inquiets qui m'appelaient des quatre coins du pays, souvent pour me donner des conseils de stratégie politique, m'offrir leurs suggestions, se plaindre parce que nous avions négligé tel ou tel groupe d'intérêts, ou pour nous faire part de leurs doutes sur nos compétences.

Deux choses ont finalement fait basculer le cours de l'histoire, et nous n'étions pour rien dans la première. Lors d'un débat à Philadelphie à la fin du mois d'octobre, Hillary – dont les prestations jusqu'alors avaient été quasi parfaites – s'est emmêlé les pinceaux, se refusant à fournir une réponse claire quand on lui a demandé si les travailleurs sans papiers auraient dû avoir le droit de posséder un permis de conduire. On lui avait à l'évidence donné pour instruction de nuancer sa réponse au maximum, dans la mesure où il s'agissait d'une question clivante au sein de la base démocrate. Son refus de l'obstacle n'a fait qu'accroître l'impression déjà bien ancrée dans les esprits qu'elle se comportait typiquement en politicienne de Washington – ce qui a accentué le contraste que nous cherchions à mettre en avant.

Et puis il y a eu l'épisode du dîner Jefferson-Jackson dans l'Iowa, le 10 novembre, qui, pour le coup, était entièrement à notre initiative. Traditionnellement, cette soirée donnait le coup d'envoi du sprint final avant le jour du caucus et servait en quelque sorte de baromètre de la course, chaque candidat prononçant un discours de dix minutes, sans notes, devant une arène de 8 000 participants potentiels au caucus et en présence de tous les grands médias nationaux. Il s'agissait donc d'un test crucial pour mesurer la popularité de notre message et notre capacité d'organisation au moment d'entamer les toutes dernières semaines de campagne.

Nous nous sommes démenés pour faire de cette soirée un succès retentissant. Nous avions affrété des cars pour faire venir des supporters des quatre-vingt-dix-neuf comtés de l'État, mobilisant ainsi une foule qui écrasait en nombre les soutiens mobilisés par les autres candidats. John Legend a donné un bref concert en notre honneur avant le début de la soirée devant un public de 1 000 personnes, puis Michelle et moi avons pris la tête du cortège qui a défilé dans les rues pour rejoindre l'arène où se déroulaient les festivités, escortés par un groupe de tambours et de majorettes du lycée local remonté à bloc, les Isiserettes, dont le joyeux vacarme nous conférait l'allure d'une armée conquérante.

Mais c'est le discours lui-même qui a scellé notre victoire. Jusqu'alors, depuis les tout débuts de ma carrière politique, j'avais toujours tenu à écrire moi-même l'essentiel de mes discours les plus importants, mais en l'occurrence, étant donné que je faisais campagne non-stop, il m'aurait été impossible de rédiger seul celui que je prononcerais lors du dîner de gala. J'avais dû m'en remettre à Favs pour coucher sur le papier, avec l'aide d'Axe et de Plouffe, un condensé efficace des principaux arguments que j'avançais pour obtenir la nomination.

Et Favs a assuré. À ce moment critique de notre campagne, et sans presque aucune directive de ma part, ce type qui sortait à peine de l'université avait écrit un discours fantastique, un discours qui faisait bien plus que mettre en valeur la différence entre mes rivaux et moi, entre les démocrates et les républicains. Il traçait les contours des grands défis auxquels nous étions confrontés en tant que nation, de la guerre au changement climatique en passant par l'accès à l'assurance-maladie, et soulignait le besoin qu'avait le pays d'être dirigé par quelqu'un qui lui donne un cap clair et nouveau, remarquant au passage que, tout au long de son histoire, jamais le Parti démocrate n'avait été aussi fort que lorsque ses dirigeants agissaient « non pas en fonction des sondages, mais de leurs principes […] non par calcul, mais par conviction ». C'était un discours digne du moment que nous vivions, digne des aspirations qui m'avaient conduit à entrer en politique, et digne, je l'espérais, des aspirations du pays.

J'ai passé plusieurs soirées à le mémoriser, après ma journée de travail pour la campagne. Et, à l'instant où j'ai fini de le prononcer – la chance avait voulu que je sois le dernier candidat à prendre la parole –, j'étais aussi certain de l'impact qu'il aurait que je l'avais été, trois ans et demi plus tôt, après mon discours à la convention démocrate.

Rétrospectivement, je crois que c'est à compter de cette soirée que j'ai acquis la conviction que nous allions remporter l'Iowa – et, par extension, la nomination. Pas nécessairement parce que j'étais le candidat le plus brillant, mais parce que nous portions le message le plus en phase avec l'époque et que nous avions attiré des jeunes gens doués d'un talent prodigieux qui s'étaient jetés dans la bataille pour notre cause. Tewes était d'accord avec moi. « Je crois que nous avons gagné l'Iowa ce soir », a-t-il dit à Mitch. (Ce dernier, qui avait présidé à l'organisation de toute cette soirée et qui de manière générale était une véritable boule de nerfs, avait souffert d'insomnie et de poussées d'eczéma pendant une bonne partie de la campagne, et perdu également pas mal de cheveux au passage. Il a couru vomir aux toilettes pour la deuxième fois au moins ce jour-là.) Emily était tout aussi optimiste, même si ça ne se voyait pas. Après mon discours, Valerie s'est précipitée vers elle, au comble de l'excitation, et lui a demandé ce qu'elle en avait pensé.

« C'était super, a dit Emily.

– Eh bien, quel enthousiasme...

– Là, telle que tu me vois, je suis au max de mon enthousiasme. »

MANIFESTEMENT, la campagne Clinton a senti le vent tourner. Jusque-là, Hillary et son équipe avaient en grande partie évité la confrontation directe, se contentant de rester au-dessus de la mêlée et de soigner leur avance confortable dans les sondages nationaux. Mais, au cours des semaines suivantes, ils ont changé de braquet et décidé de s'en prendre à nous sans retenir leurs coups. C'étaient des critiques assez classiques, des remarques sur mon manque d'expérience, des remises en question de ma capacité à tenir tête aux républicains à Washington. Malheureusement pour eux, ces deux angles d'attaque se sont retournés contre eux.

Le premier concernait l'un des points récurrents de mon discours de campagne, à savoir que je me présentais non pas parce que j'avais toujours voulu devenir président ou que j'y étais naturellement destiné, mais parce que l'époque exigeait le changement. Or l'équipe Clinton est allée dénicher un article de presse dans lequel l'un de mes enseignants en Indonésie affirmait que j'avais écrit un texte à l'école primaire où je racontais que je voulais devenir président quand je serais grand – preuve irréfutable, apparemment, que mon idéalisme revendiqué n'était qu'une façade dissimulant une ambition dévorante.

Cette histoire m'a bien fait rire. Comme je l'ai dit à Michelle, l'idée que quiconque en dehors de ma famille se rappelle quoi que ce soit que j'aie pu dire ou faire près de quarante ans plus tôt était un peu tirée par les cheveux. Sans parler du fait que les plans que j'avais manifestement ourdis à un âge précoce pour devenir le maître du monde ne cadraient pas très bien avec mes notes médiocres et ma consommation de psychotropes à l'époque du lycée, mon obscur parcours dans le milieu associatif et mes liens avec toutes sortes de personnalités politiques peu recommandables.

Bien entendu, les dix années à venir allaient nous apprendre que, quand bien même elles étaient grotesques, incohérentes et farfelues au possible, rien n'empêchait les théories les plus fumeuses circulant sur mon compte – alimentées par des adversaires politiques, des organes de presse conservateurs ou des biographes critiques – de se répandre et d'être prises au sérieux. Mais, en décembre 2007, la campagne de dénigrement lancée par l'équipe Clinton sur la foi de ce que j'appelais « mes dossiers secrets du bac à sable » a été interprétée comme un signe de panique et largement dénoncée dans la presse.

La deuxième attaque était moins amusante : Billy Shaheen, codirecteur de la campagne de Clinton dans le New Hampshire, a déclaré à un journaliste que le fait que j'aie pris de la drogue quand j'étais jeune, ce dont je ne m'étais pas caché, me serait fatal dans un duel contre le candidat républicain désigné. En règle générale, je ne pensais pas que mes frasques de jeunesse constituaient un sujet hors limites, mais Shaheen est allé un peu plus loin, laissant entendre que j'avais peut-être également trafiqué de la drogue. Son interview a fait scandale et Shaheen a très vite démissionné de son poste.

Tout cela s'est passé juste avant notre dernier débat dans l'Iowa. Ce matin-là, Hillary et moi étions tous les deux à Washington pour participer à un vote au Sénat. Quand nous sommes arrivés à l'aéroport pour nous envoler vers Des Moines, le hasard a voulu que l'avion affrété par la campagne Clinton se trouve juste à côté du nôtre. Avant le décollage, Huma Abedin, l'assistante personnelle de Hillary, est allée voir Reggie pour l'informer que la sénatrice désirait me parler. J'ai rejoint Hillary sur le tarmac, tandis que Reggie et Huma faisaient les cent pas autour de nous à quelques mètres de distance.

Hillary m'a présenté ses excuses au nom de Shaheen. Je l'ai remerciée, puis je lui ai suggéré que nous soyons l'un et l'autre plus vigilants avec nos lieutenants. Elle a alors commencé à s'emporter et à monter dans les aigus, affirmant que mon équipe lançait régulièrement des attaques injustifiées, déformait ses propos et se livrait à toutes sortes de coups bas. J'ai tenté de faire redescendre la température, en vain ; notre conversation s'est achevée de manière abrupte, et Hillary a grimpé dans son avion visiblement toujours furibonde.

Pendant le vol, j'ai essayé de comprendre les frustrations que devait éprouver Hillary. Femme d'une immense intelligence, elle ne s'était épargné aucun effort, aucun sacrifice, elle avait subi quantité d'attaques et d'humiliations publiques, pour le bien de la carrière de son mari – tout en élevant une fille formidable. Après la Maison-Blanche, elle avait réussi à se forger une nouvelle identité politique et à se positionner, avec talent et ténacité, comme la favorite incontestable dans la course à la présidentielle. En tant que candidate, elle avait réalisé un parcours presque sans faute, coché toutes les cases, remporté la plupart des débats et amassé un trésor de guerre impressionnant. Et voilà qu'elle se retrouvait soudain au coude à coude avec un homme de quatorze ans son cadet, qui n'avait pas eu autant qu'elle à faire ses preuves, qui n'avait pas payé le même tribut au combat politique, à qui tout paraissait sourire et à qui semblait systématiquement accordé le bénéfice du doute. Honnêtement, qui n'aurait pas été énervé à sa place ?

Par ailleurs, Hillary n'avait pas tout à fait tort quand elle accusait mon équipe de rendre coup pour coup. Comparé aux autres campagnes présidentielles dans l'histoire récente, nous étions vraiment différents ; nous insistions de manière systématique sur l'aspect positif de notre message et mettions l'accent sur les idées que je défendais plutôt que sur celles que je combattais. Je veillais à chaque instant à ce que le ton de notre campagne demeure respectueux. Il m'est arrivé plus d'une fois de censurer un spot télé qui me semblait injuste ou trop dur à l'égard de mes adversaires. Néanmoins, nous n'étions pas toujours à la hauteur de cette noble rhétorique. L'épisode qui m'a le plus mis hors de moi pendant la campagne est d'ailleurs lié à la fuite d'un de nos propres mémos, rédigé au mois de juin par notre équipe de recherches, qui critiquait le soutien tacite de Hillary aux délocalisations en Inde, sous un titre perfide : « Hillary Clinton (représentante démocrate du Pendjab) ». Mes collaborateurs juraient leurs grands dieux que ce document n'avait jamais eu vocation à être rendu public, mais peu m'importait – j'étais ulcéré par sa vulgarité et ses relents nativistes, et je n'ai pas décoléré pendant plusieurs jours.

Au fond, je ne crois pas que cette escarmouche avec Hillary sur le tarmac de l'aéroport ait été causée par telle ou telle manœuvre de notre part. Elle était plutôt due au seul défi que je représentais désormais pour elle, à l'intensité grandissante de notre rivalité. Il y avait encore six autres candidats en lice, mais les sondages commençaient à clarifier la situation, laissant présager que Hillary et moi allions nous retrouver seuls à nous affronter jusqu'au bout. C'était une dynamique avec laquelle nous allions vivre, jour et nuit, week-ends et jours fériés compris, pendant encore de nombreux mois, chacun flanqué de notre équipe comme d'une armée miniature, chacun des membres de notre staff respectif entièrement investi dans le combat. Je découvrais que cela faisait partie de la nature brutale de la politique moderne – la difficulté de participer à une compétition qui n'obéissait à aucune règle clairement définie, à un jeu dans lequel vos adversaires n'essayaient pas simplement de mettre un ballon dans un panier ou au fond des filets, mais s'efforçaient de convaincre le grand public (du moins de manière implicite, et le plus souvent de manière explicite) que, en termes de jugement, d'intelligence, de valeurs et de personnalité, ils valaient mieux que vous.

Vous avez beau vous dire que tout cela n'a rien de personnel, ce n'est pas comme ça que vous le vivez – ni vous, ni moins encore votre famille, votre staff ou vos supporters, qui tiennent le compte de chaque affront et de chaque insulte, réelle ou perçue comme telle. Plus la campagne avance, plus la compétition se resserre, plus l'enjeu est de taille, et plus il devient facile de justifier les tactiques agressives. Tant et si bien qu'on finit par considérer les comportements humains les plus élémentaires qui gouvernent notre existence de tous les jours – l'honnêteté, l'empathie, la courtoisie, la patience, la bienveillance – comme des faiblesses si jamais on a le malheur de les témoigner au camp adverse.

Je ne pourrais guère prétendre que j'avais toutes ces réflexions en tête le lendemain soir en entrant sur scène pour débattre. Sur le moment, j'ai interprété l'irritation de Hillary avant tout comme un signe révélateur, la preuve que nous étions en train de nous détacher, que c'était bien nous qui avions la main. Au cours du débat, le modérateur, rappelant que je ne cessais d'affirmer que les États-Unis devaient changer d'approche sur la question des relations internationales, m'a demandé pourquoi, dans ce cas, je comptais dans mon entourage tant d'anciens conseillers de l'administration Clinton. « Ah oui, ça, je serais très curieuse de le savoir », a dit Hillary en se penchant bien vers son micro.

J'ai attendu que les gloussements dans le public se dissipent.

« Eh bien, Hillary, je serais ravi de vous compter vous aussi parmi mes conseillers. »

Ç'a été une belle soirée pour notre équipe.

À UN MOIS DU CAUCUS, un sondage du *Des Moines Register* me donnait trois points d'avance sur Hillary. Le sprint était lancé. Les candidats des deux partis ont passé ces dernières semaines à courir d'un bout à l'autre de l'Iowa pour essayer de séduire les électeurs qui n'avaient pas encore fait leur choix, pour aller chercher dans leur tanière et motiver tous ceux qui risquaient de ne pas se déplacer le soir du vote. Les équipes de Clinton s'étaient mises à distribuer gratuitement des pelles à neige à leurs partisans, au cas où la météo ferait des caprices, et Hillary s'est lancée dans une opération *Blitzkrieg* qui lui serait par la suite reprochée en raison de son coût exorbitant, affrétant un hélicoptère (baptisé le « Hill-O-Copter ») pour visiter seize comtés d'affilée. John Edwards, de son côté, essayait de couvrir le même terrain à bord d'un bus.

Nous avons eu nous aussi quelques grands moments, notamment une série de meetings avec Oprah Winfrey, qui était devenue une amie et l'un de nos plus fervents soutiens, et qui s'est révélée aussi intelligente, drôle et élégante sur la scène de la campagne qu'elle l'était dans la vie ; elle a attiré à elle seule près de 30 000 personnes en deux fois dans l'Iowa, 8 500 dans le New Hampshire et encore près de 30 000 en Caroline du Sud. Ces rassemblements survoltés nous ont permis de gagner la confiance de nouveaux électeurs dont nous avions grand besoin. (Beaucoup de membres de mon staff, je dois le dire, étaient en admiration devant Oprah, à l'exception prévisible d'Emily ; la seule personnalité célèbre qu'elle a jamais exprimé le désir de rencontrer était le présentateur de NBC Tim Russert.)

Au bout du compte, cependant, ce ne sont ni les sondages, ni les meetings géants, ni les stars qui m'ont le plus marqué, mais plutôt l'ambiance familiale qui régnait sur ces derniers jours de campagne. La franchise et la sincérité de Michelle se sont révélées des atouts précieux ; elle était dans son élément sur le terrain. L'équipe de l'Iowa lui avait même trouvé un surnom : « la Décisive », à cause du nombre de personnes qui décidaient de nous donner leurs suffrages une fois qu'elles l'avaient entendue parler. Nos familles et nos amis les plus proches sont tous venus dans l'Iowa : Craig de Chicago, Maya de Hawaï et Auma du Kenya ; les Nesbitt, les Whitaker, Valerie, ainsi que tous leurs enfants, sans parler de la kyrielle d'oncles, de tantes et de cousins du côté de Michelle. Des amis d'enfance de Hawaï, de vieux copains du monde associatif à Chicago et des bancs de la fac à Harvard, d'anciens collègues du sénat de l'Illinois ainsi qu'un grand nombre de nos donateurs ont également fait le déplacement, arrivant par grappes entières comme des groupes de touristes, souvent même sans que je sois au courant qu'ils étaient là. Personne ne réclamait la moindre attention particulière ; ils se rendaient simplement au bureau de campagne du coin, où un gamin leur tendait un plan de la ville et une liste de contacts parmi nos soutiens pour qu'ils puissent passer la semaine entre Noël et le Nouvel An, bloc-notes à la main, à faire du porte-à-porte dans le froid glacial.

Mais il ne s'agissait pas uniquement de ces gens auxquels nous étions liés par le sang ou par de longues années d'amitié. Les habitants de l'Iowa avec qui j'avais passé tant de temps avaient fini eux aussi par constituer une sorte de famille. Il y avait des dirigeants locaux du Parti démocrate comme le procureur général Tom Miller et le trésorier Mike Fitzgerald, qui avaient parié sur moi à une époque où peu de gens s'y seraient risqués. Il y avait des bénévoles tels que Gary Lamb, un agriculteur progressiste du comté de Tama qui nous a aidés à percer dans les zones rurales de l'État ; Leo Peck, qui, à 82 ans, avait frappé à plus de portes que n'importe qui d'autre ; Marie Ortiz, une infirmière afro-américaine qui vivait avec son mari d'origine hispanique dans une ville majoritairement blanche et qui venait trois ou quatre fois par semaine dans nos locaux démarcher au téléphone, apportant parfois de petits plats au responsable du bureau parce qu'elle trouvait qu'il avait besoin de se remplumer.

Une famille.

Et puis, bien sûr, il y avait les organisateurs sur le terrain. Même s'ils étaient déjà débordés de travail, nous avons décidé de leur demander d'inviter leurs parents à la soirée Jefferson-Jackson, et le lendemain nous avons donné une réception en leur honneur, afin que Michelle et moi puissions remercier chacun d'entre eux et féliciter leurs parents d'avoir élevé des enfants aussi formidables.

Aujourd'hui encore, je serais prêt à remuer ciel et terre pour ces gamins.

Puis le grand soir est arrivé. Ce jour-là, Plouffe et Valerie ont décidé de se joindre à Reggie, Marvin et moi pour une visite improvisée dans un lycée d'Ankeny, une banlieue de Des Moines où se tiendraient les caucus de plusieurs circonscriptions. Nous étions le 3 janvier, il était un peu plus de 18 heures – moins d'une heure avant le début des caucus –, et la salle était déjà noire de monde. Les gens affluaient de toutes parts vers le bâtiment, formant un bruyant défilé où se déployaient toutes les couleurs du genre humain. Aucune tranche d'âge, aucune origine ethnique, aucune classe sociale, aucune physionomie ne paraissait sous-représentée. Il y avait même un homme aux allures de vieillard qui s'était déguisé en Gandalf, le sorcier du *Seigneur des anneaux*, avec une longue tunique blanche, une barbe blanche en panache et un gros bâton de bois à l'extrémité duquel il s'était débrouillé pour fixer un petit écran vidéo sur lequel passait en boucle un extrait de mon discours à la soirée Jefferson-Jackson.

Il n'y avait pas de journalistes pour une fois, et j'ai pris le temps de déambuler parmi la foule, de serrer des mains et de remercier tous ceux qui comptaient voter pour moi, demandant aux personnes qui allaient donner leurs suffrages à un autre candidat de bien vouloir au moins faire de moi leur deuxième choix. Certains avaient des questions de dernière minute à me poser sur ce que je pensais de l'éthanol ou sur ce que je comptais faire contre la traite des êtres humains. Beaucoup venaient me dire qu'ils n'avaient encore jamais participé à un caucus – certains n'avaient même jamais voté – et que notre campagne les avait poussés à s'impliquer pour la première fois de leur vie.

« Jusqu'à aujourd'hui, je ne savais pas que je comptais », m'a dit une femme.

Sur le chemin du retour à Des Moines, personne ne parlait ; chacun essayait de prendre la mesure du miracle auquel nous venions d'assister. Je regardais défiler les centres commerciaux, les maisons, les réverbères, à moitié flous derrière la vitre recouverte de givre, et j'éprouvais un profond sentiment de paix. Quelques heures encore nous séparaient du verdict. Quand les résultats tomberaient enfin, ils indiqueraient que nous avions remporté une victoire décisive dans l'Iowa, obtenant une majorité de voix dans presque tous les segments de la population, et que ce succès était largement dû à une participation sans précédent, grâce aux dizaines de milliers de personnes qui étaient venues voter pour la première fois. Je ne savais encore rien de tout cela, mais au moment de quitter Ankeny, un quart d'heure environ avant le début de la soirée électorale, j'étais persuadé que nous avions accompli, fût-ce de manière éphémère, quelque chose d'authentique et de noble.

Là-bas, dans ce lycée niché au cœur du pays, par une nuit d'hiver glaciale, j'avais enfin rencontré la communauté que je cherchais depuis si longtemps, l'Amérique que j'imaginais, soudain incarnée. J'ai alors pensé à ma mère, à la joie que lui aurait inspirée ce spectacle, à la fierté qu'elle en aurait conçue ; à cet instant elle m'a manqué terriblement, et Plouffe et Valerie ont fait semblant de ne rien voir quand j'ai essuyé mes larmes.

CHAPITRE 6

Notre victoire à la primaire démocrate de l'Iowa, avec 8 points d'écart, a fait la une dans tout le pays. Les médias l'ont qualifiée de « phénoménale » et de « séisme politique », et n'ont pas omis de faire remarquer que les résultats du scrutin étaient particulièrement dévastateurs pour Hillary, qui terminait en troisième position. Chris Dodd et Joe Biden se sont aussitôt retirés de la course. Les élus qui étaient restés prudemment sur la réserve jusqu'à présent se sont empressés de décrocher leur téléphone, prêts à nous soutenir. Les experts m'ont adoubé nouveau champion du camp démocrate, et ils analysaient la participation record dans l'Iowa comme le signe probable d'un profond désir de changement à l'échelle de l'Amérique tout entière.

Moi qui venais de passer un an dans la peau de David, voici que j'endossais les habits de Goliath – et notre victoire avait beau me réjouir, je me sentais un peu gêné aux entournures dans ce nouveau costume. Au cours de ces douze derniers mois, mon équipe et moi-même avions pris soin de ne jamais nous laisser aller à un excès d'optimisme ou de pessimisme, ignorant tout aussi bien l'effervescence initiale suscitée par ma candidature que les prophéties annonçant presque aussitôt l'imminence de son effondrement. Cinq petites journées seulement séparaient les primaires de l'Iowa et du New Hampshire, et nous avons dû nous démener pour calmer les ardeurs. Axe pensait que les reportages exaltés et les images télévisées où l'on me voyait radieux devant des foules

éperdues d'adoration (« l'icône Obama », maugréait-il) seraient particulièrement contre-productifs dans un État comme le New Hampshire, où
l'électorat – composé en grande partie d'indépendants qui se plaisaient
souvent à attendre la dernière minute pour décider s'ils allaient voter à
la primaire démocrate ou à la primaire républicaine – avait la réputation
d'être plutôt anticonformiste.

Mais enfin il était tout de même assez difficile de ne pas se dire
que nous avions désormais le volant bien en main. Nos organisateurs
dans le New Hampshire étaient tout aussi tenaces que ceux de l'Iowa,
et nos bénévoles tout aussi motivés ; nos meetings attiraient des foules
enthousiastes, qui, pour y assister, faisaient la queue jusque sur les aires
de parking et autour du pâté de maisons. Quand soudain, en l'espace
de quarante-huit heures, deux rebondissements inattendus sont venus
relancer la compétition.

Le premier s'est produit durant l'unique débat organisé entre les
deux primaires, vers le milieu de la soirée, au moment où le modérateur
a demandé à Hillary ce qu'elle ressentait quand les gens disaient qu'elle
n'était pas « sympathique ».

C'était typiquement le genre de question qui me mettait hors de
moi, pour plusieurs raisons. C'était une question triviale, impossible
(que voulez-vous répondre à ça ?), et c'était l'illustration parfaite d'un
« deux poids, deux mesures » dont Hillary en particulier et les femmes
politiques en général étaient victimes depuis toujours, dans la mesure
où elles étaient sans cesse jugées à l'aune de leur « charme », critère
auquel leurs homologues masculins n'étaient, semblait-il, jamais
soumis.

Alors que Hillary s'en était très bien sortie (« Eh bien, ça ne me fait
pas très plaisir, a-t-elle répondu en riant, mais j'essaie de passer outre »),
j'ai décidé d'intervenir.

« Moi, je vous trouve tout à fait sympathique, Hillary », ai-je dit
d'un ton neutre.

Je pensais que le public aurait compris mon intention – tendre la
main à mon adversaire en laissant transparaître tout le mépris que
m'inspirait cette question. Mais, soit que je n'aie pas employé le ton
approprié, soit que ma formulation ait été maladroite, soit encore que
l'équipe de communication de la campagne Clinton ait monté la chose
en épingle, ma phrase a été interprétée de travers : tout le monde y a
vu une remarque condescendante de ma part à l'égard de Hillary, sinon
carrément désobligeante – encore un commentaire machiste visant à
humilier une rivale.

Bref, le contraire exact de ce que j'avais voulu dire.

Personne au sein de l'équipe n'a trop cherché à rectifier le tir, comprenant que toute tentative de clarification aurait pour seul effet d'attiser les braises. Mais à peine l'incendie avait-il commencé à s'éteindre de lui-même que les médias se sont de nouveau affolés, à propos cette fois de l'image renvoyée par Hillary à la suite de sa rencontre avec un groupe d'électeurs indécis dans le New Hampshire – en grande majorité des femmes. Répondant à une question pleine d'empathie sur la façon dont elle gérait le stress de la compétition, elle avait été brièvement saisie par l'émotion en expliquant à quel point elle se sentait personnellement investie, avec quelle passion elle se battait pour ne pas voir son pays régresser, et avec quel dévouement elle avait consacré sa vie au service public « en dépit des nombreux obstacles » qui s'étaient dressés sur son chemin.

Cette manifestation d'émotion, aussi sincère que rare chez Hillary, à l'opposé de la dureté et de la maîtrise permanente d'elle-même qu'on lui attribuait, a rendu les chroniqueurs complètement hystériques. Certains y voyaient un moment authentique et fascinant, la preuve que Hillary avait réussi à tisser un lien nouveau, plus humain, avec le public. D'autres l'interprétaient comme une pure mise en scène ou comme un signe de faiblesse qui risquait de fragiliser sa candidature. Mais ce qui occupait réellement les esprits de manière sous-jacente, bien entendu, c'était que Hillary avait de grandes chances de devenir la première femme présidente des États-Unis, de sorte que sa candidature faisait remonter à la surface toutes sortes de stéréotypes sur les questions de genre – de même que la mienne faisait resurgir toutes sortes de clichés sur les questions raciales – ainsi que sur l'apparence et le comportement que nous attendions de nos dirigeants.

La frénésie médiatique autour de Hillary – avait-elle le vent en poupe ou du plomb dans l'aile ? – a continué jusqu'au jour du scrutin dans le New Hampshire. Mon équipe était rassurée par le fait que nous disposions d'une marge de sécurité confortable : les sondages nous donnaient 10 points d'avance. Alors, quand nous avons constaté que le meeting que nous avions organisé à la mi-journée dans une petite université locale n'avait attiré qu'une foule clairsemée, quand mon discours a été interrompu par le malaise d'un étudiant et que les premiers secours ont mis un temps fou à intervenir, ça ne m'a pas paru de mauvais augure.

Ce n'est qu'en toute fin de journée, après la fermeture des bureaux de vote, que j'ai compris que quelque chose n'allait pas. Michelle et moi étions dans notre chambre d'hôtel, en train de nous préparer à fêter une victoire dont nous ne doutions pas, quand j'ai entendu frapper à la porte. Plouffe, Axe et Gibbs se tenaient dans le couloir, tout penauds, l'air de trois ados qui viennent de planter la voiture de leur père contre un platane.

« On va perdre », a dit Plouffe.

Ils ont commencé à avancer plusieurs théories pour expliquer ce qui était allé de travers. Il était possible que les indépendants qui penchaient pour nous plutôt que pour Hillary aient décidé de ne pas participer à la primaire démocrate, mais d'aller voter en masse à la primaire républicaine afin de soutenir John McCain, se disant que nous avions la course bien en main. Des électrices indécises avaient peut-être basculé du côté de Hillary dans les tout derniers jours de la campagne. Ou alors c'était lié à notre absence de réactivité face aux attaques de l'équipe Clinton, qui avait diffusé des spots télé et rempli les boîtes aux lettres de messages à notre encontre sans que nous prenions la peine de dénoncer leur stratégie négative, permettant ainsi à leurs coups d'atteindre leur cible.

Toutes ces théories semblaient plausibles. Mais, à cet instant, le pourquoi importait peu.

« Bon, eh bien, apparemment, emporter cette affaire va nous prendre un bout de temps, ai-je dit avec un petit sourire contrit. Dans l'immédiat, occupons-nous de cautériser la plaie. »

Pas de regards de chien battu, leur ai-je recommandé ; notre attitude devait bien faire comprendre à tout le monde – la presse, les donateurs, et surtout nos sympathisants – que ce genre de revers faisaient partie du jeu. J'ai appelé les membres de notre équipe du New Hampshire pour leur dire à quel point j'étais fier du travail qu'ils avaient accompli. Puis je me suis demandé ce que j'allais bien pouvoir dire aux quelque 1 700 personnes qui s'étaient rassemblées dans le gymnase d'une école de Nashua et attendaient le feu vert pour fêter la victoire. Heureusement, j'avais déjà travaillé avec Favs, un peu plus tôt au cours de cette semaine, pour débarrasser le discours de toute note triomphaliste, le priant de mettre plutôt l'accent sur le travail considérable qu'il nous restait à faire. Je l'ai alors appelé pour lui dire de ne pas changer une virgule au texte – sinon pour ajouter un coup de chapeau en passant à l'intention de Hillary.

Le discours que j'ai prononcé ce soir-là devant nos supporters devait au bout du compte figurer parmi les plus importants de notre campagne, pas seulement en tant que cri de ralliement adressé à tous ceux que notre défaite avait découragés, mais en tant que rappel salutaire des convictions qui nous animaient. « Nous savons que la bataille qui nous attend sera longue, ai-je dit, mais souvenez-vous toujours que, quels que soient les obstacles auxquels vous vous heurtez, rien ne peut résister à la puissance d'un million de voix qui réclament le changement. » J'ai dit que nous vivions dans un pays qui, tout au long de son histoire, avait été presque entièrement bâti sur le terreau de l'espoir, par des gens – pionniers, abolitionnistes, suffragettes, immigrants, défenseurs des droits civiques – que les difficultés même les plus insurmontables en apparence n'avaient jamais découragés.

« Quand on nous a dit que nous n'étions pas prêts, ai-je poursuivi, ou que ce n'était même pas la peine d'essayer, ou que nous n'y arriverions jamais, des générations entières d'Américains ont répliqué en affirmant une conviction toute simple, et qui résume à elle seule l'esprit de tout un peuple : si, nous y arriverons. *Yes we can.* » La foule a aussitôt repris cette phrase et s'est mise à la scander ; on aurait cru entendre la pulsation d'un tambour et, pour la première fois peut-être depuis qu'Axe avait suggéré d'en faire le slogan de ma campagne sénatoriale, j'ai ressenti une foi profonde dans la puissance de ces trois mots.

LA COUVERTURE MÉDIATIQUE de notre défaite dans le New Hampshire a été, sans surprise, impitoyable – le message, en substance, étant que l'ordre naturel des choses avait été rétabli : Hillary était de retour à la première place. Mais il s'est produit quelque chose de curieux au sein de notre campagne. Même si nous étions tous accablés d'avoir perdu, nous étions aussi plus unis que jamais, et plus déterminés. Au lieu d'observer une décrue de nos effectifs, nos bureaux partout dans le pays voyaient au contraire affluer spontanément de nouveaux bénévoles. Les contributions financières en ligne – émanant surtout de modestes donateurs – ont atteint un pic. John Kerry, qui n'avait pas encore pris parti, m'a apporté son soutien officiel avec enthousiasme. Janet Napolitano, gouverneure de l'Arizona, Claire McCaskill, sénatrice du Missouri, et Kathleen Sebelius, gouverneure du Kansas, toutes trois représentantes d'États qui penchaient du côté des républicains, lui ont emboîté le pas, nous aidant ainsi à faire passer un message clair : malgré le revers que nous venions d'essuyer, nous étions forts, nous continuions d'aller de l'avant, et nos espoirs étaient intacts.

Tout cela était gratifiant, et me confortait dans mon intuition : notre défaite dans le New Hampshire n'était pas aussi catastrophique que les observateurs semblaient le penser. Si l'Iowa avait prouvé que j'étais un concurrent sérieux, et pas seulement un phénomène pittoresque dont la nouveauté aurait tôt fait de s'éventer, mon couronnement hâtif avait été artificiel et prématuré. De ce point de vue, le bon peuple du New Hampshire m'avait rendu un fier service en mettant un coup de frein au processus. Il est normal que devenir président soit difficile, ai-je dit à un groupe de sympathisants le lendemain, parce qu'*être* président est difficile. Le changement est difficile. Ce que nous voulions, nous allions devoir le mériter – et, pour cela, nous remettre au travail.

Et c'est ce que nous avons fait. Le caucus du Nevada s'est déroulé le 19 janvier, une semaine et demie à peine après celui du New Hampshire, et nous n'avons pas été surpris de nous incliner devant Hillary en termes de suffrages exprimés ; les sondages nous donnaient largement perdants dans cet État depuis un an. Cependant, dans les primaires présidentielles, ce n'est pas tant le nombre de voix individuelles que vous obtenez qui importe, mais le nombre de délégués à la convention, lequel est proportionné en vertu de diverses règles obscures propres à chaque État. Or, grâce à notre percée dans les régions rurales du Nevada, où nous avions fait campagne avec acharnement (Elko, une ville qui ressemblait à un décor de western, avec son saloon et ses virevoltants, figure en bonne place au palmarès de mes étapes préférées), la répartition plus homogène des suffrages exprimés en notre faveur sur l'ensemble de l'État nous a valu de remporter treize délégués contre douze pour Hillary. Si improbable que cela paraisse, nous étions en mesure de revendiquer un match nul à l'issue de la course dans le Nevada et d'entamer la phase suivante de la campagne – la Caroline du Sud, suivie du mastodonte des primaires, le « Super Tuesday » et ses vingt-deux États à la clé – avec au moins une petite chance de l'emporter.

À en croire les déclarations des dirigeants de mon équipe par la suite, c'est grâce à mon optimisme qu'ils ont pu surmonter notre défaite dans le New Hampshire. Je ne sais pas si c'est tout à fait exact, dans la mesure où mon staff et mes partisans ont fait preuve d'une capacité de rebond admirable et d'une détermination sans faille du début à la fin de la campagne, indépendamment de ma propre attitude. Tout au plus leur ai-je retourné le compliment, après tout ce qu'ils avaient fait pour m'aider à franchir en tête la ligne d'arrivée dans l'Iowa. Ce qui est sans doute vrai, c'est que le New Hampshire a dévoilé à mon équipe et à mes sympathisants une qualité que je me connaissais déjà, et qui s'est révélée utile non seulement pendant la campagne, mais tout au long des huit années qui allaient suivre : c'est dans les moments les plus critiques que je me sentais le plus sûr de moi. L'Iowa nous avait peut-être convaincus que j'avais des chances d'être élu président. Mais c'est la défaite dans le New Hampshire qui nous a confortés dans l'idée que je serais à la hauteur de la tâche.

On m'a souvent interrogé sur ce trait de ma personnalité – ma capacité à demeurer inébranlable au milieu d'une crise. Parfois je réponds que c'est une simple question de tempérament, ou que c'est parce que j'ai grandi à Hawaï, sachant qu'il est assez difficile d'être dévoré par le stress quand il fait 27 degrés, que le soleil brille et que vous êtes à cinq minutes de la plage. Mais lorsque je m'adresse à un groupe de jeunes gens, j'ai plutôt tendance à leur dire que j'ai appris, au fil du temps, à voir les choses avec un certain recul, que le plus important est de rester concentré sur ses objectifs plutôt que de se laisser déstabiliser par les vicissitudes du quotidien.

Il y a du vrai dans chacune de ces réponses. Mais il y a un autre facteur qui entre en jeu. Quand je me retrouve dans une situation délicate, je m'en remets souvent à ma grand-mère.

Elle avait alors 85 ans et, des trois personnes qui m'avaient élevé, c'était la dernière encore en vie. Sa santé déclinait ; le cancer s'était attaqué à un corps déjà ravagé par l'ostéoporose et une vie entière de mauvaises habitudes. Mais son esprit était toujours aussi affûté et, comme elle ne pouvait plus prendre l'avion et que j'avais dû renoncer à nos traditionnelles vacances de Noël à Hawaï pour me plier aux exigences de la campagne, je l'appelais régulièrement au téléphone, juste pour prendre de ses nouvelles.

Et je l'ai appelée à ce moment-là, après le New Hampshire. Comme d'habitude, la conversation n'a pas duré très longtemps ; Toot trouvait que les appels longue distance étaient une extravagance. Elle me donnait quelques nouvelles des îles, et moi de ses arrière-petites-filles, dont je lui rapportais les dernières bêtises. Ma sœur, Maya, qui vivait à Hawaï, m'a raconté que Toot suivait tous les épisodes de la campagne à la télé, jusque dans ses moindres rebondissements, mais elle ne m'en parlait jamais. Au lendemain de ma défaite, elle n'avait qu'un seul conseil à me donner.

« Il faut que tu manges, Bar. Tu es trop maigre. »

Réplique typique de Madelyn Payne Dunham, née dans la petite ville de Peru, au Kansas, en 1922. C'était une enfant de la Grande Dépression, fille d'une maîtresse d'école et d'un comptable dans une petite raffinerie de pétrole, eux-mêmes enfants de fermiers et d'exploitants agricoles. C'étaient des gens simples et honnêtes qui travaillaient dur, allaient à l'église, payaient leurs factures et n'avaient guère de goût pour l'hyperbole, les grandes démonstrations d'affection ou l'excentricité sous quelque forme que ce soit.

Dans sa jeunesse, ma grand-mère s'était rebiffée contre les mœurs corsetées propres à ce genre de petite ville, notamment en épousant mon grand-père, Stanley Armour Dunham, qui possédait toutes les qualités douteuses susmentionnées. Ensemble, ils avaient connu une vie pleine d'aventures, pendant et après la guerre ; mais, au moment de ma naissance, il ne restait plus de cette veine rebelle chez Toot que son penchant coupable pour le tabac, la boisson et les thrillers inspirés des faits réels les plus sordides. Entrée à la Bank of Hawaii comme simple employée de bureau, elle avait réussi à gravir les échelons jusqu'à devenir la première femme dans toute l'histoire de la banque nommée à un poste de direction et, de l'avis unanime de ses collègues, elle y faisait un travail remarquable. Pendant vingt-cinq ans, pas un esclandre, pas une erreur, et pas une seule plainte, même quand elle voyait des hommes plus jeunes qu'elle – et qu'elle avait elle-même formés – être promus et lui passer devant dans la hiérarchie.

Du jour où Toot avait pris sa retraite, il m'était arrivé de croiser des gens à Hawaï qui me racontaient comment elle les avait aidés – untel jurant que son entreprise aurait fait faillite sans son intervention, telle autre se souvenant que Toot avait passé outre je ne sais quelle clause obscure en vertu de laquelle elle ne pouvait pas contracter d'emprunt sans la signature de son mari, dont elle était séparée, et lui avait ainsi permis de monter son projet d'agence immobilière. Mais quand on interrogeait Toot à ce sujet, elle affirmait qu'elle n'était entrée dans la banque ni par passion pour la finance ni par désir d'aider les autres, mais parce que notre famille avait besoin d'argent et que c'était ce métier-là qui s'était présenté à elle.

« Parfois, me disait-elle, on fait ce qu'il faut faire, c'est tout. »

Ce n'est qu'à l'adolescence que j'ai compris à quel point la vie de ma grand-mère avait dévié de la trajectoire qu'elle avait envisagée dans sa jeunesse ; à quels sacrifices elle avait consenti, d'abord pour son mari, puis pour sa fille, puis pour ses petits-enfants. Il y avait à mes yeux quelque chose de discrètement tragique à la voir cantonnée à un univers aussi étriqué.

Et pourtant, déjà à cette époque, il ne m'échappait pas que c'était grâce à l'opiniâtreté de Toot, qui avait toute sa vie durant poussé son rocher sans jamais se décourager – se réveiller tous les matins avant le lever du soleil pour enfiler son tailleur, chausser ses talons et prendre le bus pour rejoindre son bureau en centre-ville, travailler toute la journée sur ses dossiers de dépôt fiduciaire, puis rentrer le soir chez elle trop fatiguée pour faire quoi que ce soit –, que Gramps et elle avaient pu profiter d'une retraite confortable, continuer de voyager et conserver leur indépendance. La stabilité qu'elle leur avait procurée avait permis à ma mère de poursuivre la carrière de son choix, en dépit de ses revenus aléatoires et de ses missions à l'étranger, et à Maya et moi de fréquenter une école privée et des universités prestigieuses.

Toot m'avait appris à tenir mes comptes et à éviter les dépenses inutiles. C'était grâce à elle, même dans les périodes les plus révolutionnaires de ma jeunesse, que j'étais susceptible d'éprouver de l'admiration pour une entreprise bien gérée, grâce à elle que j'étais capable de lire les pages financières du journal, et grâce à elle que j'étais enclin à me méfier des déclarations grandiloquentes prônant le renversement de l'ordre établi et la refondation de toutes pièces de la société. Elle m'avait enseigné la valeur du travail et de l'effort, même face au labeur le plus rebutant, et le sens des responsabilités, même quand celles-ci étaient contraignantes. Elle m'avait appris à concilier passion et raison, à ne jamais me laisser emporter quand tout allait bien, ni me laisser abattre quand tout allait mal.

Tout cela, je le tenais d'une vieille dame blanche du Kansas pleine de bon sens et d'honnêteté. C'était son point de vue qui me venait souvent à l'esprit quand je faisais campagne, et c'était sa vision du monde que je retrouvais chez bon nombre des électeurs que je croisais sur ma route, que ce soit au fin fond de l'Iowa ou dans un quartier noir de Chicago : la même fierté discrète à l'égard des sacrifices consentis pour les enfants et les petits-enfants, la même absence d'affectation, la même modestie dans l'espérance.

Et, dans la mesure où Toot possédait à la fois les qualités admirables et les défauts tenaces de son éducation – dans la mesure où elle m'aimait avec une telle férocité qu'elle aurait été littéralement prête à tout pour m'aider, mais où elle n'avait par ailleurs jamais réussi à se débarrasser du conservatisme prudent qui lui avait brisé le cœur en silence le soir où ma mère avait invité mon père, un Noir, à venir dîner à la maison pour la première fois –, elle m'avait également montré la réalité complexe et bigarrée de la question raciale dans notre pays.

« Il n'y a pas une Amérique noire et une Amérique blanche, une Amérique latino et une Amérique asiatique. Il y a les *États-Unis* d'Amérique. »

C'est sans doute ce passage de mon discours à la convention démocrate en 2004 qui a le plus marqué les mémoires. Il était censé traduire une aspiration plutôt que rendre compte d'une réalité, mais c'était une aspiration en laquelle je croyais, et une réalité à laquelle je voulais atteindre. L'idée selon laquelle notre humanité commune importait plus que nos différences était chevillée à mon ADN. C'était aussi, à mes

yeux, l'expression d'une certaine vision pragmatique de la politique :
dans une démocratie, les grands changements ne pouvaient advenir
qu'avec l'appui d'une majorité, et en Amérique cela voulait dire bâtir
des coalitions au-delà des frontières ethniques et raciales.

Cela s'était vérifié en tout cas pour moi dans l'Iowa, où les
Afro-Américains ne représentaient que 3 % de la population. Au
quotidien, cela n'avait pas été un obstacle pour notre campagne ; c'était
simplement un fait établi. Il arrivait que nos organisateurs se heurtent à
quelques manifestations isolées d'animosité raciale, parfois ouvertement
exprimées même chez nos supporters potentiels (« Ouais, je crois que
je vais voter pour le nègre », ont-ils entendu plus d'une fois). Mais, de
temps à autre, cette hostilité allait plus loin que la remarque insultante
ou une porte claquée au nez. L'une de nos sympathisantes les plus
appréciées avait trouvé en se levant un matin, la veille de Noël, son
jardin jonché de pancartes OBAMA déchirées et sa maison vandalisée, les
murs recouverts de graffitis racistes. La bêtise, plus que la méchanceté,
était souvent à l'origine de ce type de comportements, nos bénévoles
ayant périodiquement droit aux commentaires auxquels est habituée
n'importe quelle personne noire ayant vécu dans un environnement
majoritairement blanc, des variations sur le thème : « À vrai dire, je
ne le vois pas comme un Noir… enfin, je veux dire, il est tellement
intelligent. »

Dans l'ensemble, cependant, les électeurs blancs de l'Iowa ne me
semblaient pas différents de ceux que j'avais courtisés quelques années
plus tôt dans l'Illinois profond – ils étaient avenants, prévenants, et
ouverts à ma candidature, moins préoccupés par ma couleur de peau ou
même par mon nom aux résonances musulmanes que par ma jeunesse et
mon manque d'expérience, mes idées pour relancer l'emploi ou mettre
fin à la guerre en Irak.

Du point de vue de mes conseillers politiques, notre boulot consistait
à faire en sorte que les choses en restent là. Mais il ne s'agissait pas
pour autant d'éviter la question raciale. Notre site Internet exposait sans
ambages ma position sur certains sujets sensibles tels que la réforme de
l'immigration et les droits civiques. Si, au cours d'une rencontre avec
les électeurs, on me posait des questions sur ces thèmes, je n'hésitais
pas à parler de la réalité des contrôles au faciès ou de la discrimination
raciale à l'embauche devant une assemblée exclusivement composée de
Blancs habitant dans des zones rurales. Au sein même de la campagne,
Plouffe et Axe étaient très attentifs aux doléances des membres noirs et
latinos de notre équipe, qu'il s'agisse d'amender un spot télé (« Est-ce
qu'on ne pourrait pas avoir au moins un autre visage noir, à part celui

de Barack ? » a gentiment demandé Valerie un jour) ou de nous inciter à recruter plus de personnes issues des minorités visibles aux postes de responsabilité. (Sur ce chapitre, tout du moins, l'univers de la politique à son plus haut niveau n'était pas si différent de celui des autres professions, dans la mesure où les jeunes issus des minorités visibles avaient moins facilement accès aux mentors et aux réseaux d'influence – et n'avaient pas les moyens d'accepter les stages non rémunérés qui auraient pu les aider à se hisser à des postes clés dans des campagnes nationales. C'était l'une des choses que j'étais déterminé à changer.) Mais Plouffe, Axe et Gibbs n'éprouvaient aucun scrupule à mettre la pédale douce sur tous les sujets à propos desquels on aurait pu nous accuser de jouer la carte raciale, ou qui risquaient de cliver l'électorat en fonction de critères raciaux, ou encore qui étaient susceptibles d'une manière ou d'une autre de m'enfermer dans le rôle du « candidat noir ». Pour eux, la formule la plus immédiate afin de faire progresser les choses en la matière était très simple – nous devions gagner. Et cela voulait dire s'assurer le soutien non seulement des étudiants blancs de gauche, mais de tous les électeurs qui ne parvenaient à m'imaginer installé à la Maison-Blanche qu'au prix d'un effort psychologique considérable.

« Crois-moi, plaisantait Gibbs, indépendamment de ce qu'ils savent de toi par ailleurs, s'il y a bien une chose que les gens ont remarquée, c'est que tu n'as pas la même tête que les quarante-trois premiers présidents. »

Parallèlement, ma cote auprès de la population afro-américaine n'avait pas baissé depuis mon élection au Sénat. Des antennes locales de la NAACP voulaient me décerner des prix. Ma photo apparaissait régulièrement dans les pages des magazines afro-américains *Ebony* et *Jet*. Toutes les femmes noires d'un certain âge me disaient que je leur rappelais leur fils. Quant à Michelle, elle était encore plus populaire. Son parcours professionnel, l'image de grande sœur ou de meilleure amie qu'elle projetait, et le dévouement pragmatique avec lequel elle tenait son rôle de mère semblaient faire d'elle l'incarnation de tout ce à quoi nombre de familles noires aspiraient et rêvaient pour leurs enfants.

Toutefois, les réactions à ma candidature au sein de la communauté noire étaient compliquées – notamment à cause des craintes qu'elle suscitait. Rien, dans toute l'histoire des Noirs en Amérique, ne leur avait jamais donné à penser que l'un des leurs aurait un jour la possibilité d'être désigné comme candidat d'un grand parti à l'élection présidentielle – et encore moins de devenir président des États-Unis. Pour beaucoup, ce que Michelle et moi avions accompli relevait déjà du miracle. Vouloir aller plus loin encore semblait une folie ; à viser trop haut, nous risquions de nous brûler les ailes.

« Je te jure, m'a dit un jour Marty Nesbitt peu après l'annonce de ma candidature, ma mère s'inquiète pour toi comme elle s'inquiétait pour moi quand j'étais jeune. » Entrepreneur auréolé de succès, ancienne star du football américain au lycée, aussi séduisant qu'un jeune Jackie Robinson, marié à une femme médecin brillante et père de cinq enfants merveilleux, Marty semblait l'incarnation du Rêve américain. Il avait été élevé par une mère célibataire, infirmière à Columbus, dans l'Ohio ; c'était uniquement grâce à un programme spécial destiné à faciliter l'intégration des jeunes issus des minorités dans les classes préparatoires aux grandes universités qu'il avait réussi à grimper les échelons de la société pour s'extraire de son quartier d'origine, où la seule perspective d'avenir pour les Noirs en règle générale était de passer toute leur vie sur une chaîne de montage en usine. Mais quand Marty avait décidé de quitter l'emploi stable qu'il avait décroché chez General Motors après ses études pour se lancer dans une carrière plus hasardeuse d'investisseur immobilier, sa mère avait tremblé, craignant de le voir tout perdre en forçant ses ambitions.

« Elle pensait que j'étais fou de renoncer à ce genre de stabilité, m'a raconté Marty. Alors je te laisse imaginer ce que ma mère et ses amies pensent de toi aujourd'hui – candidat à la présidentielle, déjà... mais persuadé en plus que tu peux *vraiment* devenir président ! »

Au demeurant, cet état d'esprit n'était pas l'apanage des classes populaires. La mère de Valerie – dont la famille avait été l'incarnation de l'élite professionnelle noire dans les années 1940 et 1950 – était l'épouse d'un médecin et l'une des pionnières du développement de la pédagogie de la petite enfance. Mais elle aussi avait exprimé un certain scepticisme au départ vis-à-vis de ma candidature.

« Elle veut te protéger, m'avait dit Valerie.

– De quoi ?

– De la déception », a-t-elle répondu, passant sous silence la crainte plus spécifique de sa mère – que je me fasse assassiner.

Nous entendions ce discours en permanence, surtout pendant les premiers mois de la campagne – un pessimisme bienveillant, l'idée répandue dans la communauté noire que Hillary était un choix plus sûr. Grâce à l'appui de personnalités bien connues dans tout le pays telles que Jesse Jackson Jr (et son père, Jesse Sr, même si ce dernier s'était montré plus réticent), nous avions réussi à obtenir très tôt le soutien officiel d'un certain nombre de figures de proue de la communauté afro-américaine, surtout parmi les plus jeunes. Mais beaucoup avaient préféré attendre, voir comment je m'en sortais, tandis que d'autres encore, dans le monde politique, dans le monde des affaires ou dans les rangs de l'Église – que ce soit par loyauté sincère à l'égard des Clinton ou par volonté de se rallier le plus vite possible à la candidate désignée comme favorite –, s'étaient prononcés en faveur de Hillary avant même que j'aie eu la moindre chance de présenter mes arguments.

« Le pays n'est pas prêt, m'a dit un jour un membre du Congrès, et les Clinton sont bien enracinés dans les esprits. »

Il y avait par ailleurs certains militants et intellectuels qui me soutenaient, mais pour qui ma campagne avait une valeur purement symbolique, à l'image d'autres candidatures par le passé comme celles de Shirley Chisholm, Jesse Jackson et Al Sharpton – une simple tribune, utile mais éphémère, pour faire entendre une voix prophétique contre les injustices raciales. Persuadés qu'une victoire était de toute façon impossible, ils s'attendaient à ce que j'affiche les positions les plus radicales sur tous les sujets, depuis la discrimination positive jusqu'aux réparations pour l'esclavage, et ils étaient en permanence à l'affût de la moindre concession de ma part signalant que je consacrais trop de temps et d'énergie à courtiser l'électorat blanc modéré, moins progressiste.

« Ne faites pas comme ces soi-disant leaders qui partent du principe que le vote noir leur est acquis », m'a dit un sympathisant. J'étais sensible à cet avertissement, car la critique ne me paraissait pas totalement infondée. De nombreux démocrates avaient tenu pour acquis le vote noir – en tout cas depuis 1968, quand Richard Nixon avait décrété que le moyen le plus sûr d'apporter la victoire au camp républicain était de défendre une politique fondée sur le ressentiment raciste, ne laissant pas d'autre choix aux électeurs noirs que de se tourner vers ses adversaires. Et les Blancs n'étaient pas les seuls à faire ce genre de calculs au sein du Parti démocrate. Aucun élu noir dépendant des suffrages blancs pour se maintenir en poste n'ignorait le danger contre lequel Axe, Plouffe et Gibbs nous avaient mis en garde, fût-ce de manière implicite, à savoir qu'à trop mettre l'accent sur les droits civiques, les exactions policières ou toute autre question jugée spécifique à la population noire, on risquait de susciter la méfiance, sinon le rejet, de la grande majorité des électeurs. Vous pouviez très bien décider néanmoins de prendre la parole sur ces sujets, par conscience personnelle, mais vous saviez qu'il y avait un prix à payer – que si les Noirs voulaient se prêter au jeu politique traditionnel des intérêts particuliers, au même titre que les agriculteurs, les fanatiques des armes à feu ou un autre groupe ethnique, c'était à leurs risques et périls.

Mais, bien entendu, n'était-ce pas justement l'une des raisons pour lesquelles je me présentais ? Pour nous libérer de ce genre de contraintes ? Pour réimaginer ce qui était possible ? Je ne voulais être ni un solliciteur, toujours en marge du pouvoir et en quête des faveurs distribuées par les bonnes âmes de gauche, ni un professionnel de la contestation brandissant en permanence sa colère et son bon droit en attendant que l'Amérique blanche expie ses fautes. Ces deux sentiers avaient déjà été bien battus ; ces deux stratégies, fondamentalement, étaient l'expression d'un désespoir.

Non. Tout l'intérêt était de gagner. Je voulais prouver aux Noirs, aux Blancs – à tous les Américains, quelle que soit leur couleur de peau –, que nous pouvions dépasser les anciennes logiques ; que nous pouvions rassembler une majorité apte à gouverner autour d'objectifs progressistes ; que nous pouvions replacer des questions telles que les inégalités ou le manque d'accès à l'éducation au cœur du débat national, puis obtenir des résultats concrets.

Je savais que, pour accomplir tout cela, il fallait que j'emploie un langage qui parle à tous les Américains et que je propose une politique qui touche tout le monde – la meilleure éducation pour *chaque* enfant, une assurance-maladie de qualité pour *chaque* Américain. Il fallait que je considère les Blancs comme des alliés et non pas comme une entrave au changement, et que j'inscrive le combat des Afro-Américains dans le cadre d'un combat plus large pour une société plus égalitaire, plus juste et plus généreuse.

J'étais conscient des risques. J'entendais les critiques qui m'étaient adressées à demi-mot, pas seulement chez mes rivaux, mais aussi chez certains de mes amis : favoriser la mise en œuvre de programmes universels voulait souvent dire que les bénéfices étaient moins directement redirigés vers ceux qui en avaient le plus besoin ; privilégier l'intérêt commun revenait à minorer les effets prolongés de la discrimination et déchargeait les Blancs de tout devoir de responsabilité face à l'héritage de l'esclavage, des lois ségrégationnistes, et de toute remise en question de leurs propres préjugés ; le fardeau psychologique de tout cela pesait sur la communauté noire, censée ravaler en permanence une colère et une frustration légitimes au nom de Dieu sait quelle chimère idéaliste.

C'était beaucoup demander aux Noirs, et cela exigeait une bonne dose d'optimisme et de patience stratégique. Et, tandis que je m'efforçais d'entraîner les électeurs et ma propre équipe de campagne dans ce territoire politique inconnu, je ne perdais jamais de vue qu'il ne s'agissait pas d'un exercice abstrait. J'avais des comptes à rendre à des communautés bien spécifiques, constituées d'individus de chair et de sang, d'hommes et de femmes qui avaient leurs propres impératifs, leur propre histoire – et, parmi eux, un homme d'Église chez qui semblaient concentrés tous les élans contradictoires que je cherchais à concilier.

J'AI RENCONTRÉ le révérend Jeremiah A. Wright Jr à l'époque où je travaillais encore dans le milieu associatif. Son église, la Trinity United Church of Christ, était l'une des plus grandes de Chicago. Fils d'un pasteur baptiste et d'une directrice d'école de Philadelphie, il avait baigné pendant toute son enfance dans la culture religieuse noire traditionnelle tout en fréquentant les établissements les plus prestigieux de la ville – dont les élèves étaient blancs dans leur immense majorité. Plutôt que d'embrasser tout de suite la carrière religieuse, il avait quitté l'université pour s'engager dans le corps des Marines, puis dans la marine américaine, où il avait reçu une formation de technicien en médecine cardiopulmonaire, ce qui l'avait amené à servir au sein de l'équipe chargée du suivi médical de Lyndon Johnson après son opération en 1966. En 1967, il s'était inscrit à l'université Howard à Washington et, comme beaucoup de jeunes Noirs durant ces années tumultueuses, il s'était imprégné de la rhétorique combative du Black Power, intéressé à tous les sujets liés à l'Afrique ainsi qu'aux critiques de l'ordre social américain formulées par les penseurs de la gauche radicale. Pendant ses années au séminaire, il avait également étudié la théologie de la libération noire de James Cone – une interprétation du christianisme fondée sur la place centrale de l'expérience noire, non pas au nom d'une quelconque supériorité raciale inhérente, mais parce que, selon Cone, Dieu voit le monde à travers le regard des plus opprimés.

Le fait que le révérend Wright en soit venu à exercer son ministère auprès d'une congrégation constituée en très grande majorité de Blancs en dit long sur son pragmatisme ; non seulement l'United Church of Christ valorisait le savoir et l'érudition – ce qu'il ne manquait pas de nous rappeler tous les dimanches –, mais elle disposait des moyens et des infrastructures nécessaires pour l'aider à bâtir sa paroisse. La modeste église qui n'accueillait autrefois qu'une petite centaine de fidèles en comptait désormais 6 000 et s'était transformée sous son ministère en un lieu fourmillant et bruissant d'une joyeuse agitation où l'on croisait le Tout-Chicago noir dans toute sa diversité : banquiers et anciens chefs de gangs, robes en kenté et costumes Brooks Brothers, et une chorale qui pouvait entonner les grands classiques du gospel et l'*Alléluia* de Haendel au cours du même service religieux. Ses sermons, empreints de références à la culture populaire, d'argot, d'humour et d'une authentique profondeur spirituelle, non seulement suscitaient cris d'approbation et de réjouissance dans les rangs de ses paroissiens, mais lui valaient en outre la réputation d'être l'un des meilleurs prédicateurs du pays.

Il m'arrivait de trouver que le révérend Wright en faisait un peu trop. Au beau milieu d'une explication savante de l'Évangile selon Matthieu ou Luc, il pouvait soudain se lancer dans une dénonciation au vitriol des guerres de la drogue, du militarisme, de la cupidité du capitalisme ou de l'inexorabilité du racisme en Amérique, dans de grandes envolées qui, sans être dénuées de fondement, étaient en général complètement hors contexte. Elles étaient par ailleurs souvent datées, comme si le révérend s'adressait à un parterre d'étudiants en 1968 plutôt qu'à une prospère congrégation où se côtoyaient chefs de la police, célébrités, richissimes hommes d'affaires et le directeur du rectorat de Chicago. Et, de temps en temps, il pouvait aussi raconter n'importe quoi, flirtant dangereusement avec les théories du complot qu'on entendait tard la nuit à la radio dans les émissions d'antenne libre ou chez le barbier du coin de la rue. On aurait dit alors que cet homme érudit, à la peau d'un noir clair, dans la force de l'âge, cherchait désespérément à coller à la culture de rue de son époque, à « ne pas se la raconter ». Ou peut-être était-ce simplement une manière de donner libre cours au besoin périodique – chez lui comme chez les membres de sa congrégation – de lâcher du lest, de libérer un trop-plein de colère après une vie entière passée à lutter contre le racisme endémique, et au diable la raison et la logique.

J'étais bien conscient de tout cela. Et pourtant, à mes yeux, surtout à l'époque où j'étais encore un jeune homme peu assuré de ses convictions et de sa place au sein de la communauté noire de Chicago, les qualités du révérend Wright l'emportaient de très loin sur ses défauts, de même que mon admiration pour la congrégation et ses pasteurs l'emportait sur mon scepticisme à l'égard de la religion organisée. Michelle et moi avions fini par rejoindre officiellement la paroisse de Trinity, même si nous n'étions pas les fidèles les plus assidus. Comme moi, Michelle n'avait pas grandi dans un foyer particulièrement religieux, et si, au début, nous nous rendions à l'église environ une fois par mois, peu à peu notre fréquentation était devenue plus sporadique. Quand nous y allions, cependant, c'était un moment important pour nous et, dès que ma carrière politique a décollé, j'ai toujours pris soin d'inviter le révérend Wright à venir prononcer un sermon ou une bénédiction à l'occasion des grands événements.

C'est ce que j'avais prévu pour l'annonce de ma candidature. Le révérend Wright était censé s'adresser à la foule et diriger une prière avant que je monte à la tribune. Mais la veille, alors que j'étais en route vers Springfield, Axe m'avait appelé, affolé, pour me demander si j'avais vu l'article qui venait d'être publié dans le magazine *Rolling Stone* à propos de ma candidature. Apparemment, le journaliste s'était rendu peu de temps auparavant à l'église de Trinity, où il avait entendu le révérend Wright dans ses œuvres les plus échevelées, et il citait certains passages de son sermon dans l'article.

« Il aurait dit... attends, je te retrouve le passage... voilà : "Nous croyons en la suprématie des Blancs et en l'infériorité des Noirs, et nous y croyons plus que nous ne croyons en Dieu."

– Sérieusement ?

– Je pense qu'on peut dire sans trop s'avancer que, s'il parle demain, c'est lui qui fera les gros titres... en tout cas sur Fox News. »

L'article en lui-même dressait un portrait assez juste de Jeremiah Wright et de son ministère à Trinity, et je n'étais pas surpris que mon pasteur dénonce le fossé entre les idéaux chrétiens revendiqués de l'Amérique et la violence de son histoire raciale. Toutefois, jamais je ne l'avais entendu employer de termes aussi incendiaires, et même si une partie de moi était frustrée de devoir contourner en permanence la vérité brute de la question raciale dans ce pays afin de ne pas froisser les Blancs, d'un point de vue strictement politique et pragmatique, je savais que Axe avait raison.

Cet après-midi-là, j'ai appelé le révérend Wright pour lui demander s'il voulait bien renoncer à prononcer sa prière en public et nous recevoir plutôt en privé, Michelle et moi, pour nous donner sa bénédiction avant mon discours. J'ai bien senti qu'il était vexé, mais, au grand soulagement de mon équipe, il a fini par accepter.

Cet épisode a de nouveau remué en moi tous les doutes qui me taraudaient depuis que j'avais décidé de me lancer à la conquête de la fonction suprême. C'était une chose d'avoir résolu ces questions pour mon propre compte – d'avoir appris au fil des années à naviguer sans heurts entre la communauté noire et la communauté blanche, à jouer le rôle de passeur entre ces deux mondes au sein de ma famille, de mon entourage amical, social et professionnel, à créer des connexions d'une extrémité à l'autre de ce cercle toujours plus vaste, jusqu'au jour où j'étais enfin parvenu à envisager l'univers de mes grands-parents et celui d'un révérend Wright comme une seule et même entité. Mais expliquer ces connexions à des millions d'inconnus ? Imaginer qu'une campagne présidentielle – tout ce vacarme, tous ces propos déformés, simplifiés – parvienne à mettre subitement un terme à quatre cents ans de souffrances, de peur et de défiance ? La réalité de la question raciale en Amérique était bien trop complexe pour être réduite à une petite phrase. Et moi donc ! Moi aussi j'étais trop complexe, les contours de ma vie trop troubles, trop étranges aux yeux de l'Américain moyen, pour que je puisse songer un seul instant, honnêtement, que je pouvais y arriver.

PEUT-ÊTRE QUE SI L'ARTICLE de *Rolling Stone* était sorti plus tôt, présageant les problèmes à venir, j'aurais décidé de ne pas me présenter. Difficile à dire. Ce que je sais en revanche – ironie du sort, ou intervention de la providence –, c'est que c'est un autre pasteur, par ailleurs ami du révérend Wright, le Dr Otis Moss Jr, qui m'a aidé à surmonter mes doutes.

Otis Moss était un vétéran du mouvement des droits civiques, un proche et un associé de Martin Luther King, le pasteur d'une des plus grandes églises de Cleveland, dans l'Ohio, et un ancien conseiller du président Jimmy Carter. Je ne le connaissais pas très bien, mais après la publication de l'article il m'a appelé un soir pour m'offrir son soutien. Il avait eu vent des difficultés posées par Jeremiah, m'a-t-il dit, et entendu ces voix au sein de la communauté noire qui affirmaient que je n'étais pas prêt, ou que j'étais trop radical, ou trop lisse, ou pas assez noir. Il pensait que le chemin à venir serait plus dur encore, mais m'enjoignait de ne pas me décourager.

« Chaque génération est limitée par ce qu'elle sait, a continué Moss. Ceux d'entre nous qui ont participé au mouvement, les géants comme Martin, les lieutenants et les fantassins comme moi… nous sommes la génération Moïse. Nous avons lutté en marchant, en faisant des sit-in, nous sommes allés en prison, quitte à défier nos aînés parfois, mais en réalité nous ne faisions que bâtir sur les fondations qu'ils avaient posées. Nous sommes sortis d'Égypte, pour ainsi dire. Mais nous n'avons pas pu poursuivre notre voyage au-delà.

« Vous, Barack, vous faites partie de la génération Josué. Vous et vos semblables êtes responsables de la prochaine étape. Les gens comme moi peuvent vous offrir la sagesse de leur expérience. Peut-être saurez-vous tirer des leçons de nos erreurs. Mais, au bout du compte, c'est à vous, avec l'aide de Dieu, que revient la tâche de bâtir à votre tour sur nos propres fondations, et de mener notre peuple et ce pays hors du désert. »

Je ne saurais dire à quel point ces paroles, prononcées presque un an avant notre victoire dans l'Iowa, m'ont redonné la force d'avancer ; ce que cela signifiait pour moi d'entendre un homme si intimement lié à la source de mes toutes premières inspirations me dire que ce que j'avais entrepris en valait la peine, que ce n'était pas une simple expression de la vanité ou de l'ambition, mais plutôt un nouveau maillon de la longue chaîne du progrès. Et, d'un point de vue plus concret, c'est parce que le Dr Moss, ainsi que d'autres anciens collègues de Martin Luther King – comme le révérend C. T. Vivian d'Atlanta et le révérend Joseph Lowery de la Conférence du leadership chrétien du Sud –, ont bien voulu me donner la proverbiale imposition des mains, et ainsi se porter garants de ma capacité à poursuivre le travail historique qu'ils avaient entamé, que les leaders de la communauté noire n'ont pas rejoint en plus grand nombre le camp de Hillary au début de la course.

Jamais cela ne s'est vérifié de manière aussi flagrante qu'en mars 2007, quand j'ai participé à la traversée commémorative du pont Edmund Pettus à Selma, en Alabama, organisée chaque année par le député de la Chambre des représentants John Lewis. Je voulais depuis longtemps me rendre en pèlerinage sur le site du Dimanche sanglant, qui, en 1965, était devenu le cœur du combat pour les droits civiques, quand les Américains avaient enfin pris la pleine mesure de ce qui était en jeu. Mais ma visite s'annonçait compliquée. Les Clinton seraient là, m'avait-on dit ; et, avant que les participants à la cérémonie se rassemblent pour traverser le pont, Hillary et moi étions censés prendre la parole au même moment dans deux églises différentes, nous livrant un duel par offices religieux interposés.

Pour ne rien arranger, notre hôte, John Lewis, avait indiqué qu'il était enclin à soutenir Hillary. John était devenu un bon ami – il avait tiré une grande fierté de mon élection au Sénat, qu'il interprétait à juste titre comme une contribution à son propre héritage – et je savais qu'il était tourmenté par cette décision. Nous nous étions parlé au téléphone et, en l'écoutant m'expliquer son raisonnement – il connaissait depuis longtemps les Clinton, l'administration de Bill avait soutenu bon nombre de ses initiatives législatives –, j'avais décidé de ne pas insister. J'imaginais la pression que devait sentir peser sur ses épaules cet homme doux et affable, et j'étais conscient par ailleurs que, alors même que j'étais en train de demander aux électeurs blancs de me juger sur mes seuls mérites, invoquer sans scrupules la solidarité raciale aurait été quelque peu hypocrite.

La commémoration des marches de Selma aurait pu virer au spectacle politique le plus embarrassant ; mais, quand je suis arrivé, je me suis tout de suite senti à l'aise. Peut-être était-ce le fait de me retrouver dans un endroit qui avait joué un rôle considérable dans mon imagination et infléchi la trajectoire de mon existence. Peut-être était-ce dû à l'attitude des gens qui étaient venus célébrer cette occasion, tous ces gens ordinaires qui me serraient la main ou me prenaient dans leurs bras, certains arborant des badges à la gloire de Hillary, tout en me disant qu'ils étaient heureux de me voir ici. Mais c'était surtout dû à la présence d'un petit groupe de doyens respectés de la communauté noire qui me soutenaient. Quand j'ai pénétré dans l'enceinte historique de l'Église épiscopale méthodiste africaine Brown de Selma, j'ai appris que le révérend Lowery avait demandé à dire quelques mots avant que je prenne la parole. À plus de 80 ans, il n'avait rien perdu de son esprit ni de son charisme.

« Je vais vous dire, a-t-il commencé, il se passe de drôles de choses ici. J'en entends qui prétendent qu'il ne se passe rien, mais qui sait ? Qui peut le dire ?

– Allez-y, révérend, prêchez ! a crié quelqu'un dans la salle.

– Vous savez, je suis allé chez le médecin l'autre jour et il m'a dit que mon taux de cholestérol était un peu élevé. Mais ensuite il m'a expliqué qu'il y avait deux types de cholestérol. Il y a le mauvais cholestérol, et puis il y a le bon cholestérol. Avoir du bon cholestérol – ça, pas de problème. Et ça m'a fait songer que c'était pareil pour beaucoup de choses. Par exemple, quand on a lancé le mouvement, il y avait un tas de gens qui pensaient que nous étions complètement dingues. Pas vrai, C. T. ? » Le révérend Lowery a adressé un signe de la tête en direction du révérend Vivian, assis sur scène. « Tenez, en voilà un autre, de Noir frappadingue… et il pourra vous le dire, tout le monde dans le mouvement était un peu frappadingue… »

La foule a éclaté de rire.

« Mais c'est comme le cholestérol, a continué le révérend Lowery, il y a être dingue dans le *bon* sens du terme et être dingue dans le *mauvais* sens du terme, vous voyez ? Harriet Tubman, avec son Chemin de fer clandestin, elle était dingue comme pas permis ! Et Paul, quand il a prêché devant Agrippa, Agrippa lui a dit : "Paul, t'es complètement dingue"… et c'est vrai, il était dingue… mais dans le *bon* sens du terme. »

La foule s'est mise à applaudir et à acclamer le révérend Lowery qui en venait au fait.

« Et je vous le dis aujourd'hui, nous avons besoin de plus de dingues comme ça dans ce pays… Personne ne sait ce qui peut se passer quand ces dingues-là… vont glisser un bulletin dans l'urne ! »

Tout le monde dans l'église s'est alors dressé d'un bond ; les pasteurs assis à côté de moi sur scène se tordaient de rire et me donnaient des tapes dans le dos ; et le temps que je me lève à mon tour pour m'adresser à l'assemblée, reprenant les mots que le Dr Moss m'avait offerts comme point de départ – à propos de l'héritage de la génération Moïse, qui avait rendu possible mon existence, et à propos de la responsabilité qui incombait désormais à la génération Josué, du pas qu'elle devait franchir à son tour pour instaurer la justice dans cette nation et partout dans le monde, et pas seulement pour la population noire mais pour tous ceux qui avaient été dépossédés –, toute l'église avait basculé dans une joyeuse frénésie de chants, de cris et de prières.

Dehors, après la messe, j'ai vu un autre ancien compagnon de route de Martin Luther King, le révérend Fred Shuttlesworth, un légendaire et intrépide défenseur des libertés qui avait survécu à quantité d'agressions – le Ku Klux Klan avait incendié sa maison et un groupe de Blancs l'avait tabassé à l'aide de matraques et de coups-de-poing américains, et avait poignardé sa femme, parce qu'ils avaient essayé d'inscrire leurs deux filles dans une école jusqu'alors réservée exclusivement aux Blancs. Ayant été récemment traité pour une tumeur au cerveau, il était très affaibli, assis dans un fauteuil roulant, mais il m'a fait signe d'approcher et, tandis que les marcheurs se rassemblaient, je lui ai proposé mon aide pour traverser le pont.

« Ça me plairait bien », a dit le révérend Shuttlesworth.

Et nous nous sommes avancés sur le pont au-dessus des eaux brunes du fleuve, sous un ciel matinal d'un bleu radieux, au son des prières et des chansons qui montaient çà et là de la foule. À chaque pas, je tentais d'imaginer ce que ces hommes et ces femmes à présent âgés avaient dû ressentir à ce même endroit, quarante ans plus tôt, leur jeune cœur battant furieusement dans leur poitrine, devant une phalange d'hommes armés montés à cheval. Et j'ai songé combien mes propres fardeaux étaient légers en comparaison. Le fait qu'ils n'aient jamais cessé de lutter ni jamais sombré dans l'amertume, malgré les revers et les chagrins, me faisait percevoir que je n'avais pas le droit de céder à la fatigue. Je me sentais renaître à mes convictions : je me trouvais là où j'étais censé me trouver ; je faisais ce qui devait être fait ; et le révérend Lowery n'avait peut-être pas tort quand il disait qu'il était en train de se passer quelque chose de « dingue » – dans le bon sens du terme.

DIX MOIS PLUS TARD, alors que nous nous attaquions à la Caroline du Sud pendant les deuxième et troisième semaines de janvier, je savais que notre foi allait de nouveau être mise à l'épreuve. Il fallait absolument que nous remportions cet État. Sur le papier, les choses se présentaient plutôt bien pour nous : les électeurs de la primaire démocrate étaient constitués en grande partie d'Afro-Américains, et nous avions dans notre camp un formidable mélange de personnalités politiques aguerries et de jeunes militants, noirs comme blancs. Mais les sondages semblaient indiquer que notre cote dans l'électorat blanc ne décollait pas, et nous ne savions pas si les électeurs afro-américains allaient se déplacer en nombre suffisant le jour du scrutin. Notre espoir était de pouvoir aborder le Super Tuesday avec une victoire en poche qui allait au-delà du seul clivage racial. Mais si notre prouesse dans l'Iowa avait démontré toutes les possibilités d'un nouveau genre de pratique politique, plus idéaliste, la campagne en Caroline du Sud s'est révélée on ne peut plus différente. La compétition a tourné à l'empoignade, à une confrontation politique à l'ancienne, dans un décor sur lequel pesait lourdement la mémoire d'une histoire raciale douloureuse et sanglante.

Si la campagne a pris cette tournure, c'est en partie parce que la course était serrée, que la tension montait dans les deux camps, et parce que l'équipe Clinton semblait s'être aperçue qu'une campagne négative leur réussissait. Leurs attaques, à la télé et par porte-parole interposés, étaient devenues plus incisives. À un moment où les électeurs dans tout le pays commençaient à regarder de plus près ce qui se passait, nous étions tous conscients des enjeux. Notre unique débat cette semaine-là a pris les allures d'un véritable pugilat entre Hillary et moi, et John Edwards (dont la campagne était à bout de souffle et qui n'allait pas tarder à jeter l'éponge) en était réduit à tenir la chandelle tandis que nous nous sautions à la gorge comme des gladiateurs dans l'arène.

Puis Hillary est partie faire campagne ailleurs, mais la fièvre n'est pas retombée pour autant, car quelqu'un d'autre était resté en Caroline du Sud pour défendre sa cause, plus fougueux, énergique et omniprésent que jamais : un certain William Jefferson Clinton.

Je comprenais la situation dans laquelle se trouvait Bill : non seulement sa femme se faisait scruter sous toutes les coutures et attaquer en permanence, mais ma promesse de changer Washington et de transcender le système des partis devait lui apparaître comme une remise en cause de son propre héritage politique. Et sans doute n'avais-je fait qu'ajouter de l'huile sur le feu quand, au cours d'une interview dans le Nevada, j'avais déclaré que, si j'avais de l'admiration pour Bill Clinton, je ne pensais pas qu'il avait transformé la politique comme l'avait fait

Ronald Reagan dans les années 1980, en parvenant à infléchir d'une manière inédite la relation du peuple américain à l'État sur la base de principes conservateurs. Compte tenu de l'obstructionnisme et de l'hostilité inouïe auxquels Bill Clinton avait dû faire face au cours de sa présidence, je ne pouvais guère lui reprocher d'avoir envie de rabattre son caquet à un jeune néophyte présomptueux.

Clinton était manifestement ravi d'être de retour sur le ring. Il parcourait la Caroline du Sud de long en large avec sa truculence habituelle, multipliant les remarques astucieuses et exsudant un charme sans manières, proche des gens. Il ne me portait jamais de coups en dessous de la ceinture, et j'aurais soulevé les mêmes critiques que lui si j'avais été à sa place – mon manque d'expérience, par exemple, et le fait que, si jamais je parvenais à être élu président, je me ferais dévorer tout cru par les républicains au Congrès.

Au-delà de ces questions, cependant, se posait celle des relations entre groupes ethniques, sujet politique sur lequel Clinton s'en était sorti avec beaucoup d'habileté par le passé, mais qui se révélait bien plus épineux face à un candidat noir crédible. Quand il avait affirmé, à la veille de la primaire du New Hampshire, que plusieurs de mes positions sur la guerre en Irak relevaient du « conte de fées », certains au sein de la communauté noire avaient interprété cette remarque de manière plus large, pensant que Clinton avait voulu laisser entendre que ma candidature elle-même était une chimère, ce qui avait conduit le *whip* de la majorité à la Chambre des représentants, Jim Clyburn – l'élu noir le plus influent de la Caroline du Sud, qui s'en était jusqu'alors tenu à une prudente neutralité –, à le désapprouver publiquement. Quand Clinton disait aux électeurs blancs que Hillary les « comprenait » comme ses adversaires étaient incapables de les comprendre, Gibbs – lui-même enfant du Sud – entendait dans cette phrase des échos du stratège républicain Lee Atwater et de la politique dite des messages subliminaux, et il n'avait aucun scrupule à la dénoncer comme telle par la voix de nos partisans.

Rétrospectivement, je ne suis pas certain que ce reproche ait été fondé ; en tout cas, ce n'était pas le raisonnement de Bill Clinton. Mais il était compliqué en Caroline du Sud de faire la distinction entre la vérité et ce que les gens ressentaient. Partout dans cet État, j'étais accueilli avec chaleur et hospitalité par les Blancs comme par les Noirs. Dans certaines villes comme Charleston, j'ai pu voir à quoi ressemblait ce « Nouveau Sud » dont on parlait tant – cosmopolite, bigarré et fourmillant d'activité commerciale. Du reste, moi qui avais installé mes pénates à Chicago, je n'avais pas vraiment besoin qu'on me rappelle que le Sud n'avait pas le monopole des divisions raciales.

Au fil de mes déplacements de campagne en Caroline du Sud, cependant, il m'arrivait d'observer des comportements moins policés, plus directs – parfois empreints d'une franche brutalité. Comment interpréter l'attitude de cette femme blanche très chic qui avait refusé de me serrer la main dans un restaurant en me jetant un regard sombre ? Comment comprendre les motivations de ces gens qui venaient en marge de nos meetings brandir des pancartes arborant le drapeau sudiste et des mots d'ordre de la NRA, le puissant lobby des armes, qui braillaient des slogans antifédéralistes et me disaient de rentrer chez moi ?

Ces cris et les statues des héros de l'armée des Confédérés n'étaient d'ailleurs pas les seuls signes évoquant l'héritage de l'esclavage et de la ségrégation. Sur la suggestion de Jim Clyburn, je me suis rendu au J. V. Martin Junior High School, un collège public fréquenté en très grande majorité par des élèves noirs de la petite ville rurale de Dillon, dans le nord-est de la Caroline du Sud. Certaines parties du bâtiment avaient été construites en 1896, trente ans à peine après la fin de la guerre de Sécession, et si des rénovations avaient été faites depuis, rien ne le laissait deviner. Murs à moitié effondrés. Plomberie hors d'usage. Fenêtres fissurées. Couloirs humides, sans éclairage. Le bâtiment était encore chauffé par un poêle à charbon au sous-sol. En quittant les lieux, je me sentais en proie à un abattement mêlé d'un regain de motivation : quel message avait-on transmis aux générations entières de jeunes filles et de jeunes garçons qui avaient franchi chaque matin les grilles de cet établissement, sinon la certitude qu'aux yeux de ceux qui détenaient le pouvoir ils n'avaient aucune importance ; que le Rêve américain, quoi que recouvre cette notion, n'était pas pour eux ?

De telles expériences m'aidaient à prendre la mesure de la lassitude que devaient éprouver bon nombre de citoyens noirs de la Caroline du Sud confrontés depuis si longtemps à pareille déchéance, du regard désabusé avec lequel ils observaient notre campagne. Je commençais à comprendre qui était réellement mon adversaire. Ce n'était pas contre Hillary Clinton ou contre John Edwards que je me battais, ni même contre les républicains. Je me battais contre le poids implacable du passé ; contre l'inertie, le fatalisme et la peur qu'il engendrait.

Les pasteurs et les personnalités influentes de la communauté noire, habitués à mobiliser eux-mêmes les électeurs contre rétribution, se plaignaient de notre insistance à recruter plutôt des bénévoles directement sur le terrain. Pour eux, la politique n'était pas tant une affaire de principes qu'un simple business, et, ici, c'était comme ça depuis toujours. Au cours de la campagne, Michelle – dont l'arrière-arrière-grand-père était né en esclavage dans une plantation de riz de la Caroline du

Sud – entendrait certaines femmes lui expliquer qu'il valait mieux perdre une élection que perdre un mari – sous-entendu : si jamais j'étais élu président, j'étais certain de finir assassiné.

L'espoir et le changement étaient un luxe, semblaient nous dire les gens, des produits d'importation exotiques qui ne tarderaient pas à s'abîmer sous l'effet de la chaleur.

LE 25 JANVIER, veille du scrutin, un sondage de la chaîne NBC indiquait que les intentions de vote en ma faveur chez les électeurs blancs de la Caroline du Sud étaient descendues sous la barre maigrichonne des 10 %. La presse nationale en a aussitôt fait des gorges chaudes. C'était prévisible, psalmodiaient les experts ; même une participation massive de l'électorat afro-américain ne pourrait rien face à l'hostilité profondément ancrée dans l'esprit des électeurs blancs à l'égard d'un candidat noir, quel qu'il soit, et à plus forte raison à l'égard d'un candidat répondant au nom de Barack Hussein Obama.

Axelrod, en mode fin du monde comme d'habitude, est venu me rapporter ces informations tout en faisant défiler frénétiquement l'écran de son BlackBerry. Puis il a ajouté, ce qui n'aidait pas beaucoup, qu'une défaite en Caroline du Sud sonnerait probablement le glas de notre campagne. Et – ce qui aidait encore moins – que, même si nous parvenions à arracher la victoire, la presse et les Clinton prendraient prétexte de notre faible score dans l'électorat blanc pour la minorer et, à bon droit, remettre en question la viabilité de ma candidature à l'élection générale.

Tout le monde était sur des charbons ardents le jour de la primaire, conscient de ce qui était en train de se jouer. Or, le soir venu, quand les premiers résultats sont tombés, nous nous sommes aperçus qu'ils étaient bien meilleurs que ce que nous avions escompté, même dans nos projections les plus optimistes. Nous avons battu Hillary avec une marge de deux voix contre une, obtenant près de 80 % des voix dans l'électorat noir avec un taux de participation très élevé et 24 % des suffrages dans l'électorat blanc. Nous distancions même notre adversaire de 10 points chez les Blancs de moins de 40 ans. Compte tenu de la gageure de notre entreprise et des coups que nous avions pris depuis l'Iowa, nous étions au comble de la jubilation.

Quand je suis monté sur la scène d'un auditorium de Columbia pour prononcer notre discours de victoire, j'ai senti vibrer tout autour de moi la foule qui tapait des pieds et applaudissait à tout rompre. La salle était bondée. Plusieurs milliers de personnes s'étaient rassemblées, même si, sous la lumière aveuglante des projecteurs des chaînes télé, je ne distinguais que les deux ou trois premiers rangs – surtout des étudiants, noirs et blancs à égale mesure, certains bras dessus bras dessous, d'autres se tenant par les épaules, le visage étincelant de joie et de détermination.

« La race n'a pas d'importance ! scandait la foule. La race n'a pas d'importance ! La race n'a pas d'importance ! »

J'ai repéré certains de nos jeunes organisateurs et bénévoles. Une fois de plus, ils avaient réussi, n'en déplaise aux oiseaux de mauvais augure. Ils méritaient bien un petit tour de stade, me suis-je dit, un moment de pure exaltation. C'est pourquoi, après avoir demandé au public de faire silence et entamé mon discours, je n'ai pas eu le cœur de m'inscrire en faux contre ce slogan entonné par tous ces gens animés de louables intentions – je n'ai pas eu le cœur de leur rappeler qu'en cette année 2008, alors que le drapeau sudiste avec tout ce qu'il symbolisait flottait encore au fronton du capitole de la Caroline du Sud, à quelques mètres à peine de l'endroit où nous nous trouvions, eh bien si, la question raciale avait encore une importance cruciale, aussi fort que fût leur désir de croire le contraire.

CHAPITRE 7

L A Caroline du Sud désormais derrière nous, tout semblait nous sourire de nouveau. Dans une tribune publiée par le *New York Times* le 27 janvier, Caroline Kennedy a déclaré son soutien officiel en ma faveur, expliquant avec générosité que notre campagne lui avait fait comprendre, pour la première fois, l'inspiration que son père avait jadis suscitée dans la jeunesse américaine. Son oncle, Ted Kennedy, lui a emboîté le pas le lendemain, me rejoignant sur scène lors d'un meeting devant plusieurs milliers d'étudiants de l'American University à Washington. Teddy a été absolument phénoménal, convoquant toute la magie de Camelot pour réfuter l'argument de l'inexpérience autrefois utilisé contre son frère et dirigé à présent contre moi. Axe parlerait d'un passage de relais symbolique, et j'ai bien vu en effet à quel point ce moment était important pour Teddy. C'était comme s'il avait entendu résonner une corde familière dans notre campagne et qu'il avait été soudain propulsé dans le passé, avant l'assassinat de ses frères, avant le Vietnam, avant la « rage blanche » en réaction au mouvement des droits civiques, avant les émeutes, le Watergate, la fermeture des usines, les violences du festival d'Altamont et le SIDA, à une époque où la gauche débordait d'optimisme et pensait que rien n'était impossible, animée par un esprit intrépide – ce même esprit qui avait forgé la sensibilité de ma mère lorsqu'elle était jeune, et qu'elle m'avait insufflé à son tour.

Le soutien officiel des Kennedy a ajouté une touche poétique à notre campagne et nous a aidés à fourbir nos armes en vue du Super Tuesday, le 5 février 2008, qui verrait la nation choisir la moitié de ses délégués en une seule journée. Nous savions depuis le début que le Super Tuesday représentait un défi colossal ; en dépit de notre victoire dans l'Iowa et en Caroline du Sud, Hillary restait bien plus connue du grand public au niveau national, et la campagne de proximité que nous avions menée au début de la course n'était tout simplement pas possible dans certains États beaucoup plus densément peuplés tels que la Californie ou New York.

En revanche, nous disposions d'une infanterie sur le terrain dont les rangs ne cessaient de croître de jour en jour. Avec l'aide de Jeff Berman, expert du processus de désignation des délégués, et de notre infatigable directeur des opérations sur le terrain, Jon Carson, Plouffe a mis au point une stratégie que nous allions appliquer avec la même irréductible obstination que dans l'Iowa. Plutôt que d'essayer de remporter les États où le choix des délégués se faisait par les urnes et d'investir dans des spots télé afin de minimiser nos défaites, nous avons concentré mes déplacements et nos opérations de terrain sur les États qui votaient par caucus – des zones géographiques souvent plus petites et en grande majorité rurales et blanches –, où l'enthousiasme de nos supporters pouvait entraîner de forts taux de participation et des victoires par la bande, non pas en nombre de suffrages mais en nombre de délégués.

L'Idaho a été l'illustration parfaite de cette stratégie. Cela n'aurait eu aucun sens d'envoyer une équipe officielle de la campagne dans un État si minuscule et acquis aux républicains, mais un groupe de bénévoles armés d'une solide détermination, qui s'étaient baptisés les « Idahoains pour Obama », avaient monté leur propre organisation. Ils avaient passé un an à bâtir une communauté grâce à des réseaux sociaux comme MySpace et Meetup, à se familiariser avec mes positions, à créer leurs propres plateformes de collecte de fonds, à organiser des meetings et à étendre leur présence stratégique dans l'ensemble de l'État. Quelques jours avant le Super Tuesday, quand Plouffe m'a dit que je devais me rendre à Boise, la capitale de l'Idaho, plutôt que de prolonger d'une journée ma campagne en Californie – où nous étions en train de réaliser une belle percée –, j'avoue que j'ai eu des doutes. Mais les 14 000 Idahoains survoltés devant lesquels je me suis retrouvé dans l'arène de Boise State ont eu vite fait de balayer mon scepticisme. Nous avons fini par gagner dans l'Idaho avec un tel écart que nous avons remporté plus de délégués que n'en a empoché Hillary en gagnant dans le New Jersey, un État qui compte pourtant cinq fois plus d'habitants.

C'est devenu un schéma récurrent. Treize des vingt-deux États en jeu lors du Super Tuesday sont tombés dans notre escarcelle ; et si Hillary nous a battus de quelques points à New York et en Californie, ces deux États nous ont rapporté en tout treize délégués de plus qu'à elle. C'était une réussite remarquable, due au talent et à l'énergie de Plouffe, de nos équipes de terrain, et surtout de nos bénévoles. Et compte tenu du fait que les commentateurs politiques et l'équipe de campagne de Clinton continuaient de douter de ma capacité à faire le poids lors de l'élection générale, j'étais d'autant plus satisfait d'avoir fait bouger les tables dans les régions prétendument acquises aux républicains.

Ce qui m'a frappé par ailleurs, c'est le rôle de plus en plus important que jouait la technologie dans nos victoires. L'extraordinaire jeunesse de mon équipe nous avait permis de reprendre à notre compte et de perfectionner les réseaux numériques dont la campagne de Howard Dean avait posé les bases quatre ans plus tôt. Notre statut de nouveaux venus dans la course présidentielle nous forçait à nous en remettre constamment à l'énergie et à la créativité de bénévoles pour qui Internet n'avait pas de secrets. Des millions de petits donateurs nous aidaient à maintenir nos opérations à flot, des chaînes d'e-mails contribuaient à diffuser notre message de campagne comme nous n'aurions pas pu le faire à travers les grands médias traditionnels, et de nouvelles communautés se formaient, rassemblant des gens jusqu'ici isolés les uns des autres. Au lendemain du Super Tuesday, je me sentais inspiré, je croyais entrevoir l'avenir, la résurgence d'une participation citoyenne qui pourrait remettre en marche notre démocratie.

Ce dont je ne pouvais pas encore prendre la pleine mesure, c'est l'immense souplesse qu'allait offrir cette technologie ; la vitesse à laquelle elle allait être absorbée par les intérêts commerciaux et intégrée à l'arsenal des pouvoirs établis ; la facilité avec laquelle elle pouvait être utilisée non pas pour unir les gens, mais pour les égarer ou les diviser ; et la façon dont, un jour, ces mêmes outils qui m'avaient permis d'entrer à la Maison-Blanche seraient instrumentalisés à l'encontre de toutes les valeurs que je défendais.

Ces réflexions viendraient plus tard. Après le Super Tuesday, nous avons poursuivi sur notre lancée avec une série de victoires écrasantes, remportant onze primaires et caucus d'affilée en l'espace de deux semaines, avec une moyenne de 36 points d'avance à chaque fois. C'était une période grisante, presque surréaliste, même si tout le staff et moi-même faisions de notre mieux pour ne pas vendre la peau de l'ours – « Souvenons-nous du New Hampshire ! » répétions-nous souvent –, car nous étions conscients que le match pouvait basculer à tout moment, et qu'il y avait encore beaucoup de gens qui avaient envie de nous voir échouer.

Dans *LES ÂMES DU PEUPLE NOIR*, le sociologue W. E. B. Du Bois décrit la « double conscience » des Noirs américains à l'aube du xxᵉ siècle. Bien qu'ils soient nés et qu'ils aient grandi sur le sol américain, qu'ils aient été façonnés par les institutions de la nation et nourris de ses valeurs, bien que le labeur de leurs mains et les battements de leur cœur aient tant contribué à l'économie et à la culture de ce pays – malgré tout cela, écrit Du Bois, les Noirs américains demeurent perpétuellement « l'Autre », toujours en dehors, conscients en permanence de leur « dualité », définis non par ce qu'ils sont, mais par ce qu'ils ne peuvent jamais être.

Quand j'étais jeune, les écrits de Du Bois m'avaient énormément appris. Mais, que ce soit en raison de l'éducation que j'avais reçue, sous la tutelle d'un parent unique, ou en raison de l'époque à laquelle j'avais atteint l'âge adulte, cette notion de « double conscience » n'était pas quelque chose que j'avais éprouvé à titre personnel. Je m'étais beaucoup interrogé sur mon métissage et sur le phénomène de la discrimination raciale ; mais à aucun moment je n'avais remis en question – ni entendu quiconque remettre en question – mon « américanité » fondamentale.

Bien entendu, jamais auparavant je n'avais été candidat à la présidentielle.

Même avant l'annonce officielle de ma candidature, Gibbs et notre équipe de communication avaient dû démentir diverses rumeurs qui avaient surgi çà et là sur les ondes des radios conservatrices ou sur des sites Internet malveillants avant de migrer vers le blog conservateur Drudge Report ou vers Fox News. On racontait que j'avais été scolarisé dans une *médersa* en Indonésie ; cette rumeur a si bien fait son chemin qu'un correspondant de CNN est allé jusqu'à se rendre à Jakarta afin de visiter mon ancienne école élémentaire, où il n'a vu qu'une bande de gamins vêtus d'uniformes scolaires à l'occidentale qui écoutaient les New Kids on the Block sur leurs iPods. Certains ont affirmé que je n'étais pas citoyen américain (comme le prouvait sans conteste une photo de moi en costume traditionnel africain au mariage de mon demi-frère kenyan). Au fil de la campagne, d'autres allégations mensongères et sensationnalistes se sont répandues. Ces dernières n'avaient rien à voir avec ma nationalité cette fois, mais avaient trait à d'autres caractéristiques qui faisaient de moi un « étranger », dans un registre plus familier, plus indigène, plus sordide : on disait que j'avais été dealer, prostitué, que j'avais des accointances marxistes et une ribambelle d'enfants nés hors des liens du mariage.

Il était difficile de prendre ces histoires au sérieux, et d'ailleurs, au début du moins, pas grand-monde n'y prêtait attention – en 2008, Internet était encore trop lent, trop peu répandu, et trop éloigné du traitement traditionnel de l'information pour pénétrer directement dans l'esprit des électeurs. Mais il y avait d'autres façons, plus indirectes et plus insidieuses, de jeter le discrédit sur mes affinités.

Au lendemain des attaques du 11 Septembre, par exemple, je m'étais mis à porter un petit drapeau américain épinglé au revers de ma veste, me disant que c'était une manière modeste comme une autre d'exprimer un sentiment de solidarité nationale après une épouvantable tragédie. Et puis, quand le débat autour de la « guerre contre le terrorisme » lancée par Bush et l'invasion de l'Irak a commencé à s'éterniser – quand j'ai vu John Kerry se faire agonir de critiques et entendu Karl Rove et ses semblables remettre en question le patriotisme de ceux qui s'opposaient à la guerre en Irak, quand j'ai vu mes collègues au Sénat, arborant tous le même pin's que moi, voter allégrement la diminution du budget alloué à l'aide aux vétérans –, j'ai discrètement remisé mon petit drapeau. C'était moins un geste de contestation qu'une façon de me rappeler à moi-même que, en matière de patriotisme, les actes étaient bien plus importants que les symboles. Personne apparemment n'a rien remarqué, d'autant que la plupart des autres sénateurs – y compris l'ancien Marine et prisonnier de guerre John McCain – ne portaient le plus souvent pas le moindre pin's épinglé au revers de leur veste.

Alors en octobre, dans l'Iowa, quand un journaliste de la presse locale m'a demandé pourquoi je ne portais pas de petit drapeau, j'ai répondu la vérité, à savoir qu'à mon avis l'amour qu'on vouait à son pays ne se mesurait pas à la présence ou non d'un bout de métal qu'on pouvait acheter dans n'importe quel bazar. Il n'en fallait pas plus pour que les chroniqueurs des chaînes conservatrices se mettent à dégoiser sur les significations possibles de l'absence de pin's au revers de ma veste. *Obama déteste le drapeau, Obama n'a aucun respect pour nos troupes.* Des mois plus tard, ils en parlaient encore, et ça commençait à m'énerver sérieusement. Est-ce que quelqu'un veut bien m'expliquer, avais-je envie de demander, pourquoi le revers de ma veste attire soudain tellement l'attention, alors que personne ne s'est jamais intéressé à la veste d'aucun autre candidat à la présidentielle avant moi ? Sans surprise, Gibbs m'a dissuadé d'exprimer publiquement mon exaspération.

« Pourquoi leur faire ce plaisir ? Tu es en train de gagner. »

Pas faux. En revanche, il s'est révélé beaucoup plus difficile de ne pas sortir de mes gonds lorsque ma femme a été à son tour ciblée par ce genre d'insinuations.

Depuis l'Iowa, Michelle avait continué d'illuminer notre campagne. Comme les filles étaient à l'école, nous réservions sa présence pour les primaires les plus serrées et limitions ses déplacements aux week-ends ; mais, partout où elle allait, elle était drôle et enjouée, franche et avisée. Elle parlait de l'éducation des enfants et de la difficulté de naviguer entre les exigences de la vie professionnelle et celles de la vie de famille. Elle évoquait les valeurs que ses parents lui avaient inculquées – son père qui n'avait jamais manqué un seul jour de travail malgré sa sclérose en plaques, sa mère qui avait témoigné une attention de tous les instants à l'éducation de sa fille, son enfance dans une famille qui n'avait pas beaucoup d'argent mais où l'amour coulait à flots. Des histoires tout droit sorties d'un dessin de Norman Rockwell ou de la série télévisée *Leave It to Beaver*. Mes beaux-parents étaient l'incarnation même des goûts et des aspirations typiques de l'Amérique telle qu'on se la représente souvent, et, de fait, je ne connaissais personne qui ait des goûts aussi typiquement américains que Michelle, elle qui n'aimait rien tant que dévorer un burger-frites, regarder un vieil épisode du *Andy Griffith Show* ou passer un samedi après-midi à faire du shopping au centre commercial.

Et pourtant, du moins selon certains chroniqueurs, Michelle était... différente. Peu crédible dans le rôle de première dame des États-Unis. Elle avait l'air « en colère », disaient-ils. Il lui arrivait d'essuyer des insultes, comme le jour où Fox News, sur un bandeau en bas d'écran, l'avait surnommée « la *baby mama* d'Obama » pour la rabaisser à un rôle domestique. Et les médias conservateurs n'étaient pas les seuls à s'en prendre à elle. Dans une chronique du *New York Times*, la journaliste Maureen Dowd expliquait que lorsque Michelle, sous prétexte de me taquiner, parlait de moi dans ses discours comme d'un père empoté qui laissait le pain moisir dans la cuisine et le linge sale traîner partout dans la maison (ce qui ne manquait jamais de déclencher une salve de rires complices dans le public), loin de contribuer à me rendre plus humain, elle m'« émasculait », nuisant ainsi à mes chances d'être élu.

Ce genre de commentaires n'étaient pas fréquents, et certains dans le staff considéraient que cela faisait partie des coups bas inhérents aux campagnes électorales. Mais ce n'est pas ainsi que Michelle l'a vécu. Elle savait que, outre la camisole de force qu'on obligeait les épouses d'hommes politiques à porter (la compagne aimante et docile, charmante mais sans opinions personnelles trop arrêtées ; cette même camisole que

Hillary avait rejetée autrefois, ce qu'elle continuait d'ailleurs de payer au prix fort), d'autres stéréotypes étaient appliqués aux femmes noires, des clichés familiers que les petites filles noires assimilaient régulièrement comme des toxines du jour où elles voyaient une poupée Barbie blonde pour la première fois ou versaient sur leurs pancakes du sirop d'érable de la marque Aunt Jemima, dont l'étiquette arborait le visage jovial d'une domestique noire. L'idée selon laquelle elles n'étaient pas conformes aux canons de la féminité en vigueur, que leurs fesses étaient trop grosses et leurs cheveux trop crépus, qu'elles étaient trop bruyantes, ou trop sanguines, ou trop insolentes avec leurs compagnons. L'idée selon laquelle non seulement elles les « émasculaient », mais qu'elles étaient elles-mêmes trop masculines.

Michelle avait toujours réussi à se soustraire à ce fardeau psychologique, notamment en prenant un soin méticuleux de son apparence, en veillant à toujours rester maîtresse d'elle-même et de son environnement, et en se préparant avec diligence à toutes les éventualités, tout en refusant de se laisser intimider et transformer en quelqu'un qu'elle n'était pas. Qu'elle soit parvenue à préserver son intégrité, avec une telle élégance et une telle dignité, comme tant d'autres femmes noires confrontées à cette avalanche de messages négatifs, était extraordinaire.

Bien sûr, il était dans la nature des campagnes présidentielles que les choses dérapent parfois. Dans le cas de Michelle, cela s'est passé juste avant la primaire du Wisconsin. Pendant un discours, alors qu'elle était en train d'expliquer à quel point elle était impressionnée de voir tant de gens se mobiliser derrière nous, elle a déclaré : « Pour la première fois de ma vie d'adulte, je suis vraiment fière de mon pays, […] parce que je suis convaincue que les gens ont soif de changement. »

C'était la « bourde » dans toute sa splendeur : une petite phrase improvisée que les médias conservateurs se feraient une joie d'isoler, de sortir de son contexte et de retourner contre elle – l'expression dénaturée d'un sentiment qu'elle avait déjà maintes fois évoqué en public, cette fierté de voir notre pays s'engager sur une nouvelle voie, renouer avec une forme d'engagement politique pleine de promesses. Mon équipe et moi étions en grande partie responsables ; nous avions propulsé Michelle sur la scène de la campagne sans aucun des outils que j'avais en permanence à ma disposition – les rédacteurs de discours, les séances de préparation, les briefings, toute l'infrastructure qui me permettait de rester cohérent et pertinent. C'était comme envoyer un civil au combat sans gilet pare-balles.

Peu importe. Les journalistes se sont jetés sur l'occasion et les spéculations sont tout de suite allées bon train – à quel point la petite phrase de Michelle pouvait nuire à la campagne, dans quelle mesure elle était révélatrice de ce que pensait vraiment Obama. Je voyais bien que cette attaque s'inscrivait dans une intention plus générale et plus perfide, une volonté délibérée de faire peu à peu émerger un portrait de nous négatif, fondé sur des stéréotypes, attisé par la peur et conçu pour alimenter les inquiétudes suscitées par la perspective de voir un homme noir prendre en charge les décisions les plus importantes pour le pays et s'installer avec sa famille noire à la Maison-Blanche. Mais j'étais moins préoccupé par l'incidence que cet épisode pouvait avoir sur la campagne que peiné de constater à quel point il avait blessé Michelle, à quel point ma si forte, si intelligente et si belle épouse en était déstabilisée. Au lendemain de ce faux pas dans le Wisconsin, elle m'a rappelé qu'elle n'avait jamais eu le moindre désir d'être sous les projecteurs, et elle a ajouté que si sa présence à mes côtés devait faire plus de mal que de bien à la campagne, elle préférait autant rester à la maison. Je lui ai promis qu'à l'avenir elle pourrait s'appuyer sur un plus grand soutien de la part de nos équipes, et je lui ai assuré qu'elle était mille fois plus convaincante aux yeux des électeurs que je ne le serais jamais. Mais j'avais beau essayer, rien ne semblait pouvoir la réconforter.

CES PÉRIPÉTIES ÉPROUVANTES n'empêchaient pas notre campagne de continuer à prendre de l'ampleur. À la veille du Super Tuesday, elle se déployait désormais à une tout autre échelle, et notre modeste start-up était devenue une organisation plus solide et mieux financée. Nos chambres d'hôtel étaient un peu plus spacieuses, nos déplacements plus confortables. Au début, nous voyagions sur des vols commerciaux, et par la suite nous avions eu notre lot de mésaventures sur des vols charters à prix cassés. Un jour, un pilote nous a fait atterrir dans la mauvaise ville – deux fois de suite. Un autre a essayé de faire démarrer l'avion dont le moteur était noyé en branchant une rallonge à une prise électrique standard du terminal de l'aéroport. (J'ai été soulagé que cette expérience se solde par un échec, même si nous avons dû attendre deux heures avant d'embarquer, le temps de faire venir un nouveau moteur de la ville la plus proche sur un camion à plateau.) Bénéficiant d'un budget plus important, nous avions désormais les moyens d'affréter notre propre avion, avec toutes les commodités : un équipage de bord, des repas chauds, et des sièges réellement inclinables.

Mais ce nouvel essor impliquait des règles, des protocoles, des procédures et une hiérarchie. Notre staff comptait dorénavant plus d'un millier de personnes à travers le pays et, même si mon équipe rapprochée faisait de son mieux pour entretenir la culture décousue et informelle de nos débuts, l'époque était lointaine où je pouvais m'enorgueillir de connaître la plupart des gens qui travaillaient pour moi. En l'absence d'une telle familiarité, les personnes que je croisais au cours d'une journée étaient de moins en moins nombreuses à m'appeler « Barack ». J'étais devenu « *sir* », ou « monsieur le sénateur ». Souvent, quand j'entrais dans une pièce, les membres du staff se levaient pour s'installer ailleurs, pensant que je ne voulais pas être dérangé. Si j'insistais pour qu'ils restent, ils m'adressaient un petit sourire timide et se mettaient à parler à voix basse.

Je me sentais vieux tout à coup, et de plus en plus seul.

Bizarrement, c'était la même chose avec le public qui venait assister à nos meetings. Ils étaient désormais 15 000, 20 000, parfois 30 000 personnes, arborant le logo rouge, blanc et bleu de la campagne Obama sur leur tee-shirt, leur casquette, leur salopette, faisant la queue pendant plusieurs heures avant de pouvoir entrer dans l'enceinte où se déroulait le meeting. Notre équipe avait inventé une sorte de rituel d'avant-match. Reggie, Marvin, Gibbs et moi sortions de la voiture devant l'entrée de service ou le quai de chargement, puis nous suivions les membres de notre équipe de repérage dans le dédale des couloirs et des coulisses. En général, je passais un moment avec les organisateurs sur le terrain ; je me prêtais au jeu des photos avec une petite centaine de bénévoles et de supporters, qui m'assaillaient d'embrassades, de bises et de demandes d'autographe sur à peu près tout et n'importe quoi – livre, magazine, balle de baseball, faire-part de naissance, ordre de mission militaire. Je donnais ensuite deux ou trois interviews ; un déjeuner sur le pouce dans une salle d'entrepôt bourrée à ras bord de thé glacé en bouteille, de fruits secs, de barres protéinées et de tout ce que j'avais pu demander un jour, même en passant, le tout en quantité suffisante pour remplir les étagères d'un abri antiatomique ; puis un petit tour aux toilettes, où j'en profitais pour appliquer un peu de gel fourni par Marvin ou Reggie sur le front et le nez afin d'éviter que ma peau ne brille trop à l'écran, même si l'un de nos vidéastes m'avait averti que c'était un produit cancérigène.

J'entendais monter le grondement de la foule en passant sous les gradins pour me diriger vers la scène. L'ingénieur du son recevait un signal pour lancer l'annonce donnant le coup d'envoi du meeting (surnommée la « Voix de Dieu », avais-je appris), j'écoutais sagement en coulisses une personnalité locale me présenter, puis retentissaient les mots « le prochain président des États-Unis », le rugissement assourdissant de la foule, les premières notes de *City of Blinding Lights* de U2, et enfin, après un petit *check* poing contre poing ou une formule d'encouragement – « Allez-y, boss, montrez-leur ! » –, quelques pas pour traverser le rideau et je me retrouvais sur scène.

Et ce à raison de deux ou trois fois par jour, de ville en ville, d'un État à l'autre. Même si l'effet de nouveauté s'est vite estompé, je n'ai jamais cessé d'être émerveillé par l'énergie pure qui se dégageait de ces meetings. Les journalistes les comparaient à des « concerts de rock » et, en termes de décibels en tout cas, ce n'était pas exagéré. Mais ce n'était pas ce que je ressentais. Je n'étais pas sur scène pour offrir une performance solo au public, mais plutôt pour essayer de refléter les aspirations des Américains, pour leur rappeler – à travers les histoires qu'ils m'avaient racontées – tout ce à quoi ils tenaient profondément, et le pouvoir extraordinaire que, tous ensemble, ils détenaient.

À la fin de mon discours, quand je descendais de la tribune pour serrer quelques mains le long du cordon de sécurité, je voyais souvent des gens qui hurlaient, qui jouaient des coudes, qui tentaient de m'attraper. Certains pleuraient, d'autres effleuraient mon visage du bout des doigts et, même si j'essayais de les en dissuader, des parents me tendaient leurs bébés en larmes par-dessus une foule d'inconnus pour que je les prenne dans mes bras. Toute cette frénésie était assez amusante, et parfois touchante, mais c'était aussi un peu déconcertant. Au fond, réalisais-je, les gens ne me voyaient plus, *moi*, avec toutes mes particularités et tous mes travers. C'était plutôt comme s'ils s'étaient emparés d'une effigie de moi-même pour l'investir d'un million de rêves différents. Je savais qu'un moment viendrait où je finirais par les décevoir, par ne pas être à la hauteur de l'image que ma campagne et moi avions façonnée.

Je prenais conscience également que, si mes supporters pouvaient se saisir de ces quelques fragments de ma personne et les remodeler en un symbole d'espoir disproportionné, alors les craintes latentes de mes détracteurs pouvaient de même s'agglomérer en un précipité de haine. Et c'étaient les mesures engagées pour faire face à cette perspective inquiétante qui avaient le plus transformé ma vie.

J'avais été placé sous la protection du Secret Service en mai 2007, quelques mois à peine après le début de ma campagne – je portais le nom de code « Renegade » et j'étais escorté d'agents de sécurité vingt-quatre heures sur vingt-quatre. Ce n'était pas la norme. À moins d'être le vice-président en exercice (ou, dans le cas de Hillary, une ancienne première dame), en règle générale les candidats aux primaires n'étaient placés sous protection qu'à partir du moment où ils étaient quasi assurés de décrocher la nomination. La raison pour laquelle une exception avait été faite dans mon cas, la raison pour laquelle Harry Reid et Bennie Thompson, le président de la Commission de la sécurité intérieure de la Chambre des représentants, avaient officiellement insisté pour que le Secret Service intervienne plus tôt, était très simple : le nombre de menaces proférées à mon encontre dépassait tout ce que le Secret Service avait jamais connu.

Le chef de l'équipe chargée de ma protection personnelle, Jeff Gilbert, était un type impressionnant. Afro-américain, lunettes, d'un abord affable et sympathique, on aurait pu le prendre pour un cadre d'une société figurant au classement du magazine *Fortune* des cent plus grandes entreprises américaines. Lors de notre première rencontre, il m'avait assuré de sa volonté de procéder avec un maximum de souplesse, comprenant que je devais conserver, en tant que candidat, toute latitude pour interagir avec le public.

Jeff a tenu parole : à aucun moment le Secret Service n'a entravé le déroulement d'un meeting, et les agents faisaient tout pour rester le plus discrets possible (utilisant par exemple des balles de foin plutôt que des grilles en métal afin d'établir une barrière de sécurité devant une tribune en plein air). Les chefs des équipes de rotation, âgés de la quarantaine pour la plupart, étaient professionnels et courtois, dotés d'un humour pince-sans-rire. Il nous arrivait souvent de nous installer à l'arrière d'un avion ou d'un car et de nous charrier sur nos équipes sportives préférées ou de parler de nos enfants. Le fils de Jeff était le défenseur de première ligne vedette dans une équipe de football américain en Floride, et nous avons tous commencé à nous intéresser à son parcours à l'approche du mercato de la NFL. Reggie et Marvin, de leur côté, étaient cul et chemise avec les plus jeunes des agents, et ils allaient souvent boire un verre ensemble à la fin de leur journée de travail.

N'empêche, me retrouver soudain entouré d'hommes et de femmes armés partout où j'allais, postés devant chaque pièce où je me trouvais, a été un choc. Ma vision du monde extérieur a commencé à changer, obscurcie par le voile de la sécurité. Je ne pénétrais plus dans un bâtiment par l'entrée principale si l'on pouvait y accéder par un escalier de service. Si j'allais faire de l'exercice dans la salle de gym d'un hôtel, les agents condamnaient d'abord les fenêtres avec du tissu pour empêcher tout assassin potentiel de m'avoir dans sa ligne de mire. Des cloisons pare-balles étaient disposées dans chaque pièce où je dormais, y compris dans notre chambre à Chicago. Et il n'était plus question que je prenne moi-même le volant, même pour faire le tour du pâté de maisons.

À mesure que le jour de la nomination se rapprochait, mon univers continuait de rétrécir. Des agents supplémentaires ont été assignés à ma protection. Ma liberté de mouvement était de plus en plus restreinte. Ma vie était désormais entièrement dépourvue de toute spontanéité. Je ne pouvais plus – ou, du moins, plus aussi facilement qu'avant – entrer dans une épicerie ou m'arrêter dans la rue pour échanger quelques mots avec un inconnu.

« J'ai l'impression d'être un ours savant dans une cage de cirque », me suis-je plaint à Marvin un jour.

À certains moments, je bouillonnais de frustration, tellement fatigué de ce régime à haute dose de meetings, d'interviews, de séances photo et de collectes de fonds que je m'échappais, pris d'une envie soudaine et désespérée de me payer un bon taco ou de me laisser attirer par l'écho d'un concert en plein air à proximité ; alors les agents se mettaient à courir derrière moi en murmurant « Renegade en mouvement » dans le petit micro fixé à leur poignet.

« L'ours est dans la nature ! » s'écriaient Reggie et Marvin, hilares, quand ce genre d'épisode se produisait.

À l'hiver 2008, je ne m'aventurais presque plus dans ces escapades improvisées. Je savais que cette imprévisibilité rendait plus difficile le travail des agents chargés de ma sécurité et les exposait eux-mêmes à de plus grands risques. Et, de toute façon, les tacos n'étaient pas aussi bons que ce que je m'étais imaginé quand je les mangeais au milieu de tous ces gens sur le qui-vive, sans parler de la foule et des journalistes qui s'agglutinaient autour de moi dès l'instant où ils me reconnaissaient. Mes rares moments de répit, je les passais de plus en plus souvent dans ma chambre – à lire, à jouer aux cartes ou à regarder tranquillement un match de basket à la télé.

Au grand soulagement de ses gardiens, l'ours s'était habitué à vivre en captivité.

FIN FÉVRIER 2008, nous avions désormais pris une longueur d'avance sur Hillary en termes de nombre de délégués qui semblait impossible à rattraper. C'est vers cette période que Plouffe, toujours prudent dans sa façon de formuler les choses, m'a appelé un jour de Chicago pour m'annoncer ce que, d'une certaine manière, je savais déjà.

« Je crois qu'on peut dire sans trop s'avancer que, si nous jouons bien nos cartes dans les semaines qui viennent, tu vas être officiellement désigné candidat du Parti démocrate à la présidence des États-Unis. »

Après ce coup de téléphone, assis seul dans ma chambre, j'ai essayé de démêler mes émotions. Il y avait de la fierté, j'imagine, la décharge soudaine de satisfaction que doit ressentir un alpiniste en regardant derrière lui la pente abrupte et accidentée qu'il a réussi à gravir. Mais, surtout, j'éprouvais un grand calme, sans aucune trace d'exaltation ou de soulagement ; j'étais saisi par une certaine gravité en songeant que les responsabilités de la gouvernance n'étaient plus une lointaine possibilité. Axe, Plouffe et moi étions plus fréquemment en désaccord sur la direction à donner à la campagne ; j'insistais pour que chacune de nos propositions soit étudiée avec le plus grand scrupule afin d'être inattaquable – non pas tant parce qu'il me faudrait les défendre pendant la campagne nationale (mon expérience passée m'avait guéri de l'illusion que quiconque prêtait la moindre attention à mes projets de réforme fiscale ou de régulation environnementale), mais parce qu'il était possible que je me retrouve en position de devoir réellement les mettre en œuvre.

Ce genre de projections auraient occupé une plus grande partie de mon temps et de mes réflexions si seulement, en dépit des chiffres qui m'annonçaient vainqueur, Hillary n'avait pas continué à s'accrocher.

N'importe quel autre adversaire aurait déjà jeté l'éponge. Ses caisses étaient presque vides. Sa campagne était dans la tourmente, certains membres de son équipe ayant exprimé des récriminations qui avaient fuité dans la presse. Sa seule et dernière chance de décrocher la nomination était de réussir à convaincre les super-délégués – les centaines d'élus démocrates et de caciques du parti qui disposaient d'une voix à la convention et pouvaient l'attribuer à qui bon leur semblait – de porter leur choix sur elle le jour du grand rassemblement au mois d'août. C'était un bien mince espoir : si Hillary, au début de la campagne, avait eu les faveurs d'une grande majorité de super-délégués (lesquels annonçaient en général longtemps avant la convention qui était leur poulain), ils étaient de plus en plus nombreux à avoir rejoint notre camp au fil d'une saison de primaires qui n'en finissait pas de s'éterniser.

Et pourtant, elle ne déposait pas les armes, jouant à plein son nouveau rôle d'outsider. Sa voix prenait des accents plus intenses, surtout quand elle abordait les difficultés de la vie dans les classes populaires ; elle manifestait sa volonté de continuer à faire campagne jusqu'à la dernière seconde, preuve qu'elle saurait défendre les familles américaines avec la même combativité. Alors que se profilaient les primaires du Texas et de l'Ohio (deux États dont les électeurs, en majorité plus âgés, blancs ou d'origine hispanique, tendaient à pencher en sa faveur), suivies sept semaines plus tard par la Pennsylvanie (où elle bénéficiait déjà d'une avance confortable), Hillary répétait à qui voulait l'entendre qu'elle avait la ferme intention de continuer à se battre jusque dans la fosse de l'arène le soir de la convention.

« Comme un putain de vampire, râlait Plouffe. On n'en vient jamais à bout. »

Sa ténacité était admirable, mais la compassion ne m'étouffait pas non plus. Le sénateur John McCain n'allait pas tarder à être adoubé candidat officiel du Parti républicain, et deux ou trois mois supplémentaires de primaires démocrates âprement disputées reviendraient à lui donner une bonne longueur d'avance pour préparer le terrain en vue de l'élection générale du mois de novembre. Cela voudrait dire aussi que, après bientôt dix-huit mois de campagne non-stop, personne au sein de mon équipe n'aurait un vrai moment de répit, ce qui était d'autant plus regrettable que nous étions déjà tous sur les rotules.

Tout cela explique sans doute que nous ayons alors commis la plus grave erreur stratégique de notre campagne.

Au lieu de nous fixer des objectifs réalistes et de renoncer à l'Ohio pour nous concentrer sur le Texas, nous avons cherché la victoire par K.-O. en tentant de remporter ces deux États. Dans l'un comme dans l'autre, nous avons engagé d'énormes dépenses. J'ai passé une semaine entière à faire la navette entre Dallas et Cleveland, entre Houston et Toledo, la voix éraillée, les yeux rougis de fatigue – le champion de l'espoir avait bien mauvaise mine.

Si nos efforts n'ont eu que peu d'incidence sur le scrutin, ils ont accrédité en revanche la théorie avancée par l'équipe Clinton selon laquelle un doublé de Hillary au Texas et dans l'Ohio pourrait fondamentalement changer la donne et remettre les compteurs à zéro. La presse politique, de son côté, voyant dans ces deux primaires sans doute mon dernier test avant la nomination, et désireuse de prolonger un suspense qui s'était révélé une manne pour les audiences des chaînes d'information, s'est de plus en plus focalisée sur les attaques de Hillary, notamment un spot télé dans lequel elle affirmait que je n'étais pas prêt à gérer le « coup de fil à 3 heures du matin » annonçant une situation de crise. Au bout du compte, nous avons perdu et l'Ohio (dans les grandes largeurs) et le Texas (de peu).

Dans l'avion qui me ramenait de San Antonio à Chicago après la primaire du Texas, l'humeur de mon équipe était en berne. Michelle n'a pratiquement pas desserré les lèvres de toute la durée du vol. Quand

Plouffe a tenté d'égayer l'ambiance en annonçant que nous avions remporté le Vermont, il n'a eu droit pour toute réaction qu'à de vagues haussements d'épaules. Quand quelqu'un d'autre a formulé l'hypothèse que nous étions tous morts et que nous nous trouvions désormais au purgatoire, condamnés à débattre avec Hillary pour l'éternité, personne n'a ri. C'était trop proche de la réalité.

Les victoires de Hillary n'ont pas changé grand-chose à la répartition du nombre de délégués, mais elles ont suffisamment remis à flot sa campagne pour garantir deux mois supplémentaires de primaires acharnées. Ces résultats ont en outre fourni à son camp de nouvelles munitions pour défendre un argument qui semblait de plus en plus susciter l'adhésion dans les médias – à savoir que j'étais incapable de m'adresser aux classes populaires, que les Latinos étaient, au mieux, mitigés à mon égard, et que de telles faiblesses, dans une élection de cette importance, risquaient de faire de moi un candidat démocrate particulièrement fragile.

Une semaine plus tard, j'en étais à me demander si tous ces gens n'avaient pas raison.

CELA FAISAIT PLUS D'UN AN que je n'avais pas beaucoup pensé à mon pasteur, le révérend Jeremiah Wright. Mais, à notre réveil le matin du 13 mars, nous avons découvert sur ABC News une compilation de plusieurs extraits des sermons qu'il avait prononcés au fil des années, habilement montés en une séquence de deux minutes dans la matinale de la chaîne, « Good Morning America ». On y voyait le révérend Wright appeler l'Amérique « les USA du Ku Klux Klan ». On y voyait le révérend Wright vitupérer : « Non pas Dieu *bénisse* l'Amérique. Dieu *maudisse* l'Amérique. » On y voyait le révérend Wright déclarer, face caméra, que la tragédie du 11 Septembre s'expliquait en partie par nos multiples interventions militaires et la violence injustifiée que nous avions répandue à l'étranger, et que « l'Amérique n'avait que ce qu'elle méritait ». Ces images n'étaient à aucun moment replacées dans leur contexte, historique ou autre ; on n'aurait pas pu imaginer portrait plus saisissant du radicalisme noir, ni concevoir message plus efficace pour offenser l'Amérique moyenne. On aurait dit un cauchemar tout droit sorti de l'esprit fiévreux du PDG de Fox News, Roger Ailes.

Quelques heures après sa diffusion, la vidéo occupait tous les écrans du pays. Dans mon équipe de campagne, on avait l'impression qu'une torpille venait de percuter la coque de notre navire. J'ai diffusé un communiqué dénonçant vigoureusement les opinions exprimées par le révérend sur ces images, tout en rappelant le bien qu'il avait fait à Chicago dans son église de Trinity. Le lendemain, lors d'une rencontre prévue de longue date avec les rédactions de deux journaux, puis dans quelques interviews télé, j'ai de nouveau condamné les propos du révérend Wright. Mais aucune intervention de ma part ne pouvait éteindre l'incendie. Les images du révérend tournaient en boucle sur tous les écrans, les commentaires des journalistes s'enchaînaient non-stop, et même Plouffe a reconnu que cette péripétie risquait de nous être fatale.

Par la suite, Axe et Plouffe se reprocheraient de ne pas avoir demandé à nos équipes de recherches d'obtenir ces images un an plus tôt, après la publication de l'article de *Rolling Stone*, ce qui nous aurait donné plus de temps pour nous préparer et limiter les dégâts. Mais je savais que le vrai responsable de cette Bérézina, c'était moi. Je n'avais assisté à aucun des sermons en question, et je n'avais jamais entendu le révérend Wright employer un langage aussi outrancier. Soit. Mais je ne connaissais que trop bien ces sursauts de colère qui éclataient de manière sporadique au sein de la communauté noire – ma communauté – et dont il se faisait le porte-voix. Je savais pertinemment que les Noirs et les Blancs avaient, aujourd'hui encore, une vision très différente des questions raciales en Amérique, quoi qu'ils aient en commun par ailleurs. Si j'avais pu me croire capable de réconcilier ces deux univers, c'était par pur orgueil, le même orgueil démesuré qui m'avait conduit à penser que je pouvais fréquenter à ma guise une institution aussi complexe que Trinity, dirigée par un homme aussi complexe que le révérend Wright, et n'en sélectionner, comme sur un menu, que les aspects qui me plaisaient. Peut-être était-ce possible en tant que citoyen privé, mais pas en tant que personnalité publique et candidat à la présidence.

Quoi qu'il en soit, le mal était fait. Et s'il y a des moments en politique, comme dans la vie, où mieux vaut rester à couvert, sinon battre en retraite, parfois la seule solution est de s'armer de courage et de jouer son va-tout.

« Il faut que je fasse un discours, ai-je dit à Plouffe. Sur la question raciale. La seule façon de gérer cette situation est d'y aller plein pot et de replacer le révérend Wright dans un contexte. Et il faut que je le fasse maintenant, dans les jours qui viennent. »

L'équipe était sceptique. Le planning des trois jours suivants était déjà chargé et ne nous laissait pas vraiment le temps de préparer le discours qui aurait pu se révéler le plus décisif de la campagne. Mais nous n'avions pas le choix. Un samedi soir, après une journée de tournée électorale dans l'Indiana, je suis rentré chez moi à Chicago et j'ai passé une heure au téléphone avec Favs à lui dicter l'argumentaire que j'avais en tête. Je voulais expliquer que le révérend Wright et l'église de Trinity étaient représentatifs de l'héritage racial de l'Amérique, que les institutions et les individus qui incarnaient les valeurs de la foi et du travail, de la famille et de la communauté, de l'éducation et de la mobilité sociale, pouvaient être encore animés d'un ressentiment – et d'un sentiment de trahison – à l'égard d'un pays qu'ils aimaient.

Mais il fallait que j'aille plus loin. Il fallait que j'adopte aussi le point de vue opposé, que j'explique pourquoi l'Amérique blanche pouvait se braquer, voire éprouver de la colère, face aux accusations d'injustice émanant de la communauté noire – pourquoi les Blancs pouvaient se sentir offusqués à l'idée qu'on les soupçonne systématiquement d'être racistes, ou que leurs propres craintes et leurs propres difficultés quotidiennes ne fassent pas l'objet de la même considération.

À moins que chacun ne prenne en compte la réalité de l'autre, voulais-je dire, nous n'arriverions jamais à résoudre les problèmes auxquels les États-Unis faisaient face. Et, pour illustrer ce qu'une telle prise en compte signifiait, je voulais inclure une anecdote que j'avais racontée dans mon premier livre, mais que je n'avais jamais évoquée dans un discours politique : la peine et le désarroi qui m'avaient saisi un jour, lorsque j'étais adolescent, quand j'avais vu Toot prendre peur face à un mendiant devant un arrêt de bus – pas seulement parce qu'il était agressif, mais parce qu'il était noir. Mon amour pour elle n'en avait pas été amoindri pour autant, car ma grand-mère faisait partie de moi, de même que le révérend Wright, de façon plus indirecte, faisait partie de moi.

De même qu'ils faisaient tous deux partie de la famille américaine.

Après ma conversation avec Favs, j'ai repensé à la seule et unique fois où Toot et le révérend Wright s'étaient rencontrés. C'était à mon mariage. Le révérend avait serré ma mère et ma grand-mère dans ses bras, et il leur avait dit qu'elles avaient élevé un garçon formidable, dont elles pouvaient être très fières. Toot avait souri comme je l'avais rarement vue sourire, et glissé à l'oreille de ma mère que ce pasteur avait l'air tout à fait charmant – même si elle ne s'est pas sentie très à l'aise, un peu plus tard, quand le révérend Wright, au cours de la cérémonie, s'est mis à parler du devoir conjugal des jeunes mariés en des termes bien plus explicites que tout ce qu'elle avait jamais pu entendre dans l'église méthodiste de son enfance.

Favs a écrit le premier jet, puis j'ai passé les deux soirées suivantes, jusque tard dans la nuit, à corriger et à reformuler mon discours. Je l'ai terminé à 3 heures du matin, le jour où je devais le prononcer.

Dans les coulisses du National Constitution Center à Philadelphie, Marty, Valerie et Eric Whitaker, ainsi que Plouffe, Axe et Gibbs, sont venus nous voir, Michelle et moi, pour me souhaiter bonne chance.

« Comment tu te sens ? m'a demandé Marty.

– Bien, ai-je répondu, et c'était vrai. Je crois que si ça marche, on va s'en sortir. Si ça ne marche pas, on risque de perdre. Mais, quoi qu'il advienne, j'aurai dit ce que je pense. »

Et ça a marché. Le discours a été retransmis en direct et, dans les vingt-quatre heures, plus d'un million de personnes l'avaient vu sur Internet – un record à l'époque. Les réactions ont été fortes du côté des experts politiques et des éditorialistes dans tout le pays, et celles des spectateurs présents dans la salle – dont Marty, qu'une photo montre bouleversé, une grosse larme roulant sur sa joue – semblaient indiquer que j'avais touché une corde sensible.

Mais le commentaire qui comptait le plus, c'est celui que j'ai entendu ce soir-là quand j'ai appelé ma grand-mère à Hawaï.

« C'était un très beau discours, Bar, m'a-t-elle dit. Je sais que ce n'était pas facile.

– Merci, Toot.

– Tu sais que je suis fière de toi, n'est-ce pas ?

– Je sais », ai-je répondu. Et ce n'est qu'après avoir raccroché que je me suis autorisé à pleurer.

Ce discours a permis de stopper l'hémorragie, mais l'affaire Wright avait causé des dégâts, notamment en Pennsylvanie, où les électeurs démocrates étaient plus âgés en moyenne, et plus conservateurs. Si nous avons évité la chute libre, c'est grâce au travail acharné des bénévoles, à l'afflux des contributions de petits donateurs qui nous ont aidés à acheter du temps d'antenne pendant quatre semaines, et à certains élus de poids qui se sont engagés à me soutenir auprès de leur base électorale blanche et populaire. Au premier rang de ces derniers, le sympathique Bob Casey, fils irlando-catholique de l'ancien gouverneur de Pennsylvanie et ancien collègue du Sénat. Il n'avait pas grand-chose à gagner dans l'affaire – Hillary bénéficiait de larges soutiens et allait selon toute probabilité remporter cet État – et il n'avait pas encore pris parti au moment de la diffusion de la vidéo du révérend Wright. Pourtant, quand j'ai appelé Bob avant mon discours pour lui proposer de le libérer de l'engagement qu'il avait pris en ma faveur, au regard du changement de circonstances, il a tenu à maintenir son soutien.

« Cette histoire avec Wright n'est pas très heureuse, m'a-t-il dit, avec un sens magistral de l'euphémisme. Mais je continue de penser que tu es celui qu'il nous faut. »

Bob a tenu parole et m'a soutenu avec élégance et courage, passant une semaine à faire campagne à mes côtés, d'un bout à l'autre de la Pennsylvanie. Petit à petit, nous avons commencé à remonter dans les sondages. Même si nous savions qu'une victoire était inenvisageable, nous nous disions que nous pouvions encore réduire l'écart pour ne perdre que de trois ou quatre points.

C'est alors, pile au mauvais moment, que j'ai commis ma plus grosse bourde de la campagne.

Nous nous étions envolés pour San Francisco afin de participer à une collecte de fonds à laquelle assisteraient de riches donateurs, le genre de soirée que je redoute en général, organisée dans une demeure majestueuse avec tapis rouge et *photo call*, hors-d'œuvre aux champignons shiitaké et invités fortunés, des gens absolument formidables et généreux pour la plupart quand on les rencontrait seul à seul, mais qui, collectivement, correspondaient à tous les stéréotypes de la gauche californienne, celle qui boit du *latte* et roule en Prius. La soirée approchait de son terme lorsque quelqu'un, durant l'inévitable séquence des questions du public, m'a demandé de lui expliquer pourquoi, à mon avis, tant d'électeurs des classes populaires en Pennsylvanie continuaient de voter contre leurs propres intérêts et à élire des républicains.

On m'avait déjà posé mille fois cette question, sous une forme ou une autre. En règle générale, je n'avais aucun mal à répondre, à évoquer les divers motifs – une inquiétude liée aux problèmes économiques, une frustration à l'égard d'un gouvernement fédéral qui paraissait indifférent, et des divergences de vue légitimes sur certaines questions sociales telles que l'avortement – qui poussaient les électeurs à voter républicain. Mais ce soir-là, soit à cause de ma fatigue intellectuelle et physique, soit à cause d'un simple mouvement d'impatience, ce n'est pas exactement comme ça que j'ai répondu.

« Vous allez dans certaines de ces petites villes en Pennsylvanie, ai-je dit, et, comme dans beaucoup de petites villes du Midwest, les emplois ont disparu depuis vingt-cinq ans et rien n'est venu les remplacer. Elles sont restées sur le carreau sous l'administration Clinton et sous l'administration Bush, et chaque gouvernement successif déclarait que d'une manière ou d'une autre ces communautés allaient se régénérer, mais ça n'a pas été le cas. »

Jusque-là, tout allait bien. Sauf que j'ai alors ajouté : « Donc il n'y a rien d'étonnant à ce que ces gens soient aigris, à ce qu'ils se raccrochent aux armes ou à la religion, ou à un sentiment d'hostilité envers tous ceux qui ne sont pas comme eux, ou envers les immigrés, ou envers le libéralisme économique, pour expliquer leur frustration. »

Si je suis capable de reproduire ici cette citation mot pour mot, c'est parce qu'il y avait dans la salle ce soir-là une journaliste indépendante qui m'enregistrait. À ses yeux, ma réponse risquait de renforcer les stéréotypes négatifs déjà répandus en Californie sur les électeurs blancs des classes populaires, et méritait à ce titre de faire l'objet d'un article sur le site du *Huffington Post*. (Une décision que je respecte, soit dit en passant, même si je regrette qu'elle ne m'ait pas consulté avant d'écrire cet article. C'est ce qui différencie les journalistes même les plus à gauche de leurs homologues conservateurs – leur inclination à fustiger les personnalités politiques de leur propre camp.)

Aujourd'hui encore, j'aimerais pouvoir retirer ce que j'ai dit ce soir-là et y apporter quelques corrections. « Donc il n'y a rien d'étonnant à ce que ces gens soient frustrés, dirais-je dans ma version révisée, et qu'ils s'en remettent aux traditions et au mode de vie qui ont été des constantes de leur existence, qu'il s'agisse de leur foi, ou de la chasse, ou du travail, ou d'une conception plus traditionnelle de la famille et de la communauté. Et quand les républicains leur disent que nous autres démocrates méprisons tout cela – ou quand nous leur donnons nous-mêmes des raisons de croire que c'est effectivement le cas –, alors même les plus louables mesures politiques du monde n'entrent plus en ligne de compte pour eux. »

Voilà ce que je pensais vraiment. Voilà la raison pour laquelle j'avais obtenu des voix dans l'électorat blanc et rural de l'Illinois et de l'Iowa – parce que, même si nous n'étions pas d'accord sur des sujets comme l'avortement ou l'immigration, ces gens percevaient que j'avais pour eux un profond respect et que je me souciais de leur sort. À bien des égards, je me sentais plus proche d'eux que des gens à qui je m'adressais ce soir-là à San Francisco.

Je regrette encore à ce jour de m'être si mal exprimé sur le moment. Non pas parce que cette déclaration nous a exposés à une nouvelle déferlante de critiques assassines de la part de la presse et de la campagne Clinton – même si ce n'était de fait pas très plaisant –, mais parce qu'elle m'a poursuivie pendant longtemps. Les termes « aigri » et « se raccrocher aux armes et à la religion » se sont durablement ancrés dans les mémoires, comme le refrain d'une chanson pop, et allaient m'être resservis périodiquement tout au long de ma présidence comme pièce à conviction prouvant que j'étais incapable de comprendre ou de toucher les classes populaires blanches, quand bien même toutes mes prises de position et les mesures politiques que je défendais indiquaient le contraire.

J'exagère peut-être les conséquences de cette soirée. Peut-être que les choses se seraient déroulées de la même façon quoi que je dise et que ce qui me tourmente en réalité, c'est tout simplement que j'ai commis un impair et que je n'aime pas me faire mal comprendre. Peut-être aussi suis-je agacé par l'excès de soin et de précaution avec lequel il faut formuler ce qui est pourtant l'évidence, à savoir qu'il est possible de comprendre les frustrations des électeurs blancs, et de compatir avec eux, sans pour autant fermer les yeux sur le fait que les hommes politiques, tout au long de l'histoire américaine, n'ont pas eu le moindre scrupule à rediriger cette frustration engendrée par des problèmes économiques ou sociaux contre les Noirs et les autres minorités ethniques.

Une chose est sûre. Les retombées de ma bourde ont en elles-mêmes fourni à celui qui m'avait interrogé ce soir-là à San Francisco une bien meilleure réponse que tout ce que j'aurais pu dire.

Nous avons fini la campagne en Pennsylvanie à moitié exsangues. Il y a eu le dernier débat à Philadelphie, une soirée particulièrement dure où il n'a presque été question que de pin's, de Wright et d'« aigreur ». Dans tous ses déplacements, une Hillary requinquée faisait soudain grand cas du droit au port d'armes – je lui avais trouvé un nouveau surnom : Annie Oakley, en hommage à la gâchette légendaire du Far West. Nous avons perdu avec 9 points d'écart.

Comme cela avait été le cas pour les primaires de l'Ohio et du Texas, les résultats en Pennsylvanie n'ont eu que peu d'impact sur notre avance en termes de nombre de délégués. Mais il était indéniable que nous avions pris un coup sévère. Dans le landerneau politique, il se disait que, si les résultats des deux prochaines primaires importantes (l'Indiana, où Hillary partait grande gagnante, et la Caroline du Nord, où nous étions largement favoris) confirmaient une érosion de nos soutiens, alors les super-délégués pourraient bien commencer à s'affoler, auquel cas Hillary aurait des chances réalistes d'arracher *in extremis* la nomination le jour de la convention.

Cette hypothèse a pris une soudaine ampleur quelques jours plus tard, quand Jeremiah Wright a décidé d'enchaîner les interventions publiques.

Je ne lui avais parlé qu'une seule fois depuis l'affaire de la vidéo, pour lui dire que je désapprouvais catégoriquement ses déclarations, mais aussi pour lui signifier que je souhaitais le protéger, lui et son église, contre toute retombée supplémentaire. Je ne me souviens pas de cette conversation en détail ; je me rappelle simplement qu'elle avait été brève et pénible, et que ses questions trahissaient une grande vexation. Y avait-il un seul de ces soi-disant journalistes qui ait pris la peine d'écouter ses sermons jusqu'au bout ? m'avait-il demandé. Comment osaient-ils résumer en deux minutes et de manière aussi biaisée une vie entière de travail ? En écoutant cet homme fier se défendre, je ne pouvais qu'imaginer son désarroi. Lui qui avait été l'un des orateurs les plus courtisés dans les universités et les séminaires les plus prestigieux d'Amérique, lui qui avait été un pilier de sa communauté, une sommité non seulement dans les églises noires mais dans de nombreuses églises blanches également – le voilà qui était soudain devenu, pour ainsi dire du jour au lendemain, un objet de crainte et de raillerie dans toute la nation.

J'éprouvais un remords sincère, conscient que tout cela était dû à ses liens avec moi. Le révérend Wright était la victime collatérale d'un combat auquel il n'avait pas choisi de prendre part. Et cependant je n'avais aucun moyen d'apaiser sa peine, et lorsque je lui ai suggéré, de manière pragmatique – même si cela allait aussi, de toute évidence, dans le sens de mes propres intérêts –, qu'il garde profil bas pendant un moment, le temps que la tempête se calme, je sais qu'il l'a interprété comme un nouvel affront.

Lorsque nous avons appris que le révérend allait accorder une interview dans l'émission de Bill Moyers, puis prononcer un discours à un dîner de la NAACP à Detroit, suivi d'une nouvelle intervention devant le National Press Club à Washington, le tout à quelques jours des primaires de l'Indiana et de la Caroline du Nord au début du mois de mai, je m'attendais au pire. Mais le révérend a fait preuve d'une grande sobriété lors des deux premières de ces apparitions, montrant le visage d'un théologien et d'un prédicateur plutôt que celui d'un provocateur.

Puis, au National Press Club, le barrage a cédé. Bombardé de questions et exaspéré par les journalistes qui refusaient d'écouter ses réponses, le révérend Wright s'est lancé dans une tirade d'anthologie, gesticulant comme s'il se trouvait dans un festival religieux en plein air, les yeux luisant d'une fureur vengeresse. Il a déclaré que l'Amérique était foncièrement raciste. Il a laissé entendre que le gouvernement américain était responsable de l'épidémie du SIDA. Il a encensé le leader de la Nation de l'islam, Louis Farrakhan. Les attaques dont il avait été victime étaient motivées par le racisme pur et simple, et si j'avais dénoncé ses déclarations, c'était uniquement parce que « c'est ce que font tous les politiciens » pour se faire élire.

Autrement dit, comme le résumerait Marty par la suite, « il leur est tombé dessus en jouant à fond la carte ghetto ».

Je n'avais pas vu le direct, mais quand j'ai visionné l'enregistrement, j'ai tout de suite su ce que je devais faire. Le lendemain après-midi, assis sur un banc dans le vestiaire d'un gymnase de lycée à Winston-Salem, en Caroline du Nord, en compagnie de Gibbs, les yeux fixés sur le mur peint en vert industriel, dans les effluves rances des tenues de football américain, je m'apprêtais à tenir une conférence de presse dans laquelle j'allais rompre définitivement les ponts avec quelqu'un qui avait joué un rôle certes modeste, mais déterminant, dans l'éducation de l'homme que j'étais devenu ; quelqu'un dont les mots m'avaient soufflé le slogan du discours qui m'avait révélé sur la scène politique nationale ; quelqu'un qui, en dépit de l'aveuglement inexcusable dont il faisait preuve aujourd'hui, ne m'avait jamais témoigné que sa bonté et son soutien.

« Ça va ? m'a demandé Gibbs.

– Ça va.

– Je sais que ça ne doit pas être facile. »

J'ai hoché la tête, touché par la sollicitude de Gibbs. D'habitude, quand nous étions ensemble, nous ne parlions jamais ouvertement de la pression que nous ressentions ; Gibbs était un guerrier d'abord et avant tout, doublé d'un boute-en-train, et, sur la route, nous passions en général notre temps à nous charrier gentiment et à faire des blagues salaces. Mais Gibbs, peut-être parce qu'il avait grandi dans l'Alabama, comprenait mieux que personne les complexités des questions liées à l'origine ethnique, à la religion et à la famille, et il savait à quel point le bien et le mal, l'amour et la haine, pouvaient se trouver désespérément enchevêtrés dans un seul et même cœur.

« Tu sais, je ne suis pas sûr que Hillary ait tort, lui ai-je dit.

– À propos de quoi ?

– À propos de moi, du gâchis que je risque de provoquer. Je pense à ça parfois, au fait que ce n'est pas mon ambition personnelle qui est en jeu. Ce qui est en jeu, c'est l'avenir du pays. Si le peuple américain n'arrive pas à passer outre cette affaire Wright, et que je parviens à décrocher la nomination, tout ça pour me faire étriller à l'élection générale au bout du compte, à quoi ça aura servi ? »

Gibbs a posé une main sur mon épaule. « Tu ne vas pas te faire étriller, a-t-il dit. Les gens cherchent quelque chose de vrai, et ils l'ont vu en toi. Mettons toutes ces conneries derrière nous une bonne fois pour toutes, histoire de pouvoir se remettre au boulot et leur rappeler à tous pourquoi tu devrais être président. »

Ma brève déclaration, dans laquelle je dénonçais sans équivoque le révérend Wright et me désolidarisais de lui, a rempli son office. Si elle n'a pas entièrement levé les inquiétudes des électeurs, elle a au moins convaincu les journalistes que je n'avais plus rien à ajouter sur le sujet. De retour sur le terrain de la campagne, nous avons pu de nouveau concentrer notre attention sur la protection sociale, l'emploi, la guerre en Irak, sans trop savoir cependant comment les choses allaient tourner.

Puis nous avons reçu un coup de pouce inattendu.

Tout au long du printemps 2008, le prix des carburants s'était envolé, notamment à cause de divers problèmes d'approvisionnement. Rien ne mettait les électeurs d'aussi mauvaise humeur que la flambée du prix de l'essence et, pressé de se débarrasser de ce problème, John McCain avait proposé une suspension temporaire de la taxe fédérale sur les carburants. Hillary s'est tout de suite ralliée à cette idée, et l'équipe m'a demandé ce que je voulais faire.

Je leur ai dit que j'étais contre. Si une telle proposition était séduisante sur le papier, je savais qu'elle aurait pour conséquence de vider les caisses déjà bien entamées du fonds de gestion fédéral des autoroutes, ce qui entraînerait une diminution des projets de construction d'infrastructure et de l'emploi dans ce secteur. Ayant voté pour un projet similaire à l'époque où je siégeais au sénat de l'Illinois, je savais d'expérience que les consommateurs n'en tireraient pas grand bénéfice. Les propriétaires de stations-service étaient même susceptibles au contraire de maintenir des prix élevés à la pompe et d'accroître ainsi leur marge de profit, dans la mesure où ils étaient censés reporter l'économie réalisée (environ un centime par litre) directement sur les automobilistes.

Je ne m'y attendais pas vraiment, mais Plouffe et Axe étaient d'accord. Axe a même suggéré que nous exprimions haut et fort notre opposition à cette idée : ce serait une preuve supplémentaire de ma franchise envers les électeurs. Le lendemain, debout devant une station-service, j'ai expliqué mon raisonnement à un petit groupe de journalistes et défendu la mise en œuvre d'une politique énergétique sérieuse à long terme, par opposition à la solution démagogique typique de Washington que proposaient McCain et Hillary. Ce n'était qu'une posture politique, ai-je ajouté, destinée à donner l'impression qu'on agissait de manière concrète sans vraiment résoudre le problème. Puis, quand Hillary et McCain ont tous deux essayé de me faire passer pour quelqu'un qui était déconnecté des réalités et qui n'avait aucune idée de ce que quelques centaines de dollars représentaient pour les familles des classes populaires américaines, nous avons doublé la mise, en tournant un spot télé sur la question que nous avons diffusé non-stop sur toutes les chaînes de l'Indiana et de la Caroline du Nord.

C'est l'un des moments dont nous avons été le plus fiers : nous avons fermement pris position sans nous appuyer sur des sondages et face à des experts politiques qui pensaient que nous avions perdu la tête. Nous avons bientôt constaté dans les sondages que les électeurs paraissaient sensibles à notre argument, même si plus aucun d'entre nous à ce stade – même Plouffe – ne se fiait aux chiffres. Tel un patient qui attend les résultats d'une biopsie, nous étions dans l'incertitude, et la possibilité que notre stratégie se retourne contre nous pesait sur la campagne.

La veille des primaires, nous avons tenu un meeting en soirée, où Stevie Wonder est venu jouer quelques chansons. Après mon discours, Valerie, Marty, Eric et moi sommes allés nous installer dans une petite pièce à l'écart pour écouter tranquillement le concert devant une bière et une assiette de poulet froid.

Nous étions d'humeur songeuse ; nous repensions aux joies de l'Iowa, à la déception cruelle du New Hampshire, aux bénévoles que nous avions rencontrés et aux nouveaux amis que nous nous étions faits. À un moment, quelqu'un a fini par évoquer l'intervention du révérend Wright au National Press Club, et Marty et Eric ont commencé à en imiter à tour de rôle certains des passages les plus incendiaires. Peut-être était-ce le signe que nous étions épuisés, ou inquiets à la veille du scrutin, ou peut-être était-ce simplement que nous étions soudain conscients de l'absurdité de la situation – quatre vieux amis, quatre Afro-Américains du South Side de Chicago, en train de manger du poulet et d'écouter Stevie Wonder en attendant de savoir si l'un d'eux allait devenir le candidat du Parti démocrate à la présidence des États-Unis –, toujours est-il que nous nous sommes mis à rire sans pouvoir nous arrêter, le genre de fou rire à vous tirer des larmes et à vous faire tomber de votre chaise, et qu'un rien sépare du désespoir.

Puis Axe est entré dans la pièce, l'air plus abattu que jamais.

« Qu'est-ce qui se passe ? » lui ai-je demandé, toujours hilare et essayant de reprendre ma respiration.

Axe a secoué la tête. « Je viens de voir les chiffres d'hier… On a 12 points de retard dans l'Indiana. Je crois qu'on ne va pas y arriver. »

Pendant quelques secondes, tout le monde s'est tu. Puis j'ai dit : « Axe, je t'adore, mais tu es vraiment le roi pour plomber l'ambiance. Alors prends-toi une bière et viens t'asseoir avec nous, ou bien fous-moi le camp. »

Axe a haussé les épaules et tourné les talons, emportant ses inquiétudes avec lui. J'ai regardé mes amis et j'ai levé ma bouteille pour porter un toast.

« À l'audace d'espérer ! » Nous avons trinqué ensemble, et le fou rire nous a repris.

Vingt-quatre heures plus tard, dans une chambre d'hôtel de Raleigh, Gibbs m'a lu les résultats du scrutin. Nous avions gagné en Caroline du Nord avec 14 points d'avance. Plus surprenant, nous n'avions perdu dans l'Indiana que de quelques milliers de voix, ce qui revenait à dire que nous avions arraché le match nul. Il restait six États à se disputer avant la fin officielle de la saison des primaires démocrates, et il se passerait encore quelques semaines avant que Hillary, de manière tardive mais avec élégance, concède sa défaite et déclare son soutien officiel à ma candidature. Les résultats de la soirée ne laissaient cependant plus guère de doutes : la course était terminée.

J'allais devenir le candidat du Parti démocrate à la présidence des États-Unis.

J'ai tout de suite orienté mon discours ce soir-là vers l'élection générale, conscient qu'il n'y avait pas une minute à perdre : j'avais la certitude, ai-je dit au public, que les démocrates sauraient se rassembler pour empêcher John McCain de reprendre le flambeau de la politique de George W. Bush. Axe et moi avons commencé à évoquer des colistiers potentiels, puis j'ai appelé Toot pour lui annoncer la nouvelle. (« C'est vraiment quelque chose, Bar », a-t-elle dit.) Il était minuit passé quand j'ai appelé Plouffe à notre QG de Chicago, et nous avons discuté des dispositions à prendre en vue de nous préparer à la convention qui se tiendrait dans moins de trois mois.

Plus tard, allongé dans mon lit, incapable de fermer l'œil, j'ai pensé à Michelle, qui avait supporté mes longues absences, tenu seule sur le front domestique et surmonté ses réticences à l'égard de la politique pour faire campagne à mes côtés de manière aussi efficace qu'intrépide. J'ai pensé à mes filles, toujours aussi joyeuses, câlines et enthousiastes, même quand je ne les voyais pas pendant une semaine entière. J'ai pensé à l'habileté et à la détermination d'Axe et de Plouffe ainsi que de tous les autres membres de mon staff rapproché, au travail colossal qu'ils avaient accompli sans jamais laisser penser que c'était l'argent ou le pouvoir qui les motivait, à la loyauté dont ils avaient fait preuve, face à l'adversité constante, non seulement envers moi et entre eux, mais envers le projet d'une Amérique meilleure. J'ai pensé aux amis comme Valerie, Marty et Eric qui avaient partagé mes joies et allégé mes peines à chaque instant, sans jamais rien demander en retour. Et j'ai pensé à tous ces jeunes organisateurs et bénévoles sur le terrain qui avaient affronté les intempéries, le scepticisme des électeurs et les faux pas de leur candidat sans jamais flancher.

J'avais demandé aux Américains quelque chose de difficile – avoir foi en un jeune nouveau venu en politique qui n'avait pas encore fait ses preuves ; non seulement un homme noir, mais quelqu'un dont le nom lui-même laissait deviner un parcours qui ne leur semblait pas familier. Plus d'une fois, je leur avais donné des motifs de ne pas me soutenir. Il y avait eu des prestations inégales lors des débats, des prises de position qui s'éloignaient des conventions, des bourdes, et un pasteur qui avait invectivé les États-Unis d'Amérique. Et j'avais affronté une adversaire qui avait prouvé sa valeur et sa force de caractère.

Malgré tout, ils m'avaient donné une chance. Derrière le vacarme et le brouhaha du cirque politique, ils avaient entendu mon appel au changement. Même si je n'avais pas toujours livré le meilleur de moi-même, ils avaient deviné ce qu'il y avait de meilleur en moi : cette voix affirmant sans relâche que, en dépit de toutes nos différences, nous demeurions liés les uns aux autres et ne formions qu'un seul peuple, et que, ensemble, les hommes et les femmes de bonne volonté étaient capables de tracer le chemin d'un meilleur avenir.

Je me suis fait le serment de ne pas les décevoir.

CHAPITRE 8

AU DÉBUT DE L'ÉTÉ 2008, la première mission de notre campagne était de rassembler le Parti démocrate. Les primaires, longues et féroces, avaient laissé des rancœurs entre le staff de Hillary et le mien, et certains de ses plus ardents supporters menaçaient de retirer leur soutien si je ne la désignais pas comme colistière.

Mais, en dépit des spéculations dans la presse au sujet d'une rupture possiblement irréparable, nos premières retrouvailles après les primaires, début juin, au domicile de notre collègue du Sénat Dianne Feinstein, se sont déroulées dans une atmosphère courtoise et professionnelle, même si la tension était palpable. Dès le début, Hillary s'est crue obligée de se soulager de certains griefs, notamment à propos des attaques à ses yeux injustes portées par ma campagne à son encontre. En tant que vainqueur, je me sentais tenu de mon côté de garder pour moi mes reproches. Mais cette tension s'est vite dissipée. L'essentiel, a dit Hillary, c'est qu'elle voulait jouer collectif – pour le bien du Parti démocrate, et pour le bien du pays.

L'admiration sincère que je lui portais, et qu'elle voyait bien, a sans doute contribué à détendre la situation. Même si je finirais par décider que la choisir comme colistière posait trop de problèmes (sans parler de la perspective étrange de voir un ancien président rôder, désœuvré, dans les couloirs de l'aile ouest de la Maison-Blanche), je songeais déjà à un rôle différent pour elle dans l'administration Obama. Ce que Hillary, de son côté, éprouvait à mon égard, je ne saurais le dire. En tout cas, si elle doutait encore que je sois prêt, elle n'en a rien dit. De notre première apparition publique ensemble, quelques semaines plus tard, dans une petite ville du New Hampshire appelée Unity (un peu gros, mais efficace), jusqu'au tout dernier jour de la campagne, Hillary et Bill se sont pliés de bonne grâce à toutes nos demandes, avec énergie et avec le sourire.

Maintenant que Hillary nous avait rejoints à bord, l'équipe et moi nous sommes mis au travail pour définir une stratégie électorale plus large. Comme les primaires et les caucus, une élection présidentielle ressemble à une équation mathématique géante. Quelle combinaison d'États devez-vous remporter pour obtenir les 270 voix du collège électoral requises ? Depuis au moins vingt ans, la réponse des candidats désignés, dans l'un comme dans l'autre parti, était toujours la même : partant du principe que la grande majorité des États étaient soit républicains, soit démocrates, et qu'on ne pouvait rien y changer, il fallait investir tout son temps et tout son argent dans une poignée d'États clés qui décideraient de l'issue de la bataille, comme l'Ohio, la Floride, la Pennsylvanie et le Michigan.

Plouffe avait une autre idée. Les primaires interminables avaient eu au moins l'avantage de nous faire voyager dans tous les coins du pays. Nous avions envoyé au front et formé des bénévoles dans un certain nombre d'États ignorés en général par les démocrates. Pourquoi ne pas en profiter pour faire campagne sur des terres traditionnellement acquises aux républicains ? Plouffe avait regardé les chiffres et était convaincu que nous pouvions remporter des États comme le Colorado et le Nevada. En pariant sur une forte participation des électeurs issus des minorités et chez les jeunes, il pensait que nous avions même nos chances en Caroline du Nord, un État qui n'avait pas voté démocrate depuis Jimmy Carter en 1976, et en Virginie, que le dernier démocrate à avoir remportée était Lyndon Johnson en 1964. Élargir ainsi la carte électorale nous ouvrirait de multiples chemins vers la victoire, estimait Plouffe, et aiderait en outre les candidats démocrates se présentant aux élections secondaires qui se dérouleraient en même temps que la présidentielle. À tout le moins, cela obligerait John McCain et le Parti républicain à dépenser une partie de leurs ressources pour protéger ces bastions vulnérables.

De tous les républicains qui s'étaient disputé la nomination à la présidentielle, j'avais toujours pensé que John McCain était celui qui la méritait le plus. Je l'avais admiré de loin, avant d'arriver à Washington – non seulement pour ses années de service comme pilote dans la marine et pour le courage inimaginable dont il avait fait preuve pendant les cinq années et demie terribles qu'il avait dû endurer comme prisonnier de guerre, mais aussi pour la sensibilité anticonformiste et la volonté de bousculer l'orthodoxie républicaine sur des questions telles que l'immigration et le changement climatique dont il avait fait preuve durant sa campagne présidentielle en 2000. Même si nous n'avions jamais été proches au Sénat, je le trouvais souvent perspicace et plein d'autodérision, toujours prêt à dénoncer les postures et les hypocrisies des deux côtés de l'hémicycle.

McCain aimait bien être l'un des chouchous de la presse (« mes paroissiens », comme il l'avait dit lui-même un jour), ne ratant jamais une occasion d'aller sur le plateau des matinales du dimanche, et, parmi ses collègues, il avait la réputation méritée d'être un peu soupe au lait – prompt à s'emporter sur des désaccords insignifiants, son visage pâle devenant cramoisi et sa voix flûtée doublant de volume à la moindre contrariété. Mais ce n'était pas un idéologue. Il respectait non seulement les coutumes du Sénat, mais les institutions de notre gouvernement et de notre démocratie. Je n'ai jamais entendu s'exprimer chez lui le nativisme teinté de racisme qui contaminait régulièrement d'autres républicains, et plus d'une fois je l'avais vu faire preuve d'un authentique courage politique.

Un jour, alors que nous nous trouvions tous les deux dans la rotonde du Sénat en attendant une séance de vote, John m'avait confié qu'il y avait beaucoup de « mabouls » dans son propre parti qu'il ne pouvait pas souffrir. Je savais que ça faisait partie de son petit numéro – flatter les sensibilités des démocrates en privé tout en votant de manière à satisfaire sa base neuf fois sur dix. Mais le mépris qu'il avait pour la droite la plus radicale de son parti n'était pas du chiqué. Et dans le climat de plus en plus clivé de cette époque, l'équivalent politique d'une guerre sainte, les modestes hérésies de McCain, sa réticence à embrasser la foi véritable, lui coûtaient cher. Les « mabouls » de son parti se méfiaient de lui, considéraient qu'il n'avait de républicain que le nom (un « RINO » – *Republican in Name Only*), et il était régulièrement la cible des attaques de l'éditorialiste conservateur Rush Limbaugh et de sa clique.

Malheureusement pour McCain, c'étaient justement ces voix de la droite radicale qui mobilisaient le plus l'électorat de base du *« Grand Old Party »* (GOP) susceptible de se déplacer pour voter aux primaires, plutôt que les républicains modérés, soucieux avant tout de libéralisme économique et de sécurité nationale dont McCain avait les faveurs et avec lesquels il se sentait le plus à l'aise. Et à mesure que les primaires républicaines avançaient, et que McCain cherchait de plus en plus à s'attirer les faveurs de ces gens qu'il prétendait mépriser – il avait cessé de défendre une politique de rigueur budgétaire pour se faire l'avocat de réductions d'impôts encore plus grandes que celles de Bush contre lesquelles il avait voté naguère, et infléchi sa position sur la question du changement climatique afin de complaire aux intérêts du secteur des combustibles fossiles –, j'ai senti un changement s'opérer chez lui. Il avait l'air abattu, en proie au doute – le combattant autrefois si enjoué et irrévérencieux était en train de se transformer en politicien bougon adepte des petites manœuvres en vigueur à Washington, pieds et poings liés à un président en exercice dont la cote de popularité plafonnait aux alentours de 30 % et à une guerre décriée par une vaste majorité d'Américains.

Je n'étais pas sûr de pouvoir battre le John McCain de 2000. Mais je commençais à croire en mes chances de battre le John McCain de 2008.

CE QUI NE VOULAIT PAS DIRE pour autant que ce serait une promenade de santé. Face à un héros américain, l'élection ne se jouerait pas uniquement sur des sujets politiques. Je soupçonnais que l'enjeu principal serait sans doute de savoir si une majorité d'électeurs étaient disposés à confier à un jeune sénateur afro-américain inexpérimenté – qui n'avait jamais servi dans les rangs de l'armée ni même occupé le moindre poste de responsabilité gouvernementale – le rôle de commandant en chef de la nation.

Je savais que, si je voulais gagner la confiance des Américains sur ce terrain, il fallait que je sois en mesure de m'adresser à eux du point de vue le plus informé possible, surtout en ce qui concernait notre rôle en Irak et en Afghanistan. C'est pourquoi, quelques semaines à peine après avoir décroché la nomination, nous avons décidé d'organiser une tournée de neuf jours à l'étranger. Le planning envisagé était rude : en plus d'une brève étape au Koweït et trois jours auprès des troupes en Afghanistan et en Irak, je rencontrerais les dirigeants d'Israël et de la Jordanie, du Royaume-Uni et de la France, et enfin je prononcerais un grand discours de politique étrangère à Berlin. Si nous arrivions à faire de ce voyage un succès, non seulement nous dissiperions les doutes des électeurs quant à ma capacité à agir efficacement sur la scène interna-tionale, mais nous leur donnerions en outre un aperçu – à un moment où la tension au sein des alliances américaines sous l'administration

Bush suscitait de vives inquiétudes chez les électeurs – de ce à quoi pourrait ressembler une nouvelle ère du leadership américain.

Évidemment, comme il était certain que la presse politique suivrait mes moindres faits et gestes, il y avait de fortes probabilités pour que quelque chose aille de travers. Une seule petite bourde suffirait à accréditer l'idée que je n'étais pas prêt à assumer la charge suprême et pourrait faire vaciller notre campagne. Mais mon équipe était d'avis que le jeu en valait la chandelle.

« Marcher sur la corde raide sans filet, a dit Plouffe. Nous ne sommes jamais aussi bons que dans ces moments-là. »

Je lui ai tout de même fait remarquer que c'était moi qui allais me livrer à ce redoutable exercice, pas « nous ». Néanmoins, j'ai quitté Washington plein d'optimisme, impatient de voyager à l'étranger après avoir passé un an et demi le nez dans le guidon de la campagne.

Deux de mes collègues préférés m'accompagneraient en Afghanistan et en Irak, tous deux experts en politique étrangère : Chuck Hagel, le vice-président de la Commission des affaires étrangères du Sénat, et Jack Reed, qui siégeait à la Commission des forces armées. En termes de personnalité, on n'aurait pas pu imaginer deux hommes plus différents. Jack, démocrate progressiste du Rhode Island, était fluet, studieux et discret. Fier diplômé de l'académie militaire de West Point, il était l'un des rares sénateurs à avoir voté contre la guerre en Irak. Chuck, républicain conservateur du Nebraska, était large d'épaules, démonstratif et plein d'humour. Vétéran du Vietnam deux fois décoré de la médaille Purple Heart, il s'était prononcé, lui, en faveur de la guerre. Ce qu'ils avaient en commun, c'était une révérence indéfectible à l'égard de l'armée, et ils étaient l'un comme l'autre partisans d'un usage raisonné de la puissance américaine ; près de six ans après le début du conflit, leurs vues avaient convergé, et ils étaient devenus deux des voix les plus crédibles et incisives de l'opposition à la guerre. La présence à mes côtés de ces deux hommes appartenant à des camps politiques adverses permettait de faire pièce à tout soupçon éventuel quant aux visées électoralistes de ce voyage, et le fait que Chuck ait accepté non seulement de m'accompagner, mais de faire publiquement l'éloge de certains aspects de mon programme de politique étrangère, quatre mois à peine avant l'élection, était un geste audacieux et généreux.

Un samedi à la mi-juillet, nous avons atterri à Bagram, une base aérienne de 15 kilomètres carrés installée au nord de Kaboul, au pied des montagnes escarpées de l'Hindou Kouch. C'était la plus grande base militaire américaine en Afghanistan. Les nouvelles n'étaient pas bonnes : la violence sectaire dans laquelle avait sombré l'Irak, et la décision de

l'administration Bush de renforcer notre présence par un afflux régulier
de renforts, avaient siphonné nos ressources militaires et nos capacités
de renseignement en Afghanistan ; en 2008, on dénombrait cinq fois
plus de soldats américains en Irak qu'en Afghanistan. Cette réorientation des priorités avait permis aux talibans – les insurgés musulmans
sunnites que nous combattions depuis 2001 – de passer à l'offensive,
et cet été-là, on recenserait un plus grand nombre de victimes dans les
rangs de l'armée américaine en Afghanistan qu'en Irak.

Comme d'habitude, nos soldats faisaient de leur mieux dans une
situation difficile. Le tout nouveau commandant des forces de la
coalition, le général Dave McKiernan, a demandé à son équipe de nous
briefer sur les dispositifs qu'ils mettaient en place pour repousser les
assauts des talibans. Le lendemain, au cours d'un dîner au mess du
quartier général de la coalition américaine à Kaboul, nous avons écouté
un groupe de soldats parler de leur mission avec fierté et enthousiasme.
Entendre tous ces jeunes gens, hommes et femmes, la plupart sortis du
lycée depuis quelques années à peine, évoquer les tâches qu'ils accomplissaient – construire des routes, former des soldats afghans, bâtir des
écoles – et les obstacles qui interrompaient périodiquement ou réduisaient à néant leurs efforts parce qu'ils manquaient de personnel ou de
ressources était à la fois édifiant et frustrant ; je me suis juré que, si
la possibilité m'en était donnée, je ferais en sorte qu'ils reçoivent plus
d'aide.

Nous avons passé la nuit dans le bâtiment hautement sécurisé de
l'ambassade américaine, et, le lendemain matin, nous nous sommes
rendus dans l'imposant palais du xixe siècle où résidait le président
Hamid Karzaï. Dans les années 1970, Kaboul n'était pas une capitale
très différente de celles des autres pays en voie de développement, un
peu dépenaillée sur les bords, mais paisible et prospère, pleine d'hôtels
chics, de musique rock et d'étudiants déterminés à moderniser leur
pays. Karzaï et ses ministres étaient des enfants de cette époque, mais
beaucoup avaient fui en Europe ou aux États-Unis, soit pendant l'occupation soviétique à partir de 1979, soit vers le milieu des années 1990,
quand les talibans avaient pris le pouvoir. Après l'assaut sur Kaboul,
les États-Unis avaient rapatrié Karzaï et ses conseillers et les avaient
installés au pouvoir – dans l'espoir que ces expatriés formés à l'étranger
deviennent le visage d'un nouvel ordre politique non extrémiste en
Afghanistan. Parlant un anglais impeccable et toujours habillés avec
élégance, ils semblaient taillés pour le rôle et, à la table du banquet
qu'ils avaient organisé en l'honneur de notre délégation, autour de
mets traditionnels afghans, ils ont tout fait pour nous persuader qu'un

Afghanistan moderne, tolérant et autonome était à portée de main, pourvu que les troupes américaines et le cash continuent d'affluer.

J'aurais pu croire Karzaï sur parole si plusieurs rapports ne nous avaient pas alertés sur la corruption généralisée et les dysfonctionnements nombreux au sein de son gouvernement. La majeure partie des provinces afghanes échappaient au contrôle de Kaboul, et Karzaï s'aventurait rarement à l'intérieur du pays, se reposant non seulement sur les troupes de l'armée américaine, mais aussi sur un réseau d'alliances avec des seigneurs de guerre, pour conserver le peu de pouvoir qu'il détenait. Plus tard ce même jour, j'ai repensé à l'impression d'isolement qu'il nous avait donnée, tandis que nous survolions un terrain montagneux à bord de deux hélicoptères Black Hawk pour rejoindre une base opérationnelle avancée près de Helmand, sur le plateau sud de l'Afghanistan. Les minuscules villages d'argile et de bois que nous apercevions depuis le ciel se fondaient dans les formations rocheuses grisâtres, et l'on ne distinguait pratiquement pas une seule route goudronnée ou une ligne électrique alentour. Je tentais d'imaginer ce que les gens qui vivaient là pouvaient bien penser de la présence des Américains parmi eux, ou de leur propre président dans son palais somptueux, ou même de l'idée d'un État-nation appelé l'Afghanistan. Sans doute pas grand-chose, soupçonnais-je. Ils essayaient simplement de survivre, bousculés par des forces aussi constantes et imprévisibles que le vent. Et je me demandais comment il aurait fallu s'y prendre – au-delà du courage et de la compétence de nos soldats, et en dépit des plans les plus soigneusement échafaudés par les analystes de Washington – pour concilier l'Afghanistan tel que se le représentaient idéalement les Américains et un paysage qui depuis des centaines d'années était toujours demeuré imperméable au changement.

Ces réflexions ne m'ont pas quitté tandis que nous poursuivions notre voyage pour gagner l'Irak, après une escale d'une nuit au Koweït. La situation s'était améliorée depuis ma précédente visite en Irak ; un renforcement des troupes américaines, l'élection validée par les observateurs internationaux du Premier ministre chiite Nouri Kamil Al-Maliki et la négociation d'un accord avec les chefs de tribus sunnites dans la province occidentale d'Anbar avaient mis un frein au carnage sectaire déclenché par l'invasion américaine et les décisions désastreuses de certains dirigeants comme Donald Rumsfeld et Paul Bremer. Pour John McCain, ces récents succès signifiaient que nous étions en train de remporter le combat et que nous continuerions d'avancer sur le chemin de la victoire à condition de tenir le cap et – pour reprendre la formule qui était devenue la dernière panacée en vogue chez les républicains – d'« écouter nos commandants sur le terrain ».

Je tenais un raisonnement différent. Au bout de cinq années d'une lourde intervention américaine, maintenant que le pays était débarrassé de Saddam Hussein, qu'on n'avait trouvé aucune trace d'armes de destruction massive et qu'un gouvernement démocratiquement élu avait été mis en place, je pensais qu'il fallait désormais entamer un retrait progressif, qui se déroulerait dans le temps nécessaire pour consolider les forces de sécurité irakiennes et éradiquer les derniers vestiges de la présence d'Al-Qaida en Irak (AQI), garantir le maintien de l'aide américaine en termes de moyens militaires, de renseignement et de soutien financier, et commencer à ramener nos soldats à la maison afin de rendre l'Irak à son peuple.

Comme en Afghanistan, nous avons eu la chance de pouvoir passer un moment avec les soldats et de visiter une base opérationnelle avancée à Anbar avant de rencontrer le Premier ministre Al-Maliki. C'était un personnage austère, aux allures vaguement nixoniennes avec son visage allongé, son épaisse barbe de trois jours et son regard fuyant. Il avait toutes les raisons d'être tendu, car sa nouvelle charge était à la fois difficile et dangereuse. Il s'efforçait de satisfaire en même temps les exigences des groupes d'influence chiites qui l'avaient porté au pouvoir et celles de la population sunnite qui avait dominé le pays sous le règne de Saddam ; il devait aussi naviguer entre les pressions contradictoires de ses bienfaiteurs américains et de ses voisins iraniens. Les liens étroits qu'entretenait Al-Maliki avec l'Iran, où il avait passé de nombreuses années en exil, ainsi que ses alliances compliquées avec certaines milices chiites, le rendaient en effet suspect aux yeux de l'Arabie Saoudite et d'autres pays alliés des Américains dans le golfe Persique, ce qui soulignait à quel point l'invasion américaine avait renforcé la position stratégique de l'Iran dans la région.

Avait-on jamais évoqué dans l'équipe de Bush à la Maison-Blanche cette si prévisible conséquence avant d'envoyer des troupes américaines en Irak ? Pas sûr. En tout cas, le gouvernement en était très contrarié, à présent. Les conversations que j'ai eues avec plusieurs diplomates et généraux haut gradés révélaient clairement que l'intérêt de la Maison-Blanche dans le maintien d'une présence militaire conséquente en Irak ne relevait pas d'une simple volonté d'assurer la stabilité et de réduire les violences dans le pays. Il s'agissait aussi d'empêcher l'Iran de tirer profit du chaos que nous avions provoqué.

Étant donné que cette question était au centre de tous les débats de politique étrangère qui agitaient aussi bien le Congrès que la campagne, j'ai demandé à Al-Maliki, par l'intermédiaire de son interprète, s'il pensait que l'Irak était prêt pour un retrait des troupes américaines. Nous avons tous été surpris par sa réponse sans équivoque : même s'il éprouvait une profonde gratitude à l'égard des forces armées américaines et britanniques et qu'il espérait que les États-Unis continueraient de contribuer au financement de la formation et de l'équipement des forces irakiennes, il était d'accord avec moi : l'heure était venue d'organiser un retrait progressif des forces américaines.

Il n'était pas évident de savoir ce qui avait présidé à la décision d'Al-Maliki de se prononcer en faveur d'un retrait accéléré des troupes américaines. Simple nationalisme ? Sympathies pro-iraniennes ? Stratégie visant à consolider son pouvoir ? Quoi qu'il en soit, pour ce qui était du débat politique aux États-Unis, la position d'Al-Maliki était lourde d'implications. Que la Maison-Blanche ou John McCain dénoncent mes appels au retrait progressif comme un signe de faiblesse et d'irresponsabilité, une façon de « fuir sans demander son reste », cela pouvait se comprendre ; mais dénoncer cette même idée lorsqu'elle émanait du dirigeant nouvellement élu de l'Irak, c'était une tout autre affaire.

Bien entendu, à l'époque, Al-Maliki n'avait pas de réel pouvoir. C'est le commandant des forces de la coalition en Irak, le général David Petraeus, qui avait la main sur la situation – et c'est la conversation que j'ai eue avec lui qui m'a fait entrevoir certaines des questions de politique étrangère les plus cruciales qui allaient m'occuper pendant une bonne partie de ma présidence.

Svelte et athlétique, docteur en économie et relations internationales diplômé de Princeton, doté d'un esprit rigoureux et analytique, Petraeus était considéré comme le cerveau à l'œuvre derrière les progrès de notre situation en Irak et l'homme décisif à qui la Maison-Blanche avait confié la mise en œuvre de sa stratégie. Nous sommes montés ensemble dans un hélicoptère à l'aéroport de Bagdad pour rejoindre le périmètre international hautement sécurisé appelé la Zone verte, et nous avons parlé ensemble pendant toute la durée du vol. Même si la teneur de notre conversation n'apparaîtrait dans aucun compte rendu médiatique, cela ne posait nul problème à mon équipe de campagne. Ce qui les intéressait, eux, c'étaient les photos de moi assis à côté d'un général quatre étoiles à bord d'un Black Hawk, casque sur la tête et lunettes d'aviateur sur le nez. Apparemment, cette scène exsudant la jeunesse et la vigueur offrait un contraste saisissant avec l'image malheureuse de mon adversaire républicain sortie dans la presse, par le plus grand des hasards, exactement le même jour : McCain assis à côté de l'ancien président George H. W. Bush à l'avant d'une voiturette de golf, l'air de deux papys en sweatshirt pastel se rendant à un pique-nique de country club.

Un peu plus tard, installés dans son bureau confortable au quartier général de la coalition, Petraeus et moi avons poursuivi notre conversation. Nous avons parlé de tout, du recrutement nécessaire d'un plus grand nombre de spécialistes arabophones dans l'armée au rôle vital que les projets de développement joueraient pour saper la légitimité des milices et des organisations terroristes et renforcer le nouveau gouvernement. Il fallait reconnaître à Bush le mérite, me suis-je dit, d'avoir confié à ce général la mission de redresser la barre d'un navire qui jusqu'alors était en perdition. Si nous avions disposé de temps et de ressources illimitées – si les intérêts à long terme de la sécurité intérieure de l'Amérique avaient dépendu absolument de la création d'un État démocratique fonctionnel allié aux États-Unis en Irak –, alors l'approche de Petraeus aurait bien pu permettre d'atteindre l'objectif.

Mais nous ne disposions pas d'un temps ni de ressources illimitées. Au fond, voilà à quoi pouvait se résumer l'argument en faveur du retrait de nos troupes. Combien allions-nous encore donner, et pendant encore combien de temps, avant de décider que ça suffisait ? À mes yeux, nous n'étions plus très loin de cette limite ; notre sécurité nationale exigeait un Irak stable, mais pas une grande démonstration des talents de l'Amérique comme bâtisseuse de nations. Petraeus, pour sa part, pensait que sans un investissement plus soutenu des États-Unis, il aurait suffi d'un rien pour réduire à néant tous les progrès que nous avions pu accomplir.

Je lui ai demandé combien de temps il faudrait pour que ces progrès soient entérinés de manière permanente. Deux ans ? Cinq ? Dix ?

Il n'en savait rien. Mais fixer un calendrier officiel au retrait américain, pensait-il, ne ferait que donner l'opportunité à l'ennemi d'attendre tranquillement notre départ.

Mais ne serait-ce pas toujours le cas ?

Certes, m'a-t-il concédé.

Et que penser des sondages indiquant qu'une très forte majorité d'Irakiens, chiites ou sunnites, en avaient assez de l'occupation et souhaitaient nous voir partir le plus tôt possible ?

Ce serait à nous de gérer ce problème, a-t-il dit.

Notre conversation était cordiale, et je ne pouvais guère reprocher à Petraeus de vouloir aller au bout de sa mission. Si j'étais à votre place, lui ai-je dit, je désirerais la même chose. Mais le rôle d'un président était d'envisager la situation sous un angle plus large, ai-je ajouté, tout comme lui-même était obligé de tenir compte de certains compromis et de certaines contraintes dont les officiers sous ses ordres n'avaient pas à se soucier. En tant que nation, quelle importance devions-nous accorder à deux ou trois années supplémentaires en Irak, pour un coût de près de 10 milliards de dollars par mois, en regard de l'urgence qu'il y avait à mettre un terme aux agissements d'Oussama Ben Laden et à démanteler le noyau opérationnel d'Al-Qaida dans le nord-ouest du Pakistan ? Ou en regard de toutes les écoles et de toutes les routes que nous ne construisions pas chez nous pendant ce temps-là ? Ou en regard de l'érosion de notre capacité de réaction en cas de nouvelle crise ? Ou en regard du bilan humain infligé à nos troupes et à leurs familles ?

Le général Petraeus a hoché poliment la tête et m'a dit qu'il serait très heureux de me revoir après l'élection. Tandis que notre délégation repartait, ce jour-là, je n'avais pas grand espoir de l'avoir convaincu de la sagesse de mes vues, pas plus que je n'avais été convaincu par les siennes.

ÉTAIS-JE PRÊT à devenir un grand dirigeant international ? Avais-je l'habileté diplomatique, les connaissances et l'énergie requises, l'autorité nécessaire pour commander ? La feuille de route de notre voyage avait été conçue expressément pour répondre à ces questions ; c'était une grande séance d'audition sur la scène internationale. Il y a eu des rencontres bila-térales avec le roi Abdallah en Jordanie, Gordon Brown en Angleterre, Nicolas Sarkozy en France. J'ai vu Angela Merkel en Allemagne ; à Berlin, j'ai également pris la parole devant 200 000 personnes rassem-blées autour de la colonne de la Victoire et déclaré que, de même qu'une génération précédente avait abattu le mur qui divisait l'Europe autrefois, il nous revenait à présent d'abattre d'autres murs, moins visibles : ceux qui séparaient les riches et les pauvres, les ethnies et les tribus, les indigènes et les immigrés, les chrétiens, les musulmans et les juifs. Pendant deux journées marathon en Israël et en Cisjordanie, j'ai rencontré séparément le Premier ministre israélien Ehud Olmert et le président palestinien Mahmoud Abbas, et je me suis efforcé de comprendre non seulement la logique mais aussi les émotions à l'œuvre derrière un conflit ancestral en apparence insoluble. À Sdérot, j'ai écouté des parents décrire le spectacle terrifiant des obus lancés depuis la ville voisine de Gaza qui tombaient à quelques mètres à peine de la chambre de leurs enfants. À Ramallah, j'ai écouté les Palestiniens évoquer les humiliations quotidiennes qu'ils subissaient aux checkpoints israéliens.

D'après Gibbs, la presse américaine estimait que j'avais réussi haut la main le test de la « crédibilité présidentielle ». Mais, pour moi, ce voyage allait au-delà des apparences. Plus encore qu'aux États-Unis, je prenais peu à peu la mesure des défis immenses qui m'attendaient si je gagnais, et de la circonspection dont je devrais faire preuve pour être à la hauteur.

Voilà à quoi je songeais lorsque, le matin du 24 juillet, je suis arrivé devant le mur des Lamentations à Jérusalem, bâti il y a deux mille ans pour protéger le site sacré du mont du Temple et considéré comme un portail ouvrant sur la voie de la divinité, un lieu où Dieu reçoit les prières de tous ceux qui viennent là. Depuis des siècles, les pèlerins du monde entier écrivent rituellement leurs prières sur de petits bouts de papier qu'ils glissent ensuite dans une fissure entre les pierres. Avant de m'y rendre ce matin-là, j'avais écrit ma propre prière sur une feuille de papier à en-tête de mon hôtel.

Dans la lumière grise de l'aube, entouré par mes hôtes israéliens, les conseillers, les agents du Secret Service et le vacarme des caméras, j'ai incliné la tête devant le mur tandis qu'un rabbin barbu lisait un psaume appelant à la paix dans la ville sainte de Jérusalem. Comme le veut la coutume, j'ai posé une main sur la douce pierre calcaire, observé quelques instants de recueillement immobile et silencieux, puis j'ai plié mon bout de papier et je l'ai enfoncé dans une lézarde du mur.

« Seigneur, avais-je écrit. Protège-moi et ma famille. Pardonne-moi mes péchés, et garde-moi de l'orgueil et du désespoir. Donne-moi la sagesse de faire ce qui est bon et juste. Et fais de moi l'instrument de ta volonté. »

Je pensais que ces mots étaient destinés à rester entre Dieu et moi. Mais, le lendemain, ils sont apparus dans un journal israélien, avant d'accéder à la vie éternelle sur Internet. Apparemment, quelqu'un était allé dénicher mon petit mot dans le mur après notre départ – illustration du prix à payer lorsqu'on montait sur la scène internationale. La frontière entre ma vie privée et ma vie publique s'estompait ; chacune de mes pensées, chacun de mes gestes étaient désormais une affaire d'intérêt international.

Il va falloir t'y faire, me suis-je dit. Ça fait partie du *deal*.

DE RETOUR DE MA TOURNÉE à l'étranger, je me sentais comme un astronaute ou un explorateur qui revient chez lui après une expédition périlleuse, chargé d'adrénaline et vaguement désorienté par la vie ordinaire. Il ne restait plus qu'un petit mois avant la convention nationale du Parti démocrate, et j'ai décidé de renouer un peu avec le cours normal des choses en partant à Hawaï pour une semaine, en famille. J'ai dit à Plouffe que ce n'était pas négociable. Après avoir passé les dix-sept derniers mois à faire campagne, j'avais besoin de recharger les batteries, et Michelle aussi. Par ailleurs, l'état de santé de Toot se détériorait rapidement et, même si nous ne savions pas exactement combien de temps il restait à vivre à ma grand-mère, j'étais bien décidé à ne pas répéter l'erreur que j'avais commise avec ma mère.

Surtout, je voulais passer du temps avec mes filles. La campagne ne semblait pas avoir entamé nos liens. Malia se montrait aussi bavarde et curieuse avec moi que d'habitude, Sasha aussi exubérante et affectueuse. Quand j'étais sur la route, nous nous parlions tous les soirs au téléphone, de l'école, de leurs amis ou du dernier épisode de *Bob l'éponge* ; quand j'étais à la maison, je leur faisais la lecture, je les défiais à des jeux de société, ou je sortais en douce avec elles pour aller manger une glace.

Pourtant, je voyais bien, d'une semaine sur l'autre, la vitesse à laquelle elles grandissaient ; chaque fois que je les revoyais, il me semblait qu'elles avaient encore pris un ou deux centimètres, que leurs conversations à table étaient plus sophistiquées. Ces transformations me rappelaient tout ce à côté de quoi j'étais passé, tous les moments où je n'avais pas été là pour m'occuper d'elles quand elles étaient malades, ou pour les rassurer en les serrant dans mes bras quand elles avaient peur, ou pour rire à leurs blagues. Même si je croyais profondément à l'importance de ce que j'étais en train de faire, je savais que jamais je ne pourrais rattraper tout ce temps passé loin d'elles, et il m'arrivait souvent de m'interroger sur le bien-fondé de mes choix.

J'avais toutes les raisons de me sentir coupable. Il est difficile de décrire le fardeau que j'ai fait peser sur les épaules de ma famille pendant les deux années qu'a duré la course à la présidence – à quel point je me suis reposé sur la solidité de Michelle et sur sa capacité à gérer seule la charge parentale, et à quel point j'ai pu compter sur les dispositions naturellement joyeuses et l'étonnante maturité de mes filles. L'été précédent, pendant la campagne, Michelle avait accepté de me rejoindre avec les filles à Butte, dans le Montana, pour la fête nationale du 4 juillet, jour où nous fêterions également le dixième anniversaire de Malia. Ma sœur Maya et sa famille avaient décidé de nous rejoindre eux aussi. Nous nous étions énormément amusés, entre la visite d'un musée de la mine et une bataille de pistolets à eau, mais j'avais dû tout de même consacrer l'essentiel de mon temps à la chasse aux suffrages. Les filles m'avaient sagement suivi dans ma tournée, me regardant distribuer les poignées de main tout le long du cortège dans la rue principale de la ville. Elles étaient restées debout sous le soleil écrasant pendant le discours que j'avais prononcé lors d'un rassemblement ce même après-midi. Le soir, alors que le feu d'artifice que je leur avais promis avait dû être annulé en raison d'un orage, nous avions improvisé une fête d'anniversaire pour Malia dans une salle de séminaire sans fenêtres au sous-sol de l'Holiday Inn du coin. Notre équipe de terrain avait fait de son mieux pour égayer l'endroit avec quelques ballons. Il y avait des pizzas, de la salade et un gâteau de supermarché. En regardant Malia souffler ses bougies et former un vœu pour l'année à venir, je ne pouvais pas m'empêcher de me demander si elle était déçue, si cette journée, lorsqu'elle y repenserait plus tard, lui évoquerait l'image d'un père négligent, accaparé par d'autres priorités.

C'est alors que Kristen Jarvis, l'une des jeunes assistantes de Michelle, avait dégainé un iPod et l'avait branché à une enceinte portative. Malia et Sasha m'avaient pris par les mains pour me tirer de ma chaise. Et bientôt tout le monde s'était mis à danser sur Beyoncé et les Jonas Brothers ; Sasha tournoyait sur elle-même, Malia faisait tressauter ses bouclettes en secouant la tête dans tous les sens, Michelle et Maya se lâchaient sur la piste tandis que je faisais la démonstration de mes talents chorégraphiques d'un autre temps. Au bout d'une demi-heure, alors que nous étions tous essoufflés et ravis, Malia était venue s'asseoir sur mes genoux.

« Papa, m'avait-elle dit, c'est le meilleur anniversaire de toute ma vie. »

Je l'avais embrassée au sommet du crâne et l'avais serrée fort contre moi, pour qu'elle ne voie pas les larmes me monter aux yeux.

Voilà mes filles. Voilà à quoi j'avais renoncé en étant si souvent absent. Et voilà pourquoi cette escapade à Hawaï au mois d'août en valait la peine, même si cela devait nous coûter quelques points de retard dans les sondages face à McCain. Barboter dans l'océan avec les filles, les laisser m'enterrer dans le sable sans être obligé de leur dire que j'avais une réunion en visioconférence ou que je devais partir à l'aéroport – oui, ça en valait la peine. Regarder le soleil se coucher sur le Pacifique, Michelle blottie entre mes bras, écouter simplement le frémissement des palmiers dans le vent – oui, ça en valait la peine.

Voir Toot assise sur le canapé de son salon, toute courbée, presque incapable de lever la tête, mais le visage toujours éclairé d'un grand sourire, du bonheur muet de regarder ses arrière-petites-filles rire et jouer par terre à ses pieds, et puis sentir sa main tavelée aux veines bleues serrer la mienne, pour la dernière fois peut-être.

Ce sacrement-là n'avait pas de prix.

JE NE POUVAIS toutefois pas laisser la campagne entièrement derrière moi pendant notre séjour à Hawaï. L'équipe me tenait au courant des dernières nouvelles, je passais quelques coups de fil pour remercier nos soutiens, et j'ai rédigé un premier jet de mon discours à la convention, que j'ai envoyé à Favs. Et puis il y avait la grande décision, la plus lourde de conséquences, qu'il me fallait prendre maintenant que j'étais le candidat officiel du Parti démocrate.

Qui serait mon colistier ?

J'avais déjà réduit mon choix à deux candidats potentiels : Tim Kaine, le gouverneur de la Virginie, et mon collègue du Delaware au Sénat, Joe Biden. À l'époque, j'étais beaucoup plus proche de Tim, qui avait été le premier élu de poids en dehors de l'Illinois à m'apporter son soutien et l'un des défenseurs les plus acharnés de ma candidature pendant ma campagne. Nous venions tous deux du Midwest, nous avions le même genre de tempérament, et même nos parcours étaient similaires. (Tim était parti en mission au Honduras à l'époque où il faisait ses études de droit à Harvard et il avait été avocat spécialisé dans les droits civiques avant de s'engager en politique.)

Quant à Joe, il était mon exact opposé, du moins sur le papier. Il avait dix-neuf ans de plus que moi. J'étais un outsider dans l'univers de Washington ; lui siégeait depuis trente-cinq ans au Sénat, où il avait présidé la Commission judiciaire et la Commission des affaires étrangères. Alors que j'avais passé toute mon enfance à bouger d'un endroit à l'autre, il était profondément enraciné dans sa ville natale de Scranton, en Pennsylvanie, et il était très fier de ses origines irlandaises et populaires. (Nous ne devions découvrir que plus tard, après avoir remporté l'élection, que nos ancêtres irlandais respectifs, tous deux bottiers, avaient émigré en Amérique à cinq semaines d'écart seulement.) Et alors que je passais pour quelqu'un de calme et de pondéré, prudent dans l'usage de mes mots, Joe était tout feu tout flamme, un homme dépourvu d'inhibitions, qui se faisait toujours un plaisir de partager avec vous tout ce qui lui passait par la tête. C'était un trait attachant de sa personnalité, car il avait une réelle affection pour les gens. Cela transparaissait dès qu'il se retrouvait dans une pièce avec d'autres personnes, son beau visage affichant en permanence un sourire étincelant (et toujours tout près de celui à qui il s'adressait), demandant à chacun de ses interlocuteurs d'où il venait, enchaînant par une anecdote, lui disant à quel point il adorait l'endroit en question (« La meilleure calzone que j'aie jamais mangée de toute ma vie ») ou qu'il devait forcément connaître untel ou untel (« Un type absolument formidable, la crème de la crème »), flattant ses enfants (« On t'a déjà dit que tu étais très mignon ? ») ou leur mère

(« Incroyable ! Je vous en aurais donné 40, pas un jour de plus ! »), puis passant au suivant, puis un autre, et encore un autre, ne s'arrêtant que lorsqu'il avait conquis tous les cœurs à grand renfort de poignées de main, d'accolades, de bises, de tapes dans le dos, de compliments et de répliques spirituelles.

L'enthousiasme de Joe avait ses inconvénients. Dans une ville remplie de gens qui n'aimaient rien tant que s'écouter parler, il manquait de partenaires de conversation. Si son temps de parole lors d'un événement officiel était limité à quinze minutes, Joe parlait pendant au moins une demi-heure. S'il était limité à une demi-heure, Dieu seul savait de combien de temps il allait dépasser. Ses monologues durant les auditions sénatoriales étaient légendaires. Son absence de filtre le mettait parfois dans des situations délicates, comme le jour, pendant les primaires, où il avait dit de moi que j'étais « clair et précis, intelligent, toujours soigné et séduisant », autant de compliments dans son esprit, sans aucun doute, mais que certains avaient interprétés de travers, comme s'il avait voulu dire que de telles caractéristiques étaient rares chez un Noir.

À mesure que j'ai appris à le connaître, cependant, je me suis vite aperçu que ses bourdes occasionnelles étaient triviales au regard de ses qualités. Sur les affaires de politique intérieure, il était perspicace, pragmatique, et il connaissait ses dossiers sur le bout des doigts. Il avait une grande expérience et des connaissances approfondies en matière de politique étrangère. Au cours de sa brève campagne pendant les primaires, il m'avait impressionné par ses compétences et sa rigueur dans les débats ainsi que par son aisance sur la scène nationale.

Mais, surtout, Joe avait du cœur. Il avait vaincu le bégaiement dont il avait été affligé pendant son enfance (ce qui expliquait sans doute la grande importance qu'il accordait aux mots) et surmonté deux anévrismes à l'âge adulte. Au cours de sa carrière politique, il avait connu des succès précoces et subi des défaites embarrassantes. Et il avait été frappé par une tragédie inimaginable : en 1972, quelques semaines à peine après son élection au Sénat, sa femme et sa petite fille étaient mortes – et ses deux jeunes fils, Beau et Hunter, blessés – dans un accident de la route. À la suite de ce deuil, ses collègues et sa famille l'avaient convaincu de ne pas démissionner de son poste de sénateur, mais il avait organisé son emploi du temps de façon à pouvoir faire tous les jours le trajet d'une heure et demie en train aller-retour entre Washington et le Delaware pour s'occuper de ses garçons, ce qu'il continuerait de faire pendant les trois décennies suivantes.

Si Joe avait réussi à survivre à une telle épreuve, le mérite en revenait en grande partie à sa deuxième épouse, Jill, une charmante et discrète enseignante qu'il avait rencontrée trois ans après l'accident et qui avait élevé les fils de Joe comme les siens. Chaque fois qu'on voyait les Biden ensemble, on sentait immédiatement la force du soutien que Joe puisait auprès de sa famille – la fierté et la joie que lui inspiraient Beau, devenu procureur général et étoile montante du paysage politique du Delaware, Hunter, avocat à Washington, Ashley, assistante sociale à Wilmington, et leurs magnifiques petits-enfants.

Joe s'en était sorti grâce à ses proches, mais aussi grâce à son énergie débordante et à sa force de caractère. La tragédie et les revers avaient peut-être laissé des cicatrices, ainsi que je le découvrirais par la suite, mais ne l'avaient pas rendu aigri ou cynique.

C'est sur la foi de ces impressions que j'avais demandé à Joe de se soumettre au processus de validation préalable à sa désignation comme colistier et de me rejoindre dans le Minnesota pour faire campagne à mes côtés. Il était réticent au début – comme la plupart des sénateurs, Joe avait un certain ego et l'idée de jouer les seconds couteaux ne lui plaisait pas beaucoup. Il m'avait d'abord exposé toutes les raisons pour lesquelles le rôle de vice-président représenterait un recul pour lui dans sa carrière politique (tout en m'expliquant pourquoi il était le meilleur candidat à ce poste). Je lui ai assuré que je ne cherchais pas une doublure pour faire tapisserie et satisfaire au protocole, mais un véritable partenaire de travail.

« Si tu me choisis, avait dit Joe, je veux avoir les moyens de te donner un avis éclairé et de te conseiller en toute franchise. Ce sera toi le président, et je défendrai tes décisions, quelles qu'elles soient. Mais je veux être le dernier type dans la pièce à chacune des décisions importantes. »

Je lui avais répondu que j'étais prêt à prendre cet engagement.

Axe et Plouffe avaient la plus grande estime pour Tim Kaine et, comme moi, ils savaient qu'il aurait trouvé tout naturellement sa place au sein d'une administration Obama. Mais, comme moi également, ils se demandaient si présenter sur le même ticket deux personnalités de l'aile gauche du parti, tous deux avocats des droits civiques, tous deux relativement jeunes et inexpérimentés, ne serait pas pousser un petit peu trop loin l'espoir et le changement aux yeux des électeurs.

Choisir Joe n'était pas sans risques non plus. Nous avions peur que son manque de discipline dès qu'il se retrouvait devant un micro ne puisse donner lieu à des controverses inutiles. Il était un peu vieille école, il aimait l'attention médiatique, et il manquait parfois de retenue. Je le pensais capable de se braquer s'il estimait ne pas être traité à sa juste valeur – disposition qui risquait d'être plus prononcée encore face à un patron beaucoup plus jeune que lui.

Et pourtant, j'étais séduit par le contraste que nous offrions. J'appréciais que Joe soit plus que prêt à endosser la charge présidentielle si jamais il m'arrivait quelque chose, et que cela puisse rassurer tous ceux qui continuaient à me trouver trop jeune. Son expérience en matière de politique étrangère serait précieuse, à un moment où nous étions empêtrés dans deux guerres, tout comme son entregent au Congrès et sa capacité à convaincre ceux qui ressentaient encore un certain malaise à l'idée d'élire un président afro-américain. Mais ce qui importait le plus, c'était ce que me disait mon instinct – à savoir que Joe était un type droit, honnête et loyal. J'avais la conviction qu'il se souciait sincèrement des gens, et que je pourrais compter sur lui dans les moments difficiles.

Je ne serais pas déçu.

Comment la convention nationale du Parti démocrate à Denver a-t-elle été organisée ? Cela reste en grande partie un mystère pour moi. J'ai été consulté sur le programme des quatre soirées pendant lesquelles elle se déroulerait, sur les thèmes qui y seraient abordés, sur le choix des personnalités qui prendraient la parole. On m'a prié de valider des séquences vidéo résumant mon parcours et de fournir une liste des amis et membres de ma famille que je voulais inviter afin de prévoir leur hébergement. Plouffe m'a demandé si j'étais partant pour que la dernière soirée de la convention se tienne non pas dans une arène fermée, comme c'est le cas d'ordinaire, mais au Mile High Stadium, le stade de l'équipe de foot des Broncos de Denver. Avec une jauge de près de 80 000 spectateurs, il pourrait accueillir les dizaines de milliers de bénévoles venus des quatre coins du pays qui avaient été les piliers de notre campagne. En revanche, il n'y avait pas de toit, ce qui voulait dire que nous serions exposés aux éventuelles intempéries.

« Et si jamais il pleut ? ai-je demandé.

– On a sorti les rapports météo de tous les 28 août à 8 heures du soir à Denver au cours des cent dernières années, a répliqué Plouffe. Il n'a plu qu'une seule fois.

– Et si jamais la deuxième fois tombe cette année ? On a un plan B ?

– Une fois qu'on aura réservé le stade, a dit Plouffe, aucun moyen de faire marche arrière. » J'ai cru déceler une pointe de folie dans le petit sourire qu'il m'a adressé. « On n'est jamais aussi bons que quand on avance sans filet, tu te rappelles ? Pourquoi on s'arrêterait maintenant ? »

Pourquoi, en effet.

Michelle et les filles sont arrivées à Denver deux jours avant moi, pendant que je continuais à faire campagne dans d'autres États, et, quand je les ai rejointes, les festivités battaient déjà leur plein. Les camions satellite et les tentes installées pour accueillir la presse cernaient l'arène, telle une armée assiégeant une ville ; des vendeurs de rue colportaient à grands cris des tee-shirts, des casquettes, des sacs et des bijoux fantaisie arborant notre logo avec mon visage aux oreilles décollées sur fond de soleil levant. Les touristes et les paparazzis mitraillaient les personnalités politiques et les quelques célébrités qui déambulaient dans l'arène.

Contrairement à ce qui s'était passé à la convention de l'an 2000, où j'étais le gamin qui colle son nez à la vitrine du magasin de bonbons, ou à celle de 2004, où mon discours m'avait placé au centre de toutes les attentions, cette fois j'étais l'attraction vedette, et pourtant je restais en marge des événements, enfermé dans une suite d'hôtel ou condamné à regarder par la vitre de la voiture du Secret Service, ne débarquant à Denver que pour l'avant-dernière soirée de la convention. Question de sécurité, m'avait-on dit, mais aussi de mise en scène – plus je demeurerais invisible, plus la fièvre monterait. Mais je tournais en rond et je me sentais bizarrement exclu, comme si j'étais un simple accessoire de luxe qu'on ne sortait de sa boîte qu'avec les plus extrêmes précautions.

Certaines images de cette semaine-là restent gravées dans ma mémoire. Je revois Malia, Sasha et trois des petites-filles de Joe cabrioler sur une pile de matelas gonflables dans notre chambre d'hôtel, gloussant à qui mieux mieux, complètement absorbées par leurs jeux secrets et indifférentes au grand cirque qui se déroulait autour d'elles. Je revois Hillary s'avancer à la tribune au nom des délégués de l'État de New York et prendre l'engagement formel de voter pour moi comme candidat officiel du Parti démocrate – puissant moment d'unité. Et je me revois assis dans le salon d'une charmante famille de sympathisants dans le Missouri, à bavarder en grignotant avant que Michelle apparaisse à l'écran, resplendissante dans une robe aigue-marine, pour prononcer le discours d'ouverture de la convention.

J'avais délibérément évité de lire le discours de Michelle, ne voulant pas interférer ni lui rajouter de la pression. Je l'avais vue à l'œuvre pendant la campagne et je ne doutais pas une seule seconde qu'elle serait formidable. Mais, en écoutant Michelle raconter son histoire ce soir-là – en la regardant parler de sa mère et de son père, des sacrifices qu'ils avaient faits et des valeurs qu'ils lui avaient transmises ; en l'entendant retracer son parcours improbable et décrire l'espoir qu'elle nourrissait pour nos filles ; en observant cette femme sur qui j'avais fait peser tant de responsabilités témoigner de ma fidélité de chaque instant à ma famille et à mes convictions ; en voyant le public dans la salle, les présentateurs télé et les gens assis à côté de moi complètement subjugués –, eh bien, je n'aurais pas pu éprouver plus grande fierté.

Contrairement à ce que certains observateurs ont dit à l'époque, ma femme n'a pas « trouvé » sa voix ce soir-là. Simplement les Américains, partout dans le pays, avaient enfin eu l'occasion d'entendre cette voix s'adresser directement à eux.

QUARANTE-HUIT HEURES PLUS TARD, confiné avec Favs et Axe dans une chambre d'hôtel, je mettais la dernière main au discours que je prononcerais le lendemain soir pour accepter officiellement la nomination. Il n'avait pas été facile à écrire. Nous sentions que le moment était à la prose plutôt qu'à la poésie, qu'il s'agissait de s'attaquer de front au programme politique républicain et de parler des mesures spécifiques que je comptais prendre en tant que président – sans être trop long, trop sec ou trop clivant. Il avait fallu y apporter d'innombrables révisions et j'avais peu de temps pour répéter. Debout derrière un faux pupitre, je m'entraînais à réciter mes répliques, dans une atmosphère plus studieuse qu'inspirée.

Je n'avais pleinement pris la mesure de la portée de ma nomination qu'en une seule occasion. Le hasard avait voulu que la dernière soirée de la convention tombe le jour du quarante-cinquième anniversaire de la Marche sur Washington et du discours historique de Martin Luther King, « I Have a Dream ». Nous avions décidé de ne pas trop attirer l'attention sur cette coïncidence, estimant qu'il n'aurait pas été très judicieux d'inviter à la comparaison avec l'un des plus grands discours de toute l'histoire américaine. Mais j'ai tout de même rendu hommage au miracle accompli par ce jeune prédicateur de Georgie à la toute fin de mon discours, en citant quelques-uns des mots qu'il avait adressés à la foule rassemblée sur le National Mall en ce jour de 1963 : « Nous ne pouvons marcher seuls. Et, tandis que nous marchons, nous devons faire le serment de toujours aller de l'avant. Nous ne pouvons pas revenir en arrière. »

« Nous ne pouvons marcher seuls. » Je ne me souvenais plus de cette phrase du discours de Martin Luther King. Mais quand j'ai lu ces mots à voix haute en répétant mon discours, j'ai repensé soudain à tous ces vieux bénévoles noirs que j'avais rencontrés dans nos bureaux partout dans le pays, à cette façon qu'ils avaient de serrer mes mains entre les leurs en me disant que jamais ils n'auraient pensé voir de leur vivant un Noir aux portes de la présidence.

Je repensais aux personnes âgées qui m'avaient écrit pour me raconter qu'elles s'étaient levées aux aurores afin d'être les premières arrivées à leur bureau de vote pendant les primaires, même si elles étaient malades ou invalides.

Je repensais aux portiers, aux concierges, aux secrétaires, aux réceptionnistes, aux plongeurs et aux chauffeurs que je croisais chaque fois que je descendais dans des hôtels, que je me rendais dans des centres de conférence ou que j'entrais dans un bâtiment public – les petits signes qu'ils m'adressaient, le pouce levé en signe d'encouragement, ou la poignée de main qu'ils acceptaient timidement, tous ces hommes et toutes ces femmes d'un certain âge qui, comme les parents de Michelle, avaient fait ce qu'il fallait faire, sans tambour ni trompette, pour nourrir leur famille et envoyer leurs enfants à l'école, et qui voyaient en moi à présent un peu du fruit de leur labeur.

Je repensais à tous ceux qui avaient été emprisonnés ou qui s'étaient joints à la Marche sur Washington, quarante, cinquante ans auparavant, et je me demandais ce qu'ils ressentiraient en me voyant m'avancer sur cette scène à Denver – à quel point ils avaient vu leur pays changer, et à quel point nous étions loin encore de ce qu'ils avaient espéré.

« Vous savez quoi… donnez-moi deux secondes », ai-je dit, la voix étranglée, les yeux humides. Je suis allé dans la salle de bains me passer le visage sous l'eau. Quand je suis revenu quelques minutes plus tard, Favs, Axe et le technicien du téléprompteur étaient tout interdits et ne savaient pas trop quoi faire.

« Désolé, ai-je dit. Bon, allez, on reprend du début. »

La deuxième fois, j'ai lu mon discours sans problème ; je ne me suis interrompu qu'une seule fois, en plein milieu, quand nous avons entendu frapper à la porte : un garçon d'étage était planté dans le couloir, avec une salade César sur un plateau. (« Oui, bon, désolé, a dit Axe avec un petit sourire embarrassé. Je crève de faim. ») Et le lendemain soir, au moment de traverser l'immense scène recouverte de moquette bleue, sous un ciel vaste et limpide, pour m'adresser à un stade plein à craquer et à des millions d'autres personnes à travers le pays, je n'ai ressenti qu'une grande quiétude.

Il faisait doux ce soir-là ; le rugissement de la foule était enivrant ; les flashes des milliers d'appareils photo reflétaient comme en miroir les étoiles au-dessus de nous. À la fin de mon discours, Michelle et les filles, suivies de Joe et Jill Biden, sont venues me rejoindre au milieu d'une tornade de confettis, et partout dans le stade nous apercevions des gens qui riaient et qui se serraient dans les bras les uns des autres en agitant des drapeaux en rythme avec un titre du groupe de country Brooks & Dunn qui était devenu un hymne de notre campagne : *Only in America* (« Il n'y a qu'en Amérique qu'on voit ça. »).

EN GÉNÉRAL, cela s'est vérifié tout au long de l'histoire, un candidat à la présidence voit sa cote faire un joli « bond » après une convention réussie. De l'avis unanime, la nôtre avait été un quasi-sans-faute. D'après nos spécialistes des sondages, au lendemain de ces quatre soirées à Denver, j'avais creusé mon avance sur John McCain d'au moins 5 points.

Ça n'a duré qu'une semaine.

La campagne de John McCain battait de l'aile. Même s'il avait décroché la nomination républicaine trois mois avant que j'obtienne celle du Parti démocrate, il n'avait pas vraiment connu de moment de grâce. Les réductions d'impôts supplémentaires qu'il proposait, en plus de celles que Bush avait déjà fait voter, continuaient de laisser sceptiques les électeurs indécis. Dans un climat politique nouveau, plus polarisé, McCain lui-même paraissait hésitant, réticent à parler de certains sujets, tels que la réforme de l'immigration ou l'environnement, qui lui avaient valu autrefois sa réputation de franc-tireur au sein de son parti. Pour être honnête, il n'avait pas de très bonnes cartes en main. La guerre en Irak était plus impopulaire que jamais. L'économie, déjà en récession, se dégradait rapidement – tout comme l'image de Bush dans les sondages. Dans une élection qui allait sans doute se jouer sur la promesse du changement, McCain, par sa personne comme par son discours, incarnait plutôt la permanence du vieux monde.

McCain et son équipe devaient être conscients qu'ils avaient besoin de frapper un grand coup. Et, en l'occurrence, je dois reconnaître qu'ils n'y sont pas allés de main morte. Le lendemain de la convention démocrate, Michelle et moi, accompagnés de Jill et Joe Biden, nous trouvions à bord de l'avion de la campagne qui allait bientôt décoller pour la Pennsylvanie, où nous avions prévu quelques meetings, quand Axe s'est rué vers nous pour nous annoncer que le nom du colistier de McCain avait fuité. Joe a regardé l'écran du BlackBerry d'Axe, puis il s'est tourné vers moi.

« Mais c'est qui, ça, Sarah Palin ? »

Pendant les deux semaines suivantes, cette question serait sur toutes les lèvres dans la presse, soudain obnubilée par le sujet, ce qui offrirait à la campagne de McCain la dose d'adrénaline dont elle avait cruellement besoin tout en nous faisant disparaître pour ainsi dire des radars du jour au lendemain. À peine avait-il enrôlé Palin comme colistière que McCain a ramassé plusieurs millions de dollars de dons en un seul week-end, et il nous a brusquement rattrapés dans les sondages, si bien que nous nous retrouvions tout à coup à égalité.

Sarah Palin – 44 ans, gouverneure de l'Alaska et jusqu'alors inconnue au bataillon sur la scène politique nationale – était, avant tout, un puissant élément perturbateur. Non seulement elle était jeune, non seulement c'était une femme, ce qui en soi rendait sa candidature à la vice-présidence potentiellement novatrice, mais elle avait en outre un parcours pour le moins singulier. Ancienne joueuse de basket et reine de beauté locale, elle était passée par cinq universités différentes avant de décrocher son diplôme de journalisme. Elle avait brièvement travaillé comme présentatrice sportive avant de se faire élire maire de Wasilla, en Alaska, puis défié l'establishment de ce bastion républicain de longue date en battant le gouverneur sortant en 2006. Elle avait épousé son petit ami du lycée, avec qui elle avait eu cinq enfants (dont un fils adolescent qui allait bientôt partir combattre en Irak et un bébé atteint de trisomie 21), elle revendiquait sa foi chrétienne conservatrice, et son loisir préféré était de chasser l'élan et le wapiti.

C'était le profil idéal pour séduire les électeurs blancs des classes populaires qui détestaient Washington et soupçonnaient les élites des grandes villes, que ce soit dans le monde des affaires, de la politique ou des médias, de les considérer avec mépris – soupçon, du reste, pas entièrement infondé. La rédaction du *New York Times* ou les auditeurs de la National Public Radio (NPR) pouvaient bien mettre en doute ses qualifications, Palin s'en fichait éperdument, retournant au contraire ces critiques à son avantage comme la preuve de son authenticité. Elle avait compris (longtemps avant ceux qui la critiquaient) que les vieux gardiens de l'ordre établi commençaient à perdre leur autorité, que les murs délimitant ce qui était acceptable chez un candidat à un poste de responsabilité national commençaient à se lézarder, et que Fox News, les radios d'antenne ouverte et le pouvoir émergent des réseaux sociaux pouvaient lui offrir toutes les tribunes dont elle avait besoin pour atteindre son cœur de cible.

Et, pour couronner le tout, Palin était une comédienne-née. Son discours de quarante-cinq minutes à la convention nationale du Parti républicain, au début du mois de septembre, était un chef-d'œuvre de démagogie populiste et de piques savamment décochées. (« Par chez nous, dans les petites villes, on ne sait pas trop quoi penser d'un candidat qui chante les louanges des travailleurs quand ils sont devant lui, et qui, dès qu'ils ont le dos tourné, s'empresse de raconter à quel point ces gens accrochés à leur religion et à leurs armes sont aigris. » Aïe.) Les délégués buvaient du petit-lait. En tournée avec Palin au lendemain de la convention, McCain attirait soudain des foules trois ou quatre fois plus nombreuses que d'ordinaire lorsqu'il était seul. Et si les fidèles républicains applaudissaient poliment pendant les discours de John, il était évident que c'était sa colistière, modèle de la mère de famille américaine, que les gens étaient venus voir en réalité. Elle était nouvelle, elle était différente, elle était comme eux.

Une « vraie Américaine » – et fantastiquement fière de l'être.

Dans un autre contexte – une élection sénatoriale dans un État clé, par exemple, ou une élection au poste de gouverneur –, Palin, de par la seule énergie qu'elle insufflait à la base républicaine, aurait pu me causer du souci. Mais, depuis le jour où il l'a choisie jusqu'à l'apothéose de la « Palin-mania », je n'ai jamais cessé de penser que cette décision lui coûterait cher. Palin était peut-être spectaculaire, mais la principale qualité requise par la vice-présidence était la capacité, le cas échéant, d'endosser le costume présidentiel. Compte tenu de l'âge de John et de ses antécédents médicaux – il avait été traité pour un mélanome –, ce n'était pas un paramètre à prendre à la légère. Or ce qui est vite devenu évident dès que Sarah Palin s'est avancée sous les projecteurs, c'est que, sur à peu près tous les sujets liés à la gouvernance de la nation, elle ne savait absolument pas de quoi elle parlait. Le système financier. La Cour suprême. L'invasion russe en Géorgie. Peu importe le sujet, ou la forme que prenait la question, la gouverneure de l'Alaska paraissait perdue, enfilant les perles sans réfléchir une seconde à ce qu'elle disait, comme une gamine essayant de bluffer afin d'avoir une bonne note à un contrôle pour lequel elle n'avait pas révisé.

Mais la nomination de Palin était troublante à un niveau plus grave. J'ai remarqué, dès le début, qu'une grande majorité de républicains se fichaient pas mal de ses incohérences ; chaque fois qu'elle se décomposait face aux questions d'un journaliste, ils semblaient même y voir la preuve d'un complot gauchiste contre elle. J'ai été encore plus sidéré de voir certains éminents conservateurs – y compris ceux qui avaient passé les douze derniers mois à dénoncer mon inexpérience et les dernières décennies à fustiger la discrimination positive, l'érosion du niveau intellectuel et la corruption de la culture occidentale aux mains des thuriféraires du multiculturalisme – défendre la cause de Palin, se mettant en quatre pour essayer de convaincre l'opinion que, pour un candidat à la vice-présidence, la nécessité de posséder les rudiments de base de la politique étrangère ou du fonctionnement du gouvernement fédéral était en réalité très exagérée. Sarah Palin, comme Reagan, avait « de l'instinct », disaient-ils, et, une fois en poste, elle s'élèverait petit à petit à la hauteur de ses fonctions.

C'était là, bien entendu, un signe avant-coureur de ce qui allait advenir par la suite, les prémices d'une réalité plus diffuse et plus sombre dans laquelle les affiliations partisanes et l'opportunisme politique menaçaient de tout occulter – vos précédentes prises de position ; vos principes revendiqués ; et même ce que vos propres sens, vos yeux et vos oreilles, vous disaient pourtant être la vérité.

CHAPITRE 9

En 1993, Michelle et moi avons acheté notre premier appartement, dans un complexe résidentiel du quartier de Hyde Park, à
Chicago, du nom d'East View Park. C'était un endroit merveilleux, situé
en face de Promontory Point et du lac Michigan, avec des cornouillers
dans une vaste cour intérieure qui se parait d'une profusion de fleurs
roses au printemps. Notre trois-pièces, disposé en enfilade, n'était pas
très grand, mais il y avait du beau parquet en bois, beaucoup de lumière
et une vraie salle à manger avec des placards en noyer. En comparaison
du premier étage de la maison de ma belle-mère, où nous avions habité
jusqu'alors afin de mettre de l'argent de côté, nous avions l'impression
de vivre dans un palace, et nous l'avons meublé aussi joliment que nous
le permettaient nos finances, avec un canapé Crate & Barrel, des lampes
de chez Ace Hardware et des tables chinées dans les brocantes.

Un petit bureau jouxtait la cuisine, où je travaillais le soir. Michelle
l'avait baptisé « le Trou », parce qu'il était encombré du sol au plafond
de piles de livres, de magazines, de journaux, de dossiers judiciaires
et de copies à corriger. Une fois par mois environ, n'arrivant pas à
dénicher tel ou tel document dans ce capharnaüm, je me retroussais
les manches pour mettre un peu d'ordre dans le Trou, m'échinant à
tout ranger frénétiquement pendant une heure, et pendant environ
trois jours j'étais très fier de moi, après quoi les livres, la paperasse et
le fatras en tout genre envahissaient de nouveau le Trou comme du

chiendent. C'était aussi la seule pièce de l'appartement où je fumais, même si, après la naissance des filles, j'ai pris l'habitude de sortir sur la petite terrasse légèrement de guingois à l'arrière de l'appartement pour satisfaire mon vice, dérangeant parfois une famille de ratons laveurs en train de farfouiller dans nos poubelles.

Les enfants ont reconfiguré notre foyer de toutes sortes de façons. Des protections en mousse sont apparues au coin des tables. La salle à manger a bientôt moins servi à manger qu'à accueillir des parcs pour bébé, des tapis multicolores et les jouets sur lesquels je trébuchais au moins une fois par jour. Mais, loin de nous paraître étriquées, les dimensions modestes de cet appartement ne faisaient qu'amplifier le joyeux boucan de notre jeune famille : bruits d'éclaboussures à l'heure du bain, éclats de rire et piaillements des goûters d'anniversaire, groove de la Motown ou salsas endiablées s'échappant du radiocassette posé sur le manteau de cheminée, au rythme desquels je faisais tournoyer les filles dans mes bras. Et si nous remarquions bien que certains de nos amis du même âge que nous achetaient de plus grandes maisons, dans des quartiers plus chics, nous n'avons songé à déménager qu'une seule fois, l'été où une souris s'est installée chez nous (ou deux peut-être, aucun moyen d'en être sûr), que nous voyions sans cesse filer en trottinant le long des plinthes du couloir. Je finirais par régler le problème en réparant le parquet de la cuisine, non sans avoir contesté au préalable – avec une sottise admirable et un sourire de petit malin – l'idée selon laquelle deux souris constituaient véritablement une « infestation », à quoi Michelle avait répliqué en menaçant de partir avec les filles.

Nous avions acheté cet appartement 277 500 dollars, avec un apport de 40 % (grâce à un petit coup de pouce de Toot) et un emprunt à taux fixe sur trente ans. Sur le papier, nos revenus nous permettaient largement de couvrir les mensualités. Mais, à mesure que Malia et Sasha grandissaient, les frais de garde, de scolarité et le coût des colonies de vacances ne cessaient d'augmenter, alors que le montant des remboursements de nos emprunts étudiants, lui, semblait ne jamais décroître. Nous étions constamment dans le rouge ; notre taux d'endettement grimpait ; nous n'avions pas beaucoup d'argent de côté. Alors, quand Marty nous a suggéré de renégocier notre emprunt pour profiter de la baisse des taux d'intérêt, j'ai appelé un courtier immobilier du quartier.

Le courtier, un jeune homme plein d'énergie, les cheveux coupés en brosse, nous a confirmé qu'un rachat de notre emprunt pouvait nous permettre d'épargner une centaine de dollars par mois. Mais, compte tenu de l'explosion des prix de l'immobilier, il m'a demandé si nous avions également réfléchi à la possibilité d'utiliser la valeur résiduelle de notre propriété pour récupérer des liquidités grâce à cette transaction. Rien de très compliqué, a-t-il ajouté, il suffisait de confier le dossier à son expert en financement. J'étais sceptique au début ; il me semblait entendre la voix pleine de bon sens de Toot me mettre en garde. Mais quand j'ai fait mes calculs, et vu la somme que nous pourrions économiser en épongeant notre dette bancaire, le raisonnement du courtier m'a soudain paru difficile à contredire. Sans même que l'expert ni le courtier aient pris la peine de venir estimer notre appartement, il m'a suffi de présenter nos trois derniers bulletins de salaire, une poignée de relevés de comptes, puis de parapher quelques papiers, et je suis ressorti du bureau du courtier avec un chèque de 40 000 dollars et la vague impression que je venais de commettre un braquage en toute impunité.

Voilà ce qui se passait au début des années 2000 – une véritable ruée vers l'or immobilière. À Chicago, les lotissements neufs semblaient pousser comme des champignons. Les prix du mètre carré grimpaient à une vitesse vertigineuse, les taux d'intérêt étaient bas et certains organismes de prêt ne demandaient que 5 ou 10 % d'apport – ou même rien du tout – pour une opération d'achat immobilier, alors pourquoi se priver d'une chambre supplémentaire, du plan de cuisine en granit et du sous-sol aménagé qui, à en croire les magazines et les émissions à la télévision, étaient devenus la norme chez les classes moyennes ? C'était un formidable investissement, sans risque – et, une fois que vous l'aviez achetée, votre nouvelle maison pouvait vous servir également de distributeur de cash personnel, vous permettant de changer les fenêtres, de vous payer cette semaine à Cancún dont vous rêviez depuis si longtemps, ou de compenser le fait que vous n'aviez pas été augmenté l'année précédente. Ne voulant surtout pas passer à côté d'une telle opportunité, des amis, des chauffeurs de taxi, des enseignants me racontaient qu'ils s'étaient lancés dans l'investissement immobilier, et soudain tout le monde parlait couramment la langue des hypothèques à versements forfaitaires, du crédit à taux révisable et de l'indice Case-Shiller. Si je me hasardais à les inciter à la prudence – l'immobilier est un marché imprévisible, ne vous emballez pas trop –, ils m'assuraient qu'ils avaient discuté avec leur cousine ou avec leur oncle qui avaient réalisé une plus-value du tonnerre, d'un ton légèrement amusé laissant entendre que je n'y connaissais rien.

Quand j'ai été élu au Sénat, nous avons revendu notre appartement d'East View Park à un prix suffisamment élevé pour pouvoir rembourser notre emprunt immobilier, notre crédit hypothécaire, et en tirer en plus un petit profit. Mais un soir, alors que je rentrais chez moi en voiture, je suis passé devant les bureaux de mon courtier et j'ai remarqué que tout était vide à l'intérieur ; dans la vitrine, un grand panneau annonçait À VENDRE OU À LOUER. Tous ces nouveaux immeubles résidentiels qui avaient jailli dans les quartiers de River North et du South Loop avaient l'air inoccupés, en dépit des prix au rabais proposés par les promoteurs. Une ancienne collaboratrice de mon staff qui avait quitté la fonction publique pour se lancer dans l'immobilier m'a demandé s'il y avait des ouvertures de poste quelque part – son projet de reconversion ne tournait pas aussi bien qu'elle l'avait espéré.

Je n'étais ni surpris ni inquiet ; tout cela me paraissait normal, c'étaient les aléas cycliques du marché. Mais un jour, à Washington, j'ai évoqué la fragilité du marché immobilier à Chicago devant mon ami George Haywood, avec qui je mangeais un sandwich dans un parc près du Capitole. George avait quitté la fac de droit de Harvard pour devenir joueur professionnel de blackjack, puis son habileté à manipuler les chiffres et sa capacité à prendre des risques lui avaient permis de trouver un job de spécialiste des marchés obligataires à Wall Street, et il avait fini par faire fortune grâce à ses investissements personnels. Avoir une longueur d'avance était son métier.

« Ce n'est que le début, m'a-t-il dit.

– Comment ça ?

– Le marché du logement, a développé George. Le système financier. Tout ça n'est qu'un grand château de cartes sur le point de s'effondrer. »

Assis au soleil sur un banc, il m'a donné un cours accéléré sur le marché des prêts hypothécaires à risque – les *subprimes*. Alors qu'autrefois les banques conservaient en général les prêts hypothécaires qu'elles consentaient dans leurs propres portefeuilles, un pourcentage colossal de ces prêts étaient désormais regroupés et vendus sous forme de titres à Wall Street. Dans la mesure où les banques pouvaient dès lors se décharger du risque de voir tel ou tel emprunteur particulier se retrouver en défaut de paiement, cette « titrisation » des contrats de prêts les avait conduites à assouplir régulièrement leurs critères d'octroi. Les agences de notation financière, rémunérées par les émetteurs, avaient attribué un « AAA » à ces titres, autrement dit la note maximale indiquant qu'ils ne présentaient pas de risques, sans analyser à sa juste mesure le risque de défaut sur les actifs sous-jacents. Les investisseurs mondiaux, qui disposaient d'énormes quantités de liquidités et qui étaient ravis à l'idée d'augmenter leurs retours sur investissement, se sont précipités pour acheter ces produits, drainant toujours plus d'argent vers le secteur du financement du logement. Entre-temps, la Federal National Mortgage Association (dite « Fannie Mae ») et la Federal Home Loan Mortgage Corporation (« Freddie Mac »), les deux sociétés géantes que le Congrès avait autorisées à acheter des prêts garantis afin d'encourager l'accès à la propriété – et qui, en vertu de leur statut quasi gouvernemental, pouvaient emprunter à des taux bien moins élevés que d'autres sociétés –, baignaient dans le marché des prêts hypothécaires et rapportaient des fortunes à leurs actionnaires grâce à la prospérité du marché de l'immobilier.

Tout cela, de manière tout à fait classique, a fini par former une bulle, a continué George. Tant que les prix de l'immobilier grimpaient, tout le monde était content : la famille qui pouvait tout à coup s'acheter la maison de ses rêves sans débourser un sou ; les promoteurs qui n'arrivaient pas à construire assez vite pour suivre la demande ; les banques qui réalisaient de jolis profits en vendant des produits financiers toujours plus complexes ; les banques d'investissement et de gestion de fonds spéculatifs qui plaçaient des sommes de plus en plus importantes sur ces produits financiers avec de l'argent emprunté ; sans parler des magasins d'ameublement, des fabricants de moquettes, des syndicats et du département marketing des journaux, qui avaient tous intérêt à ce que la fête continue.

Mais, avec tous ces acheteurs non solvables qui encombraient le marché, George était convaincu que la fête serait bientôt finie. Ce que j'avais remarqué à Chicago n'était qu'un frémissement, m'a-t-il dit. Quand le séisme se déclencherait pour de bon, la secousse serait bien pire dans des endroits comme la Floride, l'Arizona et le Nevada, où le marché des prêts hypothécaires était le plus actif. Dès qu'un certain nombre de propriétaires se déclareraient en défaut de paiement, les investisseurs se rendraient compte que beaucoup de ces titres adossés à des créances hypothécaires n'étaient pas si AAA que ça, finalement. Tout le monde se précipiterait vers les issues de secours en essayant de revendre ces titres le plus vite possible. Les banques qui les détenaient, fragilisées par cette fuite de capitaux, mettraient sans doute un coup de frein à l'octroi de prêts afin de compenser leurs pertes ou de maintenir leurs obligations en matière de fonds propres, si bien que les ménages, même solvables, auraient le plus grand mal à contracter de nouveaux emprunts, ce qui ne ferait qu'accentuer encore la déprime du marché immobilier.

Un cercle vicieux susceptible de déclencher la panique sur les marchés financiers et, compte tenu des quantités d'argent en jeu, cela déboucherait sur une crise économique comme nous n'en avions jamais connu de notre vivant.

J'ai écouté ces explications avec une incrédulité croissante. George n'était pas du genre à exagérer, surtout quand il était question d'argent. Lui-même avait investi massivement en position « courte », pariant que le taux des titres adossés à des créances hypothécaires allait finir par dégringoler. Je lui ai demandé comment il était possible, si le risque d'une crise économique majeure était si élevé, que personne n'en parle – ni la Réserve fédérale, ni les institutions de réglementation bancaire, ni la presse financière.

George a haussé les épaules. « Aucune idée. »

De retour à mon bureau au Sénat, j'ai demandé à un attaché de vérifier auprès de ses homologues à la Commission bancaire si quelqu'un s'inquiétait de la hausse du marché des subprimes. Réponse : négatif. Le président de la Réserve fédérale avait indiqué que le marché de l'immobilier était un peu en surchauffe et qu'il conviendrait peut-être de procéder à quelques ajustements, mais que, compte tenu de l'historique des tendances, il ne voyait planer aucune menace sur le système financier ou sur l'économie américaine dans son ensemble. Étant donné qu'un certain nombre d'autres sujets requéraient mon attention, à commencer par le lancement des campagnes pour les élections de mi-mandat, l'avertissement de George m'est plus ou moins sorti de l'esprit. Du reste, quand je l'ai revu environ deux mois plus tard, début 2007, le marché financier et le marché de l'immobilier avaient continué de ralentir, mais il ne semblait pas y avoir de raisons de s'inquiéter. George m'a dit qu'il avait dû abandonner ses positions « courtes » après avoir essuyé de lourdes pertes.

« Je n'ai tout simplement plus assez de cash pour continuer d'investir, m'a-t-il dit avec un certain flegme. Apparemment, j'ai sous-estimé à quel point les gens sont prêts à se voiler la face. »

Je n'ai pas demandé à George combien il avait perdu, et nous sommes passés à d'autres sujets. Quand nous nous sommes quittés ce jour-là, nous ne savions pas que les gens allaient bientôt être obligés d'arrêter de se voiler la face – ni que les terribles retombées de cet aveuglement collectif allaient, d'ici dix-huit mois à peine, jouer un rôle crucial dans mon élection à la présidence.

« Sénateur Obama. Hank Paulson à l'appareil. »

Nous étions une semaine et demie après la convention nationale du Parti républicain, onze jours avant mon premier débat avec John McCain. Les raisons pour lesquelles le secrétaire au Trésor américain voulait me parler paraissaient évidentes.

Le système financier était en train de s'effondrer et d'emporter l'économie américaine dans sa chute.

Même si la question la plus brûlante au début de notre campagne avait été la situation en Irak, j'avais toujours réservé une place centrale dans mon argumentation en faveur du changement à la nécessité d'une réorientation plus progressiste de notre politique économique. Selon moi, les facteurs combinés de la mondialisation et de la révolution des nouvelles technologies avaient altéré en profondeur l'économie américaine depuis au moins deux décennies. Les industries américaines avaient délocalisé leur production à l'étranger, ce qui leur permettait de réexpédier aux États-Unis des produits bon marché, fabriqués par une main-d'œuvre à moindre coût, revendus ensuite par de grandes enseignes commerciales qui ne laissaient aucune chance aux petites et moyennes entreprises moins compétitives. Plus récemment, l'avènement d'Internet avait balayé un certain nombre de catégories professionnelles du secteur tertiaire et, dans certains cas, des industries entières.

Dans cette nouvelle économie fondée sur la prime au gagnant, ceux qui contrôlaient le capital ou possédaient des compétences hautement spécialisées et prisées – que ce soit des entrepreneurs de nouvelles technologies, des gestionnaires de fonds spéculatifs, des stars comme le basketteur LeBron James ou le comédien Jerry Seinfeld – pouvaient rentabiliser leurs actifs, avoir accès au marché mondial et amasser plus de richesses que n'importe quel groupe d'individus dans toute l'histoire de l'humanité. Mais, pour les travailleurs lambda, la mobilité des capitaux et l'automatisation se traduisaient par un affaiblissement croissant de leur pouvoir de négociation. Les villes industrielles perdaient leurs forces vives. La faible inflation et les écrans plats bon marché ne pouvaient pas compenser les licenciements, la réduction du temps de travail et le travail par intérim, le gel des salaires et la diminution des bénéfices, surtout quand le coût de l'assurance-maladie et de l'éducation (deux secteurs moins concernés par les économies d'argent que permettait l'automatisation du travail) ne cessait de grimper en flèche.

Les inégalités aussi s'aggravaient à leur façon. Même les Américains de la classe moyenne, confrontés à la hausse du coût de la vie, étaient de plus en plus souvent obligés de quitter les quartiers où se trouvaient les meilleures écoles, ou les villes offrant les meilleures perspectives d'emploi. Ils n'avaient pas les moyens de procurer à leurs enfants les avantages – cours de préparation aux examens d'entrée à l'université, séjour d'initiation à l'informatique pendant les vacances d'été et autres stages en entreprise non rémunérés mais d'une valeur inestimable – qui étaient monnaie courante dans les ménages plus aisés. En 2007, l'économie américaine générait non seulement plus d'inégalités que dans presque n'importe quel autre pays riche, mais aussi moins de mobilité sociale.

Je pensais que ces problèmes n'étaient pas une fatalité, mais plutôt la conséquence de choix politiques qui remontaient à la présidence de Ronald Reagan. Sous la bannière de la liberté économique – une « société de propriétaires », pour reprendre la formule du président Bush –, les Américains avaient vu se multiplier les réductions d'impôts pour les plus riches tandis que les lois sur les négociations collectives n'étaient pas appliquées. On s'était efforcé de privatiser ou de réduire le filet de protection sociale, et les budgets fédéraux avaient systématiquement sous-investi dans tous les domaines, de l'encadrement de la petite enfance aux infrastructures. Tout cela avait entraîné un accroissement des inégalités, qui avait rendu les ménages vulnérables face aux moindres turbulences économiques.

Je faisais campagne pour mener le pays dans la direction opposée. Je ne croyais pas que l'Amérique puisse inverser le cours de l'automatisation du travail ou rompre la chaîne d'approvisionnement mondiale (même si je pensais que nous pouvions négocier des clauses plus rigoureuses en matière de travail et d'environnement dans nos accords commerciaux). Mais j'étais certain en revanche que nous pouvions adapter nos lois et nos institutions, comme nous l'avions fait par le passé, afin de donner des chances équitables à tous ceux qui désiraient travailler. À chacune de mes étapes, dans chaque métropole, chaque petite ville, mon message était le même. Je promettais d'accroître les impôts sur les revenus les plus élevés afin de pouvoir réaliser des investissements essentiels dans l'éducation, la recherche et les infrastructures. Je promettais de renforcer les syndicats et d'augmenter le salaire minimum, mais aussi d'instaurer une couverture santé universelle et de rendre plus abordable l'accès aux études supérieures.

Je voulais que les gens aient conscience que ce genre de mesures gouvernementales audacieuses avaient un précédent. Franklin Delano Roosevelt avait sauvé le capitalisme de lui-même et posé les fondations d'un boom économique au lendemain de la Seconde Guerre mondiale. Je répétais que l'encadrement du travail par une législation forte avait permis l'émergence d'une classe moyenne et d'un marché domestique florissants, et que les lois relatives à la protection des consommateurs, en éliminant les produits dangereux et les mécanismes frauduleux, avaient contribué à l'épanouissement et à la prospérité du commerce légitime.

J'expliquais que c'étaient la force de l'école publique et des universités d'État ainsi que des lois telles que le GI Bill, destiné à aider les anciens combattants à se réinsérer dans la société, qui avaient libéré le potentiel de générations entières d'Américains et favorisé l'ascension sociale. Le régime des allocations et le système d'assurance-santé fédéral Medicare avaient permis à ces mêmes Américains de conserver une certaine stabilité après la retraite, et des investissements publics comme ceux dont avaient bénéficié le réseau autoroutier et le secteur de l'énergie, par exemple avec la création de la Tennessee Valley Authority dans le cadre du New Deal dans les années 1930, avaient boosté la productivité et fourni un tremplin pour d'innombrables entrepreneurs.

J'étais convaincu que nous pouvions adapter ces stratégies à l'époque actuelle. Au-delà de telle ou telle mesure politique en particulier, je voulais que les gens se rappellent le rôle crucial que le gouvernement avait toujours joué dans la promotion de l'égalité des chances, de la compétitivité et des pratiques équitables afin que le marché puisse bénéficier à tout le monde.

Ce que je n'avais pas prévu, c'était une crise financière majeure.

MÊME SI MON AMI George m'avait averti très tôt, ce n'est qu'au printemps 2007 que j'avais commencé à voir apparaître des gros titres alarmants dans la presse financière. La deuxième plus grande société de fonds de placement immobilier, New Century Financial, avait déposé le bilan après un pic de défauts de paiement sur le marché immobilier des subprimes. Si le premier créancier du pays, Countrywide, avait échappé au même sort, c'était uniquement grâce à l'intervention de la Réserve fédérale qui avait approuvé un mariage précipité avec Bank of America.

Inquiet, j'avais parlé aux experts économiques de mon équipe et prononcé un discours à la place boursière du NASDAQ en septembre 2007, dans lequel je dénonçais le manque de régulation du marché des prêts hypothécaires à risque et proposais un encadrement plus strict. J'avais peut-être un coup d'avance sur mes adversaires dans la course à la présidentielle sur cette question, mais beaucoup de retard par rapport à la vitesse incontrôlable à laquelle la situation à Wall Street était en train de s'aggraver.

Au cours des mois suivants, les marchés financiers avaient vu se produire une « fuite vers la qualité » : créanciers et investisseurs déplaçaient leur argent sur des obligations du Trésor garanties par l'État, restreignaient fortement l'accès au crédit et retiraient leurs capitaux de toute société dont les titres adossés à des créances hypothécaires présentaient un risque élevé. Pratiquement toutes les grandes institutions financières du monde étaient dangereusement exposées, ayant soit investi directement dans de tels titres (s'endettant souvent pour financer ces placements), soit prêté de l'argent à des sociétés qui avaient réalisé de tels investissements. En octobre 2007, Merrill Lynch avait annoncé des pertes de 7,9 milliards de dollars en lien avec les subprimes. Citigroup estimait que les siennes avoisinaient les 11 milliards de dollars. En mars 2008, le cours de la valeur boursière de la société d'investissement Bear Stearns avait dégringolé de 57 à 30 dollars en une seule journée, obligeant la Réserve fédérale à orchestrer son rachat au rabais par JPMorgan Chase. Personne ne pouvait prédire si – ou à quel moment – les trois grandes banques d'investissement restantes à Wall Street – Goldman Sachs, Morgan Stanley et surtout Lehman Brothers, qui voyaient toutes leur capital fondre à un rythme alarmant – allaient connaître le même destin.

Pour le grand public, il était tentant de voir dans ces événements un retour de bâton que tous ces banquiers et autres gestionnaires de fonds de pension cupides n'avaient pas volé ; tentant de rester les bras croisés en regardant ces sociétés couler et ces grands patrons avec leurs primes à 20 millions de dollars se retrouver forcés de vendre leurs yachts, leurs jets privés et leurs maisons dans les Hamptons. J'avais moi-même rencontré suffisamment de cadres de Wall Street pour savoir que beaucoup d'entre eux (mais pas tous) répondaient en effet à tous les stéréotypes de leur profession : satisfaits d'eux-mêmes et droits dans leurs bottes, obsédés par les signes extérieurs de richesse et totalement indifférents aux conséquences possibles de leurs décisions sur la vie des autres.

Le problème, au milieu d'une telle panique financière et dans une économie capitaliste moderne, c'est qu'il était impossible de faire la distinction entre les bonnes et les mauvaises entreprises, ou de ne châtier que les irresponsables et les crapuleux. Que cela nous plaise ou non, nous étions tous dans le même bateau.

Au printemps 2008, les États-Unis étaient officiellement entrés en récession. La bulle immobilière et l'argent facile avaient camouflé une pléthore de faiblesses structurelles dans l'économie américaine depuis une bonne décennie. Mais à présent, avec le pic des défauts de paiement, le resserrement du crédit, le déclin du marché boursier et la dégringolade des prix de l'immobilier, toutes les entreprises, grandes ou petites, couraient aux abris. Elles licenciaient, elles annulaient leurs

Mes grands-parents maternels étaient originaires du Kansas et se sont mariés en hâte juste avant l'attaque de Pearl Harbor.
Mon grand-père a servi dans l'armée du général Patton, tandis que ma grand-mère travaillait sur une chaîne de montage dans une usine de bombardiers.
«

≈
Quand on grandit à Hawaï, se promener dans les forêts en montagne et passer des journées entières à lézarder sur la plage est un droit de naissance – aussi facile que de mettre un pied hors de chez soi.

«
Je suis manifestement très fier de mon swing.

Ma mère, Ann Dunham, se rebellait contre les conventions, mais elle éprouvait également une certaine méfiance à l'égard des idéologies ou des grandes déclarations. « Le monde est compliqué, Bar, me disait-elle. C'est pour ça qu'il est intéressant. »

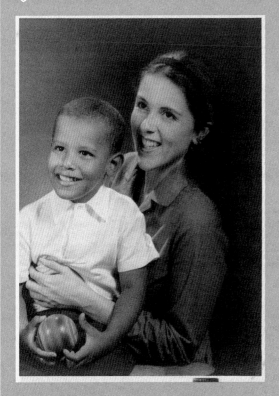

Mon père, Barack Obama Sr, a grandi au Kenya et fait des études d'économie à l'université de Hawaï, où il a rencontré ma mère, puis à Harvard. Après leur divorce, il est retourné vivre en Afrique.

Ma grand-mère et moi avec ma mère le jour où celle-ci a obtenu son diplôme d'anthropologie de l'université de Hawaï.

Ma mère avec mes demi-sœurs, Maya Soetoro-Ng (*à gauche*) et Auma Obama.

À notre mariage. Le père de Michelle et Gramps nous manquaient, mais, ce jour-là, je me sentais l'homme le plus heureux du monde.

Les joies de ma vie.

Juché sur une tribune improvisée, à l'ancienne, je prononce un discours à Chillicothe, dans l'Illinois, au début de ma campagne sénatoriale.

Je parais incroyablement jeune le jour où je prononce mon discours à la convention nationale du Parti démocrate de 2004 à Boston. Sans doute la dernière fois de ma vie où j'ai pu pénétrer dans un espace public sans être reconnu.

Avec Michelle, après mon discours à la convention démocrate. »

Après la convention, Michelle, les filles et moi sommes partis pour un *road trip* d'une semaine dans l'Illinois rural. Pour la première fois, les filles goûtaient aux joies des déplacements de campagne.

La soirée électorale, 2004. Nous avons remporté l'élection sénatoriale avec la plus grande marge d'écart de toute l'histoire de l'Illinois. Les filles, elles, étaient surtout enchantées par les confettis.

J'ai annoncé ma candidature à l'élection présidentielle le 10 février 2007. Il faisait un froid glacial à Springfield, mais je le sentais à peine. J'ai eu l'impression que nous touchions au cœur de l'Amérique dans ce qu'elle a de plus essentiel et authentique.

«

Je suis passé à côté de nombre de choses en faisant campagne loin de mes filles. Mais une journée à la foire annuelle de l'Iowa, les jeux, les friandises et les autos-tamponneuses ? Rien de mieux au monde. ≫

En campagne à Austin, au Texas. J'étais devenu un symbole d'espoir disproportionné, le dépositaire d'un million de rêves différents, et j'étais inquiet à l'idée qu'un jour je finirais par décevoir les gens qui me soutenaient.

≫

« Avec Michelle, après mon discours à la convention démocrate. »

≫ Après la convention, Michelle, les filles et moi sommes partis pour un *road trip* d'une semaine dans l'Illinois rural. Pour la première fois, les filles goûtaient aux joies des déplacements de campagne.

≫ La soirée électorale, 2004. Nous avons remporté l'élection sénatoriale avec la plus grande marge d'écart de toute l'histoire de l'Illinois. Les filles, elles, étaient surtout enchantées par les confettis.

« J'ai été élu au Sénat des États-Unis le 2 novembre 2004.

En tant que sénateur impétrant, j'ai convaincu Pete Rouse de devenir mon directeur de cabinet. Pete s'est révélé un don du ciel – fort d'une immense expérience et d'une honnêteté sans faille, il était surnommé « le 101ᵉ sénateur ».

»

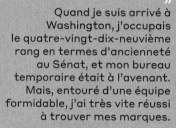

» Quand je suis arrivé à Washington, j'occupais le quatre-vingt-dix-neuvième rang en termes d'ancienneté au Sénat, et mon bureau temporaire était à l'avenant. Mais, entouré d'une équipe formidable, j'ai très vite réussi à trouver mes marques.

« En tant que membre du groupe parlementaire noir au Congrès, j'ai eu la chance de travailler aux côtés de l'un de mes héros, le député John Lewis.

Lors de mon premier voyage officiel à l'étranger en tant que sénateur, en août 2005, j'ai visité une usine de désarmement à Donetsk, en Ukraine, en compagnie du sénateur républicain Dick Lugar.

Lors d'un voyage officiel au Kenya en août 2006, Michelle et moi avons souhaité sensibiliser la population sur les tests VIH rapides en nous faisant tester nous-mêmes. Les gens se pressaient en nombre au bord des routes pour nous saluer.

J'ai annoncé ma candidature à l'élection présidentielle le 10 février 2007. Il faisait un froid glacial à Springfield, mais je le sentais à peine. J'ai eu l'impression que nous touchions au cœur de l'Amérique dans ce qu'elle a de plus essentiel et authentique.

«

Je suis passé à côté de nombre de choses en faisant campagne loin de mes filles. Mais une journée à la foire annuelle de l'Iowa, les jeux, les friandises et les autos-tamponneuses ? Rien de mieux au monde. »

En campagne à Austin, au Texas. J'étais devenu un symbole d'espoir disproportionné, le dépositaire d'un million de rêves différents, et j'étais inquiet à l'idée qu'un jour je finirais par décevoir les gens qui me soutenaient. »

Arrivée en fanfare au
« Steak Fry » annuel
de Tom Harkin en 2007
avec la troupe de mes
organisateurs sur le terrain.
Nous avons dû notre succès
dans l'Iowa en grande partie
à ces jeunes collaborateurs
et bénévoles animés
d'une fougue invincible.

Moins d'un mois avant le caucus de l'Iowa,
nous avons tenu un meeting à Des Moines.
Oprah est venue me présenter, ce qui
explique la foule rassemblée ce jour-là.

IOWA FOR OBAMA

Le 24 juillet 2008, j'ai prononcé un discours devant la Colonne de la Victoire à Berlin. De même qu'une génération précédente avait abattu le mur qui divisait jadis l'Europe, ai-je déclaré, il nous revenait aujourd'hui d'abattre d'autres murs, moins visibles, qui se dressaient entre les classes, les races et les religions.

Avec l'architecte de ma campagne, David Plouffe, juste avant de monter sur scène pour accepter la nomination du Parti démocrate à l'élection présidentielle. Sous ses allures discrètes, Plouffe était un stratège brillant.

John McCain et moi avons mis la campagne entre parenthèses le temps d'un hommage aux victimes des attentats à New York le 11 septembre 2008. Quelques jours plus tard, les grandes banques, dont la plupart avaient leur siège à quelques pâtés de maisons de là, commenceraient à s'effondrer.

Ce même mois, alors que l'économie était en chute libre, McCain a demandé au président Bush de réunir à la Maison-Blanche les chefs de file des deux partis au Congrès afin d'essayer de s'entendre sur un plan de sauvetage économique.

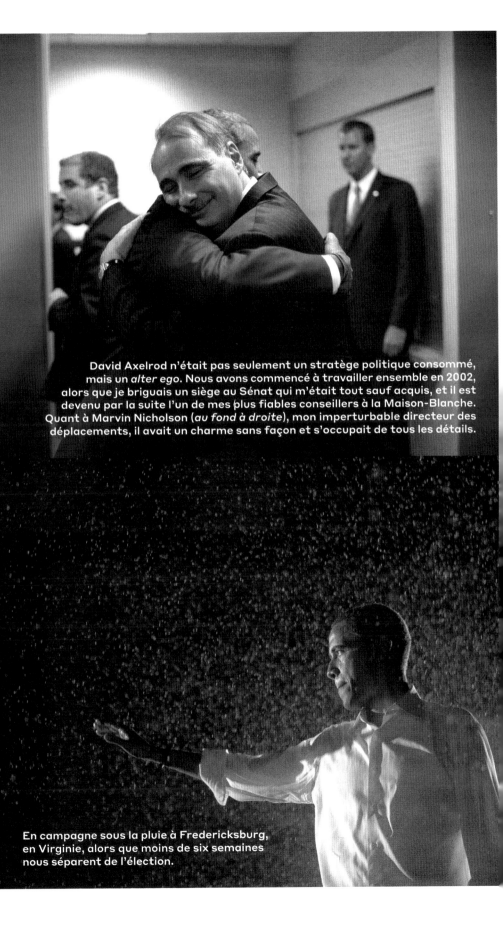

David Axelrod n'était pas seulement un stratège politique consommé, mais un *alter ego*. Nous avons commencé à travailler ensemble en 2002, alors que je briguais un siège au Sénat qui m'était tout sauf acquis, et il est devenu par la suite l'un de mes plus fiables conseillers à la Maison-Blanche. Quant à Marvin Nicholson (*au fond à droite*), mon imperturbable directeur des déplacements, il avait un charme sans façon et s'occupait de tous les détails.

En campagne sous la pluie à Fredericksburg, en Virginie, alors que moins de six semaines nous séparent de l'élection.

« Notre plus grand meeting s'est déroulé le 19 octobre, quand j'ai pris la parole devant la Gateway Arch de Saint Louis, dans le Missouri. Il y avait environ 100 000 personnes ce jour-là.

À côté de Marian Robinson, ma belle-mère, le soir de l'élection. Nous regardons les résultats tomber. « C'est presque trop », m'a-t-elle dit. Je voyais exactement ce qu'elle voulait dire par là.

Le soir de l'élection, plus de 200 000 personnes se sont réunies au Grant Park de Chicago pour célébrer la victoire. Malia avait peur que personne ne vienne à la fête, parce qu'il n'y avait pas une seule voiture sur les routes.

Ma photo préférée de cette soirée est celle-ci : un petit groupe de gens sur les marches du mémorial de Lincoln, en train d'écouter la retransmission de mon discours de victoire à la radio.

IN THIS TEMPLE
AS IN THE HEARTS OF THE PEOPLE
FOR WHOM HE SAVED THE UNION
THE MEMORY OF ABRAHAM LINCOLN
IS ENSHRINED FOREVER

Juste avant de sortir sur le balcon pour prêter serment, j'ai prononcé une prière.

J'ai prêté serment sur la bible utilisée par Abraham Lincoln pour sa propre investiture, le 4 mars 1861.

Un océan d'Américains. Lorsqu'ils agitaient tous ensemble
leurs drapeaux sous le soleil, on aurait dit une immense vague.
Je me suis promis de leur donner le meilleur de moi-même.

≈

La parade inaugurale.
Comme d'habitude,
Michelle a volé la vedette.

≈

» Ma première journée assis derrière le « Resolute desk » – le bureau offert par la reine Victoria en 1880, sculpté dans la coque d'un navire britannique que l'équipage d'un baleinier américain avait sauvé du naufrage.

« Le meilleur moment de la journée : quand les filles passaient me voir.

commandes. Elles différaient leurs investissements dans de nouvelles usines et de nouveaux systèmes informatiques. Et, à mesure que les gens qui travaillaient pour ces entreprises perdaient leur emploi, ou voyaient la valeur de leur bien immobilier ou de leur plan d'épargne retraite se réduire comme peau de chagrin, ou accumulaient les retards de paiement sur leurs comptes à crédit et se trouvaient obligés de puiser dans leur épargne, eux aussi opéraient un repli stratégique. Ils renonçaient à acheter une voiture neuve, n'allaient plus au restaurant et remettaient leurs vacances à plus tard. Et, à mesure que leurs chiffres d'affaires déclinaient, les entreprises continuaient de licencier et de restreindre toujours plus les dépenses. C'était un cycle classique de contraction de la demande, qui empirait de mois en mois. Les chiffres du mois de mars montraient qu'un prêt hypothécaire sur onze faisait l'objet d'un défaut de paiement ou d'une saisie immobilière, et que les ventes s'étaient effondrées sur le marché de l'automobile. En mai, le chômage avait augmenté d'un demi-point – la plus forte augmentation observée en un mois depuis les vingt dernières années.

L'affaire était désormais entre les mains du président Bush. Sur l'insistance de ses conseillers économiques, il avait négocié un accord bipartite du Congrès pour débloquer une enveloppe de 168 milliards de dollars dans le cadre d'un plan de sauvetage de l'économie prévoyant des exonérations et des remises d'impôts censées stimuler la consommation des ménages et donner un coup de fouet à l'activité économique. Mais les effets potentiels de cette initiative avaient été sapés par la hausse du prix des carburants cet été-là, et la crise n'avait fait que s'aggraver. En juillet, les chaînes d'information avaient diffusé les images de clients désespérés qui faisaient la queue devant les guichets de la banque IndyMac, en Californie, pour retirer l'argent de leurs comptes ; la banque n'avait pas tardé à déclarer faillite. La banque Wachovia, beaucoup plus importante, n'avait dû sa survie qu'à l'intervention du secrétaire au Trésor Paulson, qui avait eu recours à une « exception au titre du risque systémique » afin de lui éviter la faillite.

Le Congrès, entre-temps, avait autorisé le déblocage de 200 milliards de dollars pour empêcher Fannie Mae et Freddie Mac – les deux géants privés qui, à eux deux, avaient garanti près de 90 % des prêts hypothécaires américains – de couler à leur tour. Ces deux sociétés avaient été placées sous la tutelle de l'État et dépendaient désormais d'un nouvel organisme fédéral, la Federal Housing Finance Agency (FHFA), chargé de la supervision et de la réglementation du secteur immobilier. Et pourtant, en dépit de ces mesures d'une ampleur inégalée, on avait toujours le sentiment que les marchés étaient au bord du précipice

– comme si les autorités jetaient des pelletées de gravier dans une faille qui s'était ouverte sous leurs pieds et qui ne cessait de s'élargir. Or, pour le moment en tout cas, le gouvernement était à court de gravier.

Et c'est précisément la raison pour laquelle Hank Paulson, le secrétaire au Trésor américain, voulait me parler. Je l'avais rencontré pour la première fois à l'époque où il était encore PDG de Goldman Sachs. Grand, chauve, lunettes sur le nez, une attitude un peu étrange mais dépourvue de toute affectation, il avait passé l'essentiel de notre entretien à me parler de son engagement fervent pour la protection de l'environnement. Mais sa voix rauque, reconnaissable entre mille, trahissait aujourd'hui une grande fébrilité ; c'était la voix d'un homme en proie à l'épuisement et à la peur.

Ce matin-là, lundi 15 septembre 2008, Lehman Brothers, une entreprise dont la valeur était estimée à 639 milliards de dollars, avait annoncé qu'elle déposait le bilan. Le fait que le département du Trésor ne soit pas intervenu pour empêcher ce qui se présentait comme la plus grande faillite de toute l'histoire économique américaine était le signe que nous étions entrés dans une nouvelle phase de la crise.

« On peut s'attendre à une très mauvaise réaction du marché, m'a dit Paulson. Et il y a de fortes chances que la situation aille de mal en pis. »

Il m'a expliqué que le département du Trésor et la Réserve fédérale avaient tous deux jugé que Lehman Brothers était en trop mauvais état pour que le gouvernement vole à son secours, et qu'aucune institution financière ne voulait racheter ses dettes. Le président Bush avait donné à Paulson l'autorisation de nous briefer, John McCain et moi, parce qu'un soutien politique bipartite serait indispensable pour pouvoir engager des mesures d'urgence supplémentaires. Paulson espérait que nous saurions l'un et l'autre prendre la mesure de la gravité de la situation et y réagir en conséquence.

Pas besoin d'un expert en sondages pour comprendre que Paulson avait raison de s'inquiéter des retombées politiques. Nous n'étions plus qu'à sept semaines de l'élection. À mesure que le grand public prenait conscience de l'énormité de la crise, l'idée de dépenser des milliards de dollars du contribuable pour renflouer des institutions bancaires irresponsables serait accueillie avec à peu près autant d'enthousiasme qu'une épidémie de variole ou un dîner en tête-à-tête avec Oussama Ben Laden. Le lendemain, le département du Trésor, sous la houlette de Paulson, éviterait la catastrophe à Goldman Sachs et à Morgan Stanley en requalifiant ces deux institutions de sorte qu'elles puissent créer des branches commerciales éligibles aux dispositifs de protection fédérale. Mais rien n'y faisait : même les sociétés les plus sûres et les mieux cotées se révélaient soudain incapables d'emprunter les sommes nécessaires pour financer les affaires courantes, et les fonds communs de placement monétaires, jusqu'ici jugés aussi fiables et liquides que les actifs en espèces, commençaient à leur tour à vaciller.

Pour les démocrates, il aurait été facile d'attribuer la responsabilité de ce fiasco au gouvernement en place, mais la vérité était que bon nombre de représentants et de sénateurs démocrates avaient applaudi à la hausse du taux d'accession à la propriété grâce au boom des subprimes. Pour les républicains candidats à leur propre succession lors des élections secondaires de novembre, qui avaient déjà un pied dans la tombe en raison de l'impopularité d'un président issu de leurs rangs et de l'effondrement de l'économie, la perspective de voter en faveur de nouveaux « renflouements » à Wall Street semblait revenir à planter eux-mêmes le dernier clou de leur cercueil.

« Si vous devez prendre des mesures supplémentaires, ai-je dit à Paulson, je crois que votre plus gros problème viendra de votre camp, pas du mien. » De nombreux républicains se plaignaient déjà, estimant que les incursions de l'administration Bush dans le secteur bancaire allaient à l'encontre des principes fondamentaux du conservatisme, qui prônaient un interventionnisme d'État limité. Ils accusaient la Réserve fédérale d'outrepasser ses prérogatives, et certains avaient même le culot de critiquer les instances de régulation fédérales, coupables selon eux de ne pas avoir décelé plus tôt les problèmes posés par le marché des subprimes – comme si eux-mêmes n'avaient pas passé les huit dernières années à détricoter le plus grand nombre possible de réglementations financières.

John McCain était demeuré pour ainsi dire muet sur toutes ces questions jusqu'à présent, et j'ai enjoint à Paulson de rester en étroit contact avec mon adversaire tout au long de l'évolution de la situation. En tant que candidat désigné du Parti républicain, McCain ne pouvait pas se permettre le luxe de prendre ses distances avec Bush. Au demeurant, la promesse qu'il avait faite de reprendre le flambeau de la politique économique de ce dernier avait toujours été l'un de ses gros points vulnérables. Au cours des primaires, il avait avoué ne pas connaître grand-chose à la politique économique. Plus récemment, il avait donné davantage encore l'impression d'être déconnecté de la réalité en confiant à un journaliste qu'il ne savait pas exactement combien de maisons il possédait. (Réponse : huit.) À en croire Paulson, les problèmes politiques de McCain ne faisaient que commencer. Je ne doutais pas que ses conseillers le presseraient de redorer son blason auprès des électeurs en se désolidarisant de tout nouveau plan de sauvetage financier élaboré par le gouvernement en place.

Si McCain prenait le parti de ne pas soutenir les décisions de Bush, je savais que les démocrates – peut-être même mon propre staff – me mettraient la pression pour que j'en fasse autant. Mais au fond, alors que Paulson et moi terminions notre conversation, je savais déjà que la réaction de McCain, quelle qu'elle soit, n'avait aucune importance. Face à de tels enjeux, je ferais tout ce qu'il faudrait, indépendamment de toute considération politique, pour aider le gouvernement à stabiliser la situation.

Si je voulais devenir président, me disais-je, je devais agir dès à présent comme tel.

Comme prévu, John McCain a eu quelques difficultés à apporter une réponse cohérente aux événements qui se déroulaient à une vitesse dramatique. Cherchant à rassurer le peuple américain, il n'aurait pas pu choisir plus mal son moment – le jour même où la banque Lehman Brothers annonçait qu'elle déposait le bilan – pour prendre la parole lors d'un débat public retransmis à la télévision et déclarer : « Les fondamentaux de l'économie sont forts. » Nous l'avons aussitôt crucifié. (« Sénateur, de quelle économie parlez-vous ? » lui ai-je demandé un peu plus tard ce même jour, à l'occasion d'un autre débat public auquel je participais de mon côté.)

Dans les jours qui ont suivi, l'annonce de la faillite de Lehman Brothers a semé la panique sur les marchés financiers. Les bourses ont plongé. Merrill Lynch, au bord du gouffre, avait déjà négocié son rachat par Bank of America. Entre-temps, il s'était avéré que les 200 milliards de dollars prêtés aux banques par la Réserve fédérale n'avaient pas suffi à les renflouer. Outre les sommes englouties pour sortir Fannie Mae et Freddie Mac du marasme, 85 milliards de dollars supplémentaires avaient été dépensés pour financer en urgence la mise sous tutelle de l'État d'AIG, la gigantesque compagnie d'assurances qui avait garanti le marché des titres adossés aux subprimes. AIG était typique des sociétés « trop importantes pour faire faillite » – tellement impliquée à tous les échelons des réseaux financiers internationaux que son effondrement aurait entraîné des faillites bancaires en cascade – et, même après l'intervention de l'État, elle avait continué à essuyer de lourdes pertes. Quatre jours après la chute de Lehman Brothers, le président Bush et le secrétaire au Trésor Paulson, aux côtés de Ben Bernanke, président de la Réserve fédérale, et de Chris Cox, président de la Securities and Exchange Commission (SEC), ont annoncé lors d'une intervention télévisée que le Congrès allait devoir voter un projet de loi, connu par la suite sous le nom de TARP (*Troubled Asset Relief Program*, ou « programme de sauvetage des actifs à risque »), qui permettrait de débloquer de nouveaux fonds d'urgence d'un montant de 700 milliards de dollars. Tel était le prix à payer, estimaient-ils, pour échapper à l'Armageddon.

McCain, sans doute pour se rattraper après sa bourde sur les fondamentaux de l'économie, a déclaré son opposition au renflouement d'AIG. Le lendemain, il a fait machine arrière. Sa position sur le projet TARP restait confuse – il était opposé aux sauvetages financiers en théorie, mais pas forcément à celui-ci. Tous ces tours et détours nous ont grandement facilité la tâche pour démontrer que la crise était liée à une politique économique « Bush-McCain » qui favorisait les riches et les puissants au détriment des classes moyennes, et que McCain serait incapable de tenir la barre du paquebot Amérique dans les tempêtes économiques présentes et à venir.

Je me suis néanmoins efforcé de tenir l'engagement que j'avais pris auprès de Paulson, en donnant pour instruction à mon équipe de s'abstenir de toute déclaration publique susceptible de mettre en péril les chances de l'administration Bush de faire approuver un plan de sauvetage par le Congrès. Aux côtés des conseillers économiques de notre campagne, Austan Goolsbee et Jason Furman, j'avais monté un groupe consultatif informel dans lequel figuraient notamment l'ancien président de la Réserve fédérale, Paul Volcker, l'ancien secrétaire au Trésor de l'administration Clinton, Larry Summers, ainsi que le légendaire investisseur Warren Buffett. Tous trois avaient déjà connu de graves crises financières, et ils m'ont chacun confirmé que celle-ci était d'une magnitude inédite. Si nous n'agissions pas rapidement, m'ont-ils expliqué, nous risquions de nous retrouver face à la possibilité bien réelle d'un effondrement économique : des millions d'Américains privés de leur foyer et de leurs économies, et des niveaux de chômage jamais vus depuis la Grande Dépression dans les années 1930.

Ces briefings m'ont été d'une aide inestimable, car ils m'ont permis de mieux comprendre les rouages de la crise et d'être en mesure d'évaluer les diverses solutions proposées. Ils m'ont aussi fichu une sacrée trouille. Quand je suis arrivé à Tampa, en Floride, en vue de me préparer pour mon premier débat avec McCain, je me sentais en confiance pour aborder les sujets économiques – sur le fond, au moins, je savais désormais de quoi je parlais –, et je redoutais de plus en plus les conséquences qu'une crise prolongée pourrait entraîner pour les ménages partout en Amérique.

Quand bien même mon attention n'aurait pas été accaparée par la menace de la crise, je n'aurais sans doute pas été enchanté à l'idée de passer trois jours confiné dans une chambre d'hôtel pour me préparer à mon affrontement avec McCain. Mais, compte tenu de l'inégalité de mes prestations pendant les débats des primaires, je savais que j'avais besoin de travailler. Heureusement, notre équipe avait recruté deux avocats et vétérans de l'arène politique – Ron Klain et Tom Donilon, qui avaient déjà joué ce rôle de préparateur pour d'autres candidats à la présidentielle comme Al Gore, Bill Clinton et John Kerry. À peine étais-je arrivé qu'ils ont commencé à m'expliquer en détail comment le débat allait se dérouler et à passer en revue toutes les questions possibles et imaginables qu'on pourrait me poser. Avec Axe, Plouffe, la conseillère en communication Anita Dunn et le reste de l'équipe, ils m'ont fait répéter pendant des heures jusqu'à obtenir les réponses précises qu'ils voulaient entendre, à la virgule près. Dans le vieux Biltmore Hotel où nous nous étions repliés, Ron et Tom avaient tenu à faire installer une réplique exacte de la scène du débat, et ce soir-là ils m'ont soumis à une répétition générale de quatre-vingt-dix minutes, pinaillant sur les moindres détails de ma prestation, du débit de mes paroles aux inflexions de ma voix en passant par ma posture sur scène. C'était éreintant, mais indéniablement utile ; et, quand je me suis enfin écroulé sur mon lit, j'étais certain que mes rêves allaient se dérouler en intro-trois-parties-conclusion.

Malgré tous leurs efforts, cependant, les nouvelles de l'extérieur n'arrêtaient pas de m'arracher à la bulle Klain-Donilon. Entre deux séances de répétition, je recevais les dernières mises à jour sur l'évolution du marché et l'avancée du projet de loi TARP défendu par la Maison-Blanche. Le terme « projet de loi » était toutefois un tantinet exagéré : le texte présenté au Congrès par Hank Paulson consistait en trois maigres pages remplies de formules passe-partout autorisant le Trésor à utiliser les 700 milliards de dollars du fonds d'urgence pour racheter des actifs à risque et, de manière plus générale, à prendre toutes les mesures qu'il jugerait nécessaires pour contenir la crise. Entre la presse et l'opinion publique, que cette somme exorbitante scandalisait, et les élus, démocrates et républicains confondus, qui rechignaient devant un texte aussi lapidaire, l'administration Bush, m'a dit Pete

Rouse, était très loin de pouvoir réunir les voix suffisantes pour faire passer son projet.

Harry Reid et Nancy Pelosi, la présidente de la Chambre des représentants, m'ont dit la même chose quand je leur ai parlé au téléphone. Tous deux étaient d'intraitables guerriers de la politique, qui n'hésitaient pas à cogner sur les républicains pour consolider leur majorité dès qu'ils le pouvaient. Mais, comme j'aurais l'occasion de le constater à maintes reprises au cours des années à venir, Harry et Nancy étaient disposés (parfois après avoir beaucoup râlé) à laisser les considérations politiques de côté lorsqu'un sujet d'importance vitale était en jeu. Sur le projet TARP, en l'occurrence, ils s'en remettaient à mon jugement. Je leur en ai fait part en toute franchise : à condition de l'assortir de certaines clauses visant à garantir qu'il ne s'agissait pas de donner un blanc-seing à Wall Street, il fallait que les démocrates contribuent à le faire voter. Et, il convient de leur rendre ce mérite, tous deux se sont engagés à faire leur possible pour récolter le nombre de voix nécessaires au sein de leur groupe parlementaire respectif – à condition que Bush et les chefs de file de l'opposition républicaine fassent de même de leur côté.

C'était une sacrée condition, j'en étais conscient. Un projet de loi impopulaire, une élection imminente, deux partis qui l'un comme l'autre ne voulaient surtout pas donner de munitions à l'adversaire – c'était la recette idéale pour aboutir à l'impasse.

Pour en sortir, j'ai commencé à envisager sérieusement la solution extravagante que m'avait suggérée mon ami Tom Coburn, sénateur républicain de l'Oklahoma : une déclaration conjointe de John McCain et moi-même appelant le Congrès à voter le projet de loi TARP, sous une forme ou une autre. En empoignant chacun une extrémité du bâton, nous pourrions évacuer la dimension politique de ce projet législatif et permettre à un Congrès à cran de prendre une décision raisonnable sans avoir à se soucier de son impact sur l'élection.

Je ne savais absolument pas comment McCain réagirait à une telle proposition. Elle pouvait paraître fantaisiste, mais, sachant qu'à moins de voter un plan de sauvetage nous courions le risque de sombrer dans une nouvelle grande dépression, je me disais que ça valait le coup d'essayer.

McCain et moi nous sommes parlé au téléphone tandis que je regagnais mon hôtel après un bref meeting de campagne. Il s'exprimait d'une voix calme, polie, mais prudente. Il était ouvert à la possibilité d'une déclaration conjointe, m'a-t-il dit, mais lui-même avait réfléchi à une autre idée : et si nous suspendions tous les deux notre campagne ?

Si nous reportions le débat pour rentrer à Washington et attendre que le plan de sauvetage soit voté par le Congrès ?

Même si j'avais un peu de mal à imaginer en quoi un repli du grand barnum de la campagne présidentielle à Washington pourrait servir à quoi que ce soit, j'étais heureux de constater que McCain était apparemment prêt à s'extraire de la mêlée politique quotidienne pour aider à faire passer un projet de loi. Prenant soin de ne pas avoir l'air d'écarter trop vite sa suggestion, j'ai proposé à John – et il a accepté – que nos directeurs de campagne dressent ensemble une liste d'options envisageables, puis que nous nous rappelions dans une heure ou deux.

Bon, on avançait, me suis-je dit en raccrochant. J'ai ensuite appelé Plouffe pour lui demander de se mettre contact avec Rick Davis, le directeur de campagne de McCain. Quelques minutes plus tard, en arrivant à l'hôtel, j'ai trouvé un Plouffe furibond. Il venait de raccrocher avec Davis.

« McCain s'apprête à donner une conférence de presse, a-t-il dit. Pour annoncer son intention de suspendre sa campagne et de rentrer à Washington.

– Quoi ? Mais je viens de lui parler il y a à peine dix minutes !

– Qu'est-ce que tu veux que je te dise… il n'a pas été réglo avec toi, c'est tout. Davis affirme que McCain ne participera même pas au débat, à moins qu'un plan de sauvetage ne soit voté dans les soixante-douze heures. Il dit que McCain va publiquement t'appeler à suivre son exemple et à arrêter de faire campagne parce que – tiens-toi bien – "le sénateur McCain pense que les considérations politiques devraient rester à l'arrière-plan pour le moment". » Plouffe bouillonnait de rage. On aurait dit qu'il avait envie de mettre son poing dans la figure de quelqu'un.

Quelques minutes plus tard, j'ai regardé McCain faire son annonce, la voix mielleuse d'inquiétude. Il était difficile de ne pas éprouver à la fois de la colère et de la déception. Avec un peu d'indulgence, on pouvait penser à la rigueur que John avait réagi par méfiance : craignant que mon idée de déclaration conjointe ne soit un stratagème pour lui damer le pion, il avait décidé de me prendre à mon propre jeu. Une interprétation moins indulgente – et qui faisait l'unanimité dans mon staff – n'y voyait qu'une nouvelle esbroufe irréfléchie, destinée à sauver du désastre une campagne aux abois.

Esbroufe ou pas, toute une pléiade de fins connaisseurs des arcanes politiques de Washington s'accordaient à dire que le coup de McCain était un coup de maître. Sitôt les caméras éteintes après sa conférence de presse, nous avons été bombardés de messages angoissés de divers consultants démocrates et autres partisans dans la capitale nous conjurant de suspendre la campagne afin de ne pas céder notre avantage en pleine crise nationale. Mais, tant par expérience que par tempérament, nous n'étions pas enclins à écouter la sagesse populaire. Non seulement j'étais d'avis que rentrer à Washington pour nous prêter tous les deux à cette petite comédie serait rendre un bien mauvais service au projet TARP, mais je pensais surtout qu'il était plus important que jamais – précisément en raison de la crise financière – que notre débat ait lieu, afin que les électeurs puissent entendre ce qu'avaient à dire les deux hommes qui se disputaient le rôle de capitaine pour les aider à naviguer dans ces eaux troubles. N'empêche, opposer une fin de non-recevoir à l'appel de McCain semblait un énorme coup de poker. J'ai rassemblé mon équipe autour de moi et j'ai demandé si quelqu'un était en désaccord avec mon analyse. Tout le monde a répondu non sans la moindre hésitation.

J'ai souri. « Bon, eh bien voilà. »

Une heure et demie plus tard, je donnais à mon tour une conférence de presse pour annoncer que je ne suspendrais pas ma campagne. J'ai précisé que j'étais déjà en contact régulier avec Hank Paulson et les présidents des deux chambres du Congrès, et que j'étais prêt à m'envoler pour Washington à tout moment si nécessaire. Puis j'ai improvisé une petite phrase qui allait faire la une des comptes rendus de ma déclaration dans les médias : « Les présidents vont devoir être capables de gérer plus d'une chose à la fois. »

Nous ne savions pas du tout comment les électeurs allaient réagir, mais nous pensions tous avoir pris la bonne décision. À peine nous étions-nous réunis pour discuter des prochaines étapes de notre stratégie que Plouffe a reçu un e-mail de Josh Bolten, le directeur de cabinet de Bush, lui demandant de l'appeler. Plouffe est sorti en trombe de la pièce ; il est revenu quelques minutes plus tard, les sourcils froncés.

« Apparemment, McCain aurait demandé à Bush d'organiser une réunion demain à la Maison-Blanche avec lui, toi et les chefs du Congrès pour essayer d'aboutir à un accord sur le TARP. Bush devrait t'appeler d'ici peu pour t'inviter aux réjouissances. »

Plouffe a secoué la tête.

« Qu'est-ce que c'est que ces conneries ? » a-t-il dit.

QUOIQU'ELLE NE SOIT PAS TRÈS GRANDE, la salle du conseil de la Maison-Blanche est une pièce majestueuse, avec sa moquette rouge vif ornée d'étoiles dorées, ses murs crème et ses appliques en forme d'aigle.

Côté nord, des bustes en marbre de Washington et Franklin, de style classique, toisent le visiteur depuis leur niche de part et d'autre de la cheminée. Au centre de la pièce, une table ovale en acajou lustré, autour de laquelle sont disposés vingt gros fauteuils en cuir, une petite plaque en laiton fixée au dossier pour indiquer la place de chacun – le président, le vice-président et les divers membres du gouvernement. C'est un lieu propice aux plus sobres délibérations, conçu pour accueillir le poids de l'Histoire.

La plupart du temps, la lumière du jour entre à flots par les grandes portes-fenêtres qui donnent sur la roseraie. Mais le 25 septembre, au moment où je m'asseyais à la table autour de laquelle Bush nous avait conviés à la demande de McCain, le ciel était voilé. À mes côtés se trouvaient le président, le vice-président Cheney et McCain, Hank Paulson, Nancy Pelosi, Harry Reid, les chefs de file de l'opposition républicaine au Congrès, John Boehner et Mitch McConnell, ainsi que les présidents et les principaux membres des commissions concernées. Une horde d'assistants de la Maison-Blanche et du Congrès étaient assis derrière nous, tout autour de la pièce, prenant des notes et feuilletant d'épais dossiers.

Personne n'avait l'air heureux d'être là.

Le président, en tout cas, ne m'avait guère semblé enthousiaste la veille au téléphone. J'étais en désaccord avec à peu près toutes les décisions politiques de George W. Bush, mais j'avais appris à apprécier l'homme, dont la franchise désarmante et le sens de l'autodérision me plaisaient.

« Je ne saurais pas vous dire pourquoi McCain pense que c'est une bonne idée », m'avait-il avoué, presque sur un ton d'excuse. Il savait que Hank Paulson et moi étions déjà en communication deux ou trois fois par jour et il m'a fait part de sa reconnaissance pour le rôle que j'avais joué en coulisses afin de rallier les démocrates du Congrès au projet TARP. « Ah ça, je vous comprends ! Si j'étais vous, Washington est le dernier endroit où je voudrais mettre les pieds, m'a dit Bush. Mais c'est McCain qui me l'a demandé, et je ne peux pas dire non. Bon, avec un peu de chance, ça ne devrait pas durer trop longtemps. »

Je n'apprendrais que par la suite que Paulson et le reste de l'équipe de Bush étaient contre cette réunion, et pour une bonne raison. Au cours des jours précédents, les dirigeants du Congrès avaient œuvré à trouver un terrain d'entente sur le projet TARP. Le matin même, le bruit avait commencé à circuler qu'ils étaient parvenus à un accord possible (mais les républicains de la Chambre des représentants allaient se rétracter à peine quelques heures plus tard). À ce stade sensible des négociations, les conseillers de Bush pensaient, à juste titre, que nous inclure dans le processus, McCain et moi, ferait plus de mal que de bien.

Bush avait toutefois décidé de ne pas suivre l'avis de son équipe, et je ne pouvais pas le lui reprocher. Au vu des réticences grandissantes qui s'exprimaient au sein de son propre parti à l'égard du projet TARP, il ne pouvait pas risquer de se mettre à dos le candidat républicain désigné à la présidentielle. Il n'en reste pas moins que cette réunion avait les allures d'une vaste mise en scène. En regardant tous ces visages fermés autour de la table, j'ai compris que nous étions là non pas dans l'optique d'une négociation constructive, mais uniquement pour permettre au président d'accéder à la demande d'un homme.

Bush a brièvement ouvert la réunion en lançant un appel à l'unité, puis il a passé la parole à Paulson, qui nous a informés des dernières évolutions du marché avant d'expliquer que les fonds débloqués par la loi TARP seraient utilisés pour racheter aux banques des prêts hypothécaires à risque (des « actifs toxiques », comme on les appelait), ce qui permettrait de rééquilibrer les comptes et de restaurer la confiance des marchés. « Si Hank et Ben pensent que ce plan va marcher, a déclaré Bush après cet exposé, alors je suis pour. »

Conformément au protocole, le président a ensuite donné la parole à la présidente de la Chambre des représentants, Nancy Pelosi. Mais celle-ci a poliment informé le président que les démocrates souhaitaient que je parle en premier, en leur nom.

C'étaient Nancy et Harry qui avaient suggéré que je sois leur porte-parole dans cette réunion, et je leur en étais reconnaissant. Cela permettrait non seulement d'empêcher McCain de me prendre de court au moment des délibérations, mais aussi de signifier aux démocrates que leur destin politique était indissociable du mien. Cette manœuvre a semblé désarçonner les républicains, et j'ai vu le président adresser à Nancy l'un de ses fameux petits sourires en coin – le politicien roué qu'il était savait reconnaître un coup habile quand il en voyait un – avant de hocher la tête dans ma direction pour me donner la parole.

J'ai parlé pendant plusieurs minutes de la nature de la crise, des détails de la législation qui s'esquissait et de certaines questions qu'il restait à régler aux yeux des démocrates, telles que les mécanismes de surveillance, la rémunération des cadres dirigeants des organismes financiers et l'allégement de la dette pour les propriétaires. Rappelant que le sénateur McCain et moi-même étions tous deux publiquement engagés à laisser de côté le petit jeu des tactiques politiciennes pour concentrer nos efforts sur le plan de sauvetage financier, j'ai dit au président que les démocrates apporteraient leur part des voix nécessaires pour que le texte soit voté. Toutefois, ai-je aussitôt prévenu, s'il s'avérait, comme on l'entendait dire ici et là, que certains républicains avaient l'intention de se rétracter pour tout reprendre depuis le début et proposer un nouveau projet entièrement revu, cela mettrait inévitablement un coup d'arrêt aux négociations, et « les conséquences seraient très graves ».

Bush s'est alors tourné vers McCain : « John, puisque Barack a eu l'occasion de s'exprimer, je crois que c'est la moindre des choses que je te passe la parole tout de suite. »

Tout le monde a regardé McCain, qui a serré la mâchoire. L'espace d'un instant, il a eu l'air sur le point de dire quelque chose, puis il s'est ravisé et s'est mis à remuer nerveusement dans son fauteuil.

« Je pense que je vais attendre mon tour », a-t-il fini par dire.

Il y a des moments dans un combat électoral, comme dans la vie, où tous les chemins possibles qui s'ouvraient à vous se ferment soudain, à l'exception d'un seul ; des moments où le large éventail de probabilités qui semblait se déployer se réduit à une seule issue, inévitable. J'étais en train de vivre l'un de ces moments. Bush a regardé McCain en levant un sourcil, puis il a haussé les épaules et passé la parole à John Boehner. Ce dernier a dit qu'il ne s'agissait pas de tout reprendre de zéro, mais qu'il souhaitait simplement apporter quelques amendements au projet – notamment un dispositif, qu'il a eu un certain mal à nous expliquer, visant à permettre au gouvernement fédéral de couvrir les pertes des banques plutôt que de racheter leurs actifs.

J'ai demandé à Paulson s'il avait examiné cette proposition républicaine et s'il était en mesure de déterminer si un tel dispositif d'assurance pourrait marcher. Oui, a répondu Paulson d'une voix ferme, il l'avait examinée ; et non, ça ne marcherait pas.

Richard Shelby, le vice-président de la Commission bancaire du Sénat, est intervenu pour dire que, selon plusieurs économistes avec qui il s'était entretenu, la loi TARP ne fonctionnerait pas. Il suggérait que la Maison-Blanche accorde plus de temps au Congrès pour examiner toutes ses options. Bush l'a interrompu : le pays n'avait plus le temps, a-t-il dit.

À mesure que la discussion avançait, il était de plus en plus évident qu'aucun des chefs de file républicains ne connaissait réellement la teneur de la dernière version en date du projet de loi – ni en quoi consistaient exactement les amendements qu'ils proposaient eux-mêmes, du reste. Ils essayaient simplement de trouver un moyen de se défiler devant un vote difficile. Après avoir écouté les arguties des uns et des autres pendant plusieurs minutes, je suis de nouveau intervenu.

« Monsieur le Président, j'aimerais quand même entendre ce que le sénateur McCain a à dire. »

À nouveau, tout le monde s'est tourné vers McCain. Cette fois, il a consulté une petite fiche qu'il tenait à la main, puis il a murmuré quelque chose que je n'ai pas entendu, et ensuite il a débité des platitudes pendant deux ou trois minutes – les discussions semblaient en bonne voie et il était important de laisser du temps à Boehner pour convaincre son groupe parlementaire de voter en faveur du projet.

Et c'est tout. Pas de plan. Pas de stratégie. Pas même le moindre début de commencement d'une idée pour concilier les divergences de point de vue. Le silence était total dans la pièce quand McCain a reposé sa fiche, les yeux baissés, comme un joueur de baseball qui sait que son coup de batte n'a même pas effleuré la balle. J'avais presque pitié de lui ; le fait que son équipe l'ait encouragé à prendre une initiative aussi audacieuse, puis envoyé à cette réunion sans aucune préparation, était une véritable faute professionnelle politique. Quand la presse apprendrait comment il s'était comporté ce jour-là, les critiques ne seraient pas tendres.

Dans l'immédiat, cependant, le principal effet de l'attitude incompréhensible de John a été de déclencher une foire d'empoigne dans la salle du conseil. Nancy et Spencer Bachus, le vice-président républicain de la Commission des services financiers à la Chambre des représentants, auraient bien aimé qu'on leur dise à qui revenait le mérite d'avoir renforcé les dispositifs de protection des contribuables dans la version la plus récente du texte. Barney Frank, le représentant démocrate du Massachusetts, à l'esprit vif et à la dent dure, qui connaissait ses dossiers et avait probablement œuvré plus que quiconque pour aider Paulson à faire passer la loi TARP, s'est mis à provoquer les républicains en criant : « Quel est votre plan ? Quel est votre plan ? » Les visages devenaient cramoisis ; le ton montait ; tout le monde parlait en même temps. Et, pendant tout ce temps-là, McCain restait muet, vissé dans son fauteuil, l'air rongé par l'angoisse. La situation a tellement dégénéré que le président Bush a fini par se lever.

« J'ai manifestement perdu le contrôle de cette réunion, a-t-il dit. Nous avons terminé. »

Sur ce, il a tourné les talons et il est sorti d'un pas vif par la porte sud de la salle du conseil.

Toute cette scène m'a laissé complètement abasourdi.

Tandis que McCain et les chefs de file républicains quittaient la pièce en toute hâte, j'ai réuni Nancy, Harry et le reste de la délégation démocrate dans la pièce adjacente, la salle Roosevelt. Ils étaient dans tous leurs états et, comme nous avions déjà décidé que je ne ferais aucune déclaration à la presse à l'issue de la réunion, je voulais m'assurer qu'aucun d'entre eux ne dise quoi que ce soit qui pourrait aggraver encore la situation. Nous étions en train de discuter de la façon dont ils pourraient résumer notre entrevue de manière constructive quand Paulson est entré dans la salle, l'air totalement dévasté. Plusieurs de mes collègues ont commencé à lui faire signe de déguerpir, comme un gamin impopulaire dans la cour de récré. Certains l'ont même hué.

« Nancy, a dit Paulson en s'approchant de la présidente de la Chambre des représentants qu'il dépassait de deux têtes. Je vous en prie… » Puis, dans un geste inspiré et un peu pathétique où se mêlaient l'humour et le désespoir, du haut de son 1,98 mètre et de ses 62 ans, il s'est baissé pour poser un genou à terre. « Je vous en supplie. Ne faites pas tout capoter. »

Nancy s'est laissée aller à esquisser un sourire. « Hank, a-t-elle dit, je ne savais pas que vous étiez catholique. » Puis son sourire s'est effacé et elle a ajouté d'un ton sec : « Au cas où vous n'auriez pas remarqué, ce n'est pas nous qui faisons tout capoter. »

Je dois reconnaître que Paulson a eu du cran. Il s'est relevé, puis il est resté plusieurs minutes debout devant les démocrates qui le conspuaient et passaient leurs nerfs sur lui. Quand ils ont fini par quitter la pièce pour aller se présenter aux micros des journalistes, tout le monde s'était calmé et mis d'accord pour essayer de livrer le compte rendu de la réunion le plus consensuel possible. Hank et moi sommes convenus de nous reparler un peu plus tard, dans la soirée. En sortant de la Maison-Blanche, j'ai appelé Plouffe.

« Alors, comment ça s'est passé ? » m'a-t-il demandé.

J'ai réfléchi une seconde.

« Pour nous, pas mal, ai-je répondu. Mais, après ce que je viens de voir, on a intérêt à gagner cette élection, sinon le pays est foutu. »

JE NE SUIS PAS d'un naturel superstitieux. Je n'avais pas de chiffre porte-bonheur quand j'étais petit, ni de patte de lapin. Je ne croyais pas aux fantômes ou aux farfadets, et s'il pouvait m'arriver de faire un vœu en soufflant mes bougies d'anniversaire ou de jeter une pièce dans une fontaine, ma mère avait toujours bien pris soin de me rappeler que, pour voir ses vœux se réaliser, le moyen le plus sûr était de travailler.

Pendant la campagne, toutefois, j'ai fait quelques concessions au monde des esprits. Un jour dans l'Iowa, par exemple, un gros type barbu habillé en biker et couvert de tatouages s'est approché de moi après un meeting et m'a glissé quelque chose dans la main. C'était son jeton de poker fétiche, m'a-t-il expliqué ; il ne lui avait jamais fait défaut à Las Vegas. Il tenait à me l'offrir. Une semaine plus tard, dans le New Hampshire, une jeune fille aveugle m'a tendu un petit cœur en verre rose. Dans l'Ohio, c'est un crucifix argenté que m'a donné une religieuse avec un sourire irrésistible et un visage raviné comme un noyau de pêche.

Ma collection de talismans s'étoffait régulièrement : un Bouddha miniature, un marron de l'Ohio, un trèfle à quatre feuilles plastifié, une petite statuette en bronze du dieu-singe Hanuman et toutes sortes d'anges, de rosaires, de cristaux et de pierres. Tous les matins, j'avais pris l'habitude d'en choisir cinq ou six et de les glisser dans ma poche, et j'essayais de me rappeler plus ou moins consciemment lesquels j'avais sur moi lors de telle ou telle journée particulièrement heureuse.

Si mes menus trésors secrets ne me donnaient aucune garantie que l'univers penche en ma faveur, je me disais que ça ne pouvait pas faire de mal. Je me sentais rassuré chaque fois que je les faisais rouler dans ma paume ou que je les sentais bouger au fond de ma poche dès que je me déplaçais. Chacun de ces porte-bonheur était un souvenir tactile de tous les gens que j'avais rencontrés, un témoignage, trivial mais concret, des attentes et des espoirs qu'ils m'avaient confiés.

J'ai également commencé à adopter certains rituels, les jours de débat. La matinée était toujours consacrée à une dernière révision de la stratégie et des arguments clés, le début d'après-midi à faire campagne. Mais, à partir de 16 heures, j'exigeais que mon planning soit entièrement libre. Pour évacuer l'excès d'adrénaline, je faisais un peu d'exercice. Puis, quatre-vingt-dix minutes avant de partir rejoindre la salle où aurait lieu le débat, je me rasais, je prenais une longue douche brûlante, puis j'enfilais des habits neufs, chemise (blanche) et cravate (bleue ou rouge), que Reggie avait suspendus dans la penderie de la chambre d'hôtel à côté de mon costume bleu repassé de frais. Un dîner rapide et consistant : steak cuit à point, purée ou pommes de terre sautées, brocolis à la vapeur. Et pendant une demi-heure environ avant le début de la soirée, tout en revoyant mes notes une dernière fois, je mettais des écouteurs ou j'allumais une petite enceinte portable et j'écoutais de la musique. J'ai fini par devenir un tout petit peu maniaque sur le choix des chansons. Surtout des standards du jazz au début – *Freddie Freeloader* de Miles Davis, *My Favorite Things* de John Coltrane, *Luck Be a Lady* de Frank Sinatra. (Avant un débat pendant les primaires, je crois que j'ai écouté ce titre deux ou trois fois de suite, et cette invocation à la chance, « *luck* », trahissait à l'évidence un manque de confiance de ma part.)

Pour finir, je me suis aperçu que c'était le rap qui me convenait le mieux dans ces moments-là, et deux chansons en particulier : *My 1ˢᵗ Song* de Jay-Z et *Lose Yourself* d'Eminem. Dans l'une comme dans l'autre, il était question de braver le destin et de prendre tous les risques (« Écoute, si tu avais une chance, une seule occasion, d'obtenir d'un seul coup tout ce que tu as jamais désiré, est-ce que tu la saisirais ? Ou est-ce que tu la laisserais filer… ») ; de ce qu'on ressentait quand on arrivait à créer quelque chose en partant de rien ; de tracer son chemin grâce à sa jugeote, sa roublardise et sa peur déguisée en audace. Ces paroles semblaient taillées sur mesure pour l'outsider que j'étais au début de la campagne. Assis seul à l'arrière du van du Secret Service qui m'emmenait vers la salle du débat, dans mon impeccable uniforme de candidat, ma cravate avec sa petite fossette bien nouée autour du cou, je hochais la tête en rythme, traversé par une bouffée de rébellion intime, l'impression d'être connecté à quelque chose de plus cru et de plus réel que tout le tapage et toute la déférence qui m'entouraient désormais en permanence. C'était une façon de faire tomber les artifices et de me rappeler qui j'étais.

Avant mon premier débat avec John McCain, fin septembre 2008, j'ai suivi mon petit rituel à la lettre. J'ai mangé mon steak, écouté ma musique, senti mes porte-bonheur peser au fond de ma poche au moment d'entrer en scène. Mais, honnêtement, cette fois je n'avais pas vraiment besoin d'en appeler à la chance. Quand je suis arrivé sur le campus de l'université du Mississippi – là où, moins d'un demi-siècle auparavant, un étudiant noir du nom de James Meredith avait eu besoin d'une autorisation de la Cour suprême et de la protection de 500 agents de la police fédérale simplement pour pénétrer dans les lieux –, je n'étais plus l'outsider.

Désormais, c'était moi qui avais tout à perdre.

Comme prévu, la presse avait été impitoyable avec McCain après le fiasco de la réunion à la Maison-Blanche. Et ses problèmes s'étaient encore aggravés quand sa campagne avait annoncé, quelques heures avant le débat, qu'il avait finalement décidé – au vu des « progrès » accomplis grâce à son intervention dans les négociations parlementaires sur le projet de loi TARP – de lever la suspension qu'il s'était imposée à lui-même et de participer au débat. (Nous avions décidé pour notre part d'y participer quoi qu'il arrive, même si je devais me retrouver seul sur scène pour une sympathique conversation retransmise en direct à la télé en face-à-face avec le modérateur du débat, Jim Lehrer.) Les journalistes ont pris cette nouvelle pirouette de McCain pour ce qu'elle était : un repli en catastrophe après un coup de bluff complètement raté.

Le débat en lui-même s'est déroulé sans grandes surprises. McCain est apparu détendu sur scène, débitant les slogans de sa campagne en y ajoutant une pincée d'orthodoxie républicaine, le tout avec une bonne dose d'humour et de charme. Mais sa connaissance pour le moins parcellaire des détails de la crise financière et son incapacité à répondre quand on lui demandait comment il comptait la résoudre sont devenues de plus en plus flagrantes au fil de la confrontation. De mon côté, je jouais sur du velours. Aucun doute, mon entraînement intensif sous la férule des sergents instructeurs Klain et Donilon avait été payant ; et si je m'efforçais instinctivement de ne pas céder à la tentation de placer quelques formules répétées à l'avance, les gens devant leur écran et les analystes politiques étaient manifestement séduits par mes réponses préparées, sans compter que j'avais appris à ne plus me perdre en digressions.

Mais surtout, mon humeur, lors de ce premier débat avec McCain, avait sensiblement changé. Contrairement à ce qui s'était passé pendant les primaires face à Hillary et aux autres candidats à la nomination démocrate, où j'avais eu l'impression de participer à une grande mise en scène élaborée dont le seul enjeu était de couper les cheveux en quatre et de nous distinguer les uns des autres par de simples détails de style, cette fois les différences entre mon adversaire et moi étaient réelles et profondes ; le choix que les gens allaient faire entre McCain et moi aurait un impact sur les décennies à venir, et des conséquences pour des millions de personnes. Confiant dans ma maîtrise des faits et convaincu que mes idées avaient de meilleures chances que celles de John de répondre aux défis auxquels le pays faisait face, je me sentais galvanisé par nos échanges et j'ai (presque) éprouvé du plaisir à débattre sur scène avec lui pendant ces quatre-vingt-dix minutes.

Les réactions à chaud recueillies auprès des électeurs indécis à la fin de la soirée me donnaient gagnant avec une belle longueur d'avance. Tout le monde était fou de joie dans mon équipe, se congratulait à tout-va, se tapait dans la main – et poussait sans doute de gros soupirs de soulagement à part soi.

Michelle était heureuse, mais moins démonstrative. Elle détestait assister aux débats ; devoir rester assise là, l'air sereine, indifférente à tous les propos qu'on pouvait tenir sur mon compte ou à mes bourdes, le ventre noué, c'était comme se faire arracher une dent sans anesthésie, comme elle disait. Au demeurant, soit par crainte de me porter la poisse, soit à cause des sentiments ambivalents que lui inspirait la possibilité de ma victoire, en général elle évitait de me parler de l'aspect compétitif de la campagne. Aussi ai-je été passablement surpris, un peu plus tard ce soir-là, alors que nous étions couchés, quand elle s'est tournée vers moi et qu'elle m'a dit : « Tu vas gagner, n'est-ce pas ?

– Il peut se passer encore beaucoup de choses, mais... oui. Je crois qu'il y a de fortes chances. »

J'ai regardé ma femme. Elle semblait pensive, comme si elle essayait de résoudre une énigme. Enfin, elle a hoché la tête pour elle-même et elle m'a rendu mon regard.

« Tu vas gagner », m'a-t-elle dit d'une voix douce. Puis elle m'a embrassé sur la joue, elle a éteint sa lampe de chevet, et elle a remonté la couverture sur ses épaules.

LE 29 SEPTEMBRE 2008, trois jours après le débat à l'université du Mississippi, le projet de loi TARP de Bush a été retoqué à la Chambre des représentants, échouant de 13 voix à obtenir la majorité ; deux tiers des démocrates avaient voté pour, deux tiers des républicains avaient voté contre. Le Dow Jones a aussitôt fait une chute terrifiante, dégringolant de 778 points, et après un tollé dans la presse et, sans doute, une avalanche de coups de fil d'électeurs qui voyaient leurs comptes épargne retraite partir en fumée, un nombre suffisant d'élus des deux partis ont retourné leur veste pour qu'une version amendée du plan de sauvetage soit votée quelques jours plus tard.

Immensément soulagé, j'ai appelé Hank Paulson afin de le féliciter pour tout le travail qu'il avait accompli. Mais, si la loi TARP allait se révéler cruciale pour sauver le système financier, toutes ces péripéties n'ont rien fait pour dissiper l'impression croissante, dans l'opinion publique, que le Parti républicain – et par extension son candidat désigné à l'élection présidentielle – se révélait incapable de gérer la crise de manière responsable.

Entre-temps, les décisions relatives à notre stratégie de campagne défendues par Plouffe depuis plusieurs mois portaient leurs fruits. Notre armée d'organisateurs et de bénévoles s'était déployée dans tout le pays, poussant plusieurs centaines de milliers de nouveaux électeurs à s'inscrire sur les listes et lançant des opérations sans précédent dans les États permettant le vote anticipé. Les dons en ligne continuaient d'affluer, ce qui nous donnait les moyens de jouer à notre guise sur tous les terrains médiatiques. Quand l'équipe McCain, un mois avant l'élection, a annoncé qu'elle interrompait sa campagne dans le Michigan, un

État historiquement décisif pour l'issue de la bataille, afin de mettre à profit ses ressources ailleurs, Plouffe en a presque été offensé. « Sans le Michigan, ils ne peuvent pas gagner ! a-t-il dit en secouant la tête. Autant agiter un drapeau blanc ! »

Au lieu de concentrer son énergie sur le Michigan, la campagne McCain s'est focalisée sur un homme qui était devenu un improbable personnage culte : Joe Wurzelbacher.

Je l'avais rencontré quelques semaines plus tôt, à Toledo, dans l'Ohio, à l'occasion d'une petite séance de porte-à-porte, comme au bon vieux temps. C'était la façon de faire campagne que je préférais – surprendre les gens alors qu'ils étaient en train de ratisser les feuilles mortes dans leur jardin ou de bichonner leur voiture dans l'allée de leur maison, et voir les gamins débouler à toute berzingue sur leur vélo pour assister au spectacle.

Ce jour-là, posté au coin d'une rue, j'étais en train de signer des autographes et de discuter avec un petit groupe de gens lorsqu'un homme s'est approché. Crâne rasé, pas loin de la quarantaine à vue de nez, il s'est présenté – Joe – et a commencé à me poser des questions sur mon programme concernant les impôts. Il était plombier, m'a-t-il dit, et il était inquiet à l'idée que des gauchistes dans mon genre empêchent des patrons de petites entreprises comme lui de réussir. Sous le regard des caméras, je lui ai expliqué que mon programme ne prévoyait une hausse des impôts que pour les 2 % des Américains les plus riches, et que, en investissant ces revenus dans des secteurs comme l'éducation et les infrastructures, l'économie en général et sa petite entreprise en particulier auraient plus de chances de prospérer. Je pensais que cette redistribution fiscale – « quand on répartit les richesses », lui ai-je dit plus précisément – avait toujours joué un rôle essentiel pour permettre une plus grande égalité des chances.

Joe était cordial mais peu convaincu, et nous sommes tombés d'accord pour dire que nous n'étions pas d'accord, puis nous nous sommes serré la main et je suis parti. Dans le van qui nous ramenait à l'hôtel, Gibbs – qui, comme tout directeur de communication qui se respecte, avait une oreille infaillible pour détecter les déclarations en apparence anodines susceptibles de déclencher un tohu-bohu politique – m'a dit que ma petite phrase sur la redistribution des richesses posait problème.

« De quoi tu parles ?

– C'est le genre de formule qui passe mal dans les sondages. Les gens associent ça au communisme et tout, enfin tu vois, ce genre de conneries. »

J'ai ignoré sa remarque en riant – tout l'intérêt de revenir sur les réductions d'impôts de Bush, lui ai-je dit, était précisément de redistribuer les revenus de gens comme moi à des gens comme Joe. Gibbs m'a regardé comme un parent dont le gamin n'arrête pas de répéter les mêmes erreurs.

Et ça n'a pas raté : dès que les images de mon échange avec Wurzelbacher – instantanément rebaptisé « Joe le Plombier » – ont commencé à circuler, McCain s'est mis à s'acharner sur ce sujet pendant nos débats. Son équipe y est allée à fond, laissant entendre que ce bon citoyen de l'Ohio avait percé à jour mon secret, démasqué le dangereux gauchiste qui voulait redistribuer l'argent du contribuable, érigeant Joe en oracle de l'Amérique moyenne. Tout à coup, ce dernier se faisait interviewer sur toutes les chaînes. L'équipe de McCain a tourné des spots télé sur « Joe le Plombier » et l'a invité à monter sur scène en meeting aux côtés du candidat républicain. Joe, pour sa part, semblait tantôt amusé, tantôt décontenancé, et parfois contrarié par sa soudaine célébrité. Mais, au bout du compte, la plupart des électeurs n'ont vu en lui qu'une sympathique distraction qui n'avait pas grand rapport avec les enjeux réels de l'élection du prochain président des États-Unis.

La plupart, mais pas tous. Pour ceux dont la source d'information principale était l'éditorialiste de Fox News Sean Hannity ou Rush Limbaugh, Joe le Plombier s'intégrait merveilleusement à un tableau plus large dans lequel figuraient le révérend Wright ; ma prétendue allégeance au sociologue et penseur de la gauche radicale Saul Alinsky ; ma relation d'amitié avec mon voisin Bill Ayers, qui avait été un des leaders du groupe militant des Weather Underground ; et ma trouble ascendance musulmane. Pour ces électeurs-là, je n'étais plus un simple démocrate de l'aile gauche du parti qui voulait étendre le filet de sécurité sociale et mettre un terme à la guerre en Irak. J'étais un personnage plus insidieux, quelqu'un qu'il fallait craindre, quelqu'un qu'il fallait stopper. Et, pour faire passer ce message urgent et patriotique au peuple américain, ils se tournaient de plus en plus vers leur plus intrépide championne : Sarah Palin.

Depuis le mois d'août, Palin avait enchaîné les bourdes lors d'interviews dans les plus grands médias, et elle était devenue l'un des sujets de moquerie préférés de « Saturday Night Live » et d'autres émissions humoristiques. Mais sa force était ailleurs. Elle avait passé la première semaine d'octobre à rassembler des foules toujours plus grandes qu'elle intoxiquait joyeusement en répandant les effluves de sa bile nativiste. Du haut de la tribune, elle m'accusait de « fricoter avec des terroristes prêts à prendre pour cible leur propre pays ». Elle affirmait que je n'étais « pas quelqu'un qui voit l'Amérique comme vous et moi voyons l'Amérique ». Les gens venaient à ses meetings avec des tee-shirts sur lesquels on pouvait lire des slogans comme LES PITBULLS DE PALIN et NON AUX COMMUNISTES. D'après les médias, on entendait çà et là jaillir de la foule un « Terroriste ! », « Tuez-le ! » ou encore « Qu'il crève ! ». C'était comme si, à travers la voix de Palin, les esprits maléfiques qui rodaient depuis longtemps aux marges du Parti républicain contemporain – la xénophobie, l'anti-intellectualisme, les théories conspirationnistes paranoïaques et le racisme – avaient enfin trouvé le moyen de se glisser au centre de l'arène.

John McCain – il faut rendre hommage à son caractère et à sa foncière droiture à cet égard – repoussait poliment ceux de ses partisans qui s'approchaient de lui en vomissant des flots d'invectives inspirées par la rhétorique de Palin. Un jour, lors d'un débat public dans le Minnesota, quand un homme s'est avancé vers le micro et a déclaré que l'idée de me voir devenir président le terrifiait, McCain a refusé de cautionner ce discours.

« Permettez-moi de vous dire que c'est une personne respectable, et une personne que vous ne devriez pas avoir peur de voir devenir président des États-Unis », a-t-il dit, déclenchant une salve de huées dans le public. Répondant à une autre question, il a déclaré encore : « Nous voulons nous battre, et je compte bien me battre. Mais nous serons respectueux. J'admire le sénateur Obama et ce qu'il a accompli. Je lui témoignerai toujours mon respect. Je veux que chacun d'entre vous se montre respectueux, et faisons en sorte de toujours le rester, parce que c'est comme ça que devraient se conduire les affaires politiques en Amérique. »

Je me demande parfois si McCain aurait fait le choix de Palin comme colistière s'il avait su ce qui allait se passer – s'il avait su que son ascension spectaculaire et son accession au statut de candidate légitime allaient fournir un tremplin à de futures personnalités politiques et faire dériver le centre de gravité de son parti, et de la politique américaine en général, dans une direction qu'il abhorrait. Je ne lui ai jamais posé la question directement, bien entendu. Au cours des dix années suivantes, nous finirions par entretenir des rapports certes marqués par les rancœurs, mais empreints d'un respect mutuel sincère, même si l'élection de 2008, comme on peut le concevoir, est toujours restée un sujet délicat entre nous.

Je veux croire que, si la chance lui avait été donnée de tout recommencer, il aurait fait un autre choix. J'ai la conviction que, pour lui, le pays passait avant tout.

LE CRI DE RALLIEMENT qu'avait lancé Edith Childs avec son grand chapeau dans cette petite salle de Greenwood, en Caroline du Sud, plus d'un an auparavant, jaillissait spontanément désormais et déferlait comme une immense vague dans des foules de 40 000, 50 000 personnes, dans les stades de foot et les parcs où les gens se rassemblaient en ce mois d'octobre inhabituellement chaud pour la saison. *Au taquet, prêts à foncer ! Au taquet, prêts à foncer !* Nous avions bâti quelque chose ensemble ; l'énergie était palpable, comme une force physique. Quelques semaines seulement nous séparaient de l'élection et les antennes locales de notre campagne partout dans le pays se démenaient pour faire de la place aux nouveaux bénévoles qui se pressaient en masse. On avait soudain l'impression que l'affiche graphique créée par Shepard Fairey, intitulée HOPE (« espoir »), avec un portrait stylisé de mon visage en rouge, blanc et bleu, le regard projeté vers le lointain, était partout. On avait soudain l'impression que la campagne avait dépassé les frontières de la politique pour entrer dans le royaume de la culture populaire. « T'es au top de la hype », se moquait Valerie.

Mais cela m'inquiétait. L'enthousiasme soulevé par notre campagne, le spectacle de tous ces jeunes soudain conscients du pouvoir qu'ils avaient de changer les choses, ce rapprochement des citoyens américains au-delà des différences ethniques et socio-économiques – c'était la concrétisation du projet politique dont j'avais autrefois rêvé, et j'en étais fier. Mais me voir élevé avec toujours plus d'insistance au rang de symbole était contraire à mon instinct de rassembleur, à ma conviction que le changement était une affaire collective, pas individuelle, qu'il s'agissait de « nous », pas de « moi ». C'était troublant d'un point de vue personnel, également ; il fallait constamment que je veille à ne pas être dupe de cet emballement, et que je me rappelle qu'il y avait loin de cette image idéalisée à l'homme pétri de défauts, et souvent de doutes, que j'étais en réalité.

Je devais aussi faire face à la probabilité, si j'étais élu président, qu'il me soit impossible d'être à la hauteur des attentes que j'avais suscitées. Depuis que j'avais remporté la nomination démocrate, je lisais la presse d'un œil différent, d'une façon qui me déstabilisait. Chaque manchette, chaque article, chaque révélation me confrontait à un nouveau problème à résoudre. Et les problèmes s'amoncelaient à toute vitesse : en dépit du vote de la loi TARP, le système financier restait paralysé. Le marché de l'immobilier continuait de plonger. Les licenciements économiques se multipliaient à un rythme de plus en plus rapide, et l'on commençait à craindre que les « Big Three » de l'industrie automobile ne soient bientôt eux aussi en péril.

Affronter ces problèmes n'était pas une responsabilité qui m'effrayait. Au contraire, j'avais hâte de m'en occuper. Mais tout ce que j'avais appris jusqu'ici me portait à croire que la situation allait encore empirer. Résoudre la crise économique – sans parler des deux guerres dans lesquelles nous étions impliqués, de mon projet d'assurance-maladie pour tous et de la survie de la planète face à la catastrophe du changement climatique – allait être une tâche longue et ardue. Une tâche qui nécessitait la coopération du Congrès, des alliés déterminés et des citoyens informés et mobilisés, capables de supporter la pression exercée sur le système – pas un héros solitaire.

Alors, que se passerait-il quand le changement n'interviendrait pas assez vite ? Comment ces foules qui m'acclamaient réagiraient-elles face aux inévitables revers et autres compromis ? C'était devenu une blague récurrente au sein de l'équipe : « Est-ce qu'on est vraiment sûrs d'avoir envie de gagner ? Il n'est pas encore trop tard pour jeter l'éponge. » Marty formulait le même sentiment sous une variante plus ethnique : « Deux cent trente-deux ans, et ils attendent que le pays soit au bord de l'effondrement pour le confier à un black ! »

Plus que toute autre considération en lien avec la campagne, ce sont les nouvelles en provenance de Hawaï qui ont assombri mon humeur en ces derniers jours d'octobre. Maya m'avait appelé. D'après les médecins, Toot n'en avait plus pour très longtemps, une semaine peut-être. Elle ne bougeait désormais plus de son lit médicalisé installé dans le salon de son appartement, sous la surveillance d'une infirmière qui lui administrait des soins palliatifs. Même si la veille encore elle avait surpris ma sœur par un élan soudain de lucidité, demandant les dernières nouvelles de la campagne ainsi qu'un verre de vin et une cigarette, elle était de moins en moins souvent consciente.

Alors, douze jours avant l'élection, j'ai passé une journée et demie à Honolulu pour lui faire mes adieux. Maya m'attendait dans l'appartement ; je l'ai trouvée assise sur le canapé avec des boîtes à chaussures remplies de vieilles photos et cartes postales. « J'ai pensé que tu voudrais en garder quelques-unes », m'a-t-elle dit. J'ai pris une pile de photos posées sur la table basse. Mes grands-parents et ma mère à 8 ans, en train de rire dans un champ verdoyant du parc de Yosemite. Moi, à 4 ou 5 ans, juché sur les épaules de Gramps, au milieu des vagues. Tous les quatre, avec Maya encore bébé, souriant devant un sapin de Noël.

J'ai rapproché une chaise du lit et j'ai pris la main de ma grand-mère. Elle était amaigrie et elle avait du mal à respirer. De temps en temps, elle était secouée par une violente quinte de toux dont le son métallique évoquait le grincement d'un engrenage. Elle a laissé échapper deux ou trois murmures, mais ses mots, si du moins elle en avait prononcé, m'ont échappé.

À quoi pouvait-elle rêver ? Je me demandais si elle avait pu se retourner sur son passé, faire le bilan de sa vie, ou si c'était le genre de chose qu'elle aurait jugée trop complaisante. Je voulais le croire, pourtant ; je voulais croire qu'elle avait trouvé le réconfort dans le souvenir d'un amoureux de jadis, ou d'un jour ensoleillé de sa jeunesse où la fortune lui avait souri et où le monde s'était soudain révélé à elle dans toute son immensité pleine de promesses.

J'ai repensé à la conversation que nous avions eue un jour, quand j'étais au lycée, à l'époque où ses problèmes chroniques de dos avaient commencé à l'empêcher de marcher pendant trop longtemps.

« Tu vois, Bar, m'avait dit Toot, le problème, quand on devient vieux, c'est qu'on est toujours la même personne à l'intérieur. » Je me souviens de ses yeux qui me fixaient derrière ses épaisses lunettes à double foyer, comme pour s'assurer que je l'écoutais attentivement. « Tu es coincé dans ce fichu corps qui commence à partir en lambeaux. Mais c'est toujours toi. Tu comprends ? »

Aujourd'hui, je comprenais.

Je suis resté une heure environ à discuter avec Maya, de son travail, de sa famille, tout en caressant la main sèche et décharnée de Toot. Mais, au bout d'un moment, j'ai eu la sensation que cette pièce était envahie par trop de souvenirs – qui se heurtaient, se mélangeaient, se reflétaient comme les images d'un kaléidoscope – et j'ai dit à Maya que j'avais envie d'aller prendre un peu l'air. Après concertation avec Gibbs et les agents du Secret Service chargés de ma sécurité, nous sommes convenus de ne pas informer les journalistes qui faisaient le pied de grue en bas ; j'ai pris l'ascenseur jusqu'au sous-sol et je suis sorti par le garage, puis je me suis engouffré dans l'étroite ruelle qui longeait l'immeuble de mes grands-parents.

La rue n'avait presque pas changé en trente-cinq ans. Je suis passé derrière un petit temple et centre communautaire shinto, puis devant un alignement de maisons en bois interrompu de temps en temps par un immeuble en béton de deux étages. C'était là, dans cette rue, que j'avais fait rebondir mon premier ballon de basket – cadeau de mon père pour mes 10 ans –, dribblant tout le long du chemin sur les pavés inégaux jusqu'aux terrains qui jouxtaient l'école élémentaire. Toot racontait qu'elle savait toujours quand j'étais sur le point d'arriver à la maison pour dîner parce qu'elle entendait monter jusqu'à son neuvième étage le bruit de ce fichu ballon. C'était cette rue que je dévalais pour aller lui acheter ses cigarettes à l'épicerie, motivé par sa promesse de me laisser m'acheter une friandise avec la monnaie si j'étais de retour en moins de dix minutes. Plus tard, à 15 ans, c'est cette rue que j'avais remontée pour rentrer à la maison après avoir passé la journée à vendre des glaces au Baskin-Robbins du coin – mon premier job. Toot avait éclaté de rire en m'entendant ronchonner à cause du montant dérisoire de mon salaire.

C'était un autre temps. Une autre vie. Modeste et sans conséquence pour le reste du monde. Mais une vie qui m'avait procuré de l'amour. Quand Toot ne serait plus là, plus personne ne se souviendrait de cette vie, ou de moi à cette époque.

J'ai entendu des bruits de cavalcade derrière moi ; les journalistes, j'ignore comment, avaient eu vent de ma petite escapade et se regroupaient sur le trottoir de l'autre côté de la rue, les photographes jouant des coudes pour installer leurs appareils, les reporters, micro au poing, me regardant d'un air bizarre, hésitant manifestement à me lancer une question. Je les ai salués d'un petit geste de la main, puis j'ai fait demi-tour vers le garage. Ça n'aurait servi à rien d'aller plus loin ; j'avais compris que ce que je cherchais n'existait plus depuis longtemps.

J'ai quitté Hawaï et je me suis remis au travail. Huit jours plus tard, la veille de l'élection, Maya m'a appelé pour me dire que Toot était morte. C'était le dernier jour de la campagne. Nous devions nous rendre en Caroline du Nord ce soir-là, avant de nous envoler pour la Virginie où se déroulerait notre tout dernier meeting. Avant que nous nous mettions en route, Axe m'a gentiment demandé si je voulais qu'il m'aide à écrire un petit préambule à mon discours de campagne habituel, pour rendre hommage à ma grand-mère. Je lui ai répondu merci, mais non. Je savais ce que je voulais dire.

C'était une belle soirée, il faisait frais et il pleuvait légèrement. Debout sur l'estrade en plein air, après que la musique, les applaudissements et les cris scandés sont retombés, j'ai parlé de Toot à la foule pendant quelques minutes – son enfance durant la Grande Dépression, la chaîne de montage sur laquelle elle avait travaillé pendant que Gramps était à la guerre, ce qu'elle représentait pour notre famille, ce qu'elle pouvait représenter pour eux.

« Elle faisait partie de ces héros discrets qui existent partout en Amérique, ai-je dit. Ils ne sont pas célèbres. Leur nom n'apparaît pas dans les journaux. Mais chaque jour, jour après jour, ils travaillent dur.

Ils veillent sur leur famille. Ils se sacrifient pour leurs enfants et leurs petits-enfants. Ils ne cherchent pas à attirer la lumière sur eux […] ils s'efforcent simplement de faire ce qui est juste.

« Et ce soir, dans cette foule, ces héros discrets sont nombreux – mères, pères, grands-parents, qui tous ont travaillé, qui tous ont passé leur vie à se sacrifier. Et leur récompense est la satisfaction de voir leurs enfants et leurs petits-enfants et peut-être même leurs arrière-petits-enfants avoir une vie meilleure que celle qu'ils ont eue.

« Voilà ce que veut dire l'Amérique. Voilà ce pour quoi nous nous battons. »

Il m'a semblé que je n'aurais pas pu trouver de meilleurs arguments pour conclure la campagne.

QUAND VOUS ÊTES DANS LA PEAU du candidat, le jour de l'élection est un jour étonnamment calme. Plus de meetings, plus de débats publics. Les spots télé et radio n'ont plus aucune importance ; les chaînes d'information n'ont plus rien de consistant à se mettre sous la dent. Les QG de campagne se vident, tous les membres du staff et les bénévoles sortent dans la rue pour motiver les électeurs à se rendre dans les bureaux de vote. D'un bout à l'autre du pays, des millions d'inconnus se glissent derrière un rideau noir pour exprimer leur choix politique, laisser parler leur instinct profond et, ainsi, par une mystérieuse alchimie collective, déterminer le destin du pays – et le vôtre. Vous prenez conscience de quelque chose d'aussi profond qu'évident : tout cela ne vous appartient plus. Il ne vous reste en somme qu'une seule chose à faire : attendre.

Cette impuissance rendait fous Axe et Plouffe, qui tuaient le temps en consultant leur BlackBerry à l'affût des moindres nouvelles, les échos à la sortie des urnes, les rumeurs, la météo – tout ce qui pouvait servir de donnée concrète et utile. J'ai pris le parti opposé, m'abandonnant à l'incertitude comme on s'allonge sur le dos pour se laisser porter par les vagues. J'ai tout de même passé quelques coups de fil ce matin-là, pour intervenir à l'antenne de plusieurs matinales, surtout des radios de la communauté noire, pour rappeler aux gens d'aller voter. Vers 7 heures et demie, Michelle et moi sommes allés glisser notre bulletin dans l'urne à l'école élémentaire Beulah Shoesmith dans le quartier de Hyde Park, à quelques pas de chez nous, accompagnés de Malia et Sasha qui sont ensuite parties à l'école.

Puis j'ai fait un rapide aller-retour à Indianapolis pour rendre visite aux équipes d'un bureau local de la campagne et serrer quelques mains.

Plus tard, j'ai joué au basket (une habitude que Reggie et moi avions développée par superstition parce que nous avions joué ensemble le matin de notre victoire au caucus de l'Iowa, mais pas le jour de notre défaite à la primaire du New Hampshire) avec Craig, le frère de Michelle, quelques vieux copains et une bande de gamins – des enfants d'amis – assez rapides et costauds pour nous faire piquer une bonne suée. Nous ne nous faisions pas de cadeaux et les jurons volaient dans tous les sens, même si j'ai remarqué que tout le monde veillait à ne pas trop se bousculer. J'ai appris par la suite que Craig avait donné pour consigne d'y aller doucement – il savait que sa sœur le tiendrait pour responsable si jamais je rentrais à la maison avec un œil au beurre noir.

Pendant ce temps-là, Gibbs guettait les nouvelles en provenance des États décisifs ; apparemment, la participation explosait tous les records un peu partout dans le pays, ce qui créait des problèmes dans certains bureaux de vote où les électeurs devaient faire la queue pendant quatre ou cinq heures avant de pouvoir accéder aux urnes. Mais d'après les images filmées sur place, nous a dit Gibbs, les gens avaient l'air plus joyeux que frustrés ; les personnes âgées s'asseyaient sur des fauteuils pliants et les bénévoles distribuaient des boissons rafraîchissantes, comme à une grande fête de voisinage.

J'ai passé le reste de l'après-midi chez moi à tourner en rond, désœuvré, pendant que Michelle et les filles se faisaient coiffer. Je suis allé m'enfermer dans mon bureau pour mettre la dernière main à mes deux discours – l'un en cas de victoire, l'autre en cas de défaite. Vers 20 heures, Axe m'a appelé pour m'annoncer que les chaînes d'information nous donnaient vainqueurs en Pennsylvanie, et Marvin a suggéré que nous commencions à nous diriger vers l'hôtel en centre-ville d'où nous regarderions les résultats tomber avant de nous rendre à Grant Park, où aurait lieu le grand rassemblement public en fin de soirée.

Devant notre maison, le nombre d'agents et de véhicules du Secret Service semblait avoir doublé en l'espace de quelques heures. Le chef de l'équipe chargée de ma sécurité, Jeff Gilbert, m'a serré la main et m'a donné une brève accolade. Il faisait une chaleur inhabituelle à Chicago pour cette époque de l'année, pas loin de 20 degrés, et dans la voiture, sur Lake Shore Drive, Michelle et moi regardions le lac Michigan derrière la vitre sans rien dire tandis que les filles chahutaient à l'arrière. Tout à coup, Malia s'est tournée vers moi et m'a demandé : « Papa, tu as gagné ?

– Oui, ma chérie, je crois.

– Et on est censés aller à la grande fête tout à l'heure ?

– Oui, c'est ça. Pourquoi ?

– Ben… c'est juste que j'ai l'impression qu'il n'y aura pas grand monde à la fête, vu qu'il n'y a aucune voiture sur la route. »

J'ai ri et je me suis aperçu que ma fille avait raison ; hormis notre cortège, les six voies dans les deux sens de la route étaient complètement désertes.

À l'hôtel aussi, la sécurité n'était plus la même ; des unités de la brigade spéciale d'intervention s'étaient déployées dans les cages d'escalier. Notre famille et nos plus proches amis étaient déjà installés dans la suite ; tout le monde souriait, les enfants couraient partout, et pourtant il régnait une atmosphère étrangement flottante, comme si la réalité de ce qui était sur le point d'arriver n'avait pas encore tout à fait pénétré les esprits. Ma belle-mère, en particulier, ne faisait pas semblant d'être détendue ; au milieu de toute cette agitation et de tout ce bruit, je l'ai vue assise sur le canapé, les yeux rivés sur l'écran de télévision, l'air incrédule. J'ai essayé d'imaginer ce qu'elle pouvait ressentir, elle qui avait grandi à quelques kilomètres d'ici à une époque où il y avait encore beaucoup de quartiers à Chicago dans lesquels un Noir ne pouvait même pas mettre les pieds sans risquer sa peau ; une époque où les Noirs n'avaient quasiment aucune chance de trouver un emploi de bureau et où son père, ne pouvant pas adhérer aux syndicats contrôlés par les Blancs, avait dû gagner sa vie comme ouvrier itinérant ; une époque où l'idée d'un président américain noir était à peu près aussi extravagante que l'idée d'une poule avec des dents.

Je me suis assis à côté d'elle sur le canapé. « Ça va ? » lui ai-je demandé.

Marian a haussé les épaules, incapable de détacher les yeux de la télé. Elle a dit : « Je ne sais pas, c'est presque trop.

– Je sais. » J'ai pris sa main et je l'ai serrée dans la mienne, et nous sommes restés assis côte à côte dans un silence complice pendant quelques minutes. Et puis, tout à coup, mon visage a surgi en gros plan à l'écran et ABC News a annoncé que j'allais devenir le quarante-quatrième président des États-Unis.

Tout le monde a explosé de joie. On entendait crier partout dans les couloirs de l'hôtel. Michelle et moi nous sommes embrassés, puis elle s'est dégagée doucement pour me dévisager en riant et en secouant la tête. Reggie et Marvin se sont rués pour serrer tout le monde dans leurs bras. Plouffe, Axe et Gibbs ont bientôt surgi dans la pièce, et je les ai patiemment laissés me débiter les résultats État par État pendant deux ou trois minutes avant de leur dire ce qui, je le savais, était la pure vérité : quoi que j'aie pu accomplir pour ma part, c'étaient eux, leur talent, leur travail acharné, leur perspicacité, leur ténacité, leur loyauté et leur générosité, ainsi que le dévouement de toute l'équipe, qui avaient rendu ce moment possible.

Le reste de la soirée n'est pour ainsi dire qu'un grand flou dans ma mémoire. Je me souviens du coup de fil de John McCain, aussi élégant que le serait le discours qu'il prononcerait pour concéder sa défaite. Il m'a dit que l'Amérique pouvait être fière de ce moment historique et il s'est engagé à faire tout son possible pour m'aider à réussir. J'ai reçu des appels de félicitations du président Bush et de plusieurs dirigeants étrangers, et j'ai parlé avec Harry Reid et Nancy Pelosi – pour eux aussi la soirée était belle, avec le succès de nombreux démocrates du Sénat et de la Chambre des représentants dans les élections secondaires. Je me rappelle avoir fait la connaissance de la mère de Joe Biden, qui du haut de ses 91 ans a pris un malin plaisir à me raconter qu'elle avait grondé son petit Joe d'avoir pu envisager même un seul instant de refuser d'être mon colistier.

Plus de 200 000 personnes s'étaient rassemblées à Grant Park ce soir-là, au pied de la scène installée face aux gratte-ciel étincelants de Chicago. Je revois aujourd'hui encore certains de ces regards qui se sont levés vers moi quand je suis arrivé, tous ces hommes, ces femmes, ces enfants de toutes les origines, certains riches, d'autres pauvres, certains célèbres, d'autres anonymes, les visages illuminés d'un sourire extatique, les visages baignés de larmes qui ne se cachaient pas. J'ai relu des passages du discours que j'ai prononcé ce soir-là, et certains de mes proches et des membres de mon staff m'ont raconté ce qu'ils avaient ressenti.

Mais je crains que mes souvenirs de cette soirée, comme de tant d'autres événements depuis ces douze dernières années, ne soient voilés par les images que j'ai vues, la séquence où l'on nous voit traverser la scène en famille, les photos des gens dans la foule, des lumières et du décor somptueux en arrière-fond. Si magnifiques soient-elles, ces images ne rendent pas nécessairement justice à l'intensité de l'expérience vécue sur le moment. La photo que je préfère de cette soirée, d'ailleurs, n'a pas du tout été prise à Grant Park. On me l'a offerte en cadeau des années plus tard ; c'est une photo du mémorial de Lincoln, à Washington, prise lorsque je prononçais mon discours à Chicago. On y voit un petit groupe de gens assis sur les marches du monument, la tête plongée dans l'obscurité, et, derrière eux, la gigantesque statue éclairée de mille feux, son visage de marbre buriné, ses yeux légèrement baissés. Ils sont en train d'écouter la radio, me dit-on, et de songer en silence à ce que nous sommes, au peuple que nous formons – et à la trajectoire de cette chose que nous appelons la démocratie.

TROISIÈME PARTIE

« Renegade »

CHAPITRE 10

J'AVAIS DÉJÀ VISITÉ LA MAISON-BLANCHE plusieurs fois en tant que sénateur, mais je n'étais encore jamais entré dans le Bureau ovale avant d'être élu président. La pièce est plus petite qu'on pourrait l'imaginer – 11 mètres pour l'axe le plus long, 9 mètres pour l'axe le plus court –, mais le plafond est haut et majestueux, et l'aspect général correspond bien aux photos et autres images d'actualités bien connues. Il y a le portrait de Washington au-dessus de la tablette de cheminée recouverte de lierre, et les deux sièges à haut dossier, flanqués de sofas, où le président s'installe avec le vice-président ou des dignitaires étrangers de passage. Deux portes s'insèrent harmonieusement dans les murs légèrement incurvés – l'une donnant à l'extérieur sur le couloir, l'autre sur l'« Ovale extérieur », pour les assistants personnels du président –, et une troisième ouvre sur le petit bureau intérieur et la salle à manger réservée à l'usage du président. Il y a les bustes de chefs d'État morts de longue date et le fameux cow-boy en bronze de Remington ; l'antique horloge comtoise et les niches-bibliothèques ; l'épais tapis ovale orné au centre d'un aigle austère ; et le Resolute Desk, bureau du président – offert par la reine Victoria en 1880, richement sculpté dans la coque d'un navire britannique que l'équipage d'un baleinier américain avait secouru, plein de tiroirs et de recoins cachés, avec un panneau central qui s'ouvre, le délice de tout enfant ayant la chance de passer en dessous en rampant.

Il y a une chose que l'appareil photo ne parvient pas à capturer dans le Bureau ovale, c'est la lumière. La pièce est baignée de lumière. Lorsque le temps est clair, elle s'engouffre par les immenses fenêtres orientées est et sud, donnant à chaque objet un éclat doré, dont le grain s'affine, puis se constelle de taches à mesure que s'estompe le soleil de fin d'après-midi. Quand il ne fait pas beau et que la pelouse sud est nimbée de pluie, de neige ou d'un rare brouillard matinal, la pièce se pare d'une teinte légèrement plus bleue, sans pour autant s'assombrir, la lumière naturelle, plus faible, compensée par les lampes intérieures dissimulées dans une corniche à console se reflétant au plafond et aux murs. Les lumières ne sont jamais éteintes, si bien que, même en pleine nuit, le Bureau ovale reste luminescent et brille dans l'obscurité comme la lentille ronde d'un phare.

J'ai passé une bonne partie des huit années qui allaient suivre dans cette pièce, à écouter avec gravité des rapports de renseignement, à accueillir des chefs d'État, à amadouer des élus, à batailler avec des alliés et des adversaires, à poser pour des photos avec des milliers de visiteurs. Avec mon staff, j'ai ri, pesté, et plus d'une fois retenu mes larmes. Je me suis senti suffisamment à mon aise pour poser les pieds sur le bureau, me rouler par terre avec un enfant ou piquer un somme sur le canapé. Parfois, j'ai rêvé de sortir par la porte est, descendre l'allée, passer le corps de garde et les grilles en fer forgé pour m'enfoncer dans les rues bondées et retrouver ma vie de jadis.

Mais je ne me suis jamais totalement départi d'un sentiment de révérence chaque fois que je pénétrais dans le Bureau ovale, le sentiment d'être entré non pas dans un bureau, mais dans un sanctuaire de la démocratie. Jour après jour, sa lumière m'a encouragé et fortifié, me rappelant le privilège de mes fardeaux et de mes devoirs.

Ma première visite au Bureau ovale a eu lieu quelques jours à peine après l'élection, lorsque, conformément à une longue tradition, les Bush nous ont invités, Michelle et moi, pour nous faire découvrir ce qui serait bientôt notre maison. Dans un véhicule du Secret Service, nous avons longé l'arc de cercle bordant la pelouse sud jusqu'à l'entrée de la Maison-Blanche, tâchant tous deux de nous faire à l'idée que, dans moins de trois mois, nous y emménagerions. C'était une journée ensoleillée, il faisait chaud, le feuillage des arbres était encore intact, la roseraie débordait de fleurs. Nous appréciions d'autant plus l'automne prolongé de Washington qu'à Chicago le temps était vite devenu froid et sombre, un vent arctique dépouillait les arbres, comme si la météo inhabituellement clémente du soir de l'élection n'avait été qu'un élément du décor, vite démonté une fois la cérémonie terminée.

Le président et la First Lady Laura Bush nous ont accueillis au portique sud et, après les inévitables saluts aux journalistes, le président Bush et moi nous sommes dirigés vers le Bureau ovale pendant que Michelle se joignait à Mme Bush pour prendre le thé à la résidence. Après quelques photos de plus et une offre de rafraîchissements de la part d'un jeune valet, le président m'a invité à m'asseoir.

« Alors, m'a-t-il demandé, qu'est-ce que ça fait ?

– Ça fait beaucoup, ai-je dit. Je suis sûr que vous vous en souvenez.

– Ouaip. Parfaitement. Comme si c'était hier, a-t-il confirmé en hochant vigoureusement la tête. Je vais vous dire une chose. Vous allez vous embarquer dans une drôle d'aventure. Quelque chose de vraiment unique. Il faut juste penser chaque jour à en profiter. »

Était-ce par respect pour l'institution, étaient-ce les leçons que lui avait enseignées son père, les mauvais souvenirs de sa propre transition (certaines rumeurs prétendaient que des membres de l'équipe Clinton avaient retiré la touche *W* de tous les ordinateurs de la Maison-Blanche au moment de partir), ou était-ce par simple savoir-vivre, toujours est-il que le président Bush ferait tout son possible, durant les onze semaines séparant mon élection et la fin de son mandat, pour que les choses se passent en douceur. Chaque service de la Maison-Blanche avait fourni à mon équipe des « guides pratiques » détaillés. Les membres de son staff s'étaient rendus disponibles pour rencontrer leurs successeurs, répondre aux questions, et avaient même accepté d'être suivis dans l'exercice de leurs fonctions pour que les nouveaux apprennent le métier. Ses deux filles, Barbara et Jenna, qui étaient alors de jeunes adultes, ont aménagé leur emploi du temps pour faire découvrir à Malia et à Sasha les côtés « fun » de la Maison-Blanche. Je me suis promis que, le moment venu, j'en ferais de même avec mon successeur.

Le président et moi avons abordé un large éventail de sujets lors de cette première visite – l'économie et l'Irak, la presse et le Congrès –, lui ne démentant jamais sa réputation d'homme jovial et un brin agité. Il a ensuite porté des jugements sans détour sur quelques hauts responsables politiques étrangers, m'a prévenu que ce seraient des gens de mon propre parti qui finiraient par me causer les plus gros soucis, et a élégamment accepté d'organiser un déjeuner avec tous les anciens présidents vivants avant l'investiture.

J'étais conscient qu'il y avait nécessairement des limites à la franchise d'un président s'entretenant avec son successeur – surtout lorsque ce dernier avait à ce point critiqué son bilan. J'étais également conscient que, en dépit de la bonne humeur apparente du président Bush, ma présence dans le bureau qu'il allait bientôt libérer devait susciter chez lui des émotions contradictoires. J'ai suivi son exemple en évitant de trop entrer dans les détails. Dans l'ensemble, j'ai surtout écouté.

À un moment, toutefois, il a dit quelque chose qui m'a étonné. Nous évoquions la crise financière et les initiatives du secrétaire Paulson pour structurer le plan de sauvetage des banques, dès lors que le TARP avait été adopté au Congrès. « La bonne nouvelle, Barack, a-t-il dit, c'est que d'ici à ce que vous entriez en fonction, nous aurons réglé les problèmes les plus épineux. Vous pourrez repartir sur de bonnes bases. »

Sur le coup, j'en suis resté sans voix. J'avais régulièrement discuté avec Paulson et je savais que des faillites bancaires en cascade et une crise mondiale étaient encore à envisager très sérieusement. En regardant le président, j'ai imaginé tous les espoirs et toutes les convictions qu'il avait dû porter la première fois qu'il avait pénétré dans le Bureau ovale en tant que président nouvellement élu, pas moins ébloui par son éclat, pas moins déterminé à changer les choses pour œuvrer à un monde meilleur, pas moins persuadé que l'Histoire jugerait sa présidence comme une réussite.

« Il vous a fallu beaucoup de courage pour faire passer le TARP, ai-je fini par déclarer. Pour aller à l'encontre de l'opinion publique et de votre propre parti pour le bien du pays. »

Cela, au moins, c'était vrai. Je ne voyais pas l'intérêt d'en dire davantage.

QUAND NOUS SOMMES REVENUS à Chicago, nos vies ont brusquement changé. À la maison, les choses ne paraissaient pas si différentes – le petit déjeuner, préparer les filles pour l'école, répondre à quelques coups de fil et discuter avec les membres de l'équipe. Mais, dès l'instant où l'un d'entre nous franchissait le seuil de la porte d'entrée, c'était un nouveau monde. Des hordes de photographes et de cameramen étaient stationnées au coin de la rue, derrière les barrières de béton récemment érigées. Les équipes du Secret Service chargées de débusquer d'éventuels tireurs isolés étaient de faction, vêtues de noir. C'était la croix et la bannière pour rendre une simple visite à Marty et à Anita, à quelques rues seulement ; et il était désormais hors de question d'aller à mon ancienne salle de sport. En rejoignant le centre-ville où était établi notre bureau de transition, je me suis rendu compte que les rues vides qui avaient frappé Malia le soir de l'élection étaient devenues la nouvelle norme. Toutes mes entrées et sorties des bâtiments s'effectuaient par des quais de chargement et des ascenseurs de service, sans personne alentour à l'exception de quelques agents chargés de la sécurité. J'avais dorénavant le sentiment d'habiter dans ma propre ville fantôme mobile.

J'ai passé mes après-midi à former un gouvernement. Un nouveau gouvernement occasionne moins de turn-over que ce qu'imaginent la plupart des gens. Sur plus de trois millions de fonctionnaires, civils et militaires, employés par l'État fédéral, seuls quelques milliers constituent le personnel politique, nommé à la discrétion du président. Parmi eux, le président ou la présidente n'a de contacts significatifs qu'avec moins d'une centaine de hauts fonctionnaires et de conseillers. En tant que président, je pouvais exprimer une vision et fixer un cap pour le pays, promouvoir une culture organisationnelle saine, et établir des lignes claires de responsabilités et de mesures afin de veiller à la transparence. C'était moi qui prendrais la décision finale concernant les questions ayant été portées à mon attention et qui expliquerais ces décisions au pays dans son ensemble. Mais pour accomplir tout cela, je dépendrais d'une poignée de personnes qui me serviraient d'yeux, d'oreilles, de mains et de pieds – ceux qui deviendraient mes directeurs, responsables de projets, conseillers, analystes, organisateurs, chefs d'équipes, porte-voix, conciliateurs, solutionneurs de problèmes, fusibles face aux critiques, médiateurs, caisses de résonance, critiques constructifs et loyaux soldats.

Il était donc crucial que ces premières nominations soient judicieuses – à commencer par la personne qui serait mon directeur de cabinet. Malheureusement, la réponse initiale de celui que j'avais pressenti pour ce poste ne fut pas exactement enthousiaste.

« Jamais de ma putain de vie. »

Il s'agissait de Rahm Emanuel, ex-collecteur de fonds de Richard M. Daley et enfant terrible du gouvernement Clinton, désormais élu à la Chambre des représentants de la circonscription du North Side de Chicago, et instigateur de la vague démocrate de 2006 qui avait repris la Chambre des représentants. De petite taille, svelte, d'une beauté ténébreuse, immensément ambitieux et débordant d'une énergie électrique, Rahm était plus intelligent que la plupart de ses collègues au Congrès, et pas du genre à s'en cacher. Il était également drôle, sensible, anxieux, loyal et notoirement grossier. Lors d'un dîner en son honneur, quelques années plus tôt, je l'avais chambré publiquement en expliquant que la perte de son majeur, tranché dans un coupe-viande quand il était adolescent, l'avait privé de son principal moyen d'expression.

« Écoutez, je suis très honoré que vous pensiez à moi pour le poste, m'a dit Rahm lorsque je l'ai contacté un mois avant l'élection. Je ferai tout mon possible pour vous aider. Mais je suis heureux comme ça. Ma femme et mes mômes sont heureux. Et j'en sais trop pour croire que la Maison-Blanche permet de préserver un équilibre familial. Et puis, je suis convaincu que vous pouvez trouver de meilleurs candidats que moi. »

Je ne pouvais pas affirmer à Rahm qu'en acceptant mon offre il signerait pour une partie de plaisir. À la Maison-Blanche, dans sa version moderne, le directeur de cabinet était un quarterback au jour le jour, gardant l'extrémité du tunnel par lequel devait d'abord passer tout problème auquel le président était confronté. Peu de personnes au sein du gouvernement (y compris le président) travaillaient autant que lui, en étant à ce point soumis à une incessante pression.

Mais Rahm se trompait en prétendant que je pouvais trouver mieux. Après deux années épuisantes de campagne électorale, Plouffe m'avait déjà annoncé qu'il n'entrerait pas au gouvernement, en partie parce que sa femme, Olivia, avait accouché trois jours après l'élection. Mon directeur de cabinet au Sénat, Pete Rouse, et l'ancien directeur de cabinet de Clinton, John Podesta, qui avaient tous deux bien voulu aider à gérer notre équipe de transition, s'étaient retirés de la course. Certes, Axe, Gibbs et Valerie accepteraient de hautes fonctions à la Maison-Blanche, mais aucun ne possédait la combinaison d'aptitude et d'expérience dont j'avais besoin pour le poste de directeur de cabinet.

Rahm, en revanche, maîtrisait les rouages ; il connaissait la politique, le Congrès, la Maison-Blanche ainsi que les marchés financiers, pour avoir travaillé un temps à Wall Street. Son impertinence et son impatience en hérissaient certains, comme je ne tarderais pas à l'apprendre, son empressement à « marquer des points » le conduisait parfois à se soucier moins de la substance d'un accord que du fait même d'avoir obtenu cet accord. Mais, avec la crise économique à affronter et une marge de manœuvre que je devinais étroite pour faire passer les mesures qui s'imposaient auprès d'un Congrès à majorité démocrate, j'étais convaincu que son style rentre-dedans était exactement ce qu'il me fallait.

Au cours des derniers jours avant l'élection, j'avais fini par avoir Rahm à l'usure, en appelant à son ego, mais aussi à la rectitude morale et à l'authentique patriotisme qu'il dissimulait derrière ses grands airs. (« Jamais, de notre vivant, nous n'avons eu à affronter une crise d'une telle ampleur, lui ai-je jeté à la figure, et toi, tu vas vraiment choisir de rester sur la touche ? ») Axe et Plouffe, qui avaient tous deux eu le loisir de voir Rahm en action, furent ravis qu'il accepte le poste. Cependant, tous les sympathisants n'étaient pas aussi enthousiastes. Rahm n'avait-il pas soutenu Hillary ? ont pesté certains. N'était-il pas l'archétype de la bonne vieille triangulation, fréquentant Davos, dorlotant Wall Street, l'œil rivé sur Washington, la version obsessionnellement centriste du Parti démocrate contre laquelle nous avions fait campagne ? Comment pouvez-vous lui faire confiance ?

Autant de variantes d'une question qui ne cesserait de revenir dans les mois à venir : quel type de président avais-je l'intention d'être ? J'avais bien tiré mon épingle du jeu durant la campagne, m'attirant les soutiens d'indépendants et même de certains républicains modérés en promettant d'instaurer une gouvernance bipartite et de mettre fin à la politique de la terre brûlée, tout en conservant l'enthousiasme de mon aile gauche. J'avais procédé non pas en disant aux uns et aux autres ce qu'ils avaient envie d'entendre, mais en affirmant ce qui me semblait être la vérité : à savoir que, pour mettre en place des politiques progressistes telles que l'assurance-maladie universelle ou la réforme de l'immigration, il n'était pas seulement possible mais nécessaire d'éviter de raisonner en termes idéologiques, d'accorder la priorité à ce qui fonctionnait et d'écouter avec respect ce que l'autre camp avait à dire.

Les électeurs avaient entendu mon message – parce qu'il était différent de ce qu'ils avaient entendu jusqu'alors, et qu'ils avaient soif de changement ; parce que notre campagne n'avait pas été tributaire des habituels groupes d'intérêts et autres éminences grises qui auraient pu m'obliger à appliquer une stricte orthodoxie de parti ; parce que j'étais nouveau et inattendu, une toile vierge sur laquelle nos soutiens à travers tout le spectre idéologique pouvaient projeter leur propre vision du changement.

À partir du moment où j'ai procédé aux premières nominations, toutefois, les différentes attentes au sein de ma coalition ont commencé à se manifester. Après tout, chaque personne que j'avais désignée pour un poste au gouvernement arrivait avec sa propre histoire, sa trajectoire établie, ses partisans et ses détracteurs. Pour les initiés, en tout cas – les politiciens, les agents et les journalistes dont la mission consistait à lire dans le marc de café –, chaque désignation en disait long sur mes véritables intentions politiques, était la preuve de mon penchant à droite ou à gauche, de ma volonté de rompre avec le passé ou de me contenter de poursuivre dans la lignée de mes prédécesseurs. Les choix de personnes reflétaient des choix stratégiques et, à chaque choix, les risques de désillusion augmentaient.

Lorsqu'il s'est agi de constituer mon équipe économique, j'ai décidé de favoriser l'expérience au détriment des jeunes talents. Les circonstances, me semblait-il, l'exigeaient. Le bilan du marché de l'emploi en octobre, publié trois jours après l'élection, était mauvais : 240 000 pertes d'emploi (une estimation ultérieure révélerait que le chiffre se montait en réalité à 481 000). Malgré le vote du TARP, les mesures d'urgence que continuaient de prendre le Trésor et la Fed, les marchés financiers demeuraient paralysés, les banques étaient encore au bord de l'effondrement et les saisies immobilières ne montraient nul signe de ralentissement. J'aimais beaucoup tous les jeunes talentueux qui m'avaient conseillé durant la campagne et me sentais des affinités avec les économistes et les militants de gauche qui voyaient la crise actuelle comme le résultat d'un système financier hypertrophié et incontrôlable ayant terriblement besoin d'être réformé. Mais, avec l'économie mondiale en chute libre, ma mission première n'était pas de refondre l'ordre économique mondial. Il s'agissait d'empêcher un plus ample désastre. Pour cela, j'avais besoin de gens ayant déjà géré des crises, capables d'apaiser les marchés pris de panique – des gens qui, par définition, pouvaient être ternis par les péchés du passé.

Pour le secrétaire au Trésor, j'avais en définitive le choix entre deux candidats : Larry Summers, qui avait occupé ce poste sous Bill Clinton, et Tim Geithner, l'ancien adjoint de Larry, alors à la tête de la Banque fédérale de réserve de New York. Larry était le choix le plus évident : diplômé en économie et champion en rhétorique au MIT, un des plus jeunes professeurs titulaires à Harvard et, plus récemment, président de l'université, il avait déjà officié comme économiste en chef de la Banque mondiale, sous-secrétaire aux Affaires internationales et secrétaire adjoint au Trésor, avant de reprendre le flambeau de son prédécesseur et mentor, Bob Rubin. Au milieu des années 1990, Larry avait contribué à mettre en place la riposte internationale face à une série de crises financières majeures impliquant le Mexique, l'Asie et la Russie – les crises les plus comparables à celle dont j'héritais –, et même ses plus farouches détracteurs lui reconnaissaient une intelligence supérieure. Ainsi que Tim l'avait fort justement fait remarquer, Larry était capable d'écouter vos arguments, de les reformuler mieux que vous n'auriez su le faire, puis de vous prouver pourquoi vous aviez tort.

Il avait également la réputation – en partie méritée seulement – d'être arrogant et de ne pas respecter le politiquement correct. En tant que président de Harvard, il s'était publiquement disputé avec Cornel West, l'éminent professeur d'études africaines-américaines, et avait été par la suite obligé de démissionner, après avoir affirmé, entre autres choses, que les différences intrinsèques en termes de capacités intellectuelles de haut niveau étaient l'une des raisons de la sous-représentation des femmes dans les départements de maths, de sciences et d'ingénierie des meilleures universités.

En apprenant à le connaître, j'ai fini par être persuadé que les difficultés de Larry à bien s'entendre avec les autres relevaient moins de la malveillance que de l'inattention. Pour Larry, les qualités telles que le tact et la modération ne faisaient qu'empêtrer l'esprit. Lui-même semblait totalement insensible au fait que les gens puissent se sentir blessés ou manquer de confiance en eux, et il exprimait sa reconnaissance (accompagnée d'un léger étonnement) à quiconque lui donnait du fil à retordre ou émettait une idée qui ne lui était pas venue à l'esprit. Son désintérêt pour les conventions sociales s'étendait à son apparence, souvent débraillée, son ample bedaine parfois visible en raison d'un bouton de chemise manquant, et sa pratique approximative du rasage laissant régulièrement apparaître quelques poils incongrus oubliés sous le nez.

Tim était différent. La première fois que je l'ai rencontré, dans un hôtel à New York, quelques semaines avant l'élection, le premier mot qui m'est venu à l'esprit a été « jeunot ». Il avait mon âge, mais sa carrure frêle, son port modeste et ses traits délicats lui donnaient l'air bien plus jeune. Pendant toute l'heure qu'a duré notre discussion, il est resté d'humeur égale, parlant d'une voix douce et joviale. Nous nous sommes immédiatement bien entendus en raison, entre autres, des similitudes entre nos deux enfances : son père ayant consacré sa carrière à l'aide aux pays en développement, il avait passé une partie de sa jeunesse à l'étranger, ce qui se traduisait chez lui par une réserve que je reconnaissais en moi.

Après avoir obtenu un master en études extrême-orientales et en économie internationale, Tim avait travaillé comme spécialiste de l'Asie pour la boîte de conseil de Henry Kissinger, puis était entré au Trésor au titre d'attaché commercial junior au Japon. C'est Larry Summers qui avait sorti Tim de l'ombre pour faire de lui son assistant personnel, et Tim avait suivi Larry dans son ascension. Il était devenu un agent déterminant, quoique méconnu, dans les actions entreprises pour régler les différentes crises financières des années 1990, et c'est grâce aux vives recommandations de Larry qu'il s'était retrouvé à la tête de la New York Fed. Leur relation témoignait de la générosité de Larry, mais aussi de la confiance paisible et de la rigueur intellectuelle de Tim – autant de qualités qui avaient amplement été mises à l'épreuve au cours de l'année précédente, quand Tim avait travaillé non-stop avec Hank Paulson et Ben Bernanke pour contenir l'effondrement de Wall Street.

Que ce soit par loyauté vis-à-vis de Larry, parce qu'il était épuisé ou bien en raison d'une culpabilité compréhensible (comme Rahm – et moi-même –, il avait des enfants encore jeunes et une femme qui aspirait à une vie plus calme), Tim a passé une bonne partie de notre premier rendez-vous à tenter de me décourager de l'embaucher comme secrétaire au Trésor. Entretien au terme duquel j'ai été convaincu du contraire. Il faudrait à quiconque – y compris Larry – des mois pour atteindre le niveau de compréhension en temps réel que Tim avait de la crise financière et de ses relations avec les multiples acteurs financiers mondiaux, me suis-je dit, or c'était du temps que nous n'avions pas. Plus important, j'avais l'intuition que Tim était fondamentalement intègre, stable de tempérament et capable de résoudre les problèmes, des qualités nullement entravées par son ego ou des considérations politiques, ce qui ferait de lui un atout précieux pour affronter la tâche qui nous attendait.

J'ai finalement décidé d'embaucher les deux hommes – Larry pour qu'il m'aide à comprendre ce qu'on pouvait faire (et ne pas faire), Tim pour mettre en œuvre et diriger notre action. Pour que cela fonctionne, il fallait que je convainque Larry d'être non pas secrétaire au Trésor, mais plutôt directeur du Conseil économique national, soit le plus haut poste économique à la Maison-Blanche, cependant considéré comme moins prestigieux. La fonction traditionnelle du directeur était de coordonner l'élaboration de la politique économique et d'assumer le rôle d'interface diplomatique entre les différentes agences, ce qui n'était pas nécessairement un des points forts de Larry. Mais tout cela n'avait aucune importance, ai-je dit à Larry. J'avais besoin de lui, son pays avait besoin de lui et, à mes yeux, il serait l'égal de Tim concernant l'élaboration de notre plan économique. Ma gravité a peut-être pesé dans sa réflexion, mais la promesse (sur les conseils de Rahm) de faire de lui le prochain président de la Réserve fédérale a certainement contribué à obtenir son assentiment.

J'avais d'autres postes clés à pourvoir. Pour la direction du Groupe des conseillers économiques – chargé de fournir au président les meilleures données et analyses possibles sur toutes les questions économiques –, j'ai choisi une universitaire au teint frais, Christina Romer, professeure à Berkeley, qui avait effectué un travail magistral sur la Grande Dépression. Peter Orszag, responsable du Bureau du budget du Congrès, une agence fédérale sans étiquette politique, a accepté le poste de directeur du Bureau de la gestion et du budget, et Melody Barnes, une avocate afro-américaine sérieuse, ex-conseillère juridique principale du sénateur Ted Kennedy, a été placée à la tête du Conseil de politique intérieure. Jared Bernstein, économiste spécialisé dans les questions du travail, plutôt de gauche, a intégré l'équipe de Joe Biden, de même que le conseiller à lunettes ultra-éloquent Gene Sperling, qui avait été pendant quatre ans directeur du Conseil économique national sous Bill Clinton, et qui acceptait à présent, aux côtés des économistes de ma campagne Austan Goolsbee et Jason Furman, de faire office de joueur polyvalent.

Au cours des mois à venir, j'allais passer d'innombrables heures avec ce groupe d'experts et leurs adjoints, à poser des questions, à passer au crible des préconisations, à étudier de près les présentations PowerPoint et les dossiers de synthèse, à formuler une stratégie avant de la soumettre à un examen minutieux. Les débats étaient vifs, les opinions divergentes encouragées, et aucune idée n'était *a priori* rejetée parce qu'elle émanait d'un jeune membre de l'équipe ou ne collait pas avec tel ou tel présupposé idéologique.

Tim et Larry n'en demeuraient pas moins les voix dominantes de notre équipe économique. Les deux hommes adhéraient au credo centriste favorable à l'économie de marché de l'administration Clinton et, compte tenu de la remarquable longévité de la période de prospérité des années 1990, un tel pedigree avait longtemps été considéré comme une source de fierté. Cependant, à mesure que la crise empirait, ces états de service feraient l'objet de critiques de plus en plus virulentes. Bob Rubin voyait déjà sa réputation ternie du fait d'avoir été conseiller principal de Citigroup, une des institutions financières qui avait trempé dans le marché des subprimes, et favorisait à présent la contagion. Dès que j'ai annoncé la composition de mon équipe économique, des articles de presse ont fait remarquer que Larry s'était fait le champion de la dérégulation des marchés financiers durant son passage au Trésor, les commentateurs se demandant si, lorsqu'il avait occupé des fonctions au sein de la New York Fed, Tim – ainsi que Paulson et Bernanke – n'avait pas été trop lent à la détente pour alerter du risque que le marché des subprimes faisait courir au système financier.

Certaines de ces critiques étaient pertinentes, d'autres grossièrement injustes. Ce qui était certain, c'est qu'en choisissant Larry et Tim, je m'étais attelé à leur histoire – et que si nous ne parvenions pas à redresser promptement la barre du vaisseau Économie, le prix politique à payer pour les avoir choisis serait élevé.

À peu près à la période où je finalisais mon équipe économique, j'ai demandé à des membres du staff et à mon détachement du Secret Service d'organiser un rendez-vous clandestin à la caserne des pompiers de l'aéroport national Ronald-Reagan. Les lieux étaient déserts quand nous sommes arrivés, les camions de pompiers avaient été retirés pour laisser place à notre cortège de voitures. Je suis entré dans un salon qui avait été réservé, avec des rafraîchissements, et j'ai salué l'homme compact aux cheveux argentés et en costume gris déjà assis.

« Monsieur le Secrétaire, ai-je dit en lui serrant la main.

– Félicitations, monsieur le Président », a répondu Robert Gates, regard d'acier, sourire figé, avant que nous prenions place et passions aux choses sérieuses.

On peut affirmer sans risque d'erreur que le secrétaire à la Défense du président Bush et moi-même n'évoluions pas dans les mêmes cercles. De fait, au-delà de nos racines communes dans le Kansas (Gates était né et avait grandi à Wichita), il était difficile d'imaginer que deux individus aux trajectoires si différentes se retrouvent finalement au même endroit. Gates était un Eagle Scout, ex-officier du renseignement de l'Air Force, spécialiste de la Russie et recrue de la CIA. Au plus fort de la guerre froide, il avait servi au Conseil de sécurité nationale sous Nixon, Ford et Carter, et à la CIA sous Reagan, avant d'en être nommé directeur sous George H. W. Bush. (Il avait été nommé antérieurement à ce poste par Reagan, mais avait dû faire défection lorsque avaient émergé des questions sur ce qu'il savait du scandale politico-militaire de l'Irangate.) Après l'élection de Bill Clinton, Gates avait quitté Washington et intégré des conseils d'administration avant de devenir président de l'université A&M du Texas – poste qu'il conserverait jusqu'en 2006, quand George W. Bush lui demanderait de remplacer Donald Rumsfeld au Pentagone et de voler au secours d'une stratégie de guerre en Irak qui avait alors tourné au désastre.

C'était un républicain, un faucon de la guerre froide, membre de l'*establishment* de la sécurité nationale, qui s'était illustré dans des interventions à l'étranger contre lesquelles j'avais probablement manifesté quand j'étais à l'université, et désormais secrétaire à la Défense d'un président dont j'abhorrais les stratégies belliqueuses. Et pourtant, ce jour-là, je me trouvais à la caserne des pompiers pour demander à Bob Gates d'être mon secrétaire à la Défense.

Compte tenu des nominations auxquelles j'avais procédé sur le plan économique, mes raisons étaient d'ordre pratique. Avec 180 000 soldats déployés en Irak et en Afghanistan, tout changement de poste important au département de la Défense présenterait des risques. En outre, quelles que soient les divergences que Gates et moi pouvions entretenir concernant la décision initiale d'envahir l'Irak, les circonstances nous avaient conduits à avoir des vues similaires quant à la voie à emprunter pour en sortir. Lorsque le président Bush – sur les conseils de Gates – avait ordonné un « afflux » de soldats en Irak, au début de l'année 2007, j'avais été sceptique, non pas parce que je doutais que des effectifs américains supplémentaires réduiraient la violence sur place, mais parce que cet engagement était présenté sans issue claire.

Sous la direction de Gates, néanmoins, l'afflux de soldats déployés sous la houlette du général Petraeus (et une alliance négociée avec les tribus sunnites dans la province d'Anbar) avait non seulement réduit la violence de manière significative, mais fourni aux Irakiens du temps et de l'espace pour la politique. Avec l'aide d'une diplomatie minutieuse menée par la secrétaire d'État Condoleezza Rice, et tout particulièrement l'ambassadeur en Irak Ryan Crocker, l'Irak était en bonne voie pour se doter d'un gouvernement légitime, des élections étant prévues pour la fin du mois de janvier 2009. Au beau milieu de ma transition, l'administration Bush avait même annoncé un accord sur le statut des forces avec le gouvernement Al-Maliki prévoyant un retrait de contingents américains à la fin de l'année 2011 – un calendrier qui, de fait, était le reflet de ce que j'avais proposé durant la campagne. Pendant ce temps, Gates avait insisté publiquement sur la nécessité pour les États-Unis de se concentrer sur l'Afghanistan, un des grands engagements de mon programme de politique étrangère. Des questions tactiques demeuraient concernant le rythme, les ressources et les effectifs. Mais la stratégie fondamentale consistant à réduire les opérations de combat en Irak et à concentrer nos efforts en Afghanistan était désormais fermement établie – et, du moins pour le moment, personne n'était mieux placé pour mettre à exécution cette stratégie que le secrétaire à la Défense alors en fonction.

J'avais également de solides raisons politiques de maintenir Gates à son poste. J'avais en effet promis de mettre fin à la sempiternelle guéguerre politicienne, et la présence de Gates dans mon gouvernement montrerait que ce n'étaient pas des promesses en l'air. Le garder dans mon équipe contribuerait aussi à inspirer la confiance au sein de l'armée et des différentes agences formant la communauté du renseignement. À la tête d'un budget militaire supérieur à la totalité de ceux des trente-sept pays suivants combinés, les directeurs du département de la Défense et de la communauté du renseignement avaient de fortes convictions, excellaient dans l'art de mener des querelles intestines et avaient tendance à préserver le *statu quo*. Cela ne m'intimidait pas ; je savais dans les grandes lignes ce que je voulais et m'attendais à ce que les habitudes acquises au cours d'une carrière où l'on est tenu de respecter la voie hiérarchique – saluer et exécuter les ordres du commandant en chef, y compris ceux avec lesquels on est en total désaccord – soient profondément ancrées.

Pour autant, je comprenais que faire prendre une direction nouvelle à l'appareil de sécurité nationale aux États-Unis n'était facile pour aucun président. Si le président Eisenhower – commandant suprême des forces alliées et architecte du D-Day – s'était parfois senti impuissant face à ce qu'il appelait le « complexe militaro-industriel », il était fort probable que faire passer des réformes soit plus difficile pour un président afro-américain fraîchement élu, qui n'avait jamais revêtu l'uniforme, s'était opposé à un engagement auquel beaucoup avaient consacré leur vie, souhaitait restreindre le budget militaire et avait certainement perdu le vote du Pentagone avec une marge considérable. Pour que les choses soient mises en marche dès à présent, et non pas d'ici un an ou deux, j'avais besoin de quelqu'un comme Gates, qui savait comment fonctionnait la maison et où se trouvaient les pièges ; quelqu'un bénéficiant du respect que, indépendamment de mon titre, il me faudrait à certains égards conquérir.

Il y avait une dernière raison pour laquelle je voulais compter Gates dans mon équipe : il s'agissait de lutter contre mes propres préjugés. L'image de moi qui avait émergé au cours de la campagne – l'idéaliste qui s'opposait instinctivement à l'action militaire, persuadé que tout problème sur la scène internationale pouvait être résolu par un noble dialogue – n'était pas tout à fait juste. Certes, je croyais en la diplomatie et, effectivement, je considérais la guerre comme un ultime recours. Je croyais en la coopération multilatérale pour affronter les problèmes tels que le changement climatique, et je croyais que la promotion soutenue de la démocratie, du développement économique et des droits fondamentaux dans le monde servait nos intérêts à long terme en matière de sécurité nationale. Ceux qui avaient voté pour moi ou avaient travaillé pour ma campagne tendaient à partager ces convictions, et c'étaient ces profils qu'on avait le plus de chances de trouver dans mon gouvernement.

Cependant, mes convictions en matière de politique étrangère – et mon opposition initiale à l'invasion de l'Irak – devaient au moins autant à l'école « réaliste », une école qui prônait la retenue, assumait les informations imparfaites et les conséquences involontaires, et prenait ses distances avec la croyance dans l'exceptionnalisme américain, entretenant au contraire une certaine humilité quant à notre capacité à refaire le monde à notre image. Je surprenais souvent les gens en citant George H. W. Bush comme président récent dont j'admirais la politique étrangère. Bush, avec James Baker, Colin Powell et Brent

Scowcroft, avait adroitement conduit la fin de la guerre froide et la poursuite victorieuse de la guerre du Golfe.

Gates avait fait ses armes avec de tels hommes et, dans sa façon de gérer la campagne d'Irak, je percevais suffisamment de convergences dans nos points de vue pour envisager avec confiance une collaboration. Avoir sa voix à la table, ainsi que celle de gens comme Jim Jones – général quatre étoiles à la retraite, ancien chef du Commandement des forces des États-Unis en Europe, que j'avais choisi comme conseiller à la sécurité nationale –, était pour moi la garantie que je disposerais d'un large éventail de perspectives avant de prendre des décisions importantes, et qu'il faudrait que je mette constamment à l'épreuve mes convictions les plus intimes face à des personnes ayant la stature et l'assurance nécessaires pour me dire quand je me trompais.

Bien entendu, tout cela dépendrait d'un niveau élémentaire de confiance entre Gates et moi. Lorsque j'avais demandé à un collègue de le sonder pour savoir s'il serait disposé à conserver son poste, Gates avait envoyé une liste de questions. Pour combien de temps envisageais-je de l'engager ? Serais-je d'accord pour introduire une certaine flexibilité concernant le retrait des troupes en Irak ? Quelle serait mon approche du département de la Défense en termes d'effectifs et de budget ?

Tandis que nous prenions tous deux place dans la caserne, Gates a reconnu qu'il n'était pas conforme à la coutume, de la part d'un potentiel candidat à une place au gouvernement, de presser ainsi de questions son futur patron ou sa future patronne. Il espérait que je n'avais pas trouvé cela présomptueux de sa part. Je lui ai assuré que cela ne m'avait pas dérangé, et que sa franchise et sa clarté d'esprit étaient précisément ce que je recherchais. Nous avons passé en revue sa liste de questions. J'en avais moi aussi quelques-unes. Au bout de trois quarts d'heure, nous nous sommes serré la main et chacun est reparti de son côté, dans son cortège de voitures.

« Alors ? m'a demandé Axe à mon retour.

– Il est d'accord, ai-je dit. Il me plaît bien. On verra si moi je lui plais », ai-je ajouté.

SANS COMPLICATION MAJEURE, les autres pièces de mon équipe de sécurité nationale se sont mises en place : mon amie de longue date et ancienne diplomate Susan Rice comme ambassadrice auprès des Nations unies ; Leon Panetta, ancien représentant de la Californie au Congrès et directeur de cabinet de Clinton, à la réputation bien méritée de savoir dépasser les oppositions des partis, comme patron de la CIA ; et l'amiral à la retraite Dennis Blair comme directeur du renseignement national. Beaucoup de mes plus proches conseillers de campagne ont eu des postes clés dans mon équipe, y compris mon sergent instructeur spécialiste des débats, Tom Donilon, comme conseiller adjoint à la sécurité nationale ; les jeunes cadors Denis McDonough, Mark Lippert et Ben Rhodes comme attachés à la sécurité nationale, et Samantha Power pour occuper au Conseil de sécurité nationale un poste nouvellement recentré sur la prévention des actes de barbarie et la promotion des droits fondamentaux.

Il restait encore une nomination potentielle qui allait faire un peu de bruit. Je voulais que Hillary Clinton soit ma secrétaire d'État.

Les observateurs ont mis en avant diverses théories pour expliquer la logique qui présidait au choix de Hillary : on a dit que j'avais besoin d'unifier un Parti démocrate encore divisé ; que je redoutais qu'elle ne me critique depuis son siège au Sénat ; que j'avais été influencé par le livre de Doris Kearns Goodwin consacré à Lincoln, *Team of Rivals*, « une équipe de rivaux », et que j'imitais délibérément Lincoln en plaçant une ancienne rivale au sein de mon gouvernement.

En réalité, c'était plus simple que cela. J'estimais que Hillary était la personne qui correspondait le mieux au poste. Durant toute la campagne, j'avais observé son intelligence, son professionnalisme, sa déontologie. Indépendamment des sentiments qu'elle pouvait entretenir à mon égard, j'avais confiance en son patriotisme et en son sens du devoir. Plus que tout, j'étais persuadé qu'à une époque où les relations diplomatiques dans le monde étaient soit tendues, soit régulièrement négligées, avoir une secrétaire d'État avec l'aura de star de Hillary, son carnet d'adresses et son aisance sur la scène internationale, nous fournirait un supplément de bande passante que personne d'autre n'était en mesure d'apporter.

Mais les blessures de la campagne étant encore fraîches, tout le monde dans mon camp n'était pas convaincu. (« Tu es sûr de vouloir une secrétaire d'État qui a diffusé des spots affirmant que tu n'étais pas prêt à devenir commandant en chef ? » m'a demandé un ami. Il a fallu que je lui rappelle que celui qui serait bientôt mon vice-président avait dit la même chose.) Hillary était méfiante, elle aussi, et la première fois que je lui ai proposé le poste, lors d'un rendez-vous dans notre bureau de transition, à Chicago, une dizaine de jours après l'élection, j'ai essuyé un refus poli. Elle était fatiguée, m'a-t-elle expliqué, il lui tardait de se fondre dans l'emploi du temps plus prévisible du Sénat. Elle avait encore une dette de campagne qu'il lui fallait rembourser. Et puis il y avait Bill, dont elle devait tenir compte. Son action en faveur des pays en développement et de la santé publique à la Fondation Clinton avait fait avancer les choses, et Hillary et moi savions tous deux que la nécessité d'éviter ne fût-ce qu'un semblant de conflit d'intérêt – en particulier concernant les collectes de fonds – lui imposerait probablement, à lui et à la fondation, de nouvelles contraintes.

Les réserves qu'elle a formulées étaient recevables, mais je les considérais comme marginales. Je lui ai demandé de prendre le temps de réfléchir. Au cours de la semaine suivante, j'ai mis à contribution Podesta, Rahm, Joe Biden, plusieurs de nos collègues au Sénat, et tous ceux que je pouvais solliciter pour qu'ils parlent à Hillary et tâchent de la convaincre. En dépit de tous ces efforts, lorsque nous nous sommes reparlé au téléphone, un soir, elle m'a dit qu'elle était tentée de décliner. De nouveau, j'ai insisté, persuadé que les doutes qu'elle nourrissait encore étaient moins liés à la nature du poste qu'à notre relation potentielle. J'ai obtenu d'elle qu'elle me fasse part de son point de vue sur l'Irak, la Corée du Nord, la prolifération nucléaire et les droits fondamentaux. Je lui ai demandé comment elle revitaliserait le département d'État. Je lui ai garanti qu'elle pourrait toujours s'adresser à moi directement, et qu'elle aurait carte blanche pour constituer sa propre équipe. « Tu es trop importante à mes yeux pour que je puisse accepter une réponse négative », lui ai-je dit pour conclure notre conversation téléphonique.

Le lendemain matin, Hillary avait décidé d'accepter mon offre et intégrait le gouvernement. Une semaine et demie plus tard, je les présentais, elle ainsi que le reste de mon équipe de sécurité nationale – aux côtés d'Eric Holder, que j'avais choisi pour prendre la tête du département de la Justice, et de la gouverneure Janet Napolitano, que je nommais au département de la Sécurité intérieure –, lors d'une conférence de presse à Chicago. En regardant les hommes et les femmes réunis sur l'estrade, je n'ai pu m'empêcher de remarquer qu'ils étaient presque tous plus âgés que moi, possédaient des décennies d'expérience supplémentaire aux plus hauts niveaux de l'État, et qu'au moins deux d'entre eux avaient à l'origine soutenu un autre candidat à la présidence, nullement émus par des considérations sur l'espoir et le changement. Oui, une équipe de rivaux, après tout, me suis-je dit. Je découvrirais bien assez tôt si cela indiquait une confiance légitime en ma capacité à gouverner – ou bien l'assurance naïve d'un novice sur le point de se faire rouler dans la farine.

QUAND GEORGE WASHINGTON FUT ÉLU PRÉSIDENT en 1789, Washington D.C. n'existait pas encore. Le président nouvellement élu dut entreprendre un périple de sept jours en chaland et en boghei tiré par des chevaux, de chez lui, à Mount Vernon, en Virginie, jusqu'au Federal Hall de New York – le siège temporaire du nouveau gouvernement national –, pour sa prestation de serment. Il fut acclamé par 10 000 personnes. Le serment présidentiel fut prêté, suivi des cris de la foule qui reprit en chœur « Longue vie à George Washington ! » et d'une salve de treize coups de canon. Puis Washington prononça un discours inaugural sobre, adressé non pas au public, mais aux membres du Congrès, dans leur chambre de fortune mal éclairée. Il assista ensuite à un service religieux dans une église des environs.

Après cela, le Père de la nation fut libre de s'atteler à la tâche consistant à faire en sorte que l'Amérique perdure au-delà de son mandat.

Avec le temps, les investitures devinrent plus élaborées. En 1809, la première dame Dolley Madison fut la marraine du premier bal inaugural dans la capitale nouvelle, 400 personnes se fendirent chacune de 4 dollars pour avoir le privilège de participer à ce qui était alors la plus grande manifestation jamais organisée à Washington. Conformément à sa réputation de populiste, Andrew Jackson, pour son investiture, en 1829, ouvrit les portes de la Maison-Blanche à plusieurs milliers de ses sympathisants ; la foule ivre chahuta tant que Jackson, dit-on, dut s'échapper par une fenêtre.

Pour sa seconde investiture, Teddy Roosevelt n'était pas satisfait des processions militaires et des fanfares – il y ajouta une ribambelle de cow-boys et le chef apache Geronimo. Et lorsque ce fut le tour de John F. Kennedy, en 1961, l'investiture était devenue un show télévisé de plusieurs jours, avec des spectacles musicaux, une lecture du poète Robert Frost et plusieurs bals somptueux où les célébrités les plus en vue de Hollywood purent éblouir de glamour les financeurs et agents électoraux du nouveau président. (Frank Sinatra, semble-t-il, ne ménagea pas ses efforts pour que les galas soient dignes de Camelot – cependant, il fut obligé d'avoir une discussion qui dut être très embarrassante avec son ami et acolyte du « Rat Pack » Sammy Davis Jr lorsque le patriarche Joe Kennedy lui fit savoir que la présence de Davis et de sa très blanche épouse suédoise aux galas d'investiture risquait de fortement déplaire aux sympathisants du Sud de JFK, et était donc fortement déconseillée.)

Compte tenu de l'enthousiasme que notre campagne avait suscité, les gens attendaient beaucoup de mon investiture – prévue le 20 janvier 2009. Comme pour la convention démocrate, je n'ai pas trop eu à m'occuper des détails de l'organisation, certain que le comité que nous avions monté et la directrice de l'agenda de ma campagne, Alyssa Mastromonaco (alors pressentie pour le poste de papesse de l'Organisation), avaient la situation bien en main. Et donc, pendant qu'étaient érigés des scènes et des gradins le long du trajet du défilé, Michelle, les filles et moi sommes partis pour Noël à Hawaï, où – entre la finalisation des recrutements à mon cabinet, les consultations quotidiennes avec mon équipe économique et l'ébauche de mon discours d'investiture – je me suis efforcé de reprendre un peu mon souffle.

Maya et moi avons passé un après-midi à fouiller dans les effets personnels de Toot, puis nous avons marché jusqu'à l'affleurement rocheux près de Hanauma Bay où nous avions dit un ultime adieu à notre mère et dispersé ses cendres dans l'océan. J'ai improvisé une partie de basket avec quelques coéquipiers du lycée. Nos familles ont repris des chants de Noël, préparé des gâteaux et inauguré ce qui deviendrait un concours de talents amateurs annuel (les papas ont fort justement été jugés comme étant les moins talentueux). J'ai même eu l'occasion de faire un peu de bodysurf à Sandy Beach, une des plages préférées de ma jeunesse. En prenant une vague qui se brisait en douceur, la lumière épousant la courbure de l'eau, le ciel rayé par le vol des oiseaux, j'ai pu un instant m'imaginer que je n'étais pas entouré de plusieurs membres des Navy SEALs en combinaison de plongée ; que la vedette des gardes-côtes, au loin, n'avait rien à voir avec moi ; que des photos de moi torse nu ne finiraient pas en première page de journaux du monde entier avec des titres du style APTE AU SERVICE. Quand j'ai finalement signifié que j'étais prêt à sortir de l'eau, le chef de mon équipe de sécurité ce jour-là – Dave Beach, un agent sardonique qui me suivait depuis le début, et que je considérais comme un ami – a penché la tête pour faire sortir l'eau de ses oreilles et a dit sur un ton détaché : « J'espère que vous avez apprécié, parce que vous ne remettrez pas ça avant un bout de temps. »

J'ai ri, sachant qu'il plaisantait – enfin... il plaisantait ou pas ? La campagne et ce qui s'était passé immédiatement après ne m'avaient pas laissé de temps pour la réflexion, c'est donc uniquement durant ce bref interlude tropical que nous tous – la famille, les amis, les membres du staff, le Secret Service – avons pu mesurer ce qui s'était produit et essayer d'envisager ce qui nous attendait. Tout le monde avait l'air heureux, mais légèrement hésitant, ne sachant pas si le moment était bien choisi pour évoquer l'étrangeté de tout cela, s'efforçant de saisir ce qui avait changé et ce qui n'avait pas changé. Et elle avait beau ne pas le montrer, personne ne sentait ce flottement avec plus d'acuité que celle qui serait bientôt la First Lady des États-Unis.

Au fil de la campagne, j'avais vu Michelle s'adapter avec une grâce infaillible à la situation nouvelle – charmant les électeurs, emportant le morceau en interview, peaufinant un style qui faisait d'elle quelqu'un d'à la fois chic et accessible. Il s'agissait moins d'une transformation que d'une amplification, sa « Michellitude » fondamentale lustrée jusqu'à atteindre un véritable éclat. Mais si elle évoluait sous l'œil du public avec de plus en plus d'aisance, en coulisses, Michelle rêvait de pouvoir ménager une zone de normalité pour notre famille, un lieu hors d'atteinte des sphères déformantes de la politique et de la célébrité.

Dans les semaines qui ont suivi l'élection, elle s'est donc lancée dans les tâches qui incombent à tout couple obligé de déménager pour cause de nouveau boulot. Avec son efficacité légendaire, elle a trié. Fait les valises. Fermé des comptes. Elle s'est arrangée pour faire suivre notre courrier tout en aidant le centre hospitalier de l'université de Chicago à préparer son remplacement.

Ce qui comptait le plus à ses yeux, toutefois, c'étaient nos filles. Le lendemain de l'élection, elle avait déjà organisé une visite des écoles de Washington (Malia et Sasha avaient toutes deux d'emblée écarté les écoles de filles, optant plutôt pour Sidwell Friends, une école privée fondée par les quakers que Chelsea Clinton avait fréquentée) et discuté avec les professeurs de leur arrivée en classe au milieu de l'année. Elle a demandé conseil à Hillary et à Laura Bush sur les façons de les protéger de la pression médiatique et cuisiné le Secret Service sur les moyens d'éviter que des agents de sécurité ne viennent déranger leurs après-midi de jeux ou interrompre les matchs de foot. Elle s'est familiarisée avec les obligations liées à la vie à la Maison-Blanche et a veillé à ce que le mobilier dans les chambres des filles n'ait pas l'air tout droit sorti de Monticello, le domaine de Thomas Jefferson.

Je n'étais moi-même pas exempt de l'anxiété qu'éprouvait Michelle. Malia et surtout Sasha étaient tellement jeunes, en 2008, avec leurs queues de cheval et leurs tresses, leurs dents manquantes et leurs joues rondes. Comment la Maison-Blanche façonnerait-elle leur jeunesse ? Les isolerait-elle ? Deviendraient-elles lunatiques ou estimeraient-elles que tout leur était dû ? Le soir, j'écoutais attentivement les infos que Michelle avait pu recueillir, puis je lui faisais part de mes réflexions.

Sur telle ou telle question qui la préoccupait, soucieux de la rassurer, je faisais valoir qu'une remarque maussade ou une petite bêtise de la part d'une des deux filles ne traduisait pas nécessairement les premières conséquences de leur monde mis soudain sens dessus dessous.

Mais, comme ç'avait été le cas au cours des dix dernières années, l'éducation des enfants reposait largement sur les épaules de Michelle.

Et, en voyant l'intensité avec laquelle le tourbillon du travail me happait – avant même que je prenne officiellement mes fonctions –, en voyant sa propre carrière mise sur la touche, son cercle d'amis proches bientôt à des centaines de kilomètres tandis qu'elle irait s'installer dans une ville où les motivations de tant de gens étaient nécessairement suspectes, la perspective de la solitude s'est abattue sur elle comme une nuée.

Tout cela explique pourquoi Michelle a demandé à sa mère de venir habiter avec nous à la Maison-Blanche. Le simple fait que Marian Robinson ait bien voulu l'envisager a été une surprise, car ma belle-mère était d'un naturel prudent, se satisfaisant de son travail régulier, de ses habitudes, du petit cercle de la famille et des amis qu'elle connaissait depuis des années. Elle habitait la même maison depuis les années 1960 et s'aventurait rarement en dehors de Chicago ; son unique extravagance était son voyage annuel de trois jours à Las Vegas avec sa belle-sœur Yvonne et Mama Kaye pour jouer aux machines à sous. Elle avait beau adorer ses petits-enfants et avoir accepté de prendre une retraite anticipée pour aider Michelle à s'occuper des filles à partir du moment où la campagne avait commencé à s'intensifier, elle avait toujours mis un point d'honneur à ne pas s'éterniser dans notre maison de Chicago ni à rester dîner une fois son travail accompli.

« Je ne serai pas une de ces vieilles dames qui ne veulent pas laisser leurs enfants tranquilles, avait-elle dit en râlant, tout ça parce qu'elles n'ont rien de mieux à faire. »

Et pourtant, quand Michelle lui a demandé de s'installer avec nous à Washington, Marian n'a pas opposé une grande résistance. Elle savait que sa fille ne le lui aurait pas demandé si cela n'avait pas été très important.

Il y avait l'aspect pratique, bien sûr. Pendant nos premières années à la Maison-Blanche, c'est Marian qui accompagnerait Malia et Sasha à l'école tous les matins et leur tiendrait compagnie après la classe si Michelle était encore au travail. Mais c'était plus que cela. Ce qui a été vraiment important – et qui le demeurerait encore longtemps après, quand les filles seraient assez grandes pour ne plus avoir besoin de baby-sitter –, c'est que la simple présence de Marian a permis à notre famille de garder les pieds sur terre.

Ma belle-mère ne se comportait pas comme quelqu'un se croyant supérieur aux autres, si bien que les filles n'ont jamais considéré que c'était une attitude envisageable. La doctrine qui gouvernait sa vie se résumait dans la formule « pas de tapage, pas de drame », et aucune forme d'opulence ni de battage médiatique ne l'impressionnait. Lorsque Michelle revenait d'une séance photo ou d'un dîner chic, où chacun de ses mouvements avait été examiné, sa coiffure scrutée par les médias, elle pouvait enlever sa robe de soirée, enfiler un jean et un tee-shirt, et savoir que sa mère était là-haut, au dernier étage de la Maison-Blanche, toujours disposée à regarder la télé avec elle, à parler des filles ou de la famille restée à Chicago – ou de rien de spécial.

Ma belle-mère ne se plaignait jamais. Chaque fois que j'interagissais avec elle, je me rappelais que, quel que soit le genre de pétrin dans lequel j'étais, personne ne m'avait obligé à devenir président, alors je n'avais qu'à encaisser et à faire mon boulot.

Ma belle-mère a été une vraie bénédiction. Par sa simple présence, elle nous rappelait qui nous étions et d'où nous venions, elle était garante de valeurs que nous avions jadis considérées comme ordinaires, mais dont nous apprenions qu'elles étaient plus rares que nous ne l'avions imaginé.

LE DEUXIÈME SEMESTRE de l'année scolaire à Sidwell Friends commençait deux semaines avant l'investiture, si bien qu'après le Nouvel An nous sommes retournés à Chicago, avons récupéré les quelques effets personnels qui n'avaient pas encore été expédiés dans notre nouvelle demeure et avons pris place à bord d'un avion gouvernemental à destination de Washington. Il était trop tôt pour que Blair House, la résidence officielle des visiteurs du président, nous accueille ; aussi sommes-nous descendus à l'hôtel Hay-Adams, le premier des trois emménagements que nous ferions en l'espace de trois semaines.

Malia et Sasha n'ont pas paru ennuyées d'habiter dans un hôtel. En particulier, elles ne voyaient pas du tout d'un mauvais œil l'indulgence de leur mère concernant le temps passé devant la télé, les sauts sur les lits et le fait de pouvoir goûter tous les desserts au menu du room-service. Le jour de la rentrée, Michelle les a accompagnées dans un véhicule du Secret Service. Plus tard, elle m'a avoué qu'elle avait eu le cœur gros en regardant ses deux petites chéries – on aurait dit des exploratrices miniatures avec leurs manteaux et leurs sacs à dos bariolés – entrer dans leur nouvelle vie, entourées de solides gaillards armés.

À l'hôtel ce soir-là, les filles étaient tout à fait elles-mêmes, bavardes comme à leur habitude, nous racontant la super journée qu'elles avaient passée ; le déjeuner était bien meilleur qu'à leur ancienne école, et elles s'étaient déjà fait plein d'amis. Pendant qu'elles nous racontaient cela, j'ai vu le visage de Michelle se détendre. Quand elle a annoncé à Malia et à Sasha que, maintenant que les cours avaient repris, il n'y aurait plus de desserts devant la télé les soirs de semaine et qu'il était l'heure de se brosser les dents avant d'aller se coucher, je me suis dit que les choses allaient bien se passer.

Entre-temps, notre transition tournait à plein régime. Les premières réunions avec mes équipes chargées de la sécurité nationale et de l'économie étaient productives, chacun respectait le programme et personne ne tirait la couverture à soi. Entassés dans des locaux administratifs quelconques, nous avons monté des groupes de travail pour chaque agence et chaque thématique possible – formation professionnelle, sécurité aérienne, dettes associées aux emprunts étudiants, recherche sur le cancer, approvisionnement du Pentagone – et je passais mes journées à solliciter les cerveaux de petits génies sérieux, d'universitaires débraillés, de chefs d'entreprises, de groupes d'intérêts et de vétérans grisonnants des gouvernements précédents. Certains passaient des entretiens pour être embauchés au gouvernement ; d'autres voulaient que nous adoptions des propositions restées sans suite au cours des huit dernières années. Tous semblaient pressés d'apporter leur contribution, enthousiastes à la perspective d'une Maison-Blanche attachée à tester des idées nouvelles.

Bien entendu, nous avons rencontré des embûches en cours de route. Certaines personnes que je pressentais pour un poste dans mon gouvernement ont refusé, ou bien n'ont pu être retenues après enquête approfondie. À différents moments de la journée, Rahm faisait irruption pour me demander comment je comptais mener à bien tel différend d'ordre stratégique ou logistique, et, en coulisses, les premières manœuvres caractéristiques de tout nouveau gouvernement ne manquaient pas – portant sur des questions de titres, de territoire, d'accès, de places de parking. Mais, globalement, l'ambiance était à la concentration dans la bonne humeur, convaincus que nous étions qu'en travaillant intelligemment et d'arrache-pied nous pourrions transformer le pays comme nous l'avions promis.

Et pourquoi pas ? Les sondages indiquaient que ma cote de popularité avoisinait les 70 %. Chaque jour apportait une nouvelle fournée de retours positifs des médias. De jeunes membres de l'équipe, comme Reggie et Favs, avaient soudain la cote dans les rubriques people. En dépit du temps glacial prévu par la météo pour le jour de l'investiture, les autorités prévoyaient une affluence record, les hôtels avaient été réservés à des kilomètres à la ronde. Nous recevions une avalanche de demandes pour des événements au nombre de places limité – de la part d'élus, de donateurs, de lointains cousins, de connaissances du lycée et de diverses personnes importantes que nous connaissions à peine, voire n'avions jamais rencontrées. Michelle et moi avons fait de notre mieux pour faire le tri sans vexer trop de monde.

« C'est comme notre mariage, ai-je maugréé, mais avec une liste d'invités plus longue. »

Quatre jours avant l'investiture, Michelle, les filles et moi avons pris l'avion pour Philadelphie où, en hommage au voyage effectué par Lincoln, de Springfield à Washington, pour son investiture en 1861, nous sommes montés à bord d'un train ancien et avons reparcouru le dernier tronçon de son périple, avec une variante : un arrêt à Wilmington, où nous avons fait monter Jill et Joe Biden. En voyant la foule fervente rassemblée pour leur dire au revoir, en entendant Joe plaisanter avec tous les contrôleurs qu'il connaissait par leurs noms après tant d'années à faire la navette, je n'ai pu qu'imaginer ce qui se passait dans sa tête alors qu'il se déplaçait sur ce chemin de fer pour un itinéraire qu'il avait tout d'abord parcouru non pas dans la joie, mais dans l'angoisse, si longtemps auparavant.

J'ai passé le plus clair de mon temps à discuter avec les dizaines de personnes que nous avions invitées à monter à bord pour voyager avec nous, des citoyens ordinaires pour la plupart, que nous avions rencontrés ici et là durant la campagne. Ils se sont joints à Malia, Sasha et moi pour chanter « Happy Birthday » quand Michelle a soufflé les bougies sur son gâteau (c'était son quarante-cinquième anniversaire), dans une ambiance de réunion familiale intime comme Michelle les aimait tant. Par moments, j'allais sur la plateforme arrière, sentant le vent me fouetter le visage, le rythme syncopé des roues sur les rails ralentissant curieusement le temps, et je saluais les grappes de gens qui s'étaient amassés le long de la voie ferrée. Ils étaient des milliers, sur des kilomètres et des kilomètres, leurs sourires visibles de loin, certains debout sur le plateau arrière de leur pick-up, d'autres appuyés contre les clôtures, brandissant souvent des pancartes faites maison avec des messages tels que LES GRAND-MÈRES POUR OBAMA, ON Y CROIT ; OUI, ON A RÉUSSI, ou levant bien haut leurs enfants dans leurs bras et leur intimant de faire coucou.

De tels moments se sont succédé pendant les deux jours suivants. Lors d'une visite à l'hôpital militaire Walter Reed, j'ai rencontré un jeune Marine amputé qui m'a salué depuis son lit et m'a dit que, bien que républicain, il avait voté pour moi, et qu'il serait fier de m'appeler son commandant en chef. Dans un foyer d'accueil pour SDF, dans les quartiers sud-est de Washington, un adolescent d'aspect patibulaire m'a pris dans ses bras sans un mot et serré très fort. La belle-mère de mon père, Mama Sarah, avait fait le long voyage depuis son tout petit village rural, au nord-ouest du Kenya, pour l'investiture. J'ai souri en voyant cette femme âgée qui n'était pas allée à l'école, dont la maison avait un toit de tôle et était dépourvue d'eau courante, se faire servir le repas, à Blair House, dans un service en porcelaine dans lequel avaient mangé des Premiers ministres et des rois.

Comment pouvais-je ne pas être ému ? Comment pouvais-je résister à la tentation de croire qu'il y avait une vérité dans tout cela, quelque chose qui peut-être durerait ?

Quelques mois plus tard, quand nous avons pleinement pris conscience de l'ampleur du naufrage économique et que l'humeur publique a viré à l'aigre, mon équipe et moi nous demanderions si – en termes de politique et de gouvernance – nous n'aurions pas dû faire davantage d'efforts pour modérer cette liesse collective post-électorale et préparer le pays aux épreuves à venir. Ce n'est pas faute d'avoir essayé. Lorsque je me replonge dans les entretiens que j'ai donnés juste après mon entrée en fonction, je suis frappé par ma sobriété – soulignant le fait que l'économie commencerait par empirer avant de s'améliorer, rappelant aux gens que la réforme du système de santé ne se ferait pas du jour au lendemain, qu'il n'existait pas de solutions simples dans des cas comme l'Afghanistan. Même chose pour mon discours d'investiture : je me suis efforcé de dépeindre honnêtement la situation, laissant de côté la rhétorique hautaine pour au contraire en appeler à la responsabilité et à l'effort de tous face aux défis intimidants qui se présentaient.

Tout est là, noir sur blanc, une évaluation relativement pertinente de la façon dont les années à venir allaient se dérouler. Et pourtant, peut-être est-ce une bonne chose que les gens n'aient pas entendu ces avertissements. Après tout, il n'était pas difficile de trouver des raisons de ressentir de la peur et de la colère au début de l'année 2009, de se méfier des politiciens et des institutions qui avaient fait défaut à tant de monde. Peut-être avions-nous besoin d'un regain d'énergie, si fugace soit-il – d'une histoire en apparence heureuse pour dire qui nous étions, nous autres Américains, et qui nous pouvions être, le genre de liesse qui nous fournirait la petite impulsion suffisante pour nous aider à passer le moment le plus périlleux de la traversée.

Il semble que c'est ce qui s'est passé. Une décision collective, implicite, avait été prise : le pays, pendant quelques semaines au moins, allait faire une pause bien méritée et rompre avec le cynisme.

LE JOUR DE L'INVESTITURE est arrivé, lumineux, venteux et d'un froid glacial. Comme je savais que les événements avaient été chorégraphiés avec une précision militaire, et comme j'ai tendance à vivre ma vie avec à peu près un quart d'heure de retard, j'ai réglé deux réveils pour être sûr de me lever à l'heure. Un peu de course à pied sur le tapis roulant, petit déjeuner, douche, rasage, plusieurs tentatives pour faire mon nœud de cravate jusqu'à ce qu'il soit impeccable, et, à 8h45, Michelle et moi étions dans la voiture pour un trajet de deux minutes, de Blair House jusqu'à l'église épiscopale St. John, où nous avions invité l'un de nos amis, le pasteur de Dallas T. D. Jakes, pour un office privé.

Lors de son sermon, ce matin-là, le révérend Jakes a lu un passage du livre de Daniel, dans l'Ancien Testament, décrivant comment Shadrac, Meshac et Abed-Négo, fidèles à Dieu en dépit de leur service à la cour royale, refusèrent de s'agenouiller devant l'idole en or du roi Nabuchodonosor. Les trois hommes furent jetés dans un brasier ardent ; cependant, en raison de leur fidélité, Dieu les protégea et les aida à sortir indemnes du brasier.

En assumant la présidence en des temps si tumultueux, a expliqué le révérend Jakes, j'étais moi aussi jeté dans les flammes. Les flammes de la guerre. Les flammes de l'effondrement économique. Mais, tant que je resterais fidèle à Dieu et que j'agirais avec rectitude, je n'aurais moi non plus rien à craindre.

Le pasteur a parlé d'une magnifique voix de baryton, son grand visage noir barré d'un sourire me toisant du haut de la chaire. « Dieu est avec vous, a-t-il dit, dans le brasier. »

Certains dans l'église ont commencé à applaudir et j'ai souri pour le remercier de ses paroles. Mais mon esprit s'est mis à flotter et j'ai repensé à la soirée de la veille, quand, après dîner, j'avais pris congé de ma famille et gravi l'escalier pour aller dans une des nombreuses pièces de Blair House afin d'être briefé par le directeur du Bureau militaire de la Maison-Blanche sur le « ballon de foot » – la petite mallette en cuir dont le président ne se sépare jamais, contenant tous les codes nécessaires pour déclencher une frappe nucléaire. Un des militaires chargés de porter le « ballon de foot » a exposé le protocole aussi calmement et méthodiquement que quelqu'un expliquant comment programmer un magnétoscope. Le sous-entendu était évident.

Je serais bientôt investi de l'autorité de faire voler le monde en éclats.

La veille au soir, Michael Chertoff, le secrétaire à la Sécurité intérieure du président Bush, avait appelé ; selon des renseignements crédibles, quatre ressortissants somaliens avaient préparé un attentat susceptible d'avoir lieu lors de la cérémonie d'investiture. Les forces de sécurité aux alentours du National Mall, déjà importantes, allaient être accrues en conséquence. Les suspects – quatre jeunes hommes dont on pensait qu'ils arriveraient par la frontière canadienne – étaient encore dans la nature. Il n'était pas question d'annuler les événements prévus le lendemain, mais nous avons envisagé plusieurs éventualités avec Chertoff et son équipe, avant de confier à Axe la mission de rédiger une première mouture des instructions d'évacuation que je donnerais à la foule si une attaque survenait au moment où je serais sur la scène.

Le révérend Jakes a terminé son sermon. Le chant final du chœur a empli le sanctuaire. À l'exception d'une poignée de membres de l'équipe, personne n'était informé de la menace terroriste. Je n'en avais même pas parlé à Michelle, soucieux de ne pas ajouter une nouvelle source d'anxiété à sa journée. Personne ne songeait à la guerre nucléaire ou au terrorisme. Personne, sauf moi. En scrutant les gens sur les bancs de l'église – amis, membres de la famille, collègues, dont certains croisaient mon regard ou me faisaient un petit signe enjoué de la main –, je me suis rendu compte que cela faisait désormais partie de ma mission : conserver en apparence un semblant de normalité, maintenir pour tous la fiction selon laquelle nous vivions dans un monde sûr et ordonné, alors même que je plongeais mon regard dans l'abîme du hasard et me préparais de mon mieux à l'éventualité qu'à tout instant, n'importe quel jour, le chaos pouvait éclater.

À 9 h 55, nous sommes arrivés au portique nord de la Maison-Blanche. Le président et Mme Bush nous ont accueillis, puis conduits à l'intérieur, où les Biden, le vice-président Cheney et sa famille, les chefs de file au Congrès et leurs conjoints s'étaient réunis pour une brève réception. Nos équipes ont suggéré que nous partions un quart d'heure plus tôt que prévu pour le Capitole en raison de ce qu'ils ont décrit comme une foule énorme. Nous sommes montés par deux dans les voitures qui attendaient : les chefs de file de la Chambre et du Sénat pour commencer, ensuite Jill Biden et Mme Cheney, Michelle et Mme Bush, Joe Biden et le vice-président Cheney, enfin le président Bush et moi-même qui fermions la marche. On aurait dit l'embarquement de l'arche de Noé.

C'était la première fois que je montais dans « The Beast » (la Bête), une limousine noire surdimensionnée qui servait au transport du président. Blindé pour résister à l'explosion d'une bombe, ce véhicule pèse plusieurs tonnes, est équipé de somptueux sièges en cuir noir, et le sceau présidentiel y apparaît cousu sur un panneau de cuir, au-dessus du téléphone et de l'accoudoir. Une fois les portières de la Bête refermées, l'habitacle est insonorisé, et tandis que notre convoi descendait lentement Pennsylvania Avenue, tout en bavardant avec le président Bush, j'ai regardé par les fenêtres blindées la multitude de gens qui marchaient encore en direction du Mall, ou bien avaient déjà pris place le long du trajet du défilé. La plupart semblaient d'humeur festive, lançant des acclamations et faisant signe de la main au passage du cortège. Mais, en tournant avant d'entamer la dernière ligne droite, nous avons aperçu un groupe de manifestants qui scandaient des slogans dans des porte-voix et brandissaient des pancartes sur lesquelles on pouvait lire INCULPEZ BUSH et CRIMINEL DE GUERRE.

Le président les a-t-il vus ? Je ne saurais le dire – il s'était lancé dans une description enthousiaste de l'opération de débroussaillage dans son ranch de Crawford, au Texas, où il se rendrait juste après la cérémonie. Cependant, j'ai éprouvé une pointe de colère en me mettant à sa place. Manifester contre un homme à la dernière heure de sa présidence me semblait inconvenant et inutile. Plus généralement, j'étais contrarié par ce que ces manifestations de dernière minute disaient des divisions qui lézardaient notre pays – et de l'affaiblissement de certaines frontières de la bienséance ayant jadis régulé la politique.

Ces considérations n'étaient pas tout à fait altruistes, j'imagine. Dans quelques heures, il n'y aurait plus que moi sur la banquette arrière de la Bête. Les porte-voix et les pancartes ne tarderaient pas à se braquer dans ma direction. Cela aussi ferait partie de mon boulot : trouver un moyen de ne pas être blessé trop intimement par ces attaques, tout en évitant la tentation de me couper – comme mon prédécesseur l'avait peut-être trop fait – de ces cris qui venaient de l'autre côté de la vitre.

Nous avions eu raison de partir en avance ; les rues étaient absolument bondées, et nous sommes arrivés au Capitole avec quelques minutes de retard. Accompagnés des Bush, nous nous sommes rendus au bureau de la présidente de la Chambre des représentants pour nous prêter à de nouvelles poignées de mains, photos et recommandations avant que participants et invités – y compris les filles et nos familles – commencent à se mettre en rang pour la procession. La bible que Michelle et moi avions empruntée à la bibliothèque du Congrès pour ma prestation de serment nous a été présentée, un petit volume épais recouvert de velours bordeaux à la tranche dorée, celle-là même sur laquelle Lincoln avait prêté serment. Puis Michelle s'est éclipsée, nous laissant momentanément seuls, Marvin, Reggie et moi, dans la salle d'attente.

« Je n'ai rien de coincé entre les dents ? ai-je demandé à Marvin en me fendant d'un sourire exagéré.

– Non, c'est bon, a répondu Marvin.

– Il fait froid, ici, ai-je dit. On se croirait à Springfield.

– Mais avec un peu plus de monde », a commenté Reggie.

Un militaire a passé la tête dans l'encadrement de la porte et annoncé que c'était l'heure. Après avoir adressé à Marvin et à Reggie un salut poing contre poing, j'ai suivi la délégation parlementaire dans de longs couloirs qui traversaient la rotonde du Capitole et le National Statuary Hall, suis passé devant des rangées de sympathisants alignés le long des murs, une haie d'honneur saluant à chaque pas, jusqu'à ce que je finisse par arriver aux portes vitrées qui donnaient sur la plateforme de l'investiture. La scène que j'avais sous les yeux était remarquable. La foule occupait tout le Mall, allant bien au-delà de l'obélisque du Washington Monument, jusqu'au mémorial de Lincoln ; il devait y avoir des centaines de milliers de petits drapeaux qui chatoyaient au soleil de midi comme la surface d'un courant océanique. L'espace d'un court instant, avant que les trompettes retentissent et que je sois annoncé, j'ai fermé les yeux et prononcé la prière qui m'avait amené ici, que je me répéterais chaque soir de ma présidence.

Une prière en remerciement de tout ce qui m'avait été donné. Une prière pour que mes péchés soient pardonnés. Une prière pour que ma famille et le peuple américain soient protégés du danger.

Une prière pour être guidé.

TED SORENSEN, ami, confident et principal rédacteur de discours de JFK, avait été l'un de mes soutiens de la première heure. Lorsque nous nous étions rencontrés, il avait presque 80 ans, mais il était encore d'une grande vivacité d'esprit, d'une intelligence tonifiante. Il avait même voyagé à ma place et été un remplaçant de campagne persuasif, quoique assez exigeant. (Une fois, alors que notre cortège de véhicules fonçait sous une pluie battante sur une autoroute de l'Iowa, il s'était penché en avant et avait lancé au conducteur : « Mon petit gars, je suis à moitié aveugle, mais même moi je peux voir que vous roulez bien trop près de cette bagnole ! ») Ted est aussi devenu un chouchou de mon équipe de rédacteurs. Comme il avait été l'un des coauteurs du discours d'investiture de Kennedy (« Ne demandez pas ce que votre pays peut faire pour vous... »), ils avaient voulu savoir le secret qui avait inspiré l'un des quatre ou cinq plus grands discours de l'histoire américaine. C'est simple, avait-il répondu : chaque fois que Kennedy et lui s'asseyaient ensemble pour rédiger un discours, ils se disaient : « Faisons en sorte qu'il soit assez bon pour figurer un jour dans un recueil de grands discours. »

Je ne sais pas si Ted essayait d'encourager mon équipe ou juste de l'embrouiller.

Ce que je sais, c'est que mon discours n'a pas atteint les hauteurs de celui de JFK. Les jours qui ont suivi, il a beaucoup moins intéressé que les estimations de l'affluence de la foule, à la température glaciale, au chapeau d'Aretha Franklin et au léger cafouillage qui a eu lieu entre moi et le président de la Cour suprême, John Roberts, au moment de la prestation de serment, si bien que nous nous sommes retrouvés le lendemain dans la salle des Cartes pour la refaire officiellement. Certains commentateurs ont estimé que le discours avait été inutilement sombre. D'autres y ont détecté une critique déplacée du gouvernement précédent.

Et pourtant, après l'avoir prononcé, j'ai éprouvé de la satisfaction à avoir parlé avec honnêteté et conviction. J'étais soulagé, également, que le message que j'avais préparé en cas d'attaque terroriste soit resté dans ma poche de poitrine.

L'événement principal étant derrière moi, je me suis détendu et j'ai apprécié le spectacle. J'ai été ému de voir les Bush gravir les marches jusqu'à leur hélicoptère, se retourner pour saluer une dernière fois. J'ai ressenti de la fierté à tenir la main de Michelle en parcourant une portion de la route du défilé. J'ai été ravi de voir les participants au défilé : les Marines, les groupes de mariachis, les astronautes, les pilotes noirs de la base aérienne de Tuskegee et, tout particulièrement, les orchestres de lycées de tous les États de l'Union (dont la fanfare de Punahou, celui que j'avais fréquenté – *Go Buff 'n Blue !*).

Il n'y a eu qu'une seule note triste ce jour-là. Au cours du traditionnel déjeuner, après l'investiture au Capitole, entre plusieurs interventions et toasts portés par nos hôtes du Congrès, Teddy Kennedy, qui avait subi peu de temps auparavant une opération chirurgicale pour se faire retirer une tumeur au cerveau, s'est effondré, foudroyé par une soudaine et violente attaque. Le silence s'est fait dans la salle tandis que les urgences médicales arrivaient. Vicki, la femme de Teddy, l'a suivi pendant qu'on l'emmenait sur un brancard – le visage assailli par la peur –, nous laissant inquiets sur son sort, aucun de nous n'imaginant les conséquences politiques qui découleraient de ce moment.

Michelle et moi avons assisté à pas moins de dix bals, ce soir-là. Michelle était divine dans une robe de soirée blanche et ondulante qui sublimait sa peau, et, à notre premier bal, je l'ai prise dans mes bras, l'ai fait tourner en lui chuchotant des bêtises à l'oreille tandis que nous dansions sur une magnifique version de *At Last* interprétée par Beyoncé en personne. Au bal militaire, nous nous sommes séparés pour danser avec deux jeunes membres de nos forces armées, charmés et quelque peu intimidés, ce qui était bien compréhensible.

Les huit autres bals, j'aurais bien du mal à m'en souvenir.

Lorsque nous sommes rentrés à la Maison-Blanche, il était minuit largement passé. Une fête en l'honneur de notre famille et de nos amis proches se poursuivait dans le salon Est, où le Wynton Marsalis Quintet ne trahissait nul signe de fatigue. Les pieds de Michelle avaient enduré douze heures de talons hauts et, comme elle devait se lever une heure plus tôt que moi le lendemain pour se faire coiffer avant d'assister à un nouveau service religieux, je lui ai proposé de rester en compagnie des invités tandis qu'elle irait se coucher.

Il n'y avait plus que quelques lumières allumées lorsque je suis monté à l'étage. Michelle et les filles dormaient, les bruits des équipes de nuit qui lavaient la vaisselle et rangeaient tables et chaises en bas étaient à peine audibles. Je me suis rendu compte que je n'avais pas été seul de toute la journée. Je suis resté un moment debout, à contempler l'immense hall central, ne sachant pas encore sur quoi donnaient toutes les portes, j'ai admiré les lustres de cristal et le piano demi-queue, remarquant un Monet sur un mur, un Cézanne sur un autre, j'ai sorti quelques livres de la bibliothèque, examiné de petits bustes, des objets d'art et des portraits de gens que je ne connaissais pas.

J'ai repensé à la première fois où j'avais visité la Maison-Blanche, quelque trente ans plus tôt. Alors jeune militant associatif, j'avais accompagné un groupe d'élèves à Washington pour qu'ils fassent pression sur leur député en faveur d'une loi augmentant les aides aux étudiants. Nous étions restés à l'extérieur des grilles, sur Pennsylvania Avenue, un groupe de jeunes gens faisant des grimaces et prenant des photos avec des appareils jetables. Je me souviens d'avoir regardé les fenêtres du premier étage et de m'être demandé si à cet instant précis quelqu'un était en train de nous observer de là-haut. J'avais essayé d'imaginer ce que cette personne pouvait penser. Le rythme de la vie ordinaire lui manquait-il ? Ressentait-elle parfois une secousse au cœur, se demandant comment elle s'était retrouvée là ?

J'aurais ma réponse bien assez tôt, me suis-je dit. Tout en enlevant ma cravate, j'ai marché lentement dans le vestibule et éteint les dernières lumières encore allumées.

CHAPITRE 11

PEU IMPORTE CE QUE VOUS AVEZ IMAGINÉ, peu importe ce que vous avez lu, la quantité de briefings que vous avez pu écouter ou le nombre d'anciens membres de gouvernement que vous avez recrutés, rien ne vous prépare véritablement à ces premières semaines à la Maison-Blanche. Tout est nouveau, inhabituel et lourd de sens. La grande majorité de vos recrues aux postes de hauts responsables d'administration, y compris les secrétaires de Département, ne seront pas auditionnés et approuvés par le Sénat avant des semaines, voire des mois. Partout dans la Maison-Blanche, on voit des employés se procurer les pièces d'identité obligatoires, demander où ils peuvent se garer, apprendre à utiliser les téléphones, chercher où sont les toilettes et trimbaler des cartons dans l'étroit dédale de l'aile ouest ou dans les salles plus spacieuses du bâtiment Eisenhower, chacun tâchant de ne pas avoir l'air trop submergé. C'est comme le jour où l'on emménage dans une résidence universitaire, si ce n'est qu'une bonne proportion des gens concernés sont d'un certain âge, en costume et, à vos côtés, chargés de gouverner la nation la plus puissante du monde.

Je n'avais pas à m'inquiéter de l'emménagement, mais mes journées étaient une tornade. Rahm, qui se souvenait combien le fait de trébucher au départ avait entravé Bill Clinton tout au long de ses deux premières années d'exercice, avait l'intention de mettre à profit la lune de miel post-électorale pour accomplir des choses.

« Croyez-moi, m'a-t-il dit. La présidence, c'est comme une voiture neuve. Elle commence à se déprécier à la minute où on sort du parking. »

Pour créer d'emblée une dynamique, il avait demandé à notre équipe de transition d'identifier les promesses de campagne que je pourrais mettre à exécution d'un trait de plume. J'ai signé un décret-loi interdisant la torture et entamé un processus censé durer un an pour fermer le centre de détention militaire de Guantánamo Bay, à Cuba. Nous avons institué un code de déontologie parmi les plus drastiques de l'histoire de la Maison-Blanche, dont des restrictions contraignantes à l'égard des lobbyistes. Deux semaines plus tard, nous avons finalisé un accord avec les chefs de file du Congrès afin que 4 millions d'enfants bénéficient du Children's Health Insurance Program (ou CHIP, destiné aux enfants dont la famille disposait de revenus trop faibles pour souscrire une assurance-maladie privée, mais trop élevés pour bénéficier de Medicaid, le régime d'assurance public pour les plus démunis) et, peu après, nous avons levé le moratoire du président Bush sur la recherche sur les cellules souches embryonnaires, financée à l'échelon fédéral.

J'étais en poste depuis neuf jours lorsque j'ai promulgué ma première loi : la loi Lilly Ledbetter sur l'égalité salariale. Cette loi doit son nom à une modeste habitante de l'Alabama qui, alors qu'elle avait déjà effectué une longue carrière au sein de la société Goodyear Tire & Rubber, s'était rendu compte qu'elle avait été systématiquement moins bien payée que ses homologues masculins. C'était un cas de discrimination incontestable, et l'affaire n'aurait pas dû faire un pli. Seulement, en 2007, la Cour suprême avait débouté la plaignante. D'après le juge Samuel Alito, au titre du chapitre VII de la loi sur les droits civiques, Lilly Ledbetter aurait dû déposer une requête cent quatre-vingts jours maximum après que la discrimination avait eu lieu – autrement dit, six mois après avoir reçu sa première paie, et donc de nombreuses années avant d'avoir constaté la disparité des salaires. Pendant plus d'un an, les républicains au Sénat avaient bloqué toute mesure corrective (le président Bush ayant promis de mettre son veto si jamais ladite mesure passait). À présent, grâce au travail législatif rapide de nos majorités démocrates enhardies, le projet de loi reposait sur un petit bureau officiel du salon Est.

Lilly et moi étions devenus amis pendant la campagne. Je connaissais sa famille, j'étais informé de ses déboires. Elle se tenait à côté de moi ce jour-là, quand j'ai apposé ma signature à la loi, utilisant un stylo différent pour chacune des lettres de mon nom. (Les stylos serviraient de souvenirs pour Lilly et les parrains du projet de loi – une belle tradition, même si on aurait dit que ma signature avait été faite par un enfant de dix ans.) Je ne pensais pas seulement à Lilly, mais aussi à ma mère et à Toot, ainsi qu'à toutes les autres femmes actives dans le pays qui n'avaient jamais eu droit aux promotions ou avaient perçu moins que ce qui leur était dû. La loi que je promulguais n'annulerait pas des siècles de discrimination. Mais c'était déjà quelque chose, un pas en avant.

C'est pour ça que je me suis présenté, me suis-je dit. Voilà ce que permet la présidence.

Nous allions faire passer d'autres initiatives comparables au cours de ces premiers mois, certaines suscitant un intérêt modéré de la part des médias, d'autres remarquées uniquement par ceux qui étaient directement concernés. En temps normal, cela aurait été suffisant, une série de petites victoires en attendant que nos projets législatifs plus ambitieux – la santé, la réforme de l'immigration et le changement climatique – soient examinés par les deux chambres.

Mais nous n'étions pas en temps normal. Pour le public et les médias, pour moi et mon équipe, une seule question importait vraiment : qu'allions-nous faire pour éviter l'effondrement de l'économie ?

La situation paraissait certes désastreuse avant l'élection, mais c'est seulement à la mi-décembre, à la faveur d'une réunion à Chicago avec ma nouvelle équipe économique, à peine plus d'un mois avant mon investiture, que j'avais commencé à mesurer l'ampleur de ce qui nous arrivait. Christy Romer, dont l'attitude enjouée et le style sage évoquaient une maman de sitcom des années 1950, a commencé son exposé en citant une formule prononcée par Axelrod lors d'une réunion antérieure :

« Monsieur le Président élu, a-t-elle dit, voici venu l'instant où vous allez vous exclamer : "Oh, putain !" »

Les ricanements se sont vite évanouis quand Christy nous a montré une série de diagrammes. Au cours de l'année écoulée, plus de la moitié des vingt-cinq plus grandes institutions financières des États-Unis étaient en défaut de paiement, ou avaient dû fusionner, ou étaient en restructuration pour éviter le dépôt de bilan ; ce qui avait débuté comme une crise à Wall Street avait à présent contaminé l'économie au sens large. La Bourse avait perdu 40 % de sa valeur. Des dossiers de saisies immobilières avaient été déposés, concernant 2,3 millions de foyers. La richesse des ménages avait chuté de 16 %, ce qui, comme Tim le ferait remarquer par la suite, était un pourcentage cinq fois supérieur à celui

de la chute qui s'était produite à la suite de l'effondrement boursier de
1929. Tout cela dans le contexte d'une économie qui souffrait déjà de
niveaux de pauvreté structurellement élevés, d'un déclin de la part des
actifs dans la population en âge de travailler, de gains de productivité
en baisse et d'une stagnation des salaires médians.

Et nous n'avions pas encore touché le fond. Les gens, se sentant
plus pauvres, avaient cessé de dépenser, l'accroissement des pertes avait
conduit les banques à suspendre les prêts, mettant en péril davantage
d'entreprises et d'emplois. Un certain nombre de gros détaillants avaient
déjà mis la clé sous la porte. General Motors et Chrysler prenaient
la même direction. Les informations faisaient état au quotidien de
licenciements massifs dans des sociétés réputées inébranlables comme
Boeing et Pfizer. D'après Christy, tous les voyants semblaient annoncer
la plus importante récession depuis les années 1930, avec un chômage
– estimé à 533 000 demandeurs d'emplois uniquement pour le mois de
novembre – qui allait certainement empirer.

« Empirer comment ? ai-je demandé.

– On n'est pas sûr, a répondu Larry, mais ça se comptera sans doute
en millions. »

Il a expliqué que le chômage était un « indicateur différé » ; autrement
dit, les licenciements durant les récessions n'apparaissaient pas immédiatement dans leur totalité, et se poursuivaient bien après la reprise
économique. En outre, les économies redémarraient généralement bien
plus lentement lorsque les récessions avaient été déclenchées par des
crises financières, comparées à celles causées par les fluctuations des
cycles économiques. En l'absence d'une intervention prompte et énergique du gouvernement fédéral, avait calculé Larry, la probabilité de
connaître une deuxième Grande Dépression était « à peu près de un
sur trois ».

« Bon Dieu », a murmuré Joe Biden.

J'ai regardé par la fenêtre de la salle de réunion du centre-ville. De
gros flocons de neige tourbillonnaient en silence dans le ciel gris. Des
images de campements de tentes et de gens faisant la queue pour la
soupe populaire me sont venues à l'esprit.

« Bien, ai-je dit en me tournant vers l'équipe. Vu qu'il est trop tard
pour qu'on demande un recomptage des votes, que peut-on faire pour
réduire cette probabilité ? »

Nous avons passé les trois heures qui ont suivi à esquisser une stratégie. La mission première consistait à inverser le cycle de la contraction
de la demande. Dans une récession ordinaire, on aurait pu envisager une
politique monétaire : en baissant les taux d'intérêt, la Réserve fédérale

pouvait contribuer à réduire de manière significative le prix d'achat de tous les biens, tant des maisons que des voitures ou de l'électroménager. Mais si le président de la Fed, Ben Bernanke, était prêt à tester toute une batterie de stratégies non orthodoxes pour apaiser la panique financière, a expliqué Tim, la Fed avait brûlé pratiquement toutes ses cartouches au fil de l'année passée. Les taux d'intérêt étaient déjà proches de zéro, et ni les entreprises ni les consommateurs, déjà largement dans le rouge, ne semblaient enclins à s'endetter davantage.

Notre discussion a par conséquent porté sur la relance budgétaire ou, en termes plus prosaïques, comment faire en sorte que l'État dépense plus d'argent. Je n'étais pas diplômé en économie, mais je connaissais l'approche de John Maynard Keynes, un des géants de l'économie moderne, théoricien des causes de la Grande Dépression. Le constat premier de Keynes était simple : du point de vue d'une famille ou d'une entreprise, il était prudent de se serrer la ceinture en période de grave récession. Le problème était que l'épargne pouvait avoir un effet d'étouffement ; quand tout le monde se serrait la ceinture en même temps, la situation économique ne pouvait pas s'améliorer.

La réponse de Keynes à ce dilemme était tout aussi simple : il fallait que l'État intervienne comme « le bailleur en dernier recours ». L'idée étant d'injecter de l'argent dans l'économie jusqu'à ce que les rouages se remettent en marche, jusqu'à ce que les familles soient de nouveau suffisamment en confiance pour changer leur ancienne voiture contre une neuve et que les sociétés innovantes jugent la demande suffisante pour recommencer à fabriquer de nouveaux produits. Une fois l'économie relancée, l'État pouvait alors fermer le robinet et récupérer l'argent injecté *via* les recettes fiscales générées par la croissance. C'est en grande partie le principe au fondement du New Deal de Franklin Roosevelt, qui prit forme après son entrée en fonction, en 1933, au plus fort de la Grande Dépression. Qu'il s'agisse des jeunes hommes employés par le Civilian Conservation Corps, le Corps civil pour la protection de l'environnement, à la création de sentiers dans les parcs nationaux, des agriculteurs payés pour leur surplus de lait ou des troupes de théâtre donnant des représentations dans le cadre de la Work Projects Administration, les programmes du New Deal aidaient les Américains sans emploi à toucher des paies dont ils avaient désespérément besoin et les entreprises à se maintenir à flot grâce aux commandes de l'État en acier ou en bois, le tout contribuant à soutenir l'entreprise privée et à stabiliser l'économie vacillante.

Si ambitieux que fût le New Deal en son temps, les dépenses se révélèrent trop modestes pour contrecarrer pleinement la Grande

Dépression, surtout après 1936, année d'élections, quand Roosevelt succomba aux pressions et fit marche arrière sur ce que l'élite des leaders d'opinion considérait comme de l'extrême prodigalité de la part de l'État. Cette crise profonde ne serait vaincue une fois pour toutes qu'avec l'impulsion de la Seconde Guerre mondiale, quand toute la nation se mobiliserait pour construire, selon le mot de Roosevelt, un « Arsenal de la démocratie ». Mais le New Deal avait évité que la situation ne dégénère, et la théorie keynésienne fut largement acceptée par les économistes, y compris parmi les conservateurs (même si les économistes d'obédience républicaine préfèrent traditionnellement la relance par réductions des impôts plutôt que par déficit public).

Il fallait donc un plan de relance. Pour obtenir l'effet escompté, de quelle ampleur devait-il être ? Avant l'élection, nous avions proposé ce que nous considérions alors comme un programme ambitieux de 175 milliards de dollars. Immédiatement après l'élection, en examinant les données relatives à la situation qui s'était encore détériorée, nous l'avions porté à 500 milliards. L'équipe préconisait à présent le déblocage de sommes encore plus importantes. Christy a parlé de 1 000 milliards de dollars, ce qui a eu pour effet de faire toussoter Rahm comme un personnage de dessin animé recrachant un aliment dégoûtant.

« Putain, pas question », a maugréé Rahm.

Compte tenu de la colère de l'opinion publique à propos des centaines de milliards de dollars déjà dépensés pour le sauvetage des banques, a-t-il dit, le déblocage d'une somme de l'ordre de 1 000 milliards ne serait jamais accepté par les démocrates – alors les républicains, n'en parlons pas. Je me suis tourné vers Joe, qui a confirmé d'un hochement de tête.

« Combien peut-on faire passer ? ai-je demandé.

– Peut-être 700 milliards, 800 tout au plus, a dit Rahm. Et c'est un maximum. »

Se posait également la question de la manière dont les dollars du plan de relance seraient utilisés. D'après Keynes, peu importait où l'État injectait l'argent, du moment que cela générait de l'activité économique. Mais, comme les niveaux de dépense dont nous parlions excluraient probablement le financement d'autres priorités jusque dans un avenir relativement lointain, j'ai incité l'équipe à réfléchir à des projets à la fois prestigieux et à forte rentabilité – des versions modernes du réseau auto-routier fédéral et de la Tennessee Valley Authority, qui non seulement boosteraient immédiatement l'économie, mais pourraient transformer à plus long terme le paysage économique américain. Pourquoi pas un réseau électrique intelligent, déployé dans tout le pays, qui acheminerait

l'électricité de manière plus sûre et plus efficace ? Ou un système de
contrôle du trafic aérien hautement intégré, qui améliorerait la sécurité
et réduirait les coûts en carburants et en émissions carbone ?

Les réactions autour de la table n'ont pas été très encourageantes.
« Nous avons déjà commencé à demander à des agences fédérales
d'identifier des projets à fort impact, a dit Larry, mais je vais devoir
être honnête, monsieur le Président. Ces types de projets sont extrêmement compliqués. Il faut du temps pour les développer… et malheureusement le temps presse. » Le plus important était de faire en sorte
que de l'argent frais tombe dans la poche des gens le plus vite possible,
et cet objectif serait plus rapidement atteint en fournissant des coupons
d'alimentation et en prolongeant l'assurance chômage, mesures assorties
de réductions d'impôts pour la classe moyenne et d'aides aux États pour
éviter qu'ils ne soient obligés de licencier des enseignants, des pompiers
et des agents de police. Les études avaient montré que les dépenses
en infrastructures seraient les plus efficaces – mais, a suggéré Larry,
même là nous devions nous concentrer sur des objectifs plus prosaïques,
comme les réparations de la voirie et des canalisations d'égouts vétustes,
des projets que les collectivités locales pourraient lancer sans attendre,
afin de mettre les gens au travail immédiatement.

« Ça va être dur de stimuler les gens avec des coupons d'alimentation
et la réfection des routes, a dit Axe. Pas super sexy.

– Une dépression non plus, ce n'est pas sexy », a répondu Tim sur
un ton acerbe.

Tim était celui d'entre nous qui avait déjà passé une année à s'arracher
les cheveux sur les lignes de front de la crise. Je ne pouvais décemment
pas lui en vouloir s'il refusait de se laisser embarquer dans je ne sais quel
projet idéaliste. Sa plus grande inquiétude était que le chômage de masse
et les faillites ne fassent qu'affaiblir le système financier, créant ce qu'il
décrivait comme une « boucle de rétroaction négative ». Pendant que
Larry piloterait la relance, Tim et son équipe tâcheraient de concocter
un plan pour déverrouiller les marchés de crédit et stabiliser le système
financier une fois pour toutes. Tim a reconnu qu'il ne savait pas encore
exactement si le plan fonctionnerait – ni si les 350 milliards restants du
TARP seraient suffisants pour le financer.

La liste de ce qu'il y avait à faire ne s'arrêtait pas là. Une équipe
talentueuse – dont faisaient partie Shaun Donovan, anciennement à la
tête du département de la protection et de la création de logements à
la municipalité de New York, que je choisirais comme secrétaire au
Logement et au Développement urbain, ainsi qu'Austan Goolsbee, mon
conseiller économique de longue date et professeur à l'université de

Chicago, que je nommerais au Groupe des conseillers économiques – avait déjà commencé à travailler sur un plan pour consolider le marché de l'immobilier et réduire l'afflux des saisies immobilières. Nous avions recruté un génie de la finance, Steve Rattner, et Ron Bloom, un ancien banquier d'affaires qui représentait les syndicats dans les restructurations d'entreprises, pour élaborer des stratégies en vue de sauver l'industrie automobile. Et celui qui deviendrait mon directeur du budget, Peter Orszag, s'est vu confier la tâche guère enviable de trouver un moyen de financer la relance à court terme tout en plaçant le budget sur un chemin plus viable à long terme – cela à une période où les hauts niveaux de dépenses d'urgence et les recettes fiscales plus basses avaient déjà conduit le déficit fédéral à dépasser les 1 000 milliards de dollars pour la première fois dans l'histoire.

Afin d'oublier un instant les ennuis de Peter, nous avons clos la réunion autour d'un gâteau pour célébrer son quarantième anniversaire. Tandis que tout le monde se dirigeait vers la table pour le regarder souffler ses bougies, Goolsbee – dont le nom de gentleman-farmer collait mal avec son allure de photoreporter de *comics* à la Jimmy Olsen, son humour exubérant et son accent nasillard de Waco, au Texas – s'est approché de moi.

« C'est incontestablement le pire briefing auquel un président nouvellement élu ait eu droit depuis Roosevelt en 1932 ! a-t-il dit en faisant une tête de petit garçon regardant une blessure particulièrement horrible.

– Goolsbee, ai-je répondu, ce n'est même pas mon pire briefing de la semaine. »

Je ne plaisantais qu'à moitié ; en dehors des briefings économiques, je passais une bonne partie de cette période de transition dans des salles sans fenêtre, à écouter des exposés confidentiels sur l'Irak, l'Afghanistan et de multiples menaces d'attentats. Et pourtant, je me souviens d'être sorti de cette réunion économique plus dynamisé que découragé. Ma confiance était en partie due à l'adrénaline post-électorale, j'imagine – la conviction pas encore mise à l'épreuve, peut-être illusoire, que j'étais à la hauteur de la tâche qui se présentait. Et puis, j'étais content de l'équipe que j'avais rassemblée ; si les réponses dont nous avions besoin existaient, alors ce groupe les trouverait, me disais-je.

Mais, surtout, mon attitude tenait au fait que j'étais bien obligé d'observer comment, dans la vie, s'équilibrent les fortunes bonnes et mauvaises. À considérer toutes les bonnes choses qui m'étaient arrivées pendant la campagne, je pouvais à présent difficilement me plaindre d'avoir un mauvais jeu entre les mains. Comme je le rappellerais à mon équipe à maintes reprises au cours des années à venir, le peuple américain n'aurait sans doute pas pris le risque de m'élire si nous n'avions pas été emportés dans ce tourbillon incontrôlable. Notre boulot, désormais, consistait à mener une bonne politique et à faire ce qui était le mieux pour le pays, même si cela risquait d'être dur au plan politique.

C'est tout du moins ce que je leur ai dit. En mon for intérieur, je savais que, au plan politique, ce ne serait pas seulement dur.

Je savais que ce serait brutal.

Pendant la période qui avait précédé l'investiture, j'avais lu plusieurs livres sur le premier mandat de Roosevelt et la mise en œuvre du New Deal. Le contraste était instructif, mais pas en notre faveur. Quand Roosevelt avait été élu, en 1932, la Grande Dépression faisait des ravages depuis déjà plus de trois ans. Un quart du pays était au chômage, des millions de personnes se trouvaient sans ressources et les bidonvilles qui parsemaient le paysage américain étaient souvent appelés « Hoovervilles » – ce qui donnait une idée de ce que les gens pensaient du président Herbert Hoover, l'homme dont Roosevelt s'apprêtait à prendre la suite.

Les difficultés étaient si considérables, les politiques républicaines si discréditées, que lorsqu'une nouvelle série de retraits bancaires massifs eut lieu au cours de la période de transition entre les deux présidences, qui était à l'époque de quatre mois, Roosevelt mit un point d'honneur à refuser d'accéder à la demande de Hoover qui l'appelait à la rescousse. Il voulait s'assurer que, dans l'esprit des Américains, sa présidence marquerait une rupture nette, exempte des fautes du passé. Et quand, par chance, l'économie montra des signes de reprise un mois seulement après son entrée en fonction (sa nouvelle politique ne pouvait avoir déjà fait effet), Franklin Roosevelt se garda bien d'en partager le mérite avec le gouvernement précédent.

Nous, en revanche, n'aurions guère le bénéfice d'une telle clarté. Après tout, j'avais déjà pris la décision d'aider le président Bush dans sa réaction nécessaire, bien que farouchement impopulaire, à la crise bancaire – j'avais déjà posé la main sur l'arme du crime, pour ainsi dire. Afin de stabiliser davantage le système financier, je le savais, il allait probablement falloir que je continue sur cette lancée. (J'étais déjà obligé de tordre le bras de certains démocrates du Sénat, uniquement pour qu'ils votent le déblocage de 350 milliards de dollars correspondant à la deuxième tranche des fonds du TARP.) Alors que les électeurs verraient la situation empirer, ce qui selon Larry et Christy était quasiment une certitude, ma popularité – ainsi que celle des démocrates qui désormais contrôlaient le Congrès – ne manquerait pas de dégringoler.

Et malgré les bouleversements des mois précédents, malgré les unes atroces de début 2009, personne – ni la population, ni le Congrès, ni les médias, ni même (comme je ne tarderais pas à le constater) les experts – ne se doutait des proportions dans lesquelles les choses allaient encore empirer. Les données dont disposait le gouvernement annonçaient une récession sévère, mais pas cataclysmique. Les spécialistes les plus fiables avaient prévu que les chiffres du chômage atteindraient au maximum 8 ou 9 %, n'envisageant même pas que la barre des 10 % serait finalement franchie. Quand, plusieurs semaines après l'élection, 387 économistes, progressistes pour la plupart, avaient envoyé une lettre au Congrès pour réclamer une solide relance keynésienne, ils avaient tablé sur un coût de 300 à 400 milliards de dollars – à peu près la moitié de ce que nous étions sur le point de proposer, un bon indicateur de l'idée que même les experts les plus alarmistes se faisaient de l'état de l'économie. Ainsi que l'a décrit Axelrod, nous nous apprêtions à demander aux Américains de dépenser près de 1 000 milliards de dollars pour des sacs de sable, dans l'attente d'une tornade comme il n'y en a qu'une par génération, une tornade dont nous étions les seuls à savoir qu'elle arrivait. Et une fois l'argent dépensé, que les sacs de sable aient été efficaces ou non, beaucoup de gens auraient pris le bouillon.

« Quand les choses vont mal, a commenté Axe, marchant à mes côtés à la sortie de la réunion de décembre, tout le monde se fiche de savoir que "ça aurait pu être pire".

– Tu as raison, ai-je dit.

– Il faut annoncer aux gens ce à quoi ils doivent s'attendre, a-t-il poursuivi. Mais si on les effraie trop, eux ou les marchés, cela ne fera qu'ajouter à la panique et causera encore plus de dégâts pour l'économie.

– Là encore, tu as raison », ai-je dit.

Axe a secoué la tête d'un air malheureux.

« Les élections de mi-mandat vont être un enfer », a-t-il repris.

Cette fois-ci, je n'ai rien dit, admirant cette capacité touchante qu'il avait, parfois, d'enfoncer des portes ouvertes. De toute façon, je ne pouvais pas me permettre le luxe de réfléchir à si longue échéance. Il fallait que je me concentre sur un deuxième problème politique, plus immédiat.

Il fallait que notre loi de relance soit adoptée au Congrès sans délai – seulement, au Congrès, ça ne se passait pas très bien.

Il flottait dans l'air, à Washington, avant que je sois élu et durant ma présidence, la nostalgie d'une époque de coopération transpartisane au Capitole. Et il était vrai que, pendant la majeure partie de la période de l'après-Seconde Guerre mondiale, les lignes séparant les deux partis politiques en Amérique avaient réellement été plus fluides.

Dans les années 1950, la plupart des républicains s'étaient accommodés des réglementations en matière de santé et de sécurité datant du New Deal, et le Nord-Est et le Midwest avaient produit des dizaines et des dizaines de républicains plutôt modérés sur les questions de la protection de l'environnement et des droits civiques. Les États du Sud constituaient alors un des piliers les plus solides du Parti démocrate, combinant un conservatisme culturel profondément enraciné et un refus catégorique de reconnaître les droits des Afro-Américains, lesquels formaient une part importante de leur électorat. La domination économique de l'Amérique étant indiscutable, sa politique étrangère définie par la peur du communisme ayant un effet unificateur, et sa politique sociale marquée par une confiance bipartite dans le fait que les femmes et les personnes de couleur savaient rester à leur place, les démocrates et les républicains se sentaient libres de franchir les lignes des partis en cas de nécessité pour faire passer une loi. Ils observaient les courtoisies d'usage lorsqu'il s'agissait de proposer des amendements et de soumettre des candidatures au vote, et les attaques partisanes et les tactiques agressives restaient dans les limites du tolérable.

L'histoire de la rupture de ce consensus d'après-guerre a déjà été racontée maintes fois – en commençant par Lyndon B. Johnson signant la loi sur les droits civiques en 1964 et sa prédiction que cela conduirait le Sud à déserter en masse le Parti démocrate. La prévision de Johnson mit plus de temps à se réaliser qu'il ne l'avait imaginé. Mais régulièrement, au fil des ans – par le Vietnam, les émeutes, le féminisme et la « Stratégie du Sud » de Nixon ; par la politique de *busing* visant à renforcer la mixité raciale à l'école, l'arrêt *Roe v. Wade* protégeant le droit des femmes à avorter, la criminalité urbaine et la désertion des centres-villes par les Blancs aisés ; par la discrimination positive, le mouvement conservateur de la « Majorité morale », la répression antisyndicale et l'opposition à la loi sur les droits civiques incarnée par le juge Robert Bork ; par l'interdiction des armes d'assaut et la montée de Newt Gingrich, les droits des homosexuels et la procédure d'*impeachment* visant Clinton –, les électeurs américains et leurs représentants se sont de plus en plus polarisés.

Le charcutage électoral a renforcé ces tendances, tandis que les deux partis, avec l'aide du profilage des électeurs et de la technologie informatique, redessinaient des circonscriptions dans le but explicite de consolider des mandats et de minimiser le nombre de circonscriptions susceptibles de basculer dans le camp adverse lors des différentes élections. Dans le même temps, la fragmentation des médias et l'émergence de médias conservateurs ont eu pour conséquence que les électeurs ne se reposaient plus sur le seul présentateur télé Walter Cronkite pour se faire une opinion ; au lieu de cela, ils pouvaient se référer à des sources qui les confortaient dans leurs préférences politiques, sans les remettre en question.

Lorsque je suis entré en fonction, ce « grand tri » entre les rouges et les bleus, entre les républicains et les démocrates, était pratiquement achevé. Il restait encore quelques sénateurs dont la position n'était pas systématiquement tranchée d'avance – une douzaine de républicains modérés à progressistes, et des démocrates conservateurs ouverts à la collaboration –, mais la plupart se cramponnaient coûte que coûte à leur siège. À la Chambre, les vagues bleues de 2006 et 2008 avaient installé une douzaine de démocrates conservateurs venant de circonscriptions traditionnellement républicaines. Mais, dans l'ensemble, les démocrates de la Chambre étaient de tendance progressiste, en particulier sur les questions sociales, et les démocrates du Sud constituaient une espèce en voie de disparition. Le glissement parmi les républicains de la Chambre était encore plus marqué. Purgé d'à peu près tous les modérés qui restaient, leur groupe penchait plus à droite que jamais dans l'histoire moderne, les conservateurs à l'ancienne étant à la manœuvre pour gagner de l'influence auprès de l'espèce nouvellement enhardie des disciples de Newt Gingrich, des provocateurs à la Rush Limbaugh, des clones de Sarah Palin et de l'auteure Ayn Rand – tous refusant le compromis, sceptiques vis-à-vis de toute action du gouvernement n'impliquant pas la défense, la sécurité à la frontière, les forces de l'ordre ou la condamnation de l'avortement, et semblant sincèrement convaincus que les progressistes avaient vocation à détruire l'Amérique.

Rien de tout cela ne nous empêcherait nécessairement de faire passer notre plan de relance, du moins sur le papier. Après tout, les démocrates avaient une majorité de cinquante-sept sièges à la Chambre et de dix-sept au Sénat. Mais, même dans les meilleures circonstances, essayer de faire adopter au Congrès une loi décrétant les plus grandes dépenses d'urgence en un temps record serait un peu comme faire avaler une vache à un python. Il a fallu aussi que j'affronte l'obstruction parlementaire au Sénat – une sorte d'aberration de procédure institutionnalisée –, qui finirait par devenir la pire difficulté de ma présidence.

Le *filibuster*, ou obstruction systématique, n'est nulle part mentionné dans la Constitution. Il se trouve que cette pratique a vu le jour par hasard : en 1805, le vice-président Aaron Burr demanda que soit supprimée une clause parlementaire courante qui permettait à la majorité simple de toute législature de mettre fin à un débat sur une question et d'appeler au vote sur la question concernée. (Burr, qui avait manifestement pris l'habitude de ne jamais réfléchir aux choses sous tous leurs angles, aurait semble-t-il considéré que cette règle était une perte de temps.)

Les sénateurs n'ont pas tardé à se rendre compte que, sans moyen formel de clore un débat, n'importe lequel d'entre eux pouvait paralyser le Sénat – et, du même coup, obtenir toutes sortes de concessions de la part de collègues frustrés – en se contentant de parler sans fin, refusant de rendre la parole. En 1917, le Sénat a limité cette pratique en adoptant la « règle de clôture », qui stipule qu'un vote des deux tiers des sénateurs présents peut mettre fin au débat. Durant les cinquante années qui ont suivi, cette forme d'obstruction parlementaire n'a été utilisée qu'avec parcimonie, notamment par des démocrates du Sud tentant de bloquer la promulgation des lois anti-lynchage et pour l'égalité des salaires, ainsi que d'autres textes qui menaçaient d'ébranler les lois Jim Crow. Petit à petit, cependant, l'obstruction parlementaire est redevenue routinière et facile à mobiliser, en faisant une arme puissante, un moyen pour le parti minoritaire de parvenir à ses fins. La simple menace d'un *filibuster* suffisait souvent à faire avorter une loi. Dans les années 1990, quand les lignes entre républicains et démocrates se sont durcies, le parti dans l'opposition, quel qu'il soit, pouvait bloquer – et bloquait – toute loi qui ne lui convenait pas : il suffisait pour cela de rester unis afin de disposer des quarante et une voix nécessaires pour que l'obstruction ne puisse pas être annulée.

Sans base constitutionnelle ni débat public, sans même que la plupart des Américains en soient informés, pour qu'une loi soit votée par le Sénat, il fallait de fait disposer de soixante voix, ce que l'on désignait souvent par le terme de « supermajorité ». À l'époque où je suis devenu président, le *filibuster* était à ce point entré dans les pratiques du Sénat – considéré comme une tradition importante et respectée – que personne n'envisageait ne serait-ce que la possibilité de l'amender, sans parler de le supprimer.

Voilà pourquoi – alors que je venais de remporter une élection avec une marge écrasante et que j'avais le soutien de la plus forte majorité parlementaire depuis de nombreuses années – je n'étais pas en mesure de

rebaptiser un bureau de poste, et encore moins de faire passer notre plan
de relance sans devoir partir à la conquête de quelques votes républicains.
Cela ne pouvait tout de même pas être si difficile, si ?

Un projet d'envergure émanant de la Maison-Blanche peut néces-
siter des mois de préparation. Il faut des dizaines de réunions, impliquant
de multiples agences et potentiellement des centaines de collaborateurs.
Des consultations exhaustives sont menées avec les parties intéressées.
L'équipe de la communication de la Maison-Blanche est chargée de
chorégraphier une campagne rigoureusement gérée afin de convaincre
le grand public, et les rouages de toute la branche exécutive sont mobilisés pour gagner à la cause les présidents et vice-présidents de commissions parlementaires. Tout cela a lieu bien avant que la loi soit rédigée
et examinée.

Nous n'avions pas le temps pour tout ça. Alors, avant même que
je prenne mes fonctions, mon équipe économique encore officieuse
et largement sous-payée a travaillé sans relâche pour donner corps à
ce qui deviendrait le Recovery Act, ou loi sur « le redressement et le
réinvestissement aux États-Unis » (apparemment, le terme initial de
stimulus package risquait de ne pas bien passer auprès de la population).

Nous avons proposé de répartir près de 800 milliards de dollars en
trois enveloppes. Dans la première enveloppe, les paiements d'urgence
pour les allocations chômage supplémentaires et les aides directes aux
États afin d'endiguer les licenciements massifs d'enseignants, de policiers et autres fonctionnaires. Dans la deuxième enveloppe, des réductions d'impôts concernant la classe moyenne, ainsi que divers avantages
fiscaux qui constitueraient, pour les entreprises, de fortes incitations
à investir immédiatement dans de nouvelles usines ou dans des équipements. Les paiements d'urgence et les réductions d'impôts étaient
deux types de mesures présentant l'avantage d'être faciles à mettre en
place ; nous pourrions aisément générer de l'argent qui irait dans les
poches des particuliers et des entreprises. Les avantages fiscaux revê-
taient aussi l'intérêt supplémentaire d'attirer potentiellement un soutien
républicain.

La troisième enveloppe, en revanche, rassemblait des initiatives plus
difficiles à concevoir et dont la mise en œuvre serait plus longue, mais
dont l'impact à terme serait sans doute plus important : non seulement
les traditionnelles dépenses en infrastructures, comme la construction
de routes et l'entretien des égouts, mais aussi le train à grande vitesse,

le développement des énergies solaire et éolienne, le déploiement de connexions Internet à haut débit dans les régions rurales mal desservies, et les mesures d'incitation pour que les États réforment leur système d'enseignement – le tout avec pour objectif non seulement de mettre les gens au travail, mais aussi de rendre l'Amérique plus compétitive.

Compte tenu des nombreux besoins non satisfaits au sein des communautés dans tout le pays, j'ai été étonné de voir tous les efforts que notre équipe a dû déployer avant de trouver des projets ayant suffisamment d'ampleur pour répondre aux critères de financement *via* le Recovery Act. Certaines idées prometteuses ont été rejetées parce qu'elles demanderaient trop de temps pour être mises en œuvre ou parce que leur gestion supposerait une nouvelle bureaucratie énorme. D'autres n'ont pas été retenues parce qu'elles ne relanceraient pas suffisamment la demande. Conscients des accusations qui allaient bon train, prétendant que j'avais l'intention de prendre la crise comme prétexte pour créer pléthore d'emplois bidons, peu rentables et de gauche (et parce que, de fait, je voulais éviter au Congrès de s'engager dans la création d'emplois bidons et peu rentables, qu'ils soient de gauche ou non), nous avons mis en place une série de procédures de contrôle : un processus concurrentiel d'inscription pour les États et les collectivités locales désireuses de faire une demande de financement ; des exigences rigoureuses de vérification des comptes et de bilan d'activité ; et (ce qui, nous le savions, déclencherait des cris d'orfraie au Capitole) une politique ferme de refus des « fonds réservés » – terminologie inoffensive désignant la vieille pratique parlementaire consistant à faire financer divers projets locaux (certains tout à fait discutables) tenant à cœur à certains élus en même temps qu'une loi qu'il faut faire passer à tout prix.

Il nous appartenait de faire preuve de droiture et d'exemplarité, ai-je dit à mes collaborateurs. Avec un peu de chance, le Recovery Act ne contribuerait pas seulement à éviter une crise. Il servirait aussi à restaurer la confiance du grand public dans un gouvernement honnête et responsable.

Le Premier de l'An, l'essentiel de notre travail initial était achevé. Armés de notre proposition, et sachant que nous disposions d'un calendrier inhabituellement serré, Joe Biden et moi nous sommes rendus au Capitole le 5 janvier – deux semaines avant mon investiture – pour rencontrer le chef de file de la majorité au Sénat, Harry Reid, celui de l'opposition au Sénat, Mitch McConnell, la présidente de la Chambre des représentants, Nancy Pelosi, le chef de file de l'opposition à la Chambre, John Boehner, et les autres personnalités de poids dans le

111e Congrès nouvellement en place, dont le soutien nous était nécessaire pour l'adoption d'une loi.

Des quatre, c'était Harry que je connaissais le mieux, mais j'avais déjà eu de nombreuses interactions avec McConnell au cours de mes quelques années au Sénat. Petit, avec une apparence solennelle de hibou et une douce voix de baryton du Kentucky, McConnell faisait un improbable chef de file républicain. Il n'avait pas l'air particulièrement doué pour le relationnel, les tapes dans le dos ou l'art oratoire. Personne, apparemment, ne lui connaissait d'amis proches, y compris dans son camp ; il ne semblait pas non plus animé de fortes convictions, hormis un antagonisme viscéral vis-à-vis de toute réforme en matière de financement de campagne. Joe m'avait parlé d'une prise de bec qu'il avait eue avec lui au Sénat, après que le chef de file républicain s'était opposé à un projet de loi que Joe parrainait ; quand ce dernier avait entrepris d'expliquer les mérites de son texte, McConnell avait levé la main à la manière d'un agent de police en déclarant : « Vous semblez commettre l'erreur de croire que j'en ai quelque chose à faire. » Mais ce qui faisait défaut à McConnell en termes de charisme et d'intérêt pour les grands enjeux, il le compensait plus que largement par sa discipline, sa perspicacité et son impudence – autant de traits de personnalité qu'il mettait à profit dans sa quête monomaniaque et implacable du pouvoir.

Harry ne le supportait pas.

Boehner était un animal d'un autre genre, affable, la voix rocailleuse, fils d'un barman de la région de Cincinnati. Entre les cigarettes qu'il fumait à la chaîne et son bronzage perpétuel, son amour pour le golf et le bon merlot, j'avais l'impression de le connaître, il me semblait être taillé dans la même étoffe que nombre de républicains que j'avais été amené à fréquenter du temps où j'étais au sénat de l'Illinois, à Springfield – des types réglos ne s'écartant pas de la ligne du parti ou des lobbyistes qui les maintenaient au pouvoir, mais qui ne considéraient pas non plus la politique comme un jeu sanguinaire, et étaient même prêts à travailler avec vous si cela ne leur coûtait pas trop politiquement. Malheureusement, ces mêmes qualités humaines ne donnaient à Boehner qu'une emprise ténue sur les élus de son camp ; et ayant vécu l'humiliation d'être privé de son poste de président du groupe républicain à la Chambre pour n'avoir pas suffisamment fait allégeance à Newt Gingrich, à la fin des années 1990, il déviait rarement des éléments de langage que ses collaborateurs avaient préparés pour lui, du moins en public. À la différence de la relation entre Harry et McConnell, il n'existait pas de véritable inimitié entre la présidente Nancy Pelosi et Boehner, uniquement une frustration de part et d'autre – chez Nancy en raison du manque de fiabilité de Boehner en tant que négociateur et de sa fréquente incapacité à obtenir les votes ; chez Boehner parce que Nancy le dominait le plus souvent en manœuvrant plus habilement.

Boehner n'était pas le premier à se casser les dents face à la présidente de la Chambre des représentants. En apparence, avec ses tailleurs chics, ses chaussures assorties et sa coiffure impeccable, Nancy ressemblait parfaitement à la progressiste aisée de San Francisco qu'elle était. Elle avait beau savoir parler à toute vitesse, elle n'était pas particulièrement bonne à la télé à l'époque, ayant tendance à assener des panacées démocrates avec un sérieux éprouvé qui n'était pas sans faire penser au ton d'un discours donné à la fin du dîner d'un gala de bienfaisance.

Mais les politiciens (habituellement les hommes) sous-estimaient Nancy à leurs risques et périls, car son ascension n'avait rien d'un coup de veine. Elle avait grandi sur la côte Est, fille italo-américaine du maire de Baltimore, et avait été au contact, dès son plus jeune âge, des méthodes employées par les dockers et les caciques des communautés d'immigrés ; en politique, elle n'avait pas peur de passer en force au nom de la nécessité de faire avancer les choses. Après s'être installée sur la côte Ouest avec son mari, Paul, et être restée à la maison pour élever leurs cinq enfants pendant qu'il réussissait dans les affaires, Nancy a fini par faire bon usage de son éducation politique acquise toute jeune, gravissant les échelons au sein du Parti démocrate de Californie et au Congrès pour devenir la première femme de l'histoire américaine présidente de la Chambre des représentants. Elle se fichait que les républicains fassent d'elle leur cible préférée ; les jérémiades ponctuelles de ses collègues démocrates ne la perturbaient pas davantage. Le fait est qu'il n'y avait pas de stratège législatif plus coriace et plus habile qu'elle, et elle tenait son groupe parlementaire grâce à une combinaison de prévenance, de panache lorsqu'il s'agissait de collecter des fonds, et de sévères réprimandes à l'égard de quiconque ne respectait pas ses engagements.

Harry, Mitch, Nancy et John. « The Four Tops », les appelait-on parfois. Au cours des huit années à venir, la dynamique entre ces quatre-là aurait un impact décisif sur ma présidence. Je me suis accoutumé au côté ritualisé de nos réunions, à leur manière d'entrer dans la salle l'un derrière l'autre, chacun offrant une poignée de main et l'esquisse d'un salut (Monsieur le Président… Monsieur le Vice-Président) ; une fois que nous avions tous pris place, Joe et moi, et parfois Nancy, hasardions une plaisanterie légère, nous estimant heureux si nous obtenions en retour un sourire tiède de la part des trois autres, pendant que mon staff faisait entrer l'équipe de journalistes pour l'inévitable séance photo ; une fois que les journalistes avaient été reconduits hors de la salle et que nous nous attelions aux choses sérieuses, ils mettaient tous les quatre un point d'honneur à ne rien laisser transparaître de leurs intentions ni à s'engager fermement sur quoi que ce soit, leurs commentaires étant souvent émaillés de récriminations à peine voilées à l'encontre de leurs homologues, tous unis seulement par une même envie d'être ailleurs.

Peut-être parce que c'était notre première réunion depuis les élections, peut-être parce que leurs *whips* et adjoints respectifs étaient avec nous, peut-être en raison de la gravité de la situation, les « Four Tops » semblaient tous dans d'excellentes dispositions quand nous nous sommes rassemblés en ce jour de début janvier, dans l'opulent salon Lyndon B. Johnson, juste à la sortie de la chambre du Sénat, avec d'autres chefs de file du Congrès. Ils ont écouté avec une attention étudiée ma présentation du Recovery Act. J'ai mentionné que mon équipe s'était déjà rapprochée de leurs collaborateurs pour avoir un retour sur le texte de loi proprement dit et que toutes les suggestions visant à rendre le plan de relance plus efficace étaient les bienvenues. J'ai annoncé que j'espérais rendre visite à leurs groupes parlementaires respectifs juste après l'investiture pour répondre plus amplement aux questions. Mais, comme la situation se dégradait rapidement, ai-je précisé, il était essentiel d'agir vite : j'avais besoin que la loi soit sur mon bureau non pas dans cent jours, mais dans trente. J'ai clos mon intervention en disant que l'Histoire nous jugerait tous à l'aune de nos actions en ces temps perturbés et que j'espérais que nous pourrions obtenir une forme de coopération bipartite qui restaurerait la confiance de citoyens anxieux et vulnérables.

Compte tenu de ce que je demandais aux chefs de file parlementaires – compresser en un mois un processus législatif qui en temps normal aurait pu prendre un an –, la réaction dans la salle a été pour le moins tiède. Mon ami de longue date Dick Durbin, le *whip* du Sénat, a réclamé qu'on augmente la part du plan de relance consacrée aux infrastructures. Jim Clyburn, le *whip* de la majorité à la Chambre, nous a donné une leçon d'histoire lourde de sous-entendus sur toutes les façons dont le New Deal avait contourné les communautés noires, demandant comment nous comptions procéder pour éviter que la même chose se reproduise dans des endroits comme son État de Caroline du Sud. Le Virginien Eric Cantor, deuxième dans l'ordre protocolaire du camp républicain à la Chambre des représentants, et l'un des jeunes conservateurs réformistes qui ambitionnaient de prendre la place de Boehner, s'est réjoui des propositions de réductions d'impôts que nous avions intégrées au projet, mais a demandé si une réduction plus importante et permanente ne serait pas plus efficace que des dépenses dans le cadre de programmes progressistes voués à l'échec tels que les distributions de coupons d'alimentation.

Mais ce sont toutefois les commentaires de Harry, Mitch, Nancy et John, prononcés poliment, les dents serrées, nécessitant un petit travail de décryptage, qui nous ont fourni, à Joe et à moi, une idée de la situation dans laquelle nous nous trouvions réellement.

« Monsieur le Président élu, a dit Nancy, je pense que le peuple américain comprend très clairement que vous avez hérité d'une pagaille épouvantable. Absolument épouvantable. Et, bien entendu, nous autres démocrates sommes prêts à agir de manière responsable pour mettre de l'ordre dans la pagaille épouvantable dont vous avez hérité. J'espère simplement que nos amis de l'autre camp se souviendront que ce sont les démocrates, vous compris, monsieur le Président élu, qui ont pris leurs responsabilités... malgré ce qui était, nous le savons tous, une politique néfaste... ce sont les démocrates qui ont accepté d'aider le président Bush avec le TARP. J'espère que nos amis républicains sauront faire preuve d'une même approche responsable dans ce qui est, comme vous l'avez dit, un moment critique. »

Traduction : N'allez pas croire un seul instant que nous ne rappellerons pas au peuple américain, chaque fois que nous en aurons l'occasion, que ce sont les républicains qui sont à l'origine de la crise financière.

« Ça ne va pas plaire à notre camp, a dit Harry, mais nous n'avons pas vraiment le choix, alors il va falloir y aller, d'accord ? »

Traduction : Ne vous attendez pas à ce que Mitch McConnell lève le petit doigt pour vous aider.

« Eh bien, nous vous écoutons avec intérêt, mais, sauf votre respect, je ne crois pas que le peuple américain envisage davantage de grosses dépenses et d'autres sauvetages, a dit Boehner. Les gens se serrent la ceinture, et ils espèrent que nous ferons de même. »

Traduction : Mon groupe parlementaire va me crucifier si je dis quoi que ce soit qui laisserait à penser que je suis coopératif.

« Je ne peux pas dire qu'il y ait un grand engouement pour ce que vous nous proposez, monsieur le Président élu, a dit McConnell, mais vous êtes le bienvenu à notre déjeuner hebdomadaire pour plaider votre cause. »

Traduction : Vous semblez commettre l'erreur de croire que j'en ai quelque chose à faire.

En descendant les escaliers, une fois la réunion terminée, je me suis tourné vers Joe.

« Bon, ça aurait pu être pire, ai-je dit.
– Ouais, a répondu Joe. On n'en est pas venus aux poings.
– Tu vois, ai-je dit en riant. On a avancé ! »

TOUT A ÉTÉ TELLEMENT INTENSE au cours des premières semaines après mon entrée en fonction que j'ai à peine eu le temps de m'attarder sur la totale et constante étrangeté de mon nouveau quotidien. Mais ne vous y trompez pas, c'était étrange.

Il y avait le fait que tout le monde se levait quand j'entrais dans une pièce. « Asseyez-vous », grommelais-je en disant à mon équipe que ce genre de formalités n'était pas mon style. Ils souriaient en hochant la tête – et refaisaient exactement pareil la fois suivante.

Il y avait le fait que mon prénom avait pratiquement disparu, utilisé désormais uniquement par Michelle, nos familles et quelques amis proches, comme Marty. À part ça, c'était : « Oui, monsieur le Président », et : « Non, monsieur le Président », même si, avec le temps, mes collaborateurs ont adopté le terme plus familier de « POTUS » (President Of The United States) lorsqu'ils s'adressaient à moi ou parlaient de moi dans l'enceinte de la Maison-Blanche.

Il y avait le fait que mon emploi du temps quotidien était soudain devenu le théâtre de luttes en coulisses entre membres du staff, agences, groupes, chacun voulant que sa cause soit entendue en priorité, ses problèmes traités, le produit de tout cela recraché par une machinerie cachée dont je ne saisissais jamais tous les rouages. Entre-temps, j'ai découvert que chaque fois que les agents du Secret Service murmuraient dans leurs micros au poignet, ils rendaient compte de mes déplacements sur un canal radio suivi en permanence par des employés. « Renegade se dirige vers la résidence », « Renegade dans salle de crise » ou « Renegade dans Soute secondaire » – leur manière pudique de dire que j'allais aux toilettes.

Et puis il y avait l'omniprésent pool itinérant de correspondants accrédités : une horde de journalistes et de photographes qu'il fallait alerter chaque fois que je quittais le complexe de la Maison-Blanche et qui me suivait dans un minibus fourni par le gouvernement. Ces dispositions étaient compréhensibles en cas de déplacement officiel, mais j'ai bientôt découvert qu'elles s'appliquaient en toutes circonstances, quand Michelle et moi sortions au restaurant, quand je me rendais à la salle de sport pour jouer au basket ou quand je prévoyais d'assister à un match de foot de l'une de mes filles dans les environs. Ainsi que

Gibbs, qui était désormais mon porte-parole, l'expliquait, la logique était que le moindre déplacement du président était fondamentalement susceptible d'intéresser les médias, qui se devaient d'être sur place au cas où quelque chose d'important se produirait. Et pourtant, je n'ai pas souvenir qu'ils aient capturé une image beaucoup plus passionnante que moi sortant d'une voiture en pantalon de survêtement. Ce qui a eu pour effet d'éliminer le moindre reliquat d'intimité que j'aurais pu avoir en m'aventurant au-delà des grilles de la Maison-Blanche. Cela me chiffonnait un peu, et j'ai demandé à Gibbs, la première semaine, si nous ne pouvions pas éviter de prévenir la presse lorsque je sortais pour un motif personnel.

« Mauvaise idée, a dit Gibbs.

– Pourquoi ? Les journalistes entassés dans le minibus doivent bien savoir que c'est une perte de temps.

– Oui, mais pas leurs patrons, a répondu Gibbs. Et souvenez-vous qu'on a promis d'être le gouvernement le plus transparent. Si vous faites ça, la presse va piquer une crise.

– Je ne parle pas des affaires publiques, ai-je objecté. Je parle des sorties en amoureux avec ma femme. Ou lorsque je vais prendre l'air. »

J'avais lu suffisamment de choses sur mes prédécesseurs pour savoir que Teddy Roosevelt avait jadis campé durant deux semaines au parc de Yellowstone, se déplaçant à cheval. Je savais que, pendant la Grande Dépression, Franklin Roosevelt avait passé des semaines en bateau à longer la côte Est jusqu'à une île au large de la Nouvelle-Écosse. J'ai rappelé à Gibbs que Harry Truman avait fait de longues promenades solitaires dans les rues de Washington au cours de sa présidence.

« Les temps ont changé, monsieur le Président, a expliqué Gibbs avec patience. Écoutez, c'est à vous de décider. Mais je vous préviens, se débarrasser du groupe des correspondants créera un pataquès dont on n'a vraiment pas besoin ces temps-ci. Et puis, il sera plus difficile pour moi d'obtenir leur coopération concernant vos filles... »

Je m'apprêtais à répondre, mais j'ai fermé mon clapet. Michelle et moi avions déjà précisé à Gibbs que notre priorité absolue était que les journalistes laissent nos filles tranquilles quand elles vaquaient à leurs occupations. Gibbs savait que je ne ferais rien qui risquerait de remettre cela en question. Ayant réussi à mater ma rébellion, il a eu la sagesse de ne pas jubiler ; il s'est contenté de me donner une petite tape dans le dos avant de retourner dans son bureau, me laissant seul à ruminer dans ma barbe. (Il faut reconnaître, et c'est tout à leur honneur, que les médias ont considéré Malia et Sasha comme hors de leur périmètre pendant toute la durée de ma présidence, un acte de simple savoir-vivre que j'ai énormément apprécié.)

Mon équipe m'a accordé une modeste concession en termes de liberté : j'ai pu garder mon BlackBerry – ou plutôt on m'en a donné un nouveau, un appareil spécialement modifié, approuvé après tout de même plusieurs semaines de négociations avec divers membres de la cybersécurité. Je pouvais ainsi envoyer et recevoir des e-mails, mais sur la base d'une vingtaine de contacts seulement, et le micro interne et la prise du casque avaient été enlevés, si bien que la fonction téléphone ne marchait pas. Michelle remarquait en plaisantant que mon BlackBerry était comme ces jouets pour les tout-petits : on peut appuyer sur des boutons, ça fait des bruits, des voyants s'allument, mais en fait il ne se passe rien.

Compte tenu de ces limitations, la plupart de mes contacts avec le monde extérieur passaient par trois jeunes assistants installés dans l'Ovale extérieur : Reggie, qui avait accepté de rester mon assistant personnel ; Brian Mosteller, un homme de l'Ohio méticuleux qui organisait tous mes événements quotidiens dans l'enceinte de la Maison-Blanche ; et Katie Johnson, qui avait été l'assistante pragmatique de David Plouffe pendant la campagne et qui, désormais, assumait la même fonction pour moi. À eux trois, ils étaient mes gardiens officieux et mon respirateur artificiel personnel, ils transféraient les appels téléphoniques, programmaient mes coupes de cheveux, me préparaient les documents pour les réunions, faisaient en sorte que je sois à l'heure, m'alertaient des dates d'anniversaire des membres de l'équipe et achetaient des cartes pour que je les signe, me prévenaient quand j'avais une tache de soupe sur ma cravate, supportaient mes diatribes et mes mauvaises blagues, s'arrangeaient plus généralement pour que je sois en état de fonctionner au cours de journées de douze à seize heures.

Le seul locataire de l'Ovale extérieur ayant plus de 35 ans était Pete Souza, notre photographe officiel. Dans la force de l'âge, compact de carrure, un teint mat signalant ses racines portugaises, Pete en était à son deuxième poste à la Maison-Blanche, ayant déjà été une première fois photographe officiel du gouvernement Reagan. Après avoir enseigné et travaillé en freelance, Pete avait atterri au *Chicago Tribune*, où il avait couvert les débuts de la guerre en Afghanistan ainsi que mes premiers pas au Sénat.

Il m'avait tout de suite plu. Outre son talent de photojournaliste pour saisir des histoires complexes en une seule image, Pete était intelligent, modeste, parfois grincheux, mais jamais cynique. Après notre victoire, il a accepté d'intégrer l'équipe, à condition de pouvoir me suivre partout sans restriction. J'ai accédé à sa demande, c'est dire la confiance que j'avais en lui, et, durant les huit années qui ont suivi, Pete est devenu une présence constante, évoluant aux confins de chaque réunion, témoin de chaque victoire et de chaque défaite, se baissant de temps en temps dans un craquement de genou pour trouver le bon angle, sans émettre d'autre bruit que le perpétuel cliquetis de l'obturateur de son appareil.

Il est aussi devenu un bon ami.

Dans ce nouvel habitat curieusement hermétique qui était le mien, l'affection et la confiance que j'avais pour ceux avec qui je travaillais, et le soutien qu'ils nous témoignaient, à moi et à ma famille, étaient une véritable aubaine. Cela était vrai de Ray Rogers et de Quincy Jackson, deux jeunes de la marine affectés comme valets au Bureau ovale, qui servaient des rafraîchissements aux visiteurs et me préparaient chaque jour en un tournemain un solide déjeuner dans la minuscule kitchenette située dans un coin à côté de la salle à manger. Ou des membres de l'agence des communications de la Maison-Blanche, et parmi eux deux frères, Nate et Luke Emory, qui en un clin d'œil installaient les pupitres de conférence, les prompteurs et les vidéoprojecteurs. Ou de Barbara Swann, qui apportait le courrier chaque jour sans jamais se départir de son sourire, toujours avec un mot gentil pour chacun.

Et cela était vrai du personnel de la résidence. Les nouveaux quartiers où ma famille s'était installée ressemblaient moins à un foyer qu'à une longue série de suites dans un hôtel-boutique, avec salle de sport, piscine, court de tennis, salle de cinéma, salon, bowling et cabinet médical. Le personnel travaillait sous la direction de l'administrateur général, Steve Rochon, un ancien vice-amiral des gardes-côtes, qui avait été embauché par les Bush en 2007, devenant ainsi le premier Afro-Américain à occuper ce poste. Une équipe de nettoyage passait chaque jour, veillant à ce que l'endroit soit toujours impeccable ; une équipe tournante de chefs cuisiniers préparait des repas pour notre famille ou, comme cela arrivait parfois, pour une centaine d'invités ; des major-domes avaient pour tâche de servir ces repas ou quoi que ce soit d'autre ; des standardistes étaient prêts à transmettre des appels à toute heure et s'assuraient que nous nous réveillions le matin ; des liftiers attendaient dans le petit ascenseur chaque matin pour me faire descendre au travail et me saluaient le soir à mon retour ; des techniciens étaient toujours sur place pour réparer ce qui était cassé ; et des fleuristes s'arrangeaient pour que chaque pièce soit décorée de magnifiques fleurs fraîchement cueillies, toujours variées.

(Il convient de souligner ici – parce que les gens étaient souvent surpris de l'apprendre – que la First Family paie de sa poche tout meuble nouveau, de même que tout ce qu'elle consomme, des provisions de nourriture au papier toilette, et qu'elle rémunère le personnel supplémentaire quand le président organise un dîner privé. En revanche, le budget de la Maison-Blanche prévoit des fonds pour que le nouveau président fasse refaire le Bureau ovale ; mais, le cuir des fauteuils et du canapé avait beau être un peu usé, j'ai jugé qu'une période de récession historique n'était peut-être pas le meilleur moment pour passer en revue de nouveaux échantillons de tissu.)

Et pour le président, enfin, il y avait un trio de valets personnels, à commencer par un homme taillé comme un ours, à la voix douce, qui s'appelait Sam Sutton. La première journée que nous avons passée à la Maison-Blanche, en entrant dans le dressing traversant qui reliait notre chambre à ma salle de bains, je me suis rendu compte que chacune des chemises que je possédais et chaque pantalon étaient parfaitement repassés et suspendus, que mes chaussures étaient tellement cirées qu'elles resplendissaient, que chaque paire de chaussettes était rangée, chaque caleçon plié, ordonné, comme sur un étalage de grand magasin. Le soir, à mon retour du Bureau ovale, quand j'ai suspendu mon costume (à peine froissé !) dans la penderie (une amélioration notable par rapport à ma pratique normale consistant à l'accrocher à la première poignée de porte, ce qui a l'art de mettre Michelle en rogne), Sam s'est approché et m'a expliqué gentiment mais fermement qu'il serait préférable que dorénavant je lui laisse le soin de s'occuper de mes vêtements – disposition qui a non seulement amélioré mon apparence extérieure, mais a sans aucun doute été bénéfique à mon mariage.

Rien de tout cela n'était pénible, bien sûr. Et pourtant, c'était un peu déconcertant. Pendant la campagne, Michelle et moi nous étions habitués à être tout le temps entourés de gens, mais ils n'avaient pas occupé notre maison, et bien évidemment nous n'avions pas l'habitude d'avoir des majordomes et des femmes de chambre. Dans cet environnement nouveau, exceptionnel, nous avons craint que les filles ne soient trop choyées et ne prennent de mauvaises habitudes, aussi avons-nous institué une règle (appliquée avec un succès tout relatif) : elles devaient ranger leur chambre et faire leur lit chaque matin avant d'aller à l'école. Ma belle-mère, nullement disposée à se faire servir, a demandé qu'on lui apprenne à utiliser les machines à laver et les sèche-linge pour pouvoir s'occuper elle-même de son linge. Me sentant moi-même un peu gêné, je me suis efforcé d'éviter l'accumulation dans la salle des Traités, qui me servait de bureau personnel, de piles de livres, journaux et autres bricoles en tout genre caractéristique de mes Trous antérieurs.

Petit à petit, grâce à la générosité et au professionnalisme sans faille du personnel, nous avons pris nos marques. Nous sommes devenus tout particulièrement proches de notre équipe régulière de chefs cuisiniers et de majordomes, avec qui nous étions en contact quotidien. Comme mes valets, ils étaient tous noirs, latinos ou d'origine asiatique et, à une exception près, tous étaient des hommes. (Cristeta Comerford, une Américaine d'origine philippine, avait été récemment nommée cuisinière en chef à la Maison-Blanche, la première femme à occuper ce poste.) Et si tous se réjouissaient d'avoir des boulots sûrs, bien payés, assortis d'avantages sociaux, il était difficile de ne pas constater que leur couleur de peau renvoyait à d'autres temps où le rang social était clairement démarqué, et où ceux qui occupaient le poste de président se sentaient plus à l'aise dans l'intimité s'ils étaient servis par des gens qu'ils ne considéraient pas comme leurs égaux – et qui, par conséquent, ne pouvaient pas les juger.

Les majordomes qui avaient le plus d'ancienneté étaient deux hommes noirs au ventre rond, dotés d'un humour tranchant et de la sagesse de ceux qui sont aux premières loges de l'Histoire. Buddy Carter était là depuis la toute fin de la présidence Nixon, il s'était d'abord occupé des invités de prestige à Blair House avant d'obtenir un poste dans la résidence. Von Everett était en fonction depuis Reagan. Ils évoquaient les premières familles qui nous avaient précédés avec la discrétion de rigueur et une véritable affection. Mais, sans avoir besoin de le formuler à voix haute, ils ne cachaient pas les sentiments que leur inspirait le fait d'avoir à s'occuper de nous. Cela se voyait à la façon dont Von acceptait les câlins de Sasha ou au plaisir que prenait Buddy à apporter en douce à Malia un supplément de crème glacée après dîner, à l'aisance avec laquelle ils discutaient avec Marian et à la fierté dans leurs yeux quand Michelle portait une robe particulièrement ravissante. Ils ressemblaient comme deux gouttes d'eau aux frères de Marian, les oncles de Michelle ; et, avec cette proximité, ils nous témoignaient encore plus de sollicitude, et non pas le contraire, refusant qu'on rapporte nos assiettes à la cuisine, attentifs au moindre indice trahissant un service qui ne serait pas parfait de la part du personnel de la résidence. Il nous faudrait insister pendant des mois avant que les majordomes acceptent d'échanger leur smoking contre un pantalon plus décontracté et un polo pour servir nos repas.

« Nous voulons juste nous assurer que vous êtes traité comme n'importe quel autre président, a expliqué Von.

– C'est vrai, a renchéri Buddy. Vous voyez, vous et la First Lady, vous ne vous rendez pas vraiment compte de ce que ça signifie pour nous, monsieur le Président. De vous avoir ici. » Il a secoué la tête avant de répéter : « Vous ne vous rendez pas compte. »

AVEC LE SOUTIEN de la présidente Pelosi et de Dave Obey, président de la Commission des dotations budgétaires de la Chambre des représentants, et grâce aux efforts héroïques de notre staff encore bien peu étoffé, une première mouture du Recovery Act a été rédigée, examinée en commission et soumise au vote en séance plénière – tout cela avant la fin de ma première semaine en poste.

Nous avons estimé que c'était un petit miracle.

L'enthousiasme des démocrates de la Chambre concernant les points centraux du plan de relance a bien aidé – même si cela ne les a pas empêchés de ronchonner sur tout un tas de détails. Les réformistes se sont plaints que les réductions d'impôts concédées aux entreprises étaient des cadeaux faits aux riches. Les démocrates plus centristes s'inquiétaient de l'effet qu'aurait l'ardoise sur leurs électeurs les plus conservateurs.

Des élus de toutes tendances se sont plaints que les aides directes aux États aideraient les gouverneurs républicains à équilibrer leurs budgets et à vanter leur saine gestion financière, alors que ces mêmes gouverneurs accusaient le Congrès de dépenser sans compter.

Ce type de grogne mesquine était tout à fait prévisible dans le contexte d'une réforme législative de grande ampleur, indépendamment de qui était à la Maison-Blanche. Les démocrates étaient fort coutumiers du fait, eux qui, pour toutes sortes de raisons (une représentation sociologique plus variée, une plus grande aversion vis-à-vis de l'autorité), semblaient éprouver une joie presque perverse à se montrer indisciplinés et à ne pas parler d'une seule voix. Quand de tels griefs ont fuité dans la presse et que des journalistes ont monté en épingle une poignée de commentaires épars pour y voir de possibles signes de dissension dans nos rangs, Rahm et moi n'avons pas manqué de passer un coup de fil aux pires séditieux pour tout simplement leur expliquer – sans détour et parfois en des termes que la décence interdit de répéter – en quoi des gros titres comme DES DÉMOCRATES INFLUENTS DÉZINGUENT LE PLAN DE RELANCE D'OBAMA ou LES DÉMOCRATES ANNONCENT CLAIREMENT QU'ILS DÉFENDRONT LEUR TERRITOIRE ne servaient pas véritablement notre cause.

Notre message a été reçu. Nous avons fait quelques concessions à la marge dans le projet de loi, augmenté les fonds pour des priorités du

Congrès, taillé dans des sommes qui nous étaient initialement allouées. En définitive, le projet de loi comprenait pas loin de 90 % de ce que notre équipe économique avait originellement proposé, et nous avions réussi à éviter les « fonds réservés » et la gabegie qui l'auraient discrédité aux yeux du grand public.

Il manquait juste une chose : le soutien des républicains.

Depuis le début, aucun d'entre nous n'était très optimiste pour ce qui était de récupérer une grosse part du vote républicain, surtout sachant que des milliards avaient été dépensés pour le sauvetage financier. La plupart des républicains de la Chambre avaient voté contre le TARP, malgré la forte pression exercée par le président, issu de leur propre parti. Ceux qui avaient voté pour continuaient d'essuyer des critiques cinglantes de la droite, et l'idée se répandait dans les cercles républicains qu'une des raisons pour lesquelles ils avaient obtenu de si piteux résultats aux élections qui avaient suivi était qu'ils avaient laissé le président les écarter de leurs principes conservateurs non interventionnistes.

Néanmoins, en sortant de notre réunion, début janvier, avec les chefs de file du Congrès, j'avais demandé à mon équipe d'intensifier nos efforts du côté des républicains. Pas juste pour les apparences, avais-je insisté ; essayez pour de vrai.

Cela exaspérait certains démocrates, en particulier à la Chambre. Dans l'opposition depuis une décennie, les démocrates de la Chambre avaient été pendant toute cette période totalement exclus du processus législatif. Désormais aux manettes, ils n'étaient pas d'humeur à offrir des concessions à leurs persécuteurs. Ils estimaient que je perdais mon temps, que j'étais naïf. « Ces républicains, ça ne les intéresse pas de collaborer avec vous, monsieur le Président, m'a dit un parlementaire de but en blanc. Ce qu'ils veulent, c'est vous briser. »

Je me suis dit qu'ils avaient peut-être raison. Mais, à divers titres, il me semblait qu'il était important au moins de mettre mon hypothèse à l'épreuve. Obtenir les deux votes républicains nécessaires pour avoir au Sénat une majorité qui nous mettrait à l'abri d'une manœuvre d'obstruction serait bien plus facile, je le savais, si nous obtenions d'abord un score correct auprès des républicains à la Chambre – « plus on est nombreux, plus on est en sécurité » étant l'adage qui gouvernait la vie de presque tout politicien à Washington. Les votes républicains nous procureraient en outre un matelas de sécurité bien utile vis-à-vis des élus démocrates de régions à tendance conservatrice, candidats à des réélections qui s'annonçaient d'ores et déjà délicates. Et puis, pour être honnête, le simple fait de négocier avec les républicains fournissait une excuse commode pour écarter les idées peu orthodoxes qui refaisaient périodiquement surface dans notre camp. (« Je suis navré, monsieur le Député, mais la légalisation de la marijuana n'entre pas tout à fait dans la relance économique à l'ordre du jour... »)

À mes yeux, cependant, tâcher de convaincre les élus républicains ne relevait pas seulement d'un calcul tactique. Depuis mon discours à la convention de Boston en 2004 et jusqu'aux derniers jours de ma campagne, j'avais défendu l'idée que les citoyens dans tout le pays n'étaient pas aussi divisés que nos politiques le suggéraient et que, pour faire de grandes choses, il nous fallait dépasser les oppositions partisanes. À cet effet, existait-il un meilleur moment pour faire l'effort honnête de tendre la main aux membres de l'opposition que lorsque nous étions en position de force, à une période où nous n'avions pas nécessairement besoin du soutien des républicains de la Chambre pour faire passer nos lois ? Je me disais que, peut-être, à condition de ne pas être borné et de faire preuve d'un peu d'humilité, je pourrais prendre par surprise les chefs de file du GOP, dissiper leurs soupçons, et contribuer à bâtir une relation qui pourrait être utile sur d'autres questions. Et si, comme c'était le plus probable, cela ne fonctionnait pas et que les républicains rejetaient mon offre d'ouverture, alors, au moins, les électeurs sauraient à qui imputer les dysfonctionnements à Washington.

Pour diriger notre Bureau des affaires législatives, nous avions recruté Phil Schiliro, un ancien attaché parlementaire démocrate d'une habileté consommée. Il était grand, dégarni, et avait un rire haut perché qui masquait une intensité discrète ; dès que le Congrès a été en session, Phil s'est mis en quête de partenaires avec qui négocier, faisant appel à moi, à Rahm ou à Joe Biden pour l'aider à courtiser des membres du Congrès lorsque c'était nécessaire. Quand certains républicains ont manifesté leur intérêt pour la construction de nouvelles infrastructures, nous leur avons demandé de nous fournir une liste de leurs priorités. Quand d'autres ont déclaré qu'ils ne pouvaient pas voter pour une loi où l'on faisait passer des financements pour la contraception comme mesures d'un plan de relance, nous avons fait pression auprès des démocrates pour qu'ils suppriment la disposition. Quand Eric Cantor a proposé une modification raisonnable à l'une de nos dispositions fiscales, en dépit du fait qu'il n'y avait aucune chance qu'il vote la loi, j'ai demandé à mon équipe d'effectuer le changement, souhaitant leur signifier de manière claire que nous étions sérieux lorsque nous affirmions que nous voulions que les républicains s'assoient à la table des négociations.

Et pourtant, les jours passaient et la perspective d'une coopération des républicains ressemblait de plus en plus à un lointain mirage. Ceux qui avaient initialement exprimé un intérêt à l'idée de travailler avec nous ont cessé de nous rappeler. Les républicains de la Commission des dotations budgétaires ont boycotté les audiences sur le Recovery Act au prétexte qu'ils n'étaient pas sérieusement consultés. Les attaques des républicains dans la presse contre le projet de loi se sont faites moins mesurées. Joe a rapporté que Mitch McConnell avait rappelé tout le monde à l'ordre, allant jusqu'à empêcher les membres de son groupe parlementaire de parler à la Maison-Blanche du plan de relance, et des élus démocrates à la Chambre ont rapporté avoir entendu la même chose de la part de leurs homologues du GOP.

« On n'a pas le droit de jouer » – c'est apparemment ainsi qu'un républicain a formulé la consigne.

Les choses ne se présentaient certes pas sous les meilleurs auspices, mais je pensais avoir néanmoins une chance de gagner le soutien de quelques élus lors de mes réunions avec les groupes républicains à la Chambre et au Sénat, toutes deux prévues le 27 janvier, la veille du vote de la Chambre. J'ai pris du temps en plus pour préparer mon exposé, afin de connaître tous les chiffres sur le bout des doigts. Le matin du jour dit, Rahm et Phil m'ont rejoint dans le Bureau ovale pour passer en revue les arguments les plus convaincants que les républicains pourraient nous opposer. Nous nous apprêtions à nous rendre au Capitole quand Gibbs et Axe sont entrés dans le Bureau ovale et nous ont montré une dépêche d'Associated Press qui venait d'être publiée, juste après la réunion de Boehner avec son camp : LES RÉPUBLICAINS DE LA CHAMBRE PRESSÉS DE S'OPPOSER À LA LOI DE RELANCE.

« Quand est-ce que c'est tombé ? ai-je demandé en survolant l'article.

– Il y a à peu près cinq minutes, a dit Gibbs.

– Est-ce que Boehner a appelé pour nous avertir ?

– Non, a dit Rahm.

– Dans ce cas, ai-je tort de penser que ce truc n'est pas réglo ? ai-je demandé tandis que nous sortions en groupe, nous dirigeant vers la Bête.

– Non, vous n'avez pas tort, monsieur le Président », a répondu Rahm.

Les réunions des groupes républicains n'ont pas à proprement parler été ouvertement hostiles. Boehner, Cantor et Mike Pence, le président du groupe des républicains à la Chambre, étaient déjà au pupitre quand je suis arrivé (évitant ainsi habilement une discussion privée sur le coup qu'ils venaient de nous faire) et, après la brève présentation de Boehner et quelques applaudissements polis, je me suis avancé pour prendre la parole. C'était la première fois que je m'adressais au groupe parlementaire des républicains de la Chambre, et il était difficile de ne pas être frappé par l'uniformité des gens présents dans la salle : des rangées et des rangées d'hommes blancs, pour la plupart assez âgés, une dizaine de femmes et peut-être deux ou trois Hispaniques et Asiatiques. La plupart sont restés de marbre pendant que je présentais brièvement le plan de relance – citant les derniers chiffres relatifs à l'effondrement de l'économie, insistant sur la nécessité d'agir vite, et rappelant que figuraient dans notre plan des baisses d'impôts que les républicains réclamaient de longue date et notre engagement sur une réduction du déficit à long terme, une fois que la crise serait passée. Le public est sorti de sa torpeur quand j'ai demandé s'il y avait des questions (en réalité, pour être plus précis, plutôt des arguments présentés sous forme de questions), et à toutes j'ai répondu de bon cœur, comme si mes réponses comptaient.

« Monsieur le Président, pourquoi est-ce que cette loi n'envisage aucune mesure contre les lois parrainées par les démocrates, qui ont obligé les banques à concéder des prêts immobiliers à des emprunteurs ne présentant pas les garanties requises, et qui sont la cause réelle de la crise financière ? » (Applaudissements.)

« Monsieur le Président, j'ai un livre pour vous qui prouve que le New Deal n'a pas mis fin à la Dépression, mais a au contraire aggravé les choses. Êtes-vous d'accord pour dire que la prétendue relance des démocrates ne consiste qu'à répéter ces erreurs et plongera les générations futures dans le rouge jusqu'au cou ? » (Applaudissements.)

« Monsieur le Président, allez-vous demander à Nancy Pelosi de laisser tomber son projet de loi partisan et de repartir de zéro avec un processus vraiment ouvert, comme le réclame le peuple américain ? » (Acclamations, applaudissements, quelques huées.)

Côté Sénat, le cadre m'a paru moins guindé. Joe et moi avons été invités à nous asseoir à une table en compagnie de la quarantaine de sénateurs présents, d'anciens homologues pour beaucoup d'entre eux. Mais, dans le fond, la réunion n'a pas été si différente : chaque républicain qui s'est donné la peine de prendre la parole a entonné le même refrain, décrivant la relance comme un renflouement à géométrie variable qui profiterait surtout aux démocrates et exploserait le budget, aussi les démocrates devaient-ils commencer par revoir leur copie s'ils voulaient obtenir la moindre coopération.

Sur le trajet du retour à la Maison-Blanche, Rahm était furieux, Phil abattu. Je leur ai dit que ce n'était pas grave, qu'en fait j'avais apprécié ces échanges.

« Vous pensez qu'on peut encore gagner combien de républicains ? ai-je demandé.

– Une douzaine, si on a de la chance », a dit Rahm en haussant les épaules.

C'était là une estimation bien optimiste. Le lendemain, le Recovery Act était voté à la Chambre avec 244 voix pour et 188 voix contre, avec précisément *zéro* vote républicain. C'était la première salve d'un plan de bataille que McConnell, Boehner, Cantor et consorts allaient déployer avec une impressionnante discipline au cours des huit années à venir : le refus absolu de travailler avec moi ou les membres de mon gouvernement, quelles que soient les circonstances, quel que soit le sujet, sans se soucier des conséquences pour le pays.

On POURRAIT PENSER que, pour un parti politique qui venait juste d'essuyer deux cycles de défaites cinglantes, la stratégie du GOP consistant à opposer une obstruction systématique et pugnace présentait de gros risques. Et, en période de véritable crise, il y avait là assurément quelque chose d'irresponsable.

Mais si, comme Boehner et McConnell, votre objectif premier était de reprendre le pouvoir coûte que coûte, l'histoire montrait qu'une telle stratégie avait fait ses preuves. Les électeurs américains avaient beau déplorer que les politiciens des camps opposés ne s'entendent pas, ils récompensaient rarement l'opposition ayant collaboré avec le parti au pouvoir. Dans les années 1980, les démocrates avaient conservé leur mainmise sur la Chambre (mais pas sur le Sénat) longtemps après l'élection de Ronald Reagan et le basculement du pays à droite, notamment en raison de la volonté des leaders républicains « responsables » de contribuer au bon fonctionnement du Congrès ; la majorité à la Chambre avait changé de camp uniquement après que le Parti républicain, conduit par Gingrich, eut transformé le Congrès en un lieu de querelles continuelles. De même, les démocrates n'avaient pas réussi à se faire entendre, dans un Congrès dominé par les républicains, en aidant le président Bush à faire passer ses réductions d'impôts ou son projet de loi concernant les médicaments sur ordonnance ; en revanche, ils avaient reconquis la Chambre et le Sénat quand ils avaient commencé à s'opposer systématiquement aux chefs de file républicains, sur des sujets allant de la privatisation du système de protection sociale à la gestion de la guerre en Irak.

McConnell et Boehner avaient su retenir ces leçons. Ils avaient compris que tout soutien qu'ils offriraient à mon gouvernement pour construire une réponse efficace et durable de l'État à la crise me serait bénéfique au plan politique – et reviendrait à reconnaître tacitement la faillite de leur rhétorique anti-gouvernement, anti-régulations. Si, au contraire, ils se livraient à un combat d'arrière-garde, suscitaient de la controverse et jetaient quelques grains de sable dans les rouages, au moins avaient-ils une chance de galvaniser leur base et de nous ralentir, les démocrates et moi, à un moment où le pays, assurément, s'impatientait.

En mettant à exécution leur stratégie, les chefs de file républicains disposaient de quelques éléments en leur faveur – à commencer par la nature de la couverture contemporaine de l'actualité. Entre le Sénat et les campagnes, je connaissais pratiquement tous les journalistes politiques des grands médias nationaux et, dans l'ensemble, je les trouvais intelligents, travailleurs, soucieux de respecter la déontologie et de rendre compte de la réalité. À la même période, les conservateurs n'avaient pas tort de penser que, à titre personnel, les journalistes, dans leur majorité, étaient plutôt à gauche du spectre politique.

Il était à première vue peu probable que la situation que nous connaissions transforme les journalistes en complices des projets de McConnell et Boehner. Mais, que ce soit par peur de trahir leurs *a priori*, parce que le conflit est vendeur, parce que leur rédaction le leur demandait ou parce que c'était le moyen le plus simple de se plier aux délais des fils d'actualité qui, boostés par Internet, tournaient vingt-quatre heures sur vingt-quatre, leur approche collective des reportages concernant ce qui se passait à Washington obéissait à un scénario d'une prévisibilité déprimante :

Rapporter ce que dit un camp (incluant une brève phrase choc).

Rapporter ce que dit l'autre camp (brève phrase choc du camp opposé – plus elle est insultante, mieux c'est).

Laisser aux sondages d'opinion le soin de décider qui a raison.

Avec le temps, mon équipe et moi nous sommes résignés à ce style de couverture médiatique de type « untel a dit ceci / untel a dit cela », au point d'en plaisanter. (« Par conférences de presse interposées, le débat sur la forme de la Terre a fait rage aujourd'hui : le président Obama – qui affirme que la Terre est ronde – a essuyé le feu nourri de républicains qui ont soutenu que la Maison-Blanche aurait dissimulé des documents prouvant que la Terre est plate. ») Durant les premières semaines, toutefois, notre équipe chargée de la communication venant tout juste de se constituer, nous avons pu encore être surpris. Pas seulement par la volonté du GOP de colporter des demi-vérités ou des mensonges éhontés sur ce que proposait le Recovery Act (faire croire que nous avions prévu de dépenser des millions pour créer un musée de la mafia à Las Vegas, par exemple, ou que Nancy Pelosi avait glissé une enveloppe de 30 millions de dollars pour sauver une espèce de souris menacée d'extinction), mais aussi par la résolution des médias de diffuser ou de publier ces énormités comme s'il s'agissait d'informations sérieuses.

En insistant beaucoup, nous pouvions obtenir d'un organe de presse qu'il publie un article contradictoire passant au crible les affirmations des républicains. Il était rare, cependant, que la vérité ait autant d'impact que la une initiale. La plupart des Américains – élevés dans la croyance que le gouvernement gaspillait l'argent – n'avaient ni le temps ni l'envie d'être au fait des détails du processus législatif, ni de savoir qui se montrait raisonnable ou non à la table des négociations. Tout ce qu'ils percevaient, c'était ce que la presse de Washington leur disait – à savoir que républicains et démocrates se battaient à nouveau, que les politiciens dépensaient des sommes folles et que le petit nouveau à la Maison-Blanche ne faisait rien pour changer les choses.

Bien entendu, les efforts pour discréditer le Recovery Act dépendaient de la capacité des leaders du GOP à faire respecter les consignes à leurs troupes. Ils devaient *a minima* s'assurer que le plan de relance ne recueillerait pas le soutien de suffisamment de républicains pour être présenté comme « bipartite », car (comme l'expliquerait ultérieurement McConnell) « lorsqu'on appose l'étiquette bipartite à quelque chose, cela suggère que des compromis ont été trouvés ». Leur tâche était désormais facilitée par le fait que la majorité des membres du GOP venaient de circonscriptions ou d'États solidement républicains. La base de leurs électeurs, biberonnée aux débats sur Fox News, aux émissions de libre antenne et aux discours de Sarah Palin, n'était pas d'humeur à faire des compromis ; en définitive, la plus forte menace pesant sur la perspective de réélection de ces délégués venait d'opposants aux primaires au sein de leur parti, qui pourraient les accuser d'être en réalité des réformistes refoulés. Rush Limbaugh avait déjà fustigé des républicains comme McCain pour avoir déclaré, une fois l'élection passée, qu'il me souhaitait de réussir. « J'espère qu'Obama échouera ! » avait tonné l'animateur. Début 2009, la plupart des élus républicains ne jugeaient pas sage d'attaquer aussi frontalement en public (en privé, c'était une autre histoire, comme nous l'apprendrions par la suite). Mais même les politiciens qui ne partageaient pas les vues de Limbaugh savaient qu'en prononçant cette simple formule, de fait, il mobilisait – et influençait – l'opinion d'une bonne part de leur électorat.

Les gros donateurs conservateurs pesaient également dans la balance. Paniqués par les coups portés à l'économie et l'impact déjà visible sur les résultats comptables de leurs membres, les groupes traditionnels représentant les intérêts des entreprises, comme la Chambre de commerce, s'étaient en définitive prononcés en faveur du Recovery Act. Mais leur influence sur le Parti républicain avait à cette époque été supplantée par celle d'idéologues milliardaires comme David et Charles Koch, qui avaient consacré des décennies et des centaines de millions de dollars à construire méticuleusement un réseau de *think-tanks*, de groupes de pression, d'acteurs susceptibles d'orchestrer des coups médiatiques et d'agents politiques, tous animés de l'objectif exprès de démanteler les derniers vestiges de l'État-providence moderne. Pour eux, tout impôt était confiscatoire, la porte ouverte au communisme ; toute régulation était une trahison des principes du libre marché et du mode de vie américain. Ils considéraient ma victoire comme une menace mortelle – c'est pourquoi, peu après mon investiture, ils avaient organisé un conclave réunissant certains des conservateurs les plus riches des États-Unis dans une somptueuse résidence, à Indian Wells, en Californie, pour définir une stratégie de riposte. Ils ne voulaient ni compromis ni consensus. Ils voulaient la guerre. Et ils ont fait savoir que tout élu républicain qui n'aurait pas le cran de s'opposer à chaque étape de ma politique non seulement verrait ses financements se tarir, mais en outre se retrouverait aux primaires face à un candidat disposant d'un financement abondant.

Quant aux républicains qui étaient encore tentés de coopérer avec moi malgré la pression des électeurs, des donateurs et des médias conservateurs, la bonne vieille pression à l'ancienne des collègues achevait le plus souvent de les en dissuader. Pendant la transition, j'avais fait la connaissance de Judd Gregg, un sénateur républicain compétent et honnête du New Hampshire, et lui avais proposé de le nommer secrétaire au Commerce – conformément à mes promesses d'une gouvernance transpartisane. Il avait immédiatement accepté et, début février, nous avons annoncé sa nomination. Mais l'opposition républicaine au Recovery Act s'est faite de plus en plus agressive, McConnell et le reste des cadres du parti s'en sont pris à lui lors de réunions de son groupe parlementaire et, au Sénat, l'ex-première dame Barbara Bush serait intervenue pour le dissuader d'intégrer mon gouvernement. Judd Gregg a craqué. Une semaine après l'annonce, il m'appelait pour se retirer.

Certains républicains n'ont pas tout de suite perçu que le vent tournait au sein de leur parti. Le jour où le Sénat devait voter le Recovery Act, je me trouvais à Fort Myers, en Floride, où je participais à un débat pour défendre le projet de loi et répondre à des questions sur l'économie.

À mes côtés, le gouverneur de Floride, Charlie Crist, un républicain modéré, aux manières raffinées et au physique tout droit sorti d'une agence de casting – bronzé, cheveux argentés, dents étincelantes. Crist était extrêmement populaire à l'époque, ayant cultivé l'image de quelqu'un qui n'était pas prisonnier de la ligne du parti, évitant les questions sociales clivantes pour se concentrer sur la promotion des affaires et du tourisme. Il savait aussi que son État avait de gros ennuis : étant un des hauts lieux des emprunts hypothécaires à risque et de la bulle immobilière, la Floride, dont l'économie et le budget étaient en chute libre, avait grand besoin d'aides de l'État fédéral.

C'est donc autant en raison de son tempérament que par nécessité que Crist avait accepté de m'inviter à l'hôtel de ville et de soutenir publiquement le plan de relance. Les valeurs immobilières avaient eu beau chuter de 67 % à Fort Myers (avec 12 % de saisies immobilières), le public était ce jour-là tapageur et remonté à bloc, des démocrates pour la plupart, baignant encore dans cette atmosphère pleine d'espoir de changement que Sarah Palin qualifierait plus tard ironiquement de « *hopey, changey* ». Crist a expliqué de manière sensée, mais avec une certaine prudence, pourquoi il soutenait le Recovery Act, soulignant les bénéfices que la Floride avait à en tirer et la nécessité pour les élus de faire passer l'intérêt des gens avant les stratégies politiciennes ; après quoi j'ai donné au gouverneur mon accolade classique, le « *bro hug* » – une poignée de main, bras dans le dos pour une tape amicale, regard approbateur droit dans les yeux et un merci glissé à l'oreille.

Pauvre Charlie. Comment aurais-je pu deviner que ce geste de deux secondes serait pour lui le baiser de la mort ? Quelques jours à peine après cette rencontre, des images de l'« embrassade » – accompagnées d'appels réclamant la tête de Crist – ont commencé à apparaître dans les organes de presse de droite. En l'espace de quelques mois, Crist est passé du statut de star des républicains à celui de paria. Il s'est fait traiter de béni-oui-oui, de chantre de la conciliation, de républicain poltron n'ayant de républicain que le nom, qui méritait qu'on fasse de lui un exemple. Un certain temps s'est écoulé avant qu'il achève de boire le calice : à la course pour l'investiture au Sénat de 2010, Crist a été forcé de se présenter comme indépendant et s'est fait étriller par un arriviste conservateur, Marco Rubio ; Crist finirait par réaliser un come-back politique en changeant de parti et en se faisant élire dans une circonscription de Floride sous l'étiquette démocrate. Il n'empêche, nombre de républicains du Congrès ont bien compris la leçon.

Coopérez avec l'administration Obama à vos risques et périls. Et si vous devez lui serrer la main, montrez bien que ce n'est pas de gaieté de cœur.

RÉTROSPECTIVEMENT, il est difficile pour moi de ne pas être obnubilé par la dynamique politique qui s'est déployée durant les premières semaines de ma présidence – la vitesse à laquelle les républicains se sont braqués, peu importe ce que nous disions ou faisions, et combien cette résistance a biaisé la façon dont les médias et finalement le grand public ont perçu la substance de nos actions. Après tout, à maints égards, cette dynamique a donné le ton de celle qui prévaudrait dans les mois et les années qui ont suivi, un clivage des sensibilités politiques de l'Amérique auquel nous sommes toujours confrontés une décennie plus tard.

Mais, en février 2009, c'est l'économie qui m'obsédait, pas la politique. Aussi est-il important de souligner un élément que j'ai omis à propos de l'histoire de Charlie Crist : quelques minutes avant de monter sur scène pour lui donner la fameuse accolade, j'avais reçu un appel de Rahm qui m'informait que le Recovery Act venait d'être adopté au Sénat et le serait donc à la Chambre des représentants, grâce à la majorité démocrate.

La façon dont cela s'est passé ne peut pas être considérée comme un modèle de la politique moderne que j'avais prônée durant ma campagne. Cela s'est fait à l'ancienne. À partir du moment où il est apparu clairement à la Chambre que ce ne serait pas un vote bipartite à large majorité, nous nous sommes concentrés sur l'objectif d'avoir la garantie de 61 votes au Sénat – 61, car aucun sénateur ne pouvait se permettre d'être perçu comme celui dont l'unique vote avait permis à la loi Obama de passer haut la main. Dans l'atmosphère radioactive que McConnell avait orchestrée, les seuls républicains qui daignaient envisager de nous soutenir se désignaient eux-mêmes comme des modérés, ayant été élus dans des États que j'avais remportés facilement : Susan Collins et Olympia Snowe, dans le Maine, et Arlen Specter, en Pennsylvanie. Ces trois-là, ainsi que le sénateur Ben Nelson, du Nebraska – porte-parole officieux d'une demi-douzaine de démocrates élus dans des États conservateurs, dont la priorité, sur toute question polémique, était de se positionner n'importe où pourvu que ce soit à la droite de Harry Reid et de Nancy Pelosi, et ainsi de se voir décerner la précieuse étiquette « centriste » de la part des commentateurs de Washington –, sont devenus les cerbères à amadouer pour que le Recovery Act soit adopté. Et aucun de ces quatre sénateurs n'a hésité à nous faire payer le prix fort.

Specter, qui avait vaincu deux fois le cancer, a insisté pour qu'une enveloppe de 10 milliards du Recovery Act aille aux instituts nationaux de la santé. Collins a exigé qu'on retire du projet de loi les fonds destinés à la construction d'écoles et fait ajouter une disposition fiscale garantissant aux Américains de la classe moyenne supérieure qu'ils ne paieraient pas davantage d'impôts. Nelson voulait des moyens financiers accrus au titre du programme Medicaid pour les États ruraux. Leurs exigences grevaient le budget de plusieurs milliards ; cependant, le groupe insistait pour que le budget total n'excède pas les 800 milliards de dollars, car tout nombre supérieur semblait « excessif ».

Pour autant qu'on sache, il n'y avait là nulle logique économique, uniquement un positionnement politique et un chantage classique de la part de politiciens qui se savaient en position de force. Mais cette vérité est largement passée inaperçue ; du point de vue de la presse, le simple fait que quatre sénateurs aient travaillé de manière « bipartite » dénotait une pondération et une sagesse de Salomon. Pendant ce temps, les démocrates progressistes, en particulier à la Chambre, m'en voulaient furieusement d'avoir permis qu'une « bande des quatre » décide du contenu final de la loi. Certains sont même allés jusqu'à suggérer que j'entreprenne une tournée sur le terrain contre Snowe, Collins, Specter et Nelson, dans leurs États, jusqu'à ce qu'ils renoncent à leurs demandes de « rançon ». J'ai répondu qu'il n'en était pas question, ayant calculé (avec la connivence de Joe, Rahm, Phil, Harry et Nancy) que la tactique du bras de fer avait toutes les chances de se retourner contre nous – et fermerait en outre la porte à une collaboration ultérieure du quatuor pour d'autres lois que je voulais faire passer.

De toute façon, le temps pressait ; ou, pour reprendre la formule d'Axe, il y avait le feu à la maison, et la seule lance anti-incendie était entre les mains de ces quatre sénateurs. Après une semaine de négociations (après que moi, Rahm et surtout Joe avons passé beaucoup de temps à amadouer, tanner et choyer les sénateurs), un accord a été trouvé. Les quatre ont dans l'ensemble obtenu ce qu'ils voulaient. En retour, nous avons eu leurs votes, tout en conservant plus de 90 % des mesures de relance que nous avions initialement proposées. À l'exception des votes de Collins, Snowe et Specter, la loi dans sa version modifiée, épaisse de 1 073 pages, a été adoptée par la Chambre et le Sénat sans qu'une seule brebis galeuse dévie des consignes de son parti. Moins d'un mois après mon entrée en fonction, je n'avais plus qu'à apposer ma signature pour qu'entre en vigueur l'American Recovery and Reinvestment Act.

LA CÉRÉMONIE DE PROMULGATION a eu lieu devant une petite assemblée au musée de la nature et des sciences de Denver. Nous avions demandé au PDG d'une société d'énergie solaire, avec un régime d'actionnariat pour les employés, de prononcer le discours d'introduction ; en l'écoutant décrire ce que le Recovery Act signifierait pour son entreprise – les licenciements évités, les nouveaux emplois créés, l'économie verte qu'il espérait promouvoir –, j'ai fait de mon mieux pour savourer le moment.

À l'aune de tout critère conventionnel, j'étais sur le point de signer une loi historique : un effort de redressement d'une ampleur comparable au New Deal de Roosevelt. Le plan de relance ne boosterait pas seulement la demande globale. Il aiderait des millions de personnes à survivre à la tempête économique, élargirait l'accès à l'assurance chômage pour les sans-emploi, à l'aide alimentaire pour ceux qui avaient faim et aux soins médicaux pour ceux dont la vie avait été bouleversée ; il accorderait les plus fortes réductions d'impôts concédées depuis Reagan pour les familles de la classe moyenne et des classes populaires ; et il apporterait la plus grosse injection de dépenses nouvelles dans les infrastructures et les réseaux de transport de la nation depuis l'administration Eisenhower.

Ce n'est pas tout. Sans perdre de vue la relance à court terme et la création d'emplois, le Recovery Act serait aussi un premier pas décisif dans le sens de mes engagements de campagne de moderniser l'économie. Il promettait de transformer le secteur énergétique, avec un investissement sans précédent dans le développement des énergies non polluantes et en faveur des économies d'énergie. Il financerait un des programmes de réforme de l'enseignement les plus vastes et les plus ambitieux pour toute une génération. Il encouragerait le passage aux dossiers médicaux électroniques, qui avait le potentiel de révolutionner le système de santé aux États-Unis ; et il faciliterait l'accès à Internet haut débit dans les salles de classe et les zones rurales qui n'avaient jusqu'alors pas accès aux autoroutes de l'information.

Chacune de ces mesures aurait constitué à elle seule une avancée décisive pour n'importe quel gouvernement. Prises ensemble, elles auraient pu représenter l'accomplissement de toute une mandature.

Et pourtant, après avoir fait le tour des panneaux solaires sur le toit du musée, être monté sur le podium et avoir remercié le vice-président et mon équipe d'avoir mené tout cela à bien dans un contexte de forte pression ; après avoir témoigné ma reconnaissance à ceux qui, au Congrès, avaient aidé la loi à franchir la ligne d'arrivée ; après avoir utilisé de multiples stylos pour apposer ma signature et ainsi promulguer le Recovery Act, serré la main de tout le monde et accordé quelques interviews – après tout cela, quand je me suis enfin retrouvé seul dans la Bête, le sentiment qui dominait chez moi n'était pas le triomphe, mais un profond soulagement.

Ou, plus exactement, un soulagement mêlé d'une forte dose de mauvais pressentiment.

S'il est vrai que nous avions accompli l'équivalent de deux ans de travail en un mois, nous avions aussi dépensé tout aussi rapidement l'équivalent de deux ans de capital politique. Il était difficile de contester, par exemple, que McConnell et Boehner nous avaient amochés en termes de communication. Leurs attaques incessantes continuaient d'influencer la manière dont les médias parlaient du Recovery Act, la presse faisant des gorges chaudes de la moindre accusation fallacieuse de gabegie et de malversations. Certains pontes des médias ont repris à leur compte les racontars colportés par le GOP selon lesquels je n'avais pas réussi à associer assez de républicains à l'élaboration de ma loi, et que je n'avais donc pas tenu ma promesse de gouverner de façon bipartite. D'autres ont insinué que notre accord avec Collins, Nelson, Snowe et Specter relevait du marchandage cynique, caractéristique de Washington, plutôt que du « changement auquel nous pouvons croire ».

Le soutien public au Recovery Act avait augmenté au fil des semaines qui avaient été nécessaires pour promulguer la loi. Mais, bientôt, le tapage ambiant aurait pour effet d'inverser cette tendance. Entre-temps, une bonne partie de ma base démocrate – baignant encore dans l'euphorie de la soirée de l'élection et perturbée par le fait que les républicains refusaient d'accepter sagement leur défaite – semblait moins satisfaite de tout ce que nous avions réussi à intégrer dans le Recovery Act qu'en colère à cause des quelques mesures auxquelles nous avions dû renoncer. Les commentateurs de gauche insistaient pour dire que si seulement nous avions été plus fermes avec la bande des quatre, la relance aurait été de plus grande ampleur. (Cela en dépit du fait que notre programme était deux fois plus important que ce que ces commentateurs réclamaient à peine quelques semaines auparavant.) Des associations de femmes étaient mécontentes de la suppression des dispositions en matière de contraception. Des groupes du secteur des transports se plaignaient que l'augmentation des fonds alloués aux transports en commun n'était qu'une partie de ce qu'ils réclamaient. Les écologistes semblaient passer davantage de temps à critiquer la part infime de financement accordée aux projets de charbon propre qu'à célébrer les investissements massifs dans les énergies renouvelables.

Entre les attaques des républicains et les récriminations des démocrates, j'ai repensé au poème de Yeats, « La seconde venue » : ceux qui me soutenaient ne croyaient plus à rien et mes opposants se gonflaient de l'ardeur des passions mauvaises.

Rien de tout cela ne m'aurait inquiété outre mesure si la promulgation du Recovery Act avait été la seule mesure dont nous avions besoin pour relancer l'économie. J'étais confiant, persuadé que nous pourrions concrètement appliquer la loi et prouver à ceux qui nous critiquaient qu'ils avaient tort. Je savais que les électeurs démocrates me suivraient sur le long terme et que, dans les sondages, ma popularité auprès du grand public restait globalement élevée.

Le problème était que nous avions encore trois ou quatre grandes initiatives à entreprendre pour mettre un terme à la crise, toutes aussi urgentes les unes que les autres, toutes aussi controversées, toutes aussi difficiles à mettre en œuvre. C'était comme si, ayant gravi une haute montagne, je me trouvais à présent face à une série de pics plus escarpés encore – tout en me rendant compte que je m'étais foulé une cheville, que le mauvais temps menaçait et que j'avais utilisé la moitié de mes vivres.

Je n'en ai parlé à personne au sein de mon équipe ; ils étaient déjà bien assez éreintés comme ça. Prends sur toi, me suis-je dit. Serre bien tes lacets. Réduis tes rations.

Continue à aller de l'avant.

CHAPITRE 12

Cher Président Obama,

J'ai reçu un avis aujourd'hui m'annonçant qu'à compter du 30 juin 2009, je rejoindrai le nombre en rapide augmentation des chômeurs de ce pays...

En mettant mes enfants au lit ce soir, luttant contre la panique qui menace de me consumer, je me suis rendu compte qu'en tant que parent je n'aurai pas les opportunités dont ont bénéficié mes propres parents. Je ne peux pas regarder mes enfants et leur dire en toute honnêteté que si on travaille suffisamment dur et qu'on fait suffisamment de sacrifices, alors tout est possible. J'ai appris aujourd'hui qu'on peut faire tous les bons choix, tout bien comme il faut, et pourtant cela ne suffira pas, parce que votre gouvernement vous a lâchée.

Mon gouvernement a pourtant beaucoup parlé de protéger et d'aider la classe moyenne américaine, mais ce que j'ai vu, c'est tout le contraire. Je vois un gouvernement qui a servi les lobbies et les groupes d'intérêts. Je vois que des milliards de dollars sont dépensés pour le renflouement d'institutions financières...

Merci à vous de me permettre d'exprimer simplement quelques-unes de mes pensées en cette soirée de grande émotion.

Bien à vous,
Nicole Brandon
État de Virginie

J<small>E LISAIS DEUX OU TROIS LETTRES</small> de cet acabit chaque soir. Je les remettais dans le classeur dans lequel elles m'étaient parvenues, le posant sur la pile de papiers qui s'entassaient sur mon bureau. Ce soir-là précisément, l'horloge comtoise de la salle des Traités indiquait une heure du matin. Je me suis frotté les yeux, j'ai décidé qu'il me fallait une lampe de bureau qui éclaire mieux, et j'ai contemplé l'imposante peinture à l'huile accrochée au-dessus du lourd canapé en cuir. On y voyait le président McKinley, corpulent, l'air sévère, se tenant comme un proviseur aux sourcils épais, tandis qu'un groupe d'hommes moustachus signaient le traité mettant fin à la guerre hispano-américaine, en 1898, tous réunis autour de cette table à laquelle j'étais à présent assis. C'était une belle œuvre de musée, mais loin d'être l'idéal pour cette pièce qui était désormais mon bureau particulier. Je me suis dit qu'il faudrait que je la remplace par quelque chose de plus contemporain.

À part les cinq minutes où j'avais traversé le vestibule pour mettre les filles au lit et dire bonne nuit à Michelle, j'étais resté vissé à mon fauteuil depuis le dîner, comme à peu près tous les soirs de la semaine. Pour moi, c'étaient souvent les heures les plus calmes et les plus productives de la journée, un moment où je pouvais rattraper le travail en retard et me préparer pour ce qui m'attendait le lendemain, lisant attentivement les piles de documents que ma secrétaire m'avait transmis à la résidence. Les dernières données économiques. Des notes appelant une décision. Des notes pour information. Des synthèses du renseignement. Des propositions de loi. Des brouillons de discours. Des sujets à aborder en conférence de presse.

Mais c'est en lisant les lettres de citoyens que je ressentais avec le plus d'acuité le sérieux de mon travail. J'en recevais chaque soir une sélection de dix – certaines écrites à la main, d'autres des e-mails imprimés –, bien rangées dans un classeur mauve. C'était souvent ce que je regardais en dernier avant d'aller me coucher.

Ç'avait été mon idée, les lettres, une idée qui m'était venue le deuxième jour de mon mandat. Je m'étais dit qu'une dose quotidienne de courrier de mes concitoyens serait un moyen efficace de sortir de ma bulle présidentielle et d'avoir directement des nouvelles de ceux que je servais. Les lettres étaient comme une perfusion en intraveineuse du monde réel, un rappel quotidien de mon engagement envers le peuple américain, de la confiance placée en moi et de l'impact humain de chaque décision que je prenais. J'insistais pour avoir un échantillon représentatif. (« Je ne veux pas juste des lettres joyeuses de la part de sympathisants qui disent que tout va bien », avais-je précisé à Pete Rouse, qui était désormais l'un de mes principaux conseillers et une figure qui, dans l'aile ouest, n'était pas sans rappeler Yoda.) À part cela, nous laissions au Bureau de la correspondance présidentielle le soin de choisir parmi le flot des quelque dix mille lettres et e-mails qui arrivaient chaque jour à la Maison-Blanche lesquels se retrouveraient dans le classeur.

La première semaine, j'ai lu presque exclusivement des courriers positifs : des messages de félicitations, des gens qui me disaient combien la cérémonie de mon investiture les avait inspirés, des enfants qui proposaient des lois (« Vous devriez faire une loi pour réduire les devoirs à faire à la maison »).

Mais, au fil des semaines, les lettres sont devenues plus sombres. Un homme qui avait exercé le même travail pendant vingt ans décrivait la honte qu'il avait ressentie quand il avait dû annoncer à sa femme et à ses enfants qu'on venait de le licencier. Une femme écrivait à la suite de la saisie de sa maison par la banque ; si elle n'obtenait pas une aide immédiate, elle redoutait de finir à la rue. Un étudiant venait de laisser tomber l'université ; sa bourse ne lui avait pas été versée et il retournait habiter chez ses parents. Certaines lettres faisaient des propositions politiques détaillées. D'autres étaient écrites avec colère (« Pourquoi est-ce que votre département de la Justice n'a pas envoyé en prison un seul de ces voyous de Wall Street ? ») ou avec une calme résignation (« Je doute que vous lisiez un jour cette lettre, mais je voulais vous dire que nous on souffre, ici »).

Le plus souvent, c'étaient des appels à l'aide urgents. Je répondais sur une carte à en-tête présidentiel gaufré, expliquant les étapes par lesquelles nous passions pour remettre en marche l'économie, offrant les encouragements que je pouvais. Je balisais alors la lettre d'instructions pour mon staff : « Voir si le Trésor peut trouver avec la banque une option de refinancement », écrivais-je. « Est-ce que le département des anciens combattants a un programme de prêts pour les vétérans dans cette situation ? » Ou simplement : « Est-ce qu'on peut l'aider ? »

C'était généralement suffisant pour que l'agence *ad hoc* se penche sur ce cas. L'auteur de la lettre serait contacté. Quelques jours ou quelques semaines plus tard, je recevrais un mémo de suivi, expliquant que des mesures avaient été prises en faveur de la personne concernée. Parfois, les gens obtenaient ce qu'ils avaient demandé – leur maison provisoirement sauvée, une place dans un programme d'apprentissage.

Cependant, il était difficile de tirer satisfaction de ces cas individuels. Je savais que chaque lettre représentait le désespoir de millions d'individus dans tout le pays, que des gens comptaient sur moi pour garder leur boulot ou leur maison, pour retrouver le sentiment de sécurité qu'ils avaient jadis connu. Mon équipe et moi avions beau travailler d'arrache-pied, mettre en place une multitude d'initiatives, j'avais beau faire des discours, les faits étaient sans appel et accablants.

Trois mois après le début de ma présidence, plus de gens étaient en souffrance que lorsque j'étais entré en fonction, et personne – moi pas plus que les autres – n'était en mesure d'affirmer qu'une embellie était en vue.

LE 18 FÉVRIER, le lendemain de la signature du Recovery Act, j'ai pris l'avion à destination de Mesa, en Arizona, pour annoncer notre plan de lutte contre l'effondrement du marché immobilier. Hormis les pertes d'emploi, aucun aspect de la crise économique n'avait un impact plus direct sur les gens ordinaires. Si plus de trois millions d'habitations avaient été sous le coup d'une procédure de saisie immobilière en 2008, à une étape plus ou moins avancée, c'étaient à présent huit millions de foyers qui étaient en péril. Au cours des trois derniers mois de l'année, les prix de l'immobilier avaient chuté de presque 20 %, ce qui signifiait que même les familles qui arrivaient à honorer leurs échéances se retrouvaient soudain « sous l'eau » – leur maison valant maintenant moins que ce qu'ils devaient, leur investissement principal n'étant plus qu'un boulet de dettes à leur cou.

La situation était particulièrement catastrophique dans des États comme le Nevada et l'Arizona, deux des épicentres de l'éclatement de la bulle immobilière liée aux subprimes. Là-bas, on pouvait rouler au milieu de lotissements entiers qui ressemblaient à des villes fantômes, on passait devant des pavillons tous identiques, dont beaucoup étaient encore neufs, mais sans vie, des résidences qui avaient été construites mais jamais vendues, ou alors vendues avant de faire promptement l'objet de saisies. Dans un cas comme dans l'autre, les maisons étaient vides, les fenêtres barricadées de planches pour certaines. Les quelques habitations encore occupées étaient comme de petites oasis, leurs pelouses au format timbre-poste vertes et entretenues, voitures garées devant l'allée du garage, avant-postes solitaires avec, en toile de fond, un calme ravagé. Je me souviens d'avoir discuté avec le propriétaire d'une maison dans un de ces lotissements, pendant une visite de campagne dans le Nevada. C'était un homme robuste d'une quarantaine d'années, en tee-shirt blanc, qui avait arrêté sa tondeuse pour me serrer la main pendant qu'un petit garçon blondinet tournait à toute vitesse autour de lui sur son tricycle rouge. Il avait plus de chance que la plupart de ses voisins, m'a-t-il expliqué : il avait assez d'ancienneté à l'usine où il travaillait pour avoir évité la première vague de licenciements, et sa femme infirmière semblait assurée de garder son poste. Il n'empêche, la maison qu'ils avaient achetée 400 000 dollars au plus haut de la bulle en valait maintenant la moitié. Ils se demandaient à présent s'ils n'auraient pas mieux fait de se déclarer en défaut de paiement et de s'en aller. Vers la fin de notre discussion, l'homme s'est tourné vers son fils.

« Je me souviens de mon père qui parlait du Rêve américain, quand j'étais gamin, a-t-il dit. Comme quoi l'important, c'était de bosser dur. Acheter une maison. Fonder une famille. Faire les choses comme il faut. Il en est où, le Rêve américain ? À quel moment c'est devenu un tas de... ? » Sa phrase est restée en suspens, il paraissait affligé, il a essuyé la sueur de son visage avant de redémarrer sa tondeuse.

La question était de savoir ce que mon gouvernement pouvait faire pour aider un homme comme lui. Il n'avait pas perdu sa maison, mais il avait perdu la foi dans l'entreprise commune de notre pays, dans son idéal plus vaste.

Les défenseurs des logements à prix modérés et certains réformistes du Congrès prônaient un programme gouvernemental à grande échelle afin non seulement de réduire les mensualités pour les gens risquant de perdre leur maison, mais aussi d'effacer une partie de leur dette restante. De prime abord, l'idée était séduisante : « Renflouer Main Street, pas Wall Street », l'Amérique moyenne, pas la Bourse, pour reprendre la formule des adeptes de cette mesure. Mais la valeur des biens immobiliers avait si fortement chuté dans tout le pays qu'une réduction du principal aurait eu un coût prohibitif ; notre équipe avait calculé que même une initiative de l'envergure d'un deuxième TARP – ce qui politiquement était impossible – n'aurait qu'un effet limité, une fois ventilé sur le marché immobilier américain qui pesait 20 000 milliards de dollars.

Nous avons décidé de lancer deux programmes plus modestes que j'ai détaillés ce jour-là à Mesa : le Home Affordable Modification Program (HAMP), visant à diminuer les remboursements mensuels d'emprunts immobiliers pour les propriétaires éligibles, afin qu'ils restent inférieurs à un seuil de 31 % de leurs revenus, et le Home Affordable Refinance Program (HARP), qui aiderait les emprunteurs à refinancer leurs prêts immobiliers à des taux plus bas si leur maison était menacée. À dessein, tous les propriétaires ne pourraient pas bénéficier de telles mesures : ainsi de ceux qui, par les emprunts de subprimes, avaient acheté bien plus que ce que leur permettaient leurs revenus. Ne seraient pas aidés non plus ceux qui avaient acheté de l'immobilier à titre d'investissement financé par la dette, pensant pouvoir faire du profit en revendant les propriétés. Étaient concernées en revanche les millions de familles sur le point de basculer : celles qui habitaient dans leur maison et avaient effectué ce qui, à l'époque, semblait être un achat raisonnable, et qui, à présent, avaient besoin d'un coup de pouce pour s'en sortir.

Il y avait toutes sortes d'obstacles logistiques à la mise en œuvre de ces programmes. Par exemple, s'il était dans l'intérêt des créanciers hypothécaires de faire en sorte que les familles restent dans leurs maisons (dans un marché déjà en récession, les maisons hypothéquées se vendaient à prix bradés, ce qui se soldait par des pertes colossales pour le créancier), les prêts n'étaient plus détenus par un ensemble de banques sur lesquelles nous pouvions faire pression pour qu'elles participent. Au lieu de cela, ils avaient été titrisés, vendus sous forme de fragments épars à divers investisseurs du monde entier. Le propriétaire n'avait jamais directement affaire à ces bailleurs anonymes, il payait le remboursement de son emprunt immobilier à une société chargée du service de la dette qui fonctionnait quasiment comme une vulgaire agence de recouvrement. En l'absence de tout recours légal, le mieux que nous pouvions faire était de proposer des mesures incitatives pour que ces entreprises se montrent plus souples avec les propriétaires immobiliers. Il nous fallait aussi convaincre ces sociétés de traiter des millions de demandes pour déterminer qui pourrait, ou non, prétendre à l'aménagement ou au refinancement de son emprunt immobilier, alors qu'elles n'avaient pas nécessairement les compétences requises pour cela.

Et puis, qui au juste méritait cette assistance de l'État ? Cette question s'immiscerait dans pratiquement chaque débat de fond que nous aurions durant toute la crise économique. Après tout, la situation avait beau être terriblement morose en 2009, la grande majorité des propriétaires immobiliers s'arrangeaient d'une façon ou d'une autre pour s'acquitter de leurs remboursements. Pour ce faire, beaucoup rognaient sur leurs dépenses en sorties au restaurant, avaient résilié leur abonnement au câble ou puisé dans les économies qu'ils réservaient en vue de la retraite ou pour les études de leurs enfants.

Était-il équitable de consacrer les impôts sur les dollars durement gagnés de ces Américains à réduire le montant des traites d'un voisin qui avait des arriérés ? Et si le voisin s'était acheté une maison au-dessus de ses moyens ? Et s'il avait opté pour un type de prêt moins cher, mais plus risqué ? Fallait-il tenir compte du fait qu'un voisin avait été mené en bateau par un courtier hypothécaire alors qu'il croyait bien faire ? Et si le voisin avait emmené ses enfants à Disneyland l'année d'avant, au lieu de placer cet argent en lieu sûr pour voir venir en cas de coup dur – méritait-il moins d'être aidé ? Ou, s'il avait pris du retard dans ses remboursements non parce qu'il avait creusé une nouvelle piscine ou était parti en vacances, mais parce qu'il avait perdu son emploi, ou parce qu'un membre de sa famille était tombé malade et que l'employeur n'avait pas proposé d'assurance-maladie, ou tout simplement parce qu'il n'habitait pas dans le bon État – en quoi cela modifiait-il le calcul moral ?

Pour les décideurs politiques tâchant d'arrêter une crise, aucune de ces questions n'avait d'importance – du moins à court terme. Si la maison de votre voisin est en feu, vous n'avez pas envie que la personne qui prend votre appel à la caserne vous demande si la cause de l'incendie est la foudre ou quelqu'un qui fumait au lit, avant de vous envoyer les pompiers ; vous voulez juste que l'incendie soit maîtrisé avant qu'il ne se propage à votre maison. Les nombreuses saisies immobilières étaient l'équivalent d'un incendie extrêmement grave en train de faire sombrer le cours immobilier et l'économie au passage. Et, de notre point de vue en tout cas, nous étions les pompiers.

Cependant, les questions d'impartialité étaient au cœur des préoccupations du grand public. Je n'ai pas été étonné quand des experts ont réagi de manière critique vis-à-vis de notre plan de sauvetage du logement, suggérant qu'une enveloppe de 75 milliards de dollars était bien trop modeste pour faire face à un problème d'une telle ampleur, ou lorsque les défenseurs du droit au logement nous ont éreintés dans la presse, car nous n'avions prévu aucun mécanisme pour alléger le principal des emprunts. Ce que mon équipe et moi n'avons pas vu venir ce jour-là, à Mesa, c'est la critique qui a fini par attirer le plus d'attention, peut-être parce qu'elle émanait d'une source improbable. Le lendemain du meeting, Gibbs a signalé un certain Rick Santelli, commentateur économique sur CNBC, qui s'était lancé dans une interminable diatribe contre notre plan pour le logement. Gibbs, dont le radar pour ce genre de choses n'était jamais éteint, semblait soucieux.

« Il est très suivi, a-t-il dit. Et les correspondants accrédités m'interrogent à son sujet. Vous aurez peut-être envie de voir de quoi il s'agit. »

Le soir, j'ai regardé la vidéo sur mon ordinateur portable. Je voyais bien qui était Santelli ; il ne semblait pas bien différent de tous ces présentateurs qui pullulaient dans les émissions économiques des chaînes câblées, débitant un mélange de ragots du café du commerce et d'infos périmées avec le bagout des présentateurs de publireportage qu'on peut voir tard le soir. Cette vidéo, il l'avait tournée en direct du Chicago Mercantile Exchange, un marché à terme, fulminant d'une colère théâtrale, entouré de traders qui, de leurs bureaux, l'encourageaient d'un air suffisant, tandis qu'il débitait une litanie d'arguments classiques des républicains, y compris l'idée (fausse) que nous allions rembourser les emprunts immobiliers de paniers percés et d'autres bons

à rien irresponsables – Santelli les traitait de « pauvres types » – qui
s'étaient mis tout seuls dans le pétrin. « L'État encourage la tricherie !
criait-il. Combien d'entre vous ont envie de payer pour les emprunts
immobiliers du voisin qui a une salle de bains en plus et n'est pas
capable de régler ses factures ? »

Santelli poursuivait en déclarant que « nos Pères fondateurs, des
gens comme Benjamin Franklin et Jefferson, en voyant ce qu'on est
en train de faire dans ce pays actuellement, ils se retournent dans leur
tombe ». À un moment, au milieu de son monologue, il suggérait « une
tea-party à Chicago en juillet » pour mettre le holà aux cadeaux que
l'État donnait par brassées.

J'avais du mal à ne pas voir cette histoire pour ce qu'elle était : un
numéro passablement divertissant dont l'objectif était non pas d'informer, mais d'occuper du temps d'antenne, de vendre de la publicité
et de donner l'impression aux téléspectateurs de l'émission matinale
d'analyse économique « Squawk Box » qu'ils étaient de véritables initiés
– et non pas un de ces « pauvres types ». Qui, après tout, irait prendre
au sérieux ce populisme à la noix ? Combien d'Américains considéraient
les traders du Chicago Merc comme représentatifs du pays – des traders
qui n'avaient pas perdu leur emploi, justement parce que l'État était
intervenu pour maintenir à flot le système financier ?

Autrement dit, c'étaient des conneries. Santelli le savait. Les présentateurs qui plaisantaient avec lui le savaient. Et pourtant, il était clair
que les traders, eux au moins, étaient complètement d'accord avec ce
que Santelli racontait. Ils ne semblaient pas le moins du monde saisir
que le petit jeu auquel ils se livraient avait été pipé de A à Z, si ce n'est
par eux, alors par leurs employeurs, qui étaient les vrais flambeurs de
l'histoire, dans leurs salles de conférence lambrissées. Ils ne semblaient
pas se formaliser du fait que pour chaque « pauvre type » qui avait
fait un achat immobilier au-dessus de ses moyens, vingt autres avaient
été raisonnables, mais souffraient maintenant des retombées des paris
hasardeux de Wall Street.

Non, ces traders étaient vraiment contrariés, persuadés qu'ils allaient
se faire avoir à cause de l'État. Ils étaient convaincus d'être les victimes.
L'un d'eux s'était même confié au micro de Santelli pour déclarer que
notre plan logement était un « aléa moral » – convoquant un terme
économique qui était entré dans le lexique populaire, utilisé pour
expliquer comment des politiques qui protégeaient les banques malgré
leurs pertes faramineuses pourraient avoir pour effet d'encourager des
comportements encore plus imprudents à l'avenir. Or, désormais, la
même expression était brandie pour prendre parti contre l'aide aux

familles qui, sans qu'elles y soient pour rien, étaient sur le point de perdre leur maison.

J'ai interrompu la vidéo, irrité. C'était un truc classique, me suis-je dit, le genre de tour de passe-passe rhétorique qui était devenu monnaie courante chez tous les commentateurs conservateurs, quel que soit le sujet : s'approprier le langage jadis utilisé par les classes défavorisées pour mettre en lumière un mal sociétal et en retourner le sens. Le problème n'est plus la discrimination contre les personnes de couleur, selon leur argument ; c'est le « racisme anti-Blancs », les minorités « jouant la carte raciale » pour obtenir un avantage non mérité. Le problème n'est pas le harcèlement sexuel sur le lieu de travail ; ce sont les « feminazis » dépourvues d'humour qui assomment les hommes avec leur politiquement correct. Le problème, ce ne sont pas les banquiers qui utilisent les marchés comme leur propre casino, ou les grandes entreprises qui compriment les salaires en démantelant les syndicats et en délocalisant les emplois ; ce sont les fainéants et les vauriens, avec la complicité de leurs alliés gauchistes à Washington, dont le but est de parasiter les vrais piliers de l'économie, ceux qui « se retroussent les manches ».

De tels arguments n'avaient rien à voir avec la réalité. Ils ne résistaient pas un instant à l'analyse. Ils s'enfonçaient plus en profondeur dans le royaume du mythe, redéfinissant ce qui était juste, indiquant qui étaient les nouvelles victimes, offrant à des gens comme ces traders de Chicago le plus précieux des cadeaux : la conviction de l'innocence, ainsi que l'indignation vertueuse qui l'accompagne.

JE REPENSERAIS SOUVENT à cet extrait vidéo de Santelli, annonciateur des batailles politiques auxquelles je serais confronté au cours de ma présidence. Car il y avait au moins une vérité dans ce qu'il avait dit : ce que nous attendions de l'État avait effectivement changé en deux siècles, par rapport au temps où les Pères fondateurs en avaient rédigé l'acte constitutif. Outre les principes essentiels – repousser l'ennemi et conquérir des territoires, faire respecter les droits de propriété et la surveillance policière que des propriétaires blancs considéraient comme nécessaires pour maintenir l'ordre –, notre démocratie à ses débuts nous avait, dans une large mesure, livrés à nous-mêmes. Puis une guerre sanglante éclata pour décider si faire respecter la propriété privée s'étendait à traiter les Noirs comme des biens. Des mouvements furent lancés par des travailleurs, des fermiers et des femmes qui avaient pu constater personnellement que la liberté d'un homme impliquait trop souvent leur propre assujettissement. Une crise survint, et les gens apprirent qu'être livré à soi-même pouvait signifier la misère et la honte.

C'est ainsi que les États-Unis et d'autres démocraties avancées en vinrent à créer le contrat social moderne. Comme notre société devenait plus complexe, la fonction du gouvernement a pris de plus en plus la forme d'une sécurité sociale, chacun de nous participant *via* nos impôts pour nous protéger collectivement – des dédommagements si notre maison était détruite par un ouragan ; une assurance chômage si nous perdions notre emploi ; le système de protection sociale et Medicare pour atténuer les outrages du grand âge ; un accès sûr à l'électricité et au téléphone pour les habitants des zones rurales reculées où les sociétés d'équipement n'auraient sinon fait aucun bénéfice ; des écoles et des universités publiques pour démocratiser l'enseignement.

Cela a marché, plus ou moins. En l'espace d'une génération, et pour une vaste majorité d'Américains, la vie s'est améliorée, est devenue plus sûre, plus prospère et plus juste. Une large classe moyenne s'est épanouie. Les riches sont restés riches, mais peut-être pas aussi riches qu'ils auraient aimé, et le nombre de pauvres a diminué, ils n'étaient pas aussi pauvres qu'ils l'auraient été autrement. Et si nous discutions de temps en temps pour savoir si les impôts étaient trop élevés ou si certaines réglementations décourageaient l'innovation, si l'« État-nounou » sapait l'initiative individuelle ou si tel ou tel programme était du gaspillage, dans l'ensemble nous comprenions les avantages d'une société qui s'efforçait tout du moins de donner sa chance à chacun et de construire un plancher en dessous duquel personne ne pourrait tomber.

Maintenir cette cohésion sociale, toutefois, supposait une certaine confiance. Cela nécessitait que nous nous percevions comme liés les uns aux autres, pas nécessairement comme une famille, mais au moins comme une communauté, chaque membre étant digne de la sollicitude de tous et susceptible de prétendre à la solidarité des autres. Cela supposait que l'on croie que toute action entreprise par l'État pour venir en aide à ceux dans le besoin pouvait nous concerner et concerner les gens comme nous ; que personne ne faussait le système et que les malheurs, les faux pas et les circonstances qui causaient la souffrance d'autrui pouvaient un beau jour nous arriver à nous aussi.

Au fil des ans, cette confiance s'est révélée difficile à maintenir. En particulier, la ligne de faille de la question raciale l'a mise à rude épreuve. Accepter que les Afro-Américains et d'autres groupes minoritaires aient besoin d'une aide particulière de l'État – que l'on pouvait imputer les difficultés spécifiques qu'ils connaissaient à une histoire brutale de la discrimination plutôt qu'à des caractéristiques immuables et à des choix individuels – supposait un niveau d'empathie, de solidarité que de nombreux électeurs blancs avaient du mal à éprouver. Historiquement, des programmes conçus pour aider les minorités, de la promesse de donner à chaque ancien esclave « quarante acres et une mule » à la « discrimination positive », ont été accueillis avec une franche hostilité. Même les programmes universels très largement appréciés – comme l'enseignement public et l'emploi dans le secteur public – sont bizarrement devenus des sujets de controverse à partir du moment où les gens noirs et de couleur ont été inclus parmi les bénéficiaires.

Et puis, les périodes économiques plus difficiles ont eu pour effet de lézarder la confiance des citoyens. Quand le taux de croissance des États-Unis s'est mis à ralentir, dans les années 1970 – quand les salaires ont commencé à stagner et que les bons boulots se sont faits plus rares pour ceux qui n'étaient pas diplômés, quand les parents ont commencé à s'inquiéter parce que leurs enfants risquaient de ne pas réussir au moins aussi bien qu'eux –, l'étendue de la sollicitude des citoyens s'est réduite. Nous sommes devenus plus sensibles au fait que quelqu'un d'autre obtenait quelque chose qui nous échappait, et plus réceptifs à l'idée qu'on ne pouvait pas faire confiance à l'État pour être équitable.

Défendre cette vision des choses – une vision qui alimentait non pas la confiance, mais le ressentiment – en est venu à définir le Parti républicain moderne. Avec des degrés de subtilité divers et des degrés de réussite divers, les candidats du GOP l'ont adoptée comme thème central, que ce soit pour la course à la présidence ou pour se faire élire à la commission scolaire locale. C'est devenu l'antienne de Fox News et des radios conservatrices, le texte fondateur de toute cellule de réflexion ou autre comité d'action politique financé par les frères Koch : l'État détournait l'argent, les emplois, les places à l'université et le statut des gens méritants qui bossaient dur, comme *nous autres*, pour les donner à des gens comme *eux* – qui ne partageaient pas nos valeurs, qui ne travaillaient pas aussi dur que nous, des gens qui ne pouvaient s'en prendre qu'à eux-mêmes s'ils n'étaient pas contents de leur sort.

La force de ces convictions a placé les démocrates sur la défensive, les chefs de file du parti se montrant moins audacieux lorsqu'il s'est agi de proposer de nouvelles initiatives, ce qui a réduit les frontières du débat politique. Un cynisme épais et suffocant s'est installé. De fait, un principe désormais incontestable s'est imposé au sein des conseillers politiques des deux partis, à savoir que restaurer la confiance dans l'État ou dans toute grande institution était une cause perdue d'avance, et que la bataille entre démocrates et républicains à chaque cycle d'élections revenait dorénavant à déterminer si la classe moyenne pressurisée était plus encline à s'identifier aux riches et aux puissants ou bien aux pauvres et aux minorités pour expliquer qu'elle ne s'en sortait pas mieux.

Je ne voulais pas croire que notre politique n'eût rien d'autre à offrir. Je ne m'étais pas présenté juste pour attiser la colère et désigner les fautifs. Je m'étais présenté pour rétablir la confiance du peuple américain – pas seulement en l'État, mais des uns dans les autres. Si nous nous faisions confiance, la démocratie fonctionnait, la cohésion sociale tenait, et nous pouvions résoudre d'importants problèmes comme la stagnation des salaires et la sécurité des retraites qui s'étiolaient. Mais comment et par où commencer ?

La crise économique avait fait pencher la balance en faveur des démocrates. Mais, loin de restaurer le moindre sens d'un objectif commun ou d'une foi dans la capacité de l'État à bien faire, la crise avait aussi attisé la colère des gens, les avait rendus plus craintifs, davantage persuadés que les dés étaient pipés. Ce que comprenait Santelli, ce que comprenaient McConnell et Boehner, c'était à quel point il était facile de canaliser la colère, à quel point la peur était utile pour défendre leur cause.

Les forces qu'ils représentaient avaient peut-être perdu la dernière bataille dans les urnes – mais la guerre plus vaste, le choc des visions du monde, des valeurs, des récits, voilà celle qu'ils allaient encore essayer de remporter.

Si TOUT CELA me semble évident aujourd'hui, ça ne l'était pas à l'époque. Mon équipe et moi étions trop occupés. Faire passer le Recovery Act et mettre en œuvre notre plan pour le logement avaient peut-être été des mesures nécessaires pour mettre fin à la crise. Elles étaient néanmoins loin d'être suffisantes. En particulier, le système financier mondial était toujours grippé – et l'homme sur qui je comptais pour le réparer n'allait pas faire un départ très prometteur.

Les problèmes de Tim Geithner avaient commencé des semaines auparavant, au cours du processus pour faire avaliser sa nomination au poste de secrétaire au Trésor. Historiquement, l'audition au Sénat des personnes nommées à des postes gouvernementaux était plutôt une formalité, les sénateurs des deux camps partant du principe que les présidents étaient habilités à constituer leurs propres équipes – même s'ils considéraient que les hommes et les femmes sélectionnés par le président étaient des crapules et des imbéciles. Mais, ces dernières années, le mandat constitutionnel du Sénat de « conseiller et approuver » était devenu une arme de plus dans le cycle interminable de la guerre de tranchées partisane. Les attachés parlementaires scrutaient désormais à la loupe les dossiers des personnes désignées par le parti opposé dont il s'agissait d'avaliser la nomination, à la recherche de la moindre erreur de jeunesse ou de tout propos préjudiciable susceptible d'être rapporté lors d'une audience ou utilisé dans les médias. La vie privée du candidat faisait l'objet d'innombrables questions publiques intrusives. Le but de l'exercice n'était pas nécessairement de faire capoter la nomination – la plupart des personnes présentées par le président finissaient par obtenir le poste –, mais de perturber et de gêner politiquement le gouvernement. Le côté bizutage de la démarche avait une autre conséquence : de plus en plus fréquemment, les candidats à des fonctions dans la haute administration citaient le supplice de l'audition au Sénat – l'impact sur leur réputation, les répercussions que cela aurait sur leurs familles – comme raison de décliner ces postes à hautes responsabilités.

Le problème qui se posait pour Tim avait trait à l'administration fiscale : durant les trois années qu'il avait passées au Fonds monétaire international, il s'est avéré que ni lui ni ses comptables n'avaient remarqué que l'organisation n'avait pas prélevé de taxes sur les traitements et salaires de ses employés. C'était une erreur innocente, et apparemment classique ; et lorsque, à la suite d'un audit, le problème a fait surface, en 2006, deux bonnes années avant qu'il soit pressenti pour le poste au Trésor, Tim avait rectifié ses déclarations de revenus et s'était acquitté de ce qu'il devait. Cependant, compte tenu du climat politique – et compte tenu du fait que, en tant que secrétaire au Trésor, Tim superviserait l'administration fiscale –, la réaction à son erreur a été impitoyable. Les républicains ont suggéré qu'il s'était rendu coupable de fraude fiscale. Les comiques des émissions télé du soir n'ont pas manqué de l'épingler en plaisantant à son sujet. Tim a commencé à se décourager, confiant à Axe et à Rahm qu'il valait peut-être mieux que je nomme quelqu'un d'autre ; aussi l'ai-je appelé un soir tard pour lui remonter le moral, lui assurer qu'il avait toute ma confiance, qu'il était « mon gars ».

Si sa nomination a été approuvée quelques jours plus tard, Tim était conscient que ç'avait été avec la plus petite majorité de l'histoire du Trésor américain, et que sa crédibilité tant aux États-Unis qu'à l'international en avait pris un coup. Cela ne m'inquiétait pas outre mesure ; personne ne se souvenait du détail de ces votes, et j'étais convaincu que sa crédibilité allait rapidement connaître un regain. Mais sa nomination compliquée m'a rappelé que Tim était encore un bleu, un technocrate qui avait passé sa vie en coulisses. Il lui faudrait un certain temps – comme il m'en avait fallu à moi-même – pour s'habituer au feu des projecteurs.

Le lendemain de l'approbation de la nomination de Tim, Larry et lui sont venus me voir dans le Bureau ovale pour me briefer sur l'état déplorable du système financier. Le crédit demeurait gelé. Les marchés étaient extrêmement instables. Cinq très grands établissements – « cinq grosses bombes », comme les appelait Tim – étaient particulièrement en péril : Fannie Mae et Freddie Mac, qui étaient devenus quasiment les deux seules sources de financement immobilier et brûlaient les 200 milliards de dollars de fonds du contribuable que le Trésor leur avait injectés l'année précédente ; le géant de l'assurance, AIG, dans une position singulièrement précaire après avoir garanti des produits financiers dérivés adossés à des hypothèques, qui avait eu besoin de 150 milliards de dollars au cours des quatre derniers mois uniquement pour se maintenir à flot ; et deux banques, Citigroup et Bank of America, qui à elles deux constituaient environ 14 % des dépôts bancaires des États-Unis et avaient vu leurs actions chuter de 82 % ces quatre derniers mois.

Que les guichets de l'une de ces cinq institutions financières viennent à être assiégés et ce pouvait être la faillite, laquelle déclencherait un séisme financier mondial encore plus important que celui qu'on venait d'essuyer. Et, malgré les centaines de milliards que le gouvernement avait déjà versés pour les secourir, il n'y avait aucune chance que les 300 milliards du TARP puissent couvrir les pertes au rythme où elles couraient. Une analyse de la Réserve fédérale prévoyait que, si tout le système ne se stabilisait pas rapidement, les banques auraient besoin d'un apport de liquidités de l'État de 300 à 700 milliards de dollars – ces chiffres ne tenaient pas compte d'AIG, qui annoncerait plus tard une perte trimestrielle de 62 milliards.

Plutôt que de verser plus d'argent du contribuable dans un seau percé, il nous fallait trouver un moyen de boucher les trous. Avant toute chose, nous devions restaurer un tant soit peu la confiance des marchés, afin d'enrayer le repli sécuritaire des investisseurs, qui avaient retiré du secteur financier leurs capitaux privés à hauteur de milliers de milliards, et de les convaincre de revenir et de réinvestir. Concernant Fannie et Freddie, a expliqué Tim, nous avions l'autorité pour y injecter plus d'argent sans l'accord du Congrès, en partie parce qu'ils avaient été mis sous tutelle publique. Sans attendre, nous nous sommes entendus pour débloquer 200 milliards de dollars supplémentaires. Ce n'était pas une décision facile, mais c'était cela ou laisser disparaître *de facto* la totalité du marché hypothécaire.

Quant au reste du système financier, les choix étaient plus délicats. Quelques jours plus tard, lors d'une autre réunion dans le Bureau ovale, Tim et Larry ont esquissé trois options de base. La première, celle que prônait en priorité Sheila Bair, la présidente du FDIC, l'Organisme fédéral de garantie des dépôts, rescapée du gouvernement Bush, reprenait l'idée de départ de Hank Paulson pour le TARP, à savoir que l'État devait constituer une unique *bad bank* qui rachèterait tous les actifs toxiques et assainirait ainsi le secteur bancaire. Cela permettrait aux investisseurs de retrouver une certaine confiance, et aux banques de prêter à nouveau.

Sans surprise, les marchés appréciaient cette approche, puisque ce seraient alors les contribuables qui supporteraient les pertes futures. Le problème, toutefois, avec l'idée de la *bad bank*, comme Tim et Larry l'ont tous deux fait remarquer, c'était que personne ne savait comment estimer correctement les actifs toxiques qui se trouvaient actuellement dans les comptes des banques. Si l'État payait un prix trop élevé, cela reviendrait à procéder de nouveau à un renflouement aux frais du contribuable, ce qui ne serait pas dénué de conséquences. Si, en revanche, le gouvernement payait un prix trop bas – et, avec une estimation de 1 000 milliards d'actifs toxiques encore en circulation, l'État serait contraint de pratiquer des prix bradés –, les banques seraient dans l'obligation d'éponger immédiatement des pertes monumentales et seraient de toute façon presque assurées de couler. En fait, c'est précisément en raison des complications qu'il y avait à déterminer un prix que Hank Paulson avait abandonné l'idée, au début de la crise.

Nous avions une deuxième possibilité qui, à première vue, semblait plus adéquate : nationaliser provisoirement ces établissements financiers d'importance systémique qui – d'après le prix actuel sur les marchés de leurs actifs et de leurs passifs – n'étaient plus solvables, les obliger ensuite à suivre une restructuration similaire à une procédure de faillite, y compris à imposer aux porteurs d'actions et d'obligations des décotes sur leurs avoirs, et éventuellement renouveler à la fois la direction et les conseils d'administration. Cette option comblait mon désir d'« arracher le pansement » en réparant le système une bonne fois pour toutes, plutôt que de laisser les banques aller clopin-clopant tels des « zombies », comme on disait parfois – tenant encore debout d'un point de vue technique, mais privées de la crédibilité et du capital suffisants pour fonctionner. Elle présentait également l'intérêt de satisfaire ce que Tim appelait un « châtiment biblique » – le souhait compréhensible de la population de voir punis et couverts de honte ceux qui avaient fauté.

Seulement, comme d'habitude, ce qui apparaissait comme la solution la plus simple n'était en réalité pas si simple. Une fois que l'État aurait nationalisé une banque, les détenteurs d'actions de toutes les autres banques se sépareraient le plus vite possible de leurs avoirs, craignant que leur établissement ne soit le prochain sur la liste. De tels mouvements rendraient nécessaire la nationalisation de la banque la plus faible parmi celles qui restaient, puis de la suivante, et encore de la suivante, ce qui aboutirait à une mainmise en cascade de l'État sur le secteur financier américain.

Non seulement cela coûterait très cher, mais cela exigerait en outre que le gouvernement gère ces établissements le temps nécessaire, avant de finalement les revendre. Et tandis que nous serions occupés à faire face à un million d'inévitables actions en justice (déposées non seulement par des plaignants comme Wall Street, mais aussi par des fonds de pension et de petits investisseurs en colère à cause de ces décotes imposées), la question serait de savoir qui placer à la tête de ces banques – d'autant que pratiquement quiconque ayant l'expérience requise était très probablement mouillé, impliqué d'une façon ou d'une autre dans les subprimes. Qui définirait leurs salaires et leurs primes ? Que penserait la population si ces banques nationalisées continuaient à perdre de l'argent par millions ? Et à qui l'État pourrait-il en dernier recours revendre ces banques, hormis à d'autres banques, sans doute tout aussi complices d'avoir créé l'épouvantable pagaille initiale ?

En partie parce qu'il n'y avait pas de bonne réponse à ces questions, Tim avait concocté une troisième option. Sa théorie était la suivante : même si personne ne doutait que ces banques étaient en mauvais état et avaient effectivement un paquet d'actifs douteux dans leurs comptes, la panique des marchés avait tellement affecté les prix de *tous* les actifs que la situation paraissait peut-être pire qu'elle ne l'était réellement. Après tout, les prêts hypothécaires dans leur écrasante majorité ne feraient pas défaut. Tous les titres adossés à une créance hypothécaire n'étaient pas dénués de valeur, et toutes les banques ne croulaient pas sous les paris perdants. Néanmoins, tant que le marché aurait du mal à distinguer une insolvabilité avérée d'une pénurie provisoire de liquidités, la plupart des investisseurs éviteraient simplement tout ce qui se rapportait au secteur financier.

La solution proposée par Tim serait bientôt connue sous l'appellation de *stress test*, ou « test de résistance ». La Réserve fédérale établirait un seuil de référence en matière de fonds propres nécessaires à la survie de chacune des dix-neuf banques présentant un danger systémique dans le pire des scénarios. La Fed enverrait ensuite des contrôleurs pour étudier de près les comptes de chaque banque et estimer de façon rigoureuse si elles disposaient d'un matelas suffisant pour traverser une dépression ; si ce n'était pas le cas, la banque aurait six mois pour aller chercher cette somme auprès de sources privées. Si elle n'y parvenait pas, l'État entrerait à son capital à concurrence du seuil de référence, et la nationalisation ne serait effective que si l'apport de l'État excédait les 50 %. Dans un cas comme dans l'autre, les marchés auraient finalement une image claire de la situation de chaque banque. Les porteurs verraient leurs actions dans la banque diluées, mais seulement en proportion de la quantité de capital nécessaire pour que la banque soit en bonne santé. Et le contribuable ne serait mis à contribution qu'en dernier recours.

Tim présentait sa troisième option comme une ébauche plutôt que comme un plan détaillé, et Larry a exprimé un certain scepticisme, convaincu que les banques étaient incorrigibles, que les marchés ne croiraient jamais à la rigueur d'audits gérés par l'État et que l'exercice ne ferait guère plus que retarder l'inévitable. Tim était conscient de ces risques. Il a ajouté qu'aucun « test de résistance » ne pourrait être mis en place avant au moins trois mois, période pendant laquelle la pression publique pour que nous agissions de manière plus ferme ne ferait que croître ; entre-temps, toutes sortes d'événements pourraient entraîner les marchés dans une chute encore plus grave.

Larry et Tim se sont tus en attendant ma réaction. Je me suis calé dans le fond de mon siège.

« Y a-t-il autre chose au menu ? ai-je demandé.

– Pas pour l'instant, monsieur le Président.

– Pas très appétissant.

– Non, monsieur le Président. »

J'ai hoché la tête, réfléchi aux probabilités et, après quelques autres questions, décidé que l'approche « test de résistance » de Tim était notre meilleur moyen d'aller de l'avant. Non pas parce qu'elle était géniale ; pas même parce qu'elle était bonne ; mais parce que les autres approches étaient pires. Larry a comparé la démarche à un médecin administrant un traitement non invasif avant d'opter pour une intervention chirurgicale radicale. Si le « test de résistance » fonctionnait, nous pourrions réparer le système plus vite et avec moins d'argent du contribuable. Dans le cas contraire, la situation n'aurait probablement pas empiré, et au moins aurions-nous une meilleure idée de ce qu'entraînerait une chirurgie plus radicale.

À condition, bien entendu, que le patient ne meure pas entre-temps.

Deux semaines plus tard, le 10 février, Tim s'est adressé aux Américains pour la première fois en tant que secrétaire au Trésor. Il s'est exprimé dans la grande salle du Trésor qui, pendant plus d'un siècle après la guerre de Sécession, avait fait office de banque, distribuant des devises directement depuis la chambre forte de l'État. L'idée était que Tim dévoilerait le cadre du « test de résistance » et exposerait dans les grandes lignes d'autres mesures que nous prenions pour stabiliser les banques qui se trouvaient dans une situation critique, pour signaler que, en dépit de la période incertaine que nous traversions, nous restions calmes et avions un plan crédible.

Il est bien sûr délicat d'inspirer confiance si l'on n'est pas soi-même pleinement confiant. Encore meurtri par son audition au Sénat, en poste depuis quelques semaines à peine, travaillant avec une équipe réduite et occupé à régler les détails du fonctionnement du « test de résistance », Tim s'est avancé devant une forêt de caméras et de journalistes financiers... et s'est franchement planté.

De l'avis de tous, le sien y compris, son discours a été un désastre. Il avait l'air tendu, se servait maladroitement du téléprompteur qu'il utilisait pour la première fois, et n'a parlé qu'en termes vagues du plan général. Le service de la communication de la Maison-Blanche lui avait expressément demandé de souligner notre intention d'être durs avec les banques, tandis que notre équipe économique insistait sur la nécessité de rassurer les marchés financiers en affirmant clairement qu'il n'y avait pas lieu de paniquer. Pendant ce temps, les agences indépendantes responsables de la régulation du système financier – dont les noms formaient un sacré méli-mélo de sigles – ne s'étaient pas toutes rangées aux vues de Tim, et plusieurs de leurs responsables, dont Sheila Bair, continuaient de plaider en faveur de leurs propres plans. Le résultat était typique du discours écrit à plusieurs, plein de précautions et de messages confus reflétant tous les courants contradictoires. Et, pressé d'en finir, Tim – qui n'avait alors pratiquement plus de jus – n'avait presque pas travaillé son élocution ni son débit.

Alors même qu'il était toujours en train de parler, la Bourse a chuté de 3 %. En fin de journée, elle était presque à moins 5, les valeurs financières enregistrant une chute de 11 %. Le discours de Tim a été repris partout dans les médias et allègrement décortiqué. Comme Larry l'avait prédit, de nombreux analystes ont vu dans le « test de résistance » une nouvelle série de sauvetages que nous tentions de faire passer en douce. Les commentateurs de tous bords se demandaient ouvertement si le mandat de Tim, ma présidence et le système financier mondial n'étaient pas en train d'aller droit dans le mur.

Tim a eu beau se fustiger le lendemain quand nous avons procédé à l'autopsie des événements, je me suis rendu compte que c'était un échec en termes de méthode – et un échec de ma part à mettre ceux qui travaillaient avec moi en position de réussir. La veille, lors d'une conférence de presse, j'avais sans réfléchir et de manière déloyale fait tout un battage autour du discours que Tim allait prononcer, promettant aux journalistes qu'il annoncerait « des projets clairs et précis » et qu'il allait connaître son « moment de gloire ».

Les leçons à tirer de tout cela ont été douloureuses, mais utiles. Durant les mois qui ont suivi, je demanderais à notre équipe de suivre un protocole plus strict, avec une meilleure communication entre les différentes parties concernées de l'administration ; d'anticiper les problèmes et de résoudre les conflits avant que les projets soient rendus publics, en laissant suffisamment de temps et d'espace pour que nos idées germent, indépendamment de la pression extérieure ; d'accorder une attention minutieuse au personnel affecté à tel ou tel projet, et de soigner les détails, pas seulement sur le fond, mais aussi dans la mise en scène.

Une chose encore : je me suis promis de ne plus jamais ouvrir ma grande bouche pour susciter des attentes qui, compte tenu des circonstances, ne pourraient qu'être déçues.

Toujours est-il que le mal était fait. La première impression qu'avait laissée mon équipe économique composée de stars, de bosseurs acharnés, c'est que c'était une bande de bras cassés. Les républicains jubilaient. Rahm a essuyé un feu nourri d'appels de démocrates inquiets. La seule chose à peu près positive que j'ai pu tirer de ce fiasco a été la façon dont Tim a réagi. Il aurait pu être complètement abattu. Mais pas du tout. Il a adopté l'air résigné de celui qui accepte le châtiment pour le mauvais discours qu'il avait prononcé, tout en gardant confiance, sachant que, sur un plan plus global, il avait raison.

J'ai apprécié cette qualité chez lui. C'était toujours « mon gars ». Ce qu'il pouvait faire de mieux, à présent, c'était tenir bon, continuer de bûcher, et espérer que notre satané plan allait effectivement marcher.

« Madame la Présidente de la Chambre... le président des États-Unis. »

Pour des raisons qui ne sont pas tout à fait claires pour moi, le premier discours d'un président nouvellement élu s'adressant aux deux chambres du Congrès n'est pas officiellement considéré comme un discours sur l'état de l'Union. Or c'est pourtant bel et bien de cela qu'il s'agit – le premier de ce rituel annuel où le président a l'occasion de parler devant des dizaines de millions de concitoyens.

Mon premier discours était prévu le 24 février. Autrement dit, alors même que nous étions en train de batailler pour essayer de mettre en place notre plan de sauvetage, il fallait que je grappille le peu de temps dont je disposais pour relire les premiers jets que Favs avait commencé à rédiger. Ce n'était une tâche facile ni pour lui ni pour moi. La plupart des discours convoquaient de grands thèmes ou au contraire se focalisaient sur une seule question. Dans le discours sur l'état de l'Union, on attendait du président qu'il énonce les priorités en termes de politique intérieure et internationale pour l'année à venir. Et vous aviez beau présenter vos projets avec panache et émailler votre intervention d'anecdotes et de bons mots, les explications détaillées du développement de Medicare ou du remboursement de crédit d'impôt faisaient rarement vibrer les cœurs.

Ayant été sénateur, j'étais versé dans la stratégie de l'ovation debout lors du discours sur l'état de l'Union : ce spectacle ritualisé où les partisans du président bondissent de leurs sièges et applaudissent à tout rompre pratiquement toutes les trois lignes, alors que le parti de l'opposition refuse d'applaudir, y compris aux histoires les plus poignantes, de peur que les caméras ne les surprennent en train de frayer avec l'ennemi. (La seule exception à cette règle était la moindre évocation des troupes à l'étranger.) Non seulement cette pratique théâtrale absurde mettait en lumière les divisions du pays à une période où nous avions besoin d'unité, mais en plus les interruptions perpétuelles ajoutaient un quart d'heure à un discours déjà long. J'avais envisagé de commencer mon propos en demandant à l'assemblée de s'abstenir d'applaudir, mais, comme je pouvais m'y attendre, Gibbs et le service de la communication s'y étaient opposés, soulignant qu'une salle silencieuse ne ferait pas très bon effet à la télé.

Mais si la préparation du discours nous avait éreintés et laissés un peu abattus – si à plusieurs reprises j'avais déclaré à Favs qu'après un discours le soir de l'élection, un discours d'investiture, et presque deux années non-stop à parler, je n'avais absolument rien de nouveau à dire et rendrais donc service au pays en imitant Thomas Jefferson, qui s'était contenté de déposer ses remarques au Congrès pour que le public les lise quand bon lui semblerait –, tout cela a disparu à l'instant où j'ai franchi le seuil de la flamboyante Chambre des représentants et entendu le sergent d'arme annoncer mon entrée.

« Madame la Présidente… » Ces mots, sans doute plus que n'importe lesquels, et la scène qui a suivi, m'ont fait prendre conscience de la splendeur de la fonction que j'occupais. Un tonnerre d'applau-dissements a retenti quand j'ai fait mon entrée ; la lente marche dans l'allée centrale au milieu des mains tendues ; les membres de mon gouvernement installés aux premier et deuxième rangs ; les chefs d'état-major dans leurs uniformes impeccables et les juges de la Cour suprême dans leurs robes noires, tels les membres d'une confrérie ancienne ; les salutations de la présidente Pelosi et du vice-président Biden, placés à mes côtés ; et ma femme, resplendissante, du haut du balcon, dans sa robe sans manches (c'est à ce moment-là que le culte des bras de Michelle a vraiment pris), agitant la main et m'envoyant un baiser tandis que la présidente abaissait son marteau et que la session commençait.

Certes, j'ai parlé de mes projets pour mettre un terme à la guerre en Irak, consolider les efforts américains en Afghanistan et intensifier la lutte contre les organisations terroristes, mais mon allocution s'est pour l'essentiel concentrée sur la crise économique. J'ai évoqué le Recovery Act, notre plan pour le logement, les vertus du « test de résistance ». Je tenais toutefois à souligner une chose particulièrement importante : il était nécessaire que nous allions plus loin. Je ne voulais pas me contenter de régler les urgences du moment ; j'avais le sentiment que nous devions faire des propositions en vue d'un changement durable ; une fois que nous aurions restauré la croissance de l'économie, nous ne pourrions pas nous satisfaire de gérer les affaires courantes comme si de rien n'était. J'ai clairement annoncé ce soir-là mon intention d'engager des réformes structurelles – de l'éducation, de l'énergie et de la poli-tique sur le climat, de la santé et de la régulation de la finance – qui poseraient les jalons d'une prospérité pour le plus grand nombre et sur le long terme aux États-Unis.

Cela faisait longtemps déjà que je n'appréhendais plus de prendre la parole devant une grande assemblée et, compte tenu de tous les sujets à aborder, le discours s'est passé aussi bien que j'aurais pu l'espérer. Selon Axe et Gibbs, les commentaires avaient été favorables et les présen-tateurs m'avaient jugé tout à fait « présidentiel ». Mais ils avaient été étonnés, semblait-il, par mon programme ambitieux, par ma volonté d'initier des réformes au-delà de ma préoccupation centrale de sauver l'économie.

On aurait dit que personne n'avait écouté les promesses que j'avais faites pendant ma campagne – ou qu'ils avaient considéré alors que ce n'étaient que des paroles en l'air. Les réactions à mon discours m'ont donné un avant-goût de ce que seraient les critiques auxquelles j'aurais droit durant les deux premières années de mon mandat : je voulais trop en faire ; aspirer à autre chose qu'à un retour à la situation d'avant la crise, traiter le changement comme autre chose qu'un slogan, était au mieux naïf et irresponsable, au pire une menace pour l'Amérique.

LA CRISE ÉCONOMIQUE avait beau mobiliser l'essentiel de notre énergie, mon nouveau gouvernement ne pouvait pas se permettre le luxe de laisser tout le reste en plan, car les rouages de l'État fédéral s'étendaient à la Terre entière, tournaient chaque minute de chaque jour, indifférents aux boîtes mails saturées et aux cycles du sommeil humain. Nombre de ses fonctions (l'émission de chèques d'allocations sociales, le maintien des satellites météo dans le ciel, la gestion des prêts agricoles, l'émission des passeports) ne requéraient pas d'instructions spécifiques de la Maison-Blanche, fonctionnant plus ou moins comme un corps humain respire ou transpire, en dehors du contrôle conscient du cerveau. Mais il y avait aussi les innombrables agences et établissements remplis de personnes qui avaient besoin de notre attention au quotidien, d'orientations stratégiques, d'aide sur des questions d'effectifs, de conseils à la suite d'une crise interne ou d'un événement extérieur ayant fait dérailler tout le système. Après notre première réunion hebdomadaire dans le Bureau ovale, j'ai demandé à Bob Gates, qui avait déjà servi sous sept présidents, quels conseils il aurait à prodiguer concernant la gestion de l'organe exécutif. Il s'est fendu d'un de ses sourires en coin.

« Il n'y a qu'une seule chose dont vous pouvez être sûr, monsieur le Président, a-t-il répondu. À n'importe quel moment, n'importe quel jour, quelqu'un, quelque part, est en train de faire une connerie. »

Nous nous sommes mis au travail en nous efforçant de minimiser les conneries.

Outre mes réunions régulières avec les secrétaires au Trésor, d'État, à la Défense, et des briefings quotidiens de mes équipes de sécurité nationale et économique, j'ai tenu à prendre le temps de discuter avec chacun des membres de mon gouvernement afin de passer en revue les plans stratégiques pour leurs services, leur demandant d'identifier les blocages et de déterminer les priorités. J'ai visité leurs agences respectives, j'en ai souvent profité pour annoncer de nouvelles orientations ou dispositions, je me suis exprimé devant de vastes assemblées de fonctionnaires qui consacraient leur carrière au service de l'État, je les ai remerciés pour le travail qu'ils accomplissaient et leur ai rappelé l'importance de leur mission.

Il y avait un flux ininterrompu de rendez-vous avec des groupes d'intérêts – avec la Business Roundtable regroupant les PDG des plus grandes entreprises américaines, les syndicats AFL-CIO, l'association des maires des États-Unis, les organismes chargés des services aux anciens combattants. Il s'agissait de prendre acte de leurs inquiétudes et de solliciter leur soutien. Il y avait des rendez-vous très formels, extrêmement chronophages (comme la présentation de notre première proposition pour le budget fédéral), et des événements publics innovants dont l'objectif était de favoriser la transparence sur le fonctionnement de l'administration (comme notre premier débat public retransmis en direct). Chaque semaine, je faisais un discours filmé. J'accordais des entretiens à des journalistes de la presse écrite et à des présentateurs télé, à la fois nationaux et locaux. J'ai prononcé un discours lors du grand forum chrétien annuel du National Prayer Breakfast et organisé une fête pour les parlementaires lors de la grande-messe sportive du Super Bowl. La première semaine de mars, j'ai réuni deux sommets avec des chefs d'État étrangers – un à Washington avec le Premier Ministre britannique Gordon Brown, l'autre à Ottawa avec le Premier ministre canadien Stephen Harper –, chacun ayant ses propres objectifs stratégiques et ses propres protocoles diplomatiques.

Pour chaque événement, chaque réunion, chaque présentation stratégique, une centaine de personnes, voire davantage, travaillaient frénétiquement en coulisses. Le moindre document produit était vérifié, chaque personne se présentant à telle ou telle réunion faisait l'objet de contrôles, chaque événement était planifié à la minute près et chaque annonce stratégique était au préalable examinée sous toutes les coutures pour s'assurer qu'elle était réalisable, que nous avions les moyens de l'appliquer et qu'elle ne comportait pas de risques dont nous n'aurions pas mesuré les conséquences.

Cette assiduité méticuleuse s'appliquait également à l'aile est, où la première dame avait de son côté une petite suite de bureaux et un emploi du temps bien rempli, elle aussi. Dès notre arrivée à la Maison-Blanche, Michelle s'était lancée à corps perdu dans son nouveau métier tout en créant un vrai foyer pour notre famille. Grâce à elle, Malia et Sasha semblaient s'être parfaitement adaptées à notre étrange vie nouvelle. Elles jouaient au ballon dans le grand couloir qui courait sur toute la longueur de la résidence et confectionnaient des cookies avec les chefs cuisiniers de la Maison-Blanche. Leurs week-ends étaient bien occupés, entre les goûters avec leurs nouvelles camarades, les fêtes d'anniversaire, les parties de basket, le club de foot, les leçons de tennis pour Malia, les cours de danse et de taek won do pour Sasha.

(Pas plus qu'à sa mère il ne fallait chercher des noises à Sasha.) En public, le charme de Michelle était éclatant, et ses choix en matière de mode remarqués. S'étant vu confier la mission d'organiser le Bal des gouverneurs, Michelle a pris des libertés avec la tradition en invitant Earth, Wind & Fire, dont le funk R&B propulsé par des cuivres a généré sur le dancefloor des mouvements que je n'aurais jamais imaginé voir à un rassemblement bipartite de fonctionnaires d'un certain âge.

Sois belle. Occupe-toi de ta famille. Sois gracieuse. Soutiens ton mari. Pendant la majeure partie de l'histoire américaine, la fonction de la première dame s'était résumée à ces principes, et Michelle s'y conformait à la perfection. Ce qu'elle cachait au monde extérieur, toutefois, c'est la façon dont son nouveau rôle l'avait tout d'abord irritée, les doutes qu'il lui avait inspirés.

Certaines de ses frustrations ne dataient pas d'hier. Depuis que nous étions ensemble, j'avais vu mon épouse se battre, comme tant de femmes, tâchant de concilier son identité de femme indépendante, ambitieuse, désireuse de faire carrière, avec le souhait d'être pour nos filles une mère aussi attentive et prévenante que Marian l'avait été pour elle. J'avais toujours essayé d'encourager Michelle dans sa carrière, sans jamais considérer que les tâches ménagères étaient son domaine réservé. Et nous avions eu de la chance : notre double salaire et notre réseau d'amis proches et de membres de la famille nous avaient fourni des avantages dont beaucoup de familles ne disposent pas. Mais cela ne suffisait pas à protéger Michelle des injonctions sociales follement irréalistes et souvent contradictoires que les femmes avec enfants reçoivent de la part des médias, de leur entourage, de leurs employeurs et, bien entendu, des hommes de leur vie.

Ma carrière politique, avec mes absences prolongées, avait compliqué la situation. Plus d'une fois, Michelle avait décidé de ne pas donner suite à une opportunité professionnelle qui l'enthousiasmait, mais lui aurait imposé de passer trop de temps loin des filles. Même à son ancien poste, au centre hospitalier de l'université de Chicago, avec un patron compréhensif et la possibilité d'adapter son emploi du temps, il y avait toujours cette petite voix qui lui soufflait que son travail en pâtissait, ou les filles, voire les deux. À Chicago, elle avait pu au moins éviter d'être constamment exposée au public et gérer ces tensions à sa manière. À présent, tout cela avait changé. Avec mon élection, elle avait été obligée de renoncer à un métier dont l'impact était réel pour en accepter un autre qui – du moins sur le papier – était loin de faire appel à toutes ses qualités.

De plus, en tant que mère de nos enfants, elle était désormais en butte à toutes sortes de complications – elle devait appeler tels parents afin d'expliquer pourquoi il fallait que des agents du Secret Service inspectent leur maison avant que Sasha vienne jouer avec leur fille, ou travailler avec les employés pour faire pression sur tel ou tel tabloïd afin qu'il ne publie pas une photo de Malia traînant au centre commercial avec ses amies.

En plus de tout cela, Michelle se trouvait prise à partie comme symbole dans la guerre des sexes qui faisait rage en Amérique. Chaque choix qu'elle effectuait, chaque mot qu'elle prononçait était fébrilement interprété et jugé. Lorsqu'elle s'était désignée un jour en plaisantant comme « maman en chef », certaines commentatrices avaient exprimé leur mécontentement, regrettant qu'elle ne profite pas de sa position pour rompre avec les stéréotypes sur la place de la femme dans la société. En même temps, ses efforts pour repousser les limites de ce qu'une First Lady devait et ne devait pas faire n'étaient pas sans risques : Michelle était encore échaudée par la méchanceté de certaines attaques dirigées contre elle pendant la campagne, et il suffisait de se souvenir de l'expérience de Hillary Clinton pour saisir que le grand public pouvait du jour au lendemain reprocher à une première dame de s'impliquer un tant soit peu dans les affaires du monde.

C'est pour cela que, durant les premiers mois, Michelle a pris son temps avant de décider de quelle manière elle mettrait à profit ses nouvelles fonctions, pour se demander comment et dans quel domaine elle pourrait exercer une influence, tout en donnant soigneusement et stratégiquement le ton pour son travail en tant que First Lady. Elle a consulté Hillary et Laura Bush. Elle a recruté une équipe solide, composée de professionnelles expérimentées dont elle appréciait le discernement. Elle a finalement choisi deux causes qui lui tenaient personnellement à cœur : l'augmentation alarmante du taux d'obésité aux États-Unis et le manque de soutien problématique aux familles de soldats.

Il ne m'a pas échappé que ces deux questions étaient en phase avec des frustrations et des angoisses que Michelle ressentait parfois. L'épidémie d'obésité avait attiré son attention quelques années plus tôt quand notre pédiatre, remarquant que l'indice de masse corporelle de Malia avait quelque peu augmenté, avait mis en cause les aliments « pour les enfants » fortement transformés. Cela confortait Michelle dans ses inquiétudes, elle qui craignait que notre vie survoltée et surchargée n'ait des conséquences négatives sur nos deux filles. De même, l'intérêt qu'elle portait aux familles de militaires remontait à sa participation à des tables rondes émouvantes, pendant la campagne, avec des épouses de soldats déployés sur le terrain. En entendant ces femmes décrire un sentiment de solitude mâtiné de fierté, reconnaître l'amertume qu'elles éprouvaient à être déconsidérées, à toujours passer au second plan derrière la cause plus vaste de la défense de la nation, lorsqu'elles exprimaient leurs réticences à demander de l'aide, de peur de paraître égoïstes, Michelle avait perçu dans leurs témoignages un écho de sa propre situation.

Et précisément dans la mesure où elle se sentait concernée à titre personnel, j'étais convaincu que son action sur ces deux questions serait efficace. Les intuitions de Michelle naissaient d'abord dans son cœur et non dans son esprit, à partir de son expérience et non d'abstractions. Je savais également ceci : ma femme n'aimait pas l'échec. Et si elle éprouvait une certaine ambivalence vis-à-vis de son nouveau rôle, elle n'en avait pas moins l'intention de bien faire les choses.

En tant que famille, nous nous adaptions au fil des semaines, chacun trouvant le moyen de gérer la situation nouvelle, de faire avec et de l'apprécier. Michelle se tournait vers son imperturbable maman lorsqu'elle se sentait angoissée et avait besoin de conseils, et elles se blottissaient alors l'une contre l'autre sur le canapé du solarium, au deuxième étage de la Maison-Blanche. Malia se plongeait dans ses devoirs d'élève de CM2 et intensifiait son lobbying pour que nous honorions une de nos promesses de campagne, à savoir : un chien pour la famille. Sasha, qui venait juste d'avoir 7 ans, s'endormait encore le soir cramponnée à son doudou chenille en tissu effiloché qu'elle avait depuis qu'elle était bébé ; son corps changeait si vite qu'on la voyait presque grandir d'un jour sur l'autre.

Nos nouvelles conditions de logement ont apporté une bonne surprise. Maintenant que j'habitais au-dessus de la boutique, pour ainsi dire, j'étais pratiquement tout le temps à la maison. La plupart du temps, le travail venait à moi, et non le contraire. Hormis quand j'étais en voyage, je faisais tout pour dîner en famille chaque soir à 18 h 30, même si cela impliquait de devoir ensuite retourner travailler au Bureau ovale.

Quelle joie c'était d'écouter Malia et Sasha parler de leur journée, évoquer un monde de drames entre copines, d'enseignants rigides, de garçons bêtes, de blagues idiotes, de perspicacité naissante et de sempiternelles questions ! Une fois le dîner terminé, elles sortaient de table d'un bond pour faire leurs devoirs avant de se préparer à aller au lit, et Michelle et moi avions un peu de temps à nous pour discuter, moins de politique que des vieux amis, des films que nous avions envie de voir, et surtout du spectacle formidable que nous offraient nos filles en grandissant. Puis nous leur lisions des histoires avant qu'elles s'endorment, leur faisions un câlin, les bordions – Malia et Sasha dans leur pyjama en coton, qui sentaient bon la chaleur et la vie. Après cette heure et demie, chaque soir, je me sentais requinqué – l'esprit purifié et le cœur guéri des dégâts qu'une journée passée à réfléchir au monde et à ses problèmes insolubles avait pu occasionner.

Si nos filles et ma belle-mère étaient nos points d'ancrage à la Maison-Blanche, d'autres nous ont aidés, Michelle et moi, à supporter le stress de ces premiers mois. Sam Kass, le jeune homme que nous avions engagé pour être notre cuisinier à mi-temps, à Chicago, tandis que la campagne s'intensifiait et que nos inquiétudes sur les habitudes alimentaires des petites se faisaient de plus en plus vives, nous avait suivis à Washington ; il avait intégré la Maison-Blanche non seulement comme chef cuisinier, mais aussi comme référent pour Michelle sur les questions de l'obésité infantile. Fils d'un prof de maths de l'ancienne école de nos filles et ex-joueur de baseball universitaire, Sam était costaud, empreint d'un charme décontracté que son crâne rasé de près, luisant, ne faisait qu'accentuer. C'était aussi un nutritionniste averti, qui connaissait aussi bien les effets de la monoculture sur le changement climatique que les liens entre habitudes alimentaires et maladies chroniques. Les échanges de Sam avec Michelle allaient se révéler précieux ; c'est en discutant avec lui, par exemple, que Michelle avait eu l'idée de créer un potager sur la pelouse sud. Mais là où nous avons tout gagné, c'est qu'il était aussi pour les filles un peu comme un oncle qui aimait chahuter, pour Michelle et moi une sorte de petit frère et – tout comme Reggie Love – quelqu'un avec qui je pouvais faire quelques paniers ou une partie de billard à n'importe quel moment de la journée, quand j'avais besoin de me défouler.

Nous avons trouvé un soutien semblable chez notre entraîneur sportif de longue date, Cornell McClellan, un ancien travailleur social, expert en arts martiaux, qui possédait sa propre salle de sport à Chicago. De carrure imposante, Cornell était d'un tempérament gentil et jovial, quand il ne nous torturait pas avec ses squats, soulevés de terre, burpees et autres fentes marchées, et il avait décidé qu'il était de son devoir de partager son temps entre Washington et Chicago pour s'assurer que la première famille d'Amérique garde la forme.

Chaque matin, du lundi au jeudi, Michelle et moi entamions la journée avec Cornell et Sam : nous nous retrouvions tous les quatre dans la petite salle de sport, au deuxième étage de la résidence, la télé fixée au mur diffusant l'émission « Sports Center » sur ESPN. Michelle était incontestablement la championne de Cornell, enchaînant puissamment les exercices sans jamais se déconcentrer, tandis que Sam et moi étions assurément plus lents et enclins à prendre de plus longues pauses entre les séries, distrayant Cornell par nos débats passionnés – Jordan *versus* Kobe, Tom Hanks *versus* Denzel Washington – chaque fois que le rythme devenait trop intense à notre goût. Pour Michelle et moi, cette heure quotidienne à la salle de sport est devenue un espace supplémentaire de normalité, partagé avec des amis qui nous appelaient par nos prénoms et nous aimaient comme si nous faisions partie de leur famille, nous rappelant le monde que nous avions jadis connu – et la version de nous-mêmes avec laquelle nous espérions encore coïncider.

J'AVAIS UNE DERNIÈRE FAÇON d'évacuer le stress, dont je n'aimais pas parler, et qui était une source de crispation depuis le début de mon mariage : je fumais encore cinq (ou six, ou sept) cigarettes par jour.

C'était un vice ne datant pas d'hier, hérité de ma jeunesse rebelle. Face à l'insistance de Michelle, j'avais déjà arrêté plusieurs fois au fil des ans, et je ne fumais jamais dans la maison ni devant les enfants. Une fois élu au Sénat, j'avais cessé de fumer en public. Mais une part têtue de moi résistait à la tyrannie de la raison, et les tensions de la vie sur la route, à faire campagne – les interminables trajets en voiture au milieu des champs de maïs, la solitude des chambres de motel –, avaient concouru à ce que je continue à tendre la main pour attraper le paquet que je gardais toujours dans une valise ou dans un tiroir. Après l'élection, je m'étais dit que c'était le bon moment pour arrêter – j'étais par définition constamment en public dès que je sortais de la résidence de la Maison-Blanche. Mais j'étais tellement occupé que je repoussais sans cesse le grand jour ; je m'échappais jusqu'à la cabine de piscine, derrière la Maison-Blanche, après le déjeuner, ou montais sur la terrasse du deuxième étage quand Michelle et les filles étaient au lit, tirant une longue bouffée et regardant la fumée monter en volutes vers les étoiles, me promettant d'arrêter une bonne fois pour toutes quand les choses se seraient tassées.

Or les choses ne se sont jamais tassées. Tant et si bien qu'au mois de mars, ma consommation quotidienne était passée à huit (ou neuf, ou dix) cigarettes.

Ce mois-là, d'après les estimations, 663 000 Américains perdraient leur emploi et le taux de chômage monterait à 8,5 %. Les saisies immobilières continuaient à un rythme qui ne semblait pas vouloir ralentir et le crédit était toujours gelé. La Bourse atteindrait ce qui serait son seuil le plus bas de la récession, une chute de 57 % par rapport à son plus haut niveau, les actions de Citigroup et de Bank of America ne valant pratiquement plus rien. Pendant ce temps, AIG était comme un puits sans fond, son unique fonction étant apparemment d'engloutir le plus d'argent du TARP possible.

Tout cela aurait amplement suffi à faire monter ma tension. Ce qui ne faisait qu'aggraver les choses, c'était l'attitude des cadres de Wall Street, alors même que nous nous efforcions collectivement de leur sauver la peau. Juste avant que j'entre en fonction, par exemple, les patrons de la plupart des grandes banques s'étaient octroyé, à eux-mêmes et à leurs lieutenants, plus d'un milliard de dollars de bonus de fin d'année, alors qu'ils avaient déjà reçu des fonds du TARP pour soutenir le cours de leurs actions. Peu après, les cadres de Citigroup, allez comprendre, ont trouvé judicieux de commander un *jet* pour la société. (Comme nous étions vigilants, un membre de l'équipe de Tim a pu appeler le directeur général de la société et lui a fait les gros yeux pour qu'il annule sa commande.)

Pendant ce temps, les cadres supérieurs des banques se hérissaient – parfois en privé, mais souvent dans la presse – lorsqu'on suggérait qu'ils avaient tout de même déconné ou qu'il convenait d'imposer un cadre à la gestion de leurs affaires. Cette réaction culottée était notamment celle des deux opérateurs les plus futés de Wall Street, Lloyd Blankfein de Goldman Sachs et Jamie Dimon de JPMorgan Chase, tous deux affirmant avec insistance que leurs établissements avaient évité les mauvaises décisions de management qui avaient plombé les autres banques, et que ni l'un ni l'autre ne voulaient, ni n'avaient besoin, d'une aide de l'État. Ces affirmations étaient valables uniquement si l'on faisait abstraction du fait que la solvabilité des deux établissements dépendait entièrement du Trésor et de la Fed qui maintenaient le reste du système financier à flot, et du fait que Goldman, en particulier, avait été l'un des plus gros revendeurs de produits financiers dérivés des subprimes – qu'ils avaient refourgués à des clients moins sophistiqués juste avant que tout le marché s'écroule.

Leur inconséquence m'exaspérait. Ce n'était pas seulement que cette attitude de Wall Street vis-à-vis de la crise confirmait tous les stéréotypes sur les hyper-riches totalement déconnectés de la vie des gens ordinaires : chacune de leurs déclarations irresponsables et de leurs actions égoïstes compliquait infiniment nos efforts pour sauver l'économie.

Déjà, certains électeurs démocrates demandaient pourquoi nous n'étions pas plus sévères avec les banques – pourquoi l'État ne s'en emparait pas pour vendre leurs avoirs, par exemple, ou pourquoi aucun des responsables ayant causé de tels ravages n'avait été envoyé en prison. Les républicains au Congrès, affranchis de tout sentiment de responsabilité quant aux dégâts qu'ils avaient contribué à provoquer, se mêlaient avec empressement à la curée. Appelé à témoigner devant diverses commissions parlementaires, Tim (qui était à présent régulièrement présenté comme « un ancien banquier chez Goldman Sachs », alors qu'il n'avait jamais travaillé chez Goldman et avait passé la quasi-totalité de sa carrière dans le service public) insistait sur la nécessité d'attendre les résultats du « test de résistance ». Mon procureur général, Eric Holder, ferait par la suite remarquer que, si le comportement hasardeux des banques avait pu conduire à la crise, rien en revanche n'indiquait que leurs responsables avaient commis des délits répréhensibles au regard des statuts existants – et notre vocation n'était pas de faire inculper des gens uniquement pour recueillir une moisson de gros titres favorables dans la presse.

Mais les citoyens, à cran et en colère, ne pouvaient se satisfaire de telles réponses, si rationnelles soient-elles. Conscients que nous étions au plan politique en train de perdre notre avantage moral, Axe et Gibbs nous ont pressés de condamner Wall Street avec plus de vigueur. Tim, au contraire, nous a prévenus que de telles prises de position populistes seraient contre-productives, qu'elles effraieraient les investisseurs dont nous avions besoin pour recapitaliser les banques. En essayant de ménager la chèvre et le chou, d'un côté le grand public qui en appelait à un « châtiment biblique », de l'autre les marchés financiers qu'il fallait rassurer, nous avons fini par nous mettre tout le monde à dos.

« On se retrouve comme dans une situation de prise d'otages, m'a dit Gibbs un matin. On sait que les banques ont une ceinture d'explosifs à la poitrine, mais, aux yeux des gens, c'est comme si on les laissait s'enfuir en toute impunité avec la caisse après un hold-up. »

Les tensions étaient croissantes à la Maison-Blanche, mais je tenais à ce que nous soyons tous sur la même longueur d'onde. À la mi-mars, j'ai donc convoqué mon équipe économique pour une séance marathon, un dimanche, dans la salle Roosevelt. Pendant plusieurs heures, ce jour-là, nous avons pressé Tim et ses collaborateurs pour qu'ils nous fassent part de leurs réflexions sur le « test de résistance » encore en cours – cela allait-il marcher et, dans le cas contraire, Tim avait-il un plan B ? Larry et Christy avançaient l'argument que, à la lumière des pertes colossales de Citigroup et de Bank of America, il était temps d'envisager une nationalisation à titre préventif – le type de stratégie que la Suède avait instaurée lorsqu'elle avait elle-même traversé une crise financière, dans les années 1990. Une approche qui contrastait avec la stratégie dite « laxiste » qui s'était soldée pour le Japon par une décennie perdue de stagnation économique. En réponse, Tim a fait remarquer que la Suède – avec un secteur financier bien plus modeste, et à une période où le reste du monde était stable – n'avait nationalisé que deux de ses plus grosses banques, en dernier recours, tout en fournissant des garanties effectives pour les quatre qui restaient. Une stratégie équivalente de notre part, a-t-il dit, risquerait de détruire le système financier mondial déjà fragile, et coûterait un minimum de 200 à 400 milliards. (« Les chances d'obtenir un sou de plus du TARP se situent quelque part entre zéro et zéro ! » s'est écrié Rahm en bondissant de sa chaise.) Certains dans l'équipe ont demandé qu'on adopte au moins une position plus offensive vis-à-vis de Citigroup et de Bank of America – qu'on exige le départ de leurs PDG et de leurs conseils d'administration actuels, par exemple, avant de leur verser davantage d'argent du TARP. Mais Tim a rétorqué que de telles mesures seraient totalement symboliques – et, en outre, nous placeraient devant la responsabilité de devoir trouver immédiatement des remplaçants capables de piloter des établissements qu'ils ne connaissaient pas au beau milieu de la crise.

C'était un exercice épuisant et, comme la session se prolongeait dans la soirée, je leur ai dit que je montais à la résidence dîner et me faire couper les cheveux ; j'attendais d'eux qu'ils aient trouvé un accord quand je redescendrais. En vérité, j'avais déjà obtenu ce que je voulais de cette réunion : la confirmation qu'en dépit des problèmes tout à fait fondés que Larry, Christy et d'autres avaient soulevés à propos du « test de résistance », cette option, compte tenu des circonstances, restait la meilleure. (Ou, ainsi que Tim l'a formulé : « Un plan, ça vaut toujours mieux que pas de plan. »)

Tout aussi important, j'avais l'assurance que nous avions procédé de manière rigoureuse : notre équipe avait envisagé le problème sous tous les angles possibles ; aucune solution potentielle n'avait été écartée ; et tous ceux qui étaient impliqués dans le projet – du directeur de cabinet au plus jeune membre du staff présent dans la pièce – avaient eu l'occasion de peser dans la balance. (Pour ces mêmes raisons, j'inviterais ultérieurement deux groupes d'économistes qui avaient publiquement remis en cause notre gestion de la crise à venir me voir dans le Bureau ovale – le premier de gauche, le second conservateur – juste pour vérifier s'ils avaient des idées auxquelles nous n'aurions pas pensé. Ils n'en avaient pas.)

Si j'insistais tant sur la méthode, c'était par nécessité. Ce que je découvrais vite à mon poste de président, c'est qu'aucun problème atterrissant sur mon bureau, qu'il s'agisse de politique étrangère ou intérieure, n'avait de solution claire et nette à 100 %. Si ç'avait été le cas, quelqu'un, à un échelon ou à un autre, l'aurait déjà trouvée. Au lieu de quoi, j'étais tout le temps confronté à des probabilités : 70 % de chances, par exemple, que la décision de ne rien faire aboutisse à un désastre ; 55 % de chances que cette approche-ci plutôt que celle-là résolve *peut-être* le problème (et 0 % de chance que cela se déroule exactement comme prévu) ; 30 % de chances que la solution que nous choisissions, quelle qu'elle soit, ne fonctionne pas du tout, et 15 % de chances qu'elle ne fasse qu'aggraver la situation.

Dans de telles circonstances, partir en quête de la solution parfaite conduisait nécessairement à la paralysie. D'un autre côté, suivre son intuition signifiait trop souvent laisser ses préjugés ou le chemin de moindre résistance politique guider une décision – avec des faits triés sur le volet utilisés pour la justifier. En revanche, avec une méthode claire – qui me permettait de mettre de côté mon ego et de vérita-blement écouter, de m'appuyer de mon mieux sur des informations tangibles et la logique, en les abordant à l'aune de mes objectifs et de mes principes –, j'ai constaté que je pouvais prendre des décisions difficiles et néanmoins bien dormir la nuit, sachant au minimum que personne dans ma position, disposant des mêmes informations, n'aurait pris de meilleure décision. Une bonne méthode supposait aussi que je puisse permettre à chaque membre de l'équipe de sentir qu'il avait pesé de façon déterminante dans la décision finale – ce qui impliquait une meilleure mise en œuvre et moins de contestation des arbitrages de la Maison-Blanche *via* des fuites dans le *New York Times* ou le *Washington Post*.

En redescendant après m'être fait couper les cheveux, ce soir-là, j'ai senti que les choses s'étaient déroulées comme je l'avais espéré. Larry et Christy étaient d'accord pour conclure qu'il était raisonnable que nous attendions de voir ce que donnaient les résultats du « test de résistance » avant de prendre des mesures plus drastiques. Tim a accepté quelques propositions utiles pour se préparer à d'éventuels mauvais résultats. Axe et Gibbs ont proposé des idées pour améliorer notre stratégie de communication. Au final, j'étais content du travail de la journée.

Du moins jusqu'à ce que quelqu'un soulève la question des bonus d'AIG.

Apparemment, AIG – qui avait pour l'instant perçu 170 milliards de dollars du TARP et avait besoin de davantage – était contractuel-lement tenu de verser à ses employés 165 millions de dollars de primes. Pire encore, une bonne partie des primes irait à la division qui avait précisément pris des risques inconsidérés sur le marché des dérivés des subprimes. Edward Liddy, le PDG d'AIG (qui lui-même n'avait rien à se reprocher, car il n'avait que tout récemment accepté de prendre gracieusement les rênes de la société, et ne se versait qu'un dollar par an), reconnaissait que les primes étaient inconvenantes. Mais, selon Tim, Liddy avait été informé par ses avocats que toute tentative de bloquer les paiements ferait l'objet d'attaques en justice de la part des employés d'AIG ayant toutes les chances d'obtenir gain de cause, et que les dommages et intérêts s'élèveraient potentiellement à trois fois le montant initial. Pour couronner le tout, l'État n'avait pas, semblait-il, l'autorité pour empêcher le versement des bonus – en partie parce que le gouvernement Bush avait fait pression auprès du Congrès pour que ne soient pas incluses les dispositions dites de « rattrapage » à la loi originale du TARP, craignant que cela ne décourage la participation d'institutions financières.

J'ai balayé la pièce des yeux. « C'est une plaisanterie, hein ? Vous vous fichez de moi, là, les gars ? »

Personne n'a ri. Axe a commencé à défendre l'idée que nous devions tenter d'empêcher les versements, même si c'était pour finalement échouer. Tim et Larry ont réfuté ces arguments, ont reconnu que la situation était désolante, mais ont fait valoir que si le gouvernement imposait de force une violation de contrats entre deux parties privées, nous causerions des dégâts irréparables à notre système fondé sur le libre marché. Gibbs est intervenu pour suggérer que la morale et le sens commun l'emportaient sur le droit des contrats. Au bout de quelques minutes, j'ai interrompu tout le monde. J'ai demandé à Tim de vérifier s'il y avait un moyen d'empêcher AIG de verser les primes (sachant pertinemment qu'il reviendrait bredouille). Puis j'ai demandé à Axe de préparer une déclaration condamnant le versement des bonus que je prononcerais le lendemain (sachant pertinemment que rien de ce que je pourrais dire ne réduirait les dégâts).

Puis je me suis dit que c'était encore le week-end, et que j'avais besoin d'un martini. C'était une autre leçon que la présidence m'enseignait : parfois, votre méthode avait beau être irréprochable, cela n'avait pas d'importance. Parfois, vous étiez coincé, et la meilleure chose à faire était de boire un petit remontant – et de s'en griller une.

QUAND LA NOUVELLE des bonus d'AIG a été divulguée, la colère refoulée depuis plusieurs mois a atteint un paroxysme incontrôlable.

La Chambre a rapidement adopté un projet de loi pour imposer à 90 % les bonus pour les gens dont les revenus annuels excédaient 250 000 dollars, mais le Sénat l'a rejeté en bloc. Dans la salle de presse de la Maison-Blanche, Gibbs devait répondre au pied levé à des questions portant exclusivement sur ce sujet. Code Pink, un groupe pacifiste excentrique dont les membres (des femmes pour la plupart) s'habillaient en tee-shirt rose, chapeau rose et, parfois, boa rose, a appelé à des manifestations devant des bâtiments fédéraux et a déboulé à des auditions où Tim apparaissait, brandissant des pancartes avec des slogans tels que RENDEZ-NOUS NOS $$$$$, manifestement insensible à l'argument de l'inviolabilité des contrats.

La semaine suivante, j'ai décidé de convoquer une réunion à la Maison-Blanche avec les PDG des plus grosses banques et institutions financières, espérant éviter d'autres mauvaises surprises. Ils ont été une quinzaine à se présenter, uniquement des hommes, fringants et élégants, et tous m'ont écouté sereinement leur expliquer que la population était à bout de patience et que, au regard de la souffrance que la crise provoquait dans tout le pays – sans parler des mesures extraordinaires que l'État avait prises pour venir en aide à leurs établissements –, la moindre des choses était qu'ils fassent preuve d'un peu de modération, voire consentent à quelques sacrifices.

Lorsque leur tour est venu de répondre, chacun de ces cadres s'est fendu d'une version oscillant entre les trois options suivantes : *a*) si le système financier avait des problèmes, ils n'y étaient vraiment pour rien ; *b*) ils avaient déjà consenti des sacrifices significatifs en réduisant drastiquement leur personnel et en diminuant leurs propres rémunérations globales ; et *c*) ils espéraient que j'allais cesser de mettre de l'huile sur le feu en attisant la colère populiste, ce qui, disaient-ils, affectait de manière négative le cours de leurs actions et nuisait au bon moral du secteur. Pour étayer ce dernier point, plusieurs ont mentionné une interview récente dans laquelle j'avais déclaré que mon gouvernement consolidait le système financier dans le seul but d'éviter une dépression, et non pas pour voler au secours d'une bande de « *fat cat bankers* », de gros banquiers pleins aux as. À les écouter, on aurait dit qu'ils en avaient été vexés.

« Ce dont le peuple américain a besoin, en ces temps de crise, a dit l'un d'eux, c'est que vous leur rappeliez qu'on est tous logés à la même enseigne. »

Je n'en revenais pas. « Vous pensez que c'est à cause de ma rhétorique que les gens sont en colère ? » J'ai pris une profonde inspiration, scruté les visages de ces hommes autour de la table, et j'ai compris qu'ils étaient sincères. Comme les traders dans la vidéo de Santelli, ces cadres de Wall Street étaient vraiment persuadés qu'on voulait injustement leur faire porter le chapeau. Ce n'était pas un stratagème. J'ai ensuite essayé de me mettre à leur place, me rappelant que c'étaient assurément des gens qui avaient travaillé dur pour en arriver là, qu'ils avaient joué le jeu de la même manière que leurs pairs, et qu'ils étaient depuis longtemps habitués à l'adulation et à la déférence qu'on leur témoignait pour leur réussite. Ils versaient d'importantes sommes à diverses œuvres de charité. Ils aimaient leur famille. Ils ne comprenaient pas pourquoi (comme l'un d'eux me le confierait plus tard) leurs enfants leur demandaient s'ils étaient un de ces « *fat cat bankers* », ou pourquoi personne n'appréciait qu'ils aient si drastiquement diminué leurs rémunérations, passant de 50 ou 60 millions à 2 millions, ou pourquoi le président des États-Unis ne les traitait pas comme de véritables partenaires en acceptant, pour ne prendre qu'un exemple, la proposition de Jamie Dimon d'envoyer certains des meilleurs éléments de JPMorgan pour aider le gouvernement à concevoir nos propositions de réformes réglementaires.

J'essayais de comprendre leur point de vue, mais je n'y parvenais pas. Au lieu de ça, j'ai repensé à ma grand-mère. Pour moi, cette femme du Kansas, figure de la Prairie, représentait le banquier exemplaire. Honnête. Prudent. Exigeant. N'aimant pas prendre de risques. Refusant de se précipiter, détestant le gâchis et la prodigalité, vivant selon le principe de la gratification différée et se satisfaisant tout à fait d'être un peu ennuyeux dans sa façon d'exercer son métier. Je me demandais ce que Toot penserait des banquiers assis avec moi, ce genre d'hommes qui l'avaient si souvent mouchée, obtenant des promotions alors qu'elle restait à son poste – qui empochaient plus en un mois qu'elle durant toute sa carrière, en partie parce qu'ils acceptaient de parier des milliards de dollars avec l'argent des autres sur des emprunts qu'ils savaient, ou auraient dû savoir, pourris.

J'ai fini par laisser échapper un petit son entre rire et grognement. « Si vous permettez, je vais vous dire une chose, messieurs, ai-je déclaré en prenant soin de ne pas hausser le ton. Les gens n'ont pas besoin de moi pour être en colère. La colère leur vient tout naturellement. La vérité, c'est qu'il n'y a plus que nous entre vous et les fourches. »

JE NE PEUX PAS DIRE que les mots que j'ai prononcés ce jour-là aient servi à grand-chose – sinon à conforter l'idée que Wall Street se faisait de moi : un anti-business. Ironie du sort, cette même réunion serait plus tard citée par les critiques de gauche comme un exemple de la façon dont, dans mon incompétence, et parce que je faisais copain-copain avec Wall Street, j'avais échoué à mettre les banques devant leurs responsabilités durant la crise. Les deux visions étaient erronées. En revanche, une chose était vraie : en optant pour le « test de résistance » et en respectant les deux mois d'attente pour obtenir les résultats préliminaires, j'avais différé les moyens de pression que je pouvais exercer sur les banques. Ce qui était vrai aussi, c'est que je me sentais obligé de ne pas prendre d'initiative précipitée tant que la crise économique me contraignait à être sur tant de fronts à la fois – y compris celui de l'industrie automobile, qu'il me fallait empêcher de tomber dans le précipice.

Tout comme l'implosion de Wall Street était l'aboutissement de problèmes structurels présents depuis longtemps au sein du système financier mondial, les Big Three de l'industrie automobile souffraient de maux – mauvaise gestion, mauvaises voitures, concurrence internationale, hausse vertigineuse des soins de santé, sur-dépendance aux ventes à fortes marges de véhicules SUV gros consommateurs de carburants – qui les minaient depuis des décennies. La crise financière et la récession qui s'aggravaient n'avaient fait que hâter l'heure de vérité. À l'automne 2008, les ventes automobiles avaient plongé de 30 %, atteignant leur point le plus bas depuis plus d'une décennie, et General Motors (GM) et Chrysler étaient en défaut de liquidités. Si Ford était légèrement en meilleure forme (en partie grâce à une restructuration fortuite de sa dette juste avant que n'éclate la crise), les analystes doutaient que l'entreprise survive à un effondrement des deux autres, dans la mesure où les trois fabricants automobiles dépendaient des mêmes fournisseurs de pièces détachées implantés dans toute l'Amérique du Nord. Juste avant Noël, Hank Paulson avait procédé à une interprétation inventive des règles du TARP pour allouer plus de 17 milliards à GM et à Chrysler en crédit-relais. Mais, ne disposant pas du capital politique pour obliger Chrysler à adopter une solution plus pérenne, le gouvernement Bush n'avait réussi qu'à placer provisoirement l'entreprise sous respirateur artificiel jusqu'à mon entrée en fonction. Maintenant que les liquidités venaient à manquer, c'était à moi que revenait la décision d'injecter à nouveau des milliards chez les constructeurs auto afin de les maintenir à flot.

Dès la transition, il était évident aux yeux de mon équipe que GM et Chrysler allaient devoir passer en redressement judiciaire. Sans cela, ils n'avaient pas moyen de faire face aux besoins en liquidités qui arrivaient chaque mois, quel que soit l'optimisme des prévisions de ventes.

En outre, la faillite ne suffirait guère. Pour justifier des aides supplémentaires de l'État, les constructeurs automobiles allaient devoir entreprendre une méticuleuse réorganisation de A à Z de l'activité et trouver le moyen de fabriquer des voitures que les gens voulaient acheter. (« Je ne comprends pas pourquoi Detroit n'est pas capable de fabriquer une simple Corolla, bon sang », ai-je maugréé plus d'une fois devant mon staff.)

Dans les deux cas, c'était plus facile à dire qu'à faire. Tout d'abord, les cadres supérieurs de GM et de Chrysler faisaient passer les banquiers de Wall Street pour des visionnaires. Lors d'une première discussion avec notre équipe économique de transition, l'exposé de Rick Wagoner, le PDG de General Motors, était tellement bâclé et truffé de considérations démesurément optimistes – tablant sur une augmentation des ventes de 2 % chaque année, alors qu'elles avaient décliné durant une bonne partie de la décennie ayant précédé la crise – que même Larry en est resté un moment sans voix. Pour ce qui était de la faillite, le processus pour GM comme pour Chrysler serait probablement comparable à une opération à cœur ouvert : compliquée, sanglante, risquée. Tous ceux qui étaient impliqués de près ou de loin (le management, les employés, les fournisseurs, les actionnaires, les retraités, les distributeurs, les créanciers, toutes les régions où étaient implantées les usines) y perdraient quelque chose à court terme, ce qui est devenu le motif de négociations longues et âpres lorsqu'il n'a plus été certain que les deux sociétés survivent ne serait-ce qu'un mois de plus.

Certains éléments jouaient en notre faveur. Contrairement à la situation avec les banques, obliger GM et Chrysler à se restructurer ne risquait pas de déclencher une panique de plus grande ampleur, ce qui nous laissait davantage de marge pour exiger des concessions en échange du soutien indéfectible de l'État. Autre élément favorable, ma relation personnelle forte avec le syndicat United Auto Workers, dont les dirigeants reconnaissaient que des changements majeurs devaient être entrepris pour que ses membres puissent conserver leur emploi.

Plus important, notre Groupe de travail sur le secteur automobile – piloté par Steve Rattner et Ron Bloom, auxquels s'était joint un brillant stratège de 31 ans, Brian Deese – se révélait épatant, combinant rigueur d'analyse et appréciation de la dimension humaine, conscient, avec plus d'un million d'emplois en jeu, de la nécessité de bien faire. Ils avaient entamé les discussions avec les constructeurs auto bien avant mon investiture, accordant à GM et à Chrysler soixante jours pour présenter des plans formels de réorganisation démontrant leur viabilité. Pour assurer que les sociétés ne s'effondreraient pas pendant cette période, ils avaient prévu une série d'interventions progressives, mais cruciales – garantissant par exemple aux deux sociétés des créances recouvrables auprès des fournisseurs pour ne pas se retrouver à court de pièces détachées.

À la mi-mars, le Groupe de travail sur le secteur automobile est venu dans le Bureau ovale pour faire un point sur la situation. Aucun des deux plans que GM et Chrysler avaient transmis ne tenait la route, ont-ils dit ; les deux sociétés vivaient encore dans un monde fantasmatique de prévisions de ventes irréalistes et de stratégies vagues pour tenter de juguler les coûts. L'équipe estimait en revanche que, avec un redressement judiciaire sans concession, GM pouvait se remettre sur les rails, et recommandait qu'on lui accorde à nouveau soixante jours pour revoir la copie de son plan de restructuration – à condition qu'ils acceptent de remplacer Rick Wagoner et le reste du conseil d'administration.

Concernant Chrysler, notre équipe était partagée. Chrysler, le plus petit constructeur des Big Three, était aussi l'entreprise financièrement la plus mal en point et – hormis sa marque Jeep – proposait une ligne de produits qu'il paraissait impossible de sauver. Au vu de nos ressources limitées et de la fragilité du secteur automobile en général, certains dans l'équipe avançaient que nous avions plus de chances de sauver GM si nous renoncions à Chrysler. D'autres soulignaient que nous ne devions pas sous-estimer le choc économique potentiel qui découlerait de l'effondrement d'une marque américaine emblématique. Quoi qu'il en soit, le groupe de travail m'a signifié que la situation chez Chrysler se dégradait à vitesse grand V et qu'il fallait par conséquent que je prenne ma décision sur-le-champ.

À cet instant, mon assistante, Katie, a passé la tête dans l'encadrement de la porte pour m'annoncer que je devais me rendre dans la salle de crise avec mon équipe de sécurité nationale. Conscient qu'il me faudrait sans doute plus d'une demi-heure pour décider du sort de l'industrie automobile américaine, j'ai demandé à Rahm de reconvoquer le groupe de travail avec mes trois principaux conseillers – Valerie, Pete et Axe – dans la salle Roosevelt pour une réunion plus tard dans l'après-midi, afin que l'on m'expose les deux points de vue (encore une question de méthode !). Au cours de cette réunion, j'ai écouté Gene Sperling argumenter en faveur du sauvetage de Chrysler, et Christy Romer et Austan Goolsbee expliquer pourquoi continuer à soutenir l'entreprise revenait à jeter de l'argent par les fenêtres. Rahm et Axe, toujours sensibles à la dimension politique de la situation, ont fait remarquer que le pays – par une remarquable marge de deux contre un – s'opposait à ce que l'État, une fois de plus, renfloue une grosse entreprise. Même dans le Michigan, les soutiens atteignaient à peine la majorité.

Rattner a indiqué que Fiat avait récemment fait part de son intérêt pour l'achat d'une partie significative du capital de Chrysler, et que son PDG, Sergio Marchionne, qui avait repris la direction de cette entreprise chancelante en 2004, en avait fait en un an et demi, de manière impressionnante, une affaire saine qui générait des bénéfices. Les discussions avec Fiat n'en étaient toutefois qu'à la phase préliminaire et personne ne pouvait garantir qu'une intervention suffirait à remettre Chrysler sur les rails. C'était une décision à 51-49, comme disait Rattner – avec une forte probabilité que les chances de réussite paraissent plus faibles une fois la faillite prononcée et après avoir vu de plus près ce qu'elle avait vraiment sous le capot.

J'ai consulté les graphiques, étudié les chiffres, relevé de temps en temps les yeux pour contempler les portraits de Teddy Roosevelt et de Franklin Roosevelt accrochés au mur. Puis est venu le moment où Gibbs a pris la parole. Il avait au préalable travaillé sur la campagne de Debbie Stabenow, dans le Michigan, et s'appliquait à présent à nous montrer une carte sur PowerPoint figurant toutes les usines Chrysler dans le Midwest.

« Monsieur le Président, a-t-il dit. Je ne suis pas économiste, et je ne sais pas comment gérer un constructeur automobile. Mais ce que je sais, c'est qu'on a passé les trois derniers mois à essayer d'éviter une nouvelle Grande Dépression. Or il s'avère que, dans nombre de ces villes, la crise est déjà là. Si on coupe les vivres maintenant à Chrysler, c'est comme si on signait un arrêt de mort pour tous les points que vous voyez sur la carte. Chaque point correspond à des milliers d'ouvriers qui comptent sur nous. Des gens comme vous en avez rencontré pendant la campagne... qui perdront leur assurance-maladie, leur retraite, trop âgés pour retrouver une activité. Je ne vois pas comment vous pouvez leur tourner le dos. Je ne crois pas que ce soit pour ça que vous avez brigué la présidence. »

J'ai fixé les points sur la carte, plus d'une vingtaine en tout, répartis sur le Michigan, l'Indiana et l'Ohio. Je suis retourné en esprit à l'époque où j'étais militant associatif à Chicago, quand je retrouvais d'anciens ouvriers de la sidérurgie au chômage, dans le froid de locaux syndicaux ou de sous-sols d'église, afin de discuter de leurs inquiétudes pour leur quartier. Je revoyais leurs corps lourds sous les manteaux d'hiver, leurs mains couvertes de gerçures et de durillons, leurs visages – blancs, noirs, de toutes les origines – trahissant le désespoir silencieux d'hommes qui n'avaient plus de but dans la vie. Je n'avais pas pu faire grand-chose pour eux à l'époque ; leurs usines avaient déjà fermé au moment où j'étais arrivé, et les gens comme moi n'avaient aucun moyen de pression sur les cadres supérieurs inaccessibles qui prenaient les décisions. J'étais entré en politique avec l'idée que je serais peut-être un jour capable d'offrir une aide plus substantielle à ces travailleurs et à leurs familles.

Le moment était venu. Je me suis tourné vers Rattner et Bloom, et leur ai demandé d'appeler Chrysler et de me mettre en communication avec eux. Si, avec notre soutien, l'entreprise pouvait négocier un accord avec Fiat, ai-je dit, un plan de développement réaliste, sérieux, pour repartir du bon pied après un redressement judiciaire, le tout dans un laps de temps raisonnable, nous nous devions d'offrir cette chance aux travailleurs et à leurs communautés.

L'heure du dîner approchait et j'avais encore plusieurs coups de fil à passer depuis le Bureau ovale. Je m'apprêtais à clore la réunion quand j'ai remarqué Brian Deese qui levait timidement la main. Il était le plus jeune membre du groupe, avait à peine pris la parole pendant la discussion, mais, même si je l'ignorais alors, c'était en réalité lui qui avait préparé la carte et la présentation de Gibbs sur les coûts humains qui accompagneraient le lâchage de Chrysler. (Des années plus tard, il me confierait avoir estimé que l'argument aurait plus de poids s'il était présenté par un membre plus haut placé du staff.) Ayant constaté que son PowerPoint avait convaincu et se sentant en confiance, Deese a voulu souligner les avantages potentiels que présentait l'option que j'avais prise – y compris le fait qu'un tandem Chrysler-Fiat pourrait devenir à terme le premier constructeur à proposer des voitures faisant du 65 kilomètres au gallon (3,8 litres). Si ce n'est que, sous le coup de l'émotion, il a dit : « les premières voitures produites aux États-Unis qui pourraient faire du 65 kilomètres *à l'heure* ».

Le silence a envahi la pièce un instant, puis tout le monde a éclaté de rire. Prenant conscience de son erreur, Deese a piqué un fard ; derrière sa moustache, son visage angélique est devenu écarlate. J'ai souri en me relevant de mon siège.

« Vous savez, il se trouve que ma première voiture était une Fiat de 76, ai-je raconté en rassemblant les papiers que j'avais devant moi. Je l'avais achetée d'occasion quand j'étais en première année, à la fac. C'était une manuelle, de couleur rouge. Si mes souvenirs sont bons, elle dépassait le 65 kilomètres à l'heure... enfin, quand elle n'était pas en réparation. La pire voiture que j'aie jamais eue. » J'ai fait le tour de la table, tapoté le bras de Deese et, avant de franchir la porte, je me suis retourné : « Les gens de chez Chrysler vous remercient, ai-je dit, d'avoir attendu que je prenne ma décision avant de mettre en avant cet argument-là. »

On dit souvent que l'on tresse trop de lauriers au président lorsque l'économie va bien et qu'on lui fait trop porter le chapeau en cas de marasme. En temps normal, c'est vrai. Toutes sortes de facteurs – d'une décision de la Fed (sur laquelle le président n'a juridiquement aucune autorité) de baisser ou de monter les taux d'intérêt aux vicissitudes des cycles économiques, en passant par le mauvais temps qui retarde un chantier ou un pic du prix de certaines denrées à la suite d'un conflit à l'autre bout du monde – ont probablement plus de chances d'avoir un effet avéré sur l'économie au jour le jour que la moindre action du président. Même des initiatives fortes de la Maison-Blanche, comme une importante réduction d'impôts ou une refonte de la réglementation, n'ont souvent des conséquences sur la croissance du produit intérieur brut ou sur le chômage que des mois ou des années plus tard.

Finalement, la plupart des présidents travaillent sans connaître le résultat de leurs actions. Les électeurs ne peuvent pas non plus en mesurer les effets. Il y a là sans doute une certaine injustice : au gré des accidents du calendrier, un président peut être puni ou récompensé dans les sondages pour des événements sur lesquels il n'a eu aucun contrôle. En même temps, cela offre aussi à un gouvernement une certaine marge d'erreur, permettant aux dirigeants d'instaurer de nouvelles politiques, sachant que tout ne dépendra pas des mesures qu'ils auront prises.

En 2009, toutefois, la situation était différente. Au cours des cent premiers jours après mon entrée en fonction, il n'existait pas de marge d'erreur possible. Chacune de nos initiatives comptait. Chaque Américain était attentif à ce que nous faisions. Avions-nous relancé le système financier ? Stoppé la récession ? Remis les gens au travail ? Permis aux familles de garder leurs maisons ? Notre bulletin de notes était diffusé au quotidien, tout le monde pouvait le voir et chaque fragment de donnée économique, chaque information ou anecdote faisait l'objet d'une appréciation. Du matin au réveil jusqu'au moment de se coucher, mon équipe et moi étions conscients de cela.

Je songe parfois que seul le fait que nous ayons été à ce point occupés pendant ces mois nous a permis de ne pas céder à la panique générale. Après les décisions concernant General Motors et Chrysler, les principaux piliers de notre stratégie étaient dans l'ensemble en place, ce qui signifiait que nous allions pouvoir porter notre attention sur sa mise en œuvre. Le Groupe de travail sur le secteur automobile a négocié un changement de l'équipe managériale de GM, travaillé à la fusion de Fiat et de Chrysler, à l'élaboration d'un plan solide pour les redressements judiciaires, ainsi qu'à la réorganisation des deux constructeurs automobiles. L'équipe logement, pendant ce temps, établissait le cadre pour les programmes HAMP et HARP. Les réductions d'impôts et les allocations aux États du Recovery Act ont commencé à affluer, Joe Biden et le fort compétent directeur de cabinet Ron Klain étant responsables de l'allocation des milliards de dollars destinés aux projets d'infrastructure, toujours soucieux de réduire au maximum le gaspillage et la fraude. Quant à Tim et à son équipe économique encore peu nombreuse au Trésor, ils continuaient, aux côtés de la Fed, à éteindre les incendies du système financier.

Tout cela était mené au pas de charge. Lorsque je retrouvais mon équipe économique pour notre point régulier du matin, les visages de ceux qui étaient installés en fer à cheval sur les chaises et les canapés du Bureau ovale trahissaient leur épuisement. Plus tard, on me rapporterait que les gens se hurlaient parfois dessus lors de ces réunions, conséquence de disputes légitimes, de luttes d'influence, de fuites dans la presse, d'absence de week-ends ou de trop nombreux dîners tardifs à base de pizza ou de chili provenant du mess de la marine, au rez-de-chaussée de l'aile ouest. Aucune de ces tensions ne dégénérait en véritable rancœur ni n'empêchait que le travail soit fait. Était-ce du professionnalisme, une marque de respect vis-à-vis de la présidence, la compréhension de ce qu'un échec pourrait signifier pour le pays, ou encore une solidarité collective forgée par les attaques de plus en plus vives qui nous visaient de toutes parts, toujours est-il que tout le monde a plus ou moins réussi à tenir le choc tandis que nous attendions un signe, le moindre signe, indiquant que nos plans pour mettre un terme à la crise seraient réellement efficaces.

Et finalement, fin avril, la nouvelle est tombée. Tim est passé dans le Bureau ovale pour me dire que la Réserve fédérale, qui était demeurée mutique durant tout son audit des banques, avait enfin livré un premier retour au Trésor concernant les résultats du « test de résistance ».

« Alors ? ai-je demandé, tâchant de décrypter l'expression de Tim. Qu'est-ce que ça donne ?

– Bon, les chiffres sont encore susceptibles de changer… »

J'ai brandi les mains en l'air en un geste d'exaspération feinte.

« Mieux que ce à quoi nous nous attendions, monsieur le Président, a lâché Tim.

– Ce qui veut dire ?

– Ce qui veut dire que nous avons sans doute passé le cap. »

Sur les dix-neuf établissements financiers d'importance systémique ayant été soumis au « test de résistance », la Fed avait accordé un certificat de bonne santé à neuf d'entre eux, estimant qu'ils n'auraient pas besoin de lever davantage de fonds. Cinq autres banques avaient besoin

d'un apport de capital supplémentaire pour atteindre le seuil de référence de la Fed, mais semblaient néanmoins suffisamment robustes pour
pouvoir lever ces fonds auprès de sources privées. Il restait donc cinq
établissements (dont Bank of America, Citigroup et GMAC, le bras
financier de General Motors) qui auraient probablement besoin d'une
aide supplémentaire de l'État. Selon la Fed, le montant ne dépasserait
pas les 75 milliards de dollars – une somme que les fonds du TARP
pouvaient largement couvrir si nécessaire.

« On n'en a jamais douté un seul instant », ai-je dit, pince-sans-rire,
quand Tim a eu terminé.

C'était la première fois depuis des semaines que je voyais un sourire
sur son visage.

Si Tim avait le sentiment que les résultats du « test de résistance » lui
donnaient raison, il n'en a rien laissé paraître. (Il a néanmoins reconnu,
des années plus tard, avoir ressenti une certaine satisfaction à entendre
les mots : « Vous aviez raison » dans la bouche de Larry Summers.)
Pour l'instant, nous allions garder l'information pour nous, au sein de
notre cercle restreint ; nous ne voulions surtout pas nous réjouir prématurément. Lorsque la Fed a publié son rapport final, deux semaines plus
tard, ses conclusions n'avaient pas changé et, en dépit d'un scepticisme
persistant de la part de commentateurs politiques, le public qui comptait –
les marchés financiers – jugea les audits rigoureux et dignes de foi, ce qui
a provoqué un nouvel afflux de confiance. Des investisseurs se sont mis
à réinjecter des liquidités dans les institutions financières presque aussi
rapidement qu'ils les avaient retirées. Les sociétés ont constaté qu'elles
pouvaient de nouveau emprunter pour financer leurs opérations au jour
le jour. De même que la peur avait aggravé les pertes bien réelles des
banques issues de la débauche d'emprunts à risque, le « test de résistance »
– assorti des importantes garanties du gouvernement américain – avait
d'un coup ramené les marchés à la raison. En juin, les dix établissements
financiers en difficulté avaient levé plus de 66 milliards en fonds privés,
ce qui ne faisait plus qu'un différentiel de 9 milliards de dollars. Le fonds
de liquidités d'urgence de la Fed avait pu réduire des deux tiers son
investissement dans le système financier. Et les neuf plus grandes banques
du pays avaient remboursé les fonds TARP accordés par le Trésor à
concurrence de 67 milliards de dollars – avec intérêts.

Près de neuf mois après la chute de Lehman Brothers, la panique
semblait derrière nous.

PLUS D'UNE DÉCENNIE a passé depuis cette période périlleuse au début de ma présidence et, si les détails sont flous pour la plupart des Américains, la gestion de la crise par mon gouvernement fait aujourd'hui encore l'objet de débats houleux. En s'en tenant strictement aux faits, il est difficile de contester les résultats de nos actions. Non seulement notre secteur bancaire s'est stabilisé bien plus rapidement que ceux de tous ses homologues européens, mais le système financier et l'économie en général ont renoué avec la croissance bien plus vite que n'importe quelle nation dans l'histoire après un choc d'une telle ampleur. Si j'avais prévu le jour de ma prestation de serment qu'en un an le système financier américain serait stabilisé, que presque tous les fonds du TARP seraient entièrement remboursés (ayant donc *rapporté* de l'argent au contribuable au lieu de lui en coûter) et que l'économie aurait entamé ce qui serait la période de croissance continue et de création d'emplois la plus longue de l'histoire américaine, la majorité des pontifes et experts auraient douté de ma santé mentale – ou bien auraient supposé que je fumais quelque chose de plus fort que du tabac.

Pour de nombreux commentateurs sérieux, toutefois, le problème est précisément que j'avais orchestré un retour à la normale d'avant la crise – une occasion manquée, voire une pure trahison. Selon cette vision, la crise financière avait été une opportunité de redéfinir les critères de la normalité comme on n'en connaît qu'une par génération, de refondre non seulement le système financier, mais l'économie américaine dans son ensemble. Si seulement j'avais démembré les grandes banques et envoyé en prison les coupables en col blanc ; si seulement j'avais mis un terme aux parachutes dorés et à la culture face-je-gagne, pile-tu-perds de Wall Street, alors peut-être aurions-nous aujourd'hui un système plus équitable au service des familles d'honnêtes travailleurs et non pas d'une poignée de milliardaires.

Je comprends ces frustrations. À maints égards, je les partage. Aujourd'hui, je suis de près les rapports qui pointent l'augmentation des disparités en Amérique, l'ascenseur social grippé et la stagnation des salaires, avec toute la colère et les distorsions que ces mouvements éveillent dans notre démocratie, et je me demande si j'aurais dû être plus audacieux au cours de ces premiers mois, disposé à infliger plus de souffrance économique à court terme pour viser un ordre économique plus juste, à jamais changé.

La question me taraude. Et pourtant, même si j'avais le pouvoir de revenir dans le passé et de recommencer, je ne peux pas affirmer que je ferais des choix différents. Dans l'absolu, toutes les solutions alternatives et occasions manquées que brandissent les détracteurs semblent plausibles, de simples points de bascule dans un conte moral. Mais lorsque vous vous penchez sur les détails, chacune des options qu'ils proposent – que ce soit la nationalisation des banques, la redéfinition des infractions pénales afin de poursuivre en justice les cadres des banques, ou simplement l'abandon d'une portion du système bancaire pour éviter l'aléa moral – aurait infligé une violence à l'ordre social, un déchirement des normes politiques et économiques, ce qui, presque certainement, n'aurait fait qu'aggraver les choses. Pas pour les riches et les puissants, qui trouvent toujours le moyen de retomber sur leurs pattes. Mais précisément pour les gens que je prétendais sauver. Dans le meilleur des cas, l'économie aurait mis plus de temps à se remettre, avec plus de chômage, plus de saisies immobilières, plus d'entreprises qui auraient mis la clef sous la porte. Dans le pire des cas, nous aurions basculé dans une crise généralisée.

Quelqu'un doté d'une âme plus révolutionnaire pourrait répondre que le jeu en valait la chandelle, qu'on ne fait pas d'omelette sans casser des œufs. Mais autant j'étais prêt à perturber le cours de ma vie à la poursuite d'une idée, autant je ne souhaitais pas prendre ces mêmes risques avec le bien-être de millions de gens. En ce sens, mes cent premiers jours à la Maison-Blanche ont révélé un trait fondamental de mon caractère : j'étais un réformateur, conservateur de tempérament à défaut de l'être dans ma vision du monde. Quant à savoir si c'était une preuve de sagesse ou de faiblesse, il appartiendrait à d'autres d'en juger.

De telles réflexions ne me sont venues que plus tard. À l'été 2009, la course ne faisait que commencer. Une fois l'économie stabilisée, je savais que j'aurais plus de temps pour enclencher des changements structurels – dans la fiscalité, l'éducation, l'énergie, la santé, la législation du travail et l'immigration – qui avaient été mes thèmes de campagne, des changements qui, fondamentalement, rendraient le système plus juste et élargiraient les perspectives des Américains ordinaires. Déjà, Tim et son équipe préparaient des options pour un train de réformes de Wall Street que je présenterais plus tard au Congrès.

Entre-temps, j'ai essayé de me rappeler que nous avions évité au pays de sombrer dans le désastre, que notre travail commençait à porter ses fruits. Le meilleur accès à l'assurance chômage permettait à des familles dans tout le pays de tenir le coup. Les réductions d'impôts pour les petites entreprises autorisaient quelques travailleurs supplémentaires à continuer d'être payés. Les enseignants étaient dans les salles de classe, les policiers sur le terrain. Une usine automobile qui avait été menacée de fermeture tournait encore, et la renégociation d'un prêt immobilier permettait à quelqu'un, quelque part, de ne pas perdre sa maison.

L'absence de catastrophe, le maintien de la normalité, n'attirerait pas l'attention. La plupart des gens concernés ne sauraient même pas comment les mesures que nous avions prises avaient affecté leur vie. Mais, au fil de mes lectures dans la salle des Traités, tard le soir, je tombais parfois sur une lettre sortie du classeur mauve qui commençait à peu près comme ça :

> *Cher Président Obama,*
> *Je suis sûr que vous ne lirez jamais cette lettre, mais je me disais que ça vous plairait peut-être de savoir qu'un des programmes que vous avez lancés m'a vraiment sauvé la vie…*

Je reposais alors la lettre et sortais une carte pour rédiger une brève réponse. J'imaginais son destinataire recevoir l'enveloppe officielle de la Maison-Blanche, l'ouvrir, l'air perplexe, puis se mettre à sourire. Il la montrerait à sa famille, l'emporterait même peut-être à son travail. La lettre finirait dans un tiroir, quelque part, oubliée sous l'accumulation de joies et de peines qui constitue une vie. C'était normal. Je ne pouvais pas m'attendre à ce que les gens comprennent combien leurs voix comptaient pour moi – que c'était grâce à elles que j'avais tenu bon et réussi à repousser les doutes qui s'insinuaient en ces tardives soirées solitaires.

CHAPITRE 13

Avant l'investiture, Denis McDonough, mon conseiller principal en politique étrangère pendant la campagne, qui serait bientôt mon directeur de la communication stratégique au Conseil de sécurité nationale, a insisté pour que je consacre une demi-heure à ce qu'il considérait comme une priorité de tout premier ordre.

« Il faut qu'on s'assure que vous fassiez un vrai salut impeccable. »

Denis n'avait lui-même jamais servi dans l'armée, et pourtant il y avait une rigueur dans ses mouvements, une précision et une concentration qui portaient certains à croire le contraire. Grand et anguleux, la mâchoire saillante, les yeux enfoncés, le cheveu grisonnant qui lui donnait l'air plus vieux que ses 39 ans, il avait grandi dans la petite ville de Stillwater, dans le Minnesota, au sein d'une modeste famille catholique irlandaise de onze enfants. Après avoir obtenu son diplôme universitaire, il avait voyagé en Amérique latine et enseigné au lycée à Belize, puis il était rentré pour faire un master en affaires internationales, et avait travaillé pour Tom Daschle, alors chef de file des démocrates au Sénat. En 2007, nous avions recruté Denis pour qu'il soit mon attaché parlementaire spécialiste des affaires internationales et, au fil de la campagne, il avait assumé de plus en plus de responsabilités – m'aidant à préparer les débats, à finaliser les dossiers de synthèse, organisant tous les aspects de ma tournée à l'étranger avant la convention, en joute permanente avec le groupe des journalistes accrédités qui étaient du voyage.

Même dans une équipe composée uniquement de personnalités remarquables, Denis se démarquait. Il était attentif aux moindres détails, se portait volontaire pour les tâches les plus ardues et rébarbatives, et personne ne travaillait plus dur que lui : durant la campagne dans l'Iowa, il passait le peu de temps libre qu'il avait à faire du porte-à-porte ; il était de notoriété publique qu'il avait déneigé à la pelle chez certains habitants après une tempête particulièrement vigoureuse, dans l'espoir qu'ils m'apportent leur soutien lors du caucus. L'endurance et l'abnégation qui lui avaient permis, malgré sa taille moyenne, d'être sélectionné comme arrière défensif dans l'équipe de football universitaire pouvaient poser problème – j'ai dû un jour le renvoyer chez lui après avoir appris qu'il avait travaillé douze heures d'affilée à la Maison-Blanche alors qu'il avait la grippe. J'en suis venu à soupçonner une vocation presque religieuse derrière cette intensité, et si sa nature iconoclaste (ainsi qu'une adoration pour sa femme Kari) l'avait tenu éloigné des ordres, il concevait son travail à la fois comme un service et comme un sacerdoce.

Et voilà que, au rang des bonnes actions qu'il voulait accomplir ici-bas, Denis s'était mis en tête de me préparer pour mon premier jour de commandant en chef. La veille de mon investiture, il avait invité deux militaires – dont Matt Flavin, qui avait servi dans la marine et qui serait mon attaché aux anciens combattants à la Maison-Blanche – dans le bureau de transition pour m'apprendre à faire correctement les pas. Ils avaient commencé par me montrer une série de photos de saluts présidentiels antérieurs n'ayant pas été à la hauteur – poignet flottant, doigts recourbés, George W. Bush tentant d'exécuter le salut tout en tenant son chien sous le bras. Puis ils avaient évalué mon propre geste, qui n'était manifestement pas brillant.

« Le coude un peu plus à l'extérieur, monsieur le Président », a dit le premier.

« Les doigts plus serrés, monsieur le Président, a dit l'autre. La pointe des doigts doit arriver aux sourcils. »

Au bout d'une vingtaine de minutes, mes tuteurs ont fini par avoir l'air satisfaits. Après leur départ, je me suis tourné vers Denis.

« Y a-t-il encore autre chose qui te chiffonne ? » l'ai-je taquiné.

Denis a secoué la tête, visiblement pas tout à fait convaincu.

« Ce n'est pas que ça me chiffonne, monsieur le Président élu. Je veux juste qu'on soit prêts.

– Prêts à quoi ? »

Denis a souri.

« Prêts à tout. »

C'est un truisme de dire que la mission la plus importante du président est d'assurer la sécurité du peuple américain. Selon votre inclination politique et votre mandat électoral, vous aurez peut-être le désir ardent de revitaliser l'éducation publique ou de rétablir la prière à l'école, de revaloriser le salaire minimum ou de briser le pouvoir des syndicats du secteur public. Mais, que vous soyez républicain ou démocrate, ce qui doit être une préoccupation première pour le président, la source de tension chronique et incessante qui s'imprègne profondément en vous dès l'instant où vous êtes élu, c'est la conscience que la protection de tous dépend de vous.

Votre approche de cette mission dépendra de la façon dont vous définissez les menaces pour la sécurité du pays. Que craignons-nous le plus ? Est-ce l'éventualité d'une attaque nucléaire russe ou qu'une faille bureaucratique ou un pépin dans le logiciel déclenche par inadvertance le lancement d'une de nos ogives ? Est-ce un fanatique se faisant exploser dans un métro ou l'État qui, sous prétexte de vous protéger des fanatiques, s'introduit dans votre boîte mail ? Est-ce une pénurie d'essence provoquée par un problème d'approvisionnement en pétrole venant de l'étranger ou la montée des océans et la planète qui rôtit ? Est-ce une famille d'immigrants en quête d'une vie meilleure qui entre clandestinement dans le pays après avoir traversé un fleuve ou une maladie contagieuse qui s'est développée à cause de la misère et de l'insuffisance des services publics dans un pays pauvre, et s'insinue subrepticement dans nos foyers ?

Pendant la majeure partie du XXe siècle, pour la plupart des Américains, le danger dont nous devions nous prémunir et les raisons pour lesquelles nous devions nous en prémunir étaient assez limpides. Nous vivions avec l'éventualité d'être attaqués par une autre grande puissance, d'être pris dans un conflit entre grandes puissances ou de voir les intérêts vitaux de l'Amérique – tels que définis par les sages de Washington – menacés par quelque pouvoir étranger. Après la Seconde Guerre mondiale, c'étaient les Soviétiques, la Chine communiste et leurs acolytes (réels ou perçus comme tels) qui cherchaient ostensiblement à dominer le monde et menaçaient notre mode de vie. Et puis il y a eu des attentats orchestrés depuis le Moyen-Orient, tout d'abord à la périphérie de notre vision, effrayants mais gérables, jusqu'à ce que, dans les tout premiers mois du nouveau millénaire, le spectacle de l'écroulement dans la poussière des tours jumelles concrétise nos pires peurs.

J'ai grandi avec tant de ces peurs gravées en moi. À Hawaï, j'ai connu des familles ayant perdu des êtres chers à Pearl Harbor.

Mon grand-père, son frère et le frère de ma grand-mère ont tous combattu pendant la Seconde Guerre mondiale. J'ai été élevé dans la croyance que la guerre nucléaire était une possibilité bien réelle. À l'école primaire, j'ai assisté, en 1972, aux retransmissions des Jeux olympiques de Munich où des athlètes ont été massacrés par des hommes masqués ; à l'université, j'ai écouté le journaliste Ted Koppel faire le décompte des jours où des Américains étaient retenus comme otages en Iran. Trop jeune pour avoir connu personnellement l'angoisse de la guerre du Vietnam, je n'avais pu que constater la probité et la modération de nos soldats pendant la guerre du Golfe et, comme la plupart des Américains, j'avais considéré nos opérations militaires en Afghanistan après le 11 Septembre comme à la fois nécessaires et justes.

Mais d'autres types de récits s'étaient aussi incrustés en moi – des histoires différentes, mais pas contradictoires – sur ce que l'Amérique signifiait pour ceux qui vivaient ailleurs dans le monde, le pouvoir symbolique d'un pays construit sur des idéaux de liberté. Je me revois à 7 ou 8 ans, assis par terre sur le carrelage frais de notre maison, dans les faubourgs de Jakarta, montrant avec fierté à mes copains un livre d'images de Honolulu, avec les grands immeubles, les lumières de la ville et les larges routes pavées. Je n'oublierai jamais l'émerveillement sur leurs visages tandis que je répondais à leurs questions sur la vie en Amérique, leur expliquant que tout le monde devait aller à l'école, où l'on trouvait plein de livres, et qu'il n'y avait pas de mendiants parce que presque tout le monde avait un travail et de quoi manger. Plus tard, jeune homme, j'ai constaté le rôle que jouait ma mère, sous contrat avec des organisations comme l'Agence des États-Unis pour le développement international (USAID), en aidant des femmes dans des villages retirés d'Asie à trouver des fonds, et la reconnaissance durable de ces femmes pour ces Américains qui, de l'autre côté de l'océan, se souciaient de leur détresse. Quand j'ai visité le Kenya pour la première fois, les membres de ma famille, dont je faisais la connaissance, m'ont expliqué combien ils admiraient la démocratie américaine et l'état de droit – qui contrastaient, m'ont-ils dit, avec le tribalisme et la corruption qui minaient leur pays.

Ces expériences m'ont appris à voir mon pays avec les yeux d'autrui. Cela me rappelait que j'avais de la chance d'être américain, que je ne devais pas considérer ces acquis comme allant de soi. J'ai constaté par moi-même le pouvoir que l'exemple exerçait sur les cœurs et les esprits des gens dans le monde entier. Mais cela s'accompagnait d'un enseignement corollaire : la conscience de ce que nous risquions lorsque nos actes n'étaient pas à la hauteur de notre image et de nos idéaux, de la colère et du ressentiment que cela pouvait générer, des dégâts occasionnés. Quand j'entendais les Indonésiens parler des centaines de milliers de personnes massacrées lors du coup d'État suspecté d'avoir été soutenu par la CIA, qui avait installé au pouvoir une dictature militaire en 1967, quand j'écoutais les militants écologistes d'Amérique latine expliquer en détail que les entreprises américaines souillaient leur campagne, ou que je compatissais avec mes amis américains d'origine indienne ou pakistanaise racontant toutes les fois où ils avaient été arrêtés « au hasard » pour subir des fouilles dans les aéroports depuis le 11 Septembre, je sentais faiblir les défenses de l'Amérique, je voyais des lézardes dans la cuirasse qui, j'en étais sûr, avec le temps, mettaient en péril la sécurité de notre pays.

Cette double vision, ainsi que ma couleur de peau, me distinguaient de mes prédécesseurs. Pour mes sympathisants, c'était une force déterminante en matière de politique étrangère, m'autorisant à accroître l'influence des États-Unis dans le monde et à anticiper des problèmes qui pourraient découler de stratégies irréfléchies. Pour mes détracteurs, c'était un gage de faiblesse, entraînant la possibilité que j'hésite à accorder la priorité aux intérêts américains en raison de mon manque de conviction, voire de mes loyautés partagées. Pour certains de mes compatriotes, c'était bien pire encore. Le fils d'un Africain noir avec un nom musulman et des idées socialistes installé à la Maison-Blanche, aux manettes de l'État américain : c'était précisément contre cela qu'ils voulaient être défendus.

QUANT AUX HAUTS RESPONSABLES à la Sécurité nationale, tous se considéraient comme d'ardents internationalistes à un degré ou un autre : ils étaient convaincus que le leadership international américain était nécessaire pour que le monde continue de tendre vers le mieux, et que notre influence se présentait sous diverses formes. Même les membres les plus réformistes de mon équipe, comme Denis, n'avaient pas de scrupules quant à l'usage du *hard power*, la force dure, à l'encontre des terroristes, et se montraient dédaigneux vis-à-vis des critiques de gauche qui imputaient aux États-Unis les maux de la terre entière. Parallèlement, les plus va-t-en-guerre de mon équipe comprenaient l'importance de la diplomatie et estimaient que la mise en place de ce que l'on appelle le *soft power*, comme les programmes d'aide à l'étranger et d'échanges étudiants, était un ingrédient essentiel d'une politique étrangère américaine efficace.

C'était une question de dosage. Quelle importance accordions-nous aux populations au-delà de nos frontières et dans quelle mesure devions-nous nous soucier exclusivement de nos concitoyens ? Dans quelle mesure notre sort était-il effectivement lié à celui de gens d'autres pays ? Dans quelle mesure l'Amérique devait-elle s'attacher à des institutions multilatérales comme les Nations unies, et dans quelle mesure devions-nous faire cavalier seul dans la poursuite de nos propres intérêts ? Devions-nous coopérer avec des gouvernements autoritaires qui contribuaient à contenir le chaos – ou était-ce un meilleur calcul, à long terme, de miser sur les forces de la réforme démocratique ?

La position des membres de mon gouvernement sur ces questions n'était pas toujours prévisible. Mais, dans nos débats internes, je devinais un certain fossé générationnel. À l'exception de Susan Rice, ma jeune ambassadrice auprès des Nations unies, tous mes hauts responsables à la sécurité nationale – les secrétaires Gates et Clinton, le directeur de la CIA Leon Panetta, les chefs d'état-major, ainsi que mon conseiller à la sécurité nationale, Jim Jones, et le directeur du renseignement national, Dennis Blair – étaient de jeunes adultes à l'époque où la guerre froide était à son paroxysme et ils avaient passé des décennies à fréquenter l'establishment de la sécurité nationale à Washington : un réseau dense dont les membres sont étroitement liés, artisans hier et aujourd'hui de la politique de la Maison-Blanche, parlementaires, universitaires, directeurs de groupes de réflexion, haut gradés du Pentagone, chroniqueurs, fournisseurs sous contrat avec l'armée et lobbyistes. Pour eux, une politique militaire responsable supposait de la continuité, de la prévisibilité et le refus de trop s'éloigner de la sagesse conventionnelle. C'est cette disposition d'esprit qui a conduit la plupart d'entre eux à soutenir l'invasion de l'Irak par les États-Unis ; et si le désastre qui s'est ensuivi les a amenés à reconsidérer cette décision précise, ils n'étaient toujours pas enclins à se demander si l'approbation par les deux partis de la ruée en Irak n'était pas révélatrice de la nécessité d'une refonte des institutions veillant à la sécurité nationale de l'Amérique.

Les plus jeunes de mon équipe, dont la majeure partie des membres du Conseil de sécurité nationale, voyaient les choses différemment. Pas moins patriotiques que leurs aînés, fortement marqués par les horreurs du 11 Septembre et les images de prisonniers irakiens torturés par des militaires américains à Abou Ghraib, nombre d'entre eux avaient rejoint ma campagne justement parce que je souhaitais remettre en question les hypothèses qu'on désignait souvent comme « la règle du jeu selon Washington », qu'il s'agisse de notre position au Moyen-Orient, de notre attitude vis-à-vis de Cuba, de notre refus d'inviter nos ennemis à la table des négociations, de l'importance de restaurer des garde-fous dans le combat contre le terrorisme, de la protection des droits fondamentaux, de l'aide aux pays en développement et du changement climatique – que ces velléités ne soient plus perçues comme des manifestations d'altruisme, mais comme des aspects centraux de notre sécurité nationale. Aucun de ces plus jeunes membres n'était un exalté, et ils respectaient le savoir institutionnel de ceux qui avaient une expérience approfondie des affaires étrangères, mais ils estimaient ne pas avoir à s'excuser de souhaiter rompre avec certaines contraintes du passé pour améliorer les choses.

Parfois, les frictions entre la nouvelle et l'ancienne gardes au sein de mon équipe de politique étrangère arrivaient aux oreilles du grand public. Lorsque cela se produisait, les médias avaient tendance à attribuer ces dissensions à une impertinence juvénile dans mes rangs et à un défaut de compréhension fondamentale de la façon dont Washington fonctionnait. Ce n'était pas le cas. De fait, c'était précisément parce que des attachés comme Denis savaient comment fonctionnait Washington – parce qu'ils avaient été témoins de la manière dont la bureaucratie des affaires étrangères pouvait ralentir, contrecarrer, enterrer, exécuter de travers les nouvelles directives d'un président, voire s'y opposer – que, souvent, ils finissaient par entrer en confrontation avec le Pentagone, le département d'État et la CIA.

Et, en ce sens, j'étais personnellement la cause des conflits qui émergeaient au sein de notre équipe chargée des affaires étrangères ; c'était une façon pour moi de gérer mes propres conflits intérieurs. Je m'imaginais sur la passerelle d'un porte-avions, convaincu que l'Amérique avait besoin d'adopter une nouvelle trajectoire, mais entièrement dépendant d'une équipe plus chevronnée, et parfois sceptique, lorsqu'il s'agissait d'effectuer ce changement, conscient qu'il y avait des limites aux capacités du vaisseau et qu'un changement de cap trop brutal pouvait conduire à la catastrophe. Les enjeux étaient très importants, notamment dans le domaine de la sécurité nationale, et je commençais à me rendre compte que diriger, c'était bien plus que mettre en œuvre une stratégie éclairée. Les traditions et les rites comptaient. Les symboles et le protocole comptaient. Le langage du corps comptait.

Je me suis donc entraîné à exécuter mon salut.

CHAQUE MATIN, au cours de ma présidence, un classeur en cuir m'attendait sur la table du petit déjeuner. Michelle l'appelait le « Livre de la mort, de la destruction et des choses horribles » – il était désigné officiellement comme la « synthèse quotidienne » du président. Top secret, d'une longueur de dix à quinze pages en général, et préparée d'un jour sur l'autre par la CIA, en collaboration avec d'autres agences du renseignement, la synthèse devait fournir au président un résumé des événements dans le monde, assorti d'une analyse des services du renseignement, en particulier sur tout ce qui pouvait affecter la sécurité nationale américaine. Tel jour, je pouvais être informé de l'existence de cellules terroristes en Somalie, de troubles en Irak ou du fait que les Chinois ou les Russes se dotaient d'armes d'un nouveau type. Presque systématiquement, il était fait mention de possibles attentats ; parfois, les sources étaient vagues, peu étayées, et, à ce stade, il n'y avait pas vraiment lieu d'intervenir – une forme de diligence raisonnable de la part de la communauté du renseignement, visant à éviter les critiques qui avaient abondé après le 11 Septembre. La plupart du temps, ce que je lisais dans le briefing n'appelait pas de réaction immédiate. L'objectif était d'avoir une idée au jour le jour des perturbations dans le monde, des glissements, mineurs et majeurs, parfois à peine perceptibles, qui menaçaient de bouleverser les équilibres que nous tentions de préserver.

Après avoir lu la synthèse, je descendais dans le Bureau ovale pour une restitution en direct de ce que je venais de lire en présence des membres du Conseil de sécurité nationale et du renseignement national, et nous passions en revue les points qui nous paraissaient urgents. Les hommes chargés de ces exposés – Jim Jones et Dennis Blair – étaient d'anciens gradés quatre étoiles que j'avais rencontrés à l'époque où j'étais au Sénat. (Jones avait été commandant des forces des États-Unis en Europe, tandis que Blair avait récemment pris sa retraite de son poste d'amiral en charge du commandement Pacifique.) Ils avaient le physique de l'emploi – grands, athlétiques, cheveux grisonnants coupés en brosse, le port d'une droiture impeccable – et, si je les avais initialement consultés sur des questions militaires, l'un et l'autre s'enorgueillissaient d'avoir une vue globale sur nos priorités en matière de sécurité nationale. Jones, par exemple, s'intéressait de très près à l'Afrique et au Moyen-Orient et, après sa retraite de l'armée, il avait été impliqué dans les efforts de sécurité en Cisjordanie et à Gaza. Blair avait beaucoup écrit sur le rôle de la diplomatie économique et culturelle face à une Chine en pleine ascension. Aussi faisaient-ils venir de temps en temps des analystes et des experts aux briefings du matin afin de m'aider à avoir une vision d'ensemble et à saisir les enjeux sur le long terme : les implications de la croissance économique dans la démocratisation de l'Afrique subsaharienne, ou l'effet possible du changement climatique sur les futurs conflits régionaux.

Plus souvent, toutefois, nos discussions du matin portaient sur des désordres présents ou qui menaçaient : coups d'État, armes nucléaires, manifestations violentes et, surtout, guerres.

La guerre en Afghanistan, qui serait bientôt la plus longue de l'histoire américaine.

La guerre en Irak, où près de 150 000 soldats étaient encore déployés.

La guerre contre Al-Qaida, qui recrutait activement de nouveaux convertis, créant un réseau d'affiliés et fomentant des attaques inspirées de l'idéologie d'Oussama Ben Laden.

Les coûts cumulés de ce que le gouvernement Bush et les médias décrivaient comme une unique et globale « guerre contre le terrorisme » étaient ahurissants : près de 1 000 milliards de dollars dépensés, plus de 3 000 soldats américains tués, dix fois plus de blessés. Le nombre de victimes civiles irakiennes et afghanes était encore supérieur. La campagne d'Irak, en particulier, avait divisé le pays et mis à rude épreuve certaines alliances. Dans le même temps, le recours à des « restitutions extraordinaires », à des sites secrets, au *waterboarding* (simulations de noyade), à la détention à durée indéterminée sans procès à Guantánamo, et à la surveillance accrue dans le cadre de la lutte plus vaste contre le terrorisme avaient amené l'opinion publique, aux États-Unis et ailleurs, à douter de l'attachement de notre nation à la primauté du droit.

J'avais exprimé durant la campagne des positions qui me semblaient claires sur ces questions. Mais je voyais alors tout cela d'un peu loin ; j'avais à présent sous mon commandement des centaines de milliers de soldats et une infrastructure de sécurité nationale tentaculaire. Tout attentat aurait désormais lieu sous ma surveillance. Toutes les vies américaines perdues ou compromises, dans le pays ou à l'étranger, pèseraient uniquement sur ma conscience. C'étaient mes guerres, maintenant.

Mon objectif immédiat était de revoir chaque aspect de notre stratégie militaire de manière à avoir une approche réfléchie de ce qui se passerait ensuite. Grâce à l'accord sur le statut des forces que le président Bush et le Premier ministre Al-Maliki avaient signé environ un mois avant mon entrée en fonction, les grandes lignes d'un retrait d'Irak des troupes américaines avaient été esquissées. Les forces de combat américaines devaient avoir quitté les villes et les villages irakiens à la fin du mois de juin 2009, et toutes les forces américaines seraient sorties du pays à la fin de l'année 2011. La seule question qui demeurait était de savoir si nous pouvions ou devions agir plus vite, sans attendre ces dates butoirs. Pendant la campagne, je m'étais engagé à un retrait des forces de combat américaines d'Irak dans un délai de seize mois à partir de mon entrée en fonction, mais, après l'élection, j'avais signifié à Bob Gates que j'étais prêt à faire preuve de souplesse concernant le rythme du retrait, tant que nous restions dans le cadre de l'accord sur le statut des forces – une façon de reconnaître que clore une guerre était une affaire imprécise, que les commandants qui étaient au fait des combats méritaient quelque déférence lorsqu'il s'agissait de questions tactiques, et qu'un nouveau président ne pouvait pas si simplement déchirer les accords conclus par son prédécesseur.

En février, Gates et le général Ray Odierno, notre commandant nouvellement installé en Irak, m'ont présenté un plan prévoyant le retrait des troupes américaines d'Irak en dix-neuf mois – trois mois de plus que ce que j'avais proposé pendant la campagne, mais quatre mois de moins que ce que demandaient les chefs militaires. Le projet prévoyait également de laisser une force résiduelle de 50 000 à 55 000 militaires n'ayant pas vocation à combattre, qui resteraient sur place jusque fin 2011 afin de former et d'épauler les militaires irakiens. Certains, à la Maison-Blanche, se sont montrés dubitatifs sur la nécessité de ces trois mois supplémentaires et de l'importante force résiduelle, ne manquant pas de me rappeler que les démocrates au Congrès et le peuple américain étaient très favorables à une sortie accélérée, et non pas retardée.

J'ai néanmoins approuvé le projet d'Odierno, et effectué le voyage jusqu'à Camp Lejeune, en Caroline du Nord, pour annoncer ma décision devant plusieurs milliers de Marines enthousiastes. Autant j'avais été fermement opposé à la décision initiale d'envahir l'Irak, autant j'estimais qu'aujourd'hui les États-Unis avaient un intérêt à la fois stratégique et humanitaire à la stabilité de l'Irak. Le retrait des troupes de combat des centres urbains étant désormais prévu tout juste cinq mois plus tard, conformément à l'accord sur le statut des forces, l'exposition de nos soldats à de violents affrontements, aux tirs de snipers et aux engins explosifs improvisés serait fortement réduite pendant la phase finale de notre retrait. Et compte tenu de la grande vulnérabilité du nouvel État irakien, de ses forces de sécurité pour le moins fragiles, de la présence encore active d'Al-Qaida en Irak et des niveaux vertigineux d'hostilité sectaire qui grésillaient à l'intérieur du pays, il semblait plutôt judicieux d'utiliser la présence des forces résiduelles comme une sorte de police d'assurance contre un retour au chaos. « Une fois qu'on sera partis, ai-je dit à Rahm en lui expliquant ma décision, ce que je ne veux surtout pas, c'est qu'on soit obligés d'y retourner. »

Si ABOUTIR À UN PLAN pour l'Irak a été relativement simple, cela n'a pas du tout été le cas pour l'Afghanistan.

Contrairement à la guerre en Irak, j'avais toujours considéré la campagne d'Afghanistan comme une guerre nécessaire. Bien que les ambitions des talibans aient été confinées aux frontières de l'Afghanistan, leurs chefs demeuraient vaguement affiliés à Al-Qaida, et leur retour au pouvoir pourrait de nouveau faire du pays un tremplin pour fomenter des attentats contre les États-Unis et leurs alliés. En outre, le Pakistan n'avait su montrer ni la capacité ni la volonté de déloger le chef d'Al-Qaida de son sanctuaire, dans une région montagneuse retirée, à peine gouvernée, à cheval sur la frontière entre l'Afghanistan et le Pakistan. Cela signifiait que notre capacité à cerner et à détruire le réseau terroriste dépendait du bon vouloir du gouvernement afghan à laisser les soldats et le renseignement américains opérer sur son territoire.

Malheureusement, les six années pendant lesquelles l'attention et les ressources américaines s'étaient reportées sur l'Irak avaient rendu la situation en Afghanistan encore plus périlleuse. Nous avions beau avoir 30 000 militaires américains sur le terrain et presque autant de soldats de la coalition internationale, les talibans contrôlaient de vastes secteurs du pays, en particulier dans les régions limitrophes de la frontière pakistanaise. Là où ni les troupes américaines ni les troupes de la coalition n'étaient présentes, les combattants talibans l'emportaient largement sur une armée afghane bien plus importante en effectifs, mais mal formée. D'autre part, la mauvaise administration et la corruption rampante au sein des forces de police, à la tête des provinces et dans les ministères clés avaient érodé la légitimité du gouvernement de Hamid Karzaï et siphonné les dollars d'aides étrangères dont le pays avait tant besoin pour soutenir une des populations les plus pauvres au monde.

L'absence d'une stratégie américaine cohérente n'arrangeait pas les choses. Selon la personne à qui vous parliez, notre mission était soit très ciblée (faire disparaître Al-Qaida), soit très large (transformer le pays en un État démocratique moderne qui serait aligné sur l'Occident). Nos Marines et nos soldats chassaient inlassablement les talibans de certaines zones, pour constater peu après que leurs efforts avaient été vains, faute d'une gouvernance locale un tant soit peu compétente. Que ce soit en raison de leur ambition trop grande, de la corruption ou du manque de conviction de la part des Afghans, les programmes de développement patronnés par les États-Unis n'aboutissaient pas alors que la signature de nombreux contrats avec des interlocuteurs parmi les plus louches de

Kaboul minait la lutte contre la corruption visant à gagner le peuple afghan à notre cause.

À la lumière de tout cela, j'ai dit à Gates que ma première priorité serait de m'assurer que nos agences, aussi bien militaires que civiles, opéreraient dans le cadre d'une mission clairement définie et d'une stratégie coordonnée. Il n'y était pas opposé. En tant que directeur adjoint de la CIA dans les années 1980, Gates avait contribué à superviser l'armement des moudjahidines afghans dans la lutte contre l'invasion de leur pays par les Soviétiques. Avoir vu cette insurrection plus ou moins inorganisée saigner la puissante Armée rouge au point de la pousser au retrait – certains éléments de cette même insurrection évolueraient pour devenir Al-Qaida – avait conduit Gates à réfléchir aux conséquences imprévues qui pouvaient découler d'actions imprudentes. Sauf à établir des objectifs limités et réalistes, m'a-t-il dit, « nos efforts seront voués à l'échec ».

Le président du Comité des chefs d'état-major interarmées, l'amiral Mike Mullen, était lui aussi convaincu de la nécessité de revoir notre stratégie afghane. Mais il y avait un *hic* : lui et nos commandants militaires voulaient tout d'abord que j'autorise le déploiement immédiat de 30 000 soldats américains supplémentaires.

Pour être juste envers Mullen, la demande qui émanait du commandant de la Force internationale d'assistance à la sécurité en Afghanistan, le général Dave McKiernan, avait été déposée plusieurs mois auparavant. Pendant la transition, le président Bush avait sondé le terrain pour savoir si nous voulions qu'il ordonne le déploiement avant mon entrée en fonction, mais nous avions indiqué que nous préférions attendre que notre équipe évalue plus amplement la situation. D'après Mullen, la requête de McKiernan ne pouvait plus attendre.

Lors de notre première réunion complète du Conseil de sécurité nationale, qui s'est tenue dans la salle de crise deux jours avant mon investiture, Mullen avait expliqué qu'il y avait de fortes chances que les talibans organisent une offensive estivale, et que nous allions avoir besoin de brigades supplémentaires au sol pour tenter de la contenir. Il a également rapporté que McKiernan s'inquiétait de la sécurité à assurer pour l'élection présidentielle, prévue à l'origine en mai, mais reportée en août. « Si nous voulons que des troupes soient sur place à temps pour accomplir ces missions, m'a déclaré Mullen, il faut engager les choses dès maintenant. »

À cause des films, je m'étais toujours représenté la salle de crise comme un espace futuriste caverneux, les murs couverts jusqu'au plafond d'écrans connectés à des satellites haute résolution montrant des images radar, grouillant de personnel élégamment vêtu manipulant des tas de gadgets ultramodernes. La réalité était moins reluisante : juste une petite salle de conférence banale, au milieu d'un dédale de petites salles coincées au rez-de-chaussée, dans un coin de l'aile ouest. Les fenêtres étaient hermétiquement closes par des volets en bois naturel ; les murs étaient dépouillés, à l'exception d'horloges numériques qui indiquaient l'heure dans plusieurs capitales du monde, et de quelques écrans plats pas tellement plus grands que ceux qu'on aurait trouvés dans n'importe quel bar des sports de quartier. Il y avait beaucoup de monde. Les principaux membres du conseil étaient assis autour d'une longue table de conférence, et différents adjoints et assistants s'entassaient sur des chaises le long des murs.

« Pour que je comprenne bien, ai-je dit à Mullen en tâchant de ne pas paraître trop sceptique, après presque cinq années avec moins de 20 000 soldats, et après en avoir envoyé 10 000 de plus au cours des vingt derniers mois, le Pentagone estime qu'on ne peut pas attendre deux mois avant de décider de doubler les effectifs ? » J'ai fait remarquer que je n'étais pas hostile à l'envoi de troupes en renfort – durant la campagne, je m'étais engagé à déployer deux brigades supplémentaires en Afghanistan une fois que le retrait d'Irak aurait été amorcé. Mais comme toutes les personnes présentes venaient de donner leur accord pour que Bruce Riedel, un ancien expert de la CIA jouissant d'une excellente réputation, spécialiste du Moyen-Orient, dispose de soixante jours avant de nous remettre son rapport d'enquête, sur lequel nous pourrions fonder notre stratégie en Afghanistan, l'envoi de 30 000 soldats avant qu'il ne rende ses conclusions me semblait être un bel exemple de situation où l'on place la charrue avant les bœufs. J'ai demandé à Mullen si un déploiement plus modeste suffirait à faire la jonction.

Il m'a dit que, en dernier recours, c'était à moi de décider, en précisant bien que toute réduction du nombre ou tout report supplémentaire accroissait le risque de façon significative.

J'ai laissé les autres s'exprimer. David Petraeus, auréolé de son succès en Irak, tout juste promu à la direction du Commandement central (qui supervisait toutes les missions militaires au Moyen-Orient et en Asie centrale, notamment en Irak et en Afghanistan), m'a pressé d'accéder à la requête de McKiernan. Hillary et Panetta également, ce qui ne m'a pas étonné. L'un et l'autre se révéleraient d'une grande efficacité à leurs postes respectifs, mais leur instinct de faucons, et leur cursus politique faisaient qu'ils rechignaient systématiquement à contredire la moindre préconisation émanant du Pentagone. En privé, Gates m'avait confié qu'il éprouvait une certaine ambivalence concernant un accroissement aussi important de notre présence en Afghanistan. Mais, vu son rôle institutionnel, je n'attendais pas de lui qu'il prenne directement le contrepied des chefs d'état-major.

Parmi les hauts responsables à la sécurité nationale, seul Joe Biden a fait part de ses doutes. Il s'était rendu à Kaboul en mon nom pendant la transition, et ce qu'il avait vu et entendu au cours de son voyage – en particulier lors d'un rendez-vous peu concluant avec Karzaï – l'avait convaincu que nous devions revoir dans son ensemble notre approche de l'Afghanistan. Je savais également que Joe s'en voulait encore d'avoir soutenu l'invasion de l'Irak, des années plus tôt. Quel que fût l'enchevêtrement de raisons qui le motivaient, il considérait l'Afghanistan comme un dangereux bourbier et m'a vivement conseillé de ne pas procéder tout de suite au déploiement, m'expliquant qu'il serait plus facile de placer des troupes une fois que nous aurions une bonne stratégie, plutôt que de retirer des troupes après avoir fichu la pagaille si nous en adoptions une mauvaise.

Au lieu de prendre ma décision sur-le-champ, j'ai demandé à Tom Donilon de réunir tous les adjoints du Conseil de sécurité nationale au cours de la semaine suivante pour apprendre avec davantage de précisions comment les troupes supplémentaires seraient utilisées et si les déployer durant l'été était tout simplement possible au plan logistique. Nous envisagerions à nouveau le problème une fois que nous aurions la réponse. La réunion terminée, je suis sorti de la salle et, en montant l'escalier pour regagner le Bureau ovale, j'ai été rattrapé par Joe qui m'a pris le bras.

« Écoute, patron, a-t-il dit. Ça fait peut-être trop longtemps que je suis dans cette ville, mais il y a une chose que je sais reconnaître, c'est quand ces généraux essaient de coincer un nouveau président. » Il a approché son visage à quelques centimètres du mien et m'a soufflé en aparté : « Ne les laisse pas t'embrouiller. »

Dans les rapports ultérieurs sur nos délibérations concernant l'Afghanistan, Gates et les autres considéreraient que Biden avait été un des transfuges ayant empoisonné les relations entre la Maison-Blanche et le Pentagone. La vérité, c'est que j'estimais que Joe me rendait service en me posant des questions précises sur les projets de l'armée. Le fait d'avoir au moins un contradicteur dans la salle nous a obligés à examiner plus attentivement ces questions – et j'ai remarqué que chacun s'autorisait un peu plus de liberté pour exprimer son opinion quand le contradicteur n'était pas moi.

Je n'ai jamais remis en question les motifs de Mullen, ni ceux des autres haut gradés et membres du commandement de combat qui constituaient l'état-major de l'armée. Je trouvais Mullen – qui était originaire de Los Angeles et dont les parents travaillaient dans l'industrie du spectacle – invariablement affable, préparé, réactif et professionnel. Son vice-président, James Cartwright, dit « Hoss », un général quatre étoile des Marines, avait des manières discrètes et étudiées qu'on n'aurait pas nécessairement associées à un ancien pilote de chasse, mais, lorsqu'il prenait la parole, il apportait un point de vue détaillé et des solutions judicieuses sur tout un éventail de questions ayant trait à la sécurité nationale. Malgré leurs différences de tempérament, Mullen et Cartwright avaient en commun des attributs que je retrouvais chez tous les haut gradés : des hommes blancs (quand je suis entré en fonction, il n'y avait dans l'armée qu'une femme et un Noir au grade de général quatre étoiles), la grosse cinquantaine ou une petite soixantaine, qui avaient passé des décennies à gravir les échelons, amassant d'excellents états de service, et qui, dans bien des cas, avaient fait des études universitaires très poussées. Leur vision du monde était bien informée, sophistiquée, et, contrairement aux stéréotypes, ils ne comprenaient que trop bien les limites de l'action militaire, justement parce qu'ils avaient commandé des troupes, et non pas malgré cela. Au demeurant, durant les huit années de ma présidence, ce sont souvent des généraux, et non pas des civils, qui m'ont invité à la modération lorsqu'il était question de recourir à la force.

Néanmoins, des hommes comme Mullen étaient les créatures d'un système auquel ils avaient consacré toute leur carrière – une armée américaine qui mettait un point d'honneur à mener à son terme toute mission entamée, sans tenir compte du coût, de la durée ou du bien-fondé de ladite mission. En Irak, cela s'était soldé par une surenchère à tous points de vue : plus de soldats, plus de bases, plus d'entrepreneurs privés, plus d'avions, plus de renseignement, de surveillance et de reconnaissance. Cette forte augmentation des moyens n'avait pas abouti à la victoire, mais avait au moins permis d'éviter l'humiliation d'une défaite et l'écroulement du pays. À présent que la situation en Afghanistan semblait prendre le même chemin, le pays s'enfonçant dans un tourbillon sans fond, il était sans doute logique que les militaires réclament aussi une augmentation de tous les moyens. Et comme ils avaient jusqu'à récemment travaillé avec un président qui avait rarement remis en question leurs projets ou refusé d'accéder à leurs requêtes, il était sans doute inévitable que le débat pour savoir « combien en plus » devienne une source récurrente de conflits entre la Maison-Blanche et le Pentagone.

Mi-février, Donilon a fait savoir que les adjoints n'abondaient pas dans le sens du général McKiernan et concluaient que pas plus de 17 000 soldats, ainsi que 4 000 formateurs militaires, pouvaient être déployés pour avoir un impact significatif sur les combats ou la sécurité de l'élection afghane. Même si nous avions encore un mois avant que l'évaluation formelle soit rendue, tous les hauts responsables, à l'exception de Biden, réclamaient que l'on déploie immédiatement ce nombre de soldats. J'en ai donné l'ordre le 17 février, le jour où j'ai signé le Recovery Act, ayant estimé que même la stratégie la plus conservatrice que nous pourrions concocter nécessiterait des effectifs supplémentaires, sachant que nous avions encore 10 000 soldats en réserve si les circonstances requéraient également leur déploiement.

Un mois plus tard, Riedel et son équipe rendaient leur rapport. Leurs conclusions étaient sans surprise, mais elles permettaient de formuler notre objectif principal : « contrecarrer, démanteler et vaincre Al-Qaida au Pakistan et en Afghanistan, et empêcher à l'avenir son retour dans l'un ou l'autre pays ».

Ce que précisait ensuite le rapport sur le Pakistan était essentiel : non seulement l'armée pakistanaise (et en particulier ses services du renseignement militaire) tolérait la présence du QG et du chef des talibans à Quetta, près de la frontière, mais en outre elle prêtait tranquillement assistance aux talibans, ce qui était un moyen de maintenir en état de faiblesse le gouvernement afghan, l'armée pakistanaise redoutant un potentiel alignement de Kaboul avec l'Inde, le principal rival du Pakistan. Le fait que l'État américain ait toléré un tel comportement de la part de l'un de ses prétendus alliés – lui versant des milliards de dollars en aide militaire et économique malgré sa complicité avec de violents extrémistes et sa contribution importante et irresponsable à la prolifération de la technologie des armes nucléaires dans le monde – en disait long sur la logique alambiquée de la politique étrangère américaine. À court terme, toutefois, couper entièrement l'aide militaire au Pakistan était inenvisageable, car non seulement nous dépendions de son réseau routier pour nos déplacements par voie de terre pour l'approvisionnement de nos opérations en Afghanistan, mais en plus le gouvernement pakistanais favorisait tacitement nos opérations d'anti-terrorisme contre les camps d'Al-Qaida sur son territoire. Le rapport Riedel, pourtant, clarifiait une chose : tant que le Pakistan continuerait à protéger les talibans, nos efforts pour instaurer une stabilité à long terme en Afghanistan étaient voués à l'échec.

Les autres préconisations du rapport se focalisaient sur le soutien à apporter pour développer les compétences du gouvernement Karzaï. Nous devions vigoureusement améliorer son aptitude à gouverner et à fournir un minimum de services. Il était nécessaire que nous formions l'armée et la police afghanes afin qu'elles soient en mesure, en termes de qualification et d'effectifs, d'assurer le maintien de l'ordre à l'intérieur des frontières du pays sans l'aide des forces américaines. La manière dont nous allions accomplir tout cela demeurait incertaine. Ce qui était clair, en revanche, c'est que l'implication américaine que le rapport Riedel appelait de ses vœux allait bien au-delà d'une simple stratégie d'antiterrorisme et prenait plutôt la forme de l'édification d'une nation, ce qui aurait sans doute été tout à fait pertinent – mais il aurait fallu pour cela que nous lancions le processus sept ans plus tôt, à l'époque où nous avions chassé les talibans de Kaboul.

Seulement, bien sûr, ce n'est pas ce que nous avions fait. Au lieu de ça, nous avions envahi l'Irak, que nous avions brisé, contribué à faire éclore une branche encore plus virulente d'Al-Qaida, et été obligés d'improviser une coûteuse campagne de contre-insurrection sur place. En ce qui concernait l'Afghanistan, ces années étaient perdues. Grâce à la persévérance, souvent vaillante, sur le terrain, de nos troupes, de nos diplomates et de nos humanitaires, il était exagéré de dire qu'il aurait fallu repartir de zéro en Afghanistan. Mais je me rendais compte que même dans le meilleur des scénarios – même si Karzaï coopérait, si le Pakistan se comportait correctement et si nos objectifs se limitaient à être « suffisants pour l'Afghanistan », comme aimait à dire Gates – nous avions encore devant nous de trois à cinq ans d'efforts intenses, qui coûteraient des centaines de milliards de dollars en plus et des vies américaines.

Cette option ne me plaisait guère. Mais, dans ce qui devenait un schéma récurrent, les autres options étaient pires. Les enjeux – les risques d'un possible effondrement de l'État afghan ou la reconquête des plus grandes villes par les talibans – étaient tout simplement trop importants pour que nous n'agissions pas. Le 27 mars, quatre semaines à peine après avoir annoncé le plan de retrait de l'Irak, je suis apparu à la télé avec mon équipe de sécurité nationale à mes côtés, et j'ai présenté notre stratégie dite du « Af-Pak », fondée dans une large mesure sur les préconisations de Riedel. Je savais comment mon annonce serait perçue. Bien des commentateurs sauteraient sur l'occasion pour relever l'ironie de la situation : le candidat ayant fait campagne sur le thème anti-guerre avait envoyé plus de soldats sur le terrain qu'il n'en avait rappelé.

Outre l'augmentation des effectifs, Gates m'a demandé de procéder à un autre changement concernant l'Afghanistan, un changement qui m'a vraiment surpris : en avril, au cours de l'une de nos réunions dans le Bureau ovale, il a recommandé que nous remplacions notre commandant actuel en Afghanistan, le général McKiernan, par le lieutenant-général Stanley McChrystal, l'ancien commandant des opérations spéciales interarmées (JSOC) et actuel directeur de l'état-major interarmées.

« Dave est un bon soldat, a dit Gates, reconnaissant qu'il n'avait pas commis d'erreur et que changer de général en chef au milieu d'une guerre était une mesure hautement inhabituelle. Mais c'est un gestionnaire. Dans un environnement aussi éprouvant, nous avons besoin de quelqu'un ayant d'autres qualités. Je ne pourrais pas dormir la nuit, monsieur le Président, si je ne faisais pas ce qu'il faut pour que nos troupes aient le meilleur commandement possible à leur tête. Et je suis convaincu que Stanley McChrystal est cette personne. »

Il était aisé de comprendre pourquoi Gates avait une si haute opinion de McChrystal. Au sein de l'armée, les membres des opérations spéciales étaient considérés comme une espèce à part, une classe de guerriers d'élite qui accomplissaient les missions les plus difficiles dans les circonstances les plus dangereuses – les gars dans les films qui descendaient hélitreuillés en plein territoire ennemi ou procédaient à des débarquements amphibies à la faveur de la nuit. Et, au sein de ce cercle de haut rang, personne n'était plus admiré, ni n'inspirait plus de respect, que McChrystal. Diplômé de l'Académie militaire de West Point, il avait constamment excellé au cours de ses trente-trois années de carrière. En tant que commandant du JSOC, il avait contribué à transformer les opérations spéciales en un élément central de la stratégie de défense américaine, supervisant personnellement des dizaines d'opérations anti-terroristes qui avaient démantelé une bonne partie d'AQI et tué son fondateur, Abou Moussab Al-Zarqaoui. Selon la rumeur, à 54 ans, il s'entraînait encore avec des Rangers deux fois plus jeunes que lui et, d'après son allure lorsqu'il est venu avec Gates me rendre une visite de courtoisie dans le Bureau ovale, j'ai volontiers cru la rumeur – l'homme était tout en muscles, tendons et os, avec un long visage anguleux et un regard perçant d'oiseau. En fait, les manières de McChrystal étaient celles de quelqu'un ayant banni de sa vie la frivolité et les distractions. Et donc, du moins avec moi, tout bavardage inutile. Pendant notre conversation, ses propos se sont résumés essentiellement à : « Oui,

monsieur le Président », « Non, monsieur le Président », et : « Je suis
sûr que nous pouvons accomplir cette mission. »

J'ai été conquis. Le changement, une fois annoncé, a été bien accueilli,
et certains commentateurs ont fait le parallèle entre McChrystal et
David Petraeus – des innovateurs sur le champ de bataille, capables
d'inverser l'issue d'une guerre. Le Sénat n'a pas tardé à valider sa nomination et, à la mi-juin, tandis que McChrystal (désormais général quatre
étoiles) se préparait à assumer le commandement des forces de coalition
en Afghanistan, Gates lui a accordé soixante jours pour qu'il nous livre
une évaluation complète des conditions sur place, ainsi que ses préconisations en matière de changement, de stratégie, d'organisation ou
d'allocation des ressources des forces de la coalition.

J'étais alors loin d'imaginer ce sur quoi cette requête, apparemment
de routine, déboucherait.

UN APRÈS-MIDI, deux mois après l'annonce du « Af-Pak », j'ai traversé
seul la pelouse sud – suivi de l'officier portant le « ballon de foot » et
de Matt Flavin, mon attaché aux anciens combattants – et suis monté à
bord de l'hélicoptère Marine One qui effectuait le bref trajet jusqu'au
Maryland pour une visite qui serait la première d'une longue série à
l'hôpital de la marine de Bethesda et à l'hôpital militaire Walter Reed.
J'ai été accueilli à mon arrivée par les responsables de l'hôpital, qui
m'ont fait un rapide topo sur le nombre et l'état des combattants blessés
se trouvant dans l'établissement, avant de me conduire à travers un
dédale d'escaliers, d'ascenseurs et de couloirs jusqu'au pavillon principal.

Pendant une heure, je suis passé de chambre en chambre, me désin-
fectant les mains et enfilant une blouse et des gants stériles quand c'était
nécessaire, m'arrêtant dans le couloir pour obtenir du personnel des
renseignements sur la situation du soldat en convalescence auquel je
rendais visite avant de frapper doucement à sa porte.

Si les patients dans les hôpitaux venaient de toutes les branches de
l'armée, la majorité d'entre eux au cours des premières années de ma
présidence étaient des membres de l'armée de terre ou du corps des
Marines ayant été blessés par balles ou par des engins explosifs improvisés en patrouillant dans des secteurs sous contrôle des insurgés en
Irak ou en Afghanistan. C'étaient presque tous des hommes issus de
la classe ouvrière : des Blancs de petites villes rurales ou de régions
industrielles en déclin, des Noirs et des Hispaniques venant de villes
comme Houston ou Trenton, des Américains d'origine asiatique ou

des îles du Pacifique ayant grandi en Californie. Des membres de leur famille étaient souvent auprès d'eux dans la chambre – des parents, la plupart du temps, des grands-parents, des frères et sœurs, mais, si le soldat était plus âgé, il pouvait y avoir aussi une femme et des enfants – des tout-petits se tortillant sur les genoux, des enfants de 5 ans avec de petites voitures, des adolescents jouant à des jeux vidéo. Dès que j'entrais dans la chambre, chacun était un peu gêné, souriant timidement, ne sachant trop que faire. Pour moi, cela faisait partie des vicissitudes du métier, ma présence était cause de perturbations et suscitait une certaine tension chez ceux à qui je rendais visite. Je m'efforçais toujours de détendre l'atmosphère, de faire mon possible pour mettre les gens à l'aise.

Sauf s'ils étaient totalement invalides, les soldats se redressaient sur leur lit, se mettant parfois en position assise en prenant appui sur la solide poignée en métal. Plusieurs insistaient pour sortir du lit, se reposant sur leur jambe valide pour exécuter un salut et me serrer la main. Je leur demandais d'où ils étaient originaires et depuis combien de temps ils étaient dans l'armée. Je leur demandais comment ils avaient été blessés, dans combien de temps ils commenceraient la rééducation ou pourraient se faire poser une prothèse. Nous parlions souvent sport, certains me demandaient de signer le drapeau de leur unité, suspendu au mur, et je remettais à chacun une pièce commémorative. Puis nous nous placions tous autour du lit tandis que Pete Souza prenait des photos avec son appareil et avec leurs téléphones, et Matt distribuait ses cartes de visite pour qu'ils puissent l'appeler personnellement à la Maison-Blanche s'ils avaient besoin de quoi que ce soit.

Comme ces hommes m'inspiraient ! Leur courage et leur détermination, l'insistance avec laquelle ils affirmaient qu'ils seraient très bientôt prêts à reprendre du service, généralement sans grandes démonstrations. Comparé à eux, tout ce qui passe le plus souvent pour du patriotisme – les rituels tapageurs aux matchs de football, les fanions agités aux défilés, le baratin des politiciens – paraissait bien creux et bien banal. Les patients que j'ai rencontrés n'avaient que des mots favorables sur les équipes soignantes – les médecins, les infirmières, les aides-soignants, la plupart étant eux aussi des militaires, à l'exception de quelques civils, dont un nombre étonnant nés à l'étranger, originaires de pays comme le Nigeria, le Salvador ou les Philippines. Et, effectivement, c'était réconfortant de voir qu'on s'occupait bien d'eux, à commencer par la chaîne efficace qui faisait qu'un soldat blessé dans un village poussiéreux d'Afghanistan était évacué par avion sanitaire jusqu'à la base la plus proche, une fois son état stabilisé, rapatrié en Allemagne, et enfin à Bethesda ou à Walter Reed pour une intervention chirurgicale de précision, le tout en l'espace de quelques jours.

Grâce à ce système – une combinaison de technologie avancée, de précision logistique et de personnel hautement qualifié et dévoué, ce que l'armée américaine fait mieux que n'importe quelle autre au monde –, beaucoup de soldats qui auraient péri de ces mêmes blessures à l'époque du Vietnam pouvaient s'asseoir tandis que j'étais à leur chevet, et débattre des mérites des équipes de football, Bears ou Packers. Et pourtant, nul niveau de précision ou de soin ne pouvait effacer la nature brutale et bouleversante des blessures que ces hommes avaient reçues. Ceux qui n'avaient perdu qu'une seule jambe, surtout si l'amputation était sous le genou, disaient souvent qu'ils avaient eu de la chance. Ceux qui avaient subi une double ou une triple amputation n'étaient pas rares ; n'étaient pas rares non plus les traumatismes crâniens, les lésions rachidiennes, les visages défigurés par une blessure, ou la perte de la vue, de l'audition ou d'un certain nombre de fonctions corporelles de base. Les soldats blessés que j'ai rencontrés affirmaient catégoriquement qu'ils ne regrettaient pas d'avoir tant sacrifié pour leur pays et ils étaient à juste titre offensés que quiconque les regarde ne fût-ce qu'avec une once de pitié. Se mettant au diapason de leurs fils blessés, les parents que je rencontrais prenaient soin d'exprimer uniquement la certitude que leur enfant serait bientôt rétabli, ainsi que la grande fierté qu'ils éprouvaient.

Et pourtant, chaque fois que j'entrais dans une chambre, chaque fois que je serrais une main, je ne pouvais ignorer l'incroyable jeunesse de ces soldats, pour la plupart tout juste sortis du lycée. Je ne pouvais m'empêcher de remarquer les cernes d'angoisse sous les yeux des parents, eux-mêmes souvent plus jeunes que moi. Je n'oublierais pas la colère à peine réprimée d'un père, m'expliquant que son fils, ce beau gars qui était allongé devant nous, sans doute paralysé à vie, fêtait son vingt et unième anniversaire ce jour-là, ou le regard éteint d'une jeune mère assise avec un bébé qui gazouillait joyeusement dans ses bras, songeant à la vie qui l'attendait avec un mari qui, certes, survivrait probablement, mais ne serait plus capable de pensées conscientes.

Plus tard, vers la fin de ma présidence, le *New York Times* publierait un article sur mes visites des hôpitaux militaires, dans lequel un ancien conseiller du département d'État prétendait que cette pratique, même si les intentions initiales étaient louables, ne devait pas être celle d'un commandant en chef – que rendre visite aux blessés perturbait inévitablement l'aptitude d'un président à prendre des décisions stratégiques lucides. J'ai été tenté d'appeler cet homme pour lui expliquer que je n'étais jamais plus lucide que lors du vol au retour de Walter Reed ou de Bethesda. Lucide sur les coûts véritables de la guerre, et l'identité de ceux qui supportaient ces coûts. Lucide sur la folie de la guerre, les tristes contes que nous autres humains stockons collectivement dans nos esprits et transmettons de génération en génération – des abstractions qui attisent la haine, justifient la cruauté et forcent même les plus justes d'entre nous à participer au carnage. Lucide sur le fait que, en vertu de ma fonction, je ne pouvais fuir mes responsabilités face à des vies perdues ou brisées, même si d'une façon ou d'une autre je justifiais mes décisions par ce que je percevais comme un plus grand bien commun.

En regardant par le hublot de l'hélicoptère le paysage verdoyant et ordonné, je pensais à Lincoln, à l'habitude qu'il avait, pendant la guerre de Sécession, de marcher au milieu des infirmeries de fortune, pas très loin des terres que nous survolions, parlant doucement aux soldats allongés sur de frêles lits de camp, sans antiseptiques pour contenir les infections ni médicaments pour soulager la douleur, l'odeur de gangrène omniprésente, le cliquetis et le râle de la mort imminente.

Je me demandais comment Lincoln était parvenu à faire cela, quelles prières il prononçait ensuite. Il devait savoir que c'était une pénitence nécessaire. Une pénitence que je devais, moi aussi, m'infliger.

Si la guerre et le terrorisme m'accaparaient énormément, d'autres questions stratégiques de politique étrangère requéraient mon attention – à commencer par les retombées internationales de la crise financière. Cette question a été le sujet principal de mon premier voyage prolongé à l'étranger, lorsque je me suis rendu à Londres pour le sommet du Groupe des vingt, en avril, avant de poursuivre en Europe, en Turquie et en Irak, pour un déplacement de huit jours.

Avant 2008, le G20 n'était guère plus qu'une réunion annuelle de ministres des Finances et de gouverneurs de banques centrales représentant les vingt plus importantes économies au monde, afin d'échanger des informations et de s'occuper des modalités de la mondialisation. Les présidents américains n'honoraient de leur présence que le plus sélect G8, la réunion annuelle des chefs d'État des sept plus grandes économies (les États-Unis, le Japon, l'Allemagne, le Royaume-Uni, la France, l'Italie et le Canada), plus la Russie (intégrée en 1997 pour des raisons géopolitiques, à la suite de la pression de Bill Clinton et du Premier Ministre britannique Tony Blair). Cela a changé quand, après l'effondrement de Lehman, le président Bush et Hank Paulson ont eu la sagesse d'inviter les chefs d'État des vingt pays à une réunion d'urgence à Washington – une façon d'acter que, dans un monde interconnecté, une crise financière majeure appelait la coordination la plus large possible.

Au-delà de la vague promesse de « prendre toutes les mesures qui s'imposeraient » et de l'engagement de se réunir à nouveau en 2009, le sommet du G20 à Washington n'avait pas abouti à grand-chose en termes d'actions concrètes. Mais, à présent que pratiquement toutes les nations se trouvaient engluées dans la récession et qu'une contraction de 9 % du commerce mondial était annoncée, ma mission, au sommet de Londres, était d'unir le groupe hétéroclite des membres du G20 pour coordonner une vigoureuse action conjointe. La logique économique était assez évidente : pendant des années, les dépenses des consommateurs américains – boostées par l'endettement *via* les cartes de crédit et les emprunts garantis sur des biens immobiliers – avaient été le moteur principal de la croissance économique mondiale. Les Américains achetaient des voitures en Allemagne, des appareils électroniques en Corée du Sud et quasiment tout le reste en Chine ; ces pays, de leur côté, achetaient des matières premières à des pays situés plus loin dans la chaîne logistique mondiale. Désormais, la fête était finie. Même si le Recovery Act et le « test de résistance » fonctionnaient comme prévu, les entreprises et les consommateurs américains allaient devoir se désendetter pour un certain temps. Si d'autres pays voulaient éviter une spirale descendante, il allait falloir qu'ils interviennent – en procédant eux-mêmes à des plans de relance ; en contribuant à un fonds de 500 milliards de dollars du FMI, dans lequel les économies pourraient puiser au gré de leurs besoins en cas de grave détresse, s'engageant à éviter de recourir de nouveau à des politiques protectionnistes similaires de celles qui avaient prolongé la Grande Dépression.

Tout cela tenait debout, du moins sur le papier. Avant le sommet, Tim Geithner m'avait prévenu que je devrais faire preuve d'une certaine finesse pour obtenir de mes homologues étrangers qu'ils acceptent de prendre de telles mesures. « La mauvaise nouvelle, c'est qu'ils nous en veulent tous parce qu'on a fait sauter l'économie mondiale, a-t-il dit. La bonne nouvelle, c'est qu'ils redoutent ce qui arrivera si nous ne faisons rien. »

Michelle avait décidé de m'accompagner pendant la première moitié du voyage, ce dont je me réjouissais. Elle s'inquiétait moins de ma performance au sommet – « Ça va bien se passer ! » – que de la tenue qu'elle revêtirait lors de notre audience prévue avec Sa Majesté la reine d'Angleterre.

« Tu devrais mettre un de ces bibis, ai-je dit. Et porter un petit sac à main. »

Elle a fait mine de se renfrogner. « Très utiles, tes conseils vestimentaires, merci beaucoup. »

J'avais voyagé à bord d'Air Force One une vingtaine de fois, mais c'est au cours de ce vol transatlantique que j'ai pu vraiment apprécier combien c'était un symbole de la puissance américaine. Les appareils proprement dits (deux Boeing 747 spécialement aménagés) avaient vingt-deux ans, et cela se voyait. L'intérieur – fauteuils recouverts d'un cuir épais, tables et lambris en noyer, moquette couleur rouille avec un motif d'étoiles d'or – évoquait une salle de conférence de grande entreprise des années 1980 ou le salon cossu d'un club huppé. Le système de communications pour les passagers pouvait laisser à désirer ; mon deuxième mandat était déjà bien avancé quand nous avons pu enfin avoir le wi-fi à bord et, même alors, la connexion était plus lente que dans la plupart des jets privés.

Et pourtant, tout dans Air Force One dégageait une impression de robustesse, de compétence, et une touche de splendeur – de la configuration d'ensemble (une chambre à coucher, un bureau particulier et une douche pour le président, à l'avant ; des sièges confortables, une salle de conférence et une série de terminaux d'ordinateurs pour mon équipe) au service exemplaire du personnel à bord (une trentaine de personnes capables de répondre avec enthousiasme aux requêtes les plus improbables), en passant par des dispositifs de sécurité haut niveau (les meilleurs pilotes au monde, hublots blindés, capacité de ravitaillement de carburant en vol ; et une unité médicale comprenant une table d'opération pliante) et les 370 mètres carrés, répartis sur trois niveaux, pouvant accueillir une équipe de presse de quatorze personnes ainsi que des agents du Secret Service.

Cas unique parmi les chefs d'État du monde, le président américain se déplace avec tous les équipements nécessaires, de manière à ne pas devoir dépendre des services ou des forces de sécurité d'un autre État. Cela voulait dire qu'une armada de voitures présidentielles, de véhicules de sécurité, d'ambulances, d'équipes tactiques et, si nécessaire, d'hélicoptères Marine One étaient acheminés à l'avance par avion de transport C-17 et placés sur le tarmac pour mon arrivée. Le déploiement de tels moyens – contrastant avec les dispositions plus modestes requises par les autres chefs d'État – a parfois suscité une certaine consternation parmi les hauts responsables du pays visité. Mais l'armée américaine et le Secret Service étaient intransigeants et ne laissaient pas de place à la négociation ; le pays d'accueil finissait par obtempérer, en partie parce que, au fond, sa population et ses médias *s'attendaient* à ce que la venue d'un président américain sur leur sol soit une affaire de toute première importance.

Et, effectivement, c'était le cas. Où que nous atterrissions, je voyais des visages appuyés contre les vitres du terminal ou assemblés le long des barrières du périmètre de sécurité. Même les équipes au sol interrompaient ce qu'elles étaient en train de faire pour observer l'Air Force One rouler lentement sur la piste, avec son élégant train d'atterrissage bleu, les mots UNITED STATES OF AMERICA se détachant subtilement sur son fuselage, le drapeau américain impeccablement centré sur l'empennage. En sortant de l'avion, je me fendais de l'inévitable salut du haut des marches, au milieu du crépitement frénétique des appareils photo et des sourires ardents de la délégation alignée en bas de l'escalier, venue nous souhaiter la bienvenue ; parfois une femme ou un enfant en costume traditionnel m'accueillait avec un bouquet de fleurs, d'autres fois toute une haie d'honneur ou un orchestre militaire, de part et d'autre du tapis rouge, me conduisait à mon véhicule. Dans cet apparat, on percevait les vestiges d'anciens rituels – ceux de la diplomatie, mais aussi les rituels d'hommage à un empire.

LES ÉTATS-UNIS jouissaient d'une position dominante sur la scène internationale depuis presque sept décennies. Après la Seconde Guerre mondiale, le reste du monde étant soit appauvri, soit sous les décombres, nous avions ouvert la voie en tissant un réseau d'initiatives, de traités et d'institutions qui avait instauré un nouvel ordre mondial international et créé un chemin sûr pour aller de l'avant. Le plan Marshall pour reconstruire l'Europe de l'Ouest. L'alliance de l'Organisation du traité de l'Atlantique Nord (OTAN) et du Pacifique pour servir de rempart contre l'Union soviétique et imposer aux anciens ennemis un alignement avec l'Occident. Bretton Woods, le Fonds monétaire international (FMI), l'Accord général sur les tarifs douaniers et le commerce (GATT), pour réguler la finance et le commerce international. Les Nations unies et les agences multilatérales afférentes, pour promouvoir une résolution pacifique des conflits et une coopération globale allant de l'éradication des maladies à la protection des océans.

Nos motivations pour ériger cette architecture n'étaient pas tout à fait désintéressées. Au-delà de la contribution à la garantie de notre sécurité, nous ouvrions de nouveaux marchés pour vendre nos marchandises, conservions des voies maritimes pour nos bateaux et maintenions un approvisionnement régulier de pétrole pour nos usines et nos voitures. C'était l'assurance que nos banques étaient remboursées en dollars, que les usines de nos multinationales n'étaient pas confisquées, que nos touristes pouvaient payer en Travelers Cheques et que nos appels téléphoniques aboutissaient. Il arrivait que nous tordions un peu le bras aux institutions internationales pour servir les impératifs de la guerre froide ou que nous les ignorions totalement ; nous nous mêlions des affaires d'autres pays, avec des résultats parfois catastrophiques ; nos actes ont souvent été en contradiction avec les idéaux de démocratie et d'autodétermination dont nous nous revendiquions.

Il n'empêche, à un niveau qu'aucune autre superpuissance dans l'histoire n'a égalé, les États-Unis ont décidé de s'astreindre à une série de lois, règles et normes internationales. La plupart du temps, nous avons appliqué une certaine retenue dans nos transactions avec des pays plus petits et plus faibles, recourant moins aux menaces et à la coercition afin de maintenir un pacte mondial. Avec le temps, cette volonté d'agir au nom du bien commun – même de manière imparfaite – a renforcé plutôt que diminué notre influence, contribuant à la durabilité de l'ensemble du système, et si l'Amérique n'a pas toujours été universellement aimée, au moins étions-nous respectés, et pas seulement craints.

Les résistances à la vision du monde défendue par les États-Unis ont semblé disparaître en 1991 avec la chute de l'Union soviétique. En une étourdissante période d'à peine plus d'une décennie, l'Allemagne puis l'Europe ont été unifiées ; des pays de l'ancien bloc de l'Est se sont empressés d'intégrer l'OTAN et l'Union européenne ; le capitalisme chinois a pris son essor ; de nombreux pays d'Asie, d'Afrique et d'Amérique latine ont connu une transition au point de vue politique, passant d'un régime autoritaire à la démocratie ; et, en Afrique du Sud, l'apartheid a pris fin. Des commentateurs ont proclamé le triomphe ultime d'une démocratie de style occidental, libérale, pluraliste, capitaliste, assurant que les derniers vestiges de la tyrannie, de l'ignorance et de l'incompétence seraient bientôt balayés par la fin de l'histoire, le nivellement du monde. Même à cette époque, il était tentant de sourire devant une telle exubérance. Néanmoins, il fallait bien reconnaître ceci : à l'aube du XXIe siècle, les États-Unis pouvaient légitimement affirmer que l'ordre international qu'ils avaient édifié et les principes qu'ils avaient défendus – la *pax americana* – avaient contribué à l'avènement d'un monde où des milliards de gens étaient plus libres, plus en sécurité et plus prospères qu'auparavant.

Cet ordre international était encore en place en 2009 quand j'ai atterri à Londres. Mais la foi dans le leadership américain avait été ébranlée – non pas à cause des attaques du 11 Septembre, mais à cause de la guerre en Irak, des images de cadavres flottant dans les rues de La Nouvelle-Orléans après l'ouragan Katrina et, plus que tout, de l'effondrement de Wall Street. Une série de petites crises financières, dans les années 1990, avait laissé entrevoir les faiblesses structurelles du système mondial : des milliards de dollars en capitaux privés, se déplaçant à la vitesse de la lumière, hors du contrôle et de la surveillance de toute instance internationale digne de ce nom, pouvaient être affectés par une perturbation économique dans un pays, et engendrer rapidement un tsunami dans les marchés du monde entier. Comme beaucoup de ces tremblements avaient démarré à ce qu'on considérait comme la périphérie du capitalisme – des endroits comme la Thaïlande, le Mexique, la Russie encore faible –, et comme les États-Unis et d'autres économies étaient en pleine croissance, on avait affirmé un peu vite que ces problèmes étaient des événements isolés, imputables à de mauvaises prises de décision par des gouvernements inexpérimentés. Dans presque tous les cas, les États-Unis étaient intervenus pour leur sauver la mise ; mais, en échange d'apports de capitaux d'urgence et de l'accès aux marchés financiers mondiaux, des gens comme Bob Rubin et Alan Greenspan (sans parler des conseillers de Rubin à l'époque, Larry Summers et Tim Geithner) avaient poussé les pays mal en point à adopter des remèdes de cheval, y compris des dévaluations monétaires, des coupes importantes dans les dépenses publiques et un certain nombre de mesures d'austérité qui consolidaient leur notation souveraine, mais imposaient des épreuves drastiques à leurs peuples.

Imaginez la consternation de ces mêmes pays quand ils ont appris que, pendant que les États-Unis leur faisaient la leçon en matière de supervision bancaire et de responsabilité budgétaire, nos propres grands prêtres de la finance s'étaient endormis à la barre, tolérant des bulles d'actifs et des frénésies spéculatives à Wall Street tout aussi imprudentes que ce qui se faisait en Amérique latine ou en Asie. La seule différence était les quantités d'argent impliquées et les dégâts potentiels occasionnés. Supposant que les régulateurs américains savaient ce qu'ils faisaient, les investisseurs, de Shanghai à Dubaï, avaient placé des sommes colossales dans des titres adossés à des subprimes et à d'autres actifs américains. Des exportateurs aussi importants que la Chine et aussi modestes que le Lesotho avaient fondé leur propre croissance sur une économie américaine solide et dynamique. Autrement dit, nous avions fait signe au monde entier, l'invitant à nous suivre dans l'univers merveilleux de l'économie de marché, de la chaîne logistique mondiale, d'Internet, du crédit facile et de la gouvernance démocratique. Et, du moins pour l'instant, ils avaient l'impression de nous avoir suivis jusqu'au bord du précipice.

QUATRIÈME PARTIE

Le noble combat

CHAPITRE 14

Il existe un protocole standard pour tout sommet interna-tional. Les chefs d'État s'avancent l'un après l'autre en limousine jusqu'à l'entrée d'un vaste palais des congrès, puis passent devant une phalange de photographes – un peu comme le tapis rouge à Hollywood, les belles robes et les célébrités en moins. Un chef du protocole vient vous accueillir à la porte et vous fait entrer dans un hall où le chef d'État du pays hôte vous attend : un sourire et une poignée de main pour les caméras, quelques banalités chuchotées. Puis direction le salon des chefs d'État pour d'autres poignées de main et encore deux ou trois mots sans importance échangés, jusqu'à ce que tous les présidents, Premiers ministres, chanceliers et rois se dirigent vers une salle de conférence d'une taille impressionnante, avec une table ronde imposante. À votre siège, vous trouvez une plaque avec votre nom, votre drapeau national, un micro et son mode d'emploi, un carnet commémoratif et un stylo de qualité variable, un casque audio pour la traduction simultanée, un verre et des bouteilles d'eau ou de jus de fruits, et éventuellement une assiette de friandises ou un bol de bonbons à la menthe. Votre délégation est assise derrière vous, pour prendre des notes et vous transmettre des messages.

L'hôte ouvre la séance. Il ou elle fait quelques remarques limi-naires. Puis, pendant la journée et demie qui suit – avec des pauses prévues pour des réunions en tête-à-tête avec d'autres dirigeants, dites

« bilatérales », une « photo de famille » (tous les dirigeants alignés et souriants, l'air gêné, évoquant une photo de classe de CE2) et tout juste le temps en fin d'après-midi de retourner à votre hôtel vous changer avant le dîner ou, parfois, une séance du soir –, vous êtes assis là, à lutter contre le décalage horaire, faisant de votre mieux pour paraître intéressé, tandis que chacun à la table, lorsque vient son tour, y compris vous, lit un ensemble de remarques soigneusement rédigées, insipides, pendant une durée invariablement plus longue que prévu, concernant le sujet à l'ordre du jour.

Plus tard, quand j'aurais quelques sommets à mon actif, j'adopterais les tactiques de survie des participants plus expérimentés – je m'assurerais d'avoir toujours sur moi des documents administratifs à traiter, quelque chose à lire, ou je prendrais discrètement à part des dirigeants pour aborder avec eux certaines questions pendant que d'autres accaparaient le micro. Mais, lors de ce premier sommet du G20 à Londres, je suis resté assis sur mon siège et j'ai écouté scrupuleusement chaque intervenant. Comme un élève dans sa nouvelle école, j'étais conscient que les autres dans la salle me jaugeaient, et je me suis dit que manifester un peu de l'humilité du petit nouveau pourrait se révéler efficace si je voulais obtenir l'assentiment aux mesures économiques que j'étais venu proposer.

Il m'a été bien utile de connaître déjà un certain nombre de dirigeants dans la salle, à commencer par notre hôte, le Premier Ministre britannique Gordon Brown, qui était venu me rendre visite à Washington à peine quelques semaines plus tôt. Ancien chancelier de l'Échiquier du gouvernement travailliste de Tony Blair, Brown n'avait pas le panache politique de son prédécesseur (chaque mention de Brown dans les médias semblait s'accompagner de l'adjectif « austère »), et il avait eu l'infortune d'obtenir finalement son tour au poste de Premier Ministre juste au moment où l'économie de la Grande-Bretagne s'effondrait et où sa population était lassée après une décennie de Parti travailliste au pouvoir. Mais il était sérieux, responsable et comprenait la finance internationale, et si l'exercice de son mandat a été de courte durée, j'ai eu la chance de l'avoir comme partenaire au cours de ces premiers mois de crise.

Aux côtés de Brown, les dirigeants européens les plus importants – pas seulement au sommet de Londres, mais pendant mon premier mandat – étaient la chancelière allemande Angela Merkel et le président français Nicolas Sarkozy. La rivalité entre les deux pays les plus puissants du continent avait causé par intermittence presque deux siècles de guerres sanglantes. Leur réconciliation, au terme de la Seconde Guerre mondiale, était devenue la pierre angulaire de l'Union européenne et d'une période de paix et de prospérité sans précédent. Aussi la capacité de l'Europe à parler d'une seule voix – et à servir de partenaire des États-Unis sur la scène internationale – était-elle dans une large mesure tributaire de la bonne volonté dont Sarkozy et Merkel feraient preuve pour travailler de concert.

Dans l'ensemble, ils s'entendaient, même si leurs tempéraments n'auraient pu être plus différents. Angela Merkel, fille d'un pasteur luthérien, avait grandi dans l'Allemagne de l'Est communiste, fait profil bas et décroché un doctorat en chimie quantique. Elle n'était entrée en politique qu'après la chute du rideau de fer, gravissant méthodiquement les échelons de l'Union chrétienne-démocrate, la CDU, de centre droit, grâce à un mélange de talent organisationnel, de flair stratégique et de patience inébranlable. Merkel avait de grands yeux bleu clair, dans lesquels on pouvait lire tour à tour de la frustration, de l'amusement, ou un soupçon de tristesse. Par ailleurs, son apparence impassible reflétait sa sensibilité pragmatique et analytique. Elle était réputée pour sa méfiance vis-à-vis des emportements émotifs et des propos hyperboliques, et son équipe avouerait par la suite qu'elle avait été initialement sceptique à mon sujet, en raison justement de mes talents oratoires. Je ne m'en suis pas formalisé, estimant qu'un dirigeant allemand avait toutes les raisons d'éprouver une légère méfiance à l'égard des tribuns.

Sarkozy, en revanche, était tout en emportements émotifs et en propos hyperboliques. Avec sa peau mate, ses traits expressifs, vaguement méditerranéens (son père était hongrois, son grand-père maternel juif grec), et de petite taille (il mesurait à peu près 1,66 mètre, mais portait des talonnettes pour se grandir), on aurait dit un personnage sorti d'un tableau de Toulouse-Lautrec. Bien qu'issu d'une famille aisée, il reconnaissait volontiers que ses ambitions étaient en partie alimentées par le sentiment d'avoir été toute sa vie un étranger. Comme Merkel, Sarkozy s'était fait un nom comme leader de centre droit, se faisant élire président sur un programme économique défendant le non-interventionnisme, l'assouplissement du droit du travail, la baisse des impôts et la promesse d'un État-providence moins omniprésent. Mais, contrairement à Merkel, dès lors qu'il s'agissait de stratégie politique, il n'hésitait pas à faire de grands écarts, souvent poussé par les gros titres ou l'opportunisme politique. Lorsque nous sommes arrivés à Londres pour le G20, il dénonçait déjà haut et fort les excès du capitalisme mondial. Ce qui faisait défaut à Sarkozy en matière de cohérence idéologique, il le compensait par l'audace, le charme et une énergie frénétique. Les

discussions avec Sarkozy étaient ainsi tour à tour amusantes et exaspé-
rantes, ses mains en mouvement perpétuel, sa poitrine bombée comme
celle d'un coq nain, son interprète personnel (contrairement à Merkel,
il parlait un anglais limité) toujours à ses côtés, reflet exalté de chacun
de ses gestes, de chacune de ses intonations, tandis que la conversation
passait de la flatterie à la fanfaronnade, sans manquer d'une authentique perspicacité ni jamais s'éloigner de son intérêt premier, à peine
déguisé, qui était de se trouver au cœur de l'action et de s'attribuer le
mérite de tout ce qui valait qu'on s'en attribue le mérite.

Si j'appréciais que Sarkozy ait très tôt soutenu ma campagne
(appuyant presque sans réserve ma candidature au cours d'une conférence de presse enthousiaste lors de ma visite pré-électorale à Paris), il
n'était pas difficile de savoir lequel de mes deux partenaires européens
se révélerait le plus fiable. J'en suis néanmoins venu à considérer Merkel
et Sarkozy comme utilement complémentaires : Sarkozy, respectueux de
la prudence innée de Merkel, mais la poussant souvent à agir ; Merkel,
prête à oublier les manies de Sarkozy, mais d'une grande adresse pour
canaliser ses propositions les plus impulsives. Chacun renforçait aussi les
instincts pro-américains de l'autre – des instincts qui, en 2009, n'étaient
pas toujours partagés par leurs électeurs.

RIEN DE CELA ne signifiait que tous deux, ainsi que les autres dirigeants européens, seraient faciles à convaincre. Soucieux des intérêts
de leurs pays, Merkel et Sarkozy étaient très favorables à la réprobation
du protectionnisme que nous proposions à Londres – l'économie allemande était particulièrement tributaire des exportations – et reconnaissaient l'utilité d'un fonds d'urgence international. Mais, comme
Tim l'avait prévu, ni l'un ni l'autre n'étaient enthousiasmés par la
relance budgétaire : Merkel s'inquiétait du financement par le déficit ;
Sarkozy préférait une taxe universelle sur les transactions financières
et voulait s'en prendre aux paradis fiscaux. Il a fallu attendre la fin
du sommet pour que Tim et moi parvenions à les persuader de se
joindre à nous pour promouvoir des façons plus immédiates de lutter
contre la crise, enjoignant à chaque pays du G20 de mettre en place
des politiques qui augmenteraient la demande mondiale. Ils le feraient,
m'ont-ils dit, uniquement si je parvenais à convaincre les autres dirigeants du G20 – en particulier un groupe de pays influents non occidentaux que l'on finirait par désigner sous l'appellation BRICS – de
cesser de bloquer des propositions qui étaient importantes pour eux.

Économiquement, les cinq BRICS – Brésil, Russie, Inde, Chine et Afrique du Sud – avaient peu de choses en commun, et ce n'est que plus tard qu'ils formaliseraient effectivement le groupe. (L'Afrique du Sud ne s'y joindrait officiellement qu'en 2010.) Mais, dès le G20 de Londres, l'esprit qui les animait était clair. C'étaient de grandes et fières nations qui, d'une façon ou d'une autre, avaient émergé d'un long sommeil. Elles n'étaient plus satisfaites d'être reléguées aux marges de l'histoire ou de voir leur statut réduit à celui de puissances régionales. Elles s'irritaient du rôle démesuré de l'Occident dans la gestion de l'économie mondiale. Et elles voyaient dans la crise actuelle une opportunité de commencer à renverser la vapeur.

Je pouvais comprendre leur point de vue, du moins en théorie. Pris ensemble, les BRICS représentaient plus de 40 % de la population mondiale pour à peu près un quart du PIB mondial et seulement une fraction de la richesse mondiale. Des décisions prises dans les conseils d'administration des grosses entreprises de New York, Londres ou Paris avaient plus d'impact sur leur économie que les choix politiques de leurs propres gouvernements. Leur influence au sein de la Banque mondiale et du FMI restait limitée, malgré les remarquables transformations économiques qu'avaient connues la Chine, l'Inde ou le Brésil. Si les États-Unis voulaient préserver le système mondial qui nous avait longtemps servi, il était logique que nous permettions à ces puissances émergentes d'avoir davantage leur mot à dire sur son fonctionnement – tout en insistant pour qu'elles prennent davantage leur part au coût de son entretien.

En regardant autour de la table, au deuxième jour du sommet, je n'ai pu m'empêcher de m'interroger sur les effets à attendre d'un rôle plus important des BRICS dans la gouvernance mondiale. Le président du Brésil, Luiz Inácio Lula da Silva, par exemple, m'avait rendu visite au Bureau ovale en mars, et je l'avais trouvé peu convaincant. Ancien syndicaliste grisonnant emprisonné pour avoir manifesté contre le gouvernement militaire précédent, élu en 2002, il avait initié une série de réformes pragmatiques qui avaient fait exploser le taux de croissance du Brésil, élargissant sa classe moyenne, procurant logement et éducation à des millions de ses citoyens les plus pauvres. Il était, disait-on, aussi scrupuleux qu'un boss new-yorkais de la grande époque des magouilles de Tammany Hall, et des rumeurs circulaient à propos du gouvernement, faisant état de copinage, d'accords de complaisance et de pots-de-vin s'élevant à plusieurs milliards.

Le président Dmitri Medvedev, en revanche, semblait l'incarnation de la Russie nouvelle : jeune, svelte, vêtu de costumes européens chics taillés sur mesure. Seulement, il ne détenait pas réellement le pouvoir en Russie. La place était occupée par son chef, Vladimir Poutine : cet ancien officier du KGB, président pour deux mandats et désormais Premier ministre du pays, avait pris la tête de ce qui ressemblait autant à un syndicat du crime qu'à un gouvernement traditionnel – un syndicat dont les tentacules s'enroulaient autour de chaque aspect de l'économie du pays.

L'Afrique du Sud, à l'époque, était dans une phase de transition ; le président par intérim, Kgalema Motlanthe, serait bientôt remplacé par Jacob Zuma, le leader du parti de Nelson Mandela, l'ANC, qui contrôlait le parlement. Au cours de nos rencontres ultérieures, Zuma m'a paru assez avenant. Il parlait avec éloquence de la nécessité du commerce équitable, du progrès du développement humain, de la construction d'infrastructures et d'une répartition plus juste des richesses et des opportunités sur le continent africain. De l'avis général, cependant, une large partie de la bonne volonté acquise grâce à la lutte héroïque de Mandela était dilapidée pour cause de corruption et d'incompétence des dirigeants de l'ANC, laissant une proportion significative de la population noire encore embourbée dans la pauvreté et le désespoir.

Manmohan Singh, le Premier ministre indien, avait quant à lui été l'instigateur de la modernisation de l'économie de son pays. Économiste de plus de 70 ans, paisible, à la voix douce, avec la barbe et le turban qui étaient le signe de sa confession sikhe, mais qui, aux yeux des Occidentaux, lui conféraient un air de sage, il avait été le ministre des Finances de l'Inde dans les années 1990, parvenant à extraire de la pauvreté des millions d'habitants. Tout au long de son mandat de Premier ministre, je verrais en Singh quelqu'un d'avisé, de réfléchi et d'une foncière honnêteté. Toutefois, malgré ses progrès économiques, l'Inde demeurait un pays chaotique et pauvre : largement divisé par les religions et les castes, livré aux lubies de responsables locaux corrompus et de personnalités influentes, entravé par une administration provinciale réticente au changement.

Et puis il y avait la Chine. Depuis la fin des années 1970, quand Deng Xiaoping avait délibérément abandonné la vision marxiste-léniniste de Mao Zedong et opté pour une forme de capitalisme géré par l'État, fondé sur les exportations, aucune nation dans l'histoire ne s'était développée aussi vite ni n'avait permis à autant de gens de sortir de l'extrême pauvreté. Jadis à peine plus qu'une plaque tournante et une chaîne de montage bas de gamme pour les entreprises étrangères cherchant à tirer profit des réserves infinies de main-d'œuvre bon marché, la Chine était désormais dotée d'excellents ingénieurs et d'entreprises d'envergure internationale à la pointe de la technologie. Ses excédents commerciaux considérables en faisaient un investisseur de premier plan sur tous les continents ; des villes étincelantes comme Shanghai et Canton étaient devenues des centres financiers sophistiqués, berceaux d'une classe de consommateurs florissante. Compte tenu de son taux de croissance et de sa taille, la Chine était promise à un PIB qui, à un moment donné, dépasserait celui des États-Unis. Quand on ajoutait à cela la puissante armée du pays, une main-d'œuvre qualifiée de plus en plus nombreuse, un gouvernement habile et pragmatique, et ses cinq mille ans d'une culture cohésive, la conclusion était évidente : si un pays devait contester la prééminence des États-Unis sur la scène mondiale, c'était la Chine.

Et pourtant, en observant le fonctionnement de la délégation chinoise au G20, j'étais convaincu que cela n'arriverait pas avant des décennies – et que si cela arrivait, ce serait surtout une conséquence d'erreurs stratégiques des États-Unis. De l'avis général, le président Hu Jintao – un homme plutôt quelconque, d'à peu près 65 ans, avec une crinière noir de jais (pour autant que je puisse en juger, peu de chefs d'État asiatiques grisonnent avec l'âge) – n'était pas considéré comme un dirigeant particulièrement fort, d'autant qu'il partageait son autorité avec d'autres membres du Comité central du Parti communiste chinois. Lors de notre réunion en marge du sommet, Hu a paru content de pouvoir s'appuyer sur des pages d'éléments de langage préparées à l'avance, sans autre objectif apparent que d'encourager des échanges continus et ce qu'il qualifiait de coopération « gagnant-gagnant ». Plus impressionnant à mes yeux était le Premier ministre et principal artisan de la politique économique chinoise, Wen Jiabao, un petit homme à lunettes qui parlait sans notes et a exposé son analyse sophistiquée de la crise actuelle ; sa volonté d'engager un plan de relance budgétaire d'une ampleur comparable au Recovery Act a sans doute été la meilleure nouvelle que j'ai entendue de tout le G20. Mais, malgré cela, les Chinois ne semblaient pas pressés de prendre les rênes de l'ordre mondial international, le percevant comme une source de complications dont ils préféraient se passer. Wen n'avait pas grand-chose à dire sur la gestion de la crise ni les moyens à déployer pour aller de l'avant. Du point de vue de son pays, c'était à nous qu'incombait la responsabilité de trouver une solution.

Une chose m'a frappé, non seulement à Londres, mais dans tous les sommets internationaux auxquels j'ai pris part en tant que président : même ceux qui se plaignaient du rôle des États-Unis dans le monde comptaient sur nous pour maintenir le système à flot. À divers degrés, d'autres pays étaient disposés à s'y atteler – envoyant des troupes pour contribuer à l'effort de maintien de la paix des Nations unies, par exemple, ou concourant aux plans financier et logistique à la lutte contre la faim. Certains, comme les pays scandinaves, participaient à concurrence de bien plus que leur poids relatif. Mais, dans l'ensemble, peu de nations se sentaient obligées d'agir au-delà de leur étroit intérêt propre ; et celles qui partageaient l'attachement fondamental de l'Amérique aux principes dont dépendait un système libéral fondé sur le marché – la liberté individuelle, l'état de droit, le caractère inaliénable de la propriété privée, la garantie d'un arbitrage neutre en cas de mésentente, ainsi qu'un minimum de compétence et de transparence de la part du gouvernement – n'avaient pas l'envergure économique et politique, sans même parler de l'armée de diplomates et d'experts stratégiques nécessaires, leur permettant de promouvoir ces principes à l'échelle internationale.

La Chine, la Russie, et même de véritables démocraties comme le Brésil, l'Inde et l'Afrique du Sud, fonctionnaient encore selon des principes différents. Pour les BRICS, une politique étrangère responsable consistait à s'occuper de ses propres affaires. Ils ne respectaient les règles établies que dans la mesure où celles-ci allaient dans le sens de leurs intérêts propres, par nécessité plus que par conviction, et ils semblaient heureux de les enfreindre quand ils pensaient pouvoir s'en sortir sans être pénalisés. S'ils assistaient un autre pays, ils préféraient que cela se fasse sur des bases bilatérales, attendant une contrepartie. Certaines nations ne ressentaient assurément aucune obligation de souscrire au système dans son ensemble. Pour ce qui les concernait, c'était un luxe que seul pouvait se permettre un Occident repu et heureux.

DE TOUS LES DIRIGEANTS DES BRICS présents au G20, c'est avec Medvedev que j'étais le plus impatient de nouer contact. Les relations entre les États-Unis et la Russie avaient atteint un point particulièrement critique. L'été précédent – quelques mois après l'entrée en fonction de Medvedev –, la Russie avait envahi la Géorgie, une ancienne république soviétique, et occupé illégalement deux de ses provinces, déclenchant des violences entre les deux pays et des tensions avec les nations limitrophes.

Pour nous, c'était le signal de l'escalade de Poutine dans l'effronterie et de ses dispositions générales belliqueuses, un refus troublant de respecter la souveraineté d'une autre nation et un non-respect caractérisé du droit international. Et, à plus d'un titre, il ne semblait pas avoir été pénalisé pour cela : au-delà du gel des relations diplomatiques, le gouvernement Bush n'avait rien entrepris qui ressemble à une mesure punitive contre la Russie pour son acte d'agression ; le reste du monde avait haussé les épaules et était passé à autre chose, rendant pratiquement caduque toute entreprise tardive pour isoler la Russie. Mon gouvernement espérait mettre en place ce que nous appelions un *reset*, un redémarrage, avec la Russie, en ouvrant un dialogue afin de protéger nos intérêts, de soutenir nos alliés démocratiques dans la région et de trouver d'autres partenaires pour coopérer à la non-prolifération et au désarmement nucléaire. À cet effet, nous étions convenus, Medvedev et moi, de nous rencontrer en privé la veille du sommet.

Je comptais sur deux experts de la Russie pour m'aider à préparer ce rendez-vous : le sous-secrétaire aux affaires politiques du département d'État, Bill Burns, et notre directeur au Conseil de sécurité nationale pour la Russie et l'Eurasie, Michael McFaul. Burns, diplomate de carrière, ex-ambassadeur du gouvernement Bush en Russie, était grand, moustachu et légèrement voûté, avec la voix douce et l'air studieux d'un professeur d'Oxford. McFaul, en revanche, qui arborait un grand sourire et une tignasse blonde, était tout en énergie et passion. Originaire du Montana, il avait été conseiller de ma campagne tout en continuant à enseigner à Stanford, et donnait l'impression de terminer chaque phrase par un point d'exclamation.

McFaul était celui des deux qui avait le plus confiance dans notre capacité à exercer une influence sur la Russie, en partie parce qu'il avait vécu à Moscou au début des années 1990, à la période grisante de la transformation politique, d'abord en tant qu'universitaire, puis en tant que directeur sur le terrain d'une organisation pro-démocratie, partiellement financée par le gouvernement américain. Mais, concernant Medvedev, McFaul partageait l'avis de Burns : il ne fallait pas que je m'attende à grand-chose.

« Medvedev va vouloir établir une bonne relation avec vous pour prouver qu'il a sa place sur la scène internationale, a-t-il dit. Mais, surtout, n'oubliez pas que c'est toujours Poutine qui mène la danse. »

En consultant sa biographie, j'avais compris pourquoi tout le monde considérait que la marge de manœuvre de Medvedev était minime. La quarantaine tout juste passée, issu d'un milieu relativement privilégié, enfant unique de deux professeurs, il avait étudié le droit à la fin des années 1980, avait enseigné à l'université d'État de Leningrad et fait la connaissance de Vladimir Poutine à l'époque où ils avaient tous deux travaillé pour le maire de Saint-Pétersbourg, au début des années 1990, après la dissolution de l'Union soviétique. Pendant que

Poutine continuait dans la politique, jusqu'à devenir Premier ministre du président Boris Eltsine, Medvedev avait fait jouer ses relations pour obtenir un poste de cadre dans une des plus grandes entreprises d'exploitation forestière en Russie, dont il était également devenu actionnaire, à l'époque où la privatisation chaotique d'actifs d'État offrait aux actionnaires bien introduits la garantie d'une fortune. Tranquillement, il était devenu un homme riche, avait travaillé sur différents projets pour la municipalité de Saint-Pétersbourg, sans avoir à supporter le fardeau de se trouver sous les feux de la rampe. Ce n'est qu'à la fin de 1999 qu'il avait été intégré au gouvernement, recruté par Poutine à un poste de haut niveau à Moscou. Un mois plus tard, Eltsine démissionnait abruptement, Poutine passait alors du rang de Premier ministre à celui de président intérimaire, et Medvedev le suivait dans son ascension.

Autrement dit, Medvedev était un technocrate, un homme des coulisses, inconnu du grand public et dépourvu de base politique. Et c'est exactement l'image qu'il dégageait lorsqu'il est arrivé pour notre réunion à Winfield House, l'élégante résidence officielle londonienne de l'ambassadeur des États-Unis en Grande-Bretagne, dans Regent's Park. Il était de petite taille, brun et affable, avait des manières un peu guindées, confinant à l'autodénigrement, plus le genre consultant en management international que politicien ou apparatchik. Apparemment, il comprenait l'anglais, mais préférait avoir recours à un interprète.

J'ai entamé notre discussion en évoquant l'occupation militaire par son pays de la Géorgie. Comme il fallait s'y attendre, Medvedev s'en est tenu strictement aux éléments de langage officiels. Il a accusé le gouvernement géorgien d'avoir précipité la crise, a affirmé que la Russie n'était intervenue que pour défendre les citoyens russes contre des violences. Il a réfuté mon argument selon lequel l'invasion et l'occupation prolongée du pays portaient atteinte à la souveraineté de la Géorgie et enfreignaient le droit international ; sur un ton lourd de sous-entendus, il a suggéré que, contrairement aux Américains en Irak, les Russes avaient été franchement acclamés comme des forces de libération. En l'écoutant, je me suis souvenu de ce que le dissident Alexandre Soljénitsyne avait dit de la politique pendant la période soviétique, à savoir que « le mensonge était devenu non plus seulement une catégorie morale, mais un pilier de l'État ».

Mais, si la réfutation de Medvedev sur la Géorgie me rappelait qu'il n'était pas un enfant de chœur, j'ai remarqué un certain détachement ironique dans sa manière de me répondre, comme s'il voulait que je sache qu'il ne croyait pas vraiment tout ce qu'il disait. Quand, plus tard dans la discussion, nous sommes passés à un autre sujet, son état d'esprit aussi a paru changer. Concernant les mesures à prendre pour gérer la crise financière, il était bien briefé et s'est montré constructif. Il a réagi avec enthousiasme à notre proposition de « redémarrage » des relations américano-russes, surtout lorsque j'ai évoqué l'expansion de la coopération dans des domaines non militaires comme l'enseignement, les sciences, la technologie et le commerce. Il m'a surpris en me proposant spontanément (fait sans précédent) d'autoriser les militaires américains à utiliser l'espace aérien russe pour acheminer des troupes et du matériel en Afghanistan – une option qui réduirait notre dépendance exclusive aux itinéraires de ravitaillement pakistanais, pas toujours très fiables.

Quant à ma priorité numéro un – la coopération américano-russe pour contenir la prolifération nucléaire, y compris la course à l'armement nucléaire de l'Iran –, Medvedev s'est montré prêt à s'engager avec franchise et souplesse. Il a accepté ma proposition que nos experts respectifs commencent immédiatement les négociations sur la réduction des arsenaux nucléaires de chaque pays, pour poursuivre sur la lancée du traité existant sur la réduction des armements stratégiques (START), qui expirait à la fin de 2009. S'il n'était pas décidé à s'engager au plan international pour sanctionner l'Iran, il n'a pas refusé *a priori*, allant jusqu'à reconnaître que les programmes de développement nucléaire et de missiles iraniens avaient avancé bien plus vite que ne l'avait prévu Moscou – une concession comme aucun responsable politique russe n'en avait jamais fait, selon McFaul et Burns, même en privé.

Toujours est-il que Medvedev était loin de se montrer conciliant. Il a clairement affirmé durant nos discussions à propos de la non-prolifération que la Russie avait aussi une priorité : il voulait que nous reconsidérions la décision du gouvernement Bush d'implanter un système de défense antimissiles en Pologne et en République tchèque. Il parlait, je suppose, au nom de Poutine, qui comprenait bien que la raison principale pour laquelle les Polonais et les Tchèques s'apprêtaient à accueillir de bon cœur ce bouclier était qu'il renforcerait la présence militaire américaine sur leur sol, leur fournissant une protection supplémentaire contre l'intimidation russe.

En réalité, à l'insu des Russes, nous étions déjà en train de remettre en cause le système antimissiles terrestre en Europe. Avant que je parte pour Londres, Robert Gates m'avait informé que les projets développés sous Bush avaient été jugés potentiellement moins efficaces contre les menaces pressantes (essentiellement l'Iran) qu'initialement prévu. Gates avait suggéré que je mette à l'étude d'autres configurations possibles avant de prendre la moindre décision.

Je n'étais pas disposé à satisfaire la demande de Medvedev en intégrant les considérations sur la défense antimissiles dans les négociations
du START à venir. Je pensais en revanche qu'il était dans notre intérêt
d'apaiser les inquiétudes des Russes. Et le hasard du calendrier a fait
que j'ai pu m'arranger pour que Medvedev ne reparte pas de Londres
les mains vides : je lui ai présenté mon intention de revoir nos projets
en Europe comme gage de ma bonne volonté à discuter de la question
en toute bonne foi. J'ai ajouté que les progrès que nous ferions pour
que l'Iran ne se dote pas de l'arme nucléaire influeraient assurément
sur toute décision – un message qui n'était pas d'une grande subtilité,
et auquel Medvedev a répondu avant même qu'il soit traduit.

« Je comprends », a-t-il dit en anglais avec un petit sourire.

Avant de prendre congé, Medvedev m'a également invité à venir en
Russie l'été suivant, invitation que j'étais enclin à accepter. En regardant
son cortège de voitures repartir, je me suis tourné vers Burns et McFaul
et leur ai demandé ce qu'ils en pensaient.

« Je vais être honnête, monsieur le Président, a dit McFaul. Je ne
vois pas comment cela aurait pu mieux se passer. Il m'a paru bien plus
ouvert à la discussion que ce que j'aurais pu imaginer.

– Mike a raison, a enchéri Burns, mais je me demande si tout ce qu'a
dit Medvedev a été validé par Poutine en amont. »

J'ai hoché la tête. « Nous le saurons bien assez tôt. »

À LA FIN DU SOMMET de Londres, le G20 avait réussi à trouver un
accord en réponse à la crise financière internationale. Le communiqué final, diffusé conjointement par tous les chefs d'État présents,
comprenait les priorités américaines, comme l'implication accrue dans
les politiques de relance et le refus du protectionnisme, ainsi que des
mesures visant à faire disparaître les paradis fiscaux et améliorer les
outils de contrôle financiers, qui étaient importantes aux yeux des
Européens. Les BRICS pouvaient se réjouir de l'engagement pris par
les États-Unis et l'Union européenne d'examiner de possibles changements dans leur représentation à la Banque mondiale et au FMI. Dans
un élan d'enthousiasme, Sarkozy nous a empoignés, Tim et moi, alors
que nous sortions du bâtiment.

« Cet accord est historique, Barack ! a-t-il lancé. Ça a été possible
grâce à vous… Non, non, c'est vrai. Et monsieur Geithner, là… il est
formidable ! » Sarkozy s'est alors mis à scander le nom de famille de
mon secrétaire au Trésor comme un fan de football, suffisamment fort

pour que plusieurs têtes se tournent dans la salle. Je n'ai pu m'empêcher de rire, non seulement en constatant que Geithner se sentait un peu mal à l'aise, mais aussi en découvrant l'expression d'Angela Merkel – elle venait juste de terminer sa lecture du communiqué et regardait à présent Sarkozy comme une mère son enfant turbulent.

La presse internationale a considéré que le sommet avait été un succès : non seulement l'accord était plus substantiel que prévu, mais notre rôle central dans les négociations avait contribué, au moins partiellement, à retourner en notre faveur l'opinion selon laquelle la crise financière avait terni de façon permanente le leadership américain. Au cours de la conférence de presse finale, j'ai pris soin de remercier tous ceux qui avaient joué un rôle, louant Gordon Brown, en particulier, pour le rôle de leader qu'il avait assumé, et faisant valoir que, dans ce monde interconnecté, aucune nation ne pouvait faire cavalier seul. Résoudre de grands problèmes, ai-je dit, exigeait le type de coopération internationale que l'on avait vue à l'œuvre à Londres.

Deux jours plus tard, un journaliste, souhaitant que je commente cette déclaration, m'a demandé mon point de vue sur l'exceptionnalisme américain. « Je crois en l'exceptionnalisme américain, ai-je affirmé. Tout comme je soupçonne les Britanniques de croire en l'exceptionnalisme britannique, et les Grecs de croire en l'exceptionnalisme grec. »

C'est seulement plus tard que j'ai pris conscience du fait que les républicains et les médias conservateurs s'étaient emparés de cette remarque anodine, prononcée avant tout par modestie et courtoisie, comme une preuve de faiblesse et de manque de patriotisme de ma part. Des commentateurs ont commencé à désigner mes interactions avec des dirigeants et citoyens d'autres nations comme « la tournée des excuses d'Obama », sans jamais pouvoir citer un exemple d'excuses que j'aurais présentées. De toute évidence, le fait de ne pas avoir sermonné des publics étrangers sur la supériorité américaine, sans parler de ma disposition à reconnaître nos imperfections et à tenir compte du point de vue d'autres pays, était discréditant. Cela rappelait une fois de plus combien notre paysage médiatique était scindé – et combien un état d'esprit sectaire de plus en plus délétère avait désormais renoncé à toute décence. Dans ce monde nouveau, une victoire en politique étrangère, au regard de tous les critères traditionnels, pouvait être présentée de manière déformée au point de passer pour une défaite, du moins dans les esprits de la moitié du pays ; des messages favorables à nos intérêts et qui redoraient notre blason à l'étranger pouvaient conduire à une ribambelle de critiques en Amérique.

Dans un registre plus joyeux, Michelle a connu un véritable succès pour ses débuts internationaux, s'attirant notamment les bonnes grâces de la presse lors de sa visite d'un collège de filles dans un quartier défavorisé de Londres. Comme cela serait le cas pendant toute la durée de notre mandat à la Maison-Blanche, Michelle se délectait de telles interactions, capable d'établir le contact avec des enfants de tous âges et de tous milieux, et, manifestement, cette magie s'exportait très bien à l'étranger. Dans cet établissement scolaire, elle a parlé de son enfance, des obstacles qu'elle avait dû surmonter, et elle a expliqué en quoi les études avaient toujours été pour elle un moyen d'aller de l'avant. Les élèves – issues de milieux populaires pour la plupart, d'origine antillaise ou d'Asie du Sud – ont écouté captivées cette femme connue dans le monde entier leur affirmer qu'elle avait un jour été exactement comme elles. Dans les années qui ont suivi, elle passerait à plusieurs reprises du temps avec des écolières de l'établissement, et accueillerait même un groupe d'entre elles à la Maison-Blanche. Par la suite, en étudiant les données de l'école, un économiste conclurait que les interventions de Michelle avaient eu pour effet une nette amélioration des résultats aux examens, révélant les bienfaits tangibles de son discours fondé sur l'identification, qui motivait les élèves et faisait une réelle différence dont on pouvait mesurer les résultats. Cet « effet Michelle », je le connaissais bien – elle avait ce même effet sur moi. Des rencontres comme celle-ci nous ont aidés à ne pas oublier que notre travail en tant que première famille n'était pas uniquement une question de politique et de stratégie.

Michelle a néanmoins suscité une petite controverse, elle aussi. À la réception donnée en l'honneur des chefs d'État du G20 et de leurs conjoints en présence de la reine d'Angleterre au palais de Buckingham, elle a été photographiée la main posée sur l'épaule de Sa Majesté – ce qui constituait apparemment une infraction au protocole. En outre, lors de notre rendez-vous privé avec la reine, Michelle portait un cardigan par-dessus sa robe, ce qui n'a pas manqué d'affoler la presse britannique.

« Tu aurais dû suivre mon conseil et mettre un de ces petits bibis, lui ai-je dit le lendemain matin. Avec un petit sac à main assorti. »

Elle a souri et m'a embrassé sur la joue. « Et toi, réfléchis bien au canapé dans lequel tu dormiras à ton retour, a-t-elle répondu sur un ton guilleret. Ce n'est pas le choix qui manque à la Maison-Blanche ! »

Les cinq jours qui ont suivi ont filé à toute allure – un sommet de l'OTAN à Baden-Baden, en Allemagne, et à Strasbourg, en France ; des discours et des réunions en République tchèque et en Turquie ; et une visite surprise en Irak, où – en plus de remercier une assemblée tapageuse de soldats américains pour leur courage et leurs sacrifices – j'ai consulté le Premier ministre Al-Maliki au sujet de nos projets de retrait et de la transition qui se poursuivait vers une gouvernance parlementaire.

À la fin du voyage, j'avais toutes les raisons d'être plutôt satisfait. À tous points de vue, nous avions fait des progrès. Je n'avais pas commis de bourde majeure. Chacun dans mon équipe de politique étrangère, depuis les membres du gouvernement comme Geithner et Gates jusqu'à ceux occupant des postes subalternes chargés du travail préparatoire, avait fait un boulot formidable. Et, loin de répugner à une association avec les États-Unis, les pays que nous visitions semblaient rechercher notre leadership.

Toutefois, le voyage m'a aussi rappelé la dure réalité de ce en quoi consisterait mon mandat, du moins pour une bonne partie, à savoir non pas lancer de nouvelles initiatives, mais éteindre les incendies déclenchés avant ma présidence. Au sommet de l'OTAN, par exemple, nous avons réussi à obtenir le soutien de l'Alliance pour notre stratégie Af-Pak – mais non sans avoir au préalable entendu les chefs d'État européens nous dire combien leurs opinions publiques étaient hostiles à une coopération militaire avec les États-Unis depuis l'invasion irakienne, et combien il allait être difficile pour eux d'obtenir un soutien politique pour une aide militaire supplémentaire. Les membres d'Europe centrale et orientale de l'OTAN avaient aussi été troublés par la réaction pour le moins tiède du gouvernement Bush face à l'invasion par la Russie de la Géorgie, et se demandaient s'ils pouvaient compter sur l'Alliance pour les protéger en cas d'agression russe similaire. Ils soulevaient là une question importante : avant le sommet, j'avais été étonné d'apprendre que l'OTAN n'avait pas de plan ou de protocole d'action rapide pour être en mesure de défendre tous ses alliés. Ce n'était qu'un exemple de plus des petits secrets peu avouables que je découvrais en tant que président, comme pour l'Afghanistan à la suite de notre enquête, et comme le monde entier l'avait découvert après l'invasion de l'Irak – car les faucons de l'administration Bush tels que Cheney et Rumsfeld s'étaient révélés étonnamment mauvais lorsqu'il s'était agi d'accompagner leur rhétorique belliqueuse de stratégies efficaces et cohérentes. Ou, comme Denis McDonough l'a exprimé de manière plus explicite : « En ouvrant n'importe quel tiroir de la Maison-Blanche, on est sûr de tomber sur une nouvelle boule puante. »

J'ai fait de mon mieux pour désamorcer le problème des pays d'Europe centrale en proposant que l'OTAN développe des plans de défense spécifiques pour chacun de ses membres, et en déclarant que, concernant nos obligations mutuelles de défense, nous ne devions pas faire de distinction entre les membres fondateurs de l'Alliance et ceux entrés plus tardivement. Cela allait impliquer davantage de travail pour notre équipe et nos soldats déjà débordés, mais je me suis efforcé de ne pas me faire trop de mauvais sang à ce sujet. Il a fallu que je me répète que tout président se devait de gérer les conséquences des choix et des décisions du gouvernement précédent, que 90 % du boulot consistait à naviguer en évitant les écueils dont on avait hérité et les crises inattendues. Et c'était seulement si vous faisiez bien cela, avec discipline et détermination, que vous aviez véritablement une chance de façonner l'avenir.

Ce qui m'a inquiété, vers la fin du voyage, c'était moins un problème particulier qu'une impression générale. Le sentiment que, pour toutes sortes de raisons – certaines de notre fait, d'autres pour lesquelles nous ne pouvions rien –, la vague positive de démocratisation, de libéralisation, de coopération et de rapprochement qui avait déferlé dans le monde entier à la fin de la guerre froide commençait à refluer. Des forces plus anciennes, plus sombres, commençaient à s'amonceler, et les aléas charriés par la mauvaise passe économique n'allaient probablement faire qu'aggraver les choses.

Avant la crise financière, par exemple, la Turquie semblait être une nation dans une dynamique favorable, un cas d'école illustrant les effets positifs de la mondialisation sur les économies émergentes. En dépit d'un passé marqué par l'instabilité politique et les coups d'État, ce pays à majorité musulmane s'était largement aligné sur l'Occident depuis les années 1950, conservant sa place au sein de l'OTAN, organisant des élections régulières et s'appuyant sur un système fondé sur le marché, avec une constitution laïque garantissant des principes modernes comme l'égalité des droits pour les femmes. Lorsque Recep Tayyip Erdogan, à la tête du Parti de la justice et du développement, s'était hissé au pouvoir en 2002-2003, devenant Premier ministre, en défendant des idées populistes et souvent ouvertement islamistes, cela avait perturbé l'élite politique laïque, dominée par les militaires. Erdogan avait professé sa sympathie à la fois pour les Frères musulmans et pour le Hamas dans leur lutte en faveur d'un État palestinien, ce qui avait fortement inquiété Washington et Israël. Et pourtant, le gouvernement d'Erdogan avait jusqu'à présent respecté la constitution, honoré ses obligations vis-à-vis de l'OTAN et géré efficacement l'économie, allant jusqu'à initier une série de modestes réformes dans l'espoir de pouvoir un jour répondre aux critères d'intégration à l'Union européenne. Certains observateurs suggéraient qu'Erdogan offrait l'exemple d'un islam modéré, moderne et pluraliste, et une alternative aux autocraties, aux théocraties et aux mouvements extrémistes que l'on rencontrait dans la région.

Lors d'un discours devant le parlement turc et à l'occasion d'un débat public avec des étudiants de l'université d'Istanbul, j'ai essayé de me faire l'écho d'un tel optimisme. Mais les discussions que j'avais eues avec Erdogan avaient nourri ma méfiance. Pendant le sommet de l'OTAN, Erdogan s'était opposé à la candidature à la tête de l'organisation du très estimé Premier ministre danois, Anders Rasmussen, non pas parce qu'il jugeait Rasmussen incompétent, mais parce que le gouvernement de Rasmussen avait refusé de donner une suite favorable à la demande de censure de la Turquie, qui s'opposait à la publication de caricatures figurant le prophète Mahomet, en 2005, dans un journal danois. Les protestations en Europe en appelant à la liberté de la presse avaient laissé Erdogan de marbre, et il n'a cédé que lorsque j'ai promis que Rasmussen aurait un adjoint turc et que je l'ai prévenu que ma visite prochaine – et l'opinion publique américaine favorable à la Turquie – serait fortement compromise si la nomination de Rasmussen n'était pas confirmée.

Cela a instauré un schéma qui se répéterait durant les huit années suivantes. Nos intérêts mutuels bien compris imposaient qu'Erdogan et moi tissions une relation de travail. La Turquie comptait sur les États-Unis pour appuyer sa demande d'adhésion à l'Union européenne et obtenir une assistance militaire ainsi qu'en termes de renseignement dans la lutte contre les séparatistes kurdes, enhardis par la chute de Saddam Hussein. De notre côté, nous avions besoin de la coopération turque pour combattre le terrorisme et stabiliser la situation en Irak. Pour ma part, je trouvais le Premier ministre cordial et généralement attentif à mes requêtes. Mais chaque fois que je l'entendais parler, sa longue silhouette légèrement voûtée, sa voix en vigoureux staccato qui montait d'une octave en réaction à divers griefs ou à ce qu'il percevait comme des affronts, j'avais la forte impression que son attachement à la démocratie et à l'état de droit ne tiendrait qu'aussi longtemps qu'il le maintiendrait au pouvoir.

Mes doutes sur la pérennité des valeurs démocratiques ne se cantonnaient pas à la Turquie. Au cours de ma halte à Prague, les représentants officiels européens avaient exprimé leur vive inquiétude face à la montée des partis d'extrême droite partout en Europe, constatant que la crise économique stimulait le nationalisme, le sentiment anti-immigrants et le scepticisme à l'égard de l'intégration européenne. Le président tchèque, Václav Klaus, à qui j'ai rendu une courte visite de courtoisie, incarnait certaines de ces tendances. « Eurosceptique » virulent, en poste depuis 2003, il était à la fois un ardent défenseur de l'économie de marché et un admirateur de Vladimir Poutine. Nous avons eu beau nous efforcer de ne pas aborder les sujets qui fâchent lors de notre conversation, ce que je savais de ses déclarations publiques – il avait soutenu la censure des programmes de la télévision tchèque, voyait d'un mauvais œil les droits gays et lesbiens, et était un climato-sceptique notoire – ne nourrissait pas véritablement mon optimisme quant aux tendances politiques en Europe centrale.

Il était difficile de dire si ces tendances seraient durables. Je tentais de me convaincre que ce mouvement de balancier entre des périodes de changement progressiste et de retranchement conservateur était dans la nature des démocraties – y compris en Amérique. D'ailleurs, ce qui était frappant, c'est que Klaus aurait tout à fait eu sa place au sein du groupe républicain au Sénat des États-Unis, de même qu'Erdogan aurait tout à fait pu être un homme d'influence au conseil municipal de Chicago. Cela était-il une source de réconfort ou d'inquiétude ? Difficile de trancher.

Je n'étais cependant pas venu à Prague pour juger de l'état de la démocratie. Nous avions prévu que j'y prononcerais l'unique grand discours public du voyage afin d'annoncer une initiative de politique étrangère de tout premier ordre : la réduction des armes nucléaires en vue de leur élimination définitive. J'avais travaillé sur cette question depuis mon élection au Sénat, quatre ans plus tôt, et s'il y avait des risques à défendre ce que beaucoup considéraient comme une quête utopique, j'avais dit à mon équipe qu'en un sens c'était justement cela qui importait ; un progrès même modeste sur la question supposait un projet audacieux et global. Si j'avais espoir de transmettre quelque chose à Malia et Sasha, c'était de vivre libérées de la menace d'une apocalypse engendrée par l'homme.

J'avais une seconde raison, plus pragmatique, de me concentrer sur la question nucléaire de manière à faire les gros titres en Europe : nous avions besoin d'un moyen d'empêcher la Corée du Nord et l'Iran d'avancer dans leurs programmes nucléaires. (La veille du discours, d'ailleurs, la Corée du Nord avait lancé une roquette longue portée dans le Pacifique, à la seule fin d'attirer notre attention.) Il était temps d'intensifier la pression internationale sur ces deux pays, y compris par la mise en œuvre de sanctions économiques. Or je savais que cela serait bien plus facile à accomplir si je pouvais montrer que les États-Unis étaient décidés non seulement à relancer l'action mondiale en faveur du désarmement, mais aussi à réduire activement leur propre arsenal nucléaire.

Le matin du discours, j'étais satisfait que nous ayons bordé la question nucléaire avec suffisamment de propositions concrètes réalisables pour que mes paroles ne paraissent pas désespérément chimériques. La journée était limpide et le décor spectaculaire, une place centrale où le château de Prague – jadis siège des rois de Bohême et des empereurs du Saint-Empire romain germanique – apparaissait en toile de fond. Tandis que la Bête cahotait dans les rues étroites, nous sommes passés devant des gens venus par milliers écouter le discours. Ils étaient de tous âges, mais, dans l'ensemble, j'ai vu de jeunes Tchèques, en jeans, pulls et écharpes, emmitouflés contre le vent piquant du printemps, les visages enflammés et pleins d'attente. C'était une foule semblable, me suis-je dit, qui avait été repoussée par les chars de l'Union soviétique à la fin du Printemps de Prague, en 1968 ; et c'était dans ces mêmes rues, vingt et un ans plus tard, en 1989, qu'une foule encore plus importante de manifestants pacifiques avait, contre toute attente, renversé le pouvoir communiste.

Cette année-là, j'étais à la fac de droit. Je me souvenais d'être resté collé à mon téléviseur d'occasion, dans mon appartement en sous-sol, à quelques kilomètres de Harvard Square, tandis que je voyais se dérouler ce qu'on appellerait la « révolution de velours ». Je me souvenais d'avoir été fasciné par ces manifestations, et formidablement inspiré. C'était le même sentiment que j'avais éprouvé plus tôt la même année en contemplant cette silhouette solitaire face aux chars, sur la place Tian'anmen, une inspiration identique à celle ressentie lorsque je regardais des images granuleuses des Freedom Riders ou de John Lewis et de ses camarades combattant pour les droits civiques, franchissant le pont Edmund Pettus à Selma. Voir des gens ordinaires aller au-delà de leurs peurs et de leurs habitudes rassurantes pour agir en écoutant leurs convictions profondes, voir des jeunes gens tout risquer pour avoir leur mot à dire sur la vie qu'ils entendaient mener, tenter de libérer le monde des vieilles cruautés, hiérarchies, divisions, hypocrisies et injustices qui entravaient l'esprit humain – cela, je l'avais compris, était ce en quoi je croyais et ce à quoi je voulais participer.

Ce soir-là, je n'avais pas trouvé le sommeil. Au lieu de lire mes études de cas pour les cours du lendemain, j'avais écrit dans mon journal jusque tard dans la nuit, le cerveau en ébullition, en proie à des pensées urgentes, à demi formées. J'ignorais encore quel pourrait être mon rôle dans cette vaste lutte mondiale, mais je savais que la pratique du droit ne serait qu'une étape, que mon cœur m'emporterait ailleurs.

Tout cela semblait remonter à bien longtemps. Et pourtant, de mon poste d'observation sur la banquette arrière de la limousine présidentielle, me préparant à prononcer un discours qui serait retransmis dans le monde entier, je me suis rendu compte qu'une ligne directe, quoique improbable, reliait ces deux moments. J'étais le produit des rêves de ce jeune homme ; et, tandis que nous nous arrêtions sur l'aire aménagée derrière une vaste scène, une part de moi m'a imaginé non pas comme l'homme politique que j'étais devenu, mais comme l'une de ces jeunes personnes dans la foule, non compromis par le pouvoir, non encombré par la nécessité de tenir compte de gens comme Erdogan et Klaus, faisant cause commune uniquement avec ceux qui aspiraient à un monde nouveau, à un monde meilleur.

Une fois le discours prononcé, j'ai rendu visite à Václav Havel, le dramaturge et ancien dissident qui avait fait deux mandats en tant que président de la République tchèque, jusqu'en 2003. Ayant participé au Printemps de Prague, il avait ensuite été mis sur liste noire sous l'occupation soviétique, ses œuvres avaient été interdites, et il avait été jeté en prison à plusieurs reprises pour ses activités politiques. Havel, plus que quiconque, avait donné une voix morale aux mouvements de la démocratie de proximité qui avaient mis un terme à l'ère soviétique. Au même titre que Nelson Mandela et une poignée d'hommes d'État, il avait aussi été pour moi un lointain modèle. J'avais lu ses essais quand j'étais à la fac de droit. Le fait qu'il ait su conserver sa probité après avoir accédé au pouvoir avait contribué à me convaincre qu'il était possible d'entrer en politique et d'en sortir l'âme intacte.

Notre rendez-vous a été bref, victime de mon emploi du temps. Havel avait un peu plus de 70 ans, mais il paraissait plus jeune, son attitude était modeste, il avait un visage taillé à la serpe, des cheveux blond-roux, une moustache soigneusement entretenue. Après avoir posé pour les photographes et dit quelques mots aux journalistes présents, nous nous sommes installés dans une salle de conférence où, avec l'aide de son interprète, nous avons discuté environ trois quarts d'heure de la crise financière, de la Russie et de l'avenir de l'Europe. Il était inquiet à l'idée que les États-Unis puissent croire d'une manière ou d'une autre que les problèmes de l'Europe étaient réglés, alors qu'en réalité, dans tous les anciens pays satellites de l'Union soviétique, l'engagement démocratique était encore fragile. Tandis que se dissipaient les souvenirs de l'ordre ancien, et que des dirigeants comme lui, qui avaient tissé des liens étroits avec les États-Unis, n'étaient plus sur le devant de la scène, les dangers d'une résurgence de tendances illibérales étaient réels.

« D'une certaine manière, les Soviétiques avaient simplifié la désignation de l'ennemi, a dit Havel. Aujourd'hui, les autocrates sont plus sophistiqués. Ils sont favorables aux élections, tout en sapant lentement les institutions qui rendent la démocratie possible. Ils sont tout à fait favorables à l'économie de marché, tout en pratiquant la corruption, le copinage et l'exploitation qui existaient par le passé. » Il a confirmé que la crise économique redonnait vigueur aux forces du nationalisme et de l'extrémisme populiste en Europe, et, s'il était d'accord avec ma stratégie de collaboration avec la Russie, il m'a mis en garde : l'annexion du territoire géorgien n'était que la manifestation la plus visible des démonstrations de force déployées par Poutine pour intimider toute la région. « Sans la vigilance des États-Unis, a-t-il dit, la liberté, ici et dans toute l'Europe, se flétrira. »

Le temps qui nous était imparti touchait à sa fin. J'ai remercié Havel pour ses conseils et lui ai assuré que l'Amérique défendrait sans faiblir les valeurs démocratiques. Il a souri et m'a dit qu'il espérait ne pas avoir alourdi mon fardeau.

« Votre malédiction, c'est que les gens attendent beaucoup de vous, a-t-il ajouté en me serrant la main. Car cela signifie qu'ils pourront être vite déçus. C'est une chose dont j'ai l'habitude. Je crains que cela ne soit un piège. »

SEPT JOURS APRÈS avoir quitté Washington, mon équipe remontait à bord d'Air Force One, épuisée et prête à rentrer à la maison. J'étais dans la cabine avant de l'avion, sur le point de rattraper un peu de sommeil en retard, quand Jim Jones et Tom Donilon sont entrés pour m'informer d'une situation de crise liée à un problème au sujet duquel on ne m'avait jamais interrogé durant la campagne.

« Des pirates ?

– Des pirates, monsieur le Président, a dit Jones. Au large de la côte somalienne. Ils sont montés à l'abordage d'un porte-conteneurs dont le capitaine est américain, et apparemment ils ont pris l'équipage en otage. »

Ce problème n'était pas nouveau. Depuis des décennies, la Somalie, un pays de la corne de l'Afrique, était un État en déroute, morcelé, aux mains de divers seigneurs de guerre, de clans et, plus récemment, d'une dangereuse organisation terroriste baptisée Al-Shabaab. Faute de pouvoir compter sur une économie en état de marche, des gangs de jeunes hommes sans emploi, équipés de skiffs à moteur, d'AK-47 et d'échelles de fortune, s'étaient mis à attaquer des bateaux commerciaux sur le passage maritime très fréquenté qui reliait l'Asie à l'Occident *via* le canal de Suez, ne les libérant qu'en échange de rançons. C'était la première fois qu'un vaisseau battant pavillon américain était concerné. Aucun élément ne permettait d'affirmer que les quatre Somaliens avaient blessé un ou plusieurs des vingt et un membres de l'équipage, mais le secrétaire Gates avait ordonné que le destroyer de la marine USS *Bainbridge* et la frégate USS *Halyburton* se rendent sur place ; ils espéraient être en vue du navire détourné au moment de notre atterrissage à Washington.

« Nous vous réveillerons s'il y a de nouveaux développements, monsieur le Président, a dit Jones.

– Entendu, ai-je murmuré, sentant s'installer dans mes os la fatigue que j'avais repoussée ces derniers jours. Ah, et réveillez-moi si des nuées de sauterelles s'abattent sur nous, ai-je repris. Ou la peste.

– Pardon ? a fait Jones.

– Je plaisantais, Jim. Bonne nuit. »

CHAPITRE 15

PENDANT LES QUATRE JOURS SUIVANTS, toute notre équipe de sécurité nationale a été entièrement accaparée par le drame qui se déroulait en mer, au large de la Somalie. L'équipage du porte-conteneurs *Maersk-Alabama* avait eu la présence d'esprit de bloquer les moteurs du bateau avant que les pirates ne montent à l'abordage, et la plupart de ses membres s'étaient repliés dans une pièce sécurisée. Pendant ce temps, le capitaine, Richard Phillips, un homme courageux et sensé du Vermont, était resté sur le pont. N'ayant plus moyen de manœuvrer le navire d'environ 155 mètres, et leur frêle skiff n'étant plus en mesure de reprendre la mer, les Somaliens ont décidé de s'enfuir sur un canot de sauvetage, emmenant Phillips avec eux, réclamant 2 millions de dollars en échange de sa libération. Même si l'un des preneurs d'otage s'est rendu, les négociations pour que le capitaine soit relâché n'ont pas abouti. La tension n'a fait que croître quand Phillips a tenté de s'échapper en sautant par-dessus bord, mais que ses ravisseurs l'ont repêché peu après.

La situation devenait plus critique d'heure en heure, et j'ai donné l'autorisation de faire feu sur les pirates si à un moment Phillips semblait encourir un danger imminent. Enfin, le cinquième jour, l'information nous est parvenue : alors que deux des Somaliens étaient hors de la cabine, un troisième a été aperçu par un hublot tenant le capitaine Phillips en joue. Les tireurs d'élite du Navy SEAL ont tiré trois fois. Les pirates ont été tués. Phillips était en vie.

La nouvelle a suscité des applaudissements victorieux partout à la Maison-Blanche. Le *Washington Post* a proclamé en une que c'était

UNE PREMIÈRE VICTOIRE MILITAIRE POUR OBAMA. Mais j'avais beau être soulagé de voir le capitaine Phillips retrouver sa famille, et fier de la façon dont nos gars de la marine avaient géré la situation, l'épisode qui venait de se dérouler ne me donnait pas non plus envie de me frapper la poitrine en signe de victoire. D'une part, il fallait garder à l'esprit que la réussite de l'opération, qui aurait pu tourner au désastre, s'était jouée à quelques centimètres – trois balles tirées dans l'obscurité atteignant leur cible, qui auraient toutefois pu être légèrement déviées par une houle soudaine. D'autre part, je me rendais compte aussi que dans le monde entier, dans des endroits comme le Yémen, l'Afghanistan, le Pakistan et l'Irak, les vies de millions de jeunes hommes comme ces trois Somaliens morts (certains n'étaient que des garçons puisque le pirate le plus âgé aurait eu 19 ans) avaient été entravées et meurtries par le désespoir, l'ignorance, des rêves de gloire religieuse, la violence de leur environnement ou les combines d'hommes plus vieux. Ils étaient dangereux, ces jeunes hommes, d'une cruauté souvent délibérée et désinvolte. Il n'empêche, je voulais d'une façon ou d'une autre les sauver, globalement, tout du moins – les envoyer à l'école, qu'ils apprennent un métier et se libèrent de la haine qui emplissait leurs têtes. Et pourtant, le monde dont ils faisaient partie et la machine que je commandais étaient tels que, le plus souvent, j'étais au contraire dans la position de les faire tuer.

JE SAVAIS QUE MON MÉTIER impliquait que je donne l'ordre de tuer des gens, même si les choses étaient rarement formulées ainsi. La lutte contre les terroristes – « dans leur zone d'en-but, et pas dans la nôtre », comme Gates aimait le dire – avait servi à justifier les guerres menées en Afghanistan et en Irak. Mais tandis qu'Al-Qaida s'éparpillait et entrait dans la clandestinité, se métastasant en un réseau complexe d'affiliés, d'agents, de cellules dormantes et de sympathisants connectés par Internet et par téléphones non traçables, nos agences de sécurité nationale avaient dû concevoir de nouvelles formes de guerre, non traditionnelles, plus ciblées, impliquant notamment de piloter un arsenal de drones létaux pour neutraliser les agents d'Al-Qaida sur le territoire pakistanais. L'Agence de sécurité nationale, la NSA, qui était déjà l'organisation de collecte de données électroniques la plus sophistiquée au monde, utilisait de nouveaux superordinateurs et des programmes de déchiffrement valant des milliards de dollars pour passer au peigne fin le cyberespace à la recherche de communications terroristes et de menaces potentielles. Le JSOC, avec l'appui des équipes du Navy SEAL et des forces spéciales de l'armée, menait des raids nocturnes et pourchassait les individus soupçonnés de terrorisme, le plus souvent à l'intérieur des zones de guerre – mais parfois à l'extérieur – d'Afghanistan et d'Irak. En outre, la CIA avait développé de nouveaux modèles d'analyse et de centralisation du renseignement.

La Maison-Blanche aussi s'était réorganisée pour faire face à la menace terroriste. Chaque mois, je présidais une réunion à la salle de crise, rassemblant toutes les agences du renseignement, afin de passer en revue les développements récents et d'assurer la coordination. L'administration Bush avait mis au point un classement des cibles terroristes, une sorte de « Top 20 » avec photos, pseudonymes et statistiques essentielles, qui n'étaient pas sans rappeler celles qu'on trouvait sur les cartes de baseball ; généralement, chaque fois que quelqu'un de la liste était tué, une nouvelle cible était ajoutée, ce qui a amené Rahm à faire remarquer un jour que « le service des ressources humaines d'Al-Qaida devait avoir du mal à pourvoir cette vingt et unième place ». De fait, mon directeur de cabinet hyperactif – qui avait passé suffisamment de temps à Washington pour savoir que ce nouveau président démocrate ne pouvait pas se permettre de paraître manquer de fermeté avec le terrorisme – était obsédé par la liste, pressant ceux qui étaient responsables de nos opérations de ciblage de se renseigner pour savoir ce qui prenait tant de temps pour localiser les numéros 10 ou 14.

Je ne tirais nulle joie de tout cela. Cela ne me conférait nul sentiment de puissance. J'étais entré en politique pour aider les enfants à bénéficier d'une meilleure éducation, pour aider les familles à avoir accès aux soins médicaux, pour aider les pays pauvres à produire plus de nourriture – c'est à l'aune de ces critères-là que je voulais mesurer mon pouvoir.

Mais ce travail était nécessaire, et il était de ma responsabilité de m'assurer que nos opérations étaient les plus efficaces possible. En outre, contrairement à certains à gauche, je n'avais jamais condamné en bloc l'approche antiterroriste de l'administration Bush. J'avais eu accès à suffisamment d'informations fournies par le renseignement pour savoir qu'Al-Qaida et ses affiliés étaient sans cesse occupés à préparer des crimes horribles contre des innocents. Ses membres refusaient de négocier et ne respectaient pas les règles d'engagement normales ; contrecarrer les opérations qu'ils fomentaient et les faire sortir de leurs tanières était une tâche d'une extraordinaire complexité. Juste après le 11 Septembre, le président Bush avait eu quelques heureuses initiatives : il s'était notamment efforcé de modérer de manière rapide et systématique le sentiment anti-islamique aux États-Unis – ce qui n'était pas un mince exploit, compte tenu de l'histoire de notre pays avec le maccarthysme et les camps d'internement de Japonais au lendemain de Pearl Harbor – et avait mobilisé un soutien international pour la première campagne d'Afghanistan. Même des programmes controversés de l'administration Bush comme le Patriot Act, que j'avais moi-même critiqué, me semblaient des outils potentiels d'abus plus que de véritables violations des libertés civiques américaines.

La manière dont l'administration Bush avait tiré parti du renseignement pour obtenir l'adhésion publique à l'invasion de l'Irak (sans parler de son usage du terrorisme comme levier aux élections de 2004) était plus problématique. Et, bien entendu, je considérais l'invasion proprement dite comme une faute stratégique majeure, aussi grave que l'avait été l'embourbement au Vietnam, quelques décennies plus tôt. Mais les guerres actuelles en Afghanistan et en Irak n'avaient pas donné lieu à des bombardements à l'aveugle ni impliqué que des civils soient pris pour cibles, comme cela avait été régulièrement le cas même lors de guerres « justes » comme la Seconde Guerre mondiale ; et, avec des exceptions manifestes comme Abou Ghraïb, nos troupes sur le théâtre des opérations avaient fait preuve d'une discipline et d'un professionnalisme remarquables.

À mes yeux, ma mission consistait donc à réparer les aspects de l'antiterrorisme qui avaient besoin d'être réparés, plutôt que de tout détruire de fond en comble pour tout reprendre de zéro. Une de ces mesures consistait à fermer Gitmo, la prison militaire de la baie de Guantánamo – et ainsi faire cesser le flux continu de prisonniers qui y étaient placés en détention pour une période indéterminée. Autre mesure, mon décret-loi pour mettre fin au recours à la torture. Certes, on m'avait assuré au cours de mes briefings de transition que les transferts de prisonniers en dehors des procédures normales et les « interrogatoires poussés » avaient cessé durant le deuxième mandat du président Bush, mais le caractère fourbe, irrespectueux et parfois absurde de ces pratiques telles que me les avaient décrites certains rescapés de haut rang du gouvernement précédent (« Un médecin était toujours présent pour s'assurer que le suspect ne souffrirait pas de dommage permanent ou ne risquait pas de mourir ») m'avaient convaincu de la nécessité de fixer des lignes claires et nettes. Au-delà de cette question, ma plus grande priorité était d'instaurer de solides systèmes de transparence, de responsabilisation et de surveillance – auxquels participeraient le Congrès et la justice, et qui fourniraient un cadre légal crédible pour ce qui, je le craignais, serait malheureusement une lutte sur le long terme. Pour cela, j'avais besoin d'un regard neuf et de l'esprit critique des avocats, réformistes pour la plupart, qui travaillaient aux services juridiques de la Maison-Blanche, de la CIA, du Pentagone et du département d'État. Il me fallait également quelqu'un ayant opéré au cœur de l'antiterrorisme américain, quelqu'un pouvant m'aider à naviguer au milieu des divers compromis stratégiques qui ne manqueraient pas de se présenter, puis à plonger dans les entrailles du système pour faire en sorte que les changements nécessaires aient effectivement lieu.

John Brennan était la personne indiquée. La petite cinquantaine, des cheveux gris clairsemés, une hanche défectueuse (conséquence de ses exploits en *dunk* à l'époque où il jouait au basket dans l'équipe du lycée) et un visage de boxeur irlandais, il s'était intéressé à l'arabe à la fac, avait étudié à l'université américaine du Caire et était entré à la CIA en 1980, après avoir répondu à une petite annonce du *New York Times*. Il passerait les vingt-cinq années suivantes à l'Agence en tant que responsable du briefing quotidien du renseignement, chef du bureau au Moyen-Orient et, enfin, directeur adjoint sous le président Bush, chargé de monter l'unité antiterroriste de l'Agence après le 11 Septembre.

Malgré son CV et son allure de dur à cuire, ce qui m'avait le plus frappé, chez Brennan, c'était son caractère réfléchi et son absence totale d'affectation (ainsi que sa voix, d'une improbable douceur). S'il était inflexible dans sa volonté de détruire Al-Qaida et autres organisations de cet acabit, il possédait une connaissance suffisante de la culture islamique et des complexités du Moyen-Orient pour savoir que les armes et les bombes à elles seules n'accompliraient pas cette tâche. Quand il m'avait dit qu'il s'était personnellement opposé au *waterboarding* et autres formes d'« interrogatoires poussés » autorisés par son patron, je l'avais cru ; et j'étais convaincu que la réputation dont il jouissait au sein de la communauté du renseignement me serait infiniment précieuse.

Et pourtant, Brennan avait été à la CIA à l'époque où le *waterboarding* était pratiqué, si bien qu'il m'était impossible de le choisir comme directeur de l'Agence dès mon entrée en fonction. Je lui ai donc proposé le poste de conseiller adjoint à la sécurité nationale chargé de la sécurité intérieure et de la lutte contre le terrorisme. « Votre mission, lui ai-je expliqué, consistera à m'aider à protéger ce pays d'une façon qui soit en adéquation avec nos valeurs, et à vous assurer que tout le monde fera de même. Vous vous en sentez capable ? » Il a dit oui.

Pendant les quatre années qui ont suivi, John Brennan a tenu promesse, nous appuyant pour faire les réformes nécessaires et me servant d'intermédiaire auprès des bureaucrates parfois sceptiques et réticents de la CIA. Il partageait aussi l'un de mes fardeaux, celui de savoir que la moindre erreur que nous commettrions pourrait coûter des vies humaines, ce qui expliquait qu'on l'apercevait souvent en train de travailler stoïquement dans un bureau sans fenêtre de l'aile ouest, sous le Bureau ovale, pendant les week-ends et les vacances, éveillé pendant que d'autres dormaient, étudiant scrupuleusement la moindre bribe de renseignement avec une concentration inflexible et tenace qui, au sein de la Maison-Blanche, lui valait le surnom de « la Sentinelle ».

IL EST APPARU ASSEZ RAPIDEMENT que tourner la page en renonçant aux anciennes pratiques de l'antiterrorisme pour en instituer de nouvelles quand cela était nécessaire serait un processus lent et pénible. Fermer Gitmo supposait de trouver les établissements pénitentiaires et les procédures juridiques adaptés aux détenus existants et aux terroristes que nous étions susceptibles d'arrêter. À la suite de saisines au titre de la loi sur la liberté de l'information, qui demandaient la publication de documents de l'époque Bush, et qui avaient été validées par les tribunaux, je devais à présent décider lesquels d'entre eux pouvaient être rendus publics, au sujet du *waterboarding* et du transfert extrajudiciaire de prisonniers (oui pour les documents juridiques justifiant de telles pratiques, car les programmes et les mémos proprement dits étaient déjà largement connus ; non pour les photos des pratiques elles-mêmes, qui risquaient, selon le Pentagone et le département d'État, d'attiser l'indignation au plan international et de faire courir un plus grand danger à nos troupes et à nos diplomates). Nos équipes juridiques et de la sécurité nationale ont bataillé au quotidien pour trouver les moyens de renforcer la surveillance judiciaire et parlementaire de nos actions antiterroristes et de faire face à nos obligations de transparence, sans pour autant tuyauter les terroristes lecteurs du *New York Times*.

Plutôt que de continuer ainsi, nous fondant sur ce qui, aux yeux du monde entier, passait pour des décisions de politique étrangère erratiques, nous avons décidé de préparer deux discours afin de présenter nos mesures antiterroristes. Le premier, s'adressant en priorité aux citoyens des États-Unis, insisterait sur le fait que la sécurité nationale à long terme du pays dépendrait de notre fidélité à la Constitution et à l'état de droit, en admettant que, juste après le 11 Septembre, nous avions parfois failli à ces principes, et en exposant notre conception de l'antiterrorisme pour aller de l'avant. Le second discours, censé se tenir au Caire, aurait une visée internationale – s'adressant en particulier aux musulmans du monde entier. J'avais promis pendant ma campagne de prononcer un tel discours, et même si, avec tout ce qui se passait, certains dans mon équipe suggéraient que j'y renonce, j'ai dit à Rahm qu'il était tout simplement hors de question de se dédire. « On ne changera peut-être pas du jour au lendemain l'opinion publique dans ces pays, ai-je expliqué, mais si on n'aborde pas de front la question des tensions entre l'Occident et le monde musulman, si on ne décrit pas à quoi pourrait ressembler une coexistence pacifique, on continuera à se battre dans la région pendant encore trente ans. »

Pour m'aider à écrire ces deux discours, j'ai fait appel à l'immense talent de Ben Rhodes, 31 ans, rédacteur de mes discours au Conseil de sécurité nationale, qui serait bientôt conseiller adjoint à la sécurité nationale chargé de la communication stratégique. Si Brennan faisait office d'interface entre moi et l'appareil de sécurité nationale dont j'avais hérité, Ben, lui, me permettait de renouer avec mon moi plus jeune, plus idéaliste. Ben, qui avait grandi à Manhattan, élevé par une mère juive de gauche et un père avocat originaire du Texas, tous deux ayant été fonctionnaires sous Lyndon Johnson, avait été étudiant à New York University en master d'écriture de fiction, au moment où le 11 Septembre avait eu lieu. Animé d'une colère patriotique, Ben s'était dirigé vers Washington, à la recherche d'un moyen de se rendre utile. Il avait fini par décrocher un boulot auprès de Lee Hamilton, ancien élu de l'Indiana à la Chambre des représentants, et avait participé à la rédaction du rapport fort remarqué du Groupe d'étude sur l'Irak, en 2006.

De petite taille et prématurément dégarni, avec des sourcils sombres qui semblaient perpétuellement froncés, Ben avait été plongé directement dans le grand bain : notre campagne, en manque d'effectifs, lui avait en effet immédiatement demandé de produire des notes de synthèse, des communiqués de presse et d'importants discours. Il y avait eu quelques déconvenues : à Berlin, par exemple, Favs et lui étaient tombés sur une superbe formule en allemand – « une communauté de destin » – pour relier les thèmes de mon unique grand discours pré-électoral à l'étranger, avant de se rendre compte, deux heures à peine avant que je monte sur scène, que la formule avait été utilisée par Hitler lors d'un de ses premiers discours au Reichstag. (« Peut-être pas tout à fait l'effet que vous recherchez », a fait remarquer Reggie Love, pince-sans-rire, alors que j'éclatais de rire et que le visage de Ben devenait cramoisi.) Malgré son jeune âge, Ben n'hésitait pas à dire ce qu'il pensait, quitte à contredire des conseillers ayant plus d'expérience, avec une intelligence acérée et une franchise opiniâtre, agrémentée d'autodérision et d'une bonne dose d'ironie. Nous avions une sensibilité d'auteur en commun, et cela a été le fondement d'une relation pas si différente de celle que j'entretenais avec Favs : je pouvais passer une heure avec Ben, à lui dicter mes arguments sur un sujet, et être sûr de recevoir quelques jours plus tard un premier jet qui non seulement était parvenu à restituer ma voix, mais captait aussi quelque chose de plus essentiel : ma conception fondamentale du monde, et parfois même mon cœur.

Ensemble, nous avons bouclé assez rapidement le discours sur l'anti-terrorisme. Ben a toutefois constaté que la CIA et le Pentagone, à qui il envoyait sa copie pour recueillir leurs commentaires, biffaient systématiquement en rouge la moindre critique de pratiques comme la torture, le moindre mot, la moindre proposition allant dans ce sens – autant de réticences pénibles de la part de fonctionnaires arrivés pour la plupart à Washington avec l'administration Bush. Je recommandais à Ben d'ignorer la plupart de leurs suggestions. Le 21 mai, j'ai prononcé mon discours aux Archives nationales, me tenant debout près des exemplaires originaux de la Déclaration d'indépendance, de la Constitution et du Bill of Rights – au cas où quelqu'un au sein du gouvernement, ou en dehors, n'aurait pas compris le message.

Le « discours musulman », comme nous en sommes venus à appeler ma deuxième allocution importante, a été plus délicat. Au-delà des portraits négatifs de terroristes et de princes du pétrole véhiculés aux infos ou dans les films, la plupart des Américains savaient peu de chose de l'islam. D'autre part, des enquêtes montraient que les musulmans du monde entier croyaient que les États-Unis étaient hostiles à leur religion, et que notre politique au Moyen-Orient n'avait pas pour objectif d'améliorer la vie des gens, mais plutôt d'assurer notre approvisionnement en pétrole, de tuer des terroristes et de protéger Israël. Au vu de cette très nette démarcation, j'ai indiqué à Ben que notre discours devait moins se concentrer sur les grandes lignes de notre nouvelle politique que sur une volonté marquée de favoriser une meilleure compréhension réciproque des deux camps. Cela impliquait d'admettre la contribution extraordinaire des civilisations islamiques dans les domaines des mathématiques, de la science et de l'art, et de reconnaître le rôle que le colonialisme avait joué dans certains conflits pérennes au Moyen-Orient. Il s'agissait aussi d'admettre l'indifférence des États-Unis vis-à-vis de la corruption et de la répression dans la région, et notre complicité dans le renversement du gouvernement élu démocratiquement en Iran, pendant la guerre froide, ainsi que de reconnaître les humiliations cuisantes endurées par les Palestiniens vivant dans les territoires occupés. Entendre ces faits historiques indéniables énoncés par un président américain allait en désarçonner plus d'un, me suis-je dit, et peut-être leur ouvrir l'esprit sur d'autres vérités plus dures à avaler : que le fondamentalisme islamique qui en était venu à dominer une si grande partie du monde musulman était incompatible avec l'esprit d'ouverture et de tolérance qui servait de carburant au progrès moderne ; que trop souvent les dirigeants musulmans imputaient tous leurs maux à l'Occident pour éviter d'assumer leurs propres échecs ; que seuls la négociation et le compromis permettraient d'aboutir à la création d'un État palestinien, et non les incitations à la violence et l'antisémitisme ; et qu'aucune société ne pouvait réellement réussir en opprimant systématiquement les femmes.

Nous étions encore en train de travailler sur le discours lorsque nous avons atterri à Riyad, en Arabie Saoudite, où je devais rencontrer le roi Abdallah ben Abdelaziz Al-Saoud, gardien des deux mosquées sacrées (de La Mecque et de Médine), le dirigeant le plus puissant du monde arabe. Je n'avais encore jamais mis les pieds dans le royaume, et la première chose que j'ai remarquée, à l'aéroport, lors de la somptueuse cérémonie d'accueil, a été l'absence totale de femmes et d'enfants sur le tarmac ou dans les terminaux – il n'y avait que des rangées d'hommes à moustache noire en uniforme militaire, ou bien parés des vêtements traditionnels, le *thawb*, une longue tunique, et la *ghutra*, un foulard couvre-chef. Je m'y attendais, bien sûr ; les choses étaient ainsi dans le Golfe. Mais, en montant dans la Bête, j'ai été frappé par le côté oppressant et triste qui se dégageait d'un lieu pratiquant ainsi la ségrégation, comme si j'étais soudain entré dans un monde où toutes les couleurs avaient été effacées.

Le roi avait prévu que mon équipe et moi soyons accueillis à son haras, non loin de Riyad, et tandis que notre cortège de voitures escorté par la police prenait de la vitesse sur une large autoroute impeccable, chauffée à blanc par le soleil, que défilaient les imposants immeubles de bureaux sans ornements, les mosquées, les boutiques et les salles d'exposition de voitures de luxe, laissant bientôt place au désert âpre, je me suis dit que l'islam de l'Arabie Saoudite ressemblait peu à l'islam que j'avais connu enfant en Indonésie. À Jakarta dans les années 1960 et 1970, l'islam occupait à peu près la même place dans la culture du pays que le christianisme dans toute ville américaine, petite ou grande : importante, mais pas dominante. L'appel à la prière du muezzin scandait les journées, les mariages et les funérailles obéissaient aux rituels prescrits, les activités ralentissaient durant le mois du jeûne, et il pouvait être difficile de trouver du porc au menu des restaurants. Mais, par ailleurs, les gens vivaient leur vie, les femmes en jupe courte et talons hauts conduisaient des vespas pour aller travailler dans des bureaux, les garçons et les filles jouaient au cerf-volant, des jeunes aux cheveux longs dansaient sur la musique des Beatles et des Jackson 5 à la discothèque locale. Les musulmans, dans l'ensemble, ne se distinguaient pas des chrétiens, des hindous ou des athées ayant fréquenté l'université, comme mon beau-père, quand ils s'entassaient dans les bus bondés ou les salles de cinéma pour voir le dernier film de kung-fu, fumaient à l'extérieur des tavernes, sur le bord de la route, et déambulaient dans la cacophonie des rues. Rares étaient ceux qui affichaient ostensiblement leur piété, en ce temps-là, et sans être objets de moqueries, au moins se démarquaient-ils du reste de la population, comme les témoins de Jéhovah qui distribuent leurs prospectus dans certains quartiers de Chicago.

L'Arabie Saoudite avait toujours fait figure d'exception. Abdelaziz Ibn Saoud, le premier monarque de la nation et père du roi Abdallah, qui avait entamé son règne en 1932, était profondément attaché à l'enseignement de l'ecclésiastique Mohammed ben Abdelwahhab, remontant au XVIIIe siècle. Les adeptes d'Abdelwahhab prétendaient pratiquer une version non corrompue de l'islam, considérant l'islam chiite et l'islam soufi comme hérétiques et observant des principes religieux jugés conservateurs même au regard des critères de la culture arabe traditionnelle : ségrégation sexuelle en public, absence de contact, dans la mesure du possible, avec les non-musulmans et rejet de l'art et de la musique profanes ainsi que des autres passe-temps susceptibles de vous détourner de la foi. À la suite de l'effondrement de l'empire ottoman, à la fin de la Première Guerre mondiale, Abdelaziz avait renforcé son contrôle sur d'autres tribus arabes et fondé l'Arabie Saoudite en accord avec ces préceptes wahhabites. Sa conquête de La Mecque – lieu de naissance du prophète Mahomet et destination de pèlerinage pour tous les musulmans soucieux d'accomplir les cinq piliers de l'islam – et de la ville sainte de Médine lui fournit une plateforme à partir de laquelle exercer une vaste influence sur la doctrine islamique dans le monde entier.

La découverte de gisements de pétrole saoudiens et la richesse phénoménale qui en découla renforcèrent cette influence. Mais cela exposait également au grand jour les contradictions qu'il y avait à respecter ces pratiques ultraconservatrices dans un monde se modernisant rapidement. Abdelaziz avait besoin de la technologie, du savoir-faire et des canaux de distribution occidentaux pour exploiter pleinement le trésor nouvellement trouvé et s'allia avec les États-Unis pour obtenir des armes modernes et protéger les champs de pétrole des États rivaux. Les membres de l'immense famille royale permirent à des sociétés occidentales d'investir dans leurs vastes holdings et envoyèrent leurs enfants à Cambridge et à Harvard pour qu'ils apprennent les pratiques commerciales modernes. De jeunes princes découvrirent les attraits des villas françaises, des boîtes de nuit londoniennes, des salles de jeu de Vegas.

Je me suis parfois demandé si la monarchie saoudienne aurait pu à un moment réévaluer ses engagements religieux, prenant acte du fait que le fondamentalisme wahhabite – comme toute forme de fondamentalisme religieux – était incompatible avec la modernité, et utiliser sa richesse et son autorité pour orienter l'islam sur une voie plus modérée et plus tolérante. Probablement pas. Les anciennes pratiques étaient trop profondément ancrées et, quand les tensions avec les fondamentalistes se sont avivées dans les années 1970, la famille royale a peut-être compris, à raison, que la réforme religieuse conduirait aussi inexorablement à engager des transformations politiques et économiques lourdes.

Au lieu de cela, afin d'éviter une révolution semblable à celle qui avait instauré une république islamique dans l'Iran voisin, la monarchie saoudienne a conclu un pacte avec ses religieux les plus durs. En échange de la légitimation du contrôle absolu de la maison des Saoud sur l'économie le gouvernement de la nation (et de leur bonne disposition à regarder ailleurs quand des membres de la famille royale succombaient à certaines tentations peu avouables), les ecclésiastiques et la police religieuse se voyaient confier l'autorité de réguler les interactions sociales quotidiennes, de décider de ce qui était enseigné à l'école et d'infliger des châtiments à ceux qui enfreignaient les décrets religieux – des flagellations en public à de véritables crucifixions, en passant par l'amputation de la main. Et, pour couronner le tout, la famille royale a versé des milliards de dollars à ces mêmes ecclésiastiques pour qu'ils construisent des mosquées et des écoles religieuses, des *médersas*, dans le monde sunnite. Résultat : du Pakistan à l'Égypte, du Mali à l'Indonésie, le fondamentalisme a gagné du terrain, la tolérance pour des pratiques plus modérées de l'islam s'est affaiblie, la pression pour instaurer des gouvernements islamiques s'est intensifiée et les appels à purger le territoire islamique de l'influence occidentale – par la violence si nécessaire – sont devenus plus fréquents. La monarchie pouvait être satisfaite d'avoir évité une révolution à l'iranienne à l'intérieur de ses frontières mais aussi parmi ses partenaires du Golfe (même si maintenir un tel ordre requérait un service de police répressif et une importante censure des médias). Mais cela avait été au prix de l'accélération d'un mouvement fondamentaliste transnational qui réprouvait l'influence occidentale, regardait d'un œil soupçonneux le flirt des Saoudiens avec les États-Unis, et avait offert un terreau fertile à la radicalisation de nombreux jeunes musulmans. Des hommes comme Oussama Ben Laden, fils d'un important homme d'affaires saoudien proche de la famille royale, et les quinze ressortissants saoudiens qui, avec quatre autres, ont planifié et mis en œuvre les attaques du 11 Septembre.

« HARAS » n'était pas tout à fait le terme qui convenait. Avec son terrain immense et ses nombreuses villas, sa robinetterie en or plaqué, ses lustres en cristal et son mobilier cossu, le complexe du roi Abdallah ressemblait à un hôtel Four Seasons planté en plein désert. Le roi lui-même – un octogénaire à la moustache et à la barbe d'un noir de jais (la vanité mâle était un trait partagé chez les dirigeants interna-tionaux) – m'a salué chaleureusement à l'entrée de ce qui semblait être la résidence principale. Avec lui se trouvait l'ambassadeur saoudien aux États-Unis, Adel Al-Jubeir, un diplomate rasé de près, ayant étudié aux États-Unis, dont l'anglais impeccable, les manières onctueuses, le sens des relations publiques et l'épais carnet d'adresses à Washington faisaient un émissaire du royaume tout indiqué pour tenter de limiter les dégâts au lendemain du 11 Septembre.

Le roi était d'humeur expansive ce jour-là et, avec Al-Jubeir faisant office d'interprète, il s'est remémoré avec tendresse la réunion entre son père et Franklin Roosevelt, en 1945, à bord de l'USS *Quincy*, a dit toute l'importance qu'il accordait à l'alliance entre les États-Unis et l'Arabie Saoudite et m'a confié la satisfaction qu'il avait éprouvée quand j'avais été élu président. Il se réjouissait d'avance à l'idée que je prononce un discours au Caire, soulignant que l'islam était une religion de paix, rappelant le travail qu'il avait personnellement accompli pour renforcer le dialogue interconfessionnel. Il m'a également assuré que le royaume collaborerait avec mes conseillers économiques pour faire en sorte que les prix du pétrole n'entravent pas la reprise après la crise.

S'agissant de deux de mes requêtes – que le royaume et d'autres membres de la Ligue arabe envisagent de faire un geste favorable en direction d'Israël, qui pourrait relancer les pourparlers de paix avec les Palestiniens, et que notre équipe discute du possible transfert de certains prisonniers de Gitmo dans des centres de réhabilitation saou-diens –, le roi est resté évasif, craignant manifestement la controverse.

La conversation s'est détendue au banquet de midi que le roi avait organisé en l'honneur de notre délégation. C'était un véritable festin, tout droit sorti d'un conte de fées, une table de plus de 15 mètres de long chargée d'agneaux rôtis, de monticules de riz au safran et de toutes sortes de mets délicats, traditionnels et occidentaux. Parmi la soixantaine de personnes assistant au repas, Alyssa Mastromonaco, ma directrice de l'agenda, et Valerie Jarrett, ma conseillère principale, étaient deux des trois seules femmes présentes. Alyssa avait l'air contente de discuter avec les représentants saoudiens assis près d'elle, même si elle paraissait avoir du mal à empêcher le foulard qu'elle avait sur la tête de tomber dans son bol de soupe. Le roi a demandé des nouvelles de ma famille et je lui ai dit que Michelle et les filles s'adaptaient à leur nouvelle vie à la Maison-Blanche. Il m'a expliqué qu'il avait lui-même douze femmes – le nombre était semblait-il, en réalité, plus proche de trente – ainsi qu'une quarantaine d'enfants, et des douzaines de petits-enfants et d'arrière-petits-enfants.

« J'espère que ça ne vous ennuie pas que je vous pose la question, Votre Majesté, mais comment faites-vous avec douze épouses ?

– J'ai bien du mal, a-t-il dit en secouant la tête d'un air las. Il y en a toujours une qui est jalouse de l'autre. C'est encore plus compliqué que la politique au Moyen-Orient. »

Plus tard, Ben et Denis sont venus à la villa où je logeais pour que nous discutions des dernières modifications à apporter au discours du Caire. Au moment de nous mettre au travail, nous avons avisé une imposante mallette sur le manteau de la cheminée. J'ai défait les attaches et relevé la partie supérieure. D'un côté, il y avait une grande scène de désert sur un socle de marbre où se trouvaient des figurines miniatures en or, ainsi qu'une horloge en verre fonctionnant grâce aux changements de température. De l'autre côté, disposé dans un écrin de velours, un collier, long comme la moitié d'une chaîne de vélo, incrusté de rubis et de diamants, qui valait sans doute des centaines de milliers de dollars – avec une bague et des boucles d'oreilles assorties. J'ai relevé la tête et regardé Ben et Denis.

« Un petit cadeau pour vot' dame », a dit Denis. Il a expliqué que d'autres membres de la délégation avaient trouvé des mallettes avec des montres de luxe qui les attendaient dans leur chambre. « Apparemment, personne n'a parlé aux Saoudiens de notre interdiction d'accepter les cadeaux. »

Soupesant les lourds bijoux, je me suis demandé combien de fois des présents de ce genre avaient été discrètement laissés pour d'autres chefs d'État au cours de visites officielles dans le royaume – des dirigeants dont les pays n'observaient pas les mêmes lois concernant les cadeaux diplomatiques, ou bien les appliquaient libéralement. J'ai repensé aux pirates somaliens dont j'avais ordonné l'exécution, tous musulmans, et à tous les jeunes hommes comme eux, de l'autre côté des frontières proches du Yémen et de l'Irak, et en Égypte, en Jordanie, en Afghanistan et au Pakistan, dont les revenus d'une vie entière n'atteindraient jamais le prix du collier que j'avais entre les mains. Il suffisait de radicaliser seulement 1 % de ces jeunes hommes, et vous aviez une armée de 500 000 hommes, prêts à mourir pour la gloire éternelle – ou peut-être simplement pour goûter à quelque chose de meilleur.

J'ai reposé le collier et refermé la mallette. « Bon, allez, ai-je dit. Au boulot. »

LA MÉTROPOLE DU CAIRE comptait plus de 16 millions d'habitants. Nous n'en avons pas vu un seul, le lendemain, en la traversant depuis l'aéroport. Les rues réputées chaotiques étaient vides sur des kilomètres, à l'exception d'agents de police postés partout, preuve de la poigne extraordinaire avec laquelle le président égyptien Hosni Moubarak tenait son pays – et rappel qu'un président américain était une cible tentante pour des groupes extrémistes locaux.

Si la monarchie traditionaliste d'Arabie Saoudite représentait une des deux voies de la gouvernance arabe moderne, le régime autocratique d'Égypte représentait l'autre. Au début des années 1950, Gamal Abdel Nasser, un colonel charismatique et raffiné, avait orchestré le renversement militaire de la monarchie égyptienne et institué un État laïque avec parti unique. Peu après, il avait nationalisé le canal de Suez, triomphant des tentatives d'intervention militaire des Britanniques et des Français, ce qui fit de lui une figure internationale de la lutte contre le colonialisme et, de loin, le leader le plus populaire du monde arabe.

Nasser poursuivit sur sa lancée et nationalisa d'autres industries clés, initia une réforme agraire et lança de gigantesques projets publics, tout cela afin d'éliminer les vestiges de la tutelle britannique comme du passé féodal égyptien. À l'étranger, il fit activement la promotion d'un nationalisme panarabe laïque vaguement socialiste, livra une guerre perdue d'avance contre les Israéliens, contribua à la création de l'Organisation de libération de la Palestine (OLP) et de la Ligue arabe et devint un membre fondateur du Mouvement des pays non alignés, qui refusaient de prendre parti pour un camp ou pour l'autre dans la guerre froide, mais s'attira la suspicion et le courroux de Washington, notamment parce qu'il acceptait une aide économique et militaire des Soviétiques. Nasser s'en prit aussi impitoyablement à la dissidence et à la formation de partis politiques concurrents en Égypte, visant en particulier les Frères musulmans, groupe cherchant à établir un gouvernement islamique sur la base d'une mobilisation politique de terrain et de bonnes œuvres, mais dont certains membres avaient parfois recours à la violence.

Le style d'exercice autoritaire du pouvoir de Nasser fut si marquant que, même après sa mort en 1970, certains dirigeants du Moyen-Orient tentèrent de l'imiter. N'ayant ni sa sophistication ni son art pour galvaniser les foules, des hommes comme Hafez El-Assad en Syrie, Saddam Hussein en Irak et Mouammar Kadhafi en Libye se maintinrent cependant au pouvoir en grande partie grâce à la corruption, au clientélisme et à la répression brutale, tout en menant une campagne constante, bien qu'inefficace, contre Israël.

En 1981, après l'assassinat du successeur de Nasser, Anouar El-Sadate, c'est Hosni Moubarak qui s'empara du pouvoir, usant à peu près de la même formule, avec une différence notable : la signature par Sadate d'un accord de paix avec Israël avait fait de l'Égypte un allié des États-Unis, si bien que les gouvernements américains successifs furent amenés à ne pas trop prêter attention à la corruption croissante du régime, à ses résultats très médiocres en matière de droits fondamentaux et à son antisémitisme rampant. Alimenté financièrement par des aides en provenance non seulement des États-Unis, mais aussi des Saoudiens et d'autres États du Golfe producteurs de pétrole, Moubarak ne s'était jamais soucié de réformer l'économie stagnante de son pays, laissant toute une génération de jeunes Égyptiens désœuvrés, incapables de trouver un emploi.

Notre cortège de voitures nous a conduits au palais d'Al-Qobba – un bâtiment très ouvragé du milieu du XIXe siècle, l'un des trois palais présidentiels du Caire – et, après une cérémonie de bienvenue, Moubarak m'a invité dans son bureau pour une discussion d'une heure. Il avait 81 ans, mais était encore large d'épaules et vigoureux, un nez romain, des cheveux noirs ramenés en arrière et des yeux aux paupières lourdes qui lui donnaient l'air d'un homme à la fois accoutumé au pouvoir, et qui en était légèrement las. Après avoir parlé avec lui de l'économie égyptienne et lui avoir demandé quelles seraient ses idées pour insuffler un nouvel élan au processus de paix israélo-arabe, j'ai abordé la question des droits fondamentaux, suggérant des mesures qu'il pourrait prendre, comme libérer des prisonniers politiques et lever les restrictions sur la presse.

Dans un anglais avec un fort accent mais assez correct, Moubarak s'est empressé de me dire que ses services secrets ne visaient que les islamistes et que le peuple égyptien soutenait fortement son approche. Je suis resté sur l'impression que j'aurais souvent en rencontrant des autocrates d'un certain âge : enfermés dans leurs palais, avec pour seul contact avec le monde extérieur les fonctionnaires obséquieux aux visages sévères qui les entouraient, ils étaient incapables de faire la distinction entre leurs intérêts personnels et ceux de leur nation, leurs actes étant motivés par la seule ambition d'entretenir le réseau enchevêtré de copinage et d'intérêts commerciaux qui les maintenait au pouvoir.

Quel contraste cela a été de pénétrer dans le grand hall de l'université du Caire pour trouver une salle comble, pleine d'une énergie crépitante ! Nous avions insisté auprès du gouvernement pour qu'une assemblée aussi représentative de la société égyptienne que possible puisse assister à mon discours, et il était évident que la simple présence d'étudiants, de journalistes, d'universitaires, de présidentes d'organisations de femmes, de militants associatifs et même de certains ecclésiastiques éminents et de quelques figures des Frères musulmans parmi les 3 000 personnes rassemblées allait contribuer à en faire un événement singulier qui toucherait un vaste auditoire dans le monde entier, grâce à la télévision. Dès que je suis arrivé sur scène et que j'ai prononcé la formule de salutation « *salam aleikoum* », un grondement d'acclamations est monté de la foule. J'ai pris soin de préciser qu'un discours ne résoudrait pas des problèmes profondément enracinés. Mais tandis que les hourras et les applaudissements continus ponctuaient mes propos sur la démocratie, les droits fondamentaux, les droits des femmes, la tolérance religieuse et la nécessité de parvenir à une paix authentique et durable entre un État d'Israël protégé de tout danger et un État palestinien autonome, j'ai pu me représenter les débuts d'un Moyen-Orient nouveau. À ce moment-là, il n'était pas difficile de concevoir une vision alternative de la réalité dans laquelle les jeunes gens dans cet auditorium monteraient de nouveaux commerces et bâtiraient des écoles, intégreraient des gouvernements efficaces et à l'écoute des citoyens, se mettraient à réimaginer leur foi d'une manière à la fois respectueuse de la tradition et ouverte à d'autres sources de sagesse. Peut-être que les hauts responsables du gouvernement, assis au troisième rang, le visage fermé, ont imaginé cela, eux aussi.

J'ai quitté la scène sous une ovation prolongée, et j'ai absolument tenu à retrouver Ben, qui, par principe, n'assistait jamais à un discours qu'il avait contribué à écrire et se terrait quelque part dans une petite salle, tapotant sur son BlackBerry. Il avait le sourire jusqu'aux oreilles.

« On dirait que ça a marché, ai-je dit.

– Ça a été un moment historique », a-t-il répondu, sans trace d'ironie.

DANS LES ANNÉES QUI SUIVRAIENT, des critiques et même certains de mes supporters s'en donneraient à cœur joie pour souligner le contraste entre le ton ambitieux et plein d'espoir du discours du Caire et la triste réalité de ce qui se passerait au Moyen-Orient au cours de mes deux mandats. Pour certains, cela relevait du péché de naïveté, qui nous aliénait des alliés clés des États-Unis comme Moubarak, et encourageait ainsi les forces du chaos. Pour d'autres, le problème n'était pas les vues exposées dans le discours, mais plutôt ce qu'ils considéraient comme mon échec à le faire suivre d'effet à travers une action sensée et efficace. J'étais tenté de répondre, bien sûr – de faire remarquer que j'avais été le premier à dire qu'aucun discours ne permettrait de relever les défis majeurs auxquels était confrontée la région ; que j'avais tout fait pour que se concrétisent les initiatives que j'avais évoquées ce jour-là, les plus ambitieuses (un accord entre les Israéliens et les Palestiniens) comme les plus modestes (la création d'un programme de formation pour les futurs entrepreneurs) ; que je ne reniais rien des arguments que j'avais énoncés au Caire.

Mais les faits sont têtus, et je me retrouve avec la même série de questions qui me taraudaient à mes débuts dans les cercles associatifs. Est-il utile de décrire le monde tel qu'il devrait être, alors que les efforts déployés pour faire advenir ce monde seront insuffisants ? Václav Havel avait-il raison quand il suggérait qu'en créant des attentes j'étais condamné à décevoir ? Était-il possible que des principes abstraits et des idéaux élevés ne soient jamais rien d'autre qu'un prétexte, un palliatif, une façon de repousser le désespoir, qu'ils soient impuissants face aux instincts primaires qui étaient notre véritable moteur, si bien qu'on avait beau dire ou faire, l'histoire poursuivrait son parcours prédéterminé, un cycle infini de peur, de faim, de conflits de domination et de faiblesse ?

Même à l'époque, j'ai naturellement eu des doutes, l'allégresse du discours vite estompée lorsque je pensais à tout le travail qui m'attendait en rentrant et aux nombreuses forces déployées pour contrecarrer mes plans. L'excursion que nous avons effectuée peu après le discours n'a fait qu'intensifier mes ruminations : un trajet d'un quart d'heure en hélicoptère au-dessus de la ville tentaculaire, jusqu'à ce que soudain le fouillis couleur crème des structures d'aspect cubiste disparaisse et qu'il n'y ait plus que le désert, le soleil et les extraordinaires lignes géométriques des Pyramides se découpant à l'horizon. Après l'atterrissage, nous avons été accueillis par le plus grand égyptologue du Caire, un gentleman joyeusement excentrique coiffé d'un chapeau à large bord flottant, tout droit sorti d'un Indiana Jones, et, pendant quelques heures, mon équipe et moi avons eu le site pour nous tout seuls. Nous avons escaladé les pierres antiques des faces de chaque pyramide comme autant de blocs rocheux. Nous nous sommes tenus à l'ombre du Sphinx, croisant son regard silencieux, indifférent. Nous avons grimpé une étroite goulotte verticale, jusqu'à nous retrouver dans une des sombres chambres intérieures du pharaon, dont le mystère a été ponctué par les paroles intemporelles d'Axe durant notre prudente redescente de l'échelle.

« Bon sang, Rahm, ralentis… J'ai ton cul dans la figure ! »

À un moment, alors que j'observais Gibbs et quelques autres essayer de monter sur des chameaux pour l'inévitable photo souvenir, Reggie et Marvin m'ont fait signe de venir les rejoindre à l'intérieur d'un couloir de l'un des petits temples des Pyramides.

« Regardez, chef », a dit Reggie en montrant le mur. Et là, sculptée dans la pierre lisse et poreuse, apparaissait l'image sombre d'un visage d'homme. Non pas le profil typique des hiéroglyphes, mais un portrait de face. Un long visage ovale. Des oreilles proéminentes qui se dressaient comme des poignées. Une caricature de moi, mais remontant à l'Antiquité.

« Sans doute un lointain cousin », a dit Marvin.

Nous avons ri et ils se sont tous deux éloignés pour rejoindre les chameliers. Notre guide n'a pas pu me dire qui ce portrait représentait, ni même s'il datait du temps des Pyramides. Mais je suis resté devant le mur encore un bref instant, essayant d'imaginer la vie que dissimulait cette gravure dans la pierre. S'agissait-il d'un membre de la cour royale ? D'un esclave ? D'un contremaître ? Peut-être juste un vandale qui s'ennuyait, campant dehors, une nuit, des siècles après la construction du mur, et qui, inspiré par les étoiles et sa propre solitude, grava un portrait lui ressemblant. J'ai tâché d'imaginer les inquiétudes et les tensions qui le consumaient peut-être, et la nature du monde qu'il occupait, certainement en proie à ses propres luttes et intrigues de palais, conquêtes et catastrophes, autant d'événements qui, à l'époque, ne devaient pas paraître moins pressants que ceux auxquels je serais confronté dès mon retour à Washington. Tout cela était oublié, plus rien de cette époque n'importait, le pharaon, l'esclave et le vandale étaient depuis bien longtemps réduits en poussière.

De même, tout discours que je prononcerais, toute loi que je ferais passer et toute décision que je prendrais seraient bientôt oubliés.

De même que moi et ceux que j'aimais serions un jour réduits en poussière.

AVANT DE RENTRER AU PAYS, je suis revenu à une histoire plus récente. Le président Sarkozy avait organisé une commémoration du soixante-cinquième anniversaire du débarquement allié en Normandie et m'avait demandé d'y prononcer un discours. Plutôt que de nous rendre directement en France, nous avons tout d'abord fait halte en Allemagne, à Dresde, où les bombardements alliés, à la fin de la guerre, avaient provoqué un déluge de feu qui avait ravagé la ville et tué environ 25 000 de ses habitants. Ma visite se voulait un geste délibéré de respect envers un pays qui était désormais un allié exemplaire. Angela Merkel et moi nous sommes rendus dans la célèbre église du XVIIIe siècle qui avait été détruite par les bombardements aériens et reconstruite cinquante ans plus tard. La croix en or et le dessus du dôme ouvragé avaient été réalisés par un orfèvre britannique dont le père avait été l'un des pilotes de bombardier. Le travail de l'orfèvre rappelait que les vainqueurs d'une guerre ne devaient pas tourner le dos aux souffrances de leur ennemi ni exclure la possibilité d'une réconciliation.

Angela Merkel et moi avons ensuite été rejoints par l'écrivain et prix Nobel Elie Wiesel, pour nous rendre à l'ancien camp de concentration de Buchenwald. Cela aussi avait une signification politique forte : nous avions initialement envisagé un voyage à Tel-Aviv à la suite de mon discours du Caire, mais, par respect pour le souhait du gouvernement israélien que je ne fasse pas de la question palestinienne le point central de mon discours – ni n'alimente l'idée que le conflit israélo-arabe était la cause des troubles au Moyen-Orient –, nous avions opté à la place pour une visite de l'un des lieux emblématiques de l'Holocauste comme un moyen de proclamer mon engagement pour protéger Israël et le peuple juif.

J'avais également une raison plus personnelle de vouloir faire ce pèlerinage. Jeune homme, à l'université, j'avais eu l'occasion d'assister à une conférence d'Elie Wiesel, et j'avais été profondément ému par la façon dont il avait raconté son expérience de survivant de Buchenwald. J'avais trouvé dans ses livres une incontestable droiture morale, qui à la fois m'avait fortifié et poussé à m'améliorer. Ç'avait été une des grandes joies de ma période au Sénat qu'Elie et moi soyons devenus amis. Quand je lui avais dit qu'un de mes grands-oncles, Charles Payne, le frère de Toot, avait fait partie de la division d'infanterie américaine qui avait libéré un des camps extérieurs de Buchenwald, en avril 1945, Elie avait insisté pour que nous nous y rendions un jour ensemble. Me trouver avec lui à cet instant était une façon d'honorer cette promesse.

« Si ces arbres pouvaient parler », a chuchoté Elie, montrant d'un geste une rangée de chênes majestueux, tandis qu'Angela Merkel et nous deux remontions l'allée de gravier menant à l'entrée principale de Buchenwald. Le ciel était bas et gris, les journalistes se tenaient à distance respectueuse. Nous nous sommes recueillis devant deux mémoriaux des victimes du camp. Un ensemble de dalles en pierre sur lesquelles figuraient les noms des victimes, dont celui du père d'Elie ; et la liste des pays dont elles étaient originaires, gravée sur une plaque d'acier conservée à 37 degrés : la température du corps humain, censée rappeler – dans un lieu érigé par la haine et l'intolérance – notre commune humanité.

Pendant l'heure qui a suivi, nous avons marché dans le camp, sommes passés devant des tours de garde et des murs tendus de fil de fer barbelé, avons scruté l'obscurité des fours crématoires et fait le tour des fondations des baraques de prisonniers. Il y avait des photos du camp tel qu'il avait été jadis, prises pour la plupart par des unités de l'armée américaine au moment de la libération. Sur l'une d'elles, on voyait Elie à 16 ans, qui, de l'une des couchettes, nous regardait, le même beau visage et les mêmes yeux tristes saillants à cause de la faim, de la maladie et des choses terribles dont il avait été témoin. Elie nous a décrit les stratégies de survie au quotidien mises en place par lui et les autres prisonniers : les plus forts et les plus chanceux qui faisaient passer de la nourriture aux plus faibles et aux agonisants ; les rendez-vous de résistants qui avaient lieu dans les latrines tellement nauséabondes qu'aucun gardien n'y entrait jamais ; les adultes qui organisaient des cours clandestins pour enseigner aux enfants les maths, la poésie, l'histoire – pas uniquement pour qu'ils apprennent, mais aussi pour que perdure l'espoir qu'un jour ils pourraient reprendre une vie normale.

Lors d'une allocution devant la presse, plus tard, Angela Merkel a parlé avec clarté et humilité de la nécessité pour les Allemands de se remémorer le passé – d'affronter la question déchirante de savoir comment leur patrie avait pu perpétrer de telles horreurs, et de reconnaître la responsabilité particulière qui était désormais la leur dans la lutte contre le fanatisme sous toutes ses formes. Puis Elie a pris la parole et a raconté qu'en 1945, paradoxalement, il était sorti du camp rempli d'espoir pour l'avenir. Parce qu'il était persuadé, a-t-il précisé, que le monde avait appris une fois pour toutes que la haine était inutile, le racisme idiot, et que « la volonté de conquérir les esprits, les territoires ou les aspirations d'autres personnes… est dépourvue de sens ». Il était à présent moins sûr que cet optimisme soit encore justifié, a-t-il dit, après les camps de la mort du Cambodge, du Rwanda, du Darfour et de la Bosnie.

Mais il nous a suppliés, m'a supplié, de quitter Buchenwald avec la détermination de faire advenir la paix, de mettre à profit ce qui s'était passé sur ces terres où nous nous trouvions pour regarder au-delà de la colère et des divisions, afin de puiser force dans la solidarité.

J'ai porté ses paroles avec moi jusqu'en Normandie, mon avant-dernière halte du voyage. Par une journée claire, presque sans nuage, des milliers de gens s'étaient rassemblés au cimetière américain situé sur un promontoire côtier qui dominait les eaux bleues aux vagues irisées d'écume de la Manche. En descendant de l'hélicoptère, j'ai observé les plages de galets en contrebas, où, soixante-cinq ans plus tôt, plus de 150 000 soldats alliés, dont une moitié d'Américains, avaient bravé le ressac pour débarquer sous le feu de l'ennemi. Ils avaient donné l'assaut à l'éperon rocheux de la pointe du Hoc, établissant finalement la tête de pont qui se révélerait décisive pour la victoire. Les milliers de pierres tombales en marbre, des rangées blanc os striant l'herbe vert foncé, témoignaient du lourd tribut qui avait été payé.

J'ai été accueilli par un groupe de jeunes Rangers de l'armée qui, plus tôt dans la journée, avaient réitéré les sauts en parachute qui avaient accompagné les opérations amphibies du D-Day. Ils étaient en tenue de cérémonie, beaux et en parfaite forme physique, souriant avec un air bravache légitime. J'ai serré la main de chacun d'entre eux, leur ai demandé d'où ils venaient et quelle était leur affectation présente. Cory Remsburg, un sergent de première classe, m'a expliqué que la plupart revenaient d'Irak ; lui-même allait partir pour l'Afghanistan dans les semaines à venir, ce serait son dixième déploiement. Il a vite ajouté : « Ce n'est rien à côté de ce que les gars ont fait il y a soixante-cinq ans, monsieur le Président. Ils ont rendu possible notre mode de vie. »

Un regard en direction des gens présents ce jour-là m'a rappelé que très peu de vétérans du Débarquement et de la Seconde Guerre mondiale étaient encore en vie et capables de faire le voyage. Nombre de ceux qui avaient pu venir avaient besoin de fauteuils roulants ou de déambulateurs pour se déplacer. Bob Dole, l'acerbe citoyen du Kansas qui avait survécu à d'atroces blessures durant la guerre pour devenir l'un des sénateurs les plus accomplis et les plus respectés de Washington, était là. De même que mon oncle Charlie, le frère de Toot, venu avec sa femme, Melanie, tous deux invités par mes soins. Bibliothécaire à la retraite, c'était l'un des hommes les plus doux et les plus modestes que je connaissais. D'après Toot, il avait été tellement secoué par ce qu'il avait vécu comme soldat qu'il avait à peine pu parler pendant les six mois qui avaient suivi son retour.

Quelles que soient les blessures qu'ils portaient, ces hommes déga-geaient une fierté paisible, ainsi rassemblés, avec leurs casquettes et leurs blazers impeccables d'anciens combattants sur lesquels étaient épinglées leurs médailles de guerre parfaitement lustrées. Ils ont raconté des histoires, accepté des poignées de main et des remerciements de ma part et de la part d'autres inconnus, entourés d'enfants et de petits-enfants qui les connaissaient moins pour leur héroïsme que pour les vies qu'ils avaient menées ensuite – en tant qu'enseignants, ingénieurs, ouvriers d'usine ou propriétaires de magasins, des hommes qui avaient épousé leur petite amie, travaillé dur pour acheter une maison, lutté contre la dépression et les déceptions, entraîné des équipes de baseball junior, fait du bénévolat pour leur église ou leur synagogue, vu leurs fils et leurs filles se marier et avoir des familles à leur tour.

Debout sur la scène, alors que la cérémonie commençait, je me suis rendu compte que les vies de ces anciens combattants de plus de 80 ans faisaient plus que répondre aux doutes qui avaient pu m'assaillir. Peut-être que mon discours du Caire ne déboucherait sur rien. Peut-être que les dysfonctionnements du Moyen-Orient perdureraient en dépit de mes initiatives. Peut-être que le mieux que nous pouvions faire était d'apaiser des hommes comme Moubarak et de tuer ceux qui essaieraient de nous tuer. Peut-être que, comme les Pyramides l'avaient chuchoté, rien de tout cela n'avait d'importance à long terme. Mais sur la seule échelle que chacun de nous puisse véritablement comprendre, la durée d'un siècle, les actes d'un président américain, soixante-cinq ans plus tôt, avaient placé le monde sur une meilleure trajectoire. Les sacrifices que ces hommes avaient faits, à peu près à l'âge de ces jeunes Rangers de l'armée que je venais de rencontrer, faisaient la différence ; de même que la volonté d'Angela Merkel de tirer les leçons tragiques du passé de sa propre nation faisait la différence.

Quand mon tour est venu de prendre la parole, j'ai raconté l'histoire de quelques-uns des hommes que nous étions venus honorer. « Notre histoire a toujours été la somme des choix faits et des actions entreprises individuellement par chaque homme et chaque femme, ai-je conclu. Elle a toujours dépendu de nous. » Et, en me retournant pour regarder les hommes âgés assis derrière moi, sur la scène, j'étais intimement convaincu de la véracité de ces mots.

CHAPITRE 16

Notre premier printemps à la Maison-Blanche est arrivé avec un peu d'avance. Dès la mi-mars, l'air s'est radouci et les journées ont commencé à rallonger. Avec le redoux, la pelouse sud s'est pour ainsi dire métamorphosée en parc privé ouvert à toutes les explorations : une herbe verdoyante à perte de vue, bordée de chênes et d'ormes aux vastes frondaisons, et, tapi derrière les haies, un minuscule étang, auquel menait un petit chemin dallé sur les pavés duquel avaient été gravées les empreintes de mains des enfants et petits-enfants de mes prédécesseurs. Il y avait d'innombrables recoins pour jouer à chat ou à cache-cache, et même quelques animaux sauvages – des écureuils et des lapins, mais aussi une buse à queue rousse, qu'un groupe d'écoliers en visite à la Maison-Blanche avait baptisée Lincoln, ainsi qu'un renard à la silhouette effilée et aux longues pattes qui montrait parfois le bout de son nez au loin en fin d'après-midi et qui, à l'occasion, poussait l'audace jusqu'à se faufiler le long de la colonnade.

Pour nous qui avions passé une bonne partie de l'hiver calfeutrés à l'intérieur, ce nouveau jardin était une bénédiction, dont nous avons pleinement profité. Nous avons fait installer un portique pour Sasha et Malia, près de la piscine, directement en face du Bureau ovale. En fin de journée, pendant telle ou telle réunion de crise, il m'arrivait de lever les yeux et de voir les filles en train de jouer dehors, de se lancer à l'assaut du ciel sur les balançoires, le visage irradiant de bonheur. Nous avons également fait installer deux panneaux de basket à chaque extrémité du terrain de tennis, ce qui me permettait de m'éclipser de temps à autre pour faire quelques paniers avec Reggie ou au staff de se défouler en organisant des tournois de cinq-contre-cinq.

Et avec l'aide de Sam Kass, ainsi que de l'horticulteur de la Maison-Blanche et d'un groupe d'élèves de CM2 enthousiastes d'une école élémentaire voisine, Michelle s'est attelée à la création de son potager. Ce qui n'était au départ dans notre esprit qu'un projet modeste, quoique important, destiné à promouvoir de meilleures habitudes alimentaires, est vite devenu un véritable phénomène, qui a fait quantité d'émules dans les écoles et les jardins associatifs de tout le pays, attirant l'attention des médias du monde entier, et s'est révélé si fertile à la fin de ce premier été – produisant en abondance carottes, choux, poivrons, fenouils, oignons, laitues, brocolis, fraises ou encore myrtilles – que les cuisines de la Maison-Blanche ont commencé à donner des cageots entiers de fruits et légumes aux banques alimentaires locales. En guise de cerise sur le gâteau, pour ainsi dire, il se trouve que l'un des membres de l'équipe d'entretien du domaine était un apiculteur amateur, et nous lui avons donné le feu vert pour installer une petite ruche. Non seulement celle-ci a fini par produire près de 50 kilos de miel par an, mais un équipier inventif du mess de la marine, qui avait monté par ailleurs une micro-brasserie, nous a suggéré d'utiliser une partie de ce miel pour faire de la bière ; nous avons donc fait l'acquisition d'un kit de brassage, et c'est ainsi que je suis devenu le premier président-brasseur. (George Washington, paraît-il, distillait quant à lui son propre whiskey.)

Mais, de toutes les joies qui ont égayé cette première année à la Maison-Blanche, la plus grande a sans doute été l'arrivée, à la mi-avril, de Bo, une adorable boule de fourrure noire, le ventre et les pattes d'un blanc immaculé, comme s'il venait de s'enfoncer dans la neige. Malia et Sasha, qui avaient mené une campagne acharnée, avant même le début de la mienne, pour que nous adoptions un chiot, ont poussé des cris de ravissement la première fois qu'elles l'ont vu et se sont laissé lécher les oreilles et le visage en se roulant par terre avec lui au beau milieu de la résidence. Les filles ne sont pas les seules à être tombées amoureuses de Bo. Michelle passait tellement de temps avec lui – à lui apprendre des tours, à le câliner, à le nourrir en douce de morceaux de bacon – que Marian a fini par avouer éprouver des remords de n'avoir jamais cédé au désir de Michelle d'avoir un chien quand elle était petite.

Pour ma part, j'ai découvert en Bo, comme l'a dit je ne sais plus qui, le seul ami sur lequel un homme politique peut vraiment compter à Washington. Il me donnait en outre une excuse parfaite pour mettre un instant de côté mon travail le soir et me joindre à la famille pour une petite promenade sur la pelouse sud après le dîner. Dans ces moments-là – quand la lumière du jour finissant striait le ciel d'or et de violet, quand Michelle souriait et me tenait la main en regardant le chien gambader dans les buissons et les filles lui courir après, quand Malia finissait par nous rejoindre et me posait mille questions, sur les nids des oiseaux ou la forme des nuages, tandis que Sasha s'accrochait à l'une de mes jambes pour voir jusqu'où j'arriverais à marcher ainsi –, j'avais l'impression de retrouver la vie normale, heureuse et comblée à laquelle n'importe quel homme est en droit d'aspirer.

Bo nous avait été offert par Ted et Vicki Kennedy, issu d'une portée des deux chiens d'eau portugais que Teddy adorait. C'était un cadeau aussi généreux qu'attentionné – non seulement parce que cette race de chien était hypoallergénique (une condition *sine qua non*, car Malia faisait des allergies), mais aussi parce que les Kennedy s'étaient assurés que Bo soit propre avant de nous le confier. Quand je les ai appelés pour les remercier, toutefois, je n'ai pu parler qu'à Vicki. Teddy souffrait depuis près d'un an d'une tumeur maligne au cerveau et, même s'il continuait de recevoir des soins à Boston, tout le monde savait – et lui le premier – que le pronostic n'était pas bon.

Je l'avais vu en mars, quand il avait fait une apparition surprise à une conférence que nous avions organisée à la Maison-Blanche pour donner le coup d'envoi de notre projet de couverture maladie universelle. Vicki était inquiète à l'idée de ce déplacement, et j'avais compris pourquoi. Teddy avait du mal à marcher ce jour-là ; il avait perdu tellement de poids que son costume flottait sur ses épaules et, malgré son attitude en apparence pleine d'entrain, ses paupières pincées et son regard voilé trahissaient l'effort physique que lui demandait le simple fait de tenir debout. Pourtant, il avait tenu à être présent, car, trente-cinq ans plus tôt, il avait fait de l'accès à des soins de qualité et abordables pour tous les Américains une cause personnelle. On avait découvert un cancer des os à son fils Teddy Jr, qui avait dû être amputé d'une jambe à l'âge de 12 ans. À l'hôpital, Teddy avait rencontré d'autres parents dont les enfants étaient atteints de maladies tout aussi graves et qui n'avaient pas les moyens de payer les factures astronomiques de ces soins. Dès lors, il s'était juré de faire tout son possible pour remédier à ce problème.

Teddy avait mené ce noble combat sous sept présidences successives. Pendant le mandat de Bill Clinton, il avait contribué à faire voter le programme CHIP, permettant aux enfants des familles modestes de bénéficier d'une assurance-maladie. Au mépris de certaines oppositions au sein de son propre parti, il avait œuvré avec le président Bush à l'amélioration du remboursement des médicaments pour les personnes âgées. Mais, en dépit de son influence et de ses talents législatifs, son rêve de toujours, l'instauration d'une couverture maladie universelle – un système grâce auquel tous les Américains, quels que soient leurs moyens financiers, pourraient avoir accès à des soins médicaux de qualité –, continuait de lui échapper.

Voilà pourquoi Ted Kennedy s'était fait un devoir de sortir de son lit pour assister à notre conférence ; même s'il n'était plus en mesure de mener lui-même le combat, il savait que sa présence, de courte durée mais puissamment symbolique, pourrait avoir un impact réel. Et de fait, lorsqu'il est entré dans le salon Est, les quelque cent cinquante personnes réunies dans la pièce l'ont accueilli par une formidable ovation. Après avoir ouvert les débats, je l'ai invité à prendre la parole en premier, et certains de ses anciens collaborateurs avaient la larme à l'œil lorsqu'il s'est levé pour parler. Ses remarques ont été brèves ; sa voix de baryton ne résonnait plus tout à fait avec le même panache qu'à l'époque où il rugissait dans l'hémicycle du Sénat. Il avait hâte, a-t-il déclaré, de « jouer son rôle de fantassin » dans le combat qui s'annonçait. Il a écouté parler deux ou trois intervenants après lui, puis il s'est discrètement éclipsé.

Je ne devais le revoir qu'une seule fois, deux semaines plus tard, lors de la cérémonie de signature d'un projet de loi visant à étendre les initiatives de volontariat, auquel les députés, républicains et démocrates confondus, avaient décidé de donner son nom pour lui rendre hommage. Mais il m'arriverait souvent, par la suite, de penser à lui quand Bo entrait en trottinant dans la salle des Traités, la tête basse et la queue frétillante, pour venir se rouler en boule à mes pieds. Je me souvenais alors des mots que m'avait glissés Teddy ce jour-là, juste avant que nous franchissions ensemble les portes du salon Est.

« Le moment est venu, monsieur le Président, m'avait-il dit. Ne laissez pas passer cette occasion. »

LA QUÊTE d'une couverture maladie universelle aux États-Unis, sous une forme ou une autre, remonte à 1912, quand le président républicain Theodore Roosevelt, après huit années à la tête du pays, décida de se représenter – en s'appuyant cette fois sur un programme réformiste appelant à la création d'un système de santé centralisé à l'échelle nationale. À l'époque, très peu de gens disposaient ou éprouvaient le besoin de bénéficier d'une assurance-maladie privée. La plupart des Américains payaient leur médecin à la fin de chaque visite, mais le champ de la médecine devenait toujours plus sophistiqué et, à mesure que les innovations en termes de tests diagnostiques et de procédures médicales se multipliaient, les coûts afférents augmentaient d'autant, de sorte que la question de la santé était de plus en plus corrélée à celle de la richesse. Confrontés à des problèmes similaires, le Royaume-Uni et l'Allemagne avaient institué un système national de couverture maladie, et d'autres nations européennes ne tarderaient pas à suivre leur exemple. Si Roosevelt perdit l'élection de 1912, les idéaux progressistes de son parti contribuèrent à faire germer dans les esprits l'idée selon laquelle l'accès à des soins médicaux abordables pour tous pouvait être considéré comme un droit plutôt que comme un privilège. Il ne fallut pas attendre longtemps, toutefois, pour que le corps médical et certaines figures politiques éminentes du Sud s'opposent avec virulence à toute inter-vention gouvernementale en matière de santé, qu'ils assimilaient ni plus ni moins à une forme de bolchevisme.

Quand Franklin Roosevelt imposa le gel des salaires à l'échelle nationale afin d'endiguer l'inflation pendant la Seconde Guerre mondiale, de nombreuses sociétés commencèrent à proposer des assurances-santé et des pensions de retraite privées afin d'attirer les travailleurs qui n'avaient pas été envoyés combattre à l'étranger. À la fin de la guerre, ce système fondé sur les prestations employeurs perdura, notamment parce que les syndicats y trouvaient leur compte, dans la mesure où il leur permettait d'utiliser les avantages sociaux plus généreux négociés dans le cadre des conventions collectives comme un atout pour recruter de nouveaux membres. Le revers de la médaille, c'est que ces mêmes syndicats n'avaient dès lors plus grand intérêt à militer en faveur de programmes de santé financés par le gouvernement qui auraient pu bénéficier au reste de la population. Harry Truman tenta par deux fois de proposer un système national d'assurance-maladie, en 1945 puis en 1949, dans le cadre de sa réforme dite du « Fair Deal », mais son appel aux financements publics n'avait aucune chance face aux opérations médiatiques lancées à grands frais par l'Association médicale américaine et d'autres lobbies du secteur de la santé. Or ces voix antagonistes firent bien plus qu'étouffer dans l'œuf les velléités de Truman ; elles réussirent à convaincre une grande partie de l'opinion publique que la « médecine socialisée » conduirait au rationnement, à la disparition du médecin de famille et à une mise en péril des libertés individuelles auxquelles le peuple américain est si passionnément attaché.

Plutôt que de remettre en cause frontalement le système des assu-rances privées, les progressistes ont mis toute leur énergie à aider les populations que le marché avait laissées sur le bas-côté. Ces efforts ont porté leurs fruits sous la présidence de Lyndon Johnson avec son projet de « Great Society », prévoyant l'introduction d'un régime universel de remboursement des soins pour les personnes âgées (Medicare), financé en partie par les recettes de l'impôt sur le revenu, et d'un régime – sensiblement moins universel – destiné aux plus défavorisés (Medicaid), financé pour partie par le gouvernement fédéral et pour partie par les États. Pendant les années 1970 et jusqu'au début des années 1980, ce système composite a plutôt bien fonctionné, 80 % des Américains bénéficiant d'une couverture maladie, soit grâce à leur employeur, soit grâce à l'un ou l'autre de ces deux régimes d'assurance. De leur côté, les partisans du *statu quo* pouvaient mettre en avant les nombreuses innovations apportées sur le marché par l'industrie médicale à but lucratif, de l'IRM au développement de nouveaux médicaments capables de sauver des vies.

Mais, si leur utilité était indéniable, ces innovations ont eu également pour effet de faire grimper en flèche le coût des soins médicaux. Et, comme ces derniers étaient à la charge des assurances, les patients n'avaient guère de raison de se demander si les compagnies pharmaceutiques gonflaient leurs prix ou si les médecins et les hôpitaux prescrivaient des tests ou des traitements inutiles afin d'étoffer leurs profits. D'un autre côté, pour près d'un cinquième de la population, il suffisait de tomber malade ou d'avoir un accident pour se trouver potentiellement exposé à la ruine financière. Tous ceux qui ne disposaient pas d'une assurance-maladie avaient tendance à se soustraire aux suivis médicaux de routine et aux soins préventifs parce qu'ils n'avaient tout simplement pas les moyens de les payer, et ils attendaient souvent d'être gravement malades avant d'aller se faire soigner aux urgences, où les maladies les plus graves requéraient des soins plus coûteux. Les hôpitaux compensaient le manque à gagner que représentaient pour eux ces soins non couverts en augmentant les tarifs pratiqués pour les patients assurés, ce qui faisait grimper d'autant le montant des cotisations.

Voilà pourquoi les États-Unis dépensaient beaucoup plus en moyenne pour les soins médicaux que n'importe quelle autre nation économiquement avancée (112 % de plus que le Canada, 109 % de plus que la France, 117 % de plus que le Japon), et pour des résultats similaires, sinon moins bons. Cela représentait une différence de plusieurs centaines de milliards de dollars par an – autant d'argent qui aurait pu être utilisé à meilleur escient, par exemple pour améliorer la prise en charge et l'encadrement de la petite enfance, ou pour réduire les frais de scolarité universitaires, ou encore pour éponger le déficit fédéral. Cette hausse endémique des coûts liés à la santé pesait en outre lourdement sur les entreprises américaines : les constructeurs automobiles japonais ou allemands, eux, n'avaient pas à se soucier des 1 500 dollars supplémentaires en couverture maladie pour leurs ouvriers, actifs ou à la retraite, que les fabricants implantés à Detroit devaient prendre en compte et répercuter sur le prix de chacune des voitures qui sortaient de leurs chaînes de montage.

Du reste, c'est précisément en réaction à la concurrence étrangère que les entreprises américaines ont commencé à se décharger sur leurs employés d'une partie du coût sans cesse croissant des assurances à partir de la fin des années 1980 et pendant les années 1990, en remplaçant leurs régimes d'assurance traditionnels, dépourvus ou presque de toute cotisation à la charge de l'employé, par de nouveaux modèles, moins onéreux pour elles, qui comportaient des franchises plus élevées, des tickets modérateurs forfaitaires, des remboursements plafonnés à vie et autres déplaisantes surprises nichées en tout petits caractères dans leurs contrats. Bien souvent, les syndicats ne réussissaient à préserver leurs avantages sociaux traditionnels qu'en consentant à renoncer aux augmentations de salaire. Quant aux petites entreprises, elles avaient le plus grand mal à fournir le moindre avantage à leurs employés. Les compagnies d'assurance opérant sur le marché individuel, de leur côté, étaient passées maîtres dans l'art de radier ceux de leurs clients qui, d'après leur table de mortalité, étaient le plus susceptibles de recourir un jour ou l'autre au système d'assurance-maladie, notamment tous ceux qui présentaient des « antécédents » – terme élastique qui pouvait recouvrir tout et n'importe quoi, du cancer à l'asthme en passant par les allergies chroniques.

Rien d'étonnant, dès lors, quand je suis arrivé en fonction, à ce qu'il se soit trouvé très peu de voix pour défendre le système existant. Plus de 43 millions d'Américains ne bénéficiaient d'aucune assurance, les cotisations pour assurer tous les membres d'un même foyer avaient augmenté de 97 % depuis 2000, et les tarifs ne cessaient de grimper. Pourtant, l'idée d'essayer de faire passer une grande réforme du système de santé devant le Congrès, au plus haut d'une période de récession historique, suscitait une certaine fébrilité au sein de mon équipe. Même Axe, lui qui savait mieux que personne combien il était difficile d'avoir accès à la médecine spécialisée (car, s'il avait renoncé au journalisme et embrassé la carrière de consultant politique, c'était notamment pour pouvoir payer les soins requis par la forme sévère d'épilepsie dont souffrait sa fille), était dubitatif.

« Les chiffres sont assez clairs, a dit Axe quand nous avons commencé à aborder le sujet. Les gens détestent peut-être la façon dont les choses fonctionnent de manière générale, mais la plupart sont assurés. Ils ne réfléchissent jamais vraiment aux failles du système jusqu'au jour où quelqu'un dans leur propre famille tombe malade. Ils aiment leur médecin. Ils ne font pas confiance à Washington. Et quand bien même ils croient en ta sincérité, ils ont peur que le moindre changement que tu pourrais initier ne leur coûte de l'argent et ne bénéficie à quelqu'un d'autre qu'eux. Et puis, quand on leur demande ce qu'ils aimeraient voir changer dans le système de santé, en gros, ils veulent avoir accès à tous les soins possibles et imaginables, quels que soient leur coût ou leur efficacité, quel que soit le prestataire, à n'importe quel moment – et gratuitement. Ce qui est impossible, bien sûr. Et encore, ça, c'est avant que les compagnies d'assurance, les compagnies pharmaceutiques et les toubibs commencent à monter au créneau…

– Ce qu'Axe essaie de dire, monsieur le Président, a interrompu Rahm, le visage soucieux, c'est qu'un tel projet pourrait nous exploser à la figure. »

Rahm a enchaîné : il avait été aux premières loges la dernière fois que l'idée d'une couverture maladie universelle avait été mise sur la table, quand le projet de loi porté par Hillary Clinton s'était soldé par un fiasco qui, par retour de bâton, avait conduit les démocrates à perdre la majorité à la Chambre des représentants lors des élections de mi-mandat en 1994. « Les républicains diront que la réforme du système de santé est encore un caprice de la gauche qui représentera un gouffre financier, et que c'est un moyen pour nous de détourner l'attention alors qu'il y a une crise économique à résoudre.

– Aux dernières nouvelles, ai-je rétorqué, il me semble que nous faisons tout notre possible pour résoudre la crise.

– Je le sais bien, monsieur le Président. Mais les Américains, eux, ne le savent pas.

– Et donc quoi ? En dépit du fait que nous disposons de la plus forte majorité démocrate depuis des décennies, en dépit des promesses que nous avons faites pendant la campagne, on ne devrait pas se lancer dans la réforme du système de santé ? C'est ça qu'on est en train de dire ? » ai-je demandé.

Rahm, cherchant du renfort, s'est tourné vers Axe.

« Nous sommes tous d'avis que nous devrions tenter le coup, a dit ce dernier. Simplement, il faut que tu aies conscience que si jamais nous échouons, ta présidence en sera gravement affaiblie. Et ça, personne ne le sait mieux que McConnell et Boehner. »

Je me suis levé pour mettre un terme à la réunion.

« Eh bien, dans ce cas, ai-je dit, nous avons intérêt à ne pas échouer. »

QUAND JE REPENSE à ces toutes premières conversations, il est difficile de nier un excès de confiance de ma part. J'étais convaincu que la logique de la réforme était si évidente que, même face à l'opposition la mieux organisée, je saurais rallier le soutien du peuple américain. D'autres initiatives d'envergure – telles la réforme de l'immigration ou la législation sur le changement climatique – seraient sans doute encore plus difficiles à faire passer au Congrès ; je pensais que décrocher une victoire sur le sujet qui, plus qu'aucun autre, affectait la vie quotidienne des gens serait le meilleur moyen pour nous de créer une dynamique susceptible de porter le reste de mon programme législatif. Quant aux risques de retombées politiques qui inquiétaient tant Axe et Rahm, il était pratiquement certain, de toute façon, à cause de la récession, que ma cote de popularité allait accuser le coup. C'était inévitable, et ce n'était pas en adoptant une attitude frileuse que nous pourrions y changer quoi que ce soit. Et quand bien même, laisser passer l'opportunité d'aider des millions de personnes simplement parce que cela risquait de mettre en péril mes chances de réélection… eh bien, c'était exactement le genre de calcul politicien à courte vue et égoïste auquel je m'étais juré de tourner le dos.

L'intérêt que je portais aux questions de santé allait bien au-delà de la dimension politique ; c'était pour moi une affaire personnelle, comme pour Teddy avant moi. Chaque fois que je rencontrais un parent qui avait toutes les peines du monde à trouver l'argent nécessaire pour soigner son enfant malade, je repensais à la nuit que Michelle et moi avions passée aux urgences avec Sasha, alors âgée de trois mois, à qui l'on avait diagnostiqué une méningite virale – la terreur et l'impuissance que nous avions ressenties quand les infirmières l'avaient emmenée pour lui faire subir une ponction lombaire, et le moment où nous avions compris que nous n'aurions peut-être pas décelé l'infection à temps si nos filles n'avaient pas été régulièrement suivies par un pédiatre que nous pouvions appeler à tout moment du jour ou de la nuit. Chaque fois que j'avais rencontré, pendant la campagne, des agriculteurs ou des caissières de supermarché qui souffraient de douleurs chroniques aux genoux ou au dos parce qu'ils n'avaient pas les moyens d'aller chez le médecin, je pensais à l'un de mes meilleurs amis, Bobby Titcomb, qui travaillait dans l'industrie de la pêche, à Hawaï, et qui ne consultait des professionnels de santé qu'en cas de blessure potentiellement fatale (comme la fois où il avait eu un poumon perforé par un harpon dans un accident de plongée) parce que les cotisations mensuelles d'une assurance-maladie lui auraient coûté l'équivalent d'une semaine entière de pêche.

Mais, surtout, je pensais à ma mère. À la mi-juin, je me suis rendu à Green Bay, dans le Wisconsin, pour inaugurer une série de débats publics sur le système de santé que nous organiserions un peu partout dans le pays, dans l'espoir de sensibiliser les citoyens sur cette question et afin de les informer des diverses pistes de réforme possibles. Ce jour-là, la réunion a débuté par quelques mots de présentation de Laura Klitzka ; à 35 ans, atteinte d'un cancer du sein qui s'était métastasé dans les os, elle bénéficiait de la couverture maladie de son mari mais, après avoir subi à plusieurs reprises divers protocoles de soins – chirurgie, radiothérapie et chimiothérapie –, elle avait atteint le plafond de remboursement de leur assurance et il leur restait à s'acquitter d'une facture médicale s'élevant à 12 000 dollars. Malgré les objections de son mari, Peter, elle se demandait à présent si cela valait vraiment la peine de poursuivre le traitement. Je l'avais rejointe chez eux avant de nous rendre ensemble à la réunion ; assise dans le salon, elle affichait un petit sourire triste tandis que Peter s'efforçait de canaliser l'énergie des deux jeunes enfants qui jouaient par terre.

« Je voudrais pouvoir passer autant de temps que possible avec eux, m'a dit Laura, mais je ne veux pas les quitter en leur laissant une montagne de dettes sur les bras. Ce serait de l'égoïsme. » Ses yeux se sont embués, et je lui ai pris la main, en songeant aux derniers mois de ma mère : toutes les fois où elle avait négligé de se rendre chez le médecin pour des visites de contrôle grâce auxquelles sa maladie aurait pu être diagnostiquée à temps, parce qu'elle était alors entre deux contrats de consulting et n'avait donc aucune assurance ; l'angoisse qui l'avait accompagnée jusque sur son lit d'hôpital quand son assureur avait refusé de prendre en charge sa demande d'invalidité, au prétexte qu'elle n'avait pas fait état de ses antécédents – alors que sa maladie n'avait pas encore été diagnostiquée à l'époque où elle avait souscrit sa police d'assurance. Tous ces regrets tacites.

Réformer le système de santé ne me ramènerait pas ma mère, ni n'atténuerait la culpabilité que j'éprouvais encore de ne pas avoir été à ses côtés lorsqu'elle avait rendu son dernier soupir. Et quand bien même je ferais passer une telle loi, il serait sans doute trop tard pour Laura Klitzka et sa famille.

Mais un jour cela sauverait la vie de la mère de quelqu'un d'autre, ici ou là. Et c'était une raison suffisante pour se battre.

Toute la question était de savoir si nous pouvions y arriver. Même s'il n'avait pas été facile de faire passer le Recovery Act, le principe qui sous-tendait cette législation destinée à stimuler la reprise était assez simple : donner les moyens au gouvernement d'injecter des fonds le plus vite possible afin de maintenir l'économie à flot et de permettre aux gens de conserver leur emploi. Cette loi ne prélevait pas un seul dollar de la poche de qui que ce soit, n'obligeait pas les entreprises à changer de mode de fonctionnement, ni ne mettait un terme à d'anciens plans d'aide économique pour en financer de nouveaux. À court terme, personne n'était perdant.

Pour ce qui était du système de santé, en revanche, un projet législatif d'envergure impliquait la refonte d'un sixième de l'économie américaine. Une telle loi entraînerait inévitablement des centaines de pages d'amendements et de régulations âprement disputés ; certains seraient inédits, d'autres consisteraient en de simples révisions de la législation antérieure, mais tous seraient chargés d'un enjeu colossal. Une simple clause inscrite dans le texte de loi pourrait à elle seule se traduire par plusieurs milliards de dollars de pertes ou de gains pour telle ou telle branche du secteur de la santé. Un seul chiffre corrigé, un zéro par-ci, une décimale par-là, et c'était un million de foyers américains qui bénéficiaient soudain d'une couverture maladie – ou pas. Partout dans le pays, certaines compagnies d'assurance comme Aetna ou UnitedHealthcare étaient des employeurs de première importance, et les hôpitaux de proximité constituaient un véritable ancrage économique pour bon nombre de petites villes et de comtés. Les gens avaient de bonnes raisons – des raisons qui avaient trait à des questions de vie ou de mort – de s'inquiéter de la façon dont le moindre changement risquait de les affecter.

Il y avait aussi la question du financement de la loi. Pour qu'un plus grand nombre d'Américains bénéficient d'une couverture maladie, avais-je avancé, il était inutile d'allouer plus d'argent au secteur de la santé ; il fallait simplement utiliser de manière plus judicieuse l'argent qui était déjà là. En théorie, c'était vrai. Mais le gaspillage et l'inefficacité de l'un faisaient le profit ou l'avantage d'un autre ; les dépenses liées à la couverture maladie apparaîtraient sur les livres de comptes du gouvernement fédéral bien avant les économies que permettrait de réaliser la réforme, et contrairement aux géants de l'industrie pharmaceutique, dont les actionnaires veillaient à ce qu'aucun changement ne leur coûte un seul centime, la plupart des bénéficiaires potentiels d'une telle réforme – la serveuse, le petit exploitant agricole, l'entrepreneur indépendant ou le malade du cancer en rémission – ne pouvaient pas s'appuyer sur des escouades de lobbyistes expérimentés et grassement payés pour défendre leurs intérêts dans les couloirs du Congrès.

Autrement dit, les implications politiques et la substance même du système de santé représentaient un véritable casse-tête. J'allais devoir expliquer aux Américains, y compris ceux qui avaient déjà une bonne assurance, le pourquoi et le comment de cette réforme. C'est la raison pour laquelle je souhaitais que nous procédions de la manière la plus ouverte et transparente possible pour mettre en œuvre la législation nécessaire. « Tout le monde aura voix au chapitre, avais-je promis aux électeurs durant la campagne. Les négociations ne se dérouleront pas derrière des portes closes, mais en présence de toutes les parties concernées, et elles seront retransmises sur la chaîne des débats parlementaires C-SPAN, afin que le peuple américain puisse juger par lui-même des choix qui se présentent à nous. » Quand j'en ai discuté plus tard avec Rahm, j'ai eu l'impression qu'il aurait souhaité à cet instant que je ne sois pas le président, pour pouvoir m'expliquer sans détour à quel point mon plan était idiot. Si nous voulions vraiment faire voter une telle loi, m'a-t-il prévenu, il faudrait en passer par des dizaines et des dizaines d'accords et de compromis – et ce processus n'aurait rien d'un aimable séminaire civique.

« Quand on fait de la saucisse, c'est pas joli à voir, monsieur le Président, m'a-t-il dit. Et ce que vous demandez là, c'est vraiment de faire une énorme quantité de saucisse. »

Rahm et moi étions toutefois d'accord sur un point : des mois de travail nous attendaient, durant lesquels il nous faudrait évaluer minutieusement le coût et les conséquences de la moindre disposition du projet de loi, coordonner tous les efforts nécessaires au sein des diverses agences fédérales et des deux chambres du Congrès, tout en cherchant le soutien des principaux acteurs du secteur de la santé, des fournisseurs de soins aux administrations hospitalières en passant par les compagnies d'assurance et l'industrie pharmaceutique. Pour y parvenir, il fallait que nous puissions nous appuyer sur une équipe de haut vol.

Heureusement, nous avons pu recruter un formidable trio de femmes pour nous aider à lancer ce grand projet. La démocrate Kathleen Sebelius, deux fois élue au poste de gouverneur dans un État du Kansas traditionnellement acquis à la cause républicaine, nous a rejoints comme secrétaire à la Santé et aux Services sociaux (HHS). Ancienne commissaire d'État aux assurances, elle connaissait parfaitement les rouages tant politiques qu'économiques du domaine de la santé, et ses talents politiques – son intelligence, son humour, son enthousiasme, sa combativité et son aisance dans les médias – faisaient d'elle la candidate idéale pour défendre la réforme sur les plateaux de télévision ou sur l'estrade des débats publics, partout dans le pays, où elle saurait expliquer aux gens notre projet. Jeanne Lambrew, professeure à l'université du Texas et experte des programmes Medicare et Medicaid, est devenue notre directrice du Bureau de la réforme du système de santé au sein du HHS – en somme, notre conseillère politique en chef. Grande, sobre, et souvent indifférente aux contraintes politiques, elle connaissait sur le bout des doigts toutes les propositions afférant au domaine de la santé jusque dans leurs moindres détails factuels et leurs moindres nuances – et on pouvait compter sur elle pour nous remettre sur le droit chemin si d'aventure nous nous écartions trop de notre objectif pour céder aux compromis politiques au nom de l'efficacité.

Mais, à mesure que notre campagne commençait à prendre forme, c'est sur Nancy-Ann DeParle que j'allais le plus m'appuyer. Avocate, ancienne directrice des programmes de santé du Tennessee, puis administratrice du régime Medicare sous l'administration Clinton, Nancy-Ann faisait montre du professionnalisme irréprochable de quelqu'un d'habitué à travailler dur pour voir ses efforts couronnés de succès. Dans quelle mesure cette détermination puisait sa source dans les expériences qu'elle avait dû traverser en tant que jeune femme sino-américaine ayant grandi dans une petite ville du Tennessee, je n'aurais su le dire. Nancy-Ann ne parlait pas beaucoup d'elle-même – pas avec moi, en tout cas. Je sais en revanche qu'à 17 ans elle avait vu sa mère emportée par un cancer du poumon, et cela avait peut-être joué dans sa décision d'abandonner un poste lucratif dans un fonds de placement privé pour des responsabilités qui l'obligeraient à passer encore plus de temps loin de son cher mari et de leurs deux jeunes fils.

Je n'étais pas le seul pour qui la réforme du système de santé revêtait une dimension personnelle.

Avec Rahm, Phil Schiliro et le directeur de cabinet adjoint Jim Messina, l'ancien bras droit de Plouffe pendant la campagne et l'un de nos agents politiques les plus avisés, notre équipe a commencé à tracer les grandes lignes d'une possible stratégie législative. Sur la foi de ce que nous avions vécu avec le Recovery Act, nous ne doutions pas que Mitch McConnell ferait tout pour torpiller nos efforts et que nos chances d'obtenir des voix républicaines au Sénat sur un sujet aussi crucial et controversé que le système de santé étaient très minces. Ce qui pouvait nous donner confiance, en revanche, c'est qu'au lieu des cinquante-huit sénateurs acquis au groupe démocrate au moment du vote sur le plan de relance économique, nous pourrions compter sur soixante d'entre eux quand le projet de loi sur la santé serait présenté. Al Franken avait enfin été officiellement élu dans le Minnesota après un recompte des voix, et Arlen Specter avait décidé de rejoindre les rangs démocrates après avoir été radié du GOP – comme Charlie Crist – parce qu'il avait soutenu le Recovery Act.

Néanmoins, cet effectif, qui nous mettait *de facto* à l'abri d'une manœuvre d'obstruction, restait fragile, car il fallait compter avec un Ted Kennedy condamné par la maladie ainsi qu'avec un autre sénateur souffrant, Robert Byrd, élu de la Virginie-Occidentale, sans parler des membres de l'aile conservatrice du parti tels que le sénateur du Nebraska Ben Nelson (ancien cadre dirigeant dans une compagnie d'assurance) qui pouvaient faire volte-face à tout moment. Non seulement nous ne disposions donc d'aucune marge d'erreur possible, mais je savais en outre que faire voter une réforme aussi monumentale que celle du système de santé sur la seule base d'un vote partisan rendrait cette loi plus vulnérable d'un point de vue politique dans les années à venir. Par conséquent, nous pensions qu'il était raisonnable de formuler notre proposition législative de sorte qu'elle ait au moins une chance de nous valoir le soutien d'une poignée de républicains.

Heureusement, nous avions un modèle sur lequel nous appuyer, celui de l'alliance qu'avaient formée – ironie de l'histoire – Ted Kennedy et l'ancien gouverneur du Massachusetts Mitt Romney, l'un des adversaires de John McCain aux primaires républicaines lors de la dernière élection présidentielle. Confronté quelques années plus tôt à des déficits budgétaires et à la perspective de perdre les financements du programme Medicaid, Romney était devenu obnubilé par l'idée de trouver un moyen de fournir une couverture maladie digne de ce nom à un plus grand nombre de résidents du Massachusetts, ce qui aurait pour effet de réduire les dépenses de l'État en matière de soins d'urgence pour les personnes non assurées et, en théorie, d'améliorer la santé de la population de manière générale.

Son équipe et lui avaient opté pour une approche à plusieurs niveaux, en vertu de laquelle chaque personne serait tenue de souscrire une assu-rance (une « obligation individuelle »), de même que chaque conducteur était tenu d'assurer son véhicule. Les salariés qui ne pouvaient pas souscrire une assurance santé auprès de leur employeur ou par leurs propres moyens, et qui n'étaient pas éligibles aux régimes Medicare ou Medicaid, pourraient bénéficier d'une aide du gouvernement. Le montant de ces subventions serait fixé selon un barème dégressif indexé sur les revenus individuels, et un marché en ligne centralisé – une « bourse » – serait institué afin que chaque consommateur puisse trouver le meilleur contrat d'assurance possible. Quant aux compagnies d'assurance elles-mêmes, elles n'auraient plus le droit de retoquer leurs clients en raison d'éventuels antécédents médicaux.

Ces deux idées – l'obligation de souscription à titre individuel et la protection des personnes ayant des antécédents – allaient de pair. Face au gigantesque vivier de nouveaux clients bénéficiant d'une aide financière publique, les assureurs n'avaient plus d'excuse pour trier leurs clients sur le volet et n'accorder de couverture qu'aux personnes jeunes et en bonne santé au nom de la protection de leurs profits. Inversement, grâce à l'obligation de souscription individuelle, les gens ne pouvaient plus tricher en attendant de tomber malades pour prendre une assurance. Quand il avait exposé son plan aux médias, Romney avait qualifié l'obligation de souscription d'« idée conservatrice par excellence » parce qu'elle reposait sur la responsabilité individuelle.

Sans surprise, les députés de la législature du Massachusetts, à majorité démocrate, n'avaient guère été convaincus dans un premier temps par le projet de loi de Romney, et pas seulement parce qu'il émanait d'un républicain ; aux yeux de nombreuses personnalités politiques de gauche, la nécessité de substituer à l'assurance privée et au système de santé à but lucratif un régime unique et obligatoire de remboursement des soins, comme celui qui était en vigueur au Canada, était un article de foi. Si nous étions partis de zéro, j'aurais été d'accord avec eux ; comme le prouvaient bon nombre d'exemples à l'étranger, un régime unique à l'échelle nationale – un « Medicare pour tous », en somme – était un moyen efficace et rentable de fournir à la population un système d'assurance-maladie de qualité. Mais ni le Massachusetts ni les États-Unis ne partaient de zéro. Teddy, qui malgré sa réputation de progressiste candide avait toujours été d'un grand pragmatisme, était parfaitement conscient qu'essayer de démanteler le système existant pour le remplacer par un système entièrement nouveau était une idée non seulement vouée à l'échec du point de vue politique, mais également susceptible de provoquer un véritable désastre économique. Il s'était donc rallié avec enthousiasme à la proposition de Mitt Romney et avait aidé le gouverneur à rassembler les voix nécessaires au sein du groupe démocrate de la législature du Massachusetts pour que ce projet de loi aboutisse.

Le « Romneycare », ainsi qu'avait été surnommée cette disposition législative, était en vigueur depuis maintenant deux ans, et c'était à l'évidence un franc succès : le nombre de personnes ne bénéficiant pas d'une assurance-maladie était tombé à un peu moins de 4 % de la population du Massachusetts – le taux le plus bas de tout le pays. Teddy s'en était inspiré pour poser les bases du projet de loi sur lequel il avait lui-même commencé à travailler, plusieurs mois avant l'élection présidentielle, en tant que président de la Commission sénatoriale sur la santé et l'éducation. Et même si Plouffe et Axe m'avaient persuadé de ne pas apporter mon soutien officiel à l'approche adoptée par le Massachusetts durant la campagne – l'idée d'obliger les gens à souscrire une assurance était très mal reçue par les électeurs, et j'avais donc orienté mon discours plutôt sur la réduction des coûts –, j'étais à présent convaincu, comme la plupart des défenseurs de la réforme, que le modèle de Romney représentait notre meilleure chance d'atteindre notre objectif de couverture universelle.

Des désaccords subsistaient quant à la forme spécifique que pourrait prendre un plan similaire à celui du Massachusetts à l'échelle nationale et, tandis que mon équipe et moi-même commencions à définir notre stratégie, bon nombre de conseillers nous poussaient à résoudre la question au plus vite en soumettant au Congrès un projet de loi émanant directement de la Maison-Blanche. Mais nous avons décidé de procéder autrement. S'il y avait une leçon à retenir de l'échec des Clinton, c'est qu'il était indispensable d'impliquer dans le processus certaines personnalités incontournables du Parti démocrate, afin qu'elles aient l'impression de prendre pleinement part à cette initiative. Sans cet effort de coordination, nous savions que notre projet de loi se ferait tailler en pièces.

À la Chambre des représentants, cela signifiait qu'il faudrait obtenir le soutien du député de la Californie Henry Waxman, un homme aussi rusé que pugnace. Côté Sénat, les choses se présentaient différemment : en l'absence de Teddy, convalescent, tout dépendait de Max Baucus, représentant du Montana et de l'aile conservatrice du Parti démocrate, qui présidait la puissante Commission financière. Sur les questions d'imposition, auxquelles la commission consacrait l'essentiel de son temps, Baucus s'alignait souvent sur les positions des lobbies d'affaires, ce qui m'inspirait une certaine inquiétude, et, en trois décennies au Sénat, il n'avait été à l'initiative d'aucun projet de loi d'envergure. Toutefois, son engagement sur la réforme du système de santé semblait sincère ; il avait organisé un sommet législatif sur la question au mois de juin précédent et avait travaillé pendant plusieurs mois avec Ted Kennedy et son équipe à une première ébauche du projet. Baucus était par ailleurs très proche du sénateur de l'Iowa Chuck Grassley, le président du groupe républicain au sein de la Commission des finances, et il pensait avoir de bonnes chances d'obtenir le soutien de ce dernier.

Rahm et Phil Schiliro étaient sceptiques sur ce point – après tout, nous avions déjà fait les frais de ce genre d'alliance hasardeuse au moment du débat sur le Recovery Act. Mais nous avons décidé qu'il valait mieux laisser Baucus procéder comme il l'entendait et voir où cela mènerait. Il avait déjà exposé certaines de ses idées dans la presse et formerait bientôt un groupe de travail sur la réforme, auquel participeraient Grassley ainsi que deux autres républicains. Lors d'une réunion dans le Bureau ovale, cependant, je lui ai recommandé de bien veiller à ne pas se laisser mener en bateau par Grassley.

« Faites-moi confiance, monsieur le Président, a dit Baucus. J'ai déjà mis les choses au point avec Chuck. Avant le mois de juillet, l'affaire sera dans le sac. »

Tout travail comporte son lot de surprises. Un rouage se grippe. Un accident de la route provoque une déviation. Un client vous appelle pour vous dire que vous avez remporté l'appel d'offres – mais qu'il a besoin d'être livré trois mois plus tôt que prévu. Si ce genre d'avanie s'est déjà produit par le passé, votre employeur a sans doute mis en place un système et des procédures spécifiques pour parer à de telles éventualités. Mais même les structures les mieux organisées ne peuvent pas tout anticiper, et en cas d'imprévu vous apprenez à improviser pour atteindre malgré tout vos objectifs – ou du moins pour minimiser les pertes.

La présidence ne faisait pas exception à la règle. Sauf que des surprises, il en arrivait tous les jours, et souvent en cascade. Et au cours du printemps et de l'été de cette première année, alors que nous étions aux prises avec la crise financière, deux guerres et la mise en branle de la réforme du système de santé, plusieurs événements inattendus sont venus s'ajouter à notre cahier des charges déjà bien rempli.

Le premier était potentiellement annonciateur d'une véritable catastrophe. En avril, nous avons commencé à recevoir des signaux d'alerte sur une inquiétante épidémie de grippe au Mexique. Le virus de la grippe touche en général les populations les plus fragiles telles que les personnes âgées, les nourrissons ou les asthmatiques, mais cette souche particulière semblait frapper également des gens jeunes et en bonne santé – et le taux de mortalité était plus élevé que d'habitude. En l'espace de quelques semaines, le virus s'est propagé aux États-Unis : une personne contaminée recensée dans l'Ohio, deux au Kansas, huit dans un seul et même lycée à New York. À la fin du mois, nos centres pour le contrôle et la prévention des maladies (CDC) ainsi que l'Organisation mondiale de la santé (OMS) étaient en mesure de confirmer qu'il s'agissait d'une variante du virus H1N1. En juin, l'OMS faisait officiellement état de la première pandémie depuis quarante ans.

Il se trouve que je connaissais bien le virus H1N1, pour avoir travaillé sur nos dispositifs de réaction en cas de pandémie lorsque je siégeais au Sénat. Et ce que j'avais appris était tout bonnement terrifiant. En 1918, une souche de ce virus, communément appelée « grippe espagnole », avait contaminé un demi-milliard de personnes, selon les estimations, et fait entre 50 et 100 millions de victimes – soit environ 4 % de la population mondiale. Rien qu'à Philadelphie, plus de 12 000 personnes y avaient succombé en quelques semaines à peine. Mais les conséquences allaient bien au-delà de ce bilan humain ahurissant et du coup d'arrêt porté à l'ensemble de l'activité économique ; comme le démontreraient certaines études, les individus conçus pendant la période de la pandémie avaient par la suite été touchés en plus grande proportion que la moyenne par la précarité, l'échec scolaire et toutes sortes de handicaps physiques.

Il était trop tôt pour savoir à quel point ce nouveau virus serait létal. Mais je n'avais pas l'intention de prendre le moindre risque. Le jour même de la nomination de Kathleen Sebelius au poste de secrétaire du HHS, nous avons envoyé un avion pour la faire venir du Kansas et, tout de suite après une brève cérémonie d'investiture plus ou moins improvisée, nous lui avons demandé de diriger une téléconférence de deux heures avec les dirigeants de l'OMS et les ministres de la Santé du Mexique et du Canada. Quelques jours plus tard, nous avons mis sur pied une équipe constituée de membres de diverses agences chargée d'évaluer le degré de préparation des États-Unis face au pire des scénarios.

Verdict : nous n'étions pas prêts du tout. Les doses administrées dans le cadre de la campagne de vaccination annuelle n'étaient d'aucune efficacité contre le H1N1 et, comme les vaccins n'étaient pas une source de revenus importante de manière générale pour les compagnies pharmaceutiques, les quelques laboratoires américains qui en fabriquaient n'étaient pas en mesure de lancer la production d'un nouveau vaccin approprié en quantités suffisantes. Se posaient ensuite le problème de savoir comment distribuer les médicaments antiviraux, la question des protocoles mis en place dans les hôpitaux pour traiter les personnes touchées par la grippe, et il fallait même envisager la possibilité d'une fermeture des écoles et l'instauration de quarantaines si la situation s'aggravait de manière significative. Plusieurs anciens collaborateurs de l'administration Ford qui avaient dû faire face à l'épidémie de grippe porcine en 1976 nous ont mis en garde contre une campagne d'information publique trop précoce, qui pourrait se révéler disproportionnée et risquait par ailleurs de déclencher un mouvement de panique : apparemment, le président Ford, qui briguait alors un deuxième mandat et voulait faire la preuve de sa capacité à prendre des décisions fortes, avait lancé à la hâte une campagne de vaccination obligatoire avant même que la gravité de la pandémie ait été évaluée ; résultat, la grippe porcine avait fait au bout du compte moins de victimes que le vaccin lui-même, qui avait entraîné des troubles neurologiques chez certains patients.

« Il faut que vous soyez impliqué, monsieur le Président, m'a intimé l'un des anciens conseillers de Ford, mais il faut aussi que vous laissiez les experts prendre la main. »

J'ai passé un bras autour des épaules de Sebelius. « Vous voyez ce visage ? ai-je dit en hochant la tête vers elle. Eh bien, le voilà, le visage du virus. Félicitations, Kathleen.

– À votre service, monsieur le Président, a-t-elle répliqué avec entrain. À votre service. »

Les instructions que j'ai données à Kathleen et à l'équipe chargée des questions de santé publique étaient simples : nous fonderions nos décisions sur les meilleurs avis scientifiques possible, et nous expliquerions à la population chacune des étapes de notre dispositif, point par point – en ne cachant rien de ce que nous savions, mais aussi de ce que nous ne savions pas. Et, pendant les six mois suivants, c'est exactement ce que nous avons fait. Une décrue du nombre de contaminations durant l'été a donné le temps à l'équipe de travailler en concertation avec les fabricants pharmaceutiques et de favoriser la mise en place de protocoles permettant la production accélérée de vaccins. Ils ont pu fournir de nouveaux équipements médicaux au niveau local et procuré aux hôpitaux une plus grande flexibilité en vue d'une possible recrudescence de cas de contamination. Ils ont étudié – et finalement rejeté – l'idée de fermer les écoles pour le reste de l'année, tout en travaillant de concert avec la direction des secteurs scolaires, les entreprises ainsi que les élus locaux et nationaux afin de s'assurer que tout le monde disposait des ressources nécessaires pour faire face à la crise.

Même si les États-Unis n'ont pas été entièrement épargnés – le virus a coûté la vie à plus de 12 000 Américains –, nous avons constaté avec soulagement que cette souche particulière du H1N1 avait été moins mortelle que ne l'avaient craint les experts, et quand la pandémie a entamé un recul, vers le milieu de l'année 2010, la nouvelle n'a même pas fait les gros titres de la presse. Il n'en reste pas moins que j'étais extrêmement fier du travail accompli par nos équipes. Sans fanfare ni trompettes, non seulement elles avaient réussi à contenir le virus, mais elles avaient par la même occasion renforcé notre capacité de réaction en cas de future crise sanitaire – ce qui se révélerait salutaire, quelques années plus tard, face au mouvement de panique provoqué par l'irruption du virus Ebola en Afrique de l'Ouest.

Telle était la nature de la présidence, venais-je de comprendre : parfois, l'essentiel de votre travail pouvait passer totalement inaperçu.

Quant au deuxième événement imprévu, il s'agissait moins d'une crise à gérer que d'une opportunité à saisir. À la fin du mois d'avril, le juge à la Cour suprême David Souter m'a appelé pour m'informer qu'il prenait sa retraite, ce qui allait me donner l'occasion pour la première fois de pourvoir un poste vacant au sein de la plus haute institution judiciaire du pays.

Obtenir la nomination d'un nouveau juge à la Cour suprême n'a jamais été une partie de plaisir, notamment parce que le rôle de cette cour de justice au sein des institutions américaines a toujours fait l'objet de controverses. Après tout, l'idée d'octroyer à neuf avocats non élus et désignés à vie le pouvoir d'invalider des lois votées par une majorité des représentants du peuple n'a rien *a priori* de très démocratique. Mais depuis l'arrêt *Marbury v. Madison*, la décision de la Cour suprême en 1803 qui donnait à celle-ci le dernier mot sur l'interprétation de la Constitution américaine et établissait le principe d'un contrôle judiciaire sur les actions du Congrès et du président, c'est ainsi que fonctionne notre système d'équilibre des pouvoirs. En théorie, les juges de la Cour suprême ne « font » pas la loi lorsqu'ils exercent ces prérogatives ; ils sont simplement censés « interpréter » la Constitution et aider à concilier ses dispositions telles que les comprenaient ses rédacteurs à l'origine et telles qu'elles peuvent s'appliquer aujourd'hui.

Dans la majorité des cas sur lesquels la Cour doit se prononcer, cette théorie fonctionne plutôt bien. Les juges, pour l'essentiel, veillent à respecter la lettre de la Constitution et les précédents créés par les décisions de justice antérieures, même quand les conclusions auxquelles ils arrivent ainsi ne correspondent pas forcément à leurs convictions personnelles. Au cours de l'histoire des États-Unis, toutefois, les cas les plus importants les ont amenés à devoir éclaircir la signification de termes tels que « procédure équitable », « privilèges et immunités », « protection égale » ou « établissement des religions » – des termes si vagues que les Pères fondateurs eux-mêmes devaient sans doute en avoir chacun une conception différente. Cette ambiguïté octroie *de facto* aux juges une « marge d'interprétation » qui leur permet d'infléchir leurs décisions selon leurs convictions morales, leurs inclinations politiques, leurs propres préjugés et leurs craintes personnelles. C'est ainsi, dans les années 1930, qu'une Cour suprême composée en majorité de juges conservateurs décréta que la Constitution attribuait au Congrès le pouvoir quasi illimité de réguler l'économie. Et c'est ainsi que les juges chargés de se prononcer sur le cas *Plessy v. Ferguson* en 1896 interprétèrent la clause dite d'égale protection de telle sorte que leur décision valida le concept « séparés mais égaux », ouvrant ainsi la voie à la ségrégation, tandis que ceux qui statuèrent sur le cas *Brown v. Board of Education* en 1954, par leur interprétation du même texte constitutionnel, parvinrent à l'unanimité à la conclusion inverse.

Il s'avère que les juges de la Cour suprême faisaient bel et bien la loi, en permanence.

Au fil des années, la presse et l'opinion publique ont commencé à s'intéresser de plus près aux décisions de la Cour suprême et, par extension, au processus de nomination des juges. En 1955, les démocrates du Sud – échaudés par l'arrêt *Brown* – ont institutionnalisé la pratique des auditions des candidats à la Cour suprême devant la Commission judiciaire du Sénat afin de passer en revue leur positionnement juridique au préalable. En 1973, l'arrêt *Roe v. Wade* a focalisé un peu plus encore l'attention sur le processus de désignation des juges à la Cour, et chaque nomination a dès lors donné lieu à une véritable bataille rangée entre les défenseurs et les adversaires du droit à l'avortement. Le rejet ultramédiatisé de la nomination de Robert Bork à la fin des années 1980 ainsi que les auditions du juge Clarence Thomas – accusé par Anita Hill, une ancienne collègue, de harcèlement sexuel – au début des années 1990 ont fait les choux gras des chaînes de télévision. Tout cela pour dire que, lorsque est venu pour moi le moment de remplacer le juge Souter, trouver un candidat qualifié était la partie la plus facile ; le plus difficile serait d'obtenir sa confirmation à la Cour suprême en évitant de déclencher une foire d'empoigne politique qui risquerait de faire de l'ombre au reste de notre programme de réformes.

Nous avions déjà mis en place une équipe d'avocats chargés de pourvoir les nombreux postes régulièrement vacants dans les cours de justice locales, et ils ont aussitôt commencé à dresser une liste exhaustive de candidats potentiels à la Cour suprême. En moins d'une semaine, nous avions réduit cette liste à une poignée de finalistes, qui devraient se soumettre à une enquête du FBI sur leurs antécédents et venir passer un entretien à la Maison-Blanche. Parmi les candidats figuraient Elena

Kagan, avocate générale des États-Unis et ancienne doyenne de la faculté de droit de Harvard, et Diane Wood, juge à la cour d'appel fédérale pour le Septième circuit – toutes deux d'éminentes juristes, que j'avais eu l'occasion de rencontrer à l'époque où j'enseignais le droit constitutionnel à l'université de Chicago. Mais, en lisant les épais dossiers que mon équipe avait préparés sur chacun des candidats, c'est un autre nom qui a le plus attiré mon attention, celui de quelqu'un que je ne connaissais pas : Sonia Sotomayor, la juge à la cour d'appel fédérale pour le Deuxième circuit. Originaire du Bronx et d'ascendance porto-ricaine, elle avait été élevée par sa mère, une opératrice téléphonique qui finirait par décrocher son diplôme d'infirmière après la mort de son père – un ouvrier qualifié qui avait quitté l'école en CE2 –, survenue alors que Sonia n'avait que 9 ans. En dépit du fait qu'on ne parlait qu'espagnol chez elle, Sonia s'était révélée une élève brillante à l'école confessionnelle et avait obtenu une bourse pour entrer à Princeton. Elle y connaîtrait peu ou prou les mêmes expériences qu'avait vécues Michelle dans la même université : les doutes et l'impression, au début, de ne pas être à sa place, accentuée par son appartenance au très petit groupe de femmes issues des minorités sur le campus ; l'obligation parfois de travailler deux fois plus que les autres pour pallier les lacunes d'une éducation qui allait de soi pour les étudiants élevés dans un milieu plus privilégié ; le réconfort trouvé auprès de la communauté formée par d'autres étudiants noirs et grâce au soutien de certains professeurs ; et la prise de conscience, enfin, qu'elle était tout aussi intelligente que n'importe lequel de ses camarades.

Après des études de droit à Yale, Sotomayor était devenue procureure du parquet de Manhattan et avait accompli à ce titre un travail de tout premier ordre, ce qui lui avait ouvert les portes des circuits judiciaires fédéraux. En dix-sept ans de carrière, elle avait acquis la réputation d'une juge rigoureuse, impartiale et pondérée, ce qui lui avait valu de se voir décerner les plus hautes distinctions de l'Association du barreau américain. Et pourtant, quand le bruit a commencé à courir que Sotomayor faisait partie des finalistes dont j'examinais la candidature, certains grands clercs du cénacle judiciaire ont laissé entendre que ses références étaient inférieures à celles de Kagan ou de Wood, tandis que d'autres, dans des groupes d'intérêts aux inclinations politiques de gauche, doutaient qu'elle ait suffisamment de poids intellectuel pour tenir la dragée haute à des idéologues conservateurs tels que le juge Antonin Scalia.

En raison peut-être de ma propre expérience dans les cercles judiciaires et universitaires – où j'avais croisé bon nombre d'individus bardés de références et au QI élevé qui n'en étaient pas moins des crétins, et où j'avais pu constater à quel point les critères étaient malléables lorsqu'il s'agissait de la promotion des femmes et des personnes issues des minorités visibles –, je n'ai fait aucun cas de ces réserves. Non seulement la juge Sotomayor avait un parcours universitaire exceptionnel, mais je savais de quelle intelligence, de quelle détermination et de quelle souplesse avait dû faire preuve quelqu'un de son milieu d'origine pour arriver là où elle était. Une bonne dose d'expérience, une certaine connaissance des vicissitudes de la vie, autant de cœur que d'intelligence – voilà, pensais-je, d'où venait la sagesse. Quand on m'avait demandé, pendant la campagne, quelles étaient les qualités que je recherchais chez un candidat à la Cour suprême, j'avais parlé non seulement d'expertise dans le domaine juridique, mais aussi d'empathie. Les commentateurs conservateurs s'étaient moqués de ma réponse, dans laquelle ils voyaient la preuve que j'avais l'intention de remplir les bancs de la Cour de doux rêveurs gauchistes obnubilés par les réformes sociales et qui ne se souciaient pas de l'application « objective » de la loi. Mais, à mes yeux, ils avaient tout faux : c'était précisément la capacité d'un ou d'une juge à saisir le contexte dans lequel s'inscrivaient ses décisions, à comprendre à quoi pouvait ressembler la vie d'une adolescente enceinte aussi bien que celle d'un prêtre catholique, d'un magnat de l'industrie comme d'un ouvrier en usine, des minorités aussi bien que du reste de la population, qui constituait la source de son objectivité.

D'autres paramètres faisaient de Sotomayor un choix solide. Elle serait la première Latino – et seulement la troisième femme – à siéger à la Cour suprême. Et elle avait déjà reçu par deux fois la confirmation du Sénat, dont une à l'unanimité, ce qui compliquait la tâche des républicains qui chercheraient à remettre en cause sa légitimité.

Compte tenu de l'estime que j'avais pour Kagan et pour Wood, cependant, je n'avais toujours pas arrêté mon choix quand la juge Sotomayor est venue me voir dans le Bureau ovale afin que nous fassions connaissance. Un visage avenant, le sourire facile, elle était d'une politesse toute protocolaire et choisissait ses mots avec soin, même si les nombreuses années qu'elle avait passées dans les grandes universités et sur les bancs des cours de justice fédérale n'avaient pas tout à fait estompé son accent du Bronx. Mon équipe m'avait recommandé de ne surtout pas sonder les candidats sur certains sujets juridiques spécifiques prêtant à la controverse tels que l'avortement (les républicains siégeant à la commission ne manqueraient pas d'interroger les candidats à propos de nos conversations pour savoir si j'avais fondé mon choix sur ce genre de « test révélateur »). La juge Sotomayor et moi avons plutôt parlé de sa famille, de son travail en tant que procureure et de sa philosophie du droit de manière générale. À la fin de notre entretien, j'étais convaincu qu'elle était la candidate idéale, même si je me suis gardé de rien dire de tel sur le moment. En revanche, j'ai évoqué un point qui me posait problème dans son profil.

« Quoi donc, monsieur le Président ?

– Vous êtes une supporter de l'équipe des Yankees, ai-je dit. Enfin bon, puisque vous êtes née dans le Bronx et que vous avez sans doute subi très tôt un lavage de cerveau, je suis disposé à fermer les yeux. »

Quelques jours plus tard, j'ai officiellement annoncé que j'avais choisi Sonia Sotomayor comme candidate à la Cour suprême. Les réactions ont été positives et, dans les jours qui ont précédé son audition devant la Commission judiciaire du Sénat, j'ai été satisfait de constater que les républicains avaient toutes les peines du monde à dénicher quoi que ce soit dans les archives ou la conduite de la juge qui soit de nature à mettre en péril sa nomination. Ils se sont toutefois emparés de deux autres sujets pour justifier leur opposition, tous deux liés à la question raciale. D'une part, un jugement rendu en 2008 à New Haven, dans le Connecticut, que Sotomayor avait confirmé en appel en déboutant un groupe de pompiers en majorité blancs qui avaient porté plainte pour « discrimination à rebours ». D'autre part, un discours prononcé en 2001 à l'université de Californie, à Berkeley, dans lequel elle avait affirmé que la présence de femmes et de personnes issues des minorités au sein de la magistrature apportait une perspective inédite à des tribunaux fédéraux qui en avaient grandement besoin – les conservateurs ont sauté sur l'occasion pour déclarer qu'elle était incapable d'exercer sa charge de juge en toute impartialité.

Malgré cette brève escarmouche, les auditions se sont déroulées sans accroc. La nomination de la juge Sotomayor a été confirmée par 68 voix contre 31, 9 républicains apportant leur soutien à celui de l'ensemble des démocrates à l'exception de Teddy Kennedy, que son cancer tenait éloigné des bancs du Sénat – un vote qui s'apparentait pour ainsi dire à un plébiscite, étant donné le climat politique fortement polarisé dans lequel nous naviguions alors.

Michelle et moi avons organisé une réception en l'honneur de la juge Sotomayor et de sa famille à la Maison-Blanche au mois d'août, après son investiture. Sa mère était présente, et j'étais ému en songeant à ce que pouvait ressentir cette vieille dame qui avait grandi sur une île lointaine, qui parlait à peine un mot d'anglais à l'époque où elle s'était enrôlée dans la branche féminine de l'armée américaine et qui, en dépit de tous les obstacles dressés sur son chemin, avait tout fait pour que ses enfants accèdent à la réussite et à la reconnaissance. Son parcours me faisait penser à celui de ma propre mère, à celui de Toot et de Gramps, et j'ai éprouvé un élan de tristesse en songeant qu'aucun d'entre eux n'avait eu l'occasion de vivre un jour semblable, qu'ils avaient quitté ce monde avant d'avoir vu se réaliser les rêves qu'ils avaient jadis formés pour moi.

Tandis que je m'efforçais de tenir la bride haute à mes émotions en écoutant la juge s'adresser aux invités, j'ai tourné la tête vers deux jeunes et beaux garçons américano-coréens – les neveux adoptifs de Sotomayor – qui se tortillaient dans leurs habits de fête. Pour eux, le fait que leur tante siège à la Cour suprême des États-Unis et contribue à tracer les grandes lignes du destin de la nation serait une évidence – pour eux comme pour tous les enfants de leur génération, partout dans le pays.

Et c'était très bien ainsi. C'est à ça que ressemble le progrès.

LE LONG CHEMIN pour aboutir à la réforme du système de santé nous a occupés une bonne partie de l'été. Tandis que la législation continuait lentement son parcours dans les couloirs du Sénat, nous restions à l'affût de la moindre opportunité susceptible de faire avancer le processus. Depuis le sommet du mois de mars à la Maison-Blanche, les divers membres de mon équipe chargés des questions liées au régime d'assurance santé et des aspects législatifs de l'opération avaient participé à d'innombrables réunions de travail sur le sujet au Capitole ; à la fin de la journée, ils venaient au rapport dans le Bureau ovale, tels des commandants harassés de retour du front, pour m'informer de l'évolution de la situation sur le champ de bataille. La bonne nouvelle, c'était que les chefs de groupe démocrates – Baucus et Waxman, en particulier – se démenaient pour élaborer des textes de loi susceptibles d'être validés par leur commission respective avant la traditionnelle trêve estivale du mois d'août. La mauvaise nouvelle, c'était que plus le nombre de personnes impliquées dans les détails de la réforme augmentait, plus les avis divergeaient quant à la teneur du texte et à la stratégie à adopter – et pas seulement entre démocrates et républicains, mais aussi entre représentants et sénateurs démocrates, entre nous et les démocrates du Congrès, et même au sein de ma propre équipe.

La plupart des désaccords portaient sur la question de savoir comment générer une combinaison d'économies budgétaires et de nouvelles recettes pour financer l'extension de la couverture maladie à des millions d'Américains jusqu'ici privés d'assurance. En raison de ses propres inclinations et de son intérêt personnel à trouver un accord bipartite, Baucus espérait éviter toute disposition pouvant être apparentée à une hausse d'impôts. Avec son équipe, il avait ainsi procédé à l'estimation du bénéfice que les profits dégagés par l'afflux de nouveaux patients assurés pourraient représenter pour les hôpitaux, les compagnies pharmaceutiques et les assureurs, et il s'était appuyé sur ces calculs pour négocier auprès de chaque branche d'activité le versement de plusieurs milliards de dollars d'avance sous la forme de frais ou de réduction des remboursements du programme Medicare. En contrepartie, Baucus était prêt à faire certaines concessions politiques. Par exemple, il avait promis aux lobbyistes de l'industrie pharmaceutique que le projet de loi ne comporterait pas de disposition permettant la réimportation de médicaments depuis le Canada – une proposition démocrate très populaire qui mettait en lumière la façon dont les systèmes de santé gérés par les pouvoirs publics, au Canada et en Europe, se servaient de leur marge de négociation colossale pour s'entendre sur des prix beaucoup plus bas que ceux pratiqués par les géants pharmaceutiques aux États-Unis.

D'un point de vue politique et personnel, j'aurais trouvé bien plus satisfaisant de nous attaquer de front aux compagnies pharmaceutiques et aux compagnies d'assurance pour voir si nous étions capables de les faire plier. Elles étaient très impopulaires auprès de l'opinion publique – et à raison. Mais, d'un point de vue pragmatique, il était difficile de contester l'intérêt de l'approche plus conciliante adoptée par Baucus. Il aurait été absolument impossible d'obtenir le soutien de soixante sénateurs pour faire passer une réforme d'ampleur du système de santé sans nous prévaloir de l'assentiment, fût-il tacite, des principaux acteurs du secteur. La réimportation des médicaments était une question politique cruciale, mais, que cela nous plaise ou non, nous ne disposions pas des voix nécessaires pour faire voter une telle clause, notamment parce que bon nombre de démocrates représentaient des États dans lesquels de grandes industries pharmaceutiques avaient établi leur siège ou constituaient un pôle d'activité économique majeur.

Conscient de tous ces paramètres, j'ai donné mon accord pour que Rahm, Nancy-Ann et Jim Messina, qui avait fait partie du staff de Baucus autrefois, assistent aux négociations menées par Baucus avec les représentants de l'industrie de la santé. À la fin du mois de juin, ils étaient parvenus à un accord qui nous garantissait un apport de plusieurs centaines de milliards de dollars sous la forme de ristournes et de baisse des prix sur un nombre accru de médicaments pour les personnes âgées affiliées au régime Medicare. Autre victoire, non moins importante, ils avaient obtenu des hôpitaux, des assureurs et des compagnies pharmaceutiques qu'ils s'engagent à soutenir le futur projet de loi – ou, du moins, qu'ils ne s'y opposent pas.

Nous avions ainsi franchi un gros obstacle – et démontré au passage que la politique était d'abord et avant tout l'art du possible. Toutefois, pour certains démocrates parmi les plus à gauche à la Chambre des représentants, où personne n'avait à s'inquiéter d'une possible manœuvre d'obstruction parlementaire, ainsi que pour certains groupes d'intérêts progressistes qui espéraient encore préparer le terrain en vue d'instaurer un régime unique de remboursement des soins, nos compromis équivalaient à une capitulation pure et simple, à un pacte avec le diable. Et, pour ne rien arranger, comme l'avait prédit Rahm, aucune de nos réunions avec les acteurs du secteur de la santé n'avait été retransmise sur la chaîne des débats parlementaires, si bien que la presse a commencé à parler de « négociations en sous-main ». De nombreux électeurs ont écrit à la Maison-Blanche pour savoir si j'étais passé du côté obscur de la Force. Et Henry Waxman s'est empressé de faire savoir qu'il ne se sentait tenu en rien par les concessions que Baucus ou la Maison-Blanche avaient pu consentir aux lobbies industriels.

Si les démocrates de la Chambre des représentants sont tout de suite montés sur leurs grands chevaux, ils étaient par ailleurs tout à fait disposés à protéger le *statu quo* lorsque leurs prérogatives étaient menacées ou qu'il bénéficiait à des franges influentes de l'électorat. Par exemple, tous les économistes spécialistes de la santé s'accordaient à dire qu'il n'était pas suffisant de ponctionner les profits des assurances et des compagnies pharmaceutiques et d'utiliser cet argent afin d'étendre la couverture maladie – pour que la réforme fonctionne, il fallait aussi s'attaquer à l'augmentation en flèche des tarifs pratiqués par les médecins et les hôpitaux. Autrement, l'argent réinjecté dans le système finirait avec le temps par financer de moins en moins de soins pour de moins en moins de monde. L'une des meilleures façons de « faire baisser la courbe des tarifs » était d'établir un comité indépendant, détaché de tout intérêt politique et des lobbies, chargé de fixer la grille tarifaire du régime Medicare, calculée sur la base de l'efficacité comparative de tel ou tel soin spécifique.

Les démocrates de la Chambre détestaient cette idée. Cela signifiait qu'ils n'auraient plus le pouvoir de déterminer ce que Medicare couvrait et ne couvrait pas (et qu'ils perdraient au passage la capacité de récolter des fonds de campagne que leur octroyait ce pouvoir). Ils avaient peur également de se voir fustiger par des personnes âgées mécontentes de ne plus avoir accès au tout dernier médicament ou test diagnostique vanté à la télévision, même si un expert leur démontrait que c'était une dépense inutile.

Ils étaient tout aussi sceptiques à l'égard de l'autre grande proposition avancée pour contrôler les coûts : un plafonnement des déductions fiscales sur les « assurances Cadillac » – des polices extrêmement chères, fournies par l'employeur, qui couvraient toutes sortes de prestations, mais n'amélioraient pas les résultats en matière de santé. Hormis les grands patrons et les hauts revenus, le principal groupe concerné par ce type d'assurance était celui des travailleurs syndiqués, et les syndicats étaient vent debout contre ce qu'on allait bientôt surnommer la « taxe Cadillac ». Peu importait aux leaders syndicalistes que leurs adhérents préfèrent renoncer à une chambre de luxe à l'hôpital ou à une deuxième IRM superflue en contrepartie d'une hausse de leur salaire net. Ils doutaient que les économies réalisées grâce à la réforme iraient dans la poche de leurs adhérents, et ils étaient absolument certains que toute modification de leur police d'assurance-maladie provoquerait une levée de boucliers. Et malheureusement, tant que les syndicats s'opposeraient à la taxe Cadillac, les élus démocrates y mettraient eux aussi leur veto.

La presse a bientôt eu vent de ces querelles, ce qui a donné l'impression d'un grand cafouillage. Fin juillet, des sondages montraient qu'une majorité d'Américains désapprouvaient la façon dont je menais la réforme du système de santé. J'ai fait part à Axe de ma frustration quant à notre stratégie de communication. « Nous sommes sur la bonne voie, lui ai-je dit avec fermeté. Mais il faut qu'on l'explique mieux aux électeurs. »

Axe n'était manifestement pas très content de se voir reprocher un problème contre lequel il m'avait précisément mis en garde dès le départ. « Tu peux le leur expliquer tant que tu voudras, m'a-t-il rétorqué. Mais les gens qui ont déjà une assurance ne voient pas en quoi cette réforme leur sera bénéfique, et on aura beau aligner des chiffres et des données, ça ne changera rien. »

Je n'en étais pas aussi certain, aussi ai-je décidé de monter au créneau pour défendre notre plan. J'ai donc tenu une conférence de presse en prime-time sur la question du système de santé dans le salon Est de la Maison-Blanche, face à un parterre de journalistes accrédités dont bon nombre s'affairaient déjà à rédiger la nécrologie de ma toute première initiative législative.

En général, j'aimais bien le côté improvisé des conférences de presse retransmises en direct. Et, contrairement à ce qui s'était passé lors du premier débat public consacré à ce même sujet durant la campagne, au cours duquel je m'étais royalement planté tandis que Hillary et John Edwards faisaient un sans-faute, cette fois je maîtrisais parfaitement le dossier. Je le maîtrisais peut-être même *trop* bien. Pendant cette conférence de presse, je suis retombé dans mes vieux travers, livrant des explications exhaustives sur chacun des aspects de la question à l'ordre du jour. Comme si, n'ayant pu obtenir que les diverses négociations menées dans le cadre de ce projet de loi soient diffusées sur C-SPAN, j'essayais de compenser en proposant au public une heure de cours de rattrapage pointu sur le système de santé américain.

La presse n'a guère apprécié mon zèle. Dans son compte rendu, l'un des journalistes présents a souligné que j'avais parfois adopté un ton « professoral ». C'est peut-être ce qui explique que, lorsque j'ai accepté de répondre à une dernière question, Lynn Sweet, une journaliste de longue date au *Chicago Sun-Times* que je connaissais depuis des années, a décidé de m'interroger sur un sujet qui n'avait absolument rien à voir.

« Récemment, a-t-elle dit, le professeur Henry Louis Gates a été arrêté chez lui à Cambridge. Qu'est-ce que cet incident vous inspire, et que dit-il de la question raciale aujourd'hui en Amérique ? »

Par où commencer ? Henry Louis Gates était professeur de lettres à Harvard et l'un des plus éminents spécialistes de littérature afro-américaine de tout le pays. C'était aussi un ami ; sans être proches, nous nous croisions souvent en société. Un peu plus tôt cette semaine-là, de retour d'un voyage en Chine, Gates n'avait pas réussi à ouvrir la porte de sa maison, qui semblait grippée. Un voisin – ayant vu Gates essayer de forcer la porte – avait appelé la police pour signaler une possible tentative d'effraction. Dépêché sur les lieux, le sergent James Crowley avait demandé ses papiers à Gates. Celui-ci avait refusé de les présenter et – d'après le témoignage de Crowley – accusé le policier de racisme. Puis Gates avait fini par obtempérer, mais il avait continué, toujours selon Crowley, d'invectiver ce dernier alors qu'il s'apprêtait à partir. Après l'avoir prié de se calmer, en vain, Crowley ainsi que deux autres agents de police qu'il avait appelés en renfort avaient passé les menottes à Gates et l'avaient emmené au poste, en état d'arrestation pour trouble à l'ordre public (une accusation très vite levée par la suite).

Comme on pouvait s'y attendre, cet incident avait attiré l'attention des médias nationaux. Pour une grande partie de l'Amérique blanche, l'arrestation de Gates, qui s'était montré irrespectueux à l'égard des forces de l'ordre au cours d'un contrôle de routine, était entièrement légitime. Pour les Noirs, ce n'était qu'un énième exemple des humiliations et des inégalités, petites et grandes, que leur faisaient subir la police en particulier et toute forme d'autorité blanche en général.

J'avais pour ma part le sentiment que ce qui s'était passé relevait de quelque chose de plus spécifique et de plus humain que la simple fable édifiante sur les rapports entre Blancs et Noirs. Ayant vécu à Cambridge, je savais que les services de police de cette ville n'avaient pas la réputation d'être un repaire de suprémacistes à la Bull Connor. De son côté, Skip – ainsi que ses amis surnommaient Gates – était aussi fort en gueule que brillant (moitié W. E. B. Du Bois, moitié Mars Blackmon, personnage excentrique du réalisateur Spike Lee), capable d'une certaine insolence, et je n'avais aucun mal à l'imaginer agonir d'insultes la police au point de faire sortir de ses gonds même le plus pacifique des représentants des forces de l'ordre.

Quoi qu'il en soit, même si personne n'avait été blessé, je trouvais toute cette histoire démoralisante : elle nous rappelait de manière cruelle que, même pour les Noirs ayant réussi à se hisser au sommet de la société, et même dans les quartiers blancs les plus tolérants, il demeurait impossible d'échapper aux ombres héritées de notre histoire raciale. Quand j'avais appris ce qui était arrivé à Gates, m'étaient revenus en mémoire, presque malgré moi, tous les incidents similaires que j'avais pu moi-même connaître. Toutes les fois où l'on m'avait demandé ma carte d'étudiant quand je me rendais à la bibliothèque sur le campus de Columbia, ce qui n'arrivait jamais à mes condisciples blancs. Toutes les fois où je m'étais fait contrôler au volant, sans aucune raison particulière, en traversant tel ou tel quartier « chic » de Chicago. Toutes les fois où j'avais été suivi à la trace par un agent de sécurité dans un grand magasin où j'étais venu faire mes courses de Noël. Le son des portières de voiture qui se verrouillaient sur mon passage quand je traversais la rue, en costume-cravate, en pleine journée.

Ce genre d'expériences étaient monnaie courante pour tous les Noirs que je connaissais, que ce soit des amis proches, de vagues connaissances ou les quidams croisés chez le barbier au coin de la rue. Si vous étiez pauvre, issu des classes populaires, ou que vous viviez dans un quartier défavorisé, ou encore si vous ne montriez pas tous les signes extérieurs du « Noir respectable », ces incidents prenaient en général une tournure beaucoup plus grave. Pour quasiment tous les hommes noirs de ce pays, et pour toutes les femmes amoureuses d'un homme noir, et pour tous les parents d'un enfant noir, ce n'était pas être paranoïaque, « jouer la carte raciale » ou manquer de respect aux forces de l'ordre que d'arriver à la conclusion que, quoi qu'il se soit passé par ailleurs ce jour-là à Cambridge, une chose était certaine : s'il avait été blanc, jamais un professeur de Harvard, renommé et fortuné, un homme âgé de 58 ans qui mesurait 1,70 mètre, pesait 65 kilos et marchait avec une canne à cause d'une blessure à la jambe remontant à l'enfance, n'aurait été menotté et emmené au poste au prétexte qu'il s'était montré injurieux envers un policier qui l'avait sommé de lui présenter ses papiers sur le seuil de sa propre fichue maison.

Bien entendu, je n'ai pas formulé les choses ainsi. Peut-être aurais-je dû. J'ai préféré répondre à la question de Lynn Sweet par quelques remarques à mes yeux assez anodines, en commençant par souligner que la police avait réagi de manière appropriée en se rendant sur les lieux après que l'alerte avait été donnée par le voisin, puis en précisant que Gates était un ami, ce qui pouvait jouer sur mon objectivité. « J'ignore, n'ayant pas assisté à la scène et ne disposant pas de tous les éléments, quel rôle a pu jouer la couleur de peau dans cette histoire, ai-je déclaré. Mais je pense qu'il n'est pas exagéré de dire que, premièrement, n'importe lequel d'entre nous aurait pu perdre son sang-froid dans des circonstances similaires ; deuxièmement, que la police de Cambridge a agi de manière stupide en appréhendant quelqu'un qui avait déjà fourni la preuve que cette maison était la sienne ; et, troisièmement, je crois que nous sommes tous conscients, indépendamment de cet incident particulier, que les Afro-Américains et les Latinos de ce pays font depuis très longtemps l'objet d'arrestations policières dans une mesure disproportionnée. »

Je m'en suis tenu là. En sortant de la conférence de presse ce soir-là, je pensais que les quatre minutes passées à commenter l'affaire Gates ne seraient traitées que comme un bref aparté dans le discours d'une heure que j'avais consacré à la réforme du système de santé.

Eh bien, je me trompais du tout au tout. Le lendemain, mes propos sur la « stupidité » de la police faisaient la une de toutes les matinales. Les porte-parole des syndicats policiers, estimant que j'avais insulté l'agent Crowley et les forces de l'ordre en général, exigeaient des excuses. Des sources anonymes affirmaient qu'on avait tiré des ficelles en haut lieu pour que les accusations portées contre Gates soient levées sans passer par la case tribunal. Les médias conservateurs s'en donnaient à cœur joie, interprétant mes propos comme l'exemple typique du président noir élitiste (professoral et prétentieux) qui prenait la défense de son copain de Harvard (grande gueule et prompt à dégainer la carte raciale) aux dépens d'un policier blanc issu des classes populaires qui n'avait fait que son travail. Lors du point presse quotidien à la Maison-Blanche, les journalistes ont interrogé Gibbs presque exclusivement sur ce sujet.

Il est venu me voir ensuite pour me demander si j'envisageais de publier un communiqué pour clarifier mes propos.

« Qu'est-ce que je devrais clarifier ? lui ai-je rétorqué. Il me semble que j'ai été suffisamment clair.

– Vu la tournure des commentaires, les gens pensent que vous accusez les policiers d'être stupides.

– Je n'ai pas dit qu'ils étaient stupides. J'ai dit qu'ils avaient *agi* de manière stupide. Nuance.

– Oui, j'ai bien compris. Mais…

– On ne clarifie rien du tout, ai-je tranché. Tout cette histoire va retomber d'elle-même. »

Mais, le lendemain, elle n'était pas retombée du tout. Bien au contraire, elle avait complètement éclipsé tout le reste, y compris notre message sur la réforme du système de santé. Assailli de coups de fil inquiets de la part des démocrates du Congrès, Rahm était au bord de la crise de nerfs. On aurait dit que j'étais arrivé à cette conférence de presse vêtu d'un boubou africain et que j'avais moi-même lancé un tombereau d'injures contre la police.

J'ai fini par accepter de monter en ligne pour limiter les dégâts. J'ai d'abord appelé le sergent Crowley pour lui dire que j'étais désolé d'avoir employé le terme « stupide ». Il a réagi avec beaucoup d'humour et d'élégance, et à un moment, au cours de notre conversation, j'ai suggéré qu'il vienne avec Gates me rendre visite à la Maison-Blanche. Nous pourrions nous retrouver tous les trois autour d'une bière, lui ai-je dit, et montrer au pays que les gens de bonne volonté étaient capables de passer outre les malentendus. Crowley était enchanté par cette idée – tout comme Gates, que j'ai appelé juste après. Lors d'un point presse, plus tard ce même jour, j'ai dit aux journalistes que je persistais à croire que les policiers avaient réagi de manière excessive en arrêtant Gates, de même que le professeur avait réagi de manière excessive en les voyant débarquer chez lui. J'ai reconnu que j'aurais pu formuler mes remarques avec plus de tact. J'apprendrais bien plus tard, de la bouche de David Simas, notre gourou des sondages à la Maison-Blanche et adjoint d'Axe, que l'affaire Gates avait provoqué une chute vertigineuse de ma cote de popularité dans l'électorat blanc, la plus forte jamais enregistrée au cours de mes huit années de mandat. Je ne réussirais jamais tout à fait à récupérer les soutiens que j'avais perdus à cette occasion.

Six jours plus tard, le sergent Crowley, Skip Gates, Joe Biden et moi-même nous sommes retrouvés à la Maison-Blanche pour une rencontre amicale, informelle et légèrement guindée qui a été bientôt surnommée le « sommet de la bière ». Comme je m'y étais attendu à la suite de notre conversation téléphonique, Crowley s'est révélé un homme pondéré et d'une grande politesse, et Skip s'est tenu de façon irréprochable. Pendant une petite heure, nous avons parlé tous les quatre de notre enfance, de notre travail et de la manière dont nous pourrions nous y prendre pour améliorer la confiance et la communication entre les forces de police et la communauté afro-américaine. À la fin de la réunion, Crowley et Gates nous ont remerciés pour la petite visite de la Maison-Blanche que mon équipe avait fait faire à leurs familles respectives ; la prochaine fois, leur ai-je répondu sur le ton de la plaisanterie, j'espérais qu'ils trouveraient un moyen plus simple pour se faire inviter.

Après leur départ, je suis resté seul dans le Bureau ovale et j'ai réfléchi à toute cette affaire. Michelle, certains de nos amis comme Valerie et Marty, de hauts fonctionnaires noirs tels que le procureur général Eric Holder, Susan Rice, l'ambassadrice des États-Unis auprès des Nations unies, ou encore Ron Kirk, le représentant des États-Unis pour les affaires commerciales – nous connaissions tous le parcours du combattant par lequel il fallait en passer pour se faire une place au sein d'institutions dont les membres étaient blancs dans leur immense majorité. Nous avions appris à ne pas réagir face aux vexations triviales, toujours disposés à accorder le bénéfice du doute à nos collègues blancs, conscients qu'aborder la question du racisme, même avec la plus extrême prudence, était susceptible de déclencher chez eux une légère panique. Néanmoins, la réaction provoquée par mes propos sur l'affaire Gates nous avait tous surpris. J'ai véritablement compris pour la première fois à quel point les relations entre les Noirs et les forces de l'ordre étaient un sujet clivant – plus que n'importe quel autre aspect de la société américaine. Cette question semblait remuer quelque chose de profondément enfoui dans l'âme de la nation, toucher l'un de ses nerfs les plus sensibles, peut-être parce qu'elle nous rappelait à tous, quelle que soit notre couleur de peau, que l'ordre social de notre pays n'était pas uniquement fondé sur la cohésion, qu'il avait aussi à voir avec l'histoire des violences infligées par les Blancs aux Noirs et aux autres minorités visibles pendant des siècles avec l'assentiment de l'État, et que l'enjeu que constituait l'exercice légitime de la violence – déterminer qui l'exerçait, par quels moyens et contre qui – était profondément ancré dans notre esprit tribal, bien plus que nous n'étions prêts à l'admettre.

J'ai été interrompu dans mes réflexions par Valerie, venue voir comment je prenais les choses. La réaction des médias au « sommet de la bière » avait été positive, dans l'ensemble, même si elle m'a avoué avoir reçu quelques coups de téléphone de certains de mes partisans au sein de la communauté noire qui n'étaient pas très contents. « Ils ne comprennent pas pourquoi on s'est mis en quatre pour dérouler le tapis rouge à Crowley, a-t-elle dit.

– Et tu leur as répondu quoi ?

– Que toute cette histoire était une perte de temps, et que tu voulais pouvoir te concentrer sur les affaires du pays et sur la réforme du système de santé. »

J'ai hoché la tête. « Et les Noirs ici, dans l'équipe… comment ils réagissent ? »

Valerie a haussé les épaules. « Les plus jeunes sont un peu dépités. Mais ils comprennent. Simplement, avec tout le boulot que tu as à faire, ça ne leur plaît pas trop de te voir confronté à ce genre de situation.

– Quelle situation ? ai-je demandé. Le fait d'être noir ou le fait d'être président ? »

Ce qui nous a bien fait rire tous les deux.

CHAPITRE 17

À LA FIN DU MOIS DE JUILLET 2009, chacune des commissions de la Chambre des représentants concernées par la réforme du système de santé avait validé sa propre version du projet de loi. La Commission sur la santé et l'éducation avait elle aussi terminé son travail. Il ne restait plus qu'à faire valider le texte par la Commission financière du Sénat présidée par Max Baucus. Ensuite, nous pourrions harmoniser toutes ces contributions pour aboutir à deux projets de loi, l'un émanant de la Chambre des représentants et l'autre du Sénat, et les faire ratifier chacun, dans l'idéal, avant la trêve estivale du mois d'août, l'objectif étant de parvenir avant la fin de l'année à une version unique de la législation qui n'attendrait plus que ma signature.

Malgré notre insistance, toutefois, nous n'arrivions pas à accélérer les choses du côté de Baucus. Je comprenais parfaitement les raisons de ce retard : contrairement aux autres présidents de commission démocrates, qui avaient fait voter leur projet de loi en s'appuyant uniquement sur leurs soutiens au sein du parti, sans se soucier de la position des républicains, Baucus gardait l'espoir d'aboutir à un projet bipartite. Mais, à mesure que l'été avançait, cet optimisme commençait à paraître chimérique. McConnell et Boehner avaient déjà exprimé leur opposition farouche à notre projet législatif, qui constituait à leurs yeux une tentative de la part du gouvernement de « prendre le contrôle » du régime d'assurance-maladie. Frank Luntz, éminent conseiller stratégique du Parti républicain, avait fait circuler un mémo expliquant que, après avoir passé au banc d'essai pas moins de quarante messages anti-réforme, il était parvenu à la conclusion que l'argument de la « prise de contrôle gouvernementale » était le moyen le plus efficace pour jeter le discrédit sur notre projet de loi. Depuis, suivant cette consigne à la lettre, les conservateurs psalmodiaient en boucle cette expression comme un mantra.

Le sénateur Jim DeMint, trublion conservateur de la Caroline du Sud, ne prenait pas autant de pincettes pour exprimer les intentions de son parti. « Si nous arrivons à mettre Obama en échec sur ce coup-là, avait-il déclaré lors d'une téléconférence nationale avec un groupe de militants conservateurs, ce sera son Waterloo. Il ne s'en relèvera pas. »

Sans surprise, compte tenu de l'atmosphère ambiante, le groupe des trois sénateurs du GOP qui avaient été conviés à participer aux négociations bipartites avec Baucus n'en comptait désormais plus que deux : Chuck Grassley et Olympia Snowe, la représentante du Maine, de tendance modérée. Mon équipe et moi avions fait tout notre possible pour aider Baucus à rallier leur soutien. J'avais invité Grassley et Snowe à la Maison-Blanche à plusieurs reprises et les appelais régulièrement pour prendre la température. Nous avions consenti à une multitude d'amendements au projet de loi de Baucus pour satisfaire à leurs exigences. Nancy-Ann s'était pratiquement installée à demeure dans leurs bureaux au Sénat, et elle invitait si souvent Snowe à dîner que son mari, plaisantions-nous, commençait à devenir jaloux.

« Dis à Olympia qu'elle peut réécrire ce foutu projet de A à Z comme bon lui semble ! ai-je fini par lancer un jour à Nancy-Ann au sortir d'une de ces réunions de travail. On l'appellera le plan Snowe. Dis-lui que si elle vote pour, je lui donne les clés de la Maison-Blanche… Michelle et moi prendrons un appartement en ville ! »

Mais tous nos efforts demeuraient vains. Snowe s'enorgueillissait de sa réputation de centriste, et la question de l'assurance-maladie lui tenait énormément à cœur (elle était orpheline depuis l'âge de 9 ans, ses parents ayant été emportés coup sur coup, l'un par le cancer, l'autre par une maladie cardiaque). Seulement, depuis que le Parti républicain avait effectué son virage à droite toute, elle était de plus en plus isolée au sein de son propre groupe, ce qui la rendait encore plus circonspecte que d'habitude, et sa volonté affichée d'étudier chaque détail du projet avec la plus extrême minutie n'était qu'une façon de déguiser son indécision.

Pour ce qui était de Grassley, c'était encore une autre histoire. Il tenait de nobles discours, clamant son désir d'aider les petits exploitants agricoles de l'Iowa qui avaient du mal à obtenir une assurance-maladie fiable pour leur famille, et, quand Hillary Clinton avait lancé une initiative similaire, dans les années 1990, il avait soutenu un programme alternatif qui ressemblait à bien des égards à celui que nous proposions, inspiré du modèle adopté dans le Massachusetts, dans lequel figurait notamment l'obligation de souscription à titre individuel. Mais, contrairement à Snowe, Grassley déviait rarement de la ligne dictée par son parti sur les questions sensibles. Avec son visage allongé, son expression de chien battu et sa voix traînante aux accents gutturaux du Midwest, il se perdait en circonvolutions pour nous expliquer que notre projet de loi ne lui convenait pas pour telle ou telle raison, mais sans jamais nous dire au juste ce qu'il aurait fallu faire pour emporter son adhésion. Phil était convaincu que Grassley menait Baucus par le bout du nez pour le compte de McConnell, qu'il faisait tout pour freiner le processus et nous empêcher d'avancer sur le reste de notre programme. Même moi, l'éternel optimiste de la Maison-Blanche, j'ai fini par perdre patience, et j'ai demandé à Baucus de venir me voir.

« Fin de la partie, Max, le temps est écoulé, lui ai-je dit lors de cette rencontre dans le Bureau ovale à la fin du mois de juillet. Vous avez fait de votre mieux. Grassley nous a lâchés. Il ne vous a pas encore prévenu, c'est tout. »

Baucus a secoué la tête. « Sauf votre respect, monsieur le Président, je ne suis pas d'accord. Je connais Chuck. Je pense que nous sommes à *ça* de le convaincre, a-t-il dit en écartant son pouce et son index d'un demi-centimètre, affichant le sourire de quelqu'un qui vient de découvrir un remède miracle contre le cancer et doit prendre sur lui face au scepticisme des ignorants. Donnons à Chuck encore un peu de temps et attendons le retour des vacances d'été pour faire passer le projet. »

J'étais presque tenté de me lever d'un bond, d'attraper Baucus par les épaules et de le secouer pour lui faire entendre raison, mais je me suis dit que ça ne servirait pas à grand-chose. Une autre solution m'a traversé l'esprit : le menacer de ne pas lui accorder mon soutien lors des prochaines élections sénatoriales ; mais, dans la mesure où sa cote de popularité était plus haute que la mienne dans son État du Montana, ça n'aurait pas marché non plus. J'ai donc continué d'argumenter et d'essayer de l'amadouer pendant une demi-heure, et j'ai fini par céder à sa proposition : surseoir à un vote immédiat qui mettrait en opposition les deux partis, et remettre l'examen du projet de loi à la première quinzaine de septembre, quand les débats reprendraient au Congrès après la trêve estivale.

ALORS QUE LES TRAVAUX LÉGISLATIFS avaient été interrompus pour l'été et que le vote sur le projet de loi demeurait en suspens au Sénat comme à la Chambre des représentants, nous avons décidé que je passerais les deux premières semaines du mois d'août sur la route pour une tournée de débats publics dans des États comme le Montana, le Colorado ou encore l'Arizona, partout où notre projet de réforme suscitait la plus faible adhésion. Pour édulcorer les choses, mon équipe a suggéré que Michelle et les filles se joignent à moi, et que nous en profitions pour visiter quelques parcs nationaux sur le trajet.

Cette perspective m'enthousiasmait. Malia et Sasha n'étaient pas spécialement en manque d'attention paternelle ou d'activités pour l'été – entre leurs amies, les sorties au ciné et les heures passées à flemmarder, leur programme de vacances était déjà bien rempli. Souvent, en rentrant à la résidence après ma journée de travail, je montais au deuxième étage et découvrais le solarium envahi par une horde de gamines de 8 et 11 ans en pleine soirée pyjama, au milieu d'une pagaille de jouets, le sol jonché de miettes de popcorn, en train de sauter à pieds joints sur des matelas gonflables ou de glousser en regardant des dessins animés sur la chaîne Nickelodeon.

Toutefois, Michelle et moi (ainsi que les agents du Secret Service chargés de notre protection, qui faisaient preuve d'une patience angélique) avions beau tout faire pour que nos filles aient une enfance à peu près normale, il m'était difficile, sinon impossible, de les emmener dans certains endroits comme l'aurait fait n'importe quel père ordinaire. Nous ne pouvions pas aller ensemble dans un parc d'attractions et nous arrêter en chemin pour manger un burger sur le pouce. Je ne pouvais plus, comme autrefois, faire une petite balade à vélo avec elles le dimanche après-midi. Sortir prendre une glace ou faire un tour dans une librairie était devenu une véritable odyssée – il fallait barrer des routes, être escortés par des équipes chargées de notre sécurité et composer avec l'omniprésence des journalistes à l'affût de nos moindres déplacements.

Si les filles en éprouvaient une quelconque frustration, elles n'en montraient rien. Mais, pour moi, c'était un vrai crève-cœur. J'étais navré en particulier à l'idée que je ne pourrais sans doute jamais emmener Malia et Sasha faire un long *road trip* pendant l'été, comme celui que j'avais fait à 11 ans quand ma mère et Toot avaient décrété qu'il était temps que Maya et moi voyions un peu du pays. Nous avions passé un mois à traverser les États-Unis, et ce voyage m'avait durablement marqué – et pas seulement parce que nous étions allés à Disneyland (même si, bien sûr, ç'avait été l'un des grands moments de notre périple). Nous avions ramassé des palourdes à marée basse sur les plages de Puget Sound, dans l'État de Washington, franchi à cheval une crique au pied du canyon de Chelly, dans l'Arizona, regardé défiler la prairie infinie du Kansas derrière la vitre d'un train, aperçu un troupeau de bisons dans une plaine de Yellowstone au crépuscule, et profité des menus plaisirs que nous offrait la fin de chaque journée, un distributeur de glaçons dans un motel, quelques plongeons dans une piscine, parfois, ou tout simplement le confort d'une chambre climatisée ou la fraîcheur de draps propres. Ce voyage, à lui seul, m'avait fait toucher du doigt la liberté enivrante de la grand-route, l'immensité de l'Amérique et l'étendue de ses merveilles.

Je ne pouvais pas offrir à mes filles ce genre d'expérience – nos voyages à nous, nous les faisions à bord d'Air Force One, ou encadrés par un cortège de voitures officielles, et nous ne finissions jamais par atterrir dans un motel au bord de l'autoroute. Aller d'un point A à un point B se faisait de manière bien trop rapide et confortable, et le programme de nos journées était bien trop rempli, prévu à l'avance et réglé comme du papier à musique – ne laissant aucune place aux imprévus, mésaventures et moments de flottement qui font le sel de ce genre de voyage – pour qu'on puisse véritablement parler de *road trip*. Mais pendant une semaine au mois d'août, cet été-là, Michelle, les filles et moi avons tout de même réussi à bien nous amuser. Nous avons vu jaillir le geyser Old Faithful dans le parc de Yellowstone et contemplé le somptueux paysage ocre du Grand Canyon. Malia et Sasha ont fait du tubing. Le soir, nous jouions à des jeux de société et essayions de repérer les constellations dans le ciel. Au moment de border les filles, j'espérais qu'en dépit de tout le cirque qui nous entourait en permanence elles arrivaient à faire le plein de souvenirs, à s'imprégner des possibilités qu'offrait l'existence et de la beauté des paysages américains, comme j'en avais moi-même eu la chance autrefois ; et que, plus tard, lorsqu'elles repenseraient à ces voyages, elles se rappelleraient que leurs parents éprouvaient pour elles tant d'amour, tant d'émerveillement et tant de joie devant leur énergie débordante, qu'il n'y avait pour eux rien de plus précieux au monde que de partager ces moments avec elles.

BIEN SÛR, PENDANT CETTE EXPÉDITION dans l'ouest du pays, Malia et Sasha ont dû régulièrement supporter de voir leur père leur fausser compagnie un jour sur deux pour parler de son projet de réforme lors de grands rassemblements ou devant les caméras de télévision.

Les débats publics en eux-mêmes n'étaient pas très différents de ceux auxquels j'avais participé durant le printemps. Les gens venaient livrer leur témoignage personnel, raconter la façon dont le système actuel avait nui à leur famille, et poser des questions sur les changements qu'allait entraîner pour eux la future loi. Même ceux qui étaient opposés au projet écoutaient attentivement ce que j'avais à leur dire.

Dans le reste du pays, cependant, l'atmosphère était très différente. Nous étions en plein milieu de ce qu'on appellerait par la suite « l'été du Tea Party », un mouvement orchestré par la droite la plus conservatrice pour récupérer à son avantage les appréhensions sincères qu'inspiraient aux gens les changements à l'œuvre en Amérique. Chaque fois que nous arrivions quelque part et chaque fois que nous repartions, nous étions cernés par des dizaines de manifestants en colère. Certains criaient dans des porte-voix. D'autres nous tendaient le majeur. Ils tenaient souvent à la main des pancartes où l'on pouvait lire des slogans comme À BAS L'OBAMACARE ou l'ironique malgré lui DEHORS LE GOUVERNEMENT, PAS TOUCHE À MON MEDICARE. Certains agitaient des portraits de moi retouchés sur lesquels j'apparaissais sous les traits du Joker incarné par Heath Ledger dans *The Dark Knight*, les yeux cerclés de noir et le visage lourdement grimé, affichant un air presque démoniaque. D'autres enfin avaient revêtu des costumes de l'époque coloniale et brandissaient le drapeau des révolutionnaires anticolonialistes arborant le slogan NE ME PIÉTINEZ PAS. Ce qui semblait intéresser ces gens par-dessus tout, c'était de clamer haut et fort le mépris que je leur inspirais de manière générale, sentiment que résumait mieux qu'aucune autre image le détournement de la célèbre affiche de Shepard Fairey utilisée pendant la campagne : le même portrait de moi en rouge, blanc et bleu, mais sous lequel le mot HOPE (« espoir ») avait été remplacé par NOPE (« non »).

Ce mouvement inédit et puissant dans la vie politique américaine avait été initié quelques mois plus tôt par un petit groupe hétéroclite de détracteurs du TARP et du Recovery Act. Un certain nombre de ses tout premiers militants sortaient apparemment des rangs de la chimérique campagne présidentielle libertarienne menée par le député républicain Ron Paul, qui appelait de ses vœux la suppression de l'impôt fédéral sur le revenu et de la Réserve fédérale, le retour à l'étalon-or et le retrait des États-Unis de l'ONU et de l'OTAN. La diatribe de Rick Santelli à la télévision contre notre proposition sur le financement immobilier, qui avait fait grand bruit au mois de février, avait sonné le cri de ralliement pour ce réseau informel de militants conservateurs, et des rassemblements de plus en plus importants n'avaient pas tardé à voir le jour, organisés par le biais de sites Internet ou de chaînes d'e-mails, des antennes du Tea Party proliférant un peu partout dans le pays. Au cours de ces premiers mois, ce mouvement encore balbutiant n'avait pas eu les moyens de faire barrage au vote de notre plan de relance économique, et la grande manifestation nationale à laquelle il avait appelé au mois d'avril, le jour de la date limite de la déclaration d'impôts, avait fait long feu. Mais grâce au soutien de certaines personnalités médiatiques telles que Rush Limbaugh, ou encore l'éditorialiste conservateur Glenn Beck, il avait rapidement pris de l'ampleur, au point d'accéder à la reconnaissance officielle dans les rangs du Parti républicain, au niveau local puis national.

À l'été 2009, le Tea Party était désormais tout entier mobilisé contre cette abomination qu'ils appelaient l'« Obamacare », qui allait selon eux entraîner l'instauration d'un nouvel ordre socialiste et répressif en Amérique. Tandis que je poursuivais ma tournée de débats publics dans l'ouest du pays, relativement sobre en comparaison, les chaînes de télé ont commencé à diffuser des images de rassemblements organisés en parallèle dans diverses régions, où l'on voyait des membres du Sénat et de la Chambre des représentants soudain pris à partie dans leurs circonscriptions par des foules hargneuses, ou des militants du Tea Party interrompant délibérément les débats et interpellant les élus avec une telle virulence que ces derniers en venaient parfois à annuler leurs interventions publiques.

Je ne savais pas trop quoi penser de ce mouvement. Le manifeste anti-impôts, anti-régulations et anti-gouvernement du Tea Party était loin d'être une nouveauté ; les républicains et les médias conservateurs serinaient depuis longtemps le même discours, dénonçant les élites de gauche corrompues qui avaient piraté les institutions du gouvernement fédéral pour siphonner l'argent des honnêtes travailleurs américains afin de financer un État-providence clientéliste et arroser leurs petits copains du monde des affaires... En outre, le Tea Party n'était pas l'émanation spontanée du peuple pour lequel il voulait se faire passer. Dès le départ, certains groupes d'intérêts affiliés aux frères Koch, comme Americans for Prosperity, ainsi que d'autres milliardaires conservateurs qui avaient participé au rassemblement d'Indian Wells organisé par les Koch au lendemain de ma prestation de serment, avaient soigneusement orchestré l'éclosion de ce mouvement en déposant des noms de domaine sur Internet, en obtenant des permis de manifestation, en formant des organisateurs, en montant sur pied des conférences sponsorisées et, de manière générale, en fournissant au Tea Party l'essentiel de ses ressources financières, de son infrastructure et de sa direction stratégique.

Il n'en reste pas moins que le Tea Party témoignait indéniablement de la percée d'une authentique mouvance populiste au sein du Parti républicain, composée de gens convaincus et animés du même enthousiasme citoyen, de la même fureur brouillonne que nous avions observée chez les partisans de Sarah Palin dans les derniers jours de la campagne. Je comprenais en partie leur colère, même si je pensais qu'ils se trompaient de cible. De nombreux Américains blancs issus des classes moyennes ou populaires qui gravitaient autour du Tea Party souffraient depuis des décennies de la stagnation des salaires, du coût de la vie toujours plus élevé et de la raréfaction des emplois qualifiés qui leur permettaient d'accéder à une retraite décente. Bush et l'establishment républicain n'avaient rien fait pour eux, et la crise financière avait un peu plus encore fragilisé cette partie de la population. Et, du moins jusqu'à présent, l'économie avait continué de se détériorer sous ma gouverne, en dépit des mille milliards de dollars injectés dans le plan de relance et les opérations de renflouement. Pour ceux dont les opinions penchaient déjà côté conservateur, l'idée selon laquelle les mesures politiques que je mettais en œuvre étaient destinées à bénéficier aux autres à leur détriment – que les dés étaient pipés et que c'était moi qui les lançais – devait paraître tout à fait plausible.

J'éprouvais par ailleurs un certain respect, bien malgré moi, pour la vitesse à laquelle les dirigeants du Tea Party avaient réussi à mobiliser leurs troupes et à occuper le haut du pavé dans les médias, en utilisant les mêmes réseaux de proximité et les mêmes stratégies de communication que nous durant ma propre campagne. Depuis les tout débuts de ma carrière politique, je n'avais eu de cesse d'exalter les vertus de la participation civique, en laquelle je voyais un remède contre les maux qui gangrenaient notre démocratie. Je n'étais guère en mesure de me plaindre, me disais-je, au prétexte que c'étaient les opposants à mon projet politique qui suscitaient à présent cet engagement citoyen passionné.

Assez vite, cependant, il est devenu difficile de fermer les yeux sur les impulsions plus troubles qui animaient ce mouvement. Comme à l'époque des meetings de Sarah Palin, les journalistes couvrant les rassemblements du Tea Party tombaient souvent sur des militants qui me comparaient à tel ou tel animal, ou à Hitler. On voyait jaillir des pancartes sur lesquelles j'apparaissais sous les traits d'un médecin-sorcier africain, un os fiché en travers des narines, avec une légende du style OBAMACARE : BIENTÔT DANS UNE CLINIQUE PRÈS DE CHEZ VOUS. Les théories du complot faisaient florès : mon projet de loi allait instaurer des « jurys de la mort », des commissions chargées de se prononcer sur la pertinence des soins médicaux à administrer aux patients en fonction de leur état de santé, ouvrant la voie à une « euthanasie d'État », ou encore il bénéficierait aux étrangers sans papiers, afin de servir mon objectif ultime : inonder le pays d'électeurs assistés par l'État-providence et acquis à la cause démocrate. Le Tea Party a aussi ravivé le feu – et rajouté par-dessus un peu d'huile – d'une vieille rumeur lancée pendant la campagne présidentielle : non seulement j'étais musulman, mais j'étais né au Kenya, en réalité, et donc, d'un point de vue constitutionnel, mon élection était nulle et non avenue. En septembre, la question de savoir dans quelle mesure le nativisme et le racisme pouvaient expliquer la montée en puissance du Tea Party était au centre de tous les débats dans les émissions politiques – surtout après que l'ancien président Jimmy Carter, grande figure du sud des États-Unis, eut déclaré que, selon lui, la campagne au vitriol menée contre moi était fondée, du moins en partie, sur une vision du monde raciste.

À la Maison-Blanche, nous prenions soin de ne surtout pas exprimer de commentaires sur ce phénomène – et pas uniquement parce que les sondages dont disposait Axe nous indiquaient que les électeurs blancs, y compris parmi mes partisans, étaient peu réceptifs aux discours sur la question raciale. Je tenais pour principe qu'un président ne devrait jamais se plaindre publiquement des critiques adressées par les électeurs – ça fait partie du job pour lequel vous avez signé –, et je ne manquais jamais une occasion de rappeler à la presse aussi bien qu'à mes proches que mes prédécesseurs blancs avaient eux aussi été victimes de violentes attaques personnelles et de tentatives d'obstruction.

D'un point de vue plus concret, je ne voyais pas bien comment faire la part des choses entre les diverses motivations à l'œuvre dans cette campagne de dénigrement, d'autant que la question raciale était inextricablement mêlée à chacun des aspects de l'histoire de notre nation. Tel adhérent du Tea Party soutenait-il le « droit des États » parce qu'il pensait sincèrement que c'était la meilleure façon de promouvoir la liberté, ou parce qu'il ne pardonnait toujours pas à l'État fédéral d'avoir aboli les lois Jim Crow, mis un terme à la ségrégation et permis l'émergence d'un pouvoir politique noir dans le Sud ? Telle militante conservatrice s'opposait-elle à l'extension du régime de protection sociale parce qu'elle pensait que c'était un frein à l'initiative personnelle, ou parce qu'elle était persuadée qu'une telle mesure ne bénéficierait qu'aux migrants latinos qui venaient tout juste de franchir la frontière ? Quoi que me souffle mon instinct, quelles que soient les vérités exposées dans les livres d'histoire, je savais pertinemment que je ne rallierais aucun électeur à mon point de vue en accusant mes adversaires de racisme.

Une chose semblait certaine : une bonne partie du peuple américain, y compris ceux-là mêmes à qui je voulais venir en aide, ne croyait pas un mot de ce que je disais. Un soir, à peu près à cette période, je suis tombé sur un reportage à la télévision sur une organisation caritative appelée Remote Area Medical (« soins médicaux pour les zones isolées »), qui parcourait le pays à bord de camionnettes pour installer des dispensaires éphémères devant les stades et dans les parcs. Presque tous les patients qu'on voyait dans le reportage étaient des Blancs originaires d'États du Sud – le Tennessee, la Georgie, la Virginie-Occidentale –, des hommes et des femmes qui avaient un emploi mais pas d'assurance fournie par leur employeur, ou qui étaient assurés mais n'avaient pas les moyens de payer leurs cotisations. Nombre d'entre eux avaient fait des centaines de kilomètres – certains avaient même dormi dans leur véhicule, en laissant tourner le moteur afin de rester au chaud – pour se joindre aux centaines d'autres personnes déjà sur place qui faisaient la queue depuis l'aube pour consulter l'un des médecins bénévoles, les uns pour une rage de dents, les autres pour des douleurs abdominales ou une boule suspecte à la poitrine. La demande était si importante que les patients qui arrivaient après le lever du jour ne pouvaient souvent pas être reçus.

Je trouvais cette scène à la fois déchirante et exaspérante : c'était l'illustration coupable de l'incapacité d'une nation riche à servir dignement ses citoyens. Et cependant, je savais que presque tous ces gens venus pour une consultation médicale gratuite étaient issus d'un bastion républicain conservateur – le genre d'endroit où l'opposition à notre projet de réforme et la popularité du Tea Party étaient sans doute plus fortes que n'importe où ailleurs. À une époque – quand j'étais encore sénateur et que j'écumais les routes de l'Illinois ou de l'Iowa rural au tout début de la campagne présidentielle –, j'aurais pu toucher ces électeurs. Je n'étais pas encore assez connu alors pour être la cible des caricatures, et j'aurais pu aisément, par une simple conversation, un petit geste de sympathie, tordre le cou aux préjugés qu'ils auraient pu nourrir à l'égard d'un Noir de Chicago affublé d'un nom étranger. Je me serais attablé avec eux dans un *diner* pour discuter, ou j'aurais écouté leurs doléances lors d'une foire locale, et, à défaut peut-être d'obtenir leurs voix ou de les convaincre sur l'essentiel des questions, j'aurais pu au moins établir un lien avec eux, et ces quelques instants partagés nous auraient fait comprendre, à eux comme à moi, que nous avions des espoirs, des combats et des valeurs en commun.

Je me demandais si une telle chose aurait été encore possible, maintenant que je vivais derrière des portes closes et bien gardées, mon image filtrée par Fox News et d'autres médias similaires qui avaient fait leur fonds de commerce de la peur et de la colère de leur public. J'avais envie de croire que cette possibilité d'établir un lien existait toujours. Ma femme en était moins sûre. Un soir, vers la fin de notre *road trip*, après le coucher des filles, Michelle a vu quelques images d'un rassemblement du Tea Party à la télé – les drapeaux furieusement brandis, les slogans incendiaires... Elle a aussitôt saisi la télécommande pour éteindre, affichant une expression à mi-chemin entre la colère et la résignation.

« C'est quand même sidérant, non ? a-t-elle dit.

– Quoi donc ?

– Qu'ils aient peur de toi. De nous. »

Elle a secoué la tête, puis elle est allée se coucher.

TED KENNEDY est mort le 25 août. Le matin de ses funérailles, un ciel de plomb pesait sur Boston et, quand notre avion a atterri, les rues étaient assombries par d'épais rideaux de pluie. La scène à l'intérieur de l'église était à la hauteur de la vie exceptionnelle de Teddy : sur les bancs s'alignaient d'anciens présidents et hommes d'État, des sénateurs et des membres du Congrès, des centaines de collaborateurs d'hier et d'aujourd'hui, tous encadrés par la garde d'honneur devant le cercueil drapé de la bannière étoilée. Mais ce sont les anecdotes racontées par sa famille, et notamment par ses enfants, qui ont fait la plus forte impression ce jour-là. Patrick Kennedy se souvenait de son père à son chevet, lorsqu'il était cloué au lit par de terribles crises d'asthme, lui épongeant le front avec un linge humide jusqu'à ce qu'il s'endorme. Il a évoqué les moments passés avec lui en mer, quand Teddy l'emmenait faire de la voile, même par gros temps. Teddy Jr a rappelé la fois où, après qu'il eut perdu sa jambe à cause du cancer, son père avait insisté pour l'emmener faire de la luge ; il avait grimpé avec lui tout en haut d'une colline enneigée, le relevant chaque fois qu'il tombait et essuyant ses larmes quand il voulait abandonner, puis ils avaient enfin atteint le sommet et tous deux avaient dévalé la pente. C'était la preuve, a dit Teddy Jr, qu'à ses yeux la Terre ne s'était pas arrêtée de tourner. Tous ensemble, les gens qui ont pris la parole ce jour-là ont brossé le portrait d'un homme animé d'appétits et d'ambitions féroces, mais également hanté par des deuils terribles et assailli par le doute. Un homme en quête de rachat.

« Mon père croyait en la rédemption, a dit encore Teddy Jr. Et il n'a jamais cédé au défaitisme, jamais cessé d'essayer de réparer les torts, que ce soient les siens ou les nôtres. »

J'ai emporté ces paroles avec moi en rentrant à Washington, où le défaitisme semblait de plus en plus à l'ordre du jour – du moins pour ce qui était de faire voter un projet de réforme du système de santé. Le Tea Party était parvenu à ses fins : saper nos efforts à coups de messages négatifs et attiser les craintes diffuses au sein de l'opinion publique en laissant entendre que la réforme serait trop coûteuse, qu'elle susciterait le chaos, ou qu'elle ne bénéficierait qu'aux plus pauvres. Selon un rapport préliminaire du Bureau du budget du Congrès (CBO), l'organisme professionnel et indépendant chargé d'estimer le financement de toutes les législations fédérales, la version initiale du projet de loi validée par la Chambre des représentants coûterait la somme ahurissante de mille milliards de dollars. Même si ce chiffre serait par la suite revu à la baisse, pour l'heure, le CBO avait offert à nos adversaires le bâton idéal avec lequel nous matraquer. Les élus démocrates des circonscriptions susceptibles de basculer dans le camp adverse étaient tout à coup affolés, persuadés qu'apporter leur soutien à ce projet de loi équivalait à une mission suicide. Les républicains ont cessé de faire semblant de vouloir négocier, et certains membres du Congrès n'hésitaient plus à reprendre en écho les affirmations du Tea Party selon lesquelles mon intention était de promulguer l'euthanasie pour tous.

Le seul point positif, c'est que cela m'a aidé à guérir Max Baucus de son obsession – réussir à amadouer Chuck Grassley. Lors d'une ultime tentative de conciliation en présence des deux hommes dans le Bureau ovale, début septembre, j'ai patiemment écouté Grassley m'exposer cinq nouvelles raisons pour lesquelles nous continuions d'achopper sur la dernière version en date du projet de loi.

« J'ai une question pour vous, Chuck, ai-je fini par dire. Si Max accédait à toutes vos requêtes, est-ce que vous seriez prêt à soutenir le texte ?

– Eh bien…

– Y a-t-il des modifications – quelles qu'elles soient – qui pourraient vous convaincre de nous donner votre voix ? »

Un silence gêné, puis Grassley a levé la tête et m'a regardé dans les yeux.

« Je ne crois pas, monsieur le Président. »

Je ne crois pas.

À la Maison-Blanche, l'ambiance s'est vite assombrie. Certains, au sein de mon équipe, ont commencé à suggérer qu'il était peut-être temps de jeter l'éponge. Rahm, en particulier, affichait une mine austère. Ayant déjà fait le même tour de piste avec Bill Clinton par le passé, il savait trop bien ce que la baisse de ma cote de popularité signifiait pour les démocrates candidats à leur réélection dans les circonscriptions risquant de basculer – des candidats qu'il avait souvent lui-même recrutés et aidés à se faire élire –, sans parler de mes propres perspectives en vue de l'élection présidentielle de 2012. Lors d'une réunion de travail stratégique avec les principaux responsables du staff, Rahm a suggéré que nous essayions de négocier avec les républicains pour arriver à faire passer une loi en grande partie rabotée – qui permettrait, par exemple, d'abaisser le seuil d'accès au régime Medicare de 65 à 60 ans, ou encore de faire bénéficier un plus grand nombre d'enfants du programme CHIP. « Vous n'aurez pas eu tout ce que vous vouliez, monsieur le Président. Mais ça aidera quand même beaucoup de gens, et ça nous donnera plus de latitude pour continuer d'avancer sur le reste de vos projets. »

Certains dans la pièce étaient d'accord. D'autres étaient d'avis qu'il était trop tôt pour baisser les bras. Après nous avoir fait part des conversations qu'il avait eues avec divers membres du Congrès, Phil Schiliro nous a dit que selon lui il restait encore une petite fenêtre de tir pour faire passer le projet de loi dans son intégralité en s'appuyant uniquement sur les voix démocrates, tout en reconnaissant que c'était loin d'être garanti.

« Je crois que la question qui se pose est la suivante, monsieur le Président : est-ce que vous vous sentez en veine ? »

Je l'ai regardé et j'ai souri. « Où nous trouvons-nous à cet instant précis, Phil ? »

Il a eu un moment d'hésitation, se demandant si c'était une question piège. « Dans le Bureau ovale ?

– Et comment je m'appelle ?

– Barack Obama. »

J'ai de nouveau souri. « Barack Hussein Obama. Et je me trouve ici, avec vous tous, dans le Bureau ovale. Crois-moi, mon frère, je me sens en veine tous les jours. »

J'ai dit à l'équipe que nous maintenions le cap. Mais, en toute honnêteté, ma décision n'avait pas grand-chose à voir avec la question de savoir si la chance me souriait ou non. Rahm n'avait pas tort, les risques étaient élevés, et dans un climat politique différent, sur un sujet différent, peut-être aurais-je accepté l'idée de négocier avec le GOP et de me contenter d'une moitié du gâteau. Mais, en l'occurrence, rien ne laissait penser que les républicains seraient disposés à nous tendre la main. Nous étions fragilisés, leur base électorale était déterminée à ne pas faire de quartiers et, quand bien même nous aurions revu nos ambitions à la baisse, il était à peu près certain qu'ils auraient trouvé toutes sortes de nouvelles raisons pour ne pas collaborer avec nous.

Mais, surtout, une loi amputée de ses dispositions essentielles ne serait d'aucun secours pour les millions de gens de ce pays acculés au désespoir, pour les gens comme Laura Klitzka à Green Bay. L'idée de les laisser tomber – de les voir livrés à eux-mêmes parce que leur président n'avait pas eu suffisamment de cran, d'habileté ou d'autorité pour s'élever au-dessus des controverses politiques et faire passer une réforme dont il savait qu'elle était juste – m'était tout bonnement intolérable.

À CE STADE, j'avais déjà participé à des débats publics dans huit États, pour exposer la philosophie générale de la réforme du système de santé, mais aussi expliquer en détail ce qu'elle pourrait signifier. Pendant une émission télévisée en direct, j'avais répondu aux questions d'adhérents de l'AARP, le groupe de défense des intérêts des personnes retraitées, qui appelaient pour m'interroger sur divers sujets, des insuffisances du régime Medicare aux directives anticipées. Tard le soir, dans la salle des Traités, je me penchais sur les mémos et les feuilles de calcul qui arrivaient sur mon bureau à flot continu, afin d'être sûr de maîtriser toutes les subtilités de la mutualisation des risques et des plafonds de réassurance. Si le flot de fausses informations qui circulaient sur les ondes pouvait parfois susciter mon abattement ou ma colère, j'étais reconnaissant envers mon équipe de sa pugnacité et de son courage inébranlables, même quand la bataille devenait rude et alors que la victoire demeurait plus que douteuse. Cette ténacité animait l'ensemble du staff de la Maison-Blanche. Un jour, Denis McDonough avait distribué à tout le monde des autocollants sur lesquels on pouvait lire : NON AU CYNISME. Ce mot d'ordre est devenu pour nous un article de foi.

Conscient que nous devions tenter un gros coup pour relancer le débat, Axe a suggéré que j'intervienne à la télé en prime-time devant le Congrès réuni en séance plénière. C'était un pari risqué, une démarche à laquelle les présidents n'avaient recouru que deux fois au cours des seize dernières années, mais cela m'offrirait l'opportunité de m'adresser directement à des millions de gens. Je lui ai demandé sur quels sujets avaient porté les deux interventions en question.

« La plus récente, c'est quand Bush a déclaré la "guerre contre le terrorisme" après le 11 Septembre.

– Et l'autre ?

– Bill Clinton, sur la réforme du système de santé. »

J'ai ri. « Bon, eh bien, ça n'avait pas trop mal marché, pas vrai ? »

En dépit de ce précédent de mauvais augure, nous avons décidé que ça valait le coup de tenter notre chance. Deux jours avant le Labor Day, début septembre, Michelle et moi sommes montés à bord de la Bête pour nous rendre au Capitole, où nous avons pénétré par l'entrée Est, puis nous avons marché jusqu'aux portes de l'hémicycle, empruntant le même chemin que sept mois auparavant. L'annonce du sergent d'arme, les lumières, les caméras, les applaudissements, les poignées de main en descendant la travée centrale – nous rejouions la scène du mois de février, du moins en apparence. Mais, cette fois, l'atmosphère était différente – les sourires semblaient un peu forcés et on sentait planer la tension et le doute. À moins que ce ne fût ma propre humeur qui était différente. Si j'avais éprouvé une quelconque exaltation au lendemain de ma prise de fonction, l'impression d'un triomphe personnel, il n'en restait désormais plus rien, et c'était un sentiment plus grave qui m'habitait à présent : une détermination à aller jusqu'au bout.

Pendant une heure, ce soir-là, j'ai expliqué dans les termes les plus clairs possible ce que notre projet de réforme signifierait pour les familles qui nous regardaient : la nouvelle loi permettrait à ceux qui en avaient besoin de souscrire une assurance, mais elle protégerait également ceux qui en bénéficiaient déjà ; elle ferait barrage aux pratiques discriminatoires des compagnies d'assurance qui pénalisaient les patients ayant des antécédents médicaux ainsi qu'au plafonnement à vie des remboursements qui accablait nombre de foyers américains comme celui de Laura Klitzka. J'ai décrit en détail les mécanismes grâce auxquels les personnes âgées auraient les moyens de se procurer certains médicaments dont leur survie dépendait, et ceux qui mettraient les assureurs dans l'obligation de prendre en charge sans frais supplémentaires les examens de routine et les soins préventifs. J'ai tenté de démontrer que les craintes liées à une « confiscation » du système de santé par le gouvernement et aux « jurys de la mort » étaient absurdes, que cette législation n'alourdirait pas le déficit d'un centime, et enfin que cette réforme était nécessaire et qu'elle était nécessaire *maintenant*.

Quelques jours plus tôt, j'avais reçu une lettre de Ted Kennedy. Il l'avait rédigée au mois de mai, mais il avait donné pour instruction à Vicki d'attendre après sa mort pour me la transmettre. C'était une lettre d'adieu de deux pages, dans laquelle il me remerciait d'avoir repris le flambeau de la réforme du système de santé, qui était « la grande affaire inachevée de notre société » à ses yeux et la cause à laquelle il avait voué toute son existence. Il quitterait ce monde, ajoutait-il, apaisé à l'idée que le projet auquel il avait consacré des années de travail allait enfin, sous ma supervision, voir le jour.

J'ai donc conclu mon discours ce soir-là en citant la lettre de Teddy, dans l'espoir que ses mots galvaniseraient la nation comme ils m'avaient galvanisé. « La question à laquelle nous sommes confrontés, avait-il écrit, est avant tout une question morale : ce ne sont pas seulement les détails particuliers d'une mesure politique qui sont en jeu, mais les principes fondamentaux de la justice sociale et l'essence même de notre pays. »

À en croire les sondages, mon intervention devant le Congrès a provoqué un regain de soutien pour la réforme dans l'opinion publique, du moins pour un temps. Mais surtout, d'un point de vue plus pragmatique, elle a semble-t-il insufflé une détermination nouvelle aux démocrates les plus timorés. En revanche, elle n'a pas fait changer d'avis un seul républicain. Nous en avons d'ailleurs eu très vite la preuve : moins d'une demi-heure après le début de mon discours, alors que j'étais en train de démolir l'argument fallacieux selon lequel le projet de loi allait octroyer une couverture maladie aux immigrés en situation illégale, un député relativement obscur du nom de Joe Wilson, représentant de la Caroline du Sud, s'est penché sur son siège, m'a pointé du doigt et s'est écrié, le visage cramoisi de colère : « Vous mentez ! »

Pendant une fraction de seconde, un silence stupéfait s'est abattu sur l'assemblée. J'ai tourné la tête pour essayer de repérer le perturbateur dans la salle (et j'ai vu que la présidente Pelosi et Joe Biden faisaient de même, Nancy affichant une expression outrée tandis que Joe secouait la tête d'un air consterné). J'étais assez tenté de descendre de mon perchoir pour aller coller mon poing dans la figure du type, mais j'ai simplement répondu : « Non, ce n'est pas vrai », puis j'ai repris mon discours tandis que les démocrates faisaient pleuvoir sur Wilson un déluge de huées.

De mémoire récente, jamais un tel incident ne s'était produit lors d'une allocution présidentielle devant le Congrès réuni. Les critiques ne se sont pas fait attendre, côté républicain comme démocrate, et, le lendemain matin, Wilson a présenté des excuses publiques pour ce manquement au protocole, puis il a appelé Rahm pour lui demander de me transmettre personnellement l'expression de ses regrets sincères. J'ai minimisé l'affaire, confié à un journaliste que j'appréciais les excuses de Wilson et que j'étais le premier à reconnaître qu'il nous arrivait à tous de commettre des erreurs.

Toutefois, je n'ai pas manqué de remarquer certains articles faisant état d'un pic soudain des contributions en ligne à la campagne de Wilson pour sa réélection à la Chambre des représentants dans la semaine qui a suivi son coup d'éclat. Apparemment, aux yeux de nombreux électeurs républicains, c'était un héros, qui avait osé dire ses quatre vérités au pouvoir en place. C'était le signe que le Tea Party et ses alliés dans les médias n'avaient pas seulement réussi à diaboliser le projet de réforme du système de santé ; ils m'avaient diabolisé moi aussi, à titre personnel, et transmis ainsi un message clair à tous les élus républicains : lorsqu'il s'agissait de s'opposer à mon gouvernement, il n'y avait plus de règles qui tiennent.

Bien que j'aie passé une partie de mon enfance à Hawaï, je n'ai jamais appris à faire de la voile ; c'était un loisir dont ma famille n'avait pas les moyens. Et pourtant, pendant les trois mois et demi suivants, j'ai éprouvé la même chose, imaginais-je, que les marins en haute mer qui viennent d'essuyer une terrible tempête. Le travail demeurait ardu, parfois monotone, et d'autant plus ingrat qu'il nous fallait écoper notre esquif et réparer quelques avaries. Maintenir le cap et l'allure en dépit des caprices du vent et des courants exigeait de la patience, de l'habileté et de l'attention. Mais pendant quelque temps, soulagés d'avoir échappé au naufrage, nous avons pu continuer de tracer notre route au jour le jour, portés par une foi renouvelée en nos chances d'atteindre notre destination.

Première satisfaction : après des mois d'atermoiements, Baucus a enfin soumis aux débats une version du projet de loi devant la Commission financière du Sénat. Son texte, calqué sur le modèle du Massachusetts dont nous nous étions tous inspirés, était un peu plus avare que nous ne l'aurions souhaité sur le chapitre des subventions accordées aux personnes non assurées, et nous avons insisté pour qu'il remplace une taxe appliquée à toutes les polices d'assurance employeur par une imposition plus élevée pour les riches. Mais, il faut rendre cette justice aux membres de la commission, les délibérations se sont déroulées de manière généralement fructueuse et sans provoquer d'esclandre à la tribune. Au terme de trois semaines de travail acharné, le texte a été ratifié par la commission par 14 voix contre 9. Olympia Snowe a même décidé de voter pour – apportant ainsi la seule voix républicaine en notre faveur.

Nancy Pelosi, en dépit d'une opposition républicaine farouche et unanime, a ensuite manœuvré pour soumettre le plus rapidement possible à l'examen de la Chambre des représentants une version uniformisée du projet de loi, fixant le vote au 7 novembre 2009. (Le texte était déjà prêt depuis un moment, en réalité, mais Nancy n'avait pas voulu le soumettre – et forcer les représentants à s'engager sur une décision politique difficile – avant d'être sûre et certaine qu'il ne soit pas retoqué au Sénat.) Si nous arrivions à faire en sorte que le Sénat ratifie de son côté une version similaire du projet avant la trêve de Noël, nous pensions pouvoir consacrer le mois de janvier à d'ultimes négociations pour harmoniser les deux versions, celle de la Chambre et celle du Sénat, puis soumettre un texte unique et définitif à l'approbation des deux assemblées, et, avec un peu de chance, je n'aurais plus qu'à y apposer ma signature au plus tard en février.

Mais cette dernière hypothèse était loin d'être acquise – et tout allait dépendre en grande partie de mon vieil ami Harry Reid. Fidèle à sa vision généralement pessimiste de la nature humaine, le chef de la majorité démocrate au Sénat partait du principe qu'on ne pourrait plus compter sur le soutien d'Olympia Snowe une fois que la version finale du projet de loi serait soumise aux votes. (« Dès que McConnell viendra lui resserrer la vis, m'a-t-il dit d'un ton détaché, elle s'aplatira comme une carpette. ») Pour parer à toute tentative d'obstruction, Harry ne pouvait pas se permettre de perdre une seule des soixante voix qui composaient son groupe parlementaire. Et, comme au moment du vote sur le Recovery Act, cela donnait à chacun de ces sénateurs un moyen de pression énorme pour exiger des modifications sur le texte, si triviales ou absurdes soient-elles.

Cette situation n'était guère propice à des discussions d'une grande noblesse politique, ce qui ne dérangeait pas le moins du monde Harry, qui n'avait pas son pareil pour manœuvrer, négocier et faire pression. Pendant les six semaines suivantes, le projet de loi introduit au Sénat a commencé à faire l'objet de fastidieux débats sur des questions de procédure, mais la seule action qui importait réellement était celle qui se déroulait derrière les portes closes du bureau de Harry, où il recevait un par un les éléments récalcitrants pour tenter d'obtenir leur soutien. Certains réclamaient en contrepartie des financements pour tel ou tel projet politique personnel bien intentionné, mais d'une utilité toute marginale. Plusieurs sénateurs parmi les plus à gauche, qui d'habitude ne rataient pas une occasion de crier haro sur les profits exorbitants réalisés par les géants de l'industrie pharmaceutique et les compagnies d'assurance privées, ne voyaient tout à coup rien à redire aux profits non moins exorbitants réalisés par les fabricants de matériel médical dont les usines étaient installées dans leur État et poussaient Harry à revoir à la baisse la taxation envisagée pour ce secteur par le projet de loi. La sénatrice Mary Landrieu et le sénateur Ben Nelson étaient prêts à voter pour la réforme à condition que des milliards de dollars supplémentaires soient octroyés spécifiquement à la Louisiane et au Nebraska dans le cadre du régime Medicaid – des concessions que les républicains, non sans un certain humour, ont surnommées respectivement « l'achat de la Louisiane » (par allusion à la cession territoriale consentie par la France aux États-Unis en 1803) et « la ristourne des effeuilleurs de maïs » (d'après le surnom des habitants du Nebraska).

Mais, à la guerre comme à la guerre, Harry était prêt à jouer le jeu – un jeu auquel il se laissait d'ailleurs un peu trop prendre, parfois. Il était irréprochable quand il s'agissait de tenir mon équipe au courant de ses discussions, donnant à Phil ou à Nancy-Ann la possibilité de contrecarrer les changements législatifs susceptibles de nuire aux dispositions fondamentales de la réforme, mais il lui arrivait de mettre les pieds dans le plat afin de conclure un arrangement auquel il tenait, et je devais alors lui passer un coup de fil pour refréner ses ardeurs. En général, il finissait par faire marche arrière après avoir écouté mes objections, non sans grommeler cependant, se demandant comment diable il allait pouvoir faire passer ce fichu projet de loi s'il était obligé de faire les choses à ma façon.

« Monsieur le Président, m'a-t-il dit un jour, vous en savez bien plus long que moi sur la politique de santé publique. Mais moi, je connais le Sénat, d'accord ? »

Comparées aux tactiques peu scrupuleuses (électoralisme, clientélisme et autres échanges de bons procédés) auxquelles avaient traditionnellement recouru les chefs de file du Sénat pour faire passer certains grands projets législatifs controversés tels que la loi sur les droits civiques qui avait mis fin à la ségrégation en 1964, la loi sur la réforme fiscale initiée par Ronald Reagan en 1986 ou encore le New Deal dans les années 1930, les méthodes de Harry étaient plutôt bénignes. Mais ces réformes remontaient à une époque où les tractations politiques ne faisaient pas la une des journaux, avant l'avènement de l'info en continu. Dans notre cas, la lente progression du projet de loi dans les coulisses du Sénat se doublait d'un véritable cauchemar médiatique. Chaque fois que Harry changeait une virgule au texte afin de complaire à un sénateur, les journalistes se fendaient d'un nouvel article sur nos « petits arrangements d'arrière-boutique ». Le regain de popularité à l'égard de la réforme qu'avait pu provoquer mon discours au Congrès s'est vite évaporé – et la situation a encore empiré lorsque Harry a décidé, avec ma bénédiction, de rayer du projet de loi une disposition appelée l'« option publique ».

Dès le tout début des discussions autour du système de santé, les éminences grises de la gauche nous avaient poussés à modifier le modèle du Massachusetts en donnant aux consommateurs le choix d'acheter leur couverture maladie sur la « Bourse » en ligne non seulement à des prestataires privés tels qu'Aetna ou Blue Cross Blue Shield, mais aussi à un tout nouvel organisme contrôlé et géré par l'État. Sans surprise, les compagnies d'assurance s'étaient dressées contre l'idée d'une telle « option publique », au prétexte qu'elles ne seraient pas en mesure de rester compétitives face à une police d'assurance d'État par définition soustraite à l'obligation de dégager une marge de profit. Bien entendu, pour les défenseurs de l'option publique, c'était précisément tout l'intérêt : en mettant en lumière la rentabilité d'une assurance gérée par le gouvernement et, par la même occasion, les dépenses astronomiques et l'immoralité foncière inhérentes au marché de l'assurance privée, ils avaient bon espoir que l'option publique ouvre la voie à un futur régime unique et universel de remboursement des soins.

L'idée était astucieuse, et suffisamment attrayante pour que Nancy Pelosi ait réussi à la faire inscrire dans le projet de loi ratifié par la Chambre des représentants. Mais, du côté du Sénat, nous étions très loin de pouvoir recueillir soixante voix en faveur de l'option publique. Une version édulcorée de cette disposition figurant dans le texte issu de la Commission sur la santé et l'éducation obligeait tout organisme d'assurance géré par l'État à aligner ses tarifs sur ceux des assureurs privés, mais cela aurait évidemment remis en question tout l'intérêt d'une option publique. Mon équipe et moi pensions qu'un compromis était possible, qui consisterait à proposer l'option publique uniquement dans les zones du territoire américain où très peu d'assureurs privés étaient implantés, où la question de la compétitivité se poserait donc dans une moindre mesure et où la présence d'un organisme public pourrait contribuer à faire diminuer le prix moyen des cotisations. Toutefois, malgré cette concession, la pilule restait trop difficile à avaler pour les membres les plus conservateurs du groupe démocrate, notamment le sénateur du Connecticut Joe Lieberman, qui a déclaré fin novembre, à la veille de Thanksgiving, qu'en aucun cas il ne donnerait sa voix à un projet de loi dans lequel figurerait l'option publique.

Dès que le bruit a commencé à se répandre que nous avions renoncé à inclure l'option publique dans le texte présenté au Sénat, les militants de l'aile gauche du Parti démocrate se sont déchaînés. Howard Dean, l'ancien gouverneur du Vermont et candidat à l'élection présidentielle en 2004, voyait dans ce renoncement « rien moins que l'effondrement de la réforme du système de santé au Sénat des États-Unis ». Ils étaient tout particulièrement scandalisés à l'idée que Harry et moi ayons accédé, selon eux, aux desiderata de Joe Lieberman – lequel n'était pas en odeur de sainteté auprès de l'aile gauche du parti depuis la défaite aux primaires démocrates de 2006 que lui avaient value son soutien à l'invasion de l'Irak et ses positions va-t-en-guerre de manière générale, et qui avait dû par la suite se présenter à sa réélection au Sénat sous étiquette indépendante. Ce n'était pas la première fois que je mettais de côté mon ressentiment personnel à l'égard de Lieberman au nom du pragmatisme : même s'il avait apporté son soutien officiel à son copain John McCain pendant la campagne présidentielle, Harry et moi avions fait taire les voix qui s'étaient élevées pour demander qu'il soit démis de ses diverses fonctions au sein des commissions sénatoriales, car nous ne pouvions pas prendre le risque de le voir claquer la porte du groupe démocrate et de perdre ainsi un vote qui nous était acquis. Nous avions eu raison sur ce point – Lieberman avait systématiquement soutenu chacune de mes propositions sur le front de la politique intérieure. Mais, en laissant paraître qu'il avait le pouvoir de dicter les termes de la réforme du système de santé, nous avions contribué à renforcer l'impression, dans les rangs démocrates, que je traitais mes ennemis mieux que mes alliés et que je tournais peu à peu le dos aux progressistes qui m'avaient fait élire à la présidence.

Je trouvais tout ce brouhaha exaspérant. « Mais qu'est-ce qui leur pose problème, à tous ces gens ? râlais-je devant mon staff. Ils ne comprennent donc pas que nous avons besoin de ces soixante voix ? Qu'est-ce qu'ils veulent à la fin ? Que je dise aux 30 millions de personnes qui n'ont pas les moyens de s'assurer qu'elles vont devoir attendre encore dix ans parce qu'on n'arrive pas à leur donner une option publique ? »

Les critiques ne sont jamais aussi déplaisantes que lorsqu'elles viennent de votre propre camp – mais ce n'était pas le seul motif de mon énervement. Ces dissensions étaient également lourdes de conséquences pour les démocrates à court terme. Elles semaient la confusion chez nos militants (qui, pour la plupart, n'avaient pas la moindre idée de ce qu'était une option publique) et la division au sein de notre groupe parlementaire, ce qui nous compliquait encore un peu plus la tâche consistant à rassembler les voix nécessaires pour porter le projet de loi de réforme jusqu'à la ligne d'arrivée. Par ailleurs, elles avaient tendance à faire oublier que toutes les grandes avancées sociales au cours de l'histoire américaine, notamment notre système de protection des plus défavorisés et le régime Medicare, avaient été initiées sous une forme parcellaire avant de s'étoffer petit à petit au fil du temps. En déplorant d'avance le possible fiasco auquel risquait de tourner ce qui, pour l'heure, promettait encore de représenter une victoire monumentale, quoique imparfaite, ceux qui dans notre propre camp critiquaient le projet de réforme contribuaient à la démoralisation potentielle des électeurs démocrates sur le long terme – le fameux syndrome « À quoi bon voter puisque rien ne change jamais de toute façon ? » –, ce qui ne nous aiderait pas à gagner d'autres élections et à continuer de promouvoir une législation progressiste dans les années à venir.

Ce n'était pas un hasard, ai-je dit à Valerie, si les républicains avaient tendance à faire exactement l'inverse – si Ronald Reagan, par exemple, quand bien même il avait été à l'origine d'une augmentation colossale du budget fédéral, du déficit fédéral et du nombre des fonctionnaires de l'État fédéral, restait aujourd'hui encore idolâtré par les fidèles du GOP comme le gars qui avait réussi à *réduire* le champ d'action du gouvernement fédéral. Les républicains avaient compris une chose : en politique, les histoires qu'on raconte ont souvent autant de poids que les actes.

Nous n'avons officiellement exprimé aucune de ces réflexions, même si, jusqu'à la fin de mes deux mandats présidentiels, le terme « option publique » resterait un mot de code bien pratique à la Maison-Blanche chaque fois qu'un groupe d'intérêts démocrate venait se plaindre parce que nous n'arrivions pas à défier les lois de la gravité et à satisfaire leurs moindres réclamations. Nous avons fait de notre mieux, au contraire, pour calmer le jeu, en rappelant à nos partisans dépités que nous aurions amplement le temps d'affiner la législation une fois que les projets validés par le Sénat et la Chambre seraient fondus en un seul et même texte de loi. Harry a continué à faire son Harry, notamment en prolongeant la durée des débats au Sénat pendant plusieurs semaines après la date prévue de l'ajournement des travaux parlementaires pour les vacances de fin d'année. Comme il l'avait prédit, Olympia Snowe a bravé une tempête de neige pour faire un saut au Bureau ovale et nous annoncer en personne qu'elle ne nous donnerait pas sa voix. (La faute en incombait à Harry qui voulait précipiter le processus, nous a-t-elle affirmé, même s'il se murmurait çà et là que McConnell avait menacé de la démettre de son poste à la Commission des petites entreprises si jamais elle votait en faveur du projet de loi.) En fin de compte, rien de tout cela n'a eu la moindre importance. La veille de Noël, après vingt-quatre jours de débats, alors que les rues quasi désertes de Washington étaient recouvertes d'un épais manteau de neige, le Sénat a ratifié son projet de loi sur la réforme du système de santé, baptisé « loi sur la protection des patients et l'accès aux soins » (*Patient Protection and Affordable Care Act*), par très exactement soixante voix. C'était la première fois qu'un vote avait lieu au Sénat la veille de Noël depuis 1895.

Quelques heures plus tard, je me suis confortablement installé dans mon fauteuil à bord d'Air Force One en écoutant Michelle et les filles commenter la façon remarquable dont Bo s'était habitué aux voyages en avion, et nous avons bientôt décollé pour Hawaï, où nous passerions les vacances de fin d'année. Je commençais tout juste à me détendre. Nous allions réussir, me disais-je. Nous n'étions pas encore arrivés à bon port, mais grâce à mon équipe, grâce à Nancy, à Harry et à la poignée d'élus démocrates qui avaient eu le courage de nous accorder leurs voix, la terre était enfin en vue.

J'étais loin de me douter que notre navire allait bientôt se fracasser contre les rochers.

NOTRE EMPRISE MAGIQUE sur le Sénat, garantie cent pour cent anti-obstruction, ne tenait qu'à une seule raison. Après la disparition de Ted Kennedy en août, la législature du Massachusetts avait modifié la loi pour permettre au gouverneur, le démocrate Deval Patrick, de nommer un remplaçant plutôt que de laisser le siège vacant jusqu'à la tenue d'une élection partielle anticipée. Mais ce n'était qu'une mesure de dépannage temporaire ; l'élection avait été fixée au 19 janvier, et nous avions besoin qu'un démocrate la remporte. Heureusement pour nous, le Massachusetts était l'un des États les plus démocrates du pays : aucun républicain n'y avait été élu au Sénat depuis trente-sept ans. La candidate désignée du Parti démocrate, la procureure générale Martha Coakley, partait grande favorite, faisant course en tête depuis le début avec plus de dix points d'avance sur son adversaire républicain, un sénateur d'État peu connu du nom de Scott Brown.

Tout semblait donc se présenter sous les meilleurs auspices de ce côté-là, ce qui nous permettrait de nous concentrer pendant les deux premières semaines de janvier sur une mission compliquée : parvenir à un projet de loi unique sur la réforme du système de santé qui soit acceptable aux yeux de tous les démocrates, au Sénat comme à la Chambre des représentants. La tâche était ingrate. Le mépris que se vouent l'une à l'autre les deux chambres du Congrès est une tradition ancestrale à Washington, qui transcende même les lignes partisanes ; les sénateurs considèrent en général que les députés sont impulsifs, bornés et mal informés, tandis que les députés ont tendance à trouver les sénateurs verbeux, pompeux et inefficaces. Début 2010, cette inimitié avait viré à la franche hostilité. Les démocrates de la Chambre – lassés de voir leur énorme majorité freinée dans ses ardeurs et leurs initiatives résolument tournées à gauche entravées par un groupe démocrate au Sénat pris en otage par ses membres les plus conservateurs – affirmaient que la version du projet de loi ratifié par le Sénat n'avait aucune chance de passer à la Chambre. Quant aux sénateurs démocrates – exaspérés par les rodomontades de la Chambre à leur encontre –, ils n'étaient pas moins récalcitrants. Les efforts de Rahm et de Nancy-Ann pour parvenir à un accord entre les deux assemblées ne semblaient mener nulle part, et même les dispositions du texte les plus obscures étaient prétexte à de violentes passes d'armes, les uns et les autres passant leur temps à s'invectiver et à menacer de claquer la porte.

Au bout d'une semaine, j'en ai eu assez. J'ai appelé Pelosi, Reid et les négociateurs des deux camps pour les convoquer à la Maison-Blanche et, à la mi-janvier, nous nous sommes tous mis autour de la table dans la salle du conseil, où pendant trois jours d'affilée nous avons méthodiquement passé en revue tous les points de discorde, déterminé ceux sur lesquels les représentants de la Chambre devaient tenir compte des contraintes auxquelles étaient confrontés les sénateurs et ceux sur lesquels les sénateurs devaient lâcher du lest. L'échec n'était pas une option envisageable, ne cessais-je de rappeler à tout le monde, et nous y passerions toutes nos soirées pendant encore un mois s'il le fallait pour parvenir à un accord.

Nous progressions lentement mais sûrement, et j'avais bon espoir que ces négociations finissent par aboutir. Du moins jusqu'au jour où, comme je passais une tête dans le petit bureau d'Axelrod un après-midi, je l'ai trouvé, en compagnie de Messina, le nez collé à un écran d'ordinateur, tels deux médecins examinant les radios d'un patient en phase terminale.

« Qu'est-ce qui se passe ? leur ai-je demandé.

– On a un problème dans le Massachusetts, a dit Axe en secouant la tête.

– Quel genre de problème ?

– Le genre, gros », ont répondu Axe et Messina d'une seule voix.

Ils m'ont expliqué que notre candidate au Sénat, Martha Coakley, avait vendu la peau de l'ours et passait son temps à cajoler les élus, les donateurs et les huiles des syndicats au lieu de continuer à faire campagne auprès des électeurs. Pour ne rien arranger, elle avait décidé de partir en vacances trois semaines à peine avant l'élection, s'attirant aussitôt les foudres de la presse. De son côté, le candidat républicain, Scott Brown, avait vu sa campagne décoller. Avec ses airs sympathiques et séduisants de monsieur Tout-le-monde, sans parler du pick-up à bord duquel il se trimbalait d'un bout à l'autre de l'État pour aller à la rencontre des gens, il avait réussi à jouer sur les peurs et les frustrations des électeurs issus des classes populaires qui avaient été durement touchés par la récession et qui trouvaient – eux qui vivaient dans un État dont tous les résidents bénéficiaient déjà d'une couverture maladie – que la réforme du système de santé fédéral qui semblait m'obséder n'était qu'une gigantesque perte de temps.

Apparemment, rien n'avait pu sortir Coakley de sa torpeur, ni l'écart de plus en plus réduit entre son adversaire et elle dans les sondages, ni les coups de fil inquiets que lui avaient passés Harry et plusieurs membres de mon équipe. La veille, à un journaliste qui s'étonnait que son programme de déplacements soit si léger, elle avait répondu en haussant les épaules : « Et vous voudriez quoi ? Que je passe des heures plantée devant Fenway Park ? Dans le froid ? À serrer des mains ? » – allusion sarcastique à l'étape de campagne de Scott Brown au célèbre stade de Boston, où l'équipe de hockey sur glace locale, les Boston Bruins, avait accueilli les Flyers de Philadelphie pour disputer le traditionnel match en plein air du Nouvel An. Dans une ville connue pour vénérer ses équipes sportives, elle n'aurait pas pu trouver réplique plus efficace pour s'aliéner une bonne partie de l'électorat.

« Elle n'a pas pu dire ça ! » me suis-je exclamé, atterré.

Messina a levé le menton vers l'écran. « C'est écrit là, en toutes lettres, sur le site du *Globe*.

– Nooooon ! ai-je gémi en attrapant Axe par le revers de sa veste et en le secouant d'un geste théâtral, puis en tapant des pieds comme un bambin qui fait un caprice. Non, non, non ! » Mes épaules se sont affaissées à mesure que je prenais conscience des retombées prévisibles de cette sortie. « Elle va perdre, n'est-ce pas ? » ai-je fini par dire.

Axe et Messina n'avaient pas besoin de répondre. Le week-end précédent l'élection, j'ai essayé de rattraper la situation en participant à un meeting de Coakley à Boston. Mais il était trop tard. Brown a gagné haut la main. Partout dans le pays, les journaux ont parlé de COUP DE TONNERRE POLITIQUE et de DÉFAITE HISTORIQUE. À Washington, le verdict ne s'est pas fait attendre, et il était sans appel.

Le projet de loi d'Obama sur la réforme du système de santé était mort.

AUJOURD'HUI ENCORE, j'ai du mal à analyser clairement cette défaite dans le Massachusetts. Peut-être aurais-je dû m'en remettre à la sagesse populaire. Peut-être, si je ne m'étais pas focalisé à ce point sur la réforme du système de santé pendant cette première année, si mes interventions publiques avaient porté plutôt sur l'emploi et la crise financière, peut-être aurions-nous réussi à sauver ce siège au Sénat. Ce qui est certain, c'est que si nous n'avions pas couru autant de lièvres à la fois, mon équipe et moi aurions pu repérer plus tôt les signaux d'alerte, mieux encadrer Coakley, et j'aurais pu m'investir davantage dans la campagne du Massachusetts. Mais il se peut tout aussi bien, compte tenu de la situation économique délétère, que nous n'aurions rien pu faire de toute façon – que nos interventions auraient été insignifiantes et impuissantes à faire dévier le cours de l'histoire.

Ce que je sais en tout cas, c'est que sur le moment nous avons tous eu l'impression d'avoir commis une bourde colossale. Et la presse était du même avis. Les éditorialistes appelaient à un remaniement de mon équipe – à commencer par l'éviction de Rahm et d'Axe. Je n'y ai pas prêté grande attention. À mon sens, si quelqu'un était responsable de ces erreurs, c'était moi, et j'étais fier d'avoir instauré une culture de travail – à la Maison-Blanche comme pendant la campagne – dans laquelle personne ne rejetait la faute sur un bouc émissaire dès que les choses tournaient mal.

Mais il était plus difficile pour Rahm d'ignorer tout ce tumulte. Ayant passé l'essentiel de sa carrière à Washington, le cycle quotidien de l'actualité était son principal indicateur – non seulement des performances du gouvernement, mais de sa propre place dans le monde. Il courtisait en permanence les faiseurs d'opinion de la capitale, conscient que le héros du jour pouvait très vite chuter de son piédestal et que les collaborateurs de la Maison-Blanche étaient impitoyablement cloués au pilori au moindre échec. En l'occurrence, il avait le sentiment d'être injustement calomnié : n'était-ce pas lui après tout, plus que quiconque, qui m'avait mis en garde contre les dangers politiques auxquels je m'exposais à vouloir aller trop vite sur la réforme ? Et, comme nous avons tous tendance à le faire lorsque nous sommes blessés ou vexés, il ne pouvait pas s'empêcher de se répandre en complaintes auprès de ses amis en ville. Hélas, il se trouve que ce cercle d'amis était un peu trop large. Un mois environ après l'élection dans le Massachusetts, l'éditorialiste du *Washington Post* Dana Milbank a publié un article dans lequel il prenait vigoureusement la défense de Rahm, déclarant que « la plus grande erreur d'Obama a été de ne pas écouter Emanuel sur la question du système de santé », avant d'exposer par le menu les raisons pour lesquelles un projet de réforme de moindre envergure aurait été stratégiquement mieux avisé.

Voir votre directeur de cabinet s'éloigner du ring en plein combat alors que vous venez de vous faire mettre au tapis n'est pas la situation la plus idéale. Toutefois, même si cet article ne m'a pas fait plaisir, je ne pensais pas que Rahm en ait été directement à l'origine. J'ai décidé de mettre ce faux pas sur le compte de l'inattention et du stress. Mais ça n'a pas été aussi facile de passer outre pour tout le monde. Valerie, toujours très protectrice à mon égard, était furieuse. Les réactions au sein des dirigeants de mon équipe, déjà passablement ébranlés par l'affaire Coakley, allaient de la colère à la déception. Cet après-midi-là, Rahm avait de bonnes raisons d'afficher une mine contrite quand il est entré dans le Bureau ovale. Il ne l'avait pas voulu, m'a-t-il dit, mais il était conscient de m'avoir laissé tomber sur ce coup-là, et il était prêt à me remettre sa démission.

« Il est hors de question que tu démissionnes », ai-je répliqué. Oui, il avait commis une erreur, ai-je poursuivi, et il allait devoir s'en expliquer avec le reste de l'équipe. Mais je lui ai dit aussi que c'était un directeur de cabinet formidable, que j'étais certain que ce genre d'erreur ne se répéterait pas à l'avenir, et que j'avais plus que jamais besoin de lui à son poste.

« Monsieur le Président, je ne suis pas sûr que... »

Je l'ai interrompu : « Tu sais ce que ce sera, ta punition ? lui ai-je dit en le raccompagnant à la porte avec une tape dans le dos.

– Quoi donc ?

– Faire en sorte que ce foutu projet de loi soit voté ! »

Je continuais en effet à croire que la chose était possible, et ce n'était pas aussi extravagant que ça en avait l'air. Notre plan initial – négocier un compromis entre les démocrates de la Chambre et ceux du Sénat pour aboutir à un projet de loi qui aurait toutes les chances d'être ratifié par les deux assemblées – était clairement tombé à l'eau ; nous ne disposions plus que de cinquante-neuf voix en notre faveur au Sénat, ce qui signifiait que nous n'avions aucun moyen d'échapper à une manœuvre d'obstruction. Mais, comme me l'avait rappelé Phil le soir des résultats de l'élection partielle dans le Massachusetts, il nous restait une issue de secours, et elle ne passait pas par le Sénat. Si la Chambre des représentants ratifiait le projet validé par le Sénat sans y apporter de modifications, alors il pourrait atterrir directement sur mon bureau pour signature et deviendrait *de facto* une loi. Selon Phil, il était envisageable d'invoquer ensuite au Sénat une procédure dite de « rapprochement budgétaire », laquelle prévoyait qu'une législation comportant des aspects strictement financiers pouvait être soumise au vote avec l'accord d'une majorité simple de cinquante sénateurs au lieu des soixante habituels. Cela nous permettrait

d'apporter au projet ratifié par le Sénat un certain nombre d'améliorations grâce à une législation distincte. Mais il n'en restait pas moins
que cela impliquait de demander aux démocrates de la Chambre d'avaler
une pilule qu'ils avaient d'emblée recrachée : une version de la réforme
sans option publique, comportant une taxe Cadillac dont les syndicats
ne voulaient pas ainsi qu'un pesant système de bourses d'échange dissé-
minées sur tout le territoire – une pour chacun des cinquante États –
au lieu d'un marché national unique sur lequel les gens pourraient choisir
leur assurance.

« Alors ? m'avait demandé Phil en se fendant d'un petit sourire. Vous
vous sentez toujours en veine ? »

Plus trop, à vrai dire.

Mais j'avais toute confiance en la présidente de la Chambre des
représentants.

L'année écoulée n'avait fait que renforcer mon admiration pour les
talents législatifs de Nancy Pelosi. Elle était intraitable, pragmatique,
et savait comme personne mettre au pas les éléments les plus indisciplinés de son groupe parlementaire, prenant souvent la défense en
public de positions politiques intenables prises par certains de ses pairs
démocrates à la Chambre tout en les amadouant en coulisses pour les
amener à accepter les compromis inévitables par lesquels il fallait en
passer pour obtenir des résultats concrets.

J'ai appelé Nancy le lendemain pour lui dire que mon équipe avait
rédigé un nouveau texte drastiquement émondé, dont nous pourrions
nous servir en dernier recours, précisant que je voulais toutefois essayer
de faire passer tel quel le projet du Sénat à la Chambre, et que pour
ce faire j'avais besoin de son soutien. Pendant les quinze minutes qui
ont suivi, j'ai eu droit à l'une des célèbres tirades en roue libre de
Nancy – laquelle m'a expliqué en quoi le texte ratifié par le Sénat
était insatisfaisant, pourquoi les membres de son groupe parlementaire étaient tellement remontés et pourquoi les sénateurs démocrates
n'étaient qu'une bande d'incompétents dont la lâcheté n'avait d'égal
que l'aveuglement.

« Donc ça veut dire que je peux compter sur vous ? ai-je demandé
quand elle s'est enfin interrompue pour reprendre son souffle.

– Ma foi, la question ne se pose même pas, monsieur le Président,
a rétorqué Nancy d'un ton agacé. Nous sommes trop embarqués dans
cette histoire pour faire marche arrière, maintenant. » Elle a réfléchi un
moment. Puis, comme pour tester un argument qu'elle comptait utiliser
plus tard pour emporter l'adhésion des représentants démocrates, elle a
ajouté : « Si nous baissons les bras, ça reviendrait à donner raison aux

républicains qui se sont comportés de manière ignoble, non ? Nous n'allons tout de même pas leur faire ce plaisir. »

Après avoir raccroché, j'ai levé la tête vers Phil et Nancy-Ann, qui n'avaient pas cessé de faire les cent pas autour de mon bureau en écoutant notre conversation (certes presque à sens unique) tout en scrutant l'expression sur mon visage pour tenter de deviner ce qui se tramait.

« J'adore cette femme », leur ai-je dit.

MÊME AVEC LA COLLABORATION pleine et entière de la présidente, s'assurer le nombre de voix nécessaire à la Chambre n'était pas une mince affaire. Non seulement il faudrait faire des pieds et des mains pour obtenir le soutien des représentants démocrates les plus à gauche, qui s'étranglaient de rage à l'idée de voter en faveur d'un projet de loi conçu pour flatter la sensibilité de Max Baucus et de Joe Lieberman, mais la victoire de Scott Brown dans le Massachusetts, moins d'un an avant les élections de mi-mandat, avait fortement échaudé les démocrates modérés qui allaient bientôt devoir livrer bataille dans les urnes. Il nous fallait trouver un moyen de couper court au catastrophisme ambiant et de donner à Nancy le temps nécessaire pour rallier les soutiens.

Or ce moyen, ce sont nos adversaires qui nous l'ont offert sur un plateau. Quelques mois plus tôt, le groupe des républicains à la Chambre des représentants m'avait invité à participer à une petite séance de questions-réponses lors de leur séminaire annuel, prévu le 29 janvier. Comme nous nous doutions que le sujet de la réforme du système de santé y serait abordé, nous leur avons suggéré à la dernière minute d'autoriser la presse à couvrir les débats. Est-ce parce qu'il craignait les réactions de mécontentement de la part des journalistes qui ne seraient pas conviés, ou parce que la victoire de Scott Brown lui avait donné un regain d'audace – toujours est-il que John Boehner a accepté.

Il n'aurait pas dû. Dans une salle de conférence banale d'un hôtel de Baltimore, sous la houlette du président du groupe républicain à la Chambre, Mike Pence, et le regard des caméras des chaînes d'information qui ne perdaient pas une miette du spectacle, j'ai passé une heure et vingt minutes à répondre aux questions des représentants républicains, qui portaient essentiellement sur la réforme. Tout le monde a pu dès lors constater ce que tous ceux d'entre nous qui travaillions depuis le début sur le sujet savions déjà : l'immense majorité des républicains n'avaient pour ainsi dire pas la moindre idée de ce qu'il y avait dans ce projet auquel ils s'opposaient de manière si virulente, n'étaient pas très sûrs de la teneur exacte de leurs propres contre-propositions (à supposer d'ailleurs qu'ils en aient eu), et manquaient cruellement d'arguments pour en débattre en dehors de la bulle hermétiquement close des médias conservateurs.

De retour à la Maison-Blanche, j'ai suggéré que nous profitions de notre ascendant en invitant les « Four Tops » et un groupe bipartite de figures de proue du Congrès à la résidence de Blair House pour une journée de discussions autour de la réforme. Une fois encore, nous avons fait en sorte que les débats soient retransmis en direct sur C-SPAN, et une fois encore le format adopté donnait aux républicains toute latitude pour avancer tous les arguments et poser toutes les questions qu'ils voulaient. Ayant été pris de court auparavant, cette fois ils sont venus préparés. Le *whip* républicain à la Chambre des représentants, Eric Cantor, est arrivé avec un exemplaire du texte ratifié par la Chambre, lâchant sur la table l'épais volume en un geste symbolique censé démontrer que ces quelque 2 700 pages illustraient sans conteste une volonté de mainmise du gouvernement fédéral sur le domaine de la santé. Boehner a déclaré que notre projet était « une dangereuse expérience » et que nous devrions revoir notre copie. John McCain s'est lancé dans une longue diatribe dénonçant nos petits arrangements en sous-main – au point que je l'ai interrompu à un moment pour lui rappeler que la campagne était terminée. Mais chaque fois que nous abordions les vraies questions – quand j'ai demandé par exemple aux chefs de file du GOP ce qu'ils proposaient précisément pour favoriser une diminution du coût des soins médicaux, protéger les patients ayant des antécédents et fournir une couverture maladie aux 30 millions d'Américains qui n'avaient aucun autre moyen de souscrire une assurance –, leurs réponses étaient aussi inconsistantes que l'avaient été celles de Chuck Grassley lors de sa visite dans le Bureau ovale quelques mois plus tôt.

Je suis à peu près certain que les téléspectateurs cette semaine-là ont été plus nombreux à regarder le championnat de bowling qu'à suivre nos discussions ne serait-ce que pendant cinq minutes, et, à l'évidence, rien de ce que j'avais pu dire au cours de ces deux réunions n'aurait la moindre incidence sur la position des républicains (la seule leçon qu'ils en tireraient éventuellement, c'est que, la prochaine fois que je viendrais m'adresser à leur groupe parlementaire, les caméras ne seraient pas les bienvenues). Mais ce qui importait, c'était que ces deux rencontres insufflent une nouvelle énergie aux démocrates de la Chambre, qu'elles leur rappellent que notre projet de réforme était noble et juste, et que, au lieu de focaliser leur attention sur les défauts du texte ratifié par le Sénat, ils avaient toutes les raisons de garder courage en songeant aux millions d'Américains que cette réforme allait aider.

Début mars, nous avions eu officiellement confirmation que les règles du Sénat nous permettaient d'amender le texte ratifié par les sénateurs grâce à la procédure du rapprochement budgétaire. Nous en avons profité pour augmenter les subventions afin d'aider un plus grand nombre de personnes, réduire la taxe Cadillac pour apaiser les craintes des syndicats et nous débarrasser de la double épine dans le pied que constituaient « la ristourne des effeuilleurs de maïs » et « l'achat de la Louisiane ». L'équipe de Valerie chargée de la participation publique a accompli un travail formidable, s'assurant le soutien de groupes tels que l'Association des médecins de famille, l'Association médicale, l'Association des infirmières et l'Association contre les maladies cardiaques, tandis qu'un réseau de bénévoles et de groupes d'action citoyens se démenait sans compter pour sensibiliser le public et mettre la pression sur le Congrès. Anthem, l'une des plus importantes compagnies d'assurance américaines, a annoncé dans le même temps une hausse de 39 % de ses cotisations, rappelant ainsi aux gens tout ce qui ne leur plaisait pas dans le système actuel, ce qui arrangeait bien nos affaires. Et quand la Conférence épiscopale des États-Unis a déclaré qu'elle ne pouvait en aucun cas apporter son soutien à la réforme (au prétexte que les termes du projet de loi prohibant l'utilisation des subventions fédérales pour des procédures d'avortement n'étaient pas assez explicites), nous avons trouvé une alliée inattendue en la personne de sœur Carol Keehan, une religieuse au tempérament discret et à l'entrain inébranlable qui dirigeait le réseau des hôpitaux catholiques du pays. Non seulement cette fille de la Charité de Saint-Vincent-de-Paul, du haut de ses 66 ans, s'est inscrite en faux contre l'ordre épiscopal, affirmant que cette réforme était vitale à la mission d'assistance aux malades dont s'acquittait son organisation, mais sa prise de position a en outre incité les dirigeantes d'un certain nombre d'ordres et d'organisations catholiques féminins, représentant pas moins de 50 000 religieuses américaines, à signer une pétition de soutien à notre projet de loi.

« J'adore les nonnes », ai-je dit à Phil et à Nancy-Ann.

Pourtant, malgré tous ces efforts, nos calculs indiquaient qu'il nous manquait encore au moins dix voix pour être assurés de remporter le vote. L'opinion publique demeurait fortement divisée. La presse n'avait plus grand-chose à se mettre sous la dent. Nous étions à court de grandes manœuvres ou d'astuces de procédure capables de faciliter le processus politique. Le succès ou l'échec – tout dépendait entièrement désormais du choix que feraient la trentaine de démocrates de la Chambre représentant des circonscriptions susceptibles de basculer, et à qui l'on disait que voter en faveur de l'Affordable Care Act risquait de leur coûter leur siège.

Je passais une bonne partie de mes journées à discuter avec chacun d'entre eux, parfois dans le Bureau ovale, plus souvent au téléphone. Certains ne se souciaient que des aspects politiques, leur attention accaparée par les sondages dans leur circonscription, les lettres et les coups de fil de leurs électeurs. Je m'efforçais de leur faire part de mon analyse avec la plus grande honnêteté : la réforme finirait par engranger plus de soutiens une fois que la loi serait votée, mais ça n'arriverait peut-être pas avant les élections de mi-mandat ; un rejet du projet de loi risquait davantage d'entraîner une défection dans les rangs des électeurs démocrates que d'attirer les républicains et les indépendants ; et, quoi qu'ils fassent, leur destin dans six mois dépendrait sans doute principalement de la situation économique et de mon propre positionnement politique.

Certains recherchaient le soutien de la Maison-Blanche sur telle ou telle initiative, sans rapport avec la réforme. Je les renvoyais vers Rahm ou Pete Rouse pour voir avec eux si nous pouvions faire quelque chose.

Mais la plupart de ces conversations ne portaient pas sur de quelconques tractations. À leur manière détournée, ce que ces représentants voulaient vraiment, c'était savoir à quoi s'en tenir – savoir clairement qui ils étaient et ce que leur conscience exigeait d'eux. Parfois, je me contentais de les écouter tandis qu'ils pesaient à voix haute le pour et le contre. Souvent, nous comparions nos expériences, évoquions le parcours qui nous avait incités à embrasser la carrière politique, l'excitation fébrile de la toute première campagne, tous les grands projets que nous avions espéré accomplir, tous les sacrifices que nos familles et nous-mêmes avions consentis pour en arriver là, et tous les gens qui nous avaient aidés en cours de route.

Eh bien voilà, finissais-je par leur dire. Nous y sommes. Voilà pourquoi nous avons fait tout cela. Pour avoir cette rare opportunité, réservée à quelques privilégiés, qui consiste à pouvoir dévier le cours de l'histoire vers un meilleur horizon.

Et le plus étonnant, c'est que bien souvent il n'en fallait pas plus. Certains vétérans du circuit politique décidaient de monter au créneau en dépit des oppositions farouches dans leur circonscription – des gens comme Baron Hill dans le sud de l'Indiana, Earl Pomeroy dans le Dakota du Nord, ou encore Bart Stupak, un catholique fervent de la péninsule nord du Michigan qui avait œuvré à mes côtés pour peaufiner les dispositions du texte relatives au financement des procédures d'avortement afin de pouvoir voter en toute conscience en faveur du projet de loi. Il en est allé de même pour certains néophytes de l'arène politique comme Betsy Markey dans le Colorado ou encore John Boccieri dans l'Ohio et Patrick Murphy en Pennsylvanie, deux anciens soldats qui avaient servi en Irak, tous considérés comme des étoiles montantes du parti. C'était d'ailleurs souvent ceux qui avaient le plus à perdre qui se révélaient les moins difficiles à convaincre. Tom Perriello, 35 ans, ancien avocat des droits fondamentaux entré au Congrès après avoir arraché la victoire dans une circonscription traditionnellement acquise aux républicains qui couvrait une large zone de la Virginie, parlait pour beaucoup d'entre eux lorsqu'il m'a expliqué pourquoi il avait décidé de voter en faveur de la réforme.

« Il y a des choses plus importantes, m'a-t-il dit, que de se faire réélire. »

Il n'est pas difficile de trouver des gens qui haïssent le Congrès, des électeurs persuadés que le Capitole grouille d'hypocrites et de lâches, que la plupart de leurs élus sont à la solde des groupes d'intérêts et des gros donateurs, et qu'ils ne sont motivés que par l'appétit du pouvoir. Quand j'entends ce genre de critiques, en général je hoche la tête et je reconnais qu'il y a en effet des hommes et des femmes politiques qui correspondent à ces stéréotypes. Je reconnais que le pugilat auquel on assiste quotidiennement dans l'hémicycle du Sénat ou de la Chambre des représentants a de quoi démoraliser les âmes les plus combatives. Mais je répète aussi à ces gens les propos de Tom Perriello à la veille du vote sur la réforme du système de santé. Je leur parle de ce qu'ils ont accompli, lui et beaucoup d'autres, alors qu'ils venaient à peine d'être élus. Combien parmi nous sont soumis à une telle épreuve, sommés de risquer la carrière dont ils ont si longtemps rêvé au nom du bien commun ?

On trouve aussi ce genre de personnes à Washington. C'est cela aussi, la politique.

LE VOTE FINAL sur le projet de réforme du système de santé a eu lieu le 21 mars 2010 – plus d'un an après ce premier sommet à la Maison-Blanche où Ted Kennedy avait fait une apparition surprise. Tout le monde était à cran dans l'aile ouest. Selon le dernier décompte informel de Phil et de Nancy, nous étions en mesure de franchir la barre, mais de justesse. Nous savions qu'il était toujours possible qu'un ou deux représentants changent d'avis au dernier moment; or nous avions très peu de voix en réserve, pour ne pas dire aucune.

J'avais un autre motif d'inquiétude, auquel je m'étais interdit de trop réfléchir, mais qui n'avait pas quitté mes pensées depuis le début. Nous avions initié, défendu et négocié, au prix d'innombrables tracasseries, une loi qui allait affecter la vie de dizaines de millions d'Américains. L'Affordable Care Act était complexe, exhaustif, politiquement clivant, lourd de conséquences, et certainement imparfait. Et, à présent, il allait falloir le mettre en pratique. En fin d'après-midi, après avoir passé quelques derniers coups de fil avec Nancy-Ann aux députés qui s'apprêtaient à aller voter, je me suis levé et je suis allé me poster à la fenêtre, devant la pelouse sud.

« Cette loi a intérêt à marcher, lui ai-je dit. Parce qu'à partir de demain le système de santé américain dépend entièrement de nous. »

J'ai décidé de ne pas écouter les longs discours préliminaires à la Chambre avant le vote, attendant que celui-ci ait démarré, vers 19 h 30, pour rejoindre le vice-président et le reste de l'équipe dans la salle Roosevelt. Un par un, les votes défilaient, les membres de la Chambre des représentants appuyant chacun leur tour sur le bouton « *yea* » ou « *nay* » de leur panneau électronique, le décompte des voix s'inscrivant en temps réel sur l'écran de la télé. À mesure que le nombre de « oui » progressait lentement, j'entendais Messina et quelques autres murmurer tout bas : « Allez… allez. » Enfin, la barre des 216 voix « pour » a été franchie – une de plus que ce qu'il nous fallait. Au bout du compte, notre projet de loi serait voté par sept voix d'écart.

Tout le monde dans la pièce s'est mis à hurler de joie, à se serrer dans les bras et à se taper dans la main comme s'ils venaient de voir leur équipe de baseball gagner le match à l'arraché. Joe m'a saisi par les épaules, le visage fendu d'un sourire encore plus grand qu'à l'accoutumée. « T'as réussi, mon vieux ! » s'est-il exclamé. Rahm et moi nous sommes donné l'accolade. Il était venu à la Maison-Blanche ce soir-là avec son fils de 13 ans, Zach, pour regarder le vote. Je me suis penché vers ce dernier et je lui ai dit que, grâce à son père, des millions de personnes seraient enfin couvertes par une assurance si elles tombaient malades. Le gamin rayonnait. De retour dans le Bureau ovale, j'ai appelé Nancy Pelosi et Harry Reid pour les féliciter, puis, en raccrochant, j'ai aperçu Axelrod, debout sur le seuil de la porte. Il avait les yeux un peu rouges. Il m'a dit qu'il avait eu besoin de s'isoler un moment dans son bureau après le vote, qui avait fait resurgir en lui le souvenir des épreuves que sa femme Susan et lui avaient traversées quand leur fille, Lauren, avait connu ses premières crises d'épilepsie.

« Merci d'avoir tenu bon », m'a dit Axe d'une voix étranglée. Je lui ai passé un bras autour de l'épaule, gagné moi aussi par l'émotion.

« Ce qu'on vient de faire, lui ai-je dit, là, maintenant – c'est pour ça qu'on fait ce boulot. »

J'avais invité tous ceux qui avaient travaillé sur le projet de réforme à venir fêter la victoire à la résidence – une centaine de personnes en tout. C'était les vacances de printemps pour Sasha et Malia, et Michelle les avait emmenées passer quelques jours à New York ; j'étais donc seul. Comme il faisait doux, nous avons pu profiter du balcon Truman, d'où nous voyions scintiller au loin les lumières du Washington Monument et du mémorial de Jefferson, et je me suis même permis une petite entorse à la règle sacro-sainte – pas d'alcool en semaine. Un martini à la main, j'ai fait le tour des convives, serré dans mes bras et remercié Phil, Nancy-Ann, Jeanne et Kathleen pour tout le travail qu'ils avaient accompli. J'ai serré la main à quantité de jeunes collaborateurs que je ne connaissais pas pour la plupart et qui devaient sans doute éprouver une certaine exaltation à l'idée de se trouver là ce soir. Je savais qu'ils avaient tous œuvré d'arrache-pied dans l'ombre, à compiler des chiffres, préparer des ébauches de textes, rédiger des communiqués de presse et répondre à toutes sortes de requêtes émanant du Congrès, et je tenais à ce qu'ils sachent à quel point leur travail avait été décisif.

Cette fête me touchait de manière toute particulière. Celle de Grant Park, après l'élection présidentielle, avait été extraordinaire, mais nous n'avions alors célébré qu'une promesse, qu'il allait nous falloir tenir. Cette soirée était encore plus importante à mes yeux : nous fêtions une promesse tenue.

Une fois tout le monde rentré chez soi, bien après minuit, je me suis dirigé vers la salle des Traités. Bo était couché par terre, roulé en boule. Il avait passé une bonne partie de la soirée sur le balcon au milieu de la foule, slalomant entre les jambes de mes invités, à l'affût d'une caresse ou d'un petit four à chiper. À présent, il avait l'air de se laisser aller à une douce fatigue, prêt à s'endormir. Je me suis baissé pour le gratouiller derrière les oreilles. J'ai pensé à Ted Kennedy, et j'ai pensé à ma mère.

La journée avait été belle.

CINQUIÈME PARTIE

Le monde tel qu'il est

CHAPITRE 18

DE MÊME QUE J'AVAIS PRIS L'HABITUDE de saluer chaque fois que je montais à bord de Marine One ou d'Air Force One, ou que j'interagissais avec des militaires, je suis peu à peu devenu plus à l'aise – et efficace – dans mon rôle de commandant en chef. À mesure que mon équipe et moi maîtrisions mieux la foule des acteurs politiques internationaux, scénarios, conflits et menaces, les briefings matinaux sont devenus de plus en plus succincts. Des liens naguère obscurs m'apparaissaient désormais évidents. J'étais capable de vous dire du tac au tac quelles forces alliées étaient déployées en Afghanistan, où elles étaient stationnées et comment elles se comportaient au combat, quels ministres irakiens étaient des nationalistes convaincus et lesquels travaillaient en sous-main pour les Iraniens. Les enjeux étaient néanmoins trop importants et les problèmes trop épineux pour que je me laisse gagner par la routine. Je commençais à aborder mes responsabilités avec l'état d'esprit d'un démineur prêt à couper un fil ou d'une funambule prête à quitter sa plateforme, car j'avais appris à améliorer ma concentration en me débarrassant de mes peurs superflues – tout en évitant de me montrer trop détendu, sous peine de commettre des étourderies.

Il y a toutefois une tâche dans laquelle je ne me suis jamais autorisé à relâcher mon attention. Une fois par semaine environ, mon assistante Katie Johnson déposait sur mon bureau un dossier contenant des lettres de condoléances à signer, qui seraient ensuite envoyées aux familles des militaires morts au combat. Je fermais la porte de mon bureau, j'ouvrais le dossier et je m'arrêtais sur chaque courrier, lisais le nom à voix haute comme une incantation, essayais d'imaginer à quoi avait pu ressembler la vie de ce jeune homme (les victimes étaient rarement des femmes) : l'endroit où il était né, l'école qu'il avait fréquentée, les goûters d'anniversaire et les baignades qui avaient rythmé son enfance, les équipes dans lesquelles il avait joué et les amoureuses qui lui avaient brisé le cœur. Je pensais à ses parents, à sa femme et à ses enfants s'il en avait. Je signais lentement chaque lettre, veillant à ce que ma main gauche, qui tenait le stylo par le dessus, ne fasse pas baver l'encre sur l'épais papier beige. Quand la signature n'était pas exactement telle que je la voulais, je faisais réimprimer la lettre, bien conscient que, quoi que je fasse, ce ne serait jamais assez.

Je n'étais pas le seul à envoyer ce type de courriers. Bob Gates correspondait lui aussi avec les familles des soldats morts en Irak et en Afghanistan, même si nous n'en parlions presque jamais.

Gates et moi avions développé une solide relation de travail. Nous nous réunissions régulièrement dans le Bureau ovale, et je lui trouvais un caractère pragmatique et égal ainsi qu'une franchise rafraîchissante, une confiance tranquille qui lui permettait de défendre sa position sans toutefois rester bloqué dessus. La compétence avec laquelle il dirigeait le Pentagone m'incitait à lui pardonner les moments où il essayait de me diriger moi aussi, et il ne craignait pas de s'attaquer aux poids lourds de la Défense, notamment lorsqu'il s'agissait d'en maîtriser le budget. Il pouvait se montrer susceptible, particulièrement avec les plus jeunes membres du staff, et nos différences d'âge, d'éducation et d'orientation politique empêchaient que nous puissions devenir amis. Chacun reconnaissait cependant le sérieux et la probité de l'autre – probité non seulement envers la nation qui nous avait confié sa sécurité, mais envers les troupes dont le courage nous impressionnait tous les jours, et envers les familles qu'elles avaient laissées au pays.

Heureusement, nous tombions d'accord sur la plupart des questions de sécurité nationale. Par exemple, au début de l'été 2009, nous partagions le même optimisme prudent concernant l'évolution de l'Irak. La situation ne semblait pourtant pas s'y prêter. L'économie s'était effondrée – la guerre avait détruit presque toutes les infrastructures vitales et la chute mondiale du prix du pétrole avait sapé les recettes du pays –, et le gouvernement irakien était pieds et poings liés par le blocage parlementaire. Durant ma brève visite en avril, j'avais suggéré au Premier ministre Al-Maliki plusieurs idées allant dans le sens de réformes administratives fort nécessaires et d'une communication plus efficace avec les factions sunnites et kurdes. Il m'avait répondu poliment tout en restant sur la défensive ; à l'évidence, il n'était pas très versé dans les écrits fédéralistes de l'ancien président et Père fondateur James Madison sur le danger du morcellement de la société. De son point de vue, les chiites étaient majoritaires et sa coalition avait remporté les élections, les sunnites et les Kurdes retardaient la sortie de crise avec leurs exigences insensées, et la demande de prise en compte des intérêts des minorités irakiennes ou de protection de leurs droits était un désagrément qu'il attribuait aux pressions américaines.

Cette conversation m'avait rappelé qu'une élection ne suffit pas à engendrer une démocratie fonctionnelle ; tant que l'Irak ne serait pas parvenu à renforcer ses institutions et que ses dirigeants n'auraient pas pris l'habitude du compromis, les difficultés perdureraient dans le pays. Malgré tout, le fait que Al-Maliki et ses rivaux expriment leur hostilité et leur méfiance par des canaux politiques et non par les armes était en soi un progrès. Tandis que les forces américaines se retiraient des centres urbains du pays, les attentats commandités par Al-Qaida étaient en diminution constante et notre état-major signalait une amélioration continue des forces de sécurité irakiennes. Pour Gates et moi, il ne faisait aucun doute que les États-Unis continueraient à jouer un rôle en Irak dans les années à venir : il faudrait conseiller les ministères clés, entraîner les forces de sécurité, faire sauter les verrous entre factions et apporter une aide financière à la reconstruction du pays. Mais, sauf revers importants, la fin de la guerre d'Irak se profilait enfin à l'horizon.

On ne pouvait pas en dire autant de l'Afghanistan.

Les troupes supplémentaires dont j'avais autorisé l'envoi en février avaient permis de contenir la progression des talibans dans certaines zones et s'attelaient à sécuriser l'élection présidentielle imminente. Mais nos forces avaient été incapables de sortir le pays de la spirale de violence et d'instabilité dans laquelle il était plongé et, conséquence du durcissement des combats et de l'élargissement de la ligne de front, les pertes américaines avaient bondi.

Côté afghan, aussi, le bilan était inquiétant, avec un nombre croissant de civils victimes de tirs croisés, d'attentats suicides ou de mines sophistiquées que les insurgés plaçaient sur le bord des routes. Les Afghans se plaignaient de plus en plus de certaines tactiques américaines – les raids nocturnes sur des maisons soupçonnées d'héberger des combattants talibans, par exemple – qu'ils estimaient dangereuses et perturbatrices, mais que notre état-major jugeait nécessaire. Sur le front politique, la stratégie du président Karzaï pour se faire réélire consistait principalement à acheter les personnalités locales influentes, intimider ses adversaires et dresser habilement les factions ethniques les unes contre les autres. Au plan diplomatique, nos liens avec le sommet de l'administration pakistanaise semblaient inopérants, car celle-ci continuait à tolérer la présence de poches talibanes sur son territoire. En outre, Al-Qaida s'était recomposé dans les zones frontalières du Pakistan où il continuait à représenter une menace importante.

En l'absence d'avancées significatives, nous étions tous impatients de savoir ce que le nouveau commandant de la Force internationale d'assistance et de sécurité, le général Stanley McChrystal, pensait de cette situation. Fin août, après avoir passé plusieurs semaines en Afghanistan avec une équipe de conseillers militaires et civils, McChrystal a remis le rapport que Gates lui avait demandé. Quelques jours plus tard, le Pentagone l'a fait suivre à la Maison-Blanche.

Au lieu de nous fournir des réponses claires, il n'a fait que soulever de nouvelles questions difficiles.

DANS L'ENSEMBLE, LE RAPPORT DE McCHRYSTAL détaillait ce que nous savions déjà : la situation sur place ne faisait qu'empirer, avec des talibans enhardis face à une armée afghane faible et démoralisée. Karzaï, dont l'élection avait été entachée par des violences et des fraudes, était toujours à la tête d'un gouvernement corrompu et incompétent aux yeux du peuple afghan. Mais c'est la conclusion du rapport qui a frappé les esprits. Pour inverser la tendance, McChrystal proposait une stratégie de contre-insurrection : une campagne militaire visant à contenir et à marginaliser les rebelles, non seulement en les combattant, mais en œuvrant simultanément à stabiliser le pays – ce qui, dans l'idéal, devait apaiser au moins partiellement la colère qui avait poussé ces groupes à prendre les armes.

L'ambition de cette approche dépassait ce que j'avais imaginé lorsque j'avais adopté les recommandations du rapport Riedel au printemps et, de plus, McChrystal demandait au minimum 40 000 hommes en supplément de ceux que j'avais déjà déployés, montant le total de nos troupes en Afghanistan à 100 000 hommes dans un avenir proche.

« Tu parles d'un président anti-guerre », a commenté Axe.

J'avais l'impression de m'être fait avoir, l'impression que le Pentagone n'avait cédé sur le chiffre initial de 17 000 hommes et 4 000 instructeurs que pour pouvoir revenir ensuite à la charge et en exiger davantage. Autour de moi, les dissensions, déjà visibles en février, ne faisaient que se creuser. Mike Mullen, les chefs d'état-major et David Petraeus

approuvaient la stratégie anti-insurrectionnelle de McChrystal et soutenaient que toute action moins ambitieuse échouerait, trahirait un manque
de détermination de notre part et enverrait donc un signal dangereux
à nos alliés comme à nos ennemis. Hillary et Panetta n'ont pas tardé à
leur emboîter le pas. Gates, ayant auparavant douté qu'il soit très sage
d'accroître encore notre présence militaire dans un pays connu pour sa
résistance aux occupants étrangers, se montrait plus circonspect. Il m'a
cependant avoué avoir été convaincu par McChrystal qu'un contingent
plus réduit ne suffirait pas et que, à condition de travailler main dans
la main avec les forces de sécurité afghanes pour protéger la population et de mieux former nos soldats à respecter la culture afghane,
nous pouvions éviter la situation qui avait plombé les Soviétiques dans
les années 1980. Pour l'autre camp, composé de Joe et d'une grande
partie du Conseil de sécurité nationale, la proposition de McChrystal
s'inscrivait dans la continuité des tentatives de l'armée pour embarquer
le pays dans un exercice toujours plus futile et coûteux de construction
nationale, alors que nous avions bien plus intérêt à nous concentrer sur
la lutte contre Al-Qaida.

Après avoir lu les soixante-six pages du rapport, je me suis rangé à
leur scepticisme. Je n'y avais trouvé aucune stratégie de repli claire ;
si nous suivions ces préconisations, il nous faudrait de cinq à six ans
pour simplement ramener les troupes américaines à leur nombre actuel.
Pour ne rien arranger, cela représentait un coût aberrant : au moins
un milliard de dollars pour chaque nouveau millier de soldats déployés.
Nos hommes et femmes en uniforme, dont certains en étaient à leur
quatrième ou cinquième mission en près d'une décennie de conflit,
subiraient des pertes plus grandes encore. Et, considérant la résistance
des talibans et les dysfonctionnements du régime de Karzaï, le succès
de nos projets était tout sauf assuré. Dans la note où ils entérinaient
les préconisations de McChrystal, Gates et les généraux affirmaient
que la puissance militaire américaine ne parviendrait pas à stabiliser
l'Afghanistan « tant que le pouvoir serait gangrené par la corruption et
continuerait à s'en prendre à son peuple ». Je ne voyais pas comment
cette condition pourrait être remplie de sitôt.

Néanmoins, certaines vérités incontestables m'empêchaient de
rejeter sur-le-champ le plan de McChrystal. Le *statu quo* était intenable. Nous ne pouvions pas prendre le risque de laisser les talibans
revenir au pouvoir, et nous avions besoin de temps pour entraîner les
forces de sécurité afghanes et pour éradiquer Al-Qaida ainsi que toute
sa hiérarchie. Malgré la confiance que j'avais en mon propre jugement,
je ne pouvais ignorer les recommandations unanimes de généraux

expérimentés qui étaient parvenus à conserver un minimum de stabilité en Irak et menaient déjà bataille en Afghanistan. C'est pourquoi j'ai demandé à Jim Jones et à Tom Donilon de programmer un cycle de réunions du Conseil de sécurité nationale lors desquelles, loin de la politique politicienne et des controverses médiatiques, nous pourrions éplucher méthodiquement les propositions de McChrystal, chercher dans quelle mesure elles s'accordaient avec les objectifs que nous avions précédemment définis, et décider de la meilleure marche à suivre.

Mais les généraux ne l'entendaient pas de cette oreille. Deux jours après que le rapport m'eut été transmis, le *Washington Post* a publié un entretien avec David Petraeus dans lequel il déclarait que la victoire en Afghanistan serait impossible sans une augmentation considérable du contingent sur place et une stratégie anti-insurrectionnelle « globale et dotée de moyens importants ». Une dizaine de jours plus tard, alors que je sortais tout juste de la salle de crise après notre première réunion autour des propositions de McChrystal, Mike Mullen était entendu par la Commission des forces armées du Sénat, devant laquelle il a tenu le même discours, rejetant toute stratégie plus limitée au motif qu'elle ne permettrait pas de vaincre Al-Qaida et empêcherait que l'Afghanistan puisse à l'avenir jouer un rôle de base opérationnelle pour déjouer les attentats visant les États-Unis. Quelques jours encore après cela, le 21 septembre, le *Post* a publié un résumé du rapport de McChrystal, qui avait été communiqué au journaliste Bob Woodward, sous le titre POUR MCCHRYSTAL, IL FAUT ENVOYER DES TROUPES SOUS PEINE D'ÉCHOUER EN AFGHANISTAN. Cet article a été rapidement suivi par un entretien télévisé de McChrystal dans l'émission « 60 Minutes » et un discours à Londres, deux occasions dont il a profité pour vanter la supériorité de sa stratégie anti-insurrectionnelle sur les autres options.

La suite était prévisible. Les faucons républicains tels que John McCain et Lindsey Graham ont ajouté leurs voix à l'offensive média-tique du général et repris la rengaine selon laquelle je ferais mieux d'« écouter mes commandants sur le terrain » et d'accéder aux demandes de McChrystal. Tous les jours, des articles à sensation sur le fossé croissant entre la Maison-Blanche et le Pentagone sortaient dans la presse. Des éditorialistes me qualifiaient d'« indécis » et se deman-daient si j'avais suffisamment de cran pour diriger un pays en guerre. Rahm m'a confié que, durant toutes les années qu'il avait passées à Washington, il n'avait jamais vu pareille campagne coordonnée pour acculer un président. Biden, lui, était plus lapidaire :

« Quel scandale, putain ! »

J'étais d'accord. Ce n'était pas la première fois que la presse révélait des dissensions au sein de mon équipe, mais c'était la première fois de mon mandat que j'avais le sentiment qu'un organisme placé sous ma direction poursuivait ses propres visées. J'ai décidé que ce serait aussi la dernière. Peu après l'audience parlementaire de Mullen, je lui ai demandé, ainsi qu'à Gates, de venir me voir dans le Bureau ovale.

« Bien, leur ai-je dit après leur avoir offert un café lorsque nous avons été assis. Je n'ai pas été clair quand j'ai dit qu'il me fallait du temps pour examiner les propositions de McChrystal ? Ou peut-être que vos services n'ont simplement aucun respect pour moi ? »

Gênés, les deux hommes se tortillaient sur le canapé. Comme souvent lorsque je suis en colère, je n'avais pas haussé la voix.

J'ai poursuivi : « Depuis le jour de mon investiture, je me mets en quatre pour que toutes les opinions soient entendues. Et je crois avoir montré que je peux prendre des décisions impopulaires si je les estime nécessaires pour le bien du pays. Est-ce que vous êtes d'accord avec ça, Bob ?

– Je suis d'accord, monsieur le Président.

– Donc, quand je fixe un plan de travail afin de déterminer si je vais dépenser des centaines de milliards de dollars pour envoyer des dizaines de milliers d'hommes dans une zone de conflit, et que mes chefs d'état-major court-circuitent ce processus en martelant publiquement leurs positions, je m'interroge. Est-ce qu'ils pensent savoir mieux que moi et n'ont pas envie de prendre la peine de répondre à mes questions ? Est-ce parce que je suis jeune et que je n'ai pas fait l'armée ? Est-ce parce qu'ils désapprouvent mes opinions politiques… ? »

Je me suis interrompu, laissant ma question en suspens. Mullen s'est raclé la gorge.

« Monsieur le Président, a-t-il dit, je pense parler au nom de tous vos généraux en vous assurant que nous avons le plus grand respect envers vous et envers votre charge. »

J'ai opiné. « Très bien, Mike. Je vais vous croire sur parole. Et je vais vous donner *ma* parole que je prendrai ma décision en m'appuyant sur l'avis du Pentagone et sur ce que je juge être l'intérêt général. Mais d'ici là… » J'ai marqué un temps pour appuyer mon propos. « J'apprécierais sincèrement que mes conseillers militaires cessent de me dire ce que je dois faire en une de tous les journaux. Marché conclu ? »

Mullen a acquiescé. Nous sommes passés à la suite.

AVEC LE RECUL, j'ai tendance à croire Gates lorsqu'il a nié l'existence d'une action coordonnée par Mullen, Petraeus ou McChrystal pour me forcer la main (même s'il a plus tard admis avoir appris d'une source fiable qu'une personne dans l'entourage de McChrystal avait fait fuiter le rapport à Woodward). Je sais que ces trois hommes étaient sincèrement convaincus de la justesse de leur jugement et considéraient que leur rôle d'officiers exigeait qu'ils s'expriment sans fard devant le Sénat ou la presse, quelles que soient les conséquences politiques. Gates n'a pas omis de me rappeler que le franc-parler de Mullen avait également agacé le président Bush, et il a eu raison de me faire observer que certains conseillers à la Maison-Blanche n'étaient pas les derniers à utiliser la presse en coulisses.

Mais j'ai aussi le sentiment que cet épisode illustre combien les années Bush avaient habitué l'armée à obtenir tout ce qu'elle demandait, et à quel point les décisions politiques les plus fondamentales – la guerre et la paix, mais aussi les priorités budgétaires, les objectifs diplomatiques et l'équilibre entre la sécurité et les autres valeurs – avaient été sous-traitées au Pentagone et à la CIA. Il n'est pas difficile de comprendre comment nous en étions arrivés là : le 11 Septembre, la volonté de tout faire pour arrêter les terroristes et la réticence de la Maison-Blanche à poser les questions qui fâchent ; une armée contrainte de payer les pots cassés après avoir envahi l'Irak ; une opinion publique considérant à juste titre l'armée plus compétente et digne de confiance que les civils chargés de fixer les orientations politiques ; un Congrès cherchant avant tout à se défausser des problèmes de politique extérieure ; et une presse capable d'une déférence excessive vis-à-vis de toute personne arborant des étoiles sur l'épaule.

Des hommes comme Mullen, Petraeus, McChrystal et Gates – des commandants aguerris et dévoués aux tâches immensément difficiles qui les attendaient – avaient tout simplement comblé un vide. Les États-Unis avaient eu de la chance qu'ils occupent ces fonctions, et leurs décisions durant les dernières phases de la guerre d'Irak se sont presque toutes révélées bonnes. Mais, ainsi que je l'avais dit à Petraeus juste avant mon élection, quand nous nous étions rencontrés en Irak, il incombait au président d'avoir une vision d'ensemble, et de soupeser les coûts et les avantages de l'action militaire en regard de tous les autres éléments concourant à la puissance de la nation.

Ces questions de fond – le contrôle civil du processus politique, la répartition légale des rôles entre le président et ses conseillers militaires, et l'apport de chacun dans la prise de décision – ont animé, au même titre que les désaccords stratégiques ou tactiques, les discussions concernant l'Afghanistan. Et c'est sur ces questions que les divergences entre Gates et moi sont devenues les plus criantes. Gates, rompu comme personne aux mécaniques de Washington, comprenait parfaitement les pressions parlementaires, l'opinion publique et les contraintes budgétaires. Mais il n'y voyait que des obstacles à contourner, et non des facteurs légitimes pouvant peser sur nos décisions. Tout au long du débat sur l'Afghanistan, il a vivement écarté les objections soulevées par Rahm ou Biden – à propos de la difficulté à faire voter par le Congrès les 30 à 40 milliards de dollars annuels qu'exigeait le plan de McChrystal, ou de la lassitude que ressentait le pays après une décennie de guerre – en leur reprochant leur caractère « politique ».

Il arrivait aussi, mais jamais en ma présence, qu'il mette en doute mon investissement dans la guerre et dans la stratégie adoptée en mars, l'attribuant sans doute également à un motif « politique ». Il avait du mal à entendre que ce qu'il qualifiait ainsi était en réalité le fonctionnement normal de la démocratie. Que notre mission n'était pas uniquement de vaincre un ennemi, mais de veiller à ce que cette victoire ne laisse pas le pays exsangue. Que le choix de dépenser des centaines de milliards dans l'éducation ou la santé des enfants et non dans des missiles et des bases avancées ne s'opposait pas à la sécurité nationale, mais lui était consubstantiel. Que la passion et le patriotisme des personnes désirant diminuer le nombre de jeunes Américains envoyés au feu pouvaient rivaliser avec le sens du devoir qu'il éprouvait envers les troupes déployées, avec son authentique et admirable désir de leur donner toutes les chances de réussir.

Si ce n'était pas le travail de Gates de penser à toutes ces choses, c'était en revanche le mien. J'ai donc présidé, entre mi-septembre et mi-novembre, une série de neuf réunions dans la salle de crise, d'une durée de deux à trois heures chacune, pour décortiquer le plan de McChrystal. La longueur interminable de nos délibérations faisait jaser dans tout Washington et, même si mon entrevue avec Gates et Mullen avait mis un terme aux interventions publiques des chefs d'état-major, les fuites, les petites phrases anonymes et les spéculations continuaient d'aller bon train dans la presse. Je m'efforçais d'ignorer ce bruit de fond, aidé en cela par la certitude que la pluplart des critiques les plus virulents étaient les mêmes commentateurs et experts autoproclamés qui avaient activement soutenu l'invasion de l'Irak.

De fait, un des principaux arguments en faveur du plan de McChrystal était sa ressemblance avec la stratégie de contre-insurrection employée par Petraeus lors de l'offensive américaine en Irak. Certes, l'accent mis par ce dernier sur l'entraînement des forces locales, le renforcement du gouvernement et la protection des populations civiles – au lieu de nous borner à empiler les cadavres des insurgés – avait du sens. Mais l'Afghanistan de 2009 n'était pas l'Irak de 2006. Les deux situations étaient différentes et appelaient donc des solutions différentes. À chaque nouvelle réunion dans la salle de crise, il m'apparaissait un peu plus évident que la contre-insurrection imaginée par McChrystal pour l'Afghanistan excédait ce qui était nécessaire pour vaincre Al-Qaida, mais surtout qu'elle excédait ce qui serait faisable durant mon mandat, voire faisable tout court.

John Brennan, pour sa part, rappelait que, contrairement à Al-Qaida en Irak, les talibans étaient trop profondément intégrés au tissu de la société afghane pour être éradiqués – et que, malgré leurs affinités avec Al-Qaida, rien n'indiquait qu'ils cherchent à attaquer les États-Unis ou leurs alliés sur leur propre sol. Notre ambassadeur à Kaboul, l'ancien général Karl Eikenberry, doutait qu'il soit possible de réformer le gouvernement et craignait qu'un envoi massif de troupes, et donc une « américanisation » accrue de la guerre, ne déchargent Karzaï de toute pression pour se ressaisir. La durée sur laquelle McChrystal prévoyait d'envoyer puis de retirer les troupes faisait moins penser à une offensive sur le modèle irakien qu'à une occupation de long terme, ce qui a poussé Biden à lui demander pourquoi, puisque Al-Qaida était au Pakistan et traqué par nos drones, nous devrions envoyer 100 000 hommes pour reconstruire le pays voisin.

En ma présence, tout du moins, McChrystal et les généraux répondaient consciencieusement à ces questions – parfois de manière convaincante, parfois un peu moins. Malgré leur patience et leurs bonnes manières, ils cachaient mal leur irritation quand leurs opinions étaient contestées, surtout par des personnes qui n'avaient jamais porté l'uniforme. (McChrystal levait les yeux au ciel chaque fois que Biden commençait à lui expliquer ce qu'il fallait faire pour mener à bien une opération antiterroriste.) Les tensions entre le staff de la Maison-Blanche et le Pentagone s'aggravaient, le Conseil de sécurité nationale avait l'impression de parler à un mur lorsqu'il demandait à être informé dans un délai raisonnable, et Gates fulminait en silence, car il jugeait que le Conseil empiétait sur ses plates-bandes. L'animosité contaminait même les relations internes aux services. Le vice-président du Comité des chefs d'état-major, James « Hoss » Cartwright, et le lieutenant-général Douglas Lute – adjoint au Conseil et ancien conseiller spécial, ou « tsar de guerre », pendant les deux dernières années de l'administration

Bush, à qui j'avais demandé de rester en poste – ont tous deux vu leur popularité au sein du Pentagone dégringoler à la seconde où ils ont accepté d'aider Biden à concevoir une option moins gourmande en moyens humains et plus axée sur l'antiterrorisme. Hillary, pour sa part, considérait que les manœuvres d'Eikenberry avec les canaux officiels du département d'État frôlaient l'insubordination et demandait qu'il soit limogé.

Dans ces conditions, on comprend aisément que, après trois ou quatre défilés de présentations PowerPoint, plans de bataille et vidéos capricieuses, sous la lumière constante des néons, en buvant du mauvais café et en respirant un air renfermé, tout le monde en avait sa claque de l'Afghanistan et des réunions, et plus personne ne pouvait se voir en peinture. Quant à moi, eh bien, je ressentais plus que jamais le poids de ma charge. Je tâchais de ne rien laisser paraître, de rester neutre tandis que je posais des questions, prenais des notes et griffonnais de temps à autre dans les marges du bloc-notes disposé devant moi (le plus souvent des motifs abstraits, quelquefois un visage ou une scène de bord de mer, un goéland survolant un palmier et des vagues). Mais il arrivait aussi que j'explose, surtout quand quelqu'un répondait à une question délicate en se rabattant sur l'argument de l'envoi de troupes afin de montrer notre « détermination ».

Je demandais alors, d'un ton parfois trop sec, ce que cela signifiait exactement. Que nous allions persévérer dans nos erreurs ? Croyait-on sincèrement que nous allions impressionner nos alliés et intimider nos ennemis en continuant à faire du surplace pendant dix ans ? Par la suite, je dirais à Denis que cela me faisait penser à la comptine de la vieille dame qui avale une araignée pour attraper une mouche.

« À la fin, elle avale un cheval.

– Et, bien sûr, elle en meurt », conclurait Denis.

Certains soirs, après ces réunions marathons, je me dirigeais vers la salle de billard près du Bureau ovale pour y fumer une cigarette et m'imprégner du silence, et alors je sentais toutes les tensions dans mon dos, mes épaules et mon cou, signes d'un manque d'exercice mais aussi de l'état d'esprit dans lequel je me trouvais. Si seulement la décision au sujet de l'Afghanistan n'avait été qu'une question de détermination – une question de volonté, de feu et d'acier. Cela avait été vrai pour Lincoln quand il avait tenté de sauver l'Union, et pour Roosevelt après Pearl Harbor, alors que les puissances expansionnistes menaçaient les États-Unis et le monde. En pareilles circonstances, il faut mobiliser ses forces et se lancer dans une guerre totale. Mais, aujourd'hui, les menaces que nous avons à affronter – des réseaux terroristes mortels mais invisibles, des États voyous faibles mais résolus à se doter d'armes de destruction massive – sont aussi réelles qu'intangibles, et la détermination sans vision à long terme se révèle, au mieux, inutile. C'est à cause d'elle que nous nous embarquons dans de mauvaises guerres et fonçons tête baissée dans des impasses. C'est à cause d'elle que nous en venons à administrer des régions inhospitalières et à accroître plutôt qu'à diminuer le nombre de nos ennemis. Du fait de leur puissance inégalée, les États-Unis peuvent choisir comment, quand et contre qui ils se battent. Prétendre l'inverse, affirmer que notre sécurité et notre réputation exigent que nous fassions tout ce que nous pouvons aussi longtemps que nous le pouvons sur tous les théâtres, c'est abdiquer notre responsabilité morale et nous abriter derrière une certitude mensongère.

LE 9 OCTOBRE 2009, aux environs de 6 heures du matin, le standard de la Maison-Blanche m'a réveillé en sursaut pour me mettre en communication avec Robert Gibbs. Il était rare que mon staff m'appelle aussi tôt, et mon cœur s'est arrêté de battre un instant. Était-ce un attentat ? Une catastrophe naturelle ?

« Vous avez reçu le prix Nobel de la paix, m'a annoncé Gibbs.

– Comment ça ?

– C'est tombé il y a quelques minutes.

– Mais pourquoi ? »

Gibbs a habilement fait mine de ne pas avoir entendu ma question. Il s'est contenté de dire que Favs m'attendrait devant le Bureau ovale pour que nous écrivions ma déclaration. Quand j'ai raccroché, Michelle m'a demandé ce qui se passait.

« J'ai reçu le prix Nobel de la paix.

– C'est super, mon chéri », a-t-elle répondu avant de se retourner pour finir sa nuit.

Une heure et demie plus tard, Malia et Sasha ont déboulé dans la salle à manger où je prenais mon petit déjeuner. « C'est un grand jour, papa, a dit Malia en enfilant son sac à dos. T'as gagné le prix Nobel... et c'est l'anniversaire de Bo !

– Et, en plus, on a un week-end de trois jours ! » a ajouté Sasha en sautant de joie. Après quoi elles m'ont déposé un bisou sur la joue et sont parties à l'école.

Dans la roseraie, j'ai déclaré devant les journalistes rassemblés que, étant en poste depuis moins d'un an, je n'avais pas le sentiment de mériter une place aux côtés de toutes ces personnalités qui avaient changé le monde et avaient été honorées par le passé. Au contraire, je voyais plutôt dans cette récompense une incitation à agir, un moyen, pour le comité Nobel, de promouvoir les causes pour lesquelles le leadership américain était vital : encadrer les menaces posées par les armes nucléaires et le réchauffement climatique, réduire les inégalités économiques, faire respecter les droits fondamentaux, et surmonter les divisions raciales, ethniques et religieuses qui alimentent si souvent les conflits. J'ai conclu en formulant le souhait de partager cette récompense avec les hommes et les femmes qui œuvraient, partout dans le monde et souvent dans l'anonymat, à faire triompher la justice, la paix et la dignité humaine.

De retour dans le Bureau ovale, j'ai demandé à Katie de mettre en attente les appels de félicitations qui commençaient à arriver et j'ai pris quelques minutes pour considérer le fossé croissant entre ce que j'avais imaginé et la réalité de ma présidence. Six jours plus tôt, trois cents miliciens afghans avaient attaqué un poste avancé américain dans l'Hindou Kouch, tuant huit soldats et en blessant vingt-sept. Le mois d'octobre 2009 allait devenir le plus meurtrier pour nos troupes depuis le début de la guerre d'Afghanistan, huit ans auparavant, et je savais que, loin d'inaugurer une ère de paix, je risquais bientôt d'envoyer de nouveaux soldats au front.

Vers la fin du mois, accompagné par le procureur général Eric Holder, j'ai embarqué dans un vol de nuit pour la base aérienne de Dover, dans le Delaware, afin d'assister au retour sur le sol américain de la dépouille de quinze soldats et trois agents de la répression des stupéfiants, la DEA, tués lors de deux incidents successifs en Afghanistan – un crash d'hélicoptère et deux mines posées au bord d'une route dans la province de Kandahar. Il n'était pas courant qu'un président soit présent lors de ces « rapatriements sous les honneurs », mais cela me paraissait plus important que jamais. Depuis la guerre du Golfe, la Défense refusait que la presse couvre le retour des cercueils de nos militaires, mais, avec l'aide de Bob Gates, j'avais réussi à revenir sur cette politique l'année précédente et le choix appartenait désormais aux familles. Il me semblait que, si au moins un de ces rapatriements était documenté, le pays pourrait mieux prendre conscience du tribut de la guerre, de la douleur qui accompagnait chaque perte. Et cette nuit-là, au terme d'un mois dévastateur, alors que l'avenir du conflit était en débat, une des familles avait choisi de rendre public ce moment.

Les quatre ou cinq heures que j'ai passées sur la base ont été marquées par un silence de tous les instants. Dans la petite et sobre chapelle où Holder et moi avons rejoint les familles rassemblées. Dans la soute du C-17 qui avait ramené les dix-huit cercueils enveloppés dans le drapeau américain, et dont les parois métalliques renvoyaient en écho la prière de l'aumônier. Sur le tarmac, où nous nous sommes tenus au garde-à-vous pendant que six hommes en treillis militaire, gants blancs et béret noir portaient les lourds cercueils, l'un après l'autre, jusqu'à la rangée de véhicules qui les attendaient. Il n'y avait aucun bruit dans le monde, hormis la plainte du vent et la cadence des pas.

Dans le vol du retour, quelques heures avant le lever du soleil, les seuls mots que je me rappelais de cette visite étaient ceux de la mère d'un des soldats : « N'abandonnez pas ceux qui sont encore là-bas. » Elle paraissait épuisée, le visage creusé par le chagrin. Je lui en ai fait la promesse, sans savoir si cela signifierait d'envoyer de nouvelles troupes pour terminer la mission qui avait coûté la vie à son fils, ou d'en finir avec un conflit interminable et confus. La décision n'incombait qu'à moi.

La semaine suivante, un autre désastre a frappé notre armée, mais cette fois plus près de nous. Le 5 novembre, le chef de bataillon et psychiatre Nidal Hasan est entré dans un bâtiment de la base de Fort Hood, à Killeen, au Texas, a dégainé un pistolet semi-automatique acheté dans une armurerie des environs et a ouvert le feu, faisant treize morts et des dizaines de blessés avant d'être neutralisé et appréhendé par la police de la base. Là encore je me suis rendu sur place pour réconforter les familles endeuillées, et j'ai prononcé un discours lors de la cérémonie organisée en extérieur. Tandis qu'une trompette jouait le traditionnel hymne funèbre, ponctué par les sanglots étouffés de l'assistance, je parcourais du regard les objets déposés à la mémoire des soldats tombés : une photographie dans un cadre, une paire de bottes de combat, un casque posé sur un fusil.

J'ai pensé à ce que John Brennan et Robert Mueller, le directeur du FBI, m'avaient dit lors des briefings à propos de cette fusillade : Hasan, musulman né sur le sol américain et dont le dossier signalait l'instabilité psychologique, semblait s'être radicalisé sur Internet. Il avait notamment été inspiré par un religieux yéménite charismatique avec qui il avait entretenu une correspondance régulière, un nommé Anwar Al-Awlaki qui jouissait d'une large audience internationale et que nous soupçonnions d'être le chef de file de la branche yéménite d'Al-Qaida, de plus en plus active. D'après Mueller et Brennan, la Défense, le FBI et les équipes spéciales de lutte contre le terrorisme avaient eu vent assez tôt de la possible dérive de Hasan, mais les systèmes d'information interagences n'avaient pas fait le rapprochement et n'étaient pas parvenus à éviter ce drame.

Les éloges funèbres ont pris fin. De l'autre côté de la base, j'imaginais les soldats affairés à préparer leur déploiement en Afghanistan et le combat contre les talibans. Je ne pouvais m'empêcher de me demander si la plus grande des menaces ne se trouvait pas ailleurs – pas seulement au Yémen ou en Somalie, mais aussi dans le spectre d'un terrorisme né sur notre propre territoire, dans l'esprit fébrile d'hommes tels que Hasan et dans l'espace sans frontières du monde virtuel dont nous ne comprenions pas encore pleinement la puissance et la portée.

Fin novembre 2009 a eu lieu notre neuvième et dernière réunion au sujet de l'Afghanistan. Malgré le cinéma des uns et des autres, les clivages entre les membres de mon équipe s'étaient considérablement réduits. Les généraux concédaient qu'il était irréaliste de vouloir éradiquer les talibans du territoire afghan. Joe et le Conseil de sécurité nationale admettaient que nous ne pourrions jamais vaincre Al-Qaida si les talibans proliféraient ou entravaient notre capacité de renseignement. Nous nous sommes accordés sur un ensemble d'objectifs atteignables : freiner l'activité des talibans de sorte qu'ils ne constituent pas une menace pour les principaux foyers de population, pousser Karzaï à réformer plusieurs ministères clés, tels que la Défense et les Finances, au lieu d'essayer de lui faire remanier tout son gouvernement, et accélérer l'entraînement des forces locales qui, à terme, permettraient au peuple afghan de sécuriser son territoire.

Tous reconnaissaient aussi que ces objectifs, quoique plus modestes, imposeraient néanmoins l'envoi de troupes supplémentaires.

C'est sur leur nombre et la durée de leur déploiement que nous continuions d'achopper. Les généraux ne démordaient pas des 40 000 hommes préconisés par McChrystal, sans expliquer de manière satisfaisante pourquoi la quantité de troupes à envoyer ne variait pas d'un iota alors que nous étions convenus d'objectifs plus restreints. Quant à l'option « antiterroriste renforcée » élaborée par Biden sur les conseils de Hoss Cartwright et de Douglas Lute, elle requérait 20 000 hommes, affectés exclusivement à l'entraînement des forces de sécurité et aux opérations antiterroristes – sans toutefois justifier clairement le poids de ces missions en personnel américain. Dans les deux cas, je craignais que ces chiffres soient dictés non par les objectifs que nous nous étions fixés, mais par des motifs idéologiques et institutionnels.

Pour finir, c'est Gates qui a trouvé un compromis envisageable. Dans un mémo privé, il m'a expliqué que la demande de McChrystal anticipait le remplacement par les États-Unis des 10 000 soldats néerlandais et canadiens que les gouvernements de ces deux pays avaient promis de rapatrier. Si j'autorisais le déploiement de trois brigades, pour un total de 30 000 hommes, cela pourrait nous aider à convaincre nos alliés d'envoyer les 10 000 restants. Gates convenait enfin qu'il fallait envisager toute augmentation de notre contingent sur place comme une offensive ponctuelle et non comme un engagement de long terme, à la fois en accélérant le rythme d'arrivée des troupes et en définissant un calendrier de retour sur dix-huit mois.

Il me paraissait tout à fait remarquable que Gates accepte l'idée d'un calendrier. Jusque-là, il la rejetait, se rangeant à l'avis des chefs d'état-major et de Petraeus, affirmant qu'un calendrier suggérerait à l'ennemi qu'il lui suffisait d'attendre notre retrait. Désormais, il était convaincu que Karzaï ne prendrait jamais de décisions délicates portant sur les responsabilités de son gouvernement sans avoir la certitude que nous allions retirer nos troupes sans tarder.

Après discussion avec Joe, Rahm et le Conseil de sécurité nationale, j'ai décidé d'adopter la proposition de Gates. Elle se fondait sur un raisonnement qui ne se bornait pas à faire la moyenne entre le plan de McChrystal et l'option de Biden. À court terme, elle donnait à McChrystal la puissance de feu dont il avait besoin pour arrêter la poussée des talibans, protéger les foyers de population et assurer la formation des forces afghanes. Mais elle posait aussi des limites claires à la stratégie de contre-insurrection et nous mettait sur la voie d'une approche antiterroriste plus limitée à l'horizon de deux ans. Restait à déterminer la solidité de ce plafond de 30 000 hommes, car le Pentagone avait pour habitude de déployer le nombre convenu, puis de demander ensuite des milliers de « compléments » – médecins, officiers de renseignement, etc. –, en insistant pour qu'ils ne soient pas comptés dans le total, et il a fallu à Gates un certain temps pour persuader son département. Toutefois, quelques jours après Thanksgiving, j'ai convoqué dans le Bureau ovale Gates, Mullen et Petraeus, ainsi que Rahm, Jim Jones et Joe, et je leur ai fait signer un contrat. Le Conseil de sécurité nationale avait préparé un mémo décrivant dans les grandes lignes l'ordre que j'allais donner, et, avec l'appui de Rahm et de Joe, il m'avait convaincu que le seul moyen d'éviter que les huiles du Pentagone ne contestent publiquement ma décision si la guerre dégénérait était de les prendre entre quatre yeux et de leur faire signer un accord écrit.

C'était un geste inhabituel et quelque peu autoritaire, qui a sans doute irrité Gates et les généraux, et que j'ai regretté presque immédiatement. Une conclusion appropriée, me disais-je, à une période compliquée de mon mandat. Je pouvais cependant m'estimer satisfait, car l'examen du rapport de McChrystal n'avait pas été vain. Gates reconnaissait que, sans avoir produit un plan parfait, toutes ces heures de discussion avaient débouché sur un meilleur plan. Elles nous avaient contraints à préciser nos objectifs stratégiques en Afghanistan, nous évitant ainsi l'enlisement. Elles avaient établi l'utilité d'un calendrier de déploiement des troupes dans des circonstances précises, une idée longtemps contestée par l'establishment sécuritaire de Washington. En plus de mettre un terme à l'indépendance du Pentagone pour la durée de mon mandat, elles ont aidé à réaffirmer le principe général du contrôle civil sur le processus décisionnaire en matière de sécurité nationale.

Cela étant, la conclusion était que j'allais encore envoyer des jeunes gens à la guerre.

Nous avons annoncé ce nouveau déploiement le 1er décembre à West Point, la plus ancienne et la plus illustre des académies militaires américaines. Ancien camp de l'armée continentale au temps de la guerre d'indépendance, situé à une heure au nord de New York, West Point est un endroit magnifique, un groupe d'édifices en granit noir et gris formant une petite ville érigée entre des collines verdoyantes et donnant sur les larges méandres de l'Hudson. Avant mon discours, le directeur me l'a fait visiter et m'a permis d'entrevoir une partie des bâtiments et du domaine où les commandants les plus décorés de notre histoire avaient fait leurs classes : Grant et Lee, Patton et Eisenhower, MacArthur et Bradley, Westmoreland et Schwarzkopf.

Impossible de ne pas être ému et empli d'humilité par la tradition qu'incarnaient ces hommes, par leur loyauté et leurs sacrifices qui avaient contribué à forger une nation, à triompher du fascisme et à arrêter la progression du totalitarisme. Pour autant, je n'oubliais pas que Lee avait dirigé une armée confédérée et esclavagiste et que Grant avait supervisé le massacre de tribus indiennes, ni que MacArthur avait provoqué une catastrophe en bravant les ordres de Truman en Corée et que Westmoreland avait sacrifié toute une génération en poussant à l'escalade au Vietnam. Gloire et tragédie, courage et bêtise : une vérité n'annule pas l'autre. Car, tout comme l'histoire des États-Unis, la guerre est faite de contradictions.

Lorsque je suis entré dans le grand auditorium proche du centre du campus, il était plein à craquer d'élèves officiers voisinant avec les hauts responsables, Gates, Hillary et les chefs d'état-major. Les élèves portaient l'uniforme, une veste grise avec des ornements noirs sur un col blanc. La proportion notable de Noirs, d'Hispaniques, d'Asio-Américains et de femmes dans leurs rangs était un témoignage vibrant des changements qu'avait connus l'école depuis sa première promotion en 1805. Tandis que je faisais mon entrée, introduit par une fanfare jouant les airs cérémoniaux de rigueur, les élèves se sont levés tous ensemble et ont applaudi ; et en voyant leurs visages si francs et éclatants de jeunesse, si sûrs de leur destinée et impatients de défendre leur pays, mon cœur s'est gonflé d'une fierté presque paternelle. J'ai prié pour que leurs commandants et moi soyons dignes de leur confiance.

Neuf jours plus tard, je m'envolais en direction d'Oslo pour y recevoir le prix Nobel de la paix. L'image de ces jeunes élèves de West Point ne m'avait pas quitté. Au lieu de prétendre qu'il n'y avait aucune contradiction dans le fait de prolonger une guerre juste après avoir reçu une décoration pacifiste, j'ai décidé d'en faire le cœur de mon discours d'acceptation. J'avais sollicité l'aide de Ben Rhodes et de Samantha Power pour en poser les bases, et m'étais inspiré de penseurs tels que le philosophe Reinhold Niebuhr et Gandhi pour organiser mon argumentation : la guerre est une chose terrible et cependant parfois nécessaire ; afin de réconcilier ces idées apparemment contradictoires, il est capital que la communauté des nations hausse ses exigences en matière de justification et de conduite de la guerre ; la seule chose permettant d'éviter la guerre est une paix juste, fondée sur un engagement commun dans le sens de la liberté politique, du respect des droits fondamentaux et d'une action concrète visant à améliorer les perspectives économiques dans le monde entier. J'ai fini d'écrire mon discours à bord d'Air Force One pendant que Michelle dormait dans notre cabine, mes yeux fatigués régulièrement distraits de mon travail par la lune spectrale qui flottait au-dessus de l'Atlantique.

Fidèle à la manière norvégienne, la cérémonie du Nobel – quelques centaines de personnes dans un auditorium brillamment éclairé – a été plutôt austère : elle a débuté par une belle prestation de la jeune musicienne de jazz Esperanza Spalding, s'est poursuivie par une introduction du directeur du comité Nobel, et s'est achevée par mon allocution, l'ensemble durant à peu près une heure et demie. Le discours en lui-même a été bien reçu, y compris par certains commentateurs conservateurs qui ont souligné mon souhait de rappeler aux Européens les sacrifices consentis par les troupes américaines afin de garantir des décennies de paix. Le soir, le comité Nobel donnait un grand dîner en mon honneur, où je me suis trouvé placé à côté du roi de Norvège, un homme âgé et élégant qui m'a raconté ses voyages en bateau à voile dans les fjords de son pays. Ma sœur Maya nous avait rejoints, ainsi que nos amis Marty et Anita, et notre petite assemblée tirée à quatre épingles s'est régalée de champagne et d'élan grillé, avant de danser au son d'un orchestre de swing étonnamment bon.

Mon souvenir le plus marquant, toutefois, est une scène qui s'est déroulée avant le dîner, à l'hôtel. La nuit commençait à tomber et Michelle et moi venions de finir de nous habiller, quand Marvin a toqué à la porte et nous a suggéré de jeter un coup d'œil par la fenêtre. Nous avons écarté les rideaux et découvert, quatre étages plus bas, un attroupement de plusieurs milliers de personnes qui bouchait la rue étroite. Chacune d'elles brandissait une petite bougie, façon tradition-nelle pour les habitants de la ville d'exprimer leur considération pour le lauréat du Nobel de la paix. C'était un spectacle magique, une nuée d'étoiles descendues du ciel, et quand nous nous sommes penchés à la fenêtre, dans l'air frais qui nous piquait les joues, sous les hourras de la foule, je n'ai pu m'empêcher de penser aux affrontements quotidiens qui enflammaient toujours l'Irak et l'Afghanistan, ainsi qu'aux cruautés, aux souffrances et aux injustices auxquelles mon gouvernement commençait tout juste à s'attaquer. L'idée qu'une seule personne, moi ou une autre, puisse apporter de l'ordre à ce chaos me paraissait risible ; considéré sous cet angle, tous ces gens acclamaient une illusion. Et pourtant, j'ai aussi vu autre chose dans le vacillement de ces bougies. J'y ai vu l'esprit de millions de personnes partout dans le monde : le soldat américain qui monte la garde à Kandahar, la mère iranienne qui apprend à lire à sa fille, l'activiste russe prodémocratie qui rassemble son courage avant une manifestation… toutes celles et tous ceux qui refusaient de renoncer à la possibilité d'une vie meilleure et à leur place dans ce monde, quels que soient les risques et les obstacles.

J'entendais leurs voix qui me disaient : Quoi que tu fasses, ce ne sera pas assez.

Mais essaie quand même.

CHAPITRE 19

PENDANT MA CAMPAGNE PRÉSIDENTIELLE, j'avais promis aux Américains de sortir de la politique étrangère que nous menions depuis le 11 Septembre. L'Irak et l'Afghanistan m'ont démontré sans ménagement combien les choix du président se réduisent une fois la guerre commencée. J'étais déterminé à rectifier un certain état d'esprit qui avait régné sur l'administration Bush et largement contaminé Washington, un état d'esprit qui voyait des menaces à tous les coins de rues, tirait une fierté perverse de son unilatéralisme et considérait l'action militaire comme une manière presque ordinaire de régler les situations géopolitiques. Dans nos interactions avec les autres nations, nous étions devenus irréfléchis et inflexibles, rétifs au travail lent et difficile qu'est la formation d'une coalition et d'un consensus. Nous nous étions fermés aux points de vue divergents. J'étais convaincu que la sécurité des États-Unis était indissociable d'un renforcement de nos alliances et des institutions internationales. Je préférais recourir à l'action militaire en dernier ressort, et non en premier lieu.

Il nous fallait sortir des guerres dans lesquelles nous étions engagés. Mais, plus généralement, je voulais aussi mettre à l'épreuve ma foi en la diplomatie.

J'ai commencé par un changement de ton. Depuis le début de mon mandat, nous veillions à ce que toutes les déclarations de politique étrangère émanant de la Maison-Blanche mettent en avant la coopération internationale et l'intention des États-Unis de collaborer avec d'autres pays, grands et petits, en nous fondant sur un socle d'intérêt et de respect mutuel. Nous cherchions des manières, modestes mais symboliques, d'infléchir notre conduite – en augmentant le budget alloué aux relations internationales au sein du département d'État, ou en remboursant les sommes dues par les États-Unis à l'ONU après plusieurs années pendant lesquelles l'administration Bush et le Congrès à majorité républicaine avaient différé certains paiements.

Conformément à l'adage selon lequel la visibilité fait 80 % du succès, nous avons également mis un point d'honneur à nous rendre dans les parties du monde négligées par Bush, dont la présidence s'était exclusivement concentrée sur le terrorisme et le Moyen-Orient. Pendant cette première année, Hillary a été un véritable tourbillon, bondissant d'un continent à l'autre avec la même énergie qu'elle avait naguère mise dans la course à la présidence. Devant l'enthousiasme que soulevaient ses visites dans les capitales étrangères, je sentais que j'avais fait le bon choix en la nommant à la tête de la diplomatie américaine. Elle était traitée en égale par les leaders du monde entier, mais ce n'était pas tout. Partout où elle allait, les gens voyaient dans sa présence le signe que nous nous intéressions réellement à eux.

« Nous ne pouvons pas forcer les autres pays à adopter nos priorités, ai-je un jour dit au Conseil de sécurité nationale. Il faut leur montrer que nous tenons compte de leur point de vue – ou, au minimum, que nous sommes capables de les situer sur une carte. »

Exister. Être entendu. Avoir une identité propre, reconnue et jugée digne d'intérêt. Il me semblait que c'était un désir universel, aussi fort chez les nations et les peuples que chez les individus. Si je comprenais mieux cette vérité élémentaire que certains de mes prédécesseurs, c'était peut-être parce que j'avais passé une grande partie de mon enfance à l'étranger et que j'avais de la famille dans des endroits longtemps considérés comme « arriérés » et « sous-développés ». Ou peut-être parce que, étant afro-américain, je savais ce que cela signifiait d'être partiellement invisible dans son propre pays.

Quoi qu'il en soit, je tenais à m'intéresser à l'histoire, à la culture et à la population des endroits que nous visitions. Ben me charriait en disant que les discours que je prononçais lors de mes déplacements pouvaient être ramenés à un simple algorithme : « [Salutation dans une langue étrangère, souvent mal prononcée.] C'est un immense plaisir pour moi de me trouver dans ce magnifique pays qui a tant apporté à la civilisation mondiale. [Liste de contributions.] Nos deux pays sont liés par une amitié très ancienne. [Anecdote édifiante.] Et si les États-Unis sont ce qu'ils sont aujourd'hui, c'est en partie grâce aux millions de fiers [Américano-quelque chose] dont les ancêtres sont venus peupler nos terres. » Ça peut paraître un peu tarte, mais les sourires et les marques d'assentiment des auditoires étrangers attestaient leur sensibilité à ces marques élémentaires de reconnaissance.

De la même façon, nous nous sommes efforcés d'inclure à chacun de mes déplacements des excursions touristiques très médiatisées qui me sortaient de l'enceinte des hôtels et des palais. Je savais que, en montrant mon intérêt pour la Mosquée bleue d'Istanbul ou pour un restaurant typique d'Hô-Chi-Minh-Ville, je marquerais davantage l'esprit des citoyens turcs ou vietnamiens que par une rencontre bilatérale ou une conférence de presse. Et, non moins important, ces étapes me donnaient l'occasion d'interagir un tant soit peu avec des gens ordinaires, et pas uniquement avec des hauts responsables et des élites fortunées, qui dans bien des pays étaient jugés déconnectés de la réalité.

Toutefois, c'est dans mon manuel de campagne que nous avons trouvé le plus efficace de nos outils diplomatiques : il ne se passait plus un déplacement international sans que j'organise une rencontre publique avec des jeunes. La première fois, pendant le sommet de l'OTAN à Strasbourg, devant une assemblée de plus de trois mille étudiants européens, nous ne savions pas à quelle sauce nous allions être mangés. Allais-je être interrompu constamment ? Allais-je les endormir avec mes longues réponses embrouillées ? Mais, après une heure durant laquelle, sans que rien soit préparé, les participants m'ont interrogé avec enthousiasme sur tous les sujets, du réchauffement climatique au terrorisme, tout en ajoutant quelques remarques personnelles plus légères (j'ai par exemple appris que « Barack » signifie « pêche » en hongrois), nous avons décidé d'en faire un rendez-vous régulier.

Ces rencontres étaient généralement diffusées en direct sur les chaînes nationales du pays et, que ce soit à Buenos Aires, Bombay ou Johannesburg, elles attiraient un public important. Dans de nombreuses régions du monde, voir un chef d'État se prêter sans filtre aux questions des citoyens était une nouveauté – et une apologie de la démocratie plus puissante que n'importe quel cours magistral. En concertation avec nos ambassades locales, nous invitions souvent de jeunes militants issus de groupes marginalisés dans le pays hôte – minorités ethniques ou religieuses, réfugiés, étudiants LGBTQ. En leur tendant un micro et en les laissant raconter leur histoire, je pouvais exposer à tout un pays la justesse de leurs revendications.

Ces jeunes que je rencontrais étaient pour moi une source constante d'inspiration. Ils me faisaient rire et parfois fondre en larmes. Par leur idéalisme, ils me rappelaient les jeunes organisateurs et bénévoles qui m'avaient propulsé jusqu'à la présidence et ravivaient les liens qui nous unissent par-delà les différences ethniques et nationales dès que nous apprenons à laisser notre peur de côté. Même lorsque j'abordais ces rencontres dans un état d'énervement ou de découragement, j'en ressortais systématiquement dynamisé, comme après un bain dans la fraîcheur printanière d'une forêt. Aussi longtemps que des jeunes hommes et femmes comme ceux-là existeront aux quatre coins du monde, nous aurons de bonnes raisons d'espérer.

SUR TOUS LES CONTINENTS, l'image des États-Unis s'améliorait depuis mon entrée en fonction, signe que notre effort diplomatique portait ses fruits. Conséquence de cette hausse de popularité, nos alliés se montraient moins réticents à maintenir, voire à augmenter leur contingent en Afghanistan, conscients que leur population se fiait à notre leadership. Cela nous donnait, à Tim Geithner et à moi, une plus grande marge de manœuvre pour coordonner la réponse internationale à la crise financière. Lorsque la Corée du Nord a commencé à tester ses missiles balistiques, Susan Rice a réussi à obtenir du Conseil de sécurité de l'ONU qu'il approuve de sévères sanctions internationales, non seulement grâce à son talent et à sa ténacité, mais aussi parce que, m'a-t-elle confié, « de nombreux pays veulent montrer qu'ils s'alignent sur vous ».

Le charme diplomatique avait néanmoins ses limites. En dernier recours, la politique étrangère de chaque nation restait guidée par ses intérêts économiques propres, sa géographie, ses divisions ethniques et religieuses, ses conflits territoriaux, ses mythes fondateurs, ses traumatismes profonds, ses vieilles animosités, et surtout par les impératifs du groupe qui cherchait à se maintenir au pouvoir. Il était rare que des chefs d'État étrangers soient sensibles à la seule persuasion morale. Ceux qui étaient à la tête de régimes répressifs pouvaient plus ou moins se permettre de mépriser l'opinion publique. Si je voulais avancer sur les questions les plus délicates, j'allais devoir user d'une autre forme de diplomatie, faite de récompenses et de sanctions concrètes, et seule capable d'infléchir les calculs des dirigeants les plus durs. Et, durant la première année de mon mandat, les interactions avec les chefs de trois États en particulier – l'Iran, la Russie et la Chine – m'ont très vite démontré que ce ne serait pas une partie de plaisir.

L'Iran était celui des trois qui menaçait le moins les intérêts des États-Unis sur le long terme, mais il remportait la palme du « plus activement hostile ». Héritier des grands empires perses de l'Antiquité, épicentre des arts et des sciences à l'âge d'or de l'Islam, l'Iran était longtemps resté sous les radars des décideurs américains. Bordé à l'ouest par la Turquie et l'Irak, à l'est par l'Afghanistan et le Pakistan, il était généralement considéré comme un pays moyen-oriental pauvre parmi tant d'autres, un territoire rongé par la guerre civile et la montée des puissances européennes. Mais, en 1951, son parlement laïque et de gauche entreprit de nationaliser les champs de pétrole du pays, confisquant des recettes qui allaient jusque-là dans la poche du gouvernement britannique, actionnaire majoritaire de la plus grande société pétrolière d'Iran. Fâchés de s'être fait couper les vivres, les Britanniques imposèrent un blocus maritime afin d'empêcher l'Iran de livrer son pétrole aux acheteurs potentiels. Ils convainquirent en outre le gouvernement des États-Unis que le nouveau régime iranien nourrissait une certaine sympathie pour les Soviétiques, ce qui incita le président Eisenhower à donner son feu vert à l'opération Ajax, un coup d'État organisé par la CIA et le MI6 qui destitua le Premier ministre élu démocratiquement et renforça le pouvoir du jeune monarque du pays, le shah Mohammad Reza Pahlavi.

Avec l'opération Ajax, les États-Unis posèrent les bases d'une relation fautive avec les pays en développement qui domina toute la guerre froide : nous avons pris des aspirations nationalistes pour des complots communistes, confondu intérêts commerciaux et sécurité nationale, saboté des gouvernements élus démocratiquement et pris le parti des autocrates chaque fois que nous y trouvions notre avantage. Toutefois, pendant les vingt-sept premières années, les décideurs américains durent estimer que leur manœuvre iranienne était un succès. Le shah devint un allié inconditionnel qui signa des contrats avec les sociétés pétrolières américaines et acheta quantité d'armement coûteux aux États-Unis. Il entretint des relations amicales avec Israël, accorda le droit de vote aux femmes, employa la richesse grandissante du pays à moderniser l'économie et le système éducatif, et s'entendait à merveille avec les hommes d'affaires occidentaux et les têtes couronnées européennes.

Mais ce qui se voyait moins de l'extérieur, c'était la grogne suscitée par les dépenses extravagantes du shah, sa répression impitoyable (sa police secrète avait la réputation de torturer et de tuer les opposants) et sa promotion des mœurs occidentales qui, aux yeux du clergé conservateur et de ses nombreux partisans, violaient les principes fondamentaux de l'islam. De même, les analystes de la CIA ne prêtèrent pas une grande attention à un certain ayatollah Khomeini, un dignitaire chiite en exil au tempérament messianique et à l'influence croissante, qui dans ses écrits et ses discours accusait le shah d'être la marionnette de l'Occident et appelait les fidèles à remplacer l'ordre existant par un État islamique gouverné par la charia. D'où la surprise des États-Unis quand, début 1978, une série de manifestations déboucha sur une véritable révolution populiste. Les partisans de Khomeini furent successivement rejoints dans les rues par les travailleurs mécontents, les jeunes sans emploi et les forces prodémocraties prônant un retour à l'ordre constitutionnel. Au début de l'année suivante, alors que les manifestants se comptaient en millions, le shah quitta discrètement le pays et fut brièvement accepté aux États-Unis pour y recevoir des soins médicaux. Tous les journaux télévisés du soir diffusèrent des images de l'ayatollah – barbe blanche et regard ardent de prophète –, rentrant triomphalement de son exil, qui descendait d'un avion devant une foule en liesse.

La majorité des Américains n'était pas au courant de la révolution qui se produisait et ne comprenait pas pourquoi la population d'un pays lointain se mettait soudainement à brûler des effigies de l'Oncle Sam en scandant « Mort aux États-Unis ». C'était d'ailleurs mon cas. J'avais alors 17 ans, j'étais au lycée et n'avais pas encore développé de conscience politique. Je n'ai compris que vaguement la suite des événements : comment Khomeini s'attribua le titre de guide suprême en écartant ses anciens alliés laïcs et réformistes ; comment il constitua le Corps des Gardiens de la révolution islamique, groupe paramilitaire ayant pour mission d'écraser les opposants au nouveau régime ; et comment il profita de la crise des otages américains à Téhéran pour cimenter la révolution et humilier la première puissance mondiale.

Trois décennies plus tard, les retombées de ces événements continuaient de façonner en profondeur le paysage politique et ma présidence. La révolution iranienne inspira une kyrielle de mouvements islamiques radicaux décidés à reproduire son succès. L'appel de Khomeini à renverser les monarchies arabes sunnites dressa l'Iran et la famille royale saoudienne l'un contre l'autre et creusa la division confessionnelle dans tout le Moyen-Orient. La tentative d'invasion de l'Iran par l'Irak en 1980 et les huit années de guerre sanglante qui s'ensuivirent – guerre durant laquelle les États du Golfe finançaient Saddam Hussein tandis que la Russie équipait l'Iran en armes, notamment chimiques – poussèrent l'Iran à soutenir le terrorisme afin de compenser les avantages militaires de ses ennemis. (Sous Reagan, les États-Unis essayèrent, non sans cynisme, de jouer sur les deux tableaux en prenant publiquement le parti de l'Irak tout en vendant secrètement des armes à l'Iran.) Lorsque Khomeini promit de rayer Israël de la carte – expliquant l'appui des Gardiens de la révolution à des relais armés tels que le Hezbollah, milice chiite installée au Liban, et à la branche militaire du Hamas, le groupe de résistance palestinienne –, le régime iranien devint la plus grande menace contre Israël et contribua à son raidissement face à l'idée d'une possible paix avec ses voisins. Plus généralement, la vision propagée par Khomeini d'un monde organisé selon un affrontement manichéen entre les forces d'Allah et celles du « Grand Satan » (les États-Unis) contamina à la manière d'une toxine l'esprit des futurs djihadistes, mais aussi celui des Occidentaux déjà enclins au soupçon et à la crainte vis-à-vis des musulmans.

Khomeini mourut en 1989. Son successeur, l'ayatollah Ali Khamenei, un religieux qui n'était presque jamais sorti de son pays et n'en sortirait plus jamais, partageait manifestement la haine de Khomeini envers l'Amérique. Mais, bien qu'il ait le titre de guide suprême, l'autorité de Khamenei n'était pas absolue : il était obligé de composer avec un puissant conseil clérical, et la gouvernance quotidienne incombait à un président élu par le peuple. À un moment, vers la fin du mandat de Clinton et le début de celui de Bush, la montée en puissance de forces plus modérées sembla augurer d'un dégel dans les relations entre les États-Unis et l'Iran. Après le 11 Septembre, le président Mohammad Khatami tendit même la main à l'administration Bush en lui proposant d'aider l'Amérique à riposter contre l'Afghanistan voisin. Mais les dirigeants américains n'en tinrent pas compte, et lorsque, dans son discours sur l'état de l'Union en 2002, le président Bush rangea l'Iran dans l'« axe du mal » aux côtés de l'Irak et de la Corée du Nord, la fenêtre diplomatique existante se referma brusquement.

Lors de mon arrivée en poste, la ligne dure des conservateurs avait repris le pouvoir à Téhéran, menée par un nouveau président, Mahmoud Ahmadinejad, qui, entre ses diatribes anti-occidentales, son négationnisme et sa persécution des homosexuels comme de toute personne qualifiée de « menace », était un parfait condensé des traits les plus haineux du régime. L'Iran continuait à armer des milices visant les soldats américains en Irak et en Afghanistan. L'invasion de l'Irak par les États-Unis avait grandement renforcé la position stratégique de l'Iran dans la région en renversant son ennemi juré, Saddam Hussein, pour le remplacer par un gouvernement à majorité chiite perméable à l'influence iranienne. Le Hezbollah, affilié à l'Iran, était devenu la faction la plus puissante du Liban, dotée de missiles d'origine iranienne capables de frapper Tel-Aviv. Les Saoudiens et les Israéliens s'alarmaient de l'expansion d'un « croissant chiite » sous l'impulsion iranienne et ne cachaient pas leur souhait de voir les États-Unis provoquer un changement de régime.

Dans ces circonstances, l'Iran représentait donc déjà la promesse d'une migraine carabinée pour mon gouvernement. Mais quand il a mis un coup d'accélérateur à son programme nucléaire, il a menacé de transformer une situation épineuse en crise généralisée.

Le régime avait hérité de centrales nucléaires construites à l'époque du shah et, conformément au Traité sur la non-prolifération des armes nucléaires – dont l'Iran était signataire et qu'il avait ratifié en 1970 –, il avait le droit de fabriquer de l'énergie nucléaire dans un but civil. Seulement, la centrifugeuse permettant d'obtenir l'uranium faiblement enrichi qui alimentait les centrales pouvait être modifiée pour produire un uranium hautement enrichi, à usage militaire. Pour citer un de nos experts : « Avec la bonne quantité d'uranium enrichi, un lycéen disposant d'un accès à Internet peut fabriquer une bombe. » Entre 2003 et 2009, l'Iran multiplia les centrifugeuses, faisant passer leur nombre de cent à cinq mille, un chiffre que ne pouvait justifier aucun programme civil. Les milieux du renseignement américain doutaient que l'Iran dispose déjà de l'arme nucléaire. Mais ils étaient également convaincus que le régime avait dangereusement réduit le délai nécessaire pour fabriquer une bombe utilisable.

L'acquisition par l'Iran d'un arsenal nucléaire ne menacerait pas forcément le sol américain ; en revanche, le risque de frappe ou de terrorisme non conventionnel au Moyen-Orient limiterait fortement la capacité d'un futur président des États-Unis à contenir l'agressivité de l'Iran envers ses voisins. Les Saoudiens réagiraient vraisemblablement en développant leur propre « bombe sunnite », déclenchant une course à l'arme nucléaire dans la région la plus instable du monde. De son côté, Israël – qui possède supposément une collection d'armes nucléaires non déclarées – jugeait qu'un Iran nucléarisé constituait une menace vitale, et se préparait selon certaines informations à effectuer des frappes préventives sur diverses centrales iraniennes. La moindre action, réaction ou erreur de jugement d'un de ces acteurs était susceptible de précipiter le Moyen-Orient – et les États-Unis – dans un nouveau conflit, à un moment où nous avions encore 180 000 hommes très exposés le long des frontières iraniennes, et où une hausse soudaine du prix du pétrole risquait de faire chuter l'économie mondiale. À plusieurs reprises, durant mon mandat, nous avons imaginé à quoi ressemblerait une guerre avec l'Iran ; je sortais de ces conversations plombé par la certitude que, s'il fallait en arriver là, presque tout ce que j'essayais d'accomplir par ailleurs serait compromis.

Pour toutes ces raisons, mon équipe et moi avons passé une grande partie de la transition à chercher comment empêcher l'Iran de se doter d'armes nucléaires. Privilégiant la voie diplomatique au déclenchement d'une nouvelle guerre, nous avons élaboré une stratégie en deux étapes. Puisque les ponts entre les gouvernements américain et iranien étaient pratiquement coupés depuis 1980, la première étape serait d'établir une relation directe. Ainsi que je l'avais affirmé lors de mon discours d'investiture, nous étions prêts à tendre la main à tous les pays disposés à desserrer le poing. Quelques semaines après ma prise de fonction, j'ai fait parvenir, par l'intermédiaire de diplomates iraniens siégeant aux Nations unies, un courrier secret à l'ayatollah Khamenei pour lui proposer d'ouvrir un dialogue entre nos deux pays sur tout un éventail de questions, parmi lesquelles le programme nucléaire iranien. La réponse de Khamenei a été lapidaire : l'Iran n'était pas intéressé par des pourparlers en direct. Il a ensuite profité de l'occasion pour me suggérer diverses choses que pourraient faire les États-Unis pour cesser de se comporter en tyran.

« On dirait qu'il n'est pas près de desserrer le poing, a commenté Rahm après avoir lu une copie de la lettre, traduite du farsi.

– Non, pour le moment il se contente de me faire un doigt d'honneur », ai-je dit.

En vérité, personne à la Maison-Blanche n'espérait de réponse positive. Mais j'avais malgré tout envoyé ce courrier, car je souhaitais établir que ce n'était pas les États-Unis qui, par leur intransigeance, faisaient obstacle à la diplomatie : c'était l'Iran. J'ai appuyé ce message d'ouverture à destination du peuple iranien en mars, dans des vœux diffusés en ligne pour Norouz, le Nouvel An persan.

Finalement, toute perspective d'avancée prochaine a été anéantie en juin 2009, lorsque le candidat de l'opposition iranienne, Mir-Hossein Mousavi, a accusé le gouvernement de truquer les élections afin de maintenir Ahmadinejad en place pour un second mandat. Des millions de manifestants sont descendus dans les rues pour contester les résultats de l'élection, marquant le début d'un « Mouvement vert » qui a provoqué une secousse d'une ampleur inédite depuis la révolution de 1979.

La riposte a été prompte et sans pitié. Mousavi et d'autres leaders de l'opposition ont été assignés à résidence. Des manifestants pacifistes ont été passés à tabac et un grand nombre d'entre eux ont été tués. Un soir, depuis le confort de la Maison-Blanche, tandis que je consultais des articles sur les manifestations, j'ai vu une vidéo d'une jeune femme abattue dans une rue, agonisante, le visage éclaboussé de sang et les yeux chargés de reproche.

C'était un rappel terrifiant du prix que paient tant de personnes à travers le monde pour avoir voulu se faire entendre de leurs gouvernants, et mon premier élan a été d'exprimer tout mon soutien aux manifestants. Mais, lorsque j'ai réuni mon Conseil de sécurité nationale, nos spécialistes de l'Iran me l'ont déconseillé, assurant que toute déclaration se retournerait contre moi. La ligne dure du régime commençait déjà à prétendre que ces manifestations avaient été provoquées par des agents étrangers, et les militants sur place redoutaient que notre soutien ne soit instrumentalisé pour discréditer leur mouvement. Contraint de tenir compte de ces avertissements, je me suis contenté d'une série de déclarations neutres et bureaucratiques – « Nous continuons à surveiller la situation », « Les droits universels que sont la liberté de réunion et la liberté d'expression doivent être respectés » –, en appelant à une résolution pacifique qui reflétait le désir du peuple iranien.

Plus la violence s'intensifiait, plus je la condamnais. Mais cette approche passive ne me correspondait pas – et pas uniquement parce qu'elle permettait aux républicains de me casser les oreilles en hurlant que j'étais trop tendre avec un régime assassin. J'apprenais une nouvelle leçon difficile de la présidence : mon cœur était désormais enchaîné à des considérations stratégiques et à des analyses tactiques, mes convictions soumises à des arguments contre-intuitifs. Depuis mon fauteuil dans le plus puissant bureau du monde, j'avais moins de latitude pour dire ce que je pensais et agir avec mes tripes qu'au temps où j'étais sénateur – ou citoyen ordinaire révolté par la vue d'une jeune femme abattue par son propre gouvernement.

Éconduits dans nos efforts pour ouvrir un dialogue avec l'Iran, et alors que le pays sombrait dans le chaos et la répression, nous sommes passés à la deuxième étape de notre stratégie de non-prolifération : la mobilisation de la communauté internationale afin d'appliquer des sanctions sévères et multilatérales susceptibles de pousser l'Iran à s'asseoir à la table des négociations. Le Conseil de sécurité de l'ONU avait déjà adopté de multiples résolutions exhortant l'Iran à cesser ses activités d'enrichissement. Il avait en outre donné son aval à des sanctions limitées et constitué un groupe nommé P5+1 – composé de ses cinq membres permanents (États-Unis, Royaume-Uni, France, Russie et Chine) ainsi que de l'Allemagne – qui devait rencontrer les délégués iraniens dans l'espoir de ramener le pays dans le cadre du Traité sur la non-prolifération des armes nucléaires.

Seulement, les sanctions existantes, trop limitées, n'étaient guère efficaces. Certains alliés des États-Unis tels que l'Allemagne restaient en très bons termes commerciaux avec l'Iran, et à peu près tout le monde achetait son pétrole. L'administration Bush avait unilatéralement imposé des sanctions supplémentaires, mais elles étaient essentiellement symboliques, car les entreprises américaines avaient l'interdiction de faire affaire avec l'Iran depuis 1995. Le prix du pétrole étant élevé et son économie en plein essor, l'Iran se faisait un plaisir de mener le P5+1 par le bout du nez lors de séances de négociation qui ne débouchaient sur rien d'autre que la promesse de nouvelles discussions.

Pour capter l'attention de l'Iran, nous allions devoir convaincre d'autres pays de serrer la vis. Et, pour cela, il allait nous falloir obtenir des gages de deux puissants adversaires historiques qui, par principe, désapprouvaient les sanctions, entretenaient de chaleureuses relations diplomatiques et commerciales avec l'Iran, et se méfiaient presque autant que Téhéran des visées américaines.

Ayant grandi dans les années 1960 et 1970, j'étais assez âgé pour me souvenir que la guerre froide avait défini l'ordre international, scindé l'Europe en deux, causé une course à l'armement nucléaire et engendré des conflits périphériques dans le monde entier. Elle avait aussi modelé mon imagination : dans les manuels scolaires, les journaux, les romans d'espionnage et les films, l'Union soviétique était le redoutable adversaire des États-Unis dans le combat entre la liberté et la tyrannie.

J'appartenais en outre à la génération de l'après-Vietnam, qui avait appris à douter de son propre gouvernement et savait combien – depuis la montée du maccarthysme jusqu'à la défense de l'apartheid sud-africain – l'état d'esprit de la guerre froide avait pu conduire les États-Unis à trahir leurs idéaux. Cette prise de conscience n'entamait pas ma certitude qu'il fallait contenir l'expansion du totalitarisme marxiste, mais elle m'aidait à me garder de croire que le bien était uniquement de notre côté et le mal du leur, ou qu'un peuple ayant vu naître Tolstoï et Tchaïkovski était intrinsèquement différent de nous. Au contraire, les travers du système soviétique m'apparaissaient comme une variation autour du thème plus général de la tragédie humaine : la dérive de théories abstraites et d'orthodoxies inflexibles qui dégénèrent en autoritarismes, notre promptitude à excuser les compromissions morales et à renoncer à nos libertés, la vitesse à laquelle le pouvoir peut nous corrompre, la peur nous ronger, et le langage être dévoyé. À mon sens, ce n'était pas propre aux Soviétiques : c'était vrai pour chacun de nous. La courageuse lutte des opposants de l'autre côté du rideau de fer ne me semblait pas différente de toutes les luttes pour la dignité humaine qui agitaient le monde entier, y compris les États-Unis.

Lorsque, vers le milieu des années 1980, Mikhaïl Gorbatchev est devenu secrétaire du Parti communiste et a entamé avec la perestroïka et la glasnost une libéralisation prudente, j'ai suivi ces événements de près en me demandant s'ils annonçaient une ère nouvelle. Et puis, quelques années plus tard, le mur de Berlin a été abattu et des militants russes prodémocratie ont poussé Boris Eltsine au pouvoir, balayant l'ancien régime communiste et achevant la désintégration de l'Union soviétique. J'y ai vu non seulement une victoire de l'Occident, mais surtout une affirmation de la puissance des mobilisations citoyennes et un avertissement adressé à tous les despotes. Si le tumulte qui a englouti la Russie dans les années 1990 – effondrement économique, corruption débridée, populisme de droite, oligarques douteux – m'a ensuite donné à réfléchir, je conservais toutefois l'espoir que, après une transition forcément difficile vers l'économie de marché et le gouvernement représentatif, une nouvelle Russie émergerait, qui serait plus juste, plus prospère et plus libre.

Quand je suis devenu président, cet espoir m'avait pratiquement quitté. Certes, le successeur de Boris Eltsine, Vladimir Poutine, arrivé au pouvoir en 1999, affirmait ne pas souhaiter un retour au marxisme-léninisme (qu'il qualifia un jour d'« erreur ») et était parvenu à stabiliser l'économie du pays, grâce notamment aux recettes considérables découlant de la hausse du prix du pétrole. Les élections se tenaient désormais en conformité avec la Constitution russe, les capitalistes étaient partout, les citoyens ordinaires pouvaient voyager à l'étranger, et les militants prodémocratie tels que le champion d'échecs Garry Kasparov avaient la liberté de critiquer le gouvernement sans risquer un aller simple pour le goulag.

Et pourtant, sous Poutine, la nouvelle Russie ressemblait chaque année un peu plus à l'ancienne. Il est apparu évident qu'une économie de marché et des élections périodiques étaient parfaitement compatibles avec un « autoritarisme doux » qui concentrait peu à peu le pouvoir entre les mains de Poutine et rétrécissait l'espace ouvert à la contestation. Les oligarques coopérant avec Poutine devenaient richissimes. Ceux qui prenaient leurs distances avec lui étaient la cible de poursuites judiciaires et se voyaient confisquer leurs capitaux – quant à Kasparov, il a fini par passer quelques jours en prison pour avoir mené une manifestation anti-Poutine. Le président plaçait ses affidés à la tête des principaux organes de presse du pays, et faisait pression sur les autres pour qu'ils le traitent avec la même indulgence que les médias d'État au temps du communisme. Les journalistes indépendants et les personnalités de la société civile étaient surveillés par le FSB (l'incarnation moderne du KGB) – et, dans certains cas, tués.

Pour autant, le pouvoir de Poutine ne reposait pas uniquement sur la coercition : il bénéficiait d'une réelle popularité auprès de son peuple, avec un taux d'approbation qui descendait rarement sous les 60 %. Cette popularité était enracinée dans un nationalisme historique, la promesse de rendre à la Mère Russie sa gloire passée, et de racheter l'humiliation et les bouleversements dont avaient souffert tant de Russes depuis deux décennies.

Si Poutine pouvait convaincre avec cette vision, c'est parce qu'il avait lui-même été affecté par ces bouleversements. Issu d'une famille dépourvue de relations et de privilèges, il avait gravi méthodiquement les échelons : une formation de réserviste de l'Armée rouge, des études de droit à l'université d'État de Leningrad, une carrière au KGB. Après des années de bons et loyaux services, en 1989, il était parvenu à une situation de rang et d'envergure modestes, quand le système auquel il avait consacré toute sa vie avait basculé du jour au lendemain, en même temps que tombait le mur de Berlin. (Poutine était alors en poste pour le KGB à Dresde, en Allemagne de l'Est, et aurait passé les jours suivants à détruire frénétiquement des dossiers et à monter la garde contre d'éventuels pillards.) Après cela, il avait rapidement changé son fusil d'épaule et s'était allié, dans le monde post-soviétique, au démocrate réformateur Anatoli Sobtchak, un mentor rencontré pendant ses études de droit et qui était devenu maire de Saint-Pétersbourg. Poutine s'était ensuite lancé en politique nationale, avait progressé dans les rangs de l'administration Eltsine à une vitesse étourdissante, occupé une quantité de postes différents – y compris directeur du FSB – et profité de son pouvoir pour s'entourer d'alliés, dispenser des faveurs, collecter des secrets et déjouer les plans de ses rivaux. Eltsine l'avait nommé Premier ministre en août 1999, puis, à la surprise générale, avait quitté son poste quatre mois plus tard – miné par des scandales de corruption, une mauvaise santé, de légendaires problèmes de boisson et une ribambelle d'erreurs de gestion économique –, faisant de Poutine le président russe par intérim. C'était le coup de pouce dont celui-ci avait besoin pour se faire élire en bonne et due forme trois mois plus tard. (Une de ses premières décisions fut de gracier Eltsine pour toutes ses malversations.)

Entre les mains de personnes rusées et sans scrupules, le chaos peut se révéler un don du ciel. Mais, que ce soit par instinct ou par calcul, Poutine avait saisi le désir d'ordre du peuple russe. Bien que la majorité de la population n'ait aucun intérêt à revenir au temps des fermes collectives et des magasins vides, elle était lasse, elle avait peur et était irritée de voir que – dans le pays comme à l'étranger – certains avaient profité de la faiblesse d'Eltsine. Elle préférait être menée d'une main de fer, et Poutine s'empressa de lui donner satisfaction.

Il réaffirma ainsi le contrôle russe sur la Tchétchénie, province à dominante musulmane, sans hésiter à se hisser, avec une action militaire d'une brutalité implacable, au niveau de la violence terroriste des séparatistes. Il rétablit les méthodes de surveillance soviétiques au nom de la sécurité. Lorsque des militants prodémocratie s'opposaient à ses penchants autoritaires, Poutine les accusait d'être à la solde de l'Occident. Il ressuscita les symboles pré-communistes et même communistes, et se rapprocha de l'Église orthodoxe russe, jusque-là interdite. Amateur de projets pharaoniques, il se lança dans des entreprises exorbitantes, présentant la candidature de la ville balnéaire de Sotchi pour accueillir les Jeux olympiques d'hiver. Avec la méticulosité d'un adolescent sur Instagram, il inonda la presse de photos de lui, renvoyant une image presque caricaturale de force virile (Poutine torse nu sur un cheval, Poutine jouant au hockey), tout en faisant preuve d'un chauvinisme et d'une homophobie désinvoltes et en répétant que les valeurs de la Russie étaient infectées par des éléments étrangers. Tout ce que faisait Poutine concourait à l'idée que, sous sa houlette ferme et paternelle, la Russie avait retrouvé la forme.

Seul souci : la Russie n'était plus une superpuissance. Bien que son arsenal nucléaire soit surpassé seulement par le nôtre, il manquait à la Russie le vaste réseau d'alliances et de bases qui permettait aux États-Unis de projeter leur puissance militaire sur tout le globe. Son économie restait en dessous de l'Italie, du Canada et du Brésil, et reposait presque exclusivement sur les exportations de pétrole, de gaz, de minerai et d'armes. Dans plusieurs quartiers de Moscou, les boutiques de luxe témoignaient de la transformation d'une économie d'État rouillée en un capitalisme engendrant toujours plus de milliardaires ; mais, en voyant les privations endurées par le peuple, on comprenait que cette nouvelle richesse ruisselait très peu. Selon plusieurs indicateurs internationaux, les niveaux de corruption et d'inégalité rivalisaient avec certains pays en développement et, en 2009, l'espérance de vie pour les hommes était inférieure à celle du Bangladesh. Rares étaient les jeunes Africains, Asiatiques ou Sud-Américains qui voyaient dans la Russie une inspiration pour améliorer leur société, qui étaient stimulés par les films ou la musique de ce pays ou qui rêvaient d'y faire leurs études, et encore moins d'y émigrer. Dépouillée de ses oripeaux idéologiques, de l'ancienne promesse faite aux travailleurs que leur union parviendrait à briser leurs chaînes, la Russie de Poutine renvoyait l'image d'un pays isolé et méfiant à l'égard des étrangers – un pays à craindre, peut-être, mais pas à imiter.

Ce fossé entre la réalité de la Russie actuelle et l'insistance de Poutine sur son statut de superpuissance pouvait, à mon sens, aider à comprendre son attitude de plus en plus combative dans ses relations avec les autres pays. Nous étions la cible principale de son courroux : dans ses déclarations publiques, Poutine critiquait amèrement la politique américaine. Lorsque des initiatives soutenues par les États-Unis arrivaient devant le Conseil de sécurité de l'ONU, il veillait à ce que la Russie les bloque ou les sabote – surtout lorsqu'elles touchaient aux droits fondamentaux. Dans un registre plus inquiétant, Poutine s'efforçait avec une agressivité croissante d'empêcher que les pays de l'ex-bloc de l'Est ne sortent de l'orbite russe. Nos diplomates entendaient régulièrement les voisins de la Russie se plaindre d'intimidations, de pressions économiques, de campagnes de désinformation, de propagande électorale déguisée, de soutien aux candidats pro-russes, voire de subornation pure et simple. En Ukraine, il y avait eu le mystérieux empoisonnement d'un militant réformiste devenu président et qui déplaisait à Moscou, Viktor Ioutchtchenko. Et puis, bien entendu, il y avait eu l'invasion de la Géorgie à l'été 2008.

Difficile de deviner jusqu'où la Russie comptait aller sur cette voie périlleuse. Poutine n'était plus président : malgré son succès dans les sondages, il avait choisi de se conformer à la Constitution russe qui l'empêchait de briguer un troisième mandat et avait laissé sa place à Dmitri Medvedev, son ancien vice-président qui, après son élection en 2008, l'avait nommé Premier ministre. Les analystes s'accordaient à dire que Medvedev lui gardait la place jusqu'en 2012, date à laquelle Poutine pourrait de nouveau se présenter. Cela étant, sa décision de s'effacer, mais surtout de mettre en avant un homme plus jeune et connu pour ses opinions plutôt libérales et pro-occidentales, laissait entendre qu'il cherchait, au minimum, à ménager les apparences. Mieux, elle ouvrait la possibilité que Poutine quitte un jour le pouvoir pour endosser le rôle de conseiller expérimenté, permettant à une nouvelle génération de dirigeants de remettre la Russie sur le chemin de la modernité, de la démocratie et de l'état de droit.

Tout cela était certes possible, mais guère probable. Les historiens constatent, depuis l'époque des tsars, une tendance russe à importer en fanfare les dernières idées européennes – aussi bien le gouvernement représentatif que la bureaucratie moderne, l'économie de marché que le socialisme d'État – avant de les abandonner ou de les subordonner à des méthodes antérieures et plus dures de maintien de l'ordre social. Dans la lutte interne à l'identité russe, la peur et le fatalisme l'emportaient généralement sur l'espoir et le changement. C'était la conséquence compréhensible d'une histoire millénaire faite d'invasions mongoles, d'intrigues byzantines, de grandes famines, de servage généralisé, de tyrannie effrénée, d'insurrections innombrables, de révolutions sanglantes, de guerres dévastatrices, de sièges interminables et de morts par millions – le tout sur un territoire glacial et inhospitalier.

En juillet, je me suis rendu à Moscou pour ma première visite présidentielle dans le pays, acceptant l'invitation lancée par Medvedev lors du sommet du G20 en avril. J'espérais que nous pourrions avancer sur le « redémarrage » proposé par les États-Unis : une relation axée sur nos intérêts communs qui tiendrait aussi compte de nos différences de fond. Comme c'était les vacances d'été, Michelle, Malia et Sasha ont pu m'accompagner. Et, au prétexte qu'elle avait besoin d'aide pour s'occuper des filles (et en promettant une visite du Vatican et une audience avec le pape quand nous irions ensuite en Italie pour un sommet du G8), Michelle avait persuadé ma belle-mère et notre proche amie Mama Kaye de venir aussi.

Nos filles ont toujours été formidables en voyage, capables d'endurer avec bonne humeur des vols commerciaux de neuf heures entre Chicago et Hawaï sans jamais se plaindre, faire de caprices ou taper dans les sièges de devant, plongées dans les jeux, livres et puzzles que Michelle leur distribuait avec une précision militaire à intervalles réguliers. Air Force One était pour elles un surclassement notable, avec son large choix de films, ses vrais lits et son équipage qui leur apportait toutes sortes de choses à grignoter. Voyager avec le président des États-Unis n'allait cependant pas sans de nouvelles obligations. Quelques heures à peine après avoir fermé les yeux, elles ont été tirées du lit pour enfiler des robes neuves et de jolies chaussures et se faire coiffer afin d'être présentables à l'atterrissage. Elles ont dû sourire aux photographes à notre descente de l'avion, dire bonjour à la rangée de dignitaires grisonnants venus nous accueillir sur le tarmac – en les regardant dans les yeux et en articulant bien, comme le leur avait appris leur mère –, et enfin tâcher de ne pas montrer qu'elles s'ennuyaient pendant que leur père parlait de la pluie et du beau temps avant de monter dans la Bête qui nous attendait. Tandis que nous roulions sur une quatre-voies moscovite, j'ai demandé à Malia comment elle se sentait. Elle était éteinte, ses grands yeux marron fixaient le vide au-dessus de mon épaule.

Elle m'a répondu : « Je crois que j'ai jamais été aussi fatiguée *de toute ma vie.* »

Mais une sieste en milieu de matinée a permis aux filles de se recaler sur le bon fuseau horaire, et je me souviens encore comme si c'était hier de certains des moments que nous avons passés ensemble à Moscou. Sasha marchant derrière moi sur la moquette rouge des couloirs grandioses du Kremlin, suivie par un groupe d'imposants officiers russes en uniforme, les mains dans les poches d'un imperméable beige à la façon d'un agent secret miniature. Ou Malia essayant de retenir une grimace après avoir gaillardement accepté de goûter au caviar dans un restaurant en terrasse au-dessus de la place Rouge. (Fidèle à elle-même, Sasha avait refusé le petit amas noir et visqueux dans ma cuillère, quitte à risquer d'être ensuite privée de glace.)

Toutefois, maintenant que nous étions la First Family, nos voyages n'étaient plus les mêmes que pendant la campagne, lorsque nous allions de ville en ville à bord d'un camping-car et que Michelle et les filles m'accompagnaient aux défilés et dans les foires agricoles. J'avais désormais ma feuille de route et elles avaient la leur – de même qu'elles avaient leurs propres assistants, briefings, et photographe officiel. À la fin de notre première soirée à Moscou, quand nous nous sommes retrouvés au Ritz-Carlton, nous nous sommes allongés tous les quatre sur le lit et Malia m'a demandé pourquoi je n'étais pas venu avec elles voir le spectacle de danse et les fabricants de poupées. Michelle s'est approchée d'elle et, avec un air de conspiratrice, lui a chuchoté à l'oreille : « Ton père n'a pas le droit de s'amuser. Il est obligé de passer toutes ses journées dans des réunions barbantes.

– Pauvre papa », a compati Sasha en me tapotant le crâne.

Ma rencontre du lendemain avec Medvedev s'est déroulée dans un endroit à la majesté appropriée : un des palais appartenant au complexe du Kremlin, dont les hauts plafonds dorés et les ornements raffinés avaient été restaurés pour les rendre à leur ancienne splendeur tsariste. Notre conversation a été cordiale et professionnelle. Lors de la conférence de presse conjointe, nous avons habilement esquivé les tensions qui perduraient au sujet de la Géorgie et du déploiement du bouclier antimissiles de l'OTAN, et nous avons multiplié les annonces, notamment celle d'un cadre de négociation pour le nouveau traité START, prévoyant que toutes les parties réduisent d'un tiers le nombre d'ogives nucléaires et de vecteurs en leur possession. Gibbs, de son côté, se réjouissait de la levée de certaines restrictions sur l'exportation de bétail américain en Russie, une mesure qui allait rapporter plus d'un milliard de dollars à notre filière agricole.

« Ça, c'est important pour les gens », a-t-il approuvé en souriant.

Ce soir-là, Michelle et moi étions invités par Medvedev à un dîner privé dans sa datcha, à quelques kilomètres de la ville. À en croire les romans russes que j'avais lus, ce devait être une version plus vaste mais néanmoins rustique de l'habitation rurale traditionnelle. Au lieu de quoi nous avons découvert une immense propriété entourée de grands arbres. Medvedev et son épouse, Svetlana – une femme blonde et chaleureuse avec qui Michelle et les filles avaient passé une grande partie de la journée –, nous ont accueillis sur le pas de la porte et, après une rapide visite de la maison, nous sommes passés au jardin où nous avons dîné dans un kiosque en bois.

Nous ne nous sommes pas étendus sur les sujets politiques. Passionné par Internet, Medvedev m'a posé mille questions sur la Silicon Valley en exprimant son souhait de doper le secteur de la technologie russe. Il a également voulu savoir comment je m'entretenais physiquement et m'a expliqué qu'il nageait une demi-heure par jour. Nous avons échangé des anecdotes sur notre expérience de professeurs de droit et il m'a avoué son affection pour le hard rock et certains groupes comme Deep Purple. Svetlana, quant à elle, nous a fait part de ses inquiétudes pour leur fils de 13 ans, Ilya, qui allait connaître une adolescence très exposée à cause de la situation de son père – un défi que Michelle et moi ne comprenions que trop bien. Medvedev pensait que le garçon choisirait probablement de partir étudier à l'étranger.

Nous avons pris congé rapidement après le dessert, en nous assurant que toute notre équipe avait bien regagné le minibus avant que le cortège ne se mette en branle. Ailleurs dans la propriété, Gibbs et Marvin avaient passé un excellent moment avec l'entourage de Medvedev, qui les avait abreuvés de vodka et de schnaps ; lorsque nous les avons retrouvés, ils étaient d'une humeur guillerette qui ne survivrait pas à la sonnerie du réveil le lendemain matin. Tandis que Michelle piquait du nez à côté de moi dans l'obscurité de la voiture, je me suis rendu compte que cette soirée avait été d'une simplicité étonnante : exception faite des interprètes assis discrètement derrière nous, ce dîner aurait tout à fait pu se dérouler dans une banlieue américaine cossue. Medvedev et moi avions beaucoup de points communs : nous avions l'un comme l'autre étudié et enseigné le droit, avant de nous marier et de fonder une famille, puis de nous lancer en politique avec l'aide de politiciens plus aguerris. Je me demandais dans quelle proportion nos différences étaient dues à nos tempéraments respectifs et aux circonstances. Contrairement à lui, j'avais eu la chance de naître dans un pays où, pour réussir en politique, je n'avais pas été obligé d'ignorer des pots-de-vin se mesurant en milliards de dollars ou le chantage de la part de mes opposants.

MA PREMIÈRE RENCONTRE AVEC VLADIMIR POUTINE s'est tenue le lendemain matin, dans sa datcha en banlieue de Moscou. J'étais accompagné par Jim Jones ainsi que par nos spécialistes de la Russie, Mike McFaul et Bill Burns. Ayant eu par le passé quelques contacts avec Poutine, Burns m'a conseillé d'éviter un trop long exposé initial. « Il est très sensible à tout ce qu'il perçoit comme un affront, m'a-t-il expliqué. Et, dans son esprit, c'est lui le dirigeant le plus expérimenté. Le mieux serait peut-être de commencer en lui demandant ce qu'il pense de l'état des relations entre les États-Unis et la Russie, histoire de lui permettre de vider son sac. »

Après avoir franchi un imposant portail et remonté une longue allée, nous sommes arrivés devant un véritable château au pied duquel Poutine nous attendait pour l'indispensable séance photo. Physiquement, il n'avait rien de remarquable : petit et trapu – une carrure de lutteur –, une fine chevelure blond-roux, un nez saillant, des yeux clairs et vigilants. Tandis que nous échangions quelques civilités, j'ai remarqué chez lui une certaine désinvolture, une indifférence exercée dans la voix, indiquant qu'il avait l'habitude d'être entouré de subordonnés et de solliciteurs. C'était un homme accoutumé au pouvoir.

Accompagné par Sergueï Lavrov, le discret ministre des Affaires étrangères et ancien représentant de la Russie à l'ONU, Poutine nous a conduits jusqu'à une spacieuse terrasse où un véritable festin nous attendait : des œufs, du caviar, un grand choix de pains et de thés, tout cela servi par un personnel en tenue traditionnelle de paysan et bottes de cuir. Après avoir remercié Poutine pour son hospitalité et relevé les progrès accomplis par nos deux pays grâce aux accords de la veille, je lui ai demandé ce qu'il pensait des relations entre Moscou et Washington durant sa présidence.

Burns ne plaisantait pas en disant qu'il en avait gros sur le cœur. À peine avais-je terminé ma question qu'il s'est lancé dans un monologue animé et intarissable, énumérant par le menu les injustices, trahisons et affronts que les Américains lui avaient fait subir ainsi qu'au peuple russe. Sur le plan personnel, il appréciait le président Bush, à qui il avait offert son aide après le 11 Septembre, lui témoignant sa solidarité et proposant un partage d'informations dans la lutte contre l'ennemi commun. Il avait aidé les États-Unis à sécuriser des bases aériennes au Kirghizistan et en Ouzbékistan pendant la campagne d'Afghanistan. Il avait même offert son appui face à Saddam Hussein.

Et tout ça pour quoi ? Sans tenir compte de ses avertissements, Bush avait envahi l'Irak et déstabilisé tout le Moyen-Orient. Sept ans plus tard, les États-Unis décidaient de se retirer du Traité sur les systèmes antimissiles balistiques et projetaient d'installer des batteries antimissiles le long des frontières russes, ce qui demeurait une source d'instabilité stratégique. L'entrée dans l'OTAN des pays de l'ancien Pacte de Varsovie sous Clinton puis sous Bush avait progressivement rogné la « sphère d'influence » de la Russie, tandis que le soutien de Washington aux « révolutions de couleur » en Géorgie, en Ukraine et au Kirghizistan – sous l'estampille douteuse de « promotion de la démocratie » – avait transformé des voisins naguère amicaux en ennemis de la Russie. Aux yeux de Poutine, les Américains s'étaient montrés arrogants et méprisants en refusant de traiter Moscou sur un pied d'égalité et en essayant sans relâche de dicter leurs conditions au reste du monde. Pour toutes ces raisons, il se disait peu optimiste quant au futur des relations entre nos deux pays.

Trente minutes après le début de cette rencontre censée durer une heure, mes assistants ont commencé à jeter des coups d'œil discrets à leur montre. J'ai cependant décidé de ne pas interrompre Poutine. Même si sa diatribe était de toute évidence préparée, sa vexation était réelle. Je savais également que la poursuite des avancées avec Medvedev reposerait sur l'apaisement de son Premier ministre. Au bout de trois quarts d'heure environ, Poutine à enfin été à court de reproches et, plutôt que de tenter de recoller à l'ordre du jour, j'ai commencé à lui répondre point par point. Je lui ai rappelé que je m'étais personnellement opposé à l'invasion de l'Irak, mais que je condamnais de la même façon l'action de la Russie en Géorgie, en vertu du droit de chaque nation à choisir ses alliés et ses partenaires économiques sans ingérence extérieure. J'ai contesté l'idée selon laquelle un système de défense restreint, conçu pour nous protéger d'un tir de missile iranien, aurait une quelconque incidence sur le puissant arsenal nucléaire russe, mais j'ai évoqué mon intention de commander une étude avant d'aller plus loin dans la défense antimissiles en Europe. Quant au « redémarrage » que nous avions proposé, j'ai expliqué que son but n'était pas d'éliminer toutes les divergences entre nos pays, mais de dépasser les habitudes héritées de la guerre froide pour créer une relation mature et pragmatique, susceptible de prendre en compte ces différences tout en servant nos intérêts communs.

Par moments, la conversation devenait houleuse, surtout quand il était question de l'Iran. Poutine dédaignait mes inquiétudes au sujet du programme nucléaire iranien et s'est agacé lorsque j'ai suggéré qu'il suspende la vente du puissant système sol-air S-300 à Téhéran. Il a répondu que ces missiles étaient purement défensifs et a ajouté que, en revenant sur un contrat à 800 millions de dollars, il mettrait en danger à la fois les finances et la réputation des fabricants d'armes russes. Mais, dans l'ensemble, il m'a écouté avec attention et, au terme de ce qui s'était transformé en un marathon de deux heures, il a exprimé, sinon de l'enthousiasme, du moins une certaine ouverture à l'idée d'un « redémarrage ».

« Bien entendu, vous devrez voir tout cela avec Dmitri, a conclu Poutine en me raccompagnant. C'est lui qui décide. » Nos regards se sont croisés lorsque nous nous sommes serré la main. Nous étions tous deux conscients que cette affirmation était sujette à caution, mais, pour le moment du moins, j'avais son soutien, ou en tout cas ce qui s'en approchait le plus.

Cette rencontre avait chamboulé tout le planning de la journée. Nous sommes rentrés pied au plancher à Moscou, où je devais prononcer un discours de remise de diplômes devant de jeunes Russes enthousiastes qui terminaient leurs études de commerce et de finance. Avant cela, dans une loge à l'écart de la scène, j'ai eu un bref aparté avec l'ancien dirigeant soviétique Mikhaïl Gorbatchev. Toujours robuste pour ses 78 ans, avec sa célèbre tache de naissance sur le crâne, il m'est apparu comme un personnage curieusement tragique. J'avais devant moi un homme qui avait compté parmi les plus puissants du monde, dont l'instinct de réformer et la volonté de dénucléariser – si balbutiante soit-elle – avaient transformé le monde et lui avaient valu un prix Nobel de la paix. Il était désormais méprisé dans son propre pays, à la fois par ceux qui estimaient qu'il avait capitulé devant l'Occident et par ceux qui voyaient en lui le fossile d'un passé communiste révolu. Gorbatchev m'a fait part de son enthousiasme vis-à-vis de mes propositions de « redémarrage » et de désarmement mondial, mais j'ai hélas dû interrompre notre conversation au bout d'un quart d'heure pour aller prononcer mon discours. J'ai deviné qu'il était déçu, même s'il m'a dit qu'il comprenait : c'était pour lui comme pour moi un rappel de la nature volatile de la vie publique.

Après cela, direction le Kremlin pour un déjeuner écourté avec Medvedev et tout un aréopage de personnages importants, suivi par une table ronde avec des chefs d'entreprise américains et russes, au cours de laquelle les participants ont échangé des banalités en appelant à une coopération économique approfondie. Quand je suis arrivé au sommet des acteurs civils des deux pays que McFaul avait organisé, j'ai senti que le jet-lag me rattrapait. J'étais enchanté de pouvoir m'asseoir, reprendre mon souffle et écouter parler les intervenants.

C'était le type d'assistance qui me plaît : des militants prodémocratie, des dirigeants d'ONG et des militants associatifs travaillant sur le terrain dans des domaines tels que le logement, la santé et la représentation politique. Ils œuvraient le plus souvent dans l'ombre, maintenaient tant bien que mal leur structure à flot et avaient rarement l'occasion de sortir de leur ville, encore moins à l'invitation d'un président des États-Unis. Il se trouvait que j'avais rencontré un des participants américains pendant mes années de travail associatif à Chicago.

Cette juxtaposition entre mon passé et mon présent m'a fait réfléchir à ma conversation avec Poutine. Lorsque Axe m'avait demandé ce que je pensais du Premier ministre russe, j'avais répondu que je lui trouvais quelque chose de familier : « Il me fait penser à une sorte de chef de district qui aurait une mallette nucléaire et un droit de veto à l'ONU. » Cette remarque avait suscité les rires, mais dans ma bouche ce n'était pas une plaisanterie. Poutine me rappelait effectivement le genre d'hommes qui dirigeaient Tammany Hall ou l'équipe de lacrosse des Chicago Machine, des tempéraments durs, roublards, froids, pétris de certitudes, qui avaient une vision du monde étriquée et considéraient le clientélisme, les pots-de-vin, l'extorsion, la tricherie et parfois la violence comme des recours légitimes. Pour eux, comme pour Poutine, la vie était un jeu à somme nulle ; on pouvait toujours traiter avec des personnes extérieures au clan, mais jamais leur faire totalement confiance. On assurait d'abord ses arrières, puis ceux des proches. Dans leur monde, l'absence de scrupules et le mépris envers toute ambition plus élevée que l'accroissement de leur pouvoir n'étaient pas des défauts : c'étaient des atouts.

En Amérique, il avait fallu des décennies de manifestations, de législations progressistes, d'investigations journalistiques et d'argumentations pied à pied pour mater ces pratiques agressives, à défaut de les éliminer. Cette tradition réformiste était l'une des choses qui m'avaient incité à entrer en politique. Et voilà que, pour tenter de réduire les risques de catastrophe nucléaire ou d'éclatement d'un nouveau conflit au Moyen-Orient, je venais de passer la matinée à faire des courbettes à un autocrate qui avait très certainement des dossiers sur tous les militants présents dans cette salle et pouvait à sa guise les faire persécuter, emprisonner ou pire encore. Si Poutine s'en prenait à l'un de ces militants, jusqu'où irais-je dans ma condamnation – surtout en sachant qu'elle ne changerait probablement rien à son comportement ? Jusqu'à compromettre les négociations du traité START ? La coopération de la Russie face à l'Iran ? Et, de toute façon, à quelle aune mesurer ces accommodements ? Je pouvais toujours me raconter que tout était affaire de concessions, qu'il m'était déjà arrivé de passer des accords avec des politiciens américains dont la conduite n'était pas si éloignée de celle de Poutine et dont il valait parfois mieux ne pas trop interroger la moralité. Mais, cette fois, j'avais le sentiment que les choses étaient différentes. Les enjeux étaient plus importants, pour un camp comme pour l'autre.

Quand je me suis finalement levé pour prendre la parole, j'ai salué le courage et le dévouement de tous les participants et je leur ai vivement recommandé de ne pas seulement se focaliser sur la démocratie et les droits civiques, mais aussi sur des actions concrètes en faveur de l'emploi, de l'éducation, de la santé et du logement. À l'intention des Russes de l'assistance, j'ai dit que l'Amérique ne pouvait et ne devait pas lutter à leur place, que c'étaient eux qui détermineraient l'avenir de leur pays, mais j'ai aussitôt ajouté que je les encourageais de tout mon cœur, fermement convaincu que tous les peuples aspirent au respect des droits fondamentaux, à l'état de droit et à l'indépendance nationale.

Les applaudissements ont retenti. McFaul rayonnait. J'étais heureux d'avoir pu, ne serait-ce qu'un instant, dynamiser ces jeunes gens qui accomplissaient un travail difficile et parfois dangereux. J'étais certain que, même en Russie, il finirait par payer. Pourtant, je n'arrivais pas à me défaire de la crainte que la méthode Poutine ait davantage de poids et de partisans que je n'étais prêt à l'admettre, et que, partout dans le monde, nombre de ces militants prometteurs courent le risque d'être bientôt mis au ban ou écrasés par leur propre gouvernement – et, ce jour-là, je ne pourrais presque rien faire pour les protéger.

CHAPITRE 20

MA RENCONTRE SUIVANTE avec Medvedev a eu lieu fin septembre, lorsque les chefs d'État et de gouvernement du monde entier se sont rassemblés à Manhattan pour l'assemblée générale annuelle des Nations unies. Pour mon staff et moi, cette AG, comme nous l'appelions, représentait une course d'obstacles éreintante de soixante-douze heures. Entre les rues bloquées et la sécurité renforcée, la circulation était encore plus infernale qu'à l'ordinaire, même pour l'escorte présidentielle. Presque tous les dirigeants étrangers voulaient un rendez-vous, ou au moins une photo à rapporter. Il y avait des consultations avec le Secrétaire général de l'ONU, des réunions à présider, des réceptions à organiser, des causes à défendre, des accords à négocier, et une kyrielle de discours à écrire – dont une sorte d'état de l'Union à l'échelle globale que je devais prononcer devant l'assemblée générale, et que, en huit ans, Ben et moi avons toujours achevé un quart d'heure avant que je prenne la parole.

Malgré l'emploi du temps délirant qui m'attendait, la vue du siège des Nations unies – avec son monolithe blanc élancé au-dessus de l'East River – a, comme chaque fois, ravivé chez moi quantité d'attentes et d'espoirs. Je devais probablement cela à ma mère. Quand j'avais 9 ou 10 ans, je lui avais demandé ce qu'était l'ONU, et elle m'avait expliqué que, après la Seconde Guerre mondiale, les chefs d'État avaient décidé de créer un lieu où ils pourraient se rencontrer pour résoudre pacifiquement leurs différends.

« Les humains ressemblent beaucoup aux autres animaux, m'avait dit ma mère. Nous avons peur de ce que nous ne connaissons pas. Quand nous avons peur, quand nous nous sentons menacés, la solution de facilité, c'est de faire des choses stupides, déclarer des guerres par exemple. Les Nations unies permettent aux pays d'apprendre à se connaître et d'avoir moins peur les uns des autres. »

Comme toujours, il y avait chez ma mère la certitude rassurante que, malgré nos instincts primaires, la raison, la logique et le progrès l'emporteraient toujours. Après cette conversation, les réunions de l'ONU ont commencé à ressembler dans mon esprit à un épisode de *Star Trek* où les Américains, les Russes, les Écossais, les Africains et les Vulcains exploreraient l'univers tous ensemble. Ou bien à l'attraction « It's a Small World » de Disneyland, où des enfants à visage de lune, de toutes les couleurs de peau et vêtus de costumes chamarrés, chantent ensemble un air entraînant. Un peu plus tard, pour un devoir d'école, j'ai lu la charte des Nations unies, écrite en 1945, et j'ai été frappé de voir combien sa mission reflétait l'optimisme de ma mère : « préserver les générations futures du fléau de la guerre », « proclamer à nouveau notre foi dans les droits fondamentaux », « créer les conditions nécessaires au maintien de la justice et du respect des obligations nées des traités et autres sources du droit international », « favoriser le progrès social et instaurer de meilleures conditions de vie dans une plus grande liberté ».

Inutile de dire que l'ONU ne s'était pas toujours montrée à la hauteur de ces nobles intentions. Comme cela avait été le cas pour sa devancière, la malheureuse Société des nations, ses limites étaient déterminées par les plus puissants de ses membres. Toute action significative de l'ONU requérait l'accord des cinq membres permanents de son Conseil de sécurité – les États-Unis, l'Union soviétique (puis la Russie), le Royaume-Uni, la France et la Chine –, chacun détenant un droit de veto absolu. Durant la guerre froide, les possibilités d'accord étant faibles, les Nations unies étaient restées les bras croisés pendant que les chars soviétiques entraient en Hongrie ou que les avions américains larguaient du napalm sur la campagne vietnamienne.

Même après la guerre froide, les divisions au sein du Conseil de sécurité avaient continué à entraver l'action de l'ONU. Ses États membres avaient été incapables de mobiliser les moyens ou la volonté collective de rebâtir des États défaillants tels que la Somalie, ou d'empêcher des massacres ethniques au Sri Lanka ou ailleurs. Ses missions de maintien de la paix, tributaires de troupes volontaires envoyées par les

États membres, étaient systématiquement mal équipées et leurs effectifs insuffisants. Parfois, l'assemblée générale dégénérait en étalage de postures hypocrites et de condamnations unilatérales d'Israël ; à maintes reprises, les actions de l'ONU avaient été entachées par des scandales de corruption, pendant que des dictatures brutales, l'Iran de Khamenei ou la Syrie d'Assad, manœuvraient pour obtenir un siège au Conseil des droits de l'homme. Aux yeux du Parti républicain, les Nations unies étaient devenues le symbole d'un mondialisme infâme, tandis que les progressistes critiquaient leur impuissance à lutter contre les injustices.

Et pourtant, malgré toutes ses imperfections, je demeurais convaincu que l'ONU remplissait une fonction vitale. Ses rapports et ses conclusions incitaient parfois des États à s'amender et consolidaient les normes internationales. Grâce à son travail de médiation et de maintien de la paix, des cessez-le-feu avaient pu être négociés, des conflits évités et des vies sauvées. L'ONU avait aidé plus de quatre-vingts anciennes colonies à devenir des nations souveraines. Ses agences avaient contribué à sortir des dizaines de millions de personnes de la pauvreté, éradiqué la variole, pratiquement fait disparaître la polio et le ver de Guinée. Chaque fois que je pénétrais dans l'enceinte des Nations unies – pendant que les agents du Secret Service écartaient la foule de diplomates et d'attachés qui se pressaient sur la moquette des larges couloirs pour me faire signe ou me serrer la main, leurs visages reflétant toute la palette de formes et de teintes de la grande famille humaine –, je me rappelais que, chaque jour, entre ces murs, des centaines de personnes déplaçaient des montagnes, persuadaient des gouvernements de financer des programmes de vaccination et des écoles pour les enfants démunis, et sollicitaient le monde entier pour arrêter le massacre d'une minorité ou le trafic des jeunes femmes. La vie de ces hommes et de ces femmes, comme celle de ma mère, était ancrée à une idée exprimée par deux vers tissés dans une tapisserie suspendue sous le grand dôme de la salle de l'Assemblée générale :

Les êtres humains sont membres d'un seul corps
Car ils sont créés d'une seule et même essence.

Ben m'a appris que ces mots avaient été écrits au XIIIe siècle par le poète Sa'adi, une des figures les plus appréciées de la culture iranienne. Nous y avons vu une certaine ironie, considérant le temps que j'ai passé à l'AG des Nations unies à tenter de freiner le développement de l'arme nucléaire iranienne. De toute évidence, Khamenei et Ahmadinejad ne partageaient pas la douceur et la sensibilité du poète.

Depuis que l'Iran avait rejeté ma proposition de pourparlers bilatéraux, il n'avait pas paru décidé à ralentir son programme nucléaire.

Ses négociateurs continuaient de bloquer les réunions avec le P5+1, martelant avec colère que leurs centrifugeuses et leurs stocks d'uranium enrichi n'avaient que des usages purement civils. Bien que mensongères, ces protestations d'innocence constituaient un prétexte suffisant pour que la Chine et la Russie persistent à empêcher le Conseil de sécurité de durcir les sanctions contre le régime.

Nous continuions à plaider notre cause, et deux nouveaux développements nous ont aidés à infléchir l'attitude des Russes. Premièrement, notre équipe dédiée au contrôle des armements, admirablement menée par Gary Samore, spécialiste de la non-prolifération, avait travaillé avec l'Agence internationale de l'énergie atomique (AIEA) sur une proposition originale visant à dévoiler les intentions véritables de l'Iran. Le pays devait envoyer son stock d'uranium faiblement enrichi en Russie, où il serait transformé en uranium hautement enrichi, puis transporté par la Russie jusqu'en France, où il serait converti en combustible conforme aux besoins civils légitimes de l'Iran, mais dépourvu de toute application militaire. Cette proposition n'était qu'une mesure provisoire : elle ne touchait pas à l'architecture nucléaire de l'Iran et ne l'empêcherait pas d'enrichir son uranium à l'avenir. Mais, en vidant les stocks existants, nous pourrions retarder d'un an le processus d'obtention de la bombe, ce qui nous laisserait le temps de négocier une solution plus durable. En outre, ce scénario, en faisant de la Russie un partenaire clé, montrait à Moscou que nous étions disposés à mettre en œuvre toutes les approches raisonnables vis-à-vis de l'Iran. Présentée lors de l'AG des Nations unies, notre proposition a reçu l'aval de la Russie ; elle a même été surnommée la « proposition russe ». Avec pour conséquence que, lorsque les Iraniens l'ont rejetée au cours d'une réunion ultérieure du P5+1 à Genève, ils ne se sont pas contentés de faire un pied de nez aux Américains. Ils ont aussi blackboulé la Russie, un de leurs derniers défenseurs.

D'autre part, les relations entre l'Iran et la Russie avaient déjà été fragilisées par une information explosive que j'avais transmise à Medvedev et à Lavrov lors d'une réunion privée en marge de l'AG : nous avions découvert que Téhéran était sur le point d'achever la construction d'une installation d'enrichissement secrète, dans les entrailles d'une montagne près de la ville antique de Qom. Tout dans cette structure – sa taille, sa configuration et son implantation dans un site militaire – indiquait que l'Iran cherchait à protéger ses activités de la détection et des attaques, et rien ne correspondait à un programme civil. J'ai dit à Medvedev que nous lui montrions ces éléments avant de les rendre publics parce que le temps n'était plus aux demi-mesures. Si la Russie ne donnait pas son feu vert à une réponse internationale forte, la possibilité d'une résolution diplomatique risquait de nous échapper.

Notre exposé a paru secouer les Russes. Au lieu d'essayer de défendre l'Iran, Medvedev a exprimé sa déception envers le régime et admis qu'il fallait réajuster l'approche du P5+1. Il est même allé plus loin par la suite, en disant à la presse : « Il est rare que les sanctions aient des effets constructifs... mais, dans certains cas, elles sont inévitables. » Nous avons accueilli cette déclaration comme une surprise bienvenue, confirmant notre sentiment croissant que Medvedev était un partenaire fiable.

Nous avons décidé de ne pas révéler l'existence du site de Qom lors de la réunion du Conseil de sécurité sur les questions de sûreté nucléaire, que je devais présider ; certes, ce cadre emblématique aurait été le décor rêvé, mais nous avions besoin de temps pour briefer l'AIEA et les autres membres du P5+1. Nous voulions également éviter toute comparaison avec l'exposé théâtral – et plus tard discrédité – de Colin Powell, dans le même cadre, au sujet des armes de destruction massive de l'Irak, à l'aube de la guerre contre Saddam Hussein. Nous avons donc préféré transmettre nos informations au *New York Times* juste avant la réunion du G20 à Pittsburgh qui aurait lieu à la fin du mois.

Les retombées ont été galvanisantes. Des journalistes ont envisagé l'éventualité d'une frappe israélienne sur Qom. Des membres du Congrès ont réclamé une action immédiate. Lors d'une conférence de presse conjointe avec le président français Nicolas Sarkozy et le Premier Ministre britannique Gordon Brown, j'ai insisté sur la nécessité d'une réponse internationale, mais refusé d'entrer dans les détails des sanctions pour ne pas acculer Medvedev avant qu'il n'ait abordé la question avec Poutine. En supposant que nous parvenions à conserver le soutien de Medvedev, il ne nous resterait plus qu'un obstacle majeur à franchir : le scepticisme du gouvernement chinois, qu'il faudrait persuader de voter des sanctions contre son principal fournisseur de pétrole.

« Ça a combien de chances de marcher ? m'a demandé McFaul.

– Je ne sais pas encore, ai-je répondu. C'est plus difficile d'éviter une guerre que d'en déclarer une. »

Sept semaines plus tard, Air Force One se posait à Pékin, pour ma première visite officielle en Chine. Nous avions reçu l'ordre de laisser à bord de l'avion tous nos appareils électroniques non sécurisés et de partir du principe que nos communications seraient écoutées.

Même avec un océan entre nous, les services de surveillance chinois avaient des capacités impressionnantes. Pendant la campagne, ils s'étaient infiltrés dans le système informatique de notre QG. (J'y avais vu un bon présage quant à mon élection.) Ils étaient célèbres pour leur capacité à transformer à distance n'importe quel téléphone portable en enregistreur. Si je voulais passer un appel portant sur des questions de sécurité nationale depuis notre hôtel, je devais me rendre dans une autre suite équipée d'une SCIF, une grande tente bleue déployée au milieu de la chambre qui émettait un étrange bourdonnement psychédélique conçu pour neutraliser les mouchards installés à proximité. Certains membres de notre équipe s'habillaient, voire se douchaient dans le noir, à cause des caméras que nous suspections d'être cachées dans toutes les pièces. (Marvin, quant à lui, mettait un point d'honneur à se balader nu dans sa chambre, toutes lumières allumées. Nous n'avons jamais pu déterminer si c'était un geste de fierté ou de contestation.)

L'audace des services de renseignement chinois frisait parfois le comique. Un jour que mon secrétaire au Commerce, Gary Locke, se rendait à une réunion préparatoire, il s'est aperçu qu'il avait oublié quelque chose dans sa suite et a fait demi-tour. En ouvrant la porte, il a découvert deux femmes de ménage qui faisaient son lit pendant que deux hommes en costume lisaient attentivement les papiers laissés sur son bureau. Lorsque Gary leur a demandé ce qu'ils faisaient là, les deux hommes sont passés devant lui en silence et ont disparu. Sans lever les yeux, les femmes de ménage sont allées changer les serviettes dans la salle de bains, comme s'il était invisible. Cette histoire a suscité gloussements et moues désapprobatrices au sein de notre équipe, et je suis certain qu'une plainte formelle a été déposée à un échelon diplomatique inférieur. Mais personne n'y a fait allusion lors de notre rencontre officielle avec le président Hu Jintao et le reste de la délégation chinoise. Nous avions trop d'affaires à traiter avec les Chinois – et nous les espionnions trop de notre côté – pour souhaiter faire un esclandre.

Cet épisode résume plutôt bien les rapports entre Washington et Pékin à cette époque. En surface, les relations dont nous avions hérité paraissaient relativement stables, exemptes des ruptures diplomatiques tapageuses que nous avions connues avec la Russie. Tim Geithner et Hillary ont très tôt rencontré leurs homologues chinois et mis sur pied un groupe de travail dédié aux diverses questions bilatérales. Pendant mes entretiens avec le président Hu lors du G20 de Londres, nous avions évoqué la continuation des politiques gagnant-gagnant qui profitaient à nos deux pays. Mais les tensions et la méfiance bouillonnaient depuis longtemps sous ces politesses diplomatiques, et pas uniquement sur des sujets précis, comme le commerce ou l'espionnage, mais autour d'une question fondamentale : les conséquences du renouveau de la Chine sur l'ordre international et la position des États-Unis dans le monde.

Si Pékin et Washington réussissaient depuis plus de trente ans à éviter la guerre ouverte, ce n'était pas uniquement une affaire de chance. Dès les premières réformes économiques et l'ouverture décisive de la Chine sur l'Occident dans les années 1970, son gouvernement avait scrupuleusement suivi le conseil donné par Deng Xiaoping de « cacher sa force et attendre son heure ». Au lieu de se militariser, le pays s'était industrialisé. Il avait invité les entreprises américaines cherchant une main-d'œuvre bon marché à délocaliser leurs usines et avait choyé plusieurs gouvernements américains successifs jusqu'à obtenir un siège à l'Organisation mondiale du commerce (OMC) en 2001, augmentant par là même sa pénétration des marchés américains. Si le Parti communiste chinois maintenait un contrôle étroit sur la politique du pays, il n'essayait cependant pas de diffuser son idéologie ; la Chine commerçait avec tout le monde, les démocraties comme les dictatures, et s'enorgueillissait de ne pas juger la manière dont les autres pays géraient leurs affaires nationales. Elle montrait les dents dès qu'elle sentait ses revendications territoriales contestées, et s'agaçait de ce que l'Occident la critique sur la question des droits fondamentaux. Mais, même sur des sujets aussi brûlants que les ventes d'armes américaines à Taïwan, les responsables chinois s'efforçaient de ritualiser les conflits – ils exprimaient leur désaccord par des courriers aux termes bien sentis ou par l'annulation de rencontres bilatérales, mais ne laissaient jamais la situation s'envenimer au point de faire obstacle au flot de containers remplis de baskets, appareils électroniques et autres pièces automobiles *made in China* qui venaient garnir les rayons des grandes surfaces américaines.

Cette stratégie de la patience avait permis à la Chine d'économiser ses ressources et d'éviter de coûteuses aventures étrangères. Elle lui avait aussi permis de dissimuler le systématisme avec lequel, tout au long de son « essor pacifique », elle avait esquivé, dévoyé ou simplement piétiné presque toutes les règles du commerce international. Des années durant, elle avait recouru aux subventions étatiques, à la manipulation de sa devise et au dumping commercial pour abaisser artificiellement le prix de ses exportations et de sa main-d'œuvre. Son mépris des normes environnementales et du droit du travail servait le même objectif. En parallèle, la Chine mettait en place des barrières non tarifaires, sous la forme de quotas et d'embargos ; elle pratiquait en outre l'espionnage industriel et exerçait une pression constante sur les entreprises américaines commerçant avec elle pour qu'elles lui remettent leurs technologies clés afin d'accélérer son ascension dans la chaîne d'approvisionnement mondiale.

Pour autant, cela ne faisait pas de la Chine un cas particulier. Presque tous les pays riches, aussi bien les États-Unis que le Japon, avaient appliqué des stratégies mercantiles à diverses étapes de leur développement pour stimuler leur économie. Et, du point de vue de la Chine, le résultat était incontestable : une génération après les famines qui avaient causé des millions de morts, le pays était devenu la troisième économie du globe. Près de la moitié de la production d'acier mondiale et 20 % des produits manufacturés, ainsi que 40 % des vêtements qu'achetaient les Américains, provenaient de Chine.

Ce qui était surprenant, en revanche, c'était l'absence de réaction de Washington. Au début des années 1990, des syndicats avaient alerté l'opinion sur les pratiques de plus en plus inéquitables de la Chine, et ils avaient été relayés au Congrès par un grand nombre de démocrates, principalement originaires de la *rust belt*, les États du nord-est frappés par la désindustrialisation. Le Parti républicain, lui aussi, comptait dans ses rangs des détracteurs de la Chine, un mélange de populistes traditionnels, tendance Pat Buchanan, qui enrageaient de voir l'Amérique « capituler » devant une puissance étrangère, et de faucons vieillissants, restés bloqués au temps de la guerre froide, qui s'inquiétaient de la progression d'un communisme sans foi ni loi.

Mais, sous Bush et Clinton, alors que la mondialisation passait à la vitesse supérieure, ces voix sont devenues minoritaires. Il y avait trop d'argent à gagner. Les entreprises américaines et leurs actionnaires raffolaient de cette main-d'œuvre attractive et des bénéfices qu'elle leur rapportait. Les agriculteurs américains raffolaient de tous ces nouveaux clients chinois qui achetaient leur soja et leur porc. Wall Street raffolait des dizaines de milliardaires chinois qui cherchaient à investir leurs nouvelles fortunes, et il en allait de même des hordes d'avocats, de consultants et de lobbyistes recrutés pour fluidifier les échanges croissants entre la Chine et les États-Unis. Même si la plupart des démocrates du Congrès continuaient à désapprouver les pratiques commerciales de Pékin, et bien que l'administration Bush ait déposé une poignée de plaintes auprès de l'OMC, lorsque je suis arrivé en poste, un consensus général avait émergé entre les élites qui façonnaient la politique étrangère des États-Unis et les principaux donateurs des partis : au lieu de se replier sur le protectionnisme, l'Amérique avait tout intérêt à s'inspirer de la Chine. Si nous voulions rester numéro un, il fallait travailler plus, économiser plus, et enseigner à nos enfants les maths, les sciences et l'ingénierie – ainsi que le mandarin.

Quant à moi, mon opinion sur la Chine ne rentrait dans aucune de ces cases. Contrairement à mes soutiens syndicaux, je n'étais pas instinctivement opposé au libre-échange, et je ne croyais pas qu'il soit possible de revenir sur la mondialisation, pas plus qu'il n'était possible de couper Internet. J'estimais que Clinton et Bush avaient fait le bon choix en encourageant l'intégration de la Chine dans l'économie globalisée – l'histoire me semblait indiquer qu'une Chine pauvre et chaotique était plus dangereuse pour les États-Unis qu'une Chine prospère. À mes yeux, le fait qu'elle ait réussi à sortir des centaines de millions de personnes du dénuement extrême était une spectaculaire réussite humaine.

Il n'en demeurait pas moins que la manipulation par la Chine du commerce international s'était trop souvent faite aux dépens des États-Unis. Si les suppressions d'emploi dans l'industrie étaient principalement dues à l'automatisation et à la robotisation, les pratiques chinoises – aidées par les délocalisations – en avaient accéléré le processus. L'afflux de marchandises chinoises sur le sol américain avait diminué le prix des téléviseurs à écran plat et contribué à contenir l'inflation, mais au prix d'une baisse des salaires des travailleurs américains. Je leur avais promis de me battre pour obtenir de meilleurs accords commerciaux, et j'avais l'intention d'honorer cette promesse.

Mais, l'économie mondiale ne tenant plus que par un fil, je devais soigneusement peser le quand et le comment. La Chine détenait pour 700 milliards de dollars de dette américaine et disposait d'imposantes réserves de change, ce qui en faisait un partenaire incontournable dans la gestion de la crise financière. Pour sortir les États-Unis et le monde de la récession, nous avions besoin d'une croissance et non d'une contraction de l'économie chinoise. La Chine ne changerait pas ses pratiques commerciales sans une action ferme de mon gouvernement ; je devais seulement veiller à ne pas provoquer une guerre commerciale qui plongerait le monde dans la dépression et desservirait les travailleurs que j'avais juré d'aider.

En préparant notre voyage, mon staff et moi avons décidé de viser le juste équilibre, ni trop ferme, ni trop souple. Nous commencerions par présenter au président Hu une liste de problèmes que nous voulions voir réglés dans un délai réaliste, tout en évitant une confrontation publique qui risquerait d'alarmer des marchés financiers déjà frileux. Faute de réaction chinoise, nous ferions monter d'un cran la pression de l'opinion et nous engagerions des représailles – si possible dans un environnement économique moins fragile.

Pour inciter la Chine à s'amender, nous espérions obtenir l'aide de ses voisins. Cela n'irait pas sans peine. Entre l'administration Bush qui ne s'était intéressée qu'au Moyen-Orient et le fiasco de Wall Street, plusieurs chefs d'État asiatiques en étaient venus à douter de la compétence des États-Unis dans la région. Pendant ce temps, plusieurs de nos alliés très proches, le Japon et la Corée du Sud, par exemple, étaient devenus de plus en plus dépendants des marchés chinois et craignaient de se mettre leur partenaire à dos. Notre seul atout était que, depuis quelques années, la Chine devenait trop gourmande, exigeant des concessions sans contrepartie à des partenaires plus faibles qu'elle et menaçant les Philippines et le Vietnam pour obtenir le contrôle d'une poignée de petites îles stratégiques en mer de Chine méridionale. D'après les diplomates américains, ces tactiques brutales engendraient un mécontentement grandissant, ainsi que le désir d'une présence américaine accrue pour contrebalancer la puissance de la Chine.

Profitant de cette ouverture, nous avons planifié des étapes au Japon et en Corée du Sud, ainsi qu'un sommet à Singapour avec les dix pays composant l'Association des nations d'Asie du Sud-Est (ASEAN). En chemin, j'annoncerais mon intention de reprendre le flambeau de l'ambitieux accord commercial entre l'Asie et les États-Unis que le gouvernement Bush avait commencé à négocier – en insistant sur le droit du travail et de l'environnement dont les démocrates et les syndicats avaient pointé l'absence dans les traités précédents, et tout particulièrement dans l'Accord de libre-échange nord-américain (ALENA). Nous avons expliqué à la presse que l'objectif principal de ce que nous avons plus tard nommé un « pivot vers l'Asie » n'était pas de contenir la Chine ou de ralentir sa croissance. Il s'agissait plutôt de réaffirmer les liens entre les États-Unis et cette région et de consolider les règlements internationaux qui avaient permis aux pays de la région Asie-Pacifique – dont la Chine – de se développer autant en si peu de temps.

Je doutais que la Chine voie les choses du même œil.

Il y avait plus de vingt ans que je n'étais pas allé en Asie. Notre tournée de sept jours a débuté à Tokyo, où j'ai prononcé un discours sur l'avenir de l'alliance américano-japonaise et rencontré le Premier ministre Yukio Hatoyama pour parler de la crise économique, de la Corée du Nord et du projet de déménagement de la base américaine d'Okinawa. Hatoyama, interlocuteur plaisant quoique emprunté, était le quatrième Premier ministre en moins de trois ans et le deuxième depuis mon élection – symptôme des politiques sclérosées et incohérentes dont pâtissait le Japon depuis près d'une décennie. Il quitterait son poste sept mois plus tard.

J'ai été plus profondément marqué par ma courte visite à l'empereur Akihito et à l'impératrice Michiko, dans leur palais. Très petits, 70 ans bien passés, ils m'ont souhaité la bienvenue dans un anglais impeccable, lui vêtu d'un costume à l'occidentale et elle d'un kimono à brocart, et je me suis incliné en signe de respect. Ensuite, ils m'ont conduit dans une salle de réception à dominante crème et sobrement décorée dans le style japonais traditionnel, et pendant que nous prenions le thé ils m'ont posé des questions sur Michelle, sur les filles et sur ma vision des relations entre les États-Unis et le Japon. Leurs manières étaient à la fois proto-colaires et discrètes, leurs voix aussi douces que le bruit de la pluie, et je me suis pris à tenter d'imaginer la vie de l'empereur. Je me suis demandé ce que cela faisait d'être né d'un père considéré comme un dieu, puis d'être contraint d'endosser un rôle essentiellement symbolique plusieurs décennies après la défaite cuisante de l'empire japonais. L'histoire de l'impératrice me passionnait encore plus : fille d'un riche industriel, elle avait fréquenté des écoles catholiques et étudié la littérature anglaise, et était, en vingt-six siècles d'histoire du trône du chrysanthème, la première roturière à s'allier à la famille impériale – ce qui lui valait l'amour du peuple japonais, mais causait, à ce que l'on racontait, des tensions avec sa belle-famille. En cadeau d'adieu, l'impératrice m'a offert une compo-sition pour piano qu'elle avait écrite, en m'expliquant avec une franchise désarmante que son amour de la musique et de la poésie l'avait aidée à supporter de longues périodes de solitude.

Par la suite, j'apprendrais que ma simple révérence devant des hôtes japonais plus âgés que moi avait provoqué un tollé chez les conservateurs américains. Un obscur blogueur l'avait qualifiée de « trahison », terme ensuite repris et amplifié par la presse grand public. En entendant cela, j'ai revu l'empereur, enseveli dans ses devoirs rituels, et l'impératrice, sa beauté grisonnante arborée avec grâce et son sourire teinté de mélancolie, et je me suis demandé à quel moment une si grande partie de la droite américaine, apeurée et en mal de confiance, avait basculé dans la folie.

Après Tokyo, je me suis rendu à Singapour, où je devais rencontrer les dirigeants de l'ASEAN. Ma participation à ce sommet n'était pas non plus dénuée de polémique potentielle : la Birmanie, un des États membres, était depuis plus de quarante ans sous le joug d'une junte militaire violente, et les présidents Clinton et Bush avaient refusé toute rencontre avec le groupe tant qu'elle en ferait partie. Cependant, je ne voyais pas l'intérêt de nous aliéner neuf pays du Sud-Est asiatique pour signaler notre désaccord avec un seul d'entre eux, surtout en sachant que les États-Unis conservaient des relations amicales avec plusieurs membres de l'ASEAN qui étaient loin d'incarner la vertu démocratique, parmi lesquels le Vietnam et le Brunéi. Dans le cas de la Birmanie, les États-Unis appliquaient des sanctions importantes. Au-delà de ces mesures, nous avons décidé que, si nous voulions l'influencer, le meilleur moyen serait de nous montrer disposés à discuter.

Le Premier ministre birman était un général nommé Thein Sein, aux manières courtoises et aux traits fins. Notre interaction, qui n'a pas dépassé le stade de la brève poignée de main, n'a pas fait couler beaucoup d'encre. Les dirigeants de l'ASEAN ont exprimé leur enthousiasme pour le réengagement des États-Unis, tandis que la presse asiatique soulignait les liens que j'avais, depuis l'enfance, avec la région – une première pour un président américain et, d'après les journaux, une évidence qui se voyait à mon goût pour la cuisine de rue et à ma capacité à saluer le président indonésien en bahasa.

En réalité, j'avais oublié presque tout mon indonésien et ne savais plus que dire bonjour et commander à manger. Mais, bien que je ne sois pas venu depuis longtemps, j'ai tout de suite retrouvé ma familiarité avec l'Asie du Sud-Est, cet air humide et langoureux, ces effluves de fruits et d'épices, la subtile retenue de sa population. Pour autant, Singapour, avec ses larges boulevards, ses jardins publics et ses immeubles de bureaux, n'avait plus grand-chose à voir avec l'ancienne colonie britannique que j'avais connue. Déjà dans les années 1960, c'était une des réussites de la région : une cité-État où cohabitaient Malais, Indiens et Chinois, et qui, en associant économie de marché, compétence bureaucratique, faible corruption et contrôle social et politique strict, avait aimanté les investissements étrangers. Par la suite, la mondialisation et la croissance générale de l'Asie avaient encore accéléré son essor, et désormais, avec ses restaurants gastronomiques et ses boutiques de haute couture où se croisaient hommes d'affaires en costume et jeunes gens à la dernière mode hip-hop, le pays affichait une richesse rivalisant avec celle de New York ou de Los Angeles.

En un sens, Singapour restait une exception : la majorité des autres membres de l'ASEAN souffraient toujours, à des niveaux divers, d'une pauvreté tenace, et leur engagement en faveur de la démocratie et de l'état de droit demeurait très variable. Ce qui semblait les rapprocher, cependant, c'était le regard neuf qu'ils portaient sur eux-mêmes. Les gens à qui j'ai pu parler – qu'ils soient chefs d'État, hommes d'affaires ou militants des droits fondamentaux – continuaient à témoigner un certain respect pour la puissance américaine. Mais ils ne voyaient plus l'Occident comme le centre d'un monde dans lequel leurs pays étaient irrévocablement relégués au second plan. Ils se considéraient désormais comme au moins les égaux de leurs anciens colonisateurs, et les rêves qu'ils nourrissaient pour leur peuple ne se heurtaient plus à des questions de géographie ou d'origine ethnique.

De mon point de vue, c'était une bonne chose, un prolongement de la croyance américaine dans la dignité de tous les peuples et une concrétisation de la promesse que nous avions faite au monde bien des années plus tôt : emboîtez-nous le pas, libéralisez votre économie et, si tout se passe bien, vous et vos gouvernements connaîtrez la même prospérité que nous. À l'instar du Japon et de la Corée du Sud, les pays de l'ASEAN avaient été de plus en plus nombreux à nous prendre au mot. En tant que président des États-Unis, il m'appartenait de veiller à ce qu'ils jouent selon les règles – à ce que leurs marchés nous soient aussi ouverts que le leur l'était au nôtre, et que leur développement ne repose pas sur l'exploitation des travailleurs ou la destruction de l'environnement. Tant que l'Asie du Sud-Est serait en concurrence honnête avec nous, j'estimais que l'Amérique devrait se réjouir de son épanouissement, et non le craindre. Je me demande aujourd'hui si c'est ce que les critiques conservateurs trouvaient si rebutant dans ma politique, la raison pour laquelle un geste aussi anodin qu'une révérence devant l'empereur japonais a pu déclencher leur fureur : contrairement à eux, je ne me sentais visiblement pas menacé par la perspective que le reste du monde nous rattrape.

Shanghai, notre première étape chinoise, m'a évoqué Singapour sous stéroïdes. Visuellement, la ville faisait honneur à sa réputation : c'était une immense métropole moderne, un brouhaha de 20 millions de voix qui grouillait de boutiques, de véhicules et de grues. D'énormes bateaux et barges transportant des marchandises destinées aux marchés du monde entier glissaient sur le fleuve Huangpu. Sur la berge, des foules de badauds arpentaient la large promenade en s'arrêtant de temps à autre pour admirer les gratte-ciel futuristes qui s'élevaient de toutes parts et n'étaient pas moins flamboyants que le *Strip* de Las Vegas à la nuit tombée. Dans une luxueuse salle de réception, le maire de la ville – une étoile montante du Parti communiste qui avait des airs de Dean Martin avec son costume sur mesure et son raffinement enjoué – avait sorti le grand jeu pour le déjeuner auquel notre délégation était conviée avec des chefs d'entreprise chinois et américains, en nous servant des mets rares et des vins qui n'auraient pas détonné dans un mariage princier au Ritz. Fidèle à lui-même, mon assistant Reggie Love était surtout impressionné par le personnel, intégralement composé de jeunes femmes sublimes en élégantes robes blanches, aussi sveltes que des top models.

« J'aurais jamais cru que les communistes ressemblaient à ça », a-t-il commenté, ébahi.

La dissonance entre l'idéologie officielle de la Chine et ce genre d'étalage de richesse n'a pas été abordée lors de ma rencontre publique, un peu plus tard dans la journée, avec plusieurs centaines d'étudiants. Sachant que j'aimais ce type de format improvisé, les autorités chinoises avaient soigneusement sélectionné les participants, tous issus d'une des plus prestigieuses universités de la ville – et, malgré la courtoisie et l'enthousiasme de ces jeunes gens, il manquait à leurs questions le côté pénétrant et irrévérencieux auquel les autres pays m'avaient habitué (« Quelles mesures allez-vous prendre pour renforcer encore les relations entre les villes américaines et la Chine ? » a été la question la plus hardie). Je n'arrivais pas déterminer si les responsables du Parti avaient validé les interventions au préalable ou si les étudiants avaient eu l'intelligence de ne rien dire qui puisse leur causer des ennuis.

À l'issue de la rencontre, et après avoir serré quelques mains et discuté avec certains et certaines d'entre eux, j'en ai conclu que leur vibrant patriotisme était au moins en partie sincère. Ils étaient trop jeunes pour avoir connu les horreurs de la Révolution culturelle ou assisté à la répression de la place Tian'anmen ; cette histoire-là n'était pas enseignée dans les écoles, et je doutais qu'elle leur ait été transmise par leurs parents. Certains de ces étudiants avaient beau râler parce que le gouvernement restreignait leur accès à Internet, la réalité de l'appareil répressif chinois n'était vraisemblablement qu'une abstraction pour eux, au même titre que le système judiciaire américain pour nos jeunes Blancs des banlieues pavillonnaires. Depuis leur naissance, le système chinois avait propulsé ces jeunes et leurs parents sur une trajectoire ascendante, tandis que, vues d'ici, les démocraties occidentales paraissaient au point mort, paralysées par les dissensions politiques et l'inefficacité économique.

Il était tentant de croire qu'ils changeraient d'avis avec le temps, soit parce qu'un ralentissement de la croissance chinoise viendrait contrarier leurs aspirations matérielles, soit parce que, ayant atteint une certaine sécurité économique, ils commenceraient à désirer des choses qui ne se mesuraient pas en points de PIB. Mais c'était loin d'être garanti. De fait, la réussite de la Chine avait imposé son capitalisme autoritaire comme une option alternative au libéralisme occidental dans l'esprit des jeunes gens de Shanghai, et plus largement de tous les pays en développement. La géopolitique du siècle à venir serait déterminée par la direction qu'ils privilégieraient, et j'ai quitté la rencontre avec la conscience aiguë que, pour gagner cette nouvelle génération à ma cause, je devrais lui prouver que le système américain, pluraliste et démocratique, reposant sur les droits fondamentaux, avait encore les moyens de leur promettre une vie meilleure.

Bien que Pékin ne soit pas aussi tapageuse que Shanghai, nous avons tout de même longé, entre l'aéroport et la ville, une trentaine de kilomètres de tours d'habitation flambant neuves, à croire que dix Manhattan étaient sortis de terre dans la nuit. Puis les centres d'affaires et les quartiers résidentiels ont cédé la place aux immeubles gouvernementaux et aux monuments du cœur de la ville. Comme chaque fois, ma rencontre avec le président Hu Jintao a été soporifique : quel que soit le sujet, il puisait dans d'épaisses piles de remarques toutes prêtes, s'arrêtant par moments pour laisser la place à des traductions en anglais qui semblaient elles aussi toutes prêtes et réussissaient à être encore plus longues que les phrases de départ. Quand venait mon tour de parler, il parcourait ses papiers en cherchant la réponse que ses assistants lui avaient préparée. Mes efforts pour rompre la monotonie avec des anecdotes personnelles ou des plaisanteries (« Il faudra que vous me donniez le nom de votre artisan », lui ai-je dit en apprenant que le gigantesque palais de l'Assemblée du Peuple avait été construit en moins d'un an) se sont le plus souvent soldés par des regards vides, et j'ai eu plus d'une fois envie de lui suggérer que nous échangions nos documents pour les lire à notre guise et éviter ainsi de perdre notre temps.

Ce moment passé avec Hu m'a toutefois donné l'occasion de lui exposer nos priorités : la sortie de la crise économique et l'encadrement du programme nucléaire nord-coréen, la résolution pacifique des conflits en mer de Chine méridionale, le traitement réservé aux dissidents chinois et l'établissement de nouvelles sanctions contre l'Iran. Sur ce dernier point, j'ai souligné que cela irait dans l'intérêt de la Chine car, faute d'action diplomatique significative, les États-Unis ou Israël seraient contraints de sévir contre les installations nucléaires iraniennes, avec des conséquences très graves pour l'approvisionnement de la Chine en pétrole. Comme je m'y attendais, Hu ne n'est pas prononcé sur les sanctions, mais, à en juger par son langage corporel et par les notes que griffonnaient furieusement ses ministres, notre message sur l'Iran était bien passé.

Le lendemain, j'ai employé la même approche frontale lors de mon rendez-vous avec le Premier ministre Wen Jiabao, qui, bien qu'occupant un rang inférieur, était le principal décisionnaire économique du pays. Contrairement au président Hu, Wen paraissait à l'aise avec les conversations improvisées, et il n'a pas mâché ses mots lorsqu'il s'est agi de défendre la politique commerciale de la Chine. « Comprenez bien, monsieur le Président, que, malgré ce que vous avez vu à Shanghai et à Pékin, nous sommes toujours un pays en développement. Un tiers de notre population vit dans une extrême pauvreté... c'est plus que la population entière des États-Unis. Vous ne pouvez pas nous demander d'adopter les mêmes politiques qu'un pays avancé comme le vôtre. »

Il marquait un point : malgré l'essor remarquable de son pays, les revenus des ménages chinois moyens – surtout hors des grandes villes – restaient inférieurs à ceux des Américains les plus démunis. J'ai tenté de me mettre à la place de Wen, chargé d'intégrer une économie à cheval entre le féodalisme et l'ère de l'information tout en créant suffisamment d'emplois pour satisfaire la demande d'une population égale à celle de tout le continent américain. J'aurais eu davantage de compassion si je n'avais pas su que les hauts dignitaires du Parti communiste – tels que lui – avaient pour habitude de réserver à leurs familles les appels d'offres et les autorisations administratives, et d'expédier des milliards de dollars dans des paradis fiscaux.

J'ai donc répondu à Wen que, étant donné le profond déséquilibre commercial existant entre nos deux pays, les États-Unis ne pouvaient plus ignorer les pratiques déloyales de la Chine, notamment ses manipulations monétaires ; soit la Chine rentrait dans le rang, soit nous devrions prendre des mesures de rétorsion. En entendant cela, Wen a changé de braquet et suggéré que je lui fournisse une liste de produits américains que nous souhaitions vendre à la Chine en plus grande quantité, et il verrait ce qu'il pourrait faire. (Il a particulièrement insisté sur les produits militaires et de haute technologie, dont les États-Unis interdisaient la vente à la Chine pour des raisons de sécurité nationale.) Je lui ai expliqué que nos pays n'avaient pas besoin de concessions au cas par cas, mais d'une solution structurelle, car notre échange me donnait l'impression que nous étions en train de marchander le prix d'un poulet, au lieu de négocier les relations commerciales entre les deux plus grandes économies du monde. Cela m'a rappelé une fois de plus que, pour Wen comme pour tous les dirigeants chinois, la politique étrangère n'était qu'une question de transactions. Ce que la Chine allait céder et ce qu'elle allait prendre n'obéirait pas aux principes abstraits du droit international, mais à une évaluation de la puissance et de l'influence du camp adverse. Lorsque la Chine ne rencontrait pas de résistance, elle continuait à prendre.

Notre premier jour à Pékin s'est achevé par l'incontournable dîner officiel, assorti d'un programme culturel comprenant un opéra classique chinois, des danses traditionnelles tibétaines, ouïgoures et mongoles (le présentateur faisant dûment remarquer que toutes les minorités étaient respectées en Chine, affirmation qui n'aurait pas manqué d'étonner les milliers de prisonniers politiques tibétains et ouïgours), et une reprise de « I Just Called to Say I Love You » de Stevie Wonder par l'orchestre de l'Armée populaire de libération. (« Nous savons que c'est votre chanson préférée », m'a dit le président Hu en se penchant vers moi.) Après cinq jours de voyage, notre équipe était à bout de forces, éreintée par le décalage horaire ; à la table voisine de la nôtre, Larry Summers dormait à poings fermés, la bouche ouverte et la tête en arrière, ce qui a donné à Favs l'idée d'envoyer un e-mail à tout le groupe : « J'ai l'impression que *quelqu'un* a bien besoin d'un plan de relance. »

Le lendemain, vaseux mais vaillants, nous avons tous (y compris Larry) lutté contre le jet-lag pour aller visiter la Grande Muraille. Le temps était froid et venteux, le soleil réduit à un vague filigrane dans le ciel gris, et nous avons arpenté sans un mot les remparts escarpés qui serpentaient sur le flanc de la montagne. Notre guide nous a expliqué que certaines sections de la Grande Muraille remontaient à l'an 200 avant notre ère. La portion sur laquelle nous nous trouvions, elle, datait seulement du XVᵉ siècle, à l'époque où la dynastie Ming devait repousser les envahisseurs mongols et mandchous. Ce mur avait tenu bon pendant des centaines d'années. Reggie m'a donc demandé ce qui avait entraîné la chute de la dynastie Ming.

« Des querelles intestines, ai-je répondu. Luttes de pouvoir, corruption, les paysans mouraient de faim parce que les riches devenaient avides ou méprisants…

– Comme d'habitude, quoi, a commenté Reggie.

– Comme d'habitude. »

LA PRÉSIDENCE BOULEVERSE VOTRE HORIZON temporel. Il est rare que vos efforts portent immédiatement leurs fruits ; la majorité des problèmes qui atteignent votre bureau sont trop vastes, et les facteurs trop nombreux. Il faut apprendre à juger sa progression en fonction d'étapes plus modestes – qui peuvent chacune exiger des mois de travail et ne méritent aucune déclaration publique – et accepter le fait que l'objectif final, si jamais vous y parvenez, ne sera pas atteint avant un an ou deux, voire avant la fin de votre mandat.

Et c'est encore plus vrai en matière de politique étrangère. Si bien que, au printemps 2010, quand les résultats d'une de nos initiatives diplomatiques majeures ont commencé à apparaître, je me suis senti regonflé. Tim Geithner m'a rapporté que les Chinois avaient discrètement laissé leur monnaie s'apprécier. En avril, je suis retourné à Prague pour rencontrer le président russe Medvedev et signer en grande pompe le nouveau traité START, qui allait diminuer d'un tiers le nombre d'ogives déployées par les deux parties et dont l'application serait assurée par de rigoureux mécanismes d'inspection.

Un peu plus tard, en juin, grâce aux voix déterminantes de la Russie et de la Chine, le Conseil de sécurité de l'ONU a adopté la résolution 1929 imposant des sanctions inédites à l'Iran, parmi lesquelles l'interdiction de vendre des armes, la suspension de toute nouvelle activité financière internationale pour les banques iraniennes, et un mandat général pour interdire tout commerce susceptible de permettre à l'Iran de poursuivre son programme de développement d'armes nucléaires. Il faudrait quelques années pour que le plein effet de ces sanctions se fasse sentir mais, en ajoutant un nouvel ensemble de mesures propres aux États-Unis, nous avions désormais les instruments nécessaires pour bloquer l'économie de l'Iran tant qu'il n'accepterait pas de négocier. Cela me fournissait en outre un puissant argument pour recommander la patience lors des discussions avec les Israéliens et tous ceux qui voyaient dans la question nucléaire le prétexte commode d'une confrontation entre les États-Unis et l'Iran.

La coopération de la Russie et de la Chine a été le fruit d'un travail d'équipe. Hillary et Susan Rice ont passé des heures à persuader, amadouer et parfois menacer leurs homologues des deux pays. McFaul, Burns et Samore, quant à eux, nous ont apporté un soutien stratégique et tactique décisif pour réfuter ou contourner toutes les objections soulevées par les négociateurs russes et chinois. Enfin, ma relation avec Medvedev s'est révélée cruciale dans la mise en place concrète des sanctions. En marge des sommets internationaux, nous réservions des moments pour sortir les négociations de l'ornière ; à mesure que le vote au Conseil de sécurité approchait, nous avons commencé à nous appeler pratiquement toutes les semaines. (« Nos oreilles sont engourdies », a-t-il dit en riant à la fin d'un coup de fil marathon.) Parfois, Medvedev allait même plus loin que Burns ou McFaul ne l'estimaient possible, compte tenu des liens anciens unissant Moscou à Téhéran et des millions de dollars que des fabricants d'armes russes au bras long allaient perdre une fois les sanctions appliquées. Le 9 juin, jour du vote, Medvedev nous a étonnés une fois de plus en annonçant qu'il annulait la vente des missiles S-300 à l'Iran, un revirement par rapport à sa position précédente, mais aussi à celle de Poutine. Pour compenser une partie des pertes russes, nous avons décidé de lever les sanctions imposées à plusieurs entreprises russes qui avaient par le passé vendu des armes à l'Iran ; je me suis aussi engagé à accélérer les négociations sur l'entrée sans cesse retardée de la Russie dans l'OMC. Au demeurant, en s'alignant avec nous sur l'Iran, Medvedev affirmait sa volonté d'axer sa présidence sur un rapprochement avec les États-Unis et, comme je l'ai dit à Rahm, c'était de bon augure pour notre coopération future sur les autres priorités internationales, « à condition que Poutine ne lui coupe pas l'herbe sous le pied ».

L'adoption des sanctions, la signature du nouveau traité START, un début d'amélioration des pratiques commerciales chinoises. Ce n'étaient pas des victoires qui changent le monde. Et aucune ne justifiait un prix Nobel – cela dit, si elles avaient précédé cette récompense de huit ou neuf mois, je me serais senti un peu moins penaud en la recevant. Dans le meilleur des cas, c'étaient des jalons, des étapes sur une longue route en territoire inconnu. Parviendrions-nous à faire advenir un futur dénucléarisé ? À empêcher un nouveau conflit armé au Moyen-Orient ? Existait-il un moyen de coexister pacifiquement avec nos rivaux les plus redoutables ? Aucun de nous n'avait les réponses à ces questions, mais au moins nous avions le sentiment d'avancer dans la bonne direction.

CHAPITRE 21

UN SOIR, PENDANT LE DÎNER, Malia m'a demandé ce que j'avais l'intention de faire pour les tigres.

« Qu'est-ce que tu veux dire, ma chérie ?

– Ben, tu sais que c'est mon animal préféré. »

Plusieurs années auparavant, alors que nous passions comme toujours Noël à Hawaï, ma sœur Maya avait emmené Malia, alors âgée de 4 ans, visiter le zoo de Honolulu. C'est un endroit charmant, blotti entre la plage de Waikiki et le volcan Diamond Head. J'y ai passé des heures, durant mon enfance, à grimper au tronc des banians, à nourrir les pigeons qui se promenaient sur l'herbe et à hurler sur les gibbons suspendus par leurs longs bras aux charpentes en bambou. Pendant la visite, Malia avait été fascinée par un des tigres, et sa tante lui avait acheté un petit félin en peluche à la boutique de souvenirs. « Tiger » avait de grosses pattes, un ventre tout rond et un mystérieux sourire de Joconde, et Malia et lui étaient devenus inséparables – même s'il faut bien dire que, lorsque nous nous sommes installés à la Maison-Blanche, sa fourrure était un peu clairsemée et l'animal avait survécu à plusieurs catastrophes alimentaires, de multiples lavages, un bref enlèvement par un cousin taquin, sans compter toutes les fois où il avait failli être perdu lors de soirées pyjama.

J'avais un faible pour Tiger.

« Donc, a poursuivi Malia, j'ai fait un exposé sur les tigres à l'école, et leur habitat est en train de disparaître parce que des gens coupent les forêts. Et c'est de pire en pire, parce que la planète se réchauffe à cause de la pollution. En plus, il y a des gens qui les tuent pour vendre leur fourrure, leurs os et tout. Donc les tigres sont en voie d'extinction et c'est horrible. Tu devrais essayer de les sauver, vu que t'es le président.

– Tu devrais essayer de faire quelque chose », a appuyé Sasha.

Je me suis tourné vers Michelle, qui a haussé les épaules en disant : « Elles ont raison, c'est toi le président. »

EN VÉRITÉ, J'ÉTAIS HEUREUX que mes filles n'hésitent pas à pointer du doigt la responsabilité des adultes dans la sauvegarde de la planète. Bien que j'aie passé ma vie en ville, un grand nombre de mes meilleurs souvenirs sont liés à la nature. C'est en partie le résultat de mon enfance à Hawaï, où les promenades sur le flanc de montagnes luxuriantes et les après-midi à glisser sur des vagues turquoise étaient notre quotidien, nous n'avions qu'à pousser la porte de chez nous – ces plaisirs ne coûtaient rien, n'appartenaient à personne et étaient accessibles à tous. Plus tard, en Indonésie, les moments que j'ai passés à courir dans les rizières pendant que des buffles d'eau me regardaient, le museau couvert de boue, ont renforcé mon amour des grands espaces ; et que dire des voyages de mes 20 ans, un âge où – sans attaches et grâce à une grande tolérance aux hébergements miteux – j'ai eu la chance de pouvoir randonner dans les Appalaches, descendre le Mississippi en canoë et regarder le soleil se lever au-dessus du Serengeti.

C'est ma mère qui a ancré ce penchant en moi. Elle aimait la nature, dans toute sa splendeur – le squelette d'une feuille, le labeur d'une fourmilière, l'éclat d'une pleine lune –, avec le même émerveillement et la même humilité que certains réservent à la pratique religieuse, et, durant notre jeunesse, elle nous a appris, à Maya et à moi, les dégâts que peuvent causer les humains négligents lorsqu'ils construisent des villes, extraient du pétrole ou se débarrassent de leurs déchets (« Bar, ne jette pas tes emballages par terre ! »). Elle nous a aussi fait remarquer que ces dégâts affectent surtout les pauvres, qui ne choisissent pas l'endroit où ils vivent et sont donc plus vulnérables à la pollution de l'air ou à la contamination de l'eau.

Mais, si ma mère était écologiste dans l'âme, je ne me souviens pas qu'elle ait jamais repris ce terme à son compte. Sans doute parce qu'elle a travaillé presque toute sa vie en Indonésie, où les effets de la pollution étaient éclipsés par d'autres périls plus pressants, en premier lieu la faim. Pour des millions de villageois vivant difficilement dans les pays en développement, l'installation d'un générateur électrique à charbon ou d'une nouvelle usine vomissant de la fumée représentait le meilleur moyen de s'en sortir financièrement tout en arrêtant de se tuer à la tâche. Pour tous ceux-là, la préservation de paysages immaculés et d'une faune exotique était un luxe que seuls les Occidentaux pouvaient se permettre.

« On ne sauve pas les arbres en ignorant les gens », aurait dit ma mère.

Je n'ai jamais perdu de vue que, pour la majorité de la population, l'environnement passe après la satisfaction des besoins vitaux. Des années plus tard, devenu militant associatif, j'ai aidé à mobiliser des occupants de logements sociaux sur la question du désamiantage de leur quartier ; lors des élections sénatoriales de l'Illinois, le vote que j'incarnais était suffisamment « vert » pour obtenir le soutien des écologistes de la League of Conservation Voters. Une fois au Capitole, j'ai critiqué le gouvernement Bush pour ses tentatives d'alléger diverses lois anti-pollution et défendu les efforts de préservation des Grands Lacs. Mais à aucun moment de ma carrière politique je n'ai placé les questions environnementales au premier plan. Non parce qu'elles me semblaient accessoires, mais parce que, pour mon électorat, issu en grande partie des classes populaires, la qualité de l'air et les rejets industriels passaient après le logement, l'éducation, la santé et l'emploi. Je me disais que quelqu'un d'autre s'occuperait des arbres.

La réalité de plus en plus pressante du réchauffement climatique m'a forcé à envisager les choses différemment.

Chaque année, les prévisions semblaient empirer, du fait d'un nuage toujours plus gros de dioxyde de carbone et autres gaz à effet de serre – rejetés par les centrales énergétiques, l'industrie, les voitures, les camions, les avions, l'élevage intensif, la déforestation et toutes les autres manifestations de la croissance et de la modernisation – qui faisait exploser tous les records de température. Au moment de ma campagne présidentielle, le consensus au sein de la communauté scientifique était que, en l'absence d'une action internationale ambitieuse et coordonnée pour réduire nos émissions, les températures globales étaient vouées à augmenter de deux degrés en quelques décennies. Au-delà, nous nous exposions à une accélération de la fonte des glaces, à la montée des océans et à des climats extrêmes, sans retour possible à la normale.

Difficile de prédire le bilan humain d'un bouleversement climatique rapide. Mais les estimations les plus fiables dessinaient un mélange infernal d'inondations dans les régions côtières, de sécheresses, d'incendies et de tempêtes qui feraient des millions de déplacés et laisseraient la majorité des gouvernements impuissants. Une situation qui, à son tour, aggraverait le risque de conflit mondial et de maladies colportées par des insectes. En lisant la littérature consacrée à ce sujet, je visualisais des caravanes d'âmes perdues, errant sur une terre craquelée en quête de sols arables, des catastrophes de l'ampleur de l'ouragan Katrina frappant régulièrement tous les continents, des nations insulaires englouties par la mer. Je me demandais ce qu'il adviendrait de Hawaï, des grands glaciers d'Alaska et de La Nouvelle-Orléans. J'imaginais Malia, Sasha et mes petits-enfants vivant dans un monde plus dur et plus dangereux, dépouillé de tant de paysages que j'avais crus éternels dans ma jeunesse.

Si j'aspirais à devenir le leader du monde libre, j'allais devoir faire du climat une priorité de ma campagne et de ma présidence.

Mais comment ? Le réchauffement climatique est un problème face auquel les gouvernements sont notoirement mauvais, car il exige la mise en œuvre *immédiate* de politiques neuves, coûteuses et impopulaires afin de prévenir des crises futures. Grâce au travail accompli par quelques rares dirigeants clairvoyants, comme l'ancien vice-président Al Gore, récompensé par un prix Nobel de la paix pour ses actions de sensibilisation et qui continuait à lutter pour contenir le réchauffement climatique, les consciences s'éveillaient peu à peu. Les électeurs les plus jeunes et les plus progressistes étaient tout particulièrement réceptifs aux appels à l'action. Hélas, des groupes d'intérêts démocrates majeurs – notamment les grands syndicats industriels – s'opposaient à toutes les mesures environnementales susceptibles de menacer l'emploi dans leur branche ; et, à en croire les sondages commandés au début de ma campagne, le réchauffement climatique était un sujet de préoccupation très mineur pour les électeurs démocrates.

Quant aux républicains, ils étaient encore plus sceptiques. Autrefois, les deux partis reconnaissaient que le gouvernement fédéral avait un rôle à jouer dans la protection de l'environnement. Richard Nixon avait même travaillé main dans la main avec un Congrès à majorité démocrate pour fonder l'Agence pour la protection de l'environnement (EPA) en 1970. George H. W. Bush avait soutenu le durcissement du Clean Air Act, la loi contre la pollution atmosphérique, en 1990. Mais cette époque était révolue. Tandis que la base électorale du parti migrait vers le sud et l'ouest, des régions où les compagnies pétrolières et minières, les promoteurs immobiliers et les éleveurs n'avaient toujours pas digéré les mesures fédérales de préservation de l'environnement, le GOP avait fait de cette thématique un nouveau front dans la guerre culturelle que se livraient les deux partis. Les médias conservateurs dépeignaient le réchauffement climatique comme une mystification nuisible pour l'emploi et inventée de toutes pièces par des extrémistes amoureux des arbres. Les supermajors du pétrole investissaient des millions de dollars dans des *think-tanks* et boîtes de communication ayant pour seule mission de dissimuler la réalité.

À l'inverse de son père, George W. Bush minimisait les preuves du réchauffement et refusait de s'impliquer dans un effort international de limitation des gaz à effet de serre, alors que, durant la première moitié de sa présidence, les États-Unis en étaient le premier émetteur mondial. Enfin, du côté des républicains au Congrès, admettre la réalité d'un changement climatique provoqué par l'homme suffisait à éveiller les soupçons des militants ; et les parlementaires suggérant une inflexion politique en ce sens se retrouvaient battus en brèche aux primaires suivantes.

« On est comme les démocrates anti-avortement, m'a dit un jour avec tristesse un ancien collègue, un sénateur républicain qui se distinguait par ses positions pro-environnementales. On est en voie d'extinction. »

Confrontés à ces réalités, mon équipe et moi avons fait notre possible pour mettre l'accent sur le réchauffement climatique pendant la campagne, tout en veillant à ne pas perdre trop de voix. Dans l'optique de réduire les gaz à effet de serre, je me suis très tôt prononcé pour un système de plafonnement et d'échange des droits d'émission, sans toutefois entrer dans des détails que mes futurs adversaires se seraient empressés de retourner contre moi. Lors des meetings, je minorais l'incompatibilité de la croissance économique avec la lutte contre le réchauffement et j'insistais sur les bénéfices non environnementaux d'une efficacité énergétique accrue, telle la possibilité de réduire, à terme, notre dépendance au pétrole importé. Enfin, manière de faire un appel du pied aux centristes, je promettais une politique énergétique « tous azimuts » dans le cadre de laquelle l'extraction de pétrole et de gaz continuerait sur notre territoire pendant que nous préparerions la transition vers des énergies non polluantes, et je m'engageais à ce que des financements soient accordés à l'éthanol, au « charbon propre » et à l'énergie nucléaire – des positions impopulaires auprès des écologistes, mais très importantes dans les États les plus indécis.

Mon gentil discours sur le passage sans douleur à un avenir décarboné a fait râler certains milieux écologistes. Ils espéraient que j'annoncerais des sacrifices et des choix difficiles – dont un moratoire sur les forages pétroliers et gaziers, voire une interdiction pure et simple – pour combattre cette menace majeure. Dans un monde parfaitement rationnel, cela aurait été sensé. Dans le monde réel et hautement irrationnel de la politique américaine, mon entourage et moi étions quasiment certains que me lancer dans des scénarios apocalyptiques serait une mauvaise stratégie électorale.

« On ne fera rien pour protéger l'environnement, avait rétorqué Plouffe à un groupe de militants qui l'interrogeaient, si on perd l'Ohio et la Pennsylvanie ! »

AVEC UNE ÉCONOMIE EN CHUTE LIBRE, l'intérêt pour le réchauffement climatique s'est encore étiolé après l'élection (pour citer Axe, « les gens qui se font saisir leur maison en ont rien à foutre des panneaux solaires »), et la presse a commencé à sous-entendre que nous allions discrètement faire passer ces questions au second plan. Pourtant, cette idée ne m'a jamais traversé l'esprit, signe de la présomption dont je faisais preuve à l'époque, et de la gravité du sujet. Bien au contraire, j'ai demandé à Rahm de hisser le climat au même niveau de priorité que la santé, et de réunir une équipe capable de porter nos objectifs.

Pour commencer, nous avons persuadé Carol Browner – qui avait dirigé l'EPA sous Clinton – d'accepter le poste de « tsar climatique » que nous venions de créer pour coordonner l'action des agences clés. Grande et élancée, dégageant un mélange attachant d'énergie nerveuse et d'enthousiasme, Carol bénéficiait d'une connaissance approfondie de ces problématiques, de contacts au Capitole et d'une forte crédibilité au sein des principales associations écologistes. J'ai nommé à la tête de l'EPA Lisa Jackson, une ingénieure chimiste afro-américaine qui avait travaillé pendant quinze ans pour l'agence avant de devenir commissaire à la protection environnementale dans le New Jersey. Avec son charme et l'humour tranquille hérité de sa Nouvelle-Orléans natale, elle savait naviguer en politique. Pour mieux comprendre les défis scientifiques associés à la transformation du secteur énergétique américain, nous nous appuyions sur mon secrétaire à l'Énergie, Steven Chu, un physicien nobélisé de l'université de Stanford, qui avait auparavant dirigé le célèbre laboratoire national Lawrence-Berkeley. Avec ses lunettes cerclées de fer et son air sérieux quoique légèrement distrait, Steven incarnait le parfait scientifique, et les conseillers de la Maison-Blanche ont plus d'une fois été obligés de le chercher partout parce qu'il avait oublié son emploi du temps et était parti se balader juste avant une réunion. Il était néanmoins aussi intelligent que le laissait deviner son CV, et il avait un don pour expliquer des notions extrêmement pointues à des êtres au cerveau moins dimensionné que le sien, comme moi.

Avec Carol en pointe, notre groupe de spécialistes a proposé un plan d'action comprenant, entre autres, un plafonnement ferme des émissions de CO_2 qui – à condition qu'il soit accepté – réduirait nos émissions de gaz à effet de serre de 80 % d'ici à 2050. Ce ne serait pas suffisant pour maintenir les températures mondiales sous la barre des deux degrés supplémentaires, mais au moins cela lancerait la machine et poserait les bases de futures mesures plus agressives. Sans compter que fixer ces objectifs ambitieux mais réalisables mettrait les États-Unis en position d'inciter les autres grands pollueurs du monde – et en premier lieu la Chine – à nous emboîter le pas. Nous avions en ligne de mire la négociation et la signature d'un accord international sur le climat avant la fin de ma présidence. Dans cette optique, nous avons profité du Recovery Act pour commencer à transformer le secteur de l'énergie avec des investissements en recherche et développement qui entraîneraient une importante baisse du coût du solaire et de l'éolien. Notre calcul était simple : pour atteindre notre objectif de réduction des émissions, nous allions devoir sevrer l'économie américaine de sa dépendance aux carburants fossiles – et nous n'y parviendrions pas sans solutions alternatives efficaces.

Il faut garder à l'esprit que, en 2009, les voitures électriques étaient encore des gadgets. Les panneaux solaires ne s'adressaient qu'à un marché de niche. Et le solaire et l'éolien ne représentaient qu'une part infime du mix énergétique américain – à la fois parce qu'ils étaient toujours plus chers que le pétrole et le charbon, et parce que des questions légitimes persistaient quant à leur fiabilité en l'absence de soleil ou de vent. Les experts estimaient que leur coût continuerait à diminuer avec la mise en service de générateurs « propres », et que le problème de la fiabilité serait résolu par le développement de batteries aux capacités de stockage accrues. Mais, pour construire de nouvelles centrales énergétiques et pour financer ces recherches, il fallait beaucoup d'argent ; or les investisseurs privés aussi bien que les grands fournisseurs semblaient trouver que c'était un pari risqué. Surtout à un moment où les acteurs de l'énergie non polluante, même les plus prospères, menaçaient de mettre la clé sous la porte.

Le fait est que tout le secteur des énergies renouvelables, depuis les constructeurs de véhicules sophistiqués jusqu'aux producteurs de biocarburants, était confronté au même dilemme : malgré les qualités de ses technologies, il évoluait dans une économie qui, depuis plus d'un siècle, s'était constituée autour du pétrole, du gaz et du charbon. Ce handicap structurel n'était pas un simple effet du libéralisme. Aussi bien les collectivités locales que le gouvernement fédéral avaient investi des milliers de milliards de dollars – au travers de subventions et de réductions d'impôts, ou en construisant des pipelines, autoroutes et terminaux portuaires – afin de maintenir une offre stable et une demande constante de carburants fossiles à bas coût. Les compagnies pétrolières comptaient parmi les entreprises les plus rentables du pays, mais cela ne les empêchait pas de toucher chaque année des millions de dollars sous la forme d'exonérations fiscales. Pour être compétitives, les énergies non polluantes allaient avoir besoin d'un sacré coup de pouce.

C'est à cela que devait servir le Recovery Act.

Sur les 800 milliards de dollars du plan de relance, nous en avons alloué plus de 90 à des démarches énergétiques innovantes aux quatre coins du pays. En l'espace d'une année, une usine d'appareils ménagers dans l'Iowa, que j'avais visitée durant ma campagne et qui avait été fermée à cause de la récession, a recommencé à fourmiller d'ouvriers fabriquant des turbines dernier cri. Nous avons financé la construction d'une des plus grandes fermes éoliennes au monde. Nous avons soutenu le développement de nouveaux modèles de batteries et préparé le marché à l'arrivée de camions, bus et voitures hybrides et électriques. Nous avons commandité des programmes permettant d'améliorer la performance énergétique des bâtiments et des commerces et, en collaboration avec le Trésor, nous avons temporairement converti le crédit d'impôt fédéral sur l'énergie « propre » en un mécanisme de financement direct. Au sein du département de l'Énergie, le Recovery Act nous a servi à lancer l'Agence pour la recherche avancée des projets en matière d'énergie (ARPA-E), un programme de recherche à risque et rendement élevés, conçu sur le modèle de la célèbre DARPA qui avait été créée par la Défense après le lancement du satellite Spoutnik et avait contribué à développer non seulement des systèmes militaires comme la technologie furtive, mais aussi les premières moutures du réseau Internet, de la reconnaissance vocale et du GPS.

Tout cela était passionnant, même si nous savions très bien que, dans notre course aux avancées décisives, certains investissements du Recovery Act ne donneraient rien. L'échec le plus monumental est lié à l'extension d'une politique de prêt, instaurée sous Bush, par le biais de laquelle le département de l'Énergie fournissait de la trésorerie à des acteurs prometteurs de l'énergie « propre ». Dans l'ensemble, ce programme a eu un bilan impressionnant, et il a aidé des entreprises comme le constructeur automobile Tesla à franchir des caps cruciaux. Le taux de base très avantageux des prêts consentis, 3 %, reflétait l'idée que les succès de ce fonds compenseraient amplement ses quelques échecs.

Hélas, c'est sous mon mandat que s'est produit un de ses plus gros ratés : un prêt gigantesque de 535 millions de dollars à Solyndra, un fabricant de panneaux solaires qui avait fait breveter une technologie qu'il estimait révolutionnaire. Naturellement, cet investissement n'était pas sans risques et, lorsque les Chinois ont inondé le marché avec des panneaux peu chers car très subventionnés, Solyndra a commencé à battre de l'aile avant de plonger en 2011. Étant donné l'ampleur de ce fiasco – sans parler du fait que mon staff m'avait organisé une visite de l'usine juste avant que les premiers voyants ne passent au rouge –, Solyndra est devenu pour nous un véritable cauchemar. Son cas a fait la une des journaux pendant des semaines. Les républicains exultaient.

J'ai tâché d'encaisser sans broncher. Je me répétais que l'essence de la présidence voulait que rien ne se déroule jamais comme prévu. Même les initiatives couronnées de succès, bien exécutées et motivées par des intentions irréprochables, avaient généralement un vice caché ou un effet inattendu. Accomplir des choses, c'était s'exposer à la critique, tandis que l'inverse – jouer la sécurité, éviter les controverses, suivre les sondages – était non seulement l'assurance de la médiocrité, mais une trahison des espoirs de tous les citoyens qui avaient voté pour moi.

Tout de même, je ne pouvais m'empêcher d'enrager (parfois, j'imaginais même de la fumée qui sortait de mes oreilles, comme dans les dessins animés) en constatant que l'échec de Solyndra éclipsait l'élan que le Recovery Act était parvenu à donner au secteur des énergies renouvelables. Dès sa première année, notre « ruée vers l'énergie propre » avait commencé à stimuler l'économie, à créer des emplois, à susciter un mouvement vers le solaire et l'éolien et des économies énergétiques considérables, ainsi qu'à mobiliser tout un arsenal de nouvelles technologies pour lutter contre le réchauffement climatique. J'ai prononcé des discours dans tout le pays pour expliquer ce que nous faisions, et j'avais envie de crier : « Ça fonctionne ! » Mais, hormis les militants écologistes et les acteurs du secteur, personne n'en avait rien à faire. J'étais content lorsqu'un dirigeant me déclarait que, sans le Recovery Act, « tout le solaire et tout l'éolien américains auraient probablement coulé ». Toutefois, je me demandais combien de temps nous pourrions continuer à mener des politiques qui paieraient à long terme, mais dont le seul résultat était, pour l'heure, que nous prenions des coups sur la tête.

Notre engagement dans les énergies non polluantes n'était qu'une première étape vers la réduction de nos émissions. Il fallait également modifier nos habitudes en poussant les entreprises à repenser le chauffage et la climatisation de leurs locaux et en incitant les ménages à passer à la voiture « verte ». Nous espérions enclencher ce mouvement avec une loi sur le réchauffement climatique qui prévoyait des primes aux énergies non polluantes dans tous les secteurs de l'économie. Mais, d'après Lisa et Carol, nous n'avions pas besoin d'attendre le Congrès pour amorcer la transformation de certaines entreprises et de certains modes de consommation. Il nous suffisait d'utiliser toute l'étendue des pouvoirs de régulation prévus par la législation actuelle.

Le plus important de ces outils était le Clean Air Act, une loi majeure de 1963 qui autorisait le gouvernement fédéral à contrôler la qualité de l'air et avait conduit à l'instauration de normes légales dans les années 1970. En outre, ce texte, auquel les deux partis du Congrès avaient réaffirmé leur soutien en 1990, stipulait que l'EPA pouvait réglementer les émissions automobiles qui « causent ou accroissent selon elle une pollution atmosphérique présentant un danger plausible pour la santé ou le bien-être de la population ».

Si l'on accordait du crédit aux climatologues, il était évident que le dioxyde de carbone recraché par les tuyaux d'échappement constituait une pollution atmosphérique. Mais, apparemment, ce n'était pas le cas du directeur de l'EPA nommé par Bush (c'est-à-dire qu'il n'accordait aucun crédit aux scientifiques). En 2003, il avait décrété que le Clean Air Act n'avait pas vocation à doter l'EPA d'un pouvoir de régulation des gaz à effet de serre – et quand bien même, *lui* n'avait pas l'intention de s'appuyer sur ce texte pour modifier les normes. Plusieurs États et associations écologistes avaient riposté par des actions en justice et, en 2007, avec le jugement *Massachusetts v. EPA*, la Cour suprême des États-Unis avait décidé à une courte majorité que l'action de l'EPA du président Bush n'était pas guidée par un « raisonnement rationnel » fondé sur les données scientifiques, et lui avait ordonné de faire son travail.

L'administration Bush n'avait plus bougé le petit doigt pendant les deux années suivantes, mais nous étions désormais en position de dépoussiérer la décision de la Cour suprême. Lisa et Carol ont préconisé que nous amassions des éléments scientifiques, déclarions que l'EPA était compétente pour la régulation des gaz à effet de serre, et utilisions immédiatement cette autorité pour renforcer les critères d'efficacité énergétique applicables à tous les véhicules commercialisés aux États-Unis. C'était le contexte parfait pour ce type de décret : bien que les constructeurs automobiles américains et le syndicat United Auto Workers soient opposés à ces normes, ma décision de continuer à soutenir leur secteur à coups de milliards *via* le programme TARP les avait rendus « plus ouverts », comme le formulait si délicatement

Carol. D'après Lisa, si nous agissions rapidement, les nouvelles réglementations pourraient entrer en vigueur avant que les constructeurs ne mettent leurs nouveaux modèles sur le marché. Nous pourrions ainsi réduire notre consommation de pétrole d'environ 1,8 milliard de barils par an et nos émissions de 20 % ; nous créerions en outre un précédent autorisant l'EPA à réglementer les autres sources de gaz à effet de serre dans les années à venir.

Pour moi, ce plan était une évidence – bien que je sois d'accord avec Rahm sur le fait que, même avec l'appui des constructeurs automobiles, l'EPA n'arriverait pas à durcir les normes d'émission sans provoquer un tollé. L'abrogation des réglementations fédérales était une priorité absolue du Parti républicain, au même titre que les baisses d'impôts pour les riches. Depuis une dizaine d'années, des groupements patronaux et d'importants donateurs conservateurs, les frères Koch par exemple, finançaient une colossale campagne de communication visant à transformer le terme de « réglementation » en gros mot ; il n'y avait plus un édito du *Wall Street Journal* sans une attaque contre l'« État régulateur » devenu fou. Toute cette clique s'intéressait moins aux avantages et inconvénients des nouvelles normes environnementales qu'à l'aspect symbolique d'une nouvelle loi : une fois de plus, les bureaucrates de Washington s'immisçaient dans la vie des gens, sapaient la vitalité économique de l'Amérique, enfreignaient le droit de propriété et subvertissaient le gouvernement représentatif voulu par les Pères fondateurs.

Je ne prêtais pas beaucoup d'importance à ces arguments. Déjà à l'ère progressiste, dans les années 1890-1920, les trusts pétroliers et les monopoles ferroviaires recouraient à ces mêmes éléments de langage dès que le gouvernement tentait de diminuer leur mainmise sur l'économie du pays. *Idem* pour les opposants au New Deal. Et pourtant, tout au long du XXᵉ siècle, loi après loi et en coopération avec les deux partis, le Congrès avait continué à déléguer son pouvoir de régulation et de coercition à une foule d'agences spécialisées, depuis l'autorité des marchés financiers (SEC) à celle de la sécurité et de la santé au travail (OSHA), en passant par l'autorité fédérale de l'aviation civile (FAA). La raison en était simple : la société se complexifiait, la puissance des entreprises augmentait, les citoyens se montraient de plus en plus exigeants envers leur gouvernement, et les élus n'avaient plus le temps d'encadrer tous les secteurs économiques. Ils ne disposaient pas non plus des connaissances nécessaires pour légiférer sur l'équité des marchés financiers, évaluer les dangers d'un nouvel équipement médical, déchiffrer des données environnementales ou anticiper toutes les discriminations possibles à l'emploi sur des critères d'origine ethnique ou de genre.

En d'autres termes, il ne pouvait y avoir de bonne gouvernance sans expertise. Il fallait des organismes publics chargés de prêter attention aux choses importantes pour que le reste de la population n'ait pas à le faire. Grâce à ces experts, nous avions moins à nous préoccuper de la qualité de l'air ou de l'eau, nous disposions d'un recours lorsque notre employeur refusait de payer les heures supplémentaires qui nous étaient dues, nous savions que les médicaments en vente libre n'allaient pas nous tuer, et les véhicules étaient considérablement plus sûrs que vingt, trente ou cinquante ans auparavant. L'« État régulateur » que fustigeaient tant les conservateurs avait immensément amélioré la vie des Américains.

Cela ne signifiait pas pour autant que les réglementations fédérales étaient exemptes de reproches. Il arrivait qu'une bureaucratie tatillonne embête inutilement les entrepreneurs ou retarde l'entrée sur le marché de produits innovants. Certains règlements coûtaient davantage qu'ils ne rapportaient. Dans ce domaine, les associations écologistes avaient une dent contre une loi de 1980 établissant qu'une obscure sous-agence, le Bureau des informations et réglementations (OIRA), devait réaliser une analyse coûts-bénéfices pour chaque nouvelle régulation fédérale. Les écologistes affirmaient que ce processus favorisait les entreprises, et ils n'avaient pas tort : il était bien plus facile de mesurer les pertes et les bénéfices d'une entreprise que de chiffrer la sauvegarde d'une espèce d'oiseau en danger ou la diminution de la probabilité qu'un enfant développe de l'asthme.

Il me semblait cependant que les progressistes ne pouvaient se permettre de négliger les aspects économiques de leurs politiques. Quand on croit en la capacité du gouvernement à résoudre les grands problèmes, on ne peut pas se contenter de faire confiance à la justesse de ses intentions, on doit aussi se pencher sur les effets réels de ses décisions. Si un texte proposé par une agence pour préserver une zone humide empiétait sur les terres d'une ferme, l'agence devait prendre en compte les pertes du fermier.

C'est précisément parce que cet aspect était important pour moi que j'ai nommé à la tête de l'OIRA Cass Sunstein, un de mes anciens collègues à l'université de Chicago, qui serait notre expert en calculs coûts-bénéfices. Éminent spécialiste du droit constitutionnel, auteur d'une douzaine d'ouvrages et souvent pressenti pour la Cour suprême, Cass lui-même a insisté auprès de moi pour obtenir ce poste, témoignant de sa volonté de se mettre au service du public, de son indifférence au prestige et d'un côté bon élève très prononcé qui faisait de lui le candidat idéal. (En plus de tout cela, c'était la crème des hommes, un excellent joueur de squash, et la personne la plus bordélique avec qui j'aie jamais travaillé.) Au cours des trois années suivantes, Cass et sa petite équipe ont travaillé d'arrache-pied dans leur bureau anonyme situé en face de la Maison-Blanche pour vérifier que les coûts des réglementations que nous proposions se justifiaient par les avantages qu'elles apportaient à la population. Je lui ai aussi demandé d'évaluer toutes les dispositions fédérales existantes pour que nous puissions nous débarrasser de celles qui étaient superflues ou obsolètes.

Et il a déterré de sacrés trucs : d'anciens textes à cause desquels les hôpitaux, médecins et infirmières dépensaient chaque année plus d'un milliard de dollars en paperasse et en démarches administratives ; un curieux règlement environnemental qui classait le lait dans la catégorie « pétrole », avec pour conséquence un coût annuel dépassant les 100 millions de dollars pour les producteurs ; et un mandat absurde obligeant les chauffeurs routiers à remplir tellement de papiers après chaque trajet que le temps perdu se chiffrait à 1,7 milliard de dollars. À part ça, l'écrasante majorité des réglementations a résisté à l'examen – et, au terme de ma présidence, même les analystes républicains reconnaîtraient que nos mesures rapportaient six fois plus qu'elles ne coûtaient.

La proposition de Lisa et Carol de durcir les normes d'émission était justement une de ces mesures. Dès que je leur ai donné mon feu vert, elles se sont mises au travail. Elles avaient un bon partenaire en la personne de mon secrétaire aux Transports, Ray LaHood, ancien représentant de l'Illinois et républicain courtois à l'ancienne mode, apprécié dans les deux camps pour sa nature sociable et son authentique respect du bipartisme. Et ainsi, un beau jour de mai, dans la roseraie, flanqué d'un groupe de dirigeants du secteur automobile et du président de l'UAW, j'ai annoncé un accord prévoyant des voitures et camions 20 % plus économes à l'horizon 2016. Nous visions une réduction des émissions de plus de 900 millions de tonnes sur la durée de vie de ces véhicules, ce qui revenait à retirer de la circulation 177 millions de voitures ou à fermer 194 usines à charbon.

Ce jour-là, les constructeurs automobiles se sont exprimés d'une seule voix, assurant qu'ils atteindraient les objectifs fixés et que leur secteur gagnerait à se conformer à une norme nationale unique plutôt qu'à un patchwork de dispositions étatiques. La presse a été surprise que nous soyons parvenus à un accord aussi vite et sans heurts, et plusieurs journalistes ont demandé à Carol si cette harmonie nouvelle pouvait avoir un lien avec le renflouement de l'industrie automobile. « Il n'a jamais été question du renflouement au cours des négociations », a insisté Carol. Un peu plus tard, dans le Bureau ovale, je lui ai demandé si c'était la vérité.

« Absolument, m'a-t-elle répondu. Bien sûr, je ne peux pas certifier que ça ne leur a jamais effleuré l'esprit... »

En parallèle, j'avais chargé Steven Chu de mettre à jour toutes les normes énergétiques qu'il pourrait trouver, au moyen d'une loi peu appliquée de 1987 qui conférait au département de l'Énergie le pouvoir d'encadrer la consommation de tous les appareils électriques, aussi bien les ampoules que les climatiseurs. Il était aussi excité qu'un gamin lâché dans un magasin de bonbons et me racontait tous ses exploits en détail. (« Vous n'imaginez pas tout ce que ça changerait pour l'environnement si les réfrigérateurs étaient seulement 5 % plus économes ! ») Et même si j'avais du mal à partager son enthousiasme au sujet des lave-linge et sèche-linge, les résultats étaient pour le moins stupéfiants : à la fin de ma présidence, les nouveaux appareils promettaient une baisse de nos émissions à hauteur de 210 millions de tonnes de gaz à effet de serre par an.

Au cours des années suivantes, les fabricants de voitures et d'appareils électroménagers se conformeraient en avance et sans histoires aux objectifs les plus exigeants, confirmant l'axiome de Steven selon lequel, à condition d'être bien conçue, une régulation ambitieuse pousse les entreprises à innover. Si les consommateurs remarquent que les voitures ou les appareils moins gourmands en énergie sont parfois plus chers, ils ne s'en plaignent pas ; la différence se compense vraisemblablement sur leurs factures d'électricité ou à la pompe, et, en règle générale, les prix diminuent lorsque ces nouvelles technologies deviennent la norme.

À notre surprise, même McConnell et Boehner ont accueilli sans trop broncher nos réglementations énergétiques – ils n'y voyaient peut-être pas un cheval de bataille intéressant et préféraient ne pas détourner l'attention de leur combat contre l'Obamacare. Mais tous les républicains n'ont pas fait preuve de la même retenue. Un jour, Pete Rouse est venu me montrer des extraits d'interventions médiatiques de Michele Bachmann, représentante du Minnesota et fondatrice du groupe Tea Party à la Chambre, qui se présenterait ensuite à la présidentielle de 2012. Bachmann qualifiait les nouvelles ampoules à économie d'énergie d'« intrusion de Big Brother » et de danger pour la santé publique ; elle dénonçait par ailleurs un complot démocrate cherchant à imposer un extrémisme de la « durabilité » qui, à terme, obligerait tous les citoyens américains « à déménager dans les grandes villes, à habiter dans des appartements, [et] à prendre un train électrique pour aller travailler pour le gouvernement ».

« Monsieur le Président, j'ai l'impression que notre secret a été découvert », m'a dit Pete.

J'ai acquiescé gravement. « On ferait mieux de planquer les corbeilles à papier. »

SI LES VOITURES et les lave-vaisselle étaient un pas en avant, nous savions qu'il n'y aurait pas de changement profond sans législation climatique globale adoptée par le Congrès, sans un texte s'appliquant à tous les secteurs de l'économie qui contribuaient aux émissions de gaz à effet de serre, et pas uniquement aux véhicules et appareils ménagers. En prime, les articles de presse et les conversations suscités par les débats législatifs contribueraient à ancrer dans les esprits les dangers du réchauffement, et – si tout se passait bien – le Congrès s'approprierait le produit fini. Peut-être plus important encore, une loi fédérale aurait un pouvoir réel et durable, contrairement aux décrets qui pourraient être annulés unilatéralement par un futur gouvernement républicain.

Naturellement, tout cela dépendrait de notre capacité à triompher d'une obstruction des sénateurs républicains. Et, contrairement au Recovery Act pour lequel nous avions réussi à mobiliser dans notre seul camp tous les votes dont nous avions besoin, Harry Reid m'a prévenu que, cette fois, nous allions forcément perdre quelques sénateurs démocrates des États pétroliers et houillers dont la réélection s'annonçait déjà incertaine. Pour obtenir soixante voix, nous allions devoir convaincre au moins deux ou trois républicains de soutenir une loi à laquelle la majorité de leurs électeurs s'opposait fermement et que Mitch McConnell avait juré d'enterrer.

Nous avons d'abord pensé que notre meilleur atout serait le type que j'avais battu à la présidentielle.

Pendant sa campagne, John McCain avait minimisé son adhésion à l'idée d'une loi contre le réchauffement climatique, surtout après avoir désigné une colistière, Sarah Palin, dont la politique énergétique – « Forez, les gars, forez ! » – avait les faveurs de la base militante. Mais, à son crédit, McCain n'avait jamais complètement abandonné ses anciennes positions et, dans la (très) courte fenêtre de bonne entente suivant mon élection, nous avions évoqué la possibilité d'œuvrer ensemble à faire passer un texte sur le climat. Après ma prise de fonction, McCain avait uni ses forces à celles de son plus grand ami au Sénat, Joe Lieberman, afin d'élaborer une contre-proposition transpartisane au projet plus orienté à gauche de Barbara Boxer, la démocrate de Californie qui dirigeait la Commission de l'environnement et des travaux publics.

Malheureusement, le compromis à la sauce McCain était passé de mode dans les cercles républicains. La droite méprisait le sénateur encore plus qu'avant, attribuant à la tiédeur de son conservatisme les pertes que le parti avait subies à la Chambre et au Sénat. Fin janvier 2009, un ancien élu devenu animateur sur une radio de droite, J. D. Hayworth, a laissé entendre qu'il pourrait se présenter contre McCain l'année suivante à la primaire de l'Arizona – pour la première fois depuis son entrée au Sénat, vingt-deux ans plus tôt, il aurait en face de lui un opposant sérieux. J'imagine que l'indignité de la situation a fait bouillir McCain, mais son instinct politique a dû lui ordonner de sécuriser rapidement son flanc droit – et ce n'était certainement pas en s'associant à moi pour faire adopter une loi environnementale majeure qu'il allait y parvenir. Nous avons bientôt appris par le cabinet de Lieberman que McCain retirait ses billes.

Pendant ce temps, à la Chambre, aucun républicain n'envisageait un instant d'appuyer une législation sur le climat. Cela laissait aux deux démocrates de la commission en question, Henry Waxman (Californie) et Ed Markey (Massachusetts), toute latitude pour rédiger leur propre projet et le faire passer avec les seules voix démocrates. À court terme, cela nous simplifiait la vie : Waxman et Markey étaient grosso modo sur la même longueur d'onde que nous, leurs équipes savaient ce qu'elles faisaient, et ils étaient ouverts à nos suggestions. Mais cela signifiait aussi que ces deux représentants n'estimaient pas utile de tenir compte des positions plus centristes qui existaient au sein de leur groupe, et leur texte serait probablement lu comme une liste de leurs exigences en matière environnementale, ce qui allait provoquer une crise cardiaque chez plusieurs sénateurs indécis.

Afin d'éviter que la Chambre et le Sénat ne se retrouvent dans l'impasse, Rahm a confié à Phil Schiliro la tâche peu enviable d'inviter Waxman à ouvrir le dialogue avec les sénateurs susceptibles de soutenir le texte, dont Lieberman, de façon à prendre de l'avance en réduisant le fossé entre les deux chambres. Une semaine plus tard environ, j'ai convoqué Phil dans le Bureau ovale et je lui ai demandé comment s'était déroulée sa conversation avec Waxman. Il a laissé tomber sa grande carcasse sur le canapé, a pris une pomme dans la corbeille à fruits sur la table basse, et a haussé les épaules.

« Pas génial », a-t-il répondu, à mi-chemin entre le gloussement et le soupir. Avant d'intégrer mon équipe, Phil avait travaillé pendant plusieurs années dans le cabinet de Waxman et l'avait même dirigé : les deux hommes se connaissaient donc bien. Il m'a raconté que Waxman l'avait écouté, puis lui avait fait part de l'exaspération que les démocrates de la Chambre éprouvaient envers ceux du Sénat (et envers nous) à cause de ce qu'ils considéraient comme une kyrielle de péchés successifs : nous avions revu le Recovery Act à la baisse, nous n'étions même pas parvenus à soumettre au vote plusieurs de leurs textes par peur de placer des sénateurs modérés ou conservateurs en position délicate, et, de manière plus générale, nous étions des abrutis et des lâches.

« D'après lui, le Sénat est "le cimetière des bonnes idées", a résumé Phil.

– Ce n'est pas moi qui dirai le contraire, ai-je acquiescé.

– On va devoir régler ça en commission mixte, une fois que chaque chambre aura voté son propre texte », a conclu Phil en s'efforçant de mettre un peu d'optimisme dans sa voix.

Une chose pouvait cependant nous aider à éviter que la Chambre et le Sénat ne se tournent complètement le dos : pour Lieberman et Boxer, ainsi que pour les démocrates de la Chambre et la majorité des associations écologistes, le mécanisme le plus à même de faire diminuer nos émissions était un système de *cap and trade* – de plafonnement et d'échange – semblable à celui que j'avais prôné pendant la campagne. Le gouvernement fédéral fixerait une limite aux émissions de gaz à effet de serre des entreprises, laissant à chacune le soin de trouver comment s'y conformer. Celles qui dépasseraient le plafond devraient payer des pénalités. Celles qui resteraient en deçà pourraient revendre leurs crédits « inutilisés » à des sociétés moins efficaces. En donnant un coût à la pollution et en créant un marché pour le respect de l'environnement, cette approche incitait les entreprises à développer et adopter des technologies « vertes » ; et, chaque fois qu'une nouvelle technologie serait inventée, le gouvernement pourrait baisser un peu plus les plafonds, encourageant un cycle constant et vertueux d'innovation.

Ce n'était d'ailleurs pas la seule manière de chiffrer la pollution atmosphérique. Certains économistes trouvaient plus simple d'imposer une « taxe carbone » sur tous les carburants fossiles, de façon à augmenter leur coût et à décourager leur usage. Mais une des raisons expliquant que tout le monde ait convergé vers la solution de plafonnement et d'échange était qu'elle avait déjà été essayée avec succès – et par un président *républicain*. En 1990, le gouvernement de George H. W. Bush avait mis en place un système de *cap and trade* pour limiter les rejets industriels de dioxyde de soufre, une des causes des pluies acides qui détruisaient les lacs et les forêts de la côte Est. Malgré les Cassandre annonçant des fermetures d'usines et des plans sociaux massifs, les entreprises étaient rapidement parvenues à se moderniser en préservant leur rentabilité, et quelques années plus tard le problème des pluies acides était pratiquement réglé.

Toutefois, un système de plafonnement des émissions de gaz à effet de serre devrait opérer à une échelle bien plus grande, et se révélerait donc bien plus complexe. Cela promettait des débats houleux au sujet du moindre détail, les lobbyistes seraient omniprésents et les membres du Congrès demanderaient tous des concessions en échange de leur vote. Et, comme me l'apprenait la loi sur la santé, le fait que les républicains aient un jour soutenu une idée portée par un des leurs ne signifiait pas qu'ils appuieraient cette même idée lorsqu'elle viendrait d'un président démocrate.

Mais j'étais bien obligé de me répéter que l'existence d'un précédent serait un réel avantage pour faire passer notre loi. Carol, Phil et les conseillers législatifs de la Maison-Blanche ont passé presque tout le printemps 2009 à faire des allers-retours entre les deux chambres, à pousser le projet, à lisser les problèmes et à fournir aux principaux parlementaires ainsi qu'à leur cabinet la documentation technique et l'aide politique dont ils avaient besoin. Et cela alors que, grâce à l'implication de toute l'équipe, nous continuions à tenter de sauver l'économie, donnions forme à la loi sur la santé, mettions en place des règles d'immigration, nommions des juges et portions devant le Congrès une dizaine d'autres initiatives. Avec toute cette activité, il régnait dans le bureau de Rahm – décoration minimale, en son centre une grande table de réunion généralement jonchée de gobelets de café et de canettes de Coca Light, avec parfois une barre de chocolat entamée – l'atmosphère caféinée d'une tour de contrôle.

Et puis, un jour chaud et humide de la fin juin, notre labeur a commencé à payer. Le secrétariat social de la Maison-Blanche avait organisé un pique-nique pour le personnel sur la pelouse sud, et je venais de me mettre à circuler entre les groupes, prenant des bébés dans les bras et posant pour la photo avec les fiers parents des membres de mon staff, quand Rahm est arrivé en courant, une feuille de papier à la main.

« Monsieur le Président, la Chambre vient d'adopter la loi sur le climat !

– Génial ! ai-je répondu en lui tapant dans la main. C'était serré ? »

Rahm m'a montré le décompte des votes : 219 à 212. « On a eu huit républicains modérés avec nous. On a perdu deux démocrates sur lesquels on comptait, mais je vais m'en occuper. Vous, il faudrait que vous appeliez Nancy, Waxman et Markey pour les remercier. Ils ont vraiment travaillé leurs collègues au corps. »

Rahm ne vivait que pour ces journées où nous remportions de franches victoires. Mais, tandis que nous regagnions le Bureau ovale, nous arrêtant en chemin pour saluer quelques personnes, j'ai remarqué que mon directeur de cabinet, d'habitude si expansif, paraissait un peu maussade. Il m'a expliqué ce qui le tracassait : le Sénat n'avait pas encore rendu son texte public et n'était donc pas près de le soumettre aux commissions appropriées. En outre, McConnell avait un don remarquable pour retarder et enrayer les votes. Étant donné la longueur de la procédure, notre fenêtre de tir pour faire adopter un texte sur le climat avant la suspension des travaux parlementaires en décembre se refermait rapidement. Ensuite, nous aurions encore plus de mal à mener le projet à terme car, à la Chambre comme au Sénat, les démocrates rechigneraient à voter une loi importante et controversée alors qu'ils commenceraient tout juste à faire campagne pour les élections de mi-mandat.

« Ne jamais perdre l'espoir, mon frère ! » lui ai-je dit en lui tapant dans le dos.

Rahm a hoché la tête, mais ses yeux, encore plus sombres qu'à l'accoutumée, trahissaient ses doutes.

« Je ne suis pas sûr qu'on ait une piste assez longue pour poser tous ces avions », a-t-il dit.

Comprendre : au moins un finirait par s'écraser.

LES COQUETTERIES DU CONGRÈS n'étaient pas l'unique raison pour laquelle j'espérais voir la loi sur le plafonnement adoptée avant décembre : un sommet des Nations unies sur le réchauffement climatique devait avoir lieu le même mois à Copenhague. Après huit années durant lesquelles les États-Unis de George W. Bush s'étaient absentés de la table des négociations climatiques, les attentes internationales étaient au plus haut. Et il me serait difficile d'appeler les autres pays à une action déterminante si nous ne montrions pas l'exemple. Je savais qu'une loi nous mettrait en meilleure posture pour négocier, et peut-être insuffler l'action collective sans laquelle nous ne pourrions pas sauver la planète. Car les gaz à effet de serre ignorent les frontières ; des mesures nationales de baisse des émissions pourraient procurer un sentiment de supériorité morale à la population du pays en question, mais les températures continueraient à grimper si ses voisins ne l'imitaient pas.

Ainsi, pendant que Rahm et mon équipe législative s'affairaient dans les couloirs du Congrès, mes spécialistes de politique étrangère et moi cherchions comment faire remonter les États-Unis en première ligne des efforts climatiques internationaux.

Sur ce front, notre leadership avait autrefois été une réalité. En 1992, lorsque le monde s'était réuni à Rio de Janeiro pour le Sommet de la Terre, le président George H. W. Bush avait signé, aux côtés des représentants de 153 autres pays, la Convention-cadre des Nations unies sur le changement climatique – le premier accord mondial cherchant à stabiliser les concentrations de gaz à effet de serre avant qu'elles n'atteignent des niveaux catastrophiques. Peu après, l'administration Clinton avait repris le flambeau en collaborant avec d'autres États pour traduire les objectifs généraux de Rio en un traité contraignant. Le résultat final, baptisé Protocole de Kyoto, posait les bases d'une action internationale, avec des objectifs précis de réduction des gaz à effet de serre, un système mondial similaire au *cap and trade*, et des mécanismes de financement pour aider les pays pauvres à passer aux énergies non polluantes et préserver les forêts tropicales, telle l'Amazonie, qui stockent le CO_2.

Les écologistes ont salué en Kyoto un tournant décisif dans la lutte contre le réchauffement climatique. Partout dans le monde, les gouvernements des pays participants ont ratifié le traité. Mais, aux États-Unis, où il faut pour cela réunir deux tiers des voix du Sénat, Kyoto s'est heurté à un mur. Nous étions en 1997, les républicains contrôlaient le Sénat et ils étaient peu nombreux à juger que le réchauffement climatique était un vrai problème. Au contraire, le président de la Commission des affaires étrangères du Sénat, l'ultraconservateur Jesse Helms, se vantait même de mépriser autant les écologistes que l'ONU et les traités multilatéraux. Et, du côté démocrate, de puissantes figures comme Robert Byrd, sénateur de la Virginie-Occidentale, s'opposaient vivement à toutes les mesures susceptibles de causer du tort au secteur des énergies fossiles, qui était vital pour son État.

Conscient de la situation, le président Clinton a décidé de ne pas présenter Kyoto devant le Sénat, préférant le report à la défaite. La bonne étoile politique de Clinton recommencerait à briller après qu'il aurait survécu à la destitution, mais le texte resterait au fond d'un tiroir jusqu'à la fin de son mandat. La dernière lueur d'espoir de ratification a fini par s'éteindre lorsque George W. Bush a battu Al Gore à l'élection présidentielle de 2000. Et c'est pourquoi, en 2009, un an après la prise d'effet du Protocole, les États-Unis étaient un des cinq pays à rester sur la touche. Les quatre autres, sans ordre particulier, étaient Andorre et le Vatican (deux États si petits, avec une population combinée ne dépassant pas les 80 000 âmes, qu'ils n'avaient pas été invités à signer et avaient un simple statut d'observateurs), Taïwan (qui aurait bien aimé participer, mais ne l'avait pas pu car son statut de nation indépendante était toujours contesté par la Chine) et l'Afghanistan (qui avait l'excellente excuse de se retrouver en miettes après trente années d'occupation et une guerre civile sanglante).

« On sait qu'on a touché le fond quand nos plus proches alliés nous trouvent encore plus nuls que la Corée du Nord dans un domaine », a commenté Ben, dépité.

En me repenchant sur cette histoire, j'ai imaginé un univers parallèle dans lequel les États-Unis, sans rivaux au sortir de la guerre froide, auraient consacré l'intégralité de leur puissance et de leur autorité à lutter contre le réchauffement climatique. J'ai imaginé les possibles transformations du réseau énergétique mondial et la réduction des émissions qui en aurait découlé, les progrès géopolitiques résultant d'une moindre emprise des pétrodollars et de l'affaiblissement des dictatures qu'ils financent, la culture de la durabilité qui aurait pu s'enraciner dans les pays développés et en développement. Mais, alors que je planchais avec mon équipe pour dessiner une stratégie adaptée à *notre* univers, j'ai dû admettre une vérité flagrante : même avec un Sénat désormais démocrate, je ne réussirais pas à rassembler les soixante-sept voix nécessaires à la ratification du Protocole de Kyoto.

Nous rencontrions déjà assez de difficultés avec notre projet de loi au Sénat. Après avoir passé des mois à amender le texte, Barbara Boxer et le démocrate John Kerry, du Massachusetts, n'étaient toujours pas parvenus à trouver un collègue républicain qui soit disposé à le défendre, et ils nous disaient à présent qu'une nouvelle approche, plus centriste, s'imposait peut-être.

Puisque nous ne pouvions plus compter sur John McCain, nous avons reporté nos espoirs sur un de ses amis au Sénat, Lindsey Graham, de la Caroline du Sud. Petit homme avec un museau de boxer et un chaleureux accent du Sud capable de virer à la menace en un clin d'œil, Graham était surtout réputé pour son ardent bellicisme – il faisait partie, avec McCain et Lieberman, des « Three Amigos » qui avaient été les plus grands promoteurs de la guerre d'Irak. Du reste, Graham était intelligent, charmeur, caustique, sans scrupules, rompu à l'exercice des médias et – grâce en partie à sa réelle adoration pour John McCain – parfois capable de s'écarter de l'orthodoxie conservatrice, l'exemple le plus marquant étant sa défense de la réforme de l'immigration. Récemment réélu pour six ans, Graham pouvait prendre des risques et, même s'il ne s'était jamais franchement intéressé au réchauffement climatique, il paraissait curieux de marcher dans les pas de McCain en concluant un important accord transpartisan. Début octobre, il a proposé de nous fournir les quelques républicains qui nous manquaient pour faire adopter notre loi par le Sénat – à condition que Lieberman lui prête main-forte et que Kerry persuade les écologistes d'accepter l'aide financière à l'énergie nucléaire et l'ouverture de nouvelles zones de forage le long des côtes américaines.

Je n'étais pas ravi de devoir dépendre de Graham. Pour l'avoir connu au Sénat, je savais qu'il aimait jouer un personnage de conservateur raffiné et plein de recul, qui désarmait les démocrates et la presse en exposant sans ménagement les angles morts de son parti et exhortait les politiciens à s'extraire du carcan de leur idéologie. Cependant, lorsque venait le moment de voter ou d'affirmer une position un tant soit peu risquée, Graham trouvait très souvent des excuses pour se défiler. (Un trait que j'ai expliqué à Rahm de cette façon : « Vous savez, dans les romans d'espionnage ou les films de braquage, quand on nous présente les personnages au début ? Eh bien, Lindsey, c'est celui qui finit par trahir tout le monde pour sauver sa peau. ») Mais, si nous étions réalistes, nous n'avions pas le choix (« On n'a que lui, mon vieux, a répliqué Rahm. Sauf si Lincoln et Teddy Roosevelt débarquent à l'improviste. ») ; et, pour éviter de lui faire peur en l'associant de trop près à la Maison-Blanche, nous avons décidé de laisser à Graham et aux autres les coudées franches pour élaborer leur propre version du texte, quitte à modifier plus tard les dispositions qui poseraient problème.

Pendant ce temps, nous préparions Copenhague. Le Protocole de Kyoto allait expirer en 2012 et le traité suivant était déjà en cours de négociation depuis un an sous l'égide de l'ONU, avec pour objectif de trouver un accord avant le sommet de décembre. Mais nous n'avions pas très envie de signer un nouveau traité reprenant les termes de l'original. Mes conseillers et moi avions des réserves sur les conceptions politiques sous-tendant Kyoto – en particulier la notion de « responsabilités communes mais différenciées », qui faisait reposer la baisse des émissions presque exclusivement sur les économies avancées, à savoir les États-Unis, l'Union européenne et le Japon. En termes d'équité, demander aux pays riches d'en faire plus que les pays en développement se justifiait parfaitement : non seulement l'accumulation de gaz existants était en grande partie le produit d'un siècle d'industrialisation occidentale, mais les pays riches avaient en outre une empreinte carbone par habitant plus élevée que le reste du monde. Et il était difficile de demander à des pays en développement tels que le Mali, Haïti ou le Cambodge – où tant de gens n'avaient toujours pas l'électricité – de réduire leurs émissions déjà négligeables et de freiner potentiellement leur croissance à court terme. Les Américains et les Européens pouvaient obtenir des résultats bien plus remarquables en montant ou en descendant leurs thermostats de quelques degrés.

Le problème était que, selon le Protocole de Kyoto, l'idée de « responsabilités différenciées » signifiait que les puissances émergentes comme la Chine, l'Inde et le Brésil n'avaient *aucune* obligation de réduire leurs émissions. Cela pouvait se comprendre au moment de l'élaboration du protocole, douze ans plus tôt, avant que la mondialisation n'ait totalement transformé l'économie mondiale. Mais en plein milieu d'une violente récession, alors que les délocalisations régulières faisaient déjà enrager les Américains, un traité imposant des contraintes aux entreprises du pays sans rien demander à celles de Shanghai ou de Bangalore ne passerait jamais. D'autant moins que les émissions de dioxyde de carbone chinoises avaient dépassé celles des États-Unis en 2005, et que les chiffres indiens étaient eux aussi à la hausse. Et si la consommation d'énergie par habitant demeurait bien plus élevée aux États-Unis qu'en Chine ou en Inde, les experts annonçaient un doublement de l'empreinte carbone de ces pays dans les décennies à venir, à mesure que les deux milliards de personnes qui les peuplaient chercheraient à se hisser au niveau de confort des pays riches. Si cela se vérifiait, alors il n'y avait rien à faire, la planète était foutue – un argument que les républicains (du moins ceux qui ne réfutaient pas en bloc le réchauffement climatique) aimaient utiliser pour justifier l'inaction des États-Unis.

Il nous fallait une approche neuve. Avec l'appui décisif de Hillary Clinton et de Todd Stern, l'émissaire spécial du département d'État pour le climat, mon équipe a mis au point une proposition d'accord transitoire restreint, ancré autour de trois engagements communs. Premièrement, *tous* les pays – y compris les puissances émergentes comme la Chine ou l'Inde – devraient présenter un plan de réduction de leurs émissions. Ces plans différeraient selon les pays, en fonction de leur richesse, de leur profil énergétique et de leur niveau de développement, et seraient révisés à intervalles réguliers en tenant compte de leur croissance économique et technologique. Deuxièmement, ces plans nationaux ne seraient pas contraignants au regard du droit international comme pouvaient l'être les obligations définies par les traités, mais chaque pays devrait accepter les termes d'un mécanisme autorisant les autres parties à vérifier en toute indépendance qu'il menait à bien les réductions promises. Troisièmement, les pays riches verseraient aux pays pauvres plusieurs milliards de dollars sous la forme d'aides leur permettant de s'adapter et de faire face au changement climatique, pourvu que ces pays remplissent leurs engagements, bien plus modestes.

Bien amenée, cette nouvelle approche forcerait la Chine et les autres puissances émergentes à s'impliquer, tout en conservant les « responsabilités communes mais différenciées » du Protocole de Kyoto. De plus, l'instauration d'un système crédible de validation des efforts nationaux nous donnerait un argument supplémentaire pour faire admettre au Sénat l'importance d'une loi sur le réchauffement climatique – et, espérions-nous, préparer le terrain pour un traité plus robuste dans un avenir proche. Mais Todd, avocat passionné et méticuleux et ancien négociateur en chef de l'administration Clinton à Kyoto, nous a prévenus que nous aurions du mal à convaincre avec notre proposition. Les pays de l'UE, qui avaient tous ratifié Kyoto et amorcé la réduction de leurs émissions, tenaient à signer un pacte comportant un engagement contraignant de la Chine et des États-Unis. De leur côté, la Chine, l'Inde et l'Afrique du Sud s'accommodaient très bien de ce *statu quo* et s'opposaient farouchement à toute modification du Protocole. Enfin, des militants et associations écologistes du monde entier assisteraient au sommet : nombre d'entre eux considéraient que tout allait se jouer à Copenhague, et un traité non contraignant sans nouvelles limites draconiennes serait à leurs yeux un échec.

Plus précisément, *mon* échec.

« C'est injuste, m'a dit Carol, mais ils pensent que, si vous prenez vraiment le réchauffement climatique au sérieux, vous devriez être capable de pousser le Congrès et les autres pays à prendre les décisions nécessaires. »

Je ne pouvais pas reprocher aux écologistes de placer la barre haut. La science le réclamait. Mais je savais aussi qu'il était inutile de faire des promesses que je ne pouvais pas encore tenir. J'avais besoin de temps et d'une embellie économique avant de pouvoir convaincre l'opinion américaine du bien-fondé d'un traité climatique ambitieux. J'allais aussi devoir amener la Chine à collaborer avec nous – et probablement recueillir une majorité plus large au Sénat. Si le monde espérait que les États-Unis signent un traité contraignant à Copenhague, alors j'allais devoir lui faire réviser ses attentes – en commençant par celles du secrétaire général des Nations unies, Ban Ki-moon.

Depuis deux ans au poste de premier diplomate du monde, Ban Ki-moon n'avait pas encore fait grande impression sur la scène internationale. C'était en partie dû à la nature de son travail : bien que la personne occupant le poste de secrétaire général de l'ONU régisse un budget se comptant en milliards de dollars, une bureaucratie tentaculaire

» Rahm m'informe que la Chambre des représentants vient d'adopter une loi historique sur le climat. Mon directeur de cabinet ne vivait que pour ce genre de journées, quand nous décrochions une victoire éclatante.

^ Une session marathon dominicale avec mon équipe en charge des questions économiques, avec (*de gauche à droite*) Larry Summers, Tim Geithner et Christy Romer.

« Le chef de la majorité démocrate au Sénat Harry Reid et moi nous sommes tout de suite très bien entendus. Malgré nos différences d'âge et d'expérience, nous partagions le même sentiment d'avoir réussi en dépit de nombreux obstacles.

Alors que nous étions soumis à une énorme
pression lors de ces premiers mois
à la Maison-Blanche, Michelle et moi nous
faisions toujours autant rire l'un l'autre.
Et la présence fidèle à nos côtés de notre
amie et conseillère Valerie Jarrett
rendait les choses plus faciles.

Bo a débarqué à la Maison-Blanche,
prêt à toutes les explorations. Il nous
a été offert par Ted et Vicki Kennedy,
et il a tout de suite contribué à faire
de cet endroit un véritable foyer familial.

» Visiter les Pyramides de Gizeh m'a permis de prendre du recul et de me souvenir que le monde continue de tourner longtemps après que nous en avons disparu.

« Des Palestiniens à Gaza me regardent m'exprimer au Caire, le 4 juin 2009. Pendant la campagne, j'avais promis de m'adresser aux musulmans du monde entier, convaincu que prendre acte des sources de tension entre l'Occident et le monde musulman serait un premier pas vers une coexistence pacifique.

» Je félicite Sonia Sotomayor juste avant qu'elle soit officiellement nommée juge à la Cour suprême. J'étais certain que son parcours personnel l'aidait à mieux comprendre la façon dont les décisions de la Cour s'inscrivaient dans le monde réel.

Denis McDonough était l'un de mes plus proches conseillers sur les questions de politique étrangère, et un bon ami. Il était attentif aux moindres détails, toujours volontaire pour se charger des missions les plus difficiles et ingrates, et inépuisable à la tâche. «

»
Le président français Nicolas Sarkozy et la chancelière allemande Angela Merkel – deux dirigeants aux tempéraments on ne peut plus opposés – au sommet du G8 en juillet 2009.

« Ben Rhodes nous a rejoints en qualité de rédacteur des discours au Conseil de sécurité nationale, et son apport a été vital. Je pouvais compter sur lui pour rédiger des discours qui restituaient à la perfection non seulement ma voix, mais aussi ma vision du monde.

Lors d'une visite à Vladimir Poutine dans sa datcha, nous avons eu droit à un long monologue de la part de notre hôte, qui a passé en revue toutes les injustices, trahisons et vexations endurées selon lui par le peuple russe et par lui-même sous le joug arrogant des Américains.

Les filles illuminaient chacun des déplacements auxquels elles se joignaient. Ici, Sasha, âgée de 8 ans, marche dans les couloirs du Kremlin telle une mini-agente secrète en imperméable.

Mon assistant personnel Reggie Love et moi avons entrepris de donner un coup de main à l'équipe de basket dans laquelle jouait Sasha. Quand les Vipers ont remporté la compétition junior sur le score de 18 à 16 au terme d'un suspense insoutenable, nous avons explosé de joie comme si nous venions de gagner le championnat universitaire. »

« Avec le porte-parole Robert Gibbs (*au centre*), dont l'humour facétieux et l'instinct infaillible nous tiraient souvent du pétrin, et Reggie Love, qui ne me faisait jamais de cadeaux sur les terrains de basket.

» Un rare moment de calme pour lire. Ces instants ne duraient jamais très longtemps.

Quand j'ai parlé à Michelle des motivations qui me poussaient à briguer la présidence, j'ai notamment évoqué le fait que, si je gagnais, les gamins partout dans le monde porteraient sur eux-mêmes et sur leurs perspectives un nouveau regard. Et, rien que pour cela, ça en valait la peine.

J'entends encore Bob Dylan chanter une version remaniée de « The Times They Are a-Changin' » avant de me serrer la main, puis de s'éclipser sans un mot.

À la base aérienne de Dover, avec le procureur
général Eric Holder (*tout à droite*), pour
assister au rapatriement solennel de dix-huit
soldats américains tombés en Afghanistan.
Les présidents assistent rarement à ces
rapatriements, mais je pensais qu'il était
important que le commandant en chef de
la nation voie de ses yeux le prix de la guerre.

L'annonce du déploiement de nos troupes
en Afghanistan le 1er décembre 2009
à West Point. Envoyer des jeunes gens
à la guerre a été l'une des décisions
les plus difficiles que j'aie eu à prendre
en tant que président.

J'ai rencontré le sergent de première classe Cory Remsburg en Normandie, quelques semaines avant qu'il parte pour sa dixième mission en Afghanistan. Le hasard a voulu que je le recroise à l'hôpital de la marine à Bethesda, où il était soigné après avoir été gravement blessé par un engin explosif artisanal. Au fil des années, nous avons continué à nous voir de temps à autre et nous sommes restés en contact.

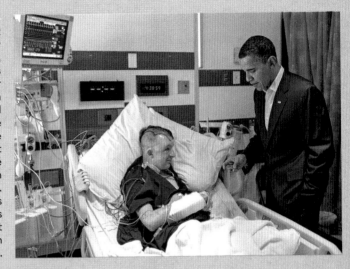

« À la rencontre de nos jeunes troupes héroïques en Afghanistan, en mars 2010. Elles m'ont tant inspiré.

Des membres de mon équipe chargée des questions de sécurité nationale à West Point. Les heures que nous avons passées à discuter du plan de déploiement nous ont forcés à redéfinir les objectifs stratégiques des États-Unis en Afghanistan afin d'empêcher la mission d'échouer.

La reine Élisabeth II incarnait
la relation privilégiée qui liait
les États-Unis et le Royaume-Uni,
et Michelle et moi avions toujours
grand plaisir à passer du temps
en sa compagnie.

Avec le président
Hu Jintao au palais
de l'Assemblée
du peuple à Pékin.

» Nous peaufinons mon discours sur la réforme du système de santé devant les deux chambres du Congrès avec le rédacteur Jon Favreau. Il m'arrivait d'être un éditeur assez intransigeant.

« Dans la salle Roosevelt avec Joe Biden et mon staff, le 21 mars 2010, au moment où l'Affordable Care Act obtenait le nombre de voix suffisant pour être voté. J'ai pensé à ma mère, emportée par le cancer, et à tous les Américains qui, comme elle, avaient si longtemps attendu cette réforme de l'assurance-maladie.

Nous fêtons le vote de l'Affordable Care Act avec la secrétaire à la Santé et aux Services sociaux Kathleen Sebelius et la présidente de la Chambre des représentants Nancy Pelosi, la stratège la plus dure à cuire et talentueuse que j'aie jamais rencontrée. »

Séance de briefing sur la catastrophe de la plateforme Deepwater Horizon lors d'un déplacement dans le golfe du Mexique. Le commandant des garde-côtes américains, l'amiral Thad Allen (*assis, à gauche*), et l'administratrice de l'Agence pour la protection de l'environnement, Lisa Jackson (*tout à droite*), ont joué un rôle essentiel au sein de notre équipe chargée de la gestion de la marée noire.

»

«

Une rencontre au sommet (de la balançoire) avec Malia, 11 ans et toujours une question à la bouche. Ici, elle m'interroge sur la marée noire.

»

Siégeant au Conseil de sécurité nationale, où elle s'occupait en particulier de la prévention des actes de barbarie et de la défense des droits fondamentaux, Samantha Power était une amie proche — et une boussole pour ma conscience.

Je n'avais pas le sentiment de mériter de figurer en compagnie des illustres lauréats du prix Nobel de la paix qui m'avaient précédé. À mes yeux, cet honneur était avant tout une incitation à agir.

Avec Joe, sur le point de signer le projet Dodd-Frank, notre réforme des marchés financiers, et de le transformer ainsi en texte de loi. J'ai tenu ma parole, m'assurant que Joe serait toujours le dernier présent dans la pièce au moment des grandes décisions. En retour, il m'a donné de sages conseils – et j'ai trouvé en lui un nouveau frère.

31 août 2010 : je m'apprête à annoncer la fin des opérations militaires en Irak, derrière le bureau où le président Bush en avait annoncé le début. Il aura fallu le temps, mais chose promise, chose faite.

1er mai 2011 : avec mon équipe chargée des questions de sécurité nationale, nous regardons les Navy SEALs attaquer l'enceinte fortifiée d'Oussama Ben Laden. C'est la première et seule fois de toute ma présidence que j'ai regardé une opération militaire se dérouler en temps réel.

Dîner au palais
présidentiel à New Delhi
avec le Premier ministre
Manmohan Singh,
un homme réfléchi et
d'une rare honnêteté.
«

»
Le président Mahmoud
Abbas, le président
Hosni Moubarak et
le Premier ministre
Benyamin Nétanyahou
regardent leur montre,
guettant l'heure
officielle du coucher
du soleil. C'était le mois
du ramadan dans
le calendrier musulman,
et nous devions nous
assurer que le jeûne
était levé avant de nous
attabler pour dîner.

«
Je me prépare
à affronter
la presse
au lendemain
de la déroute
des démocrates
aux élections
de mi-mandat
en 2010.

Je chérissais tous les moments
que je pouvais passer en famille.
Notre visite de la statue du Christ
rédempteur à Rio de Janeiro
a été un moment magique.

Huit années durant, la traversée
de la colonnade ouest a encadré chacune
de mes journées – un trajet à l'air libre
d'une minute à pied, aller puis retour,
de la résidence à mon bureau.

et une farandole d'agences internationales, son pouvoir est largement indirect et repose sur sa capacité à guider cent quatre-vingt-treize pays dans une direction plus ou moins identique. La relative discrétion de Ban était également la conséquence de son style réservé et méthodique – une approche point par point de la diplomatie qui avait fait ses preuves durant les trente-sept années qu'il avait passées aux Affaires étrangères et dans le corps diplomatique de sa Corée du Sud natale, mais qui contrastait durement avec le charisme raffiné de son prédécesseur à l'ONU, Kofi Annan. On n'allait pas à un rendez-vous avec Ban en espérant des anecdotes passionnantes, des remarques spirituelles ou des idées éblouissantes. Il ne vous demandait pas de nouvelles de votre famille et ne disait jamais rien de sa vie personnelle. Au lieu de cela, après vous avoir serré vigoureusement la main et vous avoir remercié d'être venu, il s'élançait dans un flot d'éléments de langage et de faits bruts, exprimés avec un fort accent et dans le jargon sérieux et convenu d'un communiqué des Nations unies.

Malgré son manque de panache, j'en viendrais à apprécier et à respecter Ban. C'était un homme honnête, franc et incorrigiblement positif, un homme qui, en plusieurs occasions, avait mené des réformes essentielles à l'ONU en résistant aux pressions de divers États membres et qui se rangeait instinctivement du bon côté des problèmes, même s'il ne réussissait pas toujours à entraîner les autres à sa suite. Enfin, il était persévérant, tout spécialement sur la question du réchauffement climatique dont il avait fait une de ses priorités. Lors de notre première rencontre dans le Bureau ovale, moins de deux mois après mon investiture, il avait commencé à me presser pour que je m'engage à participer au sommet de Copenhague.

« Votre présence, monsieur le Président, enverra un signal très puissant concernant notre besoin urgent de coopération internationale pour lutter contre le réchauffement. Très puissant. »

Je lui avais exposé toutes les actions que nous comptions entreprendre pour réduire les émissions américaines, ainsi que les difficultés pour faire accepter par le Sénat un traité sur le modèle de Kyoto. Je lui avais décrit notre idée d'accord transitoire et expliqué que nous avions formé un « groupe des gros pollueurs », à l'écart des négociations de l'ONU, pour tenter de trouver un terrain d'entente avec la Chine. Ban m'avait écouté en acquiesçant poliment, prenant quelques notes ou ajustant ses lunettes de temps à autre. Mais rien de ce que j'avais dit n'avait pu le faire dévier de sa mission principale.

« Avec votre concours, monsieur le Président, avait-il conclu, je suis certain que ces négociations pourront aboutir à un accord satisfaisant. »

Et les choses ont continué ainsi pendant plusieurs mois. J'avais beau répéter mes réserves sur la direction que prenaient les négociations à l'ONU et marteler la position des États-Unis à l'égard d'un traité contraignant façon Kyoto, Ban me rabâchait qu'il fallait que je vienne à Copenhague en décembre. Il en a parlé lors des réunions du G20. Il a insisté lors des réunions du G8. Et, pour finir, devant l'assemblée générale des Nations unies, j'ai cédé et promis que je tâcherais de participer à la conférence, si j'estimais probable qu'elle aboutisse à un accord viable pour nous. Je me suis ensuite tourné vers Susan Rice et lui ai avoué que j'avais l'impression d'être un lycéen qui accepte d'aller au bal de promo avec la première de la classe parce qu'elle est gentille et qu'il n'a pas le cœur de lui dire non.

En décembre, quand la conférence s'est ouverte, mes pires peurs étaient en train de se réaliser. Au niveau national, nous attendions toujours que le Sénat fixe une date pour le vote de la loi sur le plafonnement des émissions, tandis qu'à Copenhague le débat sur le traité était rapidement tombé dans une impasse. Hillary et Todd, que nous avions envoyés en éclaireurs pour tenter de rallier des soutiens à notre proposition d'accord transitoire, me décrivaient au téléphone des scènes de chaos dans lesquelles la Chine et les autres BRICS campaient sur leurs positions, l'UE s'énervait contre la Chine et contre nous, les pays pauvres réclamaient une aide financière plus importante, le Danemark et l'ONU ne savaient plus où donner de la tête, et les associations écologistes s'arrachaient les cheveux devant ce qui ressemblait de plus en plus à un désastre. Tout cela sentait l'échec retentissant et, comme j'avais d'autres lois importantes à faire passer avant la trêve de Noël, Rahm et Axe se demandaient s'il fallait vraiment que j'aille à Copenhague.

Malgré mes doutes, j'ai décidé qu'une possibilité, même minime, de rallier d'autres dirigeants au sein d'un accord international l'emportait sur les conséquences d'un flop attendu. Pour rendre le voyage moins pénible, Alyssa Mastromonaco m'a concocté une feuille de route épurée : décollage pour Copenhague après une journée entière au Bureau ovale, une dizaine d'heures sur place – tout juste le temps de prononcer un discours et de rencontrer quelques chefs d'État en tête-à-tête –, et retour à la maison. Je dois quand même avouer que, en embarquant sur Air Force One pour mon vol de nuit, j'étais tout sauf enthousiaste. Je me suis installé dans un des gros fauteuils en cuir de la salle de réunion, j'ai commandé un verre de vodka dans l'espoir qu'il m'aide à fermer les yeux quelques heures, et j'ai regardé Marvin zapper sur la grande télé à la recherche d'un match de basket.

« Est-ce que quelqu'un a déjà pensé à la quantité de dioxyde de carbone que je rejette dans l'atmosphère en faisant ces voyages en Europe ? lui ai-je demandé. Je suis à peu près sûr que, entre les avions, les hélicos et les cortèges de voitures, c'est moi qui ai la plus grosse empreinte carbone de toute la planète.

– Hmm, a fait Marvin. C'est sûrement vrai. » Il a trouvé le match qu'on cherchait, monté le son, puis ajouté : « Mais vous devriez peut-être éviter de dire ça demain dans votre discours. »

QUAND NOUS SOMMES ARRIVÉS À COPENHAGUE au matin, le temps était lugubre et glacial, et les routes menant à la ville étaient ensevelies sous la brume. Le site de la conférence avait tout l'air d'un ancien centre commercial. Nous avons erré dans un labyrinthe d'ascenseurs et de couloirs, dont l'un était mystérieusement bordé de mannequins en plastique, avant de retrouver Hillary et Todd qui nous ont expliqué où ils en étaient. Dans le cadre de l'accord transitoire que nous proposions, j'avais autorisé Hillary à engager les États-Unis sur une baisse de 17 % de nos émissions à l'horizon 2020, ainsi que sur une contribution de 10 milliards de dollars au Fonds vert pour le climat, d'un budget de 100 milliards, destiné à aider les pays pauvres à s'adapter au réchauffement climatique et à en atténuer les effets. D'après Hillary, les délégués de nombreux pays s'étaient montrés intéressés par notre proposition – mais les Européens ne démordaient toujours pas d'un traité pleinement contraignant, tandis que la Chine, l'Inde et l'Afrique du Sud ne demandaient qu'à laisser la conférence s'enliser avant de jeter la pierre aux États-Unis.

« Si tu arrives à convaincre les Européens et les Chinois de se ranger derrière un accord transitoire, a dit Hillary, alors il est possible, et même probable, que le reste du monde suive le mouvement. »

Maintenant que ma mission était claire, nous sommes allés rendre une visite de courtoisie au Premier ministre du Danemark, Lars Løkke Rasmussen, qui présidait les derniers jours de négociations. Comme tous les pays scandinaves, le Danemark était extrêmement performant dans les affaires internationales, et Rasmussen lui-même reflétait une grande partie des qualités que j'associais aux Danois : il était prévenant, bien informé, pragmatique et humain. Mais la tâche qui lui incombait – bricoler un consensus mondial autour d'une question complexe et litigieuse sur laquelle les grandes puissances s'opposaient – aurait été ardue pour n'importe qui. Pour cet homme de 45 ans, qui dirigeait un petit pays depuis seulement huit mois, elle s'est révélée tout bonnement impossible. La presse a fait ses choux gras des histoires racontant comment il avait perdu le contrôle de la conférence, les délégués retoquant sans cesse ses propositions, remettant en cause ses décisions et refusant son autorité, comme des élèves turbulents face à un professeur remplaçant. Quand nous nous sommes rencontrés, le pauvre homme était sous le choc, son regard d'un bleu limpide était marqué par la fatigue et ses cheveux blonds plaqués sur son crâne comme s'il sortait d'un combat de lutte. Il m'a écouté attentivement déployer notre stratégie et m'a posé quelques questions techniques sur le fonctionnement d'un accord transitoire. Mais, dans l'ensemble, il paraissait soulagé que je tente à mon tour d'arracher un compromis.

De là, nous nous sommes dirigés vers un grand auditorium improvisé, où j'ai exposé à l'assemblée les trois volets de notre accord transitoire, ainsi que l'autre possibilité : l'inaction et l'acrimonie dans un monde en flammes. Le public m'a laissé parler dans un silence respectueux, et Ban est venu me féliciter en coulisses, a pris ma main entre les siennes et agi comme s'il était parfaitement normal de sa part d'attendre à présent que je désembourbe les négociations et que je décroche avec les moyens du bord un accord de dernière minute.

Le reste de la journée a été très différent de tous les autres sommets auxquels j'ai assisté en tant que président. À l'écart du chahut de la session plénière, nous passions d'un rendez-vous à l'autre par des couloirs bondés de gens qui tendaient le cou et prenaient des photos. Le plus important acteur international présent, à part moi, était le Premier ministre chinois, Wen Jiabao. Il était venu avec une délégation colossale et la Chine s'était montrée intraitable et péremptoire, refusant de se soumettre à toute forme de contrôle de ses émissions, car elle savait que, avec ses alliés brésilien, indien et sud-africain, leur groupe avait suffisamment de poids pour contrecarrer n'importe quel texte. Lors de mon entrevue privée avec Wen, j'ai riposté en l'avertissant que, même si la Chine pensait remporter une victoire à court terme en se soustrayant à toute obligation de transparence, cela se révélerait à long terme un désastre pour la planète. Nous sommes convenus de continuer à parler au fil de la journée.

C'était un progrès, mais un progrès infime. L'après-midi s'est évaporé en séances de négociation. Nous sommes parvenus à faire valider un accord temporaire par des membres de l'UE, et plusieurs autres délégués, mais les rendez-vous suivants avec la Chine n'ont mené nulle part, car Wen refusait d'y participer et envoyait à sa place des éléments inexpérimentés qui, sans surprise, se montraient inflexibles. Plus tard dans la journée, on m'a conduit dans une salle que je n'avais pas encore visitée et qui, cette fois, était pleine d'Européens mécontents.

La majorité des dirigeants les plus importants étaient là, dont Angela Merkel, Nicolas Sarkozy et Gordon Brown, et tous affichaient le même air fatigué et exaspéré. Maintenant que Bush était parti et que les démocrates étaient au pouvoir, les Européens voulaient savoir ce qui empêchait les États-Unis de ratifier un traité sur le modèle de Kyoto. Ils ajoutaient que, sur leur continent, même les partis d'extrême droite acceptaient la réalité du réchauffement climatique. Qu'est-ce qui clochait dans la tête des Américains ? Ils étaient au courant que les Chinois causaient des problèmes, mais ils se demandaient pourquoi nous n'attendions pas le prochain traité pour leur forcer la main.

Pendant une heure, je les ai laissés vider leur sac, j'ai répondu à leurs questions et entendu leurs inquiétudes. Finalement, la réalité de la situation s'est imposée, et c'est Angela Merkel qui l'a exprimée.

« Ce que Barack décrit n'est pas la solution que nous espérions, mais c'est probablement la seule que nous ayons aujourd'hui, a-t-elle déclaré calmement. Bon… attendons de savoir ce que vont dire les Chinois et les autres, et puis nous déciderons. » Elle s'est tournée vers moi. « Vous allez les voir ?

– J'y vais.

– Alors bonne chance. » Là-dessus, elle a haussé les épaules en penchant la tête, la bouche tirée vers le bas et les sourcils légèrement levés : une expression trahissant son habitude des nécessités déplaisantes.

L'élan – même léger – qui nous portait en quittant les Européens s'est envolé dès que Hillary et moi avons poussé la porte de la salle qui était allouée à notre délégation. Marvin nous a annoncé qu'une féroce tempête de neige s'abattait sur la côte Est ; pour pouvoir nous ramener sans risques, Air Force One devait décoller d'ici deux heures et demie maximum.

J'ai regardé ma montre. « À quelle heure est mon rendez-vous avec Wen ?

– Ça, patron, a dit Marvin, c'est l'autre problème. On n'arrive pas à lui mettre la main dessus. » Il m'a expliqué que, lorsque nos attachés avaient contacté leurs homologues chinois, ces derniers leur avaient répondu que Wen était déjà en route pour l'aéroport. Certaines rumeurs prétendaient qu'il n'avait pas quitté le bâtiment et s'était réuni avec les autres dirigeants opposés au contrôle de leurs émissions, mais nous n'en avions pas la preuve.

« Donc il me fuit si je comprends bien.

– On a envoyé des gens le chercher. »

Quelques minutes plus tard, Marvin est revenu nous informer que Wen et les chefs d'État brésilien, indien et sud-africain avaient été aperçus dans une salle de réunion, quelques étages plus haut.

« Parfait, ai-je dit en me tournant vers Hillary. C'était quand, la dernière fois que tu t'es incrustée dans une fête ? »

En riant, elle m'a répondu : « Ça fait un bail », avec un air de jeune fille rangée qui décide soudain de se lâcher.

Suivis au trot par un groupe de conseillers et d'agents du Secret Service, nous avons foncé dans les étages. Au bout d'un long couloir, nous avons trouvé ce que nous cherchions : une salle aux parois de verre, tout juste assez grande pour contenir la table de réunion autour de laquelle étaient assis le Premier ministre Wen, le Premier ministre Singh, les présidents Lula et Zuma, et certains de leurs ministres. La sécurité chinoise a voulu nous intercepter, les mains en avant pour nous ordonner d'arrêter, mais, en comprenant qui nous étions, elle a hésité. Avec un sourire et un salut de la tête, Hillary et moi sommes passés devant les agents et entrés dans la salle, laissant dans notre sillage une empoignade assez bruyante entre la sécurité et nos conseillers.

« Alors, Wen, on y va ? » ai-je lancé en regardant la mâchoire du dirigeant chinois se décrocher. J'ai ensuite fait le tour de la table pour serrer toutes les mains. « Messieurs ! J'ai eu du mal à vous trouver. Bon, on en est où, de cet accord ? »

Sans laisser le temps à quiconque de protester, j'ai attrapé une chaise et je me suis assis. Wen et Singh sont restés impassibles, tandis que Lula et Zuma, l'air piteux, fixaient les papiers étalés devant eux. Je leur ai dit que je venais de parler avec les Européens et qu'ils étaient prêts à signer notre proposition d'accord transitoire à condition que le groupe ici présent accepte les termes d'un mécanisme de contrôle indépendant. Chacun leur tour, les chefs d'État ont expliqué pourquoi notre proposition était inadmissible : Kyoto fonctionnait très bien ; l'Occident était responsable du réchauffement climatique et demandait à présent aux pays pauvres de brider leur développement ; notre idée enfreignait le principe des « responsabilités communes mais différenciées » ; ce mécanisme de contrôle violerait leur souveraineté nationale. Après environ une demi-heure d'échanges, je me suis reculé contre le dossier de ma chaise et j'ai regardé le Premier ministre Wen dans les yeux.

« Monsieur le Premier ministre, je vais aller droit au but. Avant que j'arrive dans cette salle, je suppose que vous aviez l'intention de vous en aller tous les quatre et d'annoncer que c'était la faute des États-Unis s'il n'y avait pas de nouvel accord. Vous pensez que, si vous tenez bon assez longtemps, les Européens finiront par se lasser et signeront un nouveau traité sur le modèle de Kyoto. Mais le problème, c'est que je leur ai dit clairement que je n'arriverais pas à faire ratifier le traité que vous voulez. Et rien ne garantit que les électeurs européens, canadiens ou japonais auront envie de continuer à faire peser un désavantage concurrentiel sur leurs entreprises et à aider les pays pauvres à affronter le réchauffement pendant que les plus gros pollueurs mondiaux se tournent les pouces.

« Bien sûr, je peux me tromper, ai-je poursuivi. Et vous réussirez peut-être à convaincre tout le monde de nous faire porter le chapeau. Mais ça n'empêchera pas les températures de monter. Et n'oubliez pas que, moi aussi, j'ai un mégaphone, et il est puissant. Si je quitte cette pièce sans un accord, la première chose que je ferai sera de descendre dans le hall, où toute la presse internationale attend des informations. Et je vais lui dire que j'étais prêt à m'engager pour une réduction importante des gaz à effet de serre ainsi que pour une aide de plusieurs milliards de dollars, mais que, tous les quatre, vous avez décidé qu'il était préférable de ne rien faire. Je vais le dire aussi à tous les pays pauvres qui devaient bénéficier de cet argent. Et aux populations de vos pays qui vont souffrir du réchauffement. Et on va voir qui tout le monde va croire. »

Quand les interprètes ont fini de traduire, le ministre chinois de l'Environnement, un type solide avec un visage rond et des lunettes, s'est levé d'un coup et s'est mis à parler en mandarin d'une voix stridente en agitant les mains dans ma direction, le visage rouge de colère. Il a continué comme ça pendant une ou deux minutes, sans que personne comprenne trop ce qui se passait. Pour finir, Wen a levé une main délicate et sillonnée de veines, et le ministre s'est rassis brusquement. Je me suis retenu d'éclater de rire et je me suis tourné vers la jeune interprète chinoise.

« Que vient de dire mon ami ? » lui ai-je demandé. Avant qu'elle ait le temps de me répondre, Wen a secoué la tête et murmuré quelques mots. La traductrice a acquiescé et s'est retournée vers moi.

« Le Premier ministre Wen dit qu'il ne faut pas prêter attention au ministre de l'Environnement, m'a-t-elle expliqué. Le Premier ministre demande si vous avez sur vous l'accord que vous proposez, afin que tout le monde puisse examiner une nouvelle fois les termes précis. »

Il m'a encore fallu une demi-heure de chipotages, entouré par les chefs d'État et leurs ministres qui me regardaient souligner au stylo-bille certains passages du document froissé que j'avais sorti de ma poche, mais, lorsque j'ai quitté la salle, le groupe avait accepté notre proposition. Je suis redescendu à toute allure et j'ai encore passé une demi-heure à convaincre les Européens de valider les changements minimes réclamés par les pays en développement. Les éléments de langage ont été rapidement imprimés et diffusés. Hillary et Todd ont acquis plusieurs autres délégués à notre cause. J'ai fait une rapide déclaration à la presse pour annoncer l'accord transitoire, puis nous avons sauté dans nos véhicules et foncé à l'aéroport.

Nous sommes arrivés dix minutes avant la fin de la fenêtre de décollage.

L'ambiance était à la fête sur le vol du retour ; mes collaborateurs racontaient les aventures de la journée à ceux qui n'étaient pas là. Reggie, qui travaillait avec moi depuis longtemps et ne se laissait plus impressionner par grand-chose, avait un grand sourire aux lèvres quand il a frappé à la porte de ma cabine, où j'étais en train de lire une pile de mémos.

« Patron, m'a-t-il dit, c'est un vrai truc de gangster, ce que vous avez fait. »

J'étais plutôt content. Sur la plus grande scène qui soit, sur un sujet sérieux et alors que le temps pressait, j'avais réussi à sortir un lapin de mon chapeau. Certes, les médias avaient un avis mitigé sur l'accord transitoire, mais, entre le chaos de la conférence et l'entêtement des Chinois, je le considérais tout de même comme une victoire – un tremplin pour faire voter la loi sur le climat par le Sénat. Plus important encore, nous avions amené la Chine et l'Inde à accepter – quoique à contrecœur – l'idée que tous les pays, et pas uniquement l'Occident, avaient une responsabilité dans la lutte contre le réchauffement climatique. Sept ans plus tard, ce principe élémentaire se révélerait crucial pour aboutir à l'avancée que constituerait l'Accord de Paris.

Pourtant, assis à mon bureau, tandis que je regardais par le hublot l'obscurité régulièrement interrompue par une lumière clignotante au bout de l'aile droite, des idées plus graves m'ont rattrapé. J'ai repensé à tout le travail que nous avions dû abattre pour conclure cet accord – le labeur d'une équipe talentueuse qui ne comptait pas ses heures, les négociations en coulisses et les renvois d'ascenseur à collecter, les promesses d'assistance, et enfin onze heures d'intervention qui s'étaient jouées davantage sur mon irruption au culot que sur une argumentation rationnelle. Tout ça pour un accord provisoire qui – à supposer qu'il fonctionne comme prévu – ne serait au mieux qu'une étape préliminaire et timide dans la résolution d'une possible tragédie mondiale, un seau d'eau jeté sur un incendie. Je me suis rendu compte que, malgré tous les pouvoirs attachés au poste que j'occupais désormais, il resterait toujours un abîme entre ce qu'il fallait accomplir pour rendre le monde meilleur et ce que j'étais en mesure de faire en une journée, une semaine ou une année.

Quand nous avons atterri, la tempête annoncée s'était abattue sur Washington et un mélange de neige et de pluie glaciale tombait sans discontinuer. Dans les villes du nord telles que Chicago, les camions avaient déjà commencé à déneiger et à saler les rues, mais, dans le district de Columbia, réputé pour son manque d'équipement, il suffisait de trois flocons pour paralyser la ville, fermer les écoles et provoquer des embouteillages. Marine One ne pouvant pas nous transporter à cause du temps, le retour à la Maison-Blanche par les routes verglacées a été plus long qu'à l'accoutumée.

Il était tard quand j'ai retrouvé la résidence. Michelle lisait au lit. Je lui ai raconté mon voyage et lui ai demandé des nouvelles des filles.

« Elles sont surexcitées par la neige, m'a répondu Michelle. Moi, un peu moins. » Elle m'a regardé avec un sourire compatissant. « Au petit déjeuner, Malia va sûrement te demander si tu as réussi à sauver les tigres. »

J'ai acquiescé en retirant ma cravate.

« J'y travaille. »

SIXIÈME PARTIE

Dans les remous

CHAPITRE 22

Il est dans la nature de la politique, et plus encore de la présidence, de traverser de mauvaises passes – des moments où, à cause d'une erreur stupide, d'une circonstance inattendue, d'une décision avisée mais impopulaire ou d'un manque de communication, la presse se retourne contre vous et l'opinion décide que vous n'êtes pas à la hauteur. Il faut généralement une semaine ou deux, parfois un mois, avant que les médias se lassent de vous traîner dans la boue, soit parce que vous avez réglé le problème, présenté des excuses ou remporté une victoire, soit parce qu'un sujet jugé plus important vous a chassé de la première page.

Cependant, il arrive parfois que la mauvaise passe se prolonge, et alors vous vous trouvez dans la situation tant redoutée où les problèmes s'enchevêtrent avant de se coaguler en un discours plus général sur vous et votre présidence. Les articles négatifs s'accumulent pendant que votre popularité baisse. Flairant l'odeur du sang, vos adversaires politiques se mettent à cogner plus fort, tandis que vos amis se battent un peu moins pour vous défendre. La presse essaie de déterrer des problèmes au sein de votre gouvernement, pour renforcer l'impression que vous êtes dans le pétrin. Et puis vient le jour où, à l'image des têtes brûlées et des inconscients qui tentaient jadis de descendre les chutes du Niagara en tonneau, vous vous sentez ballotté dans les remous, vous êtes sonné et désorienté, impuissant à reprendre pied, vous n'attendez plus que de toucher le fond en espérant, sans aucune certitude, que vous survivrez au choc.

Nous avons passé le plus clair de ma deuxième année de mandat dans ce tonneau.

Nous l'avions vu venir, évidemment, surtout après l'été du Tea Party et le raffut suscité par l'Affordable Care Act. Ma cote de popularité, plutôt stable pendant les six premiers mois, avait diminué tout au long de l'automne. La presse devenait plus critique envers moi, sur des questions importantes (ma décision d'envoyer des troupes supplémentaires en Afghanistan), mais aussi plus étonnantes (le cas des Salahi, un couple d'arrivistes qui avait trouvé le moyen de pénétrer dans un dîner officiel et s'était fait prendre en photo avec moi).

Et les ennuis ne s'étaient pas calmés pendant les fêtes. Le jour de Noël, un jeune Nigérian nommé Umar Farouk Abdulmutallab avait embarqué sur un vol Amsterdam-Detroit de la compagnie Northwest Airlines et tenté de déclencher les explosifs cousus dans ses sous-vêtements. C'est un dysfonctionnement du détonateur qui avait empêché le drame ; ayant remarqué de la fumée et des flammes sous la couverture de l'aspirant terroriste, un passager l'avait maîtrisé et le personnel de bord avait éteint les flammes, permettant à l'avion de se poser sans encombre. À peine arrivé à Hawaï avec Michelle et les filles pour dix jours de vacances bien méritées, j'ai dû passer une bonne partie de mon temps au téléphone avec le FBI et mon équipe chargée de la sécurité nationale pour essayer de déterminer qui était exactement Abdulmutallab, avec qui il travaillait, et pourquoi ni la sécurité de l'aéroport ni notre liste de surveillance des terroristes n'avaient pu empêcher qu'il monte à bord d'un avion à destination des États-Unis.

Mon erreur au cours de ces soixante-douze heures a été de ne pas écouter mon instinct, qui me dictait de m'exprimer à la télévision pour dire au peuple américain ce qui s'était passé et lui assurer qu'il pouvait voyager sans crainte. Mon équipe m'avait opposé un argument sensé : il était important que le président attende d'avoir tous les faits en main pour s'adresser à la nation. Mais mon poste ne supposait pas uniquement de diriger le gouvernement ou de démêler le vrai du faux. L'opinion publique attendait aussi que le président décrypte un monde difficile et souvent terrifiant. Au lieu de paraître prudent, mon silence médiatique a donné une image d'indifférence, et nous n'avons pas tardé à subir un tir de barrage des deux côtés de l'échiquier politique, les commentateurs les moins charitables laissant même entendre que mes vacances sous les tropiques passaient avant les menaces contre la patrie. Pour ne rien arranger, Janet Napolitano, ma secrétaire à la Sécurité intérieure, d'ordinaire imperturbable, a commis un lapsus lors d'une interview télévisée ; à une question sur les manquements du dispositif de sécurité, elle a répondu : « Le système a fonctionné. »

Notre mauvaise gestion de la crise dite de l'« *Underwear Bomber* » a apporté de l'eau au moulin des républicains qui nous accusaient d'être trop tendres avec les terroristes, et affaibli ma position sur des sujets comme la fermeture du centre de détention de Guantánamo. Et, de même que les autres bourdes et erreurs spontanées qui se sont produites au cours de ma première année, celle-ci a sans aucun doute participé à ma chute dans les sondages. Mais, si j'en croyais Axe qui passait ses journées à éplucher des données, triant et croisant les résultats par parti politique, âge, appartenance ethnique, genre, géographie et Dieu sait quoi encore, ma dégringolade à l'orée de l'année 2010 était attribuable à un facteur surpassant tous les autres.

L'économie était toujours dans les choux.

Sur le papier, nos mesures d'urgence – ainsi que les interventions de la Réserve fédérale – semblaient fonctionner. Le système financier était en état de marche, et les banques en voie de retrouver leur solvabilité. Les prix de l'immobilier, quoique toujours bien en dessous de leur maximum, s'étaient au moins stabilisés, et les ventes de voitures américaines avaient commencé à repartir à la hausse. Grâce au Recovery Act, les dépenses des ménages et des entreprises avaient légèrement rebondi, et les collectivités locales avaient ralenti (mais pas encore cessé) les licenciements dans l'éducation, la police et les autres services publics. Partout dans le pays, de grands chantiers étaient engagés, l'activité reprenait après l'arrêt brutal de la construction de logements. Joe Biden et Ron Klain, son directeur de cabinet et mon ancien professeur de rhétorique, avaient admirablement bien chapeauté les aides à la relance, Joe consacrant plusieurs heures par jour à décrocher son téléphone pour enguirlander les responsables étatiques et locaux dont les projets étaient en retard ou qui n'avaient pas fourni la documentation suffisante. Un audit a montré que, grâce à leurs efforts, seulement 0,2 % des aides du Recovery Act avait été abusivement dépensé – un chiffre que pouvaient nous envier les entreprises privées, même les mieux gérées, si l'on considérait les montants et le nombre de projets en jeu.

Malgré tout cela, les millions d'Américains qui essuyaient les répercussions de la crise avaient l'impression que, au lieu de s'arranger, les choses empiraient. Ils risquaient toujours de voir leur maison saisie. Leur épargne était réduite à peau de chagrin, quand elle n'avait pas entièrement disparu. Et, plus inquiétant encore, ils ne trouvaient pas de travail.

Larry Summers nous avait prévenus que le taux de chômage était un « indicateur différé » : les entreprises ne commencent à licencier que plusieurs mois après le début d'une récession et ne se remettent pas à embaucher avant la fin. Et ça n'a pas manqué : alors que les licenciements ralentissaient au cours de l'année 2009, le chômage continuait à augmenter. Il a atteint son sommet en octobre, en franchissant la barre des 10 %, son plus haut niveau depuis le début des années 1980. Les nouvelles étaient si invariablement mauvaises que j'en suis venu à avoir des crampes d'estomac le premier jeudi de chaque mois, quand le département du Travail envoyait à la Maison-Blanche son rapport mensuel sur l'emploi. Katie affirmait pouvoir deviner le contenu du rapport en fonction du langage corporel de mon staff : quand tout le monde fuyait son regard, ou parlait à voix basse, ou se contentait de déposer sur son bureau une enveloppe de papier kraft pour qu'elle me l'apporte au lieu de patienter pour me la remettre en main propre, elle savait que nous étions partis pour un nouveau mois compliqué.

Les Américains étaient déjà énervés, à juste titre, par la terrible lenteur de la reprise ; le renflouement des banques a été la goutte de trop. Qu'est-ce qu'ils ont pu haïr le TARP ! Ils se fichaient de savoir que le programme de relance avait mieux fonctionné que prévu, ou que plus de la moitié de l'argent donné aux banques avait déjà été remboursé avec les intérêts, ou que l'économie entière n'aurait pas pu commencer à redémarrer sans des marchés financiers requinqués. D'un bord à l'autre du paysage politique, les électeurs voyaient dans le renflouement des banques une arnaque qui avait permis aux barons de la finance de sortir relativement indemnes de la crise.

Tim Geithner aimait bien faire observer que ce n'était pas tout à fait la vérité. Il détaillait le retour de flamme qu'avait subi Wall Street : les banques d'investissement qui avaient plongé, les PDG dégagés, les parts de capital diluées, les milliards de dollars de pertes. Dans la même optique, les avocats du procureur général, Eric Holder, ont rapidement commencé à faire payer des dommages et intérêts records aux organismes financiers qui avaient enfreint la loi. Mais il était indéniable que les premiers responsables des malheurs économiques du pays demeuraient, pour la plupart, fabuleusement riches. Ils avaient pu échapper à la justice parce que les lois en vigueur estimaient que l'imprudence et la malhonnêteté crasses des conseils d'administration ou des salles des marchés étaient moins condamnables que les actes d'un adolescent qui pique dans les magasins. En dépit des mérites économiques du TARP et de la logique juridique derrière la décision de ne pas lancer de poursuites pénales, toute cette histoire puait l'injustice.

« Et mon renflouement à moi, il est où ? » entendait-on un peu partout. Mon coiffeur me demandait pourquoi les cadres des banques n'avaient pas fini en prison ; ma belle-mère aussi. Les défenseurs du droit au logement voulaient savoir pourquoi les banques avaient reçu des centaines de milliards au titre du TARP alors qu'une fraction seulement de ce montant servait à aider les propriétaires menacés d'éviction à rembourser leurs emprunts. Notre réponse – à savoir que, étant donné la taille du marché du logement, même un programme de l'ampleur du TARP n'aurait qu'un effet symbolique sur le nombre de saisies, et qu'il était plus utile d'utiliser les sommes additionnelles consenties par le Congrès pour redynamiser l'emploi – paraissait cruelle et peu convaincante, d'autant plus que les programmes que nous avions effectivement mis en place pour aider les propriétaires à refinancer ou à modifier leurs prêts avaient malheureusement obtenu des résultats en dessous de nos espérances.

Souhaitant se soustraire à la colère de l'opinion, ou du moins se mettre à l'abri des tirs, le Congrès a créé de multiples commissions de surveillance, dans lesquelles démocrates et républicains se succédaient pour dénoncer les banques, interroger les décisions des régulateurs et charger autant que possible le camp adverse. En 2008, le Sénat avait nommé un inspecteur général pour suivre l'application du TARP, un ancien procureur nommé Neil Barofsky qui ne connaissait pas grand-chose à la finance, mais avait un certain talent pour susciter des titres tapageurs, et qui a attaqué avec zèle nos prises de décision. Plus le risque d'effondrement financier s'éloignait, plus tout le monde se demandait si le TARP avait réellement été nécessaire. Et comme nous étions à présent au pouvoir, c'était le plus souvent Tim ou un autre membre de mon gouvernement qui se retrouvait sur la sellette, contraint de justifier ce qui paraissait injustifiable.

Les républicains n'ont pas hésité à profiter de la situation, en sous-entendant que le TARP avait toujours été une idée démocrate. Jour après jour, ils tiraient à boulets rouges sur le Recovery Act et notre politique économique en général, martelant que la « relance » n'était que l'autre nom d'une politique gauchiste délirante faite de dépenses électoralistes et d'engraissement des lobbies. Ils accusaient le Recovery Act d'avoir fait exploser le déficit fédéral (que nous avait légué l'administration Bush) et – lorsqu'ils daignaient suggérer une autre politique – s'accordaient à dire que le meilleur moyen de remettre l'économie d'aplomb serait que le gouvernement taille dans son budget et mette de l'ordre dans ses finances, à l'image des ménages acculés qui se « serraient la ceinture » aux quatre coins du pays.

Mettez tout cela bout à bout et, au début de l'année 2010, les sondages montraient que les Américains étaient largement plus nombreux à désapprouver mon pilotage économique qu'à l'approuver – un signal d'alarme expliquant en partie la perte du siège de Ted Kennedy dans le Massachusetts, mais aussi que les gouverneurs démocrates du New Jersey et de Virginie n'aient pas été réélus, alors que j'avais aisément remporté ces États à peine douze mois plus tôt. D'après Axe, les électeurs que nous sondions ne faisaient pas la différence entre le TARP, dont j'avais hérité, et les mesures de relance ; tout ce qu'ils savaient, c'était que ceux qui avaient des relations s'en tiraient bien tandis qu'eux tiraient la langue. Ils pensaient en outre que la solution républicaine consistant à répondre à la crise par des coupes budgétaires – ce qu'on appelle l'austérité en langage économique – paraissait intuitivement plus sensée que notre augmentation keynésienne des dépenses publiques. Au Congrès, les démocrates provenant de districts indécis, qui craignaient déjà pour leur réélection, ont commencé à prendre leurs distances avec le Recovery Act et à éviter comme la peste le mot de « relance ». Ceux qui se situaient plus à gauche, récemment irrités par l'absence d'option publique dans la loi sur la santé, reprochaient à la relance d'être trop timide et à Tim et à Larry d'être trop en cheville avec Wall Street. Même Nancy Pelosi et Harry Reid ont commencé à mettre en cause la stratégie de communication de la Maison-Blanche – tout particulièrement notre tendance à dénoncer le « sectarisme partisan » et les « groupes d'intérêts » présents à Washington, au lieu de durcir le ton avec les républicains.

« Monsieur le Président, m'a dit un jour Nancy au téléphone, je répète à mon groupe que ce que vous avez accompli en un temps aussi court est historique. J'en suis extrêmement fière, croyez-moi. Mais l'opinion ne sait toujours pas ce que vous avez fait. Elle ne sait pas que les républicains sont insupportables et qu'ils essaient de faire obstruction sans arrêt. Tout ça, les électeurs ne peuvent pas le deviner si vous ne le leur dites pas. »

Axe, qui supervisait le bureau de la communication, s'est mis en colère quand je lui ai relaté ma conversation avec la présidente. Il s'est écrié : « Eh bien, elle n'a qu'à nous dire comment on fait pour communiquer sur un chômage à 10 % ! », et m'a rappelé que je m'étais fait élire sur la promesse de transformer Washington, pas de m'abaisser aux habituelles chicaneries partisanes. « On peut taper aussi fort qu'on veut sur les républicains, on continuera à prendre l'eau tant qu'on n'aura rien de mieux à dire aux électeurs que : "Ça va mal, c'est vrai, mais ça aurait pu être pire." »

Il avait raison : dans une situation économique pareille, la communication ne pouvait pas faire de miracles. Nous savions depuis le début que la récession allait être difficile sur le plan politique. Mais Nancy, elle aussi, avait raison de se montrer critique. Après tout, c'était moi qui m'étais enorgueilli de ne pas nous laisser dicter notre réponse à la crise économique par les vues à court terme, comme si les lois de la gravité politique ne s'appliquaient pas à ma personne. Lorsque Tim m'avait dit craindre qu'un discours trop dur envers Wall Street ne dissuade les investisseurs privés de recapitaliser les banques et, par conséquent, ne prolonge la crise financière, j'avais accepté d'adoucir le ton, malgré les objections d'Axe et de Gibbs. Et, à présent, une partie importante de la population croyait que je me souciais plus des banques que d'elle. Lorsque Larry avait suggéré que nous versions les réductions d'impôts du Recovery Act sous la forme d'une augmentation de salaire pour les classes moyennes plutôt que d'un gros pactole parce que des études affirmaient que, de cette façon, les ménages seraient plus susceptibles de dépenser leur argent et donc de faire rapidement repartir l'économie, j'avais dit : « Super, allons-y » – bien que Rahm m'ait averti que personne ne remarquerait une hausse aussi faible sur sa feuille de paie. Les sondages montraient que la majorité des Américains était convaincue que j'avais augmenté les impôts au lieu de les diminuer – tout ça pour financer le renflouement des banques, le plan de relance et la santé.

Je me suis dit que Roosevelt n'aurait jamais fait ce type d'erreurs. Il avait compris que, pour sortir l'Amérique de la Grande Dépression, le plus important n'était pas que le New Deal soit absolument parfait, mais que le projet global donne confiance, que l'opinion sente que le gouvernement avait les choses en main. De la même façon, il avait deviné que, en temps de crise, les gens ont besoin d'une histoire qui donne sens à leurs difficultés et les touche au cœur – une histoire avec des gentils et des méchants bien définis, une intrigue facile à suivre et une morale.

Autrement dit, Roosevelt était conscient que, pour être efficace, la gouvernance ne doit pas être aseptisée au point de négliger l'essence de la politique : il faut vendre son programme, récompenser ses partisans, rendre les coups, donner de l'ampleur aux faits qui servent notre cause et glisser sous le tapis les détails qui nous embêtent. J'en suis venu à me demander si nous n'avions pas fini par transformer une vertu en vice ; si, empêtré dans la noblesse de mes sentiments, je n'avais pas oublié de raconter aux gens une histoire en laquelle ils pouvaient croire ; et comment, maintenant que j'avais abandonné le récit politique à mes détracteurs, j'allais pouvoir en reprendre les rênes.

APRÈS PLUS D'UNE ANNÉE de chiffres systématiquement mauvais, nous avons enfin vu la lumière au bout du tunnel : le rapport sur l'emploi de mars 2010 indiquait 162 000 chômeurs de moins – le premier mois de croissance économique substantielle depuis 2007. Lorsque Larry et Christina Romer sont venus m'annoncer la nouvelle dans le Bureau ovale, nous nous sommes tapé dans la main et je les ai nommés « Employés du mois ».

« Est-ce qu'on va avoir droit à une plaque, monsieur le Président ? m'a demandé Christy.

– On n'a pas les moyens d'acheter des plaques, ai-je répondu. Mais vous avez le droit de crâner devant le reste de l'équipe. »

À leur tour, les rapports d'avril et de mai se sont révélés positifs, laissant envisager la possibilité encourageante que nous sortions enfin la tête de l'eau. À la Maison-Blanche, personne n'aurait songé à sabler le champagne pour un taux de chômage dépassant encore les 9 %. Mais nous sommes tous convenus que, sur le plan politique autant qu'économique, il était raisonnable de commencer à instiller un peu d'optimisme dans mes discours. Nous réfléchissions même à une tournée nationale pour le début de l'été, lors de laquelle je mettrais en avant les villes qui rebondissaient et les entreprises qui se remettaient à embaucher. Nous comptions l'appeler l'« été de la relance ».

Et, soudain, la Grèce a implosé.

Bien que la crise financière soit partie de Wall Street, ses répercussions avaient été tout aussi sévères en Europe qu'aux États-Unis. Plusieurs mois après le redémarrage de l'économie américaine, l'Union européenne restait engluée dans la récession, ses banques étaient fragilisées, ses principales industries souffraient toujours de la chute du commerce mondial, et dans certains pays le chômage pouvait atteindre les 20 %. Les Européens n'avaient pas subi un effondrement brutal du secteur du logement, et leurs filets de sécurité, plus généreux que les nôtres, avaient amorti l'impact de la récession sur les populations les plus vulnérables. Toutefois, une sollicitation plus forte des services publics, associée à une baisse des rentrées fiscales et au renflouement continu des banques, faisait peser une pression extrême sur les budgets nationaux. Or, contrairement aux États-Unis – qui pouvaient financer leurs déficits croissants avec des taux d'intérêt très bas, même en pleine crise, car les investisseurs, même les plus prudents, continuaient à se ruer sur nos bons du Trésor –, des pays comme l'Irlande, le Portugal, la Grèce, l'Italie et l'Espagne avaient des difficultés de plus en plus importantes à emprunter. Quand ils tentaient d'apaiser les marchés financiers en diminuant les dépenses publiques, ils ne faisaient que freiner une demande agrégée déjà faible et aggraver la récession – ce qui, en retour, creusait le déficit budgétaire, augmentait le besoin d'emprunter, à des taux encore plus élevés, et déstabilisait encore plus les marchés financiers.

Nous ne pouvions pas nous permettre de rester les bras croisés. Les problèmes de l'Europe ralentissaient fortement la reprise américaine : l'Union européenne était notre premier partenaire commercial, et les marchés américain et européen étaient pratiquement siamois. Tim et moi avons passé une bonne partie de l'année 2009 à presser les dirigeants européens de se retrousser les manches pour amender leur économie. Nous leur avons conseillé de régler la question des banques une fois pour toutes (le « test de résistance » que les régulateurs de l'UE avaient fait passer à leurs organismes financiers était tellement bâclé que plusieurs banques irlandaises avaient appelé l'État à la rescousse alors que l'UE avait certifié leur solidité quelques mois plus tôt). Nous avons poussé les pays européens les plus vaillants à entreprendre des politiques de relance comparables à la nôtre, afin de donner un coup de fouet à l'investissement des entreprises et d'augmenter la demande des ménages sur tout le continent.

Tout cela n'a absolument rien donné. Bien que l'Europe soit socialement à gauche à l'aune des critères américains, ses économies dominantes étaient dirigées par des partis de centre-droit, élus sur une promesse d'équilibre budgétaire et de réformes libérales, et non pas sur une augmentation des dépenses publiques. L'Allemagne en particulier – le véritable moteur économique de l'UE et son membre le plus influent – continuait à voir dans la rigueur budgétaire la réponse à tous les problèmes. Plus j'apprenais à connaître Angela Merkel et plus je l'appréciais ; je la trouvais sérieuse, honnête, intellectuellement exigeante et instinctivement bienveillante. Mais c'était aussi un tempérament conservateur ainsi qu'une politicienne aguerrie qui connaissait ses électeurs, et chaque fois que je suggérais que l'Allemagne montre l'exemple en investissant dans les infrastructures ou en baissant les impôts, elle déclinait poliment mais fermement. « Oui, Barack, mais je ne pense pas que ce soit la meilleure approche pour nous », me disait-elle, les traits un peu pincés, comme si je venais de lui faire une proposition indécente.

Il ne fallait pas compter sur Sarkozy pour faire contrepoids. En privé, il se montrait favorable au principe d'une relance économique, surtout au vu du taux de chômage de la France (« Ne vous en faites pas, Barack… Je vais m'occuper d'Angela, vous verrez »). Mais il avait du mal à prendre ses distances avec le conservatisme budgétaire qu'il avait autrefois prôné et, dans la mesure où il n'était pas suffisamment organisé pour définir un projet clair pour son pays, je ne voyais pas comment il allait y parvenir pour le reste de l'Europe.

Au Royaume-Uni, le Premier Ministre Gordon Brown était d'accord avec nous sur la nécessité pour les gouvernements européens d'augmenter leurs dépenses publiques à court terme. Mais le Parti travailliste devait perdre sa majorité au Parlement en mai 2010, et Brown serait remplacé par le conservateur David Cameron. Ce dernier, âgé d'une petite quarantaine d'années et formé à Eton, arborait une mine juvénile et une désinvolture étudiée (lors des sommets internationaux, il commençait toujours par retirer sa veste et desserrer son nœud de cravate), et, outre une maîtrise impressionnante de tous les sujets, il avait la verve et la confiance évidente d'une personne pour qui la vie n'avait pas été trop rude. Je l'appréciais personnellement, même lorsque nous étions à couteaux tirés, et pendant les six années à venir il se révélerait un partenaire enthousiaste sur quantité de dossiers internationaux, aussi bien le réchauffement climatique (il ne remettait pas la science en cause) que les droits fondamentaux (il était favorable au mariage pour tous) ou l'assistance aux pays en développement (durant son mandat, il est parvenu à allouer 1,5 % du budget du Royaume-Uni à l'aide internationale, bien plus que tout ce que je réussirais jamais à faire voter par le Congrès). En matière économique, toutefois, Cameron ne déviait pas de l'orthodoxie libérale, ayant promis à ses électeurs un programme de réduction du déficit et de coupes dans le service public qui, combiné à une réforme des régulations et à une politique d'expansion commerciale, devait propulser le Royaume-Uni dans une ère de compétitivité renouvelée.

Au lieu de cela, sans grande surprise, l'économie britannique allait plonger encore plus profondément dans la récession.

L'obstination des plus grands dirigeants européens à défendre l'austérité, alors que tous les faits dictaient le contraire, était extrêmement énervante. Mais j'avais d'autres dossiers sur le feu et la situation de l'Europe ne m'empêchait pas de dormir la nuit. Cela avait commencé à changer en février 2010, quand la dette souveraine de la Grèce avait menacé de faire voler l'UE en éclats et nous avait obligés, mon équipe et moi, à faire des pieds et des mains pour éviter une nouvelle panique financière mondiale.

Les problèmes économiques de la Grèce n'étaient pas neufs. Depuis des décennies, le pays souffrait d'une productivité faible, d'un secteur public hypertrophié et inefficace, d'une fraude fiscale massive et d'un financement des retraites intenable. Pourtant, tout au long des années 2000, les marchés de capitaux du monde entier s'étaient fait un plaisir de combler les déficits croissants de la Grèce, de même qu'ils n'avaient pas hésité à financer tout un tas de prêts hypothécaires à risque aux États-Unis. Et puis la crise de Wall Street est arrivée, et leur générosité est retombée. Lorsque le nouveau gouvernement grec a annoncé que le déficit budgétaire dépasserait largement les précédentes estimations, les actions des banques européennes ont plongé et les bailleurs de fonds internationaux ont renâclé à prêter davantage à la Grèce. Tout à coup, le pays était au bord du défaut de paiement.

En temps normal, l'éventualité qu'un petit État ne paie pas ses factures à temps aurait eu un effet limité à l'extérieur de ses frontières. Le PIB de la Grèce équivalait environ à celui du Maryland, et d'autres pays confrontés à des situations semblables étaient parvenus à négocier des accords avec leurs créanciers et le FMI, de façon à restructurer leur dette, conserver leur solvabilité internationale et se remettre d'aplomb.

Mais, en 2010, les conditions économiques n'étaient pas normales. Du fait du rattachement de la Grèce à une Europe déjà flageolante, ses problèmes de dette souveraine étaient un bâton de dynamite lancé dans un entrepôt de munitions. La Grèce faisant partie du marché commun, au sein duquel les entreprises et les personnes travaillaient, voyageaient et commerçaient selon une législation unifiée et sans tenir compte des frontières nationales, ses problèmes économiques se sont librement exportés. Des banques d'autres États membres figuraient parmi ses plus gros bailleurs de fonds. En outre, la Grèce était aussi l'un des seize pays ayant adopté l'euro, elle ne pouvait donc pas dévaluer sa monnaie ni mener de politique monétaire indépendante. Sans mesures de sauvetage urgentes et ambitieuses des pays de la zone euro, la Grèce risquait de devoir se retirer de la convention monétaire, un acte inédit aux ramifications économiques incertaines. Déjà, les craintes des marchés faisaient flamber les taux d'intérêt des prêts consentis par les banques à l'Irlande, au Portugal, à l'Italie et à l'Espagne pour rembourser leur dette souveraine. Tim, lui, redoutait qu'un défaut de paiement et/ou une sortie de la Grèce de la zone euro ne poussent les marchés de capitaux à couper dans la foulée les crédits à ces autres pays, causant au système financier un choc aussi important, voire pire, que celui que nous avions connu.

« Je me trompe, ai-je demandé à Tim alors qu'il venait de m'exposer plusieurs scénarios terrifiants, ou on n'est pas encore sortis de l'auberge ? »

Voilà comment, du jour au lendemain, la stabilisation de la Grèce est devenue notre priorité économique et diplomatique numéro un. Ce printemps-là, en face à face ou par téléphone, Tim et moi avons commencé à tanner la Banque centrale européenne et le FMI afin qu'ils décrètent un plan de sauvetage assez solide pour calmer les marchés et permettre à la Grèce de rembourser sa dette, tout en aidant le nouveau gouvernement à mettre sur pied un dispositif réaliste de réduction de ses déficits structurels et de restauration de sa croissance. Pour éviter un effet de contagion, nous avons aussi recommandé aux Européens de construire un « pare-feu » – en gros, un fonds d'emprunt commun suffisamment doté pour montrer aux marchés de capitaux que, en cas d'urgence, la zone euro couvrait les dettes de ses membres.

Sur ce point non plus, nos homologues européens ne partageaient pas notre vision. Les Allemands, les Néerlandais et beaucoup d'autres considéraient que les Grecs s'étaient mis dans le pétrin tout seuls à cause de leur gouvernance négligente et de leurs pratiques dispendieuses. Merkel avait beau me jurer que l'Europe n'allait pas « faire une Lehman » en laissant la Grèce passer en cessation de paiement, elle et son ministre des Finances, le très austère Wolfgang Schäuble, semblaient décidés à conditionner toute aide à une pénitence proportionnelle, même si nous les avertissions qu'il serait contre-productif de trop serrer la vis à une économie déjà mal en point. Ce désir d'infliger à la Grèce un châtiment biblique et de décourager les risques subjectifs se lisait en filigrane dans l'offre initiale de l'UE : un prêt de 25 milliards d'euros maximum, tout juste de quoi payer deux mois de dette grecque, à la condition que le nouveau gouvernement sabre les retraites, augmente les impôts et gèle les salaires des fonctionnaires. Ne souhaitant pas commettre un suicide politique, et alors que la population avait réagi à l'annonce de la proposition européenne par une série de grèves et d'émeutes, le gouvernement grec a décliné.

Le premier projet de pare-feu européen ne valait pas beaucoup mieux. Le montant suggéré par les autorités de la zone euro pour abonder le fonds d'emprunt – 50 milliards – était dramatiquement insuffisant. Au téléphone, Tim a expliqué aux ministres des Finances que, pour servir à quelque chose, ce chiffre devrait être multiplié au moins par dix. Les responsables de la zone euro exigeaient aussi que, pour qu'un pays puisse accéder à ce fonds, ses porteurs de bons acceptent un certain pourcentage de pertes sur ce qui leur était dû. Cette idée était parfaitement compréhensible ; après tout, quand les bailleurs de fonds prêtaient, ils appliquaient un taux d'intérêt censé couvrir le risque de non-remboursement. Mais, sur le plan pratique, cette obligation aurait pour conséquence que les capitaux privés rechigneraient davantage à prêter à des pays déjà lourdement endettés comme l'Irlande ou l'Italie, ce qui était contraire au but premier du pare-feu.

J'avais l'impression d'assister à une rediffusion des débats que nous avions eus aux États-Unis dans le sillage de la crise de Wall Street. Et même si ce que Merkel, Sarkozy et les autres dirigeants européens devaient faire m'apparaissait parfaitement clair, j'avais de l'empathie pour eux dans cette situation politiquement complexe. Moi aussi, je m'étais arraché les cheveux en m'évertuant à convaincre les électeurs américains qu'il fallait utiliser l'argent du contribuable pour renflouer les banques et aider leurs compatriotes à éviter l'éviction ou le chômage. Et, à présent, je demandais à Merkel et à Sarkozy de convaincre leurs électeurs qu'il fallait renflouer des étrangers.

Je me suis alors rendu compte que la crise de la dette grecque était autant un problème de finance mondiale que de géopolitique, et qu'il révélait des apories nichées au cœur de plusieurs décennies d'intégration européenne. Dans l'ivresse de la chute du mur de Berlin, puis dans les années de restructuration méthodique qui l'ont suivie, la grande architecture de ce projet – le Marché commun, l'euro, le Parlement européen, et une bureaucratie bruxelloise habilitée à réglementer tout un éventail de secteurs – traduisait une croyance optimiste dans le potentiel d'un continent réellement unifié, débarrassé des nationalismes toxiques qui avaient alimenté des siècles de guerres sanglantes. Et l'expérience avait été remarquablement concluante : en contrepartie de l'abandon d'une part de leur souveraineté, les États membres de l'Union européenne avaient joui d'une paix et d'une prospérité qu'aucun groupe humain n'avait peut-être encore jamais connues.

Mais les identités nationales – les différences de langue, de culture, d'histoire et de développement économique – ont la vie dure. Et, à mesure que la crise économique s'aggravait, toutes ces différences que les périodes fastes avaient gommées ont commencé à resurgir. Les habitants des pays les plus riches et productifs étaient-ils prêts à endosser les obligations d'un voisin ou à voir l'argent de leurs impôts redistribué hors de leurs frontières ? Les habitants des pays en détresse économique accepteraient-ils les sacrifices imposés par des fonctionnaires lointains avec qui ils n'avaient aucune affinité et sur qui ils n'avaient pratiquement aucun pouvoir ? Les discussions autour de la Grèce s'envenimaient et, dans certains pays fondateurs de l'UE tels que l'Allemagne, la France et les Pays-Bas, il arrivait que le débat public dérive d'une condamnation des politiques de la Grèce à une mise en cause directe de son peuple – prétendument moins sérieux au travail, ou plus complaisant avec la corruption, ou encore estimant que des responsabilités aussi élémentaires que le paiement des impôts étaient facultatives. Ou encore, pour reprendre les mots d'un fonctionnaire de l'UE de nationalité indéterminée qui parlait avec un collègue pendant que je me lavais les mains dans les toilettes d'un sommet du G8 : « Ils ne pensent pas comme nous. »

Merkel, Sarkozy et les autres tenaient trop à l'unité européenne pour s'abaisser à ce genre de clichés, mais leur politique leur imposait la plus grande prudence avant d'accepter un quelconque plan de sauvetage. J'ai remarqué qu'ils évoquaient rarement le fait que des banques françaises et allemandes étaient parmi les principaux créanciers de la Grèce, ou qu'une grande partie de la dette du pays provenait de l'achat d'exportations françaises et allemandes – des éléments qui auraient permis à leurs électeurs de comprendre pourquoi sauver la Grèce revenait à sauver leurs propres banques et industries. Peut-être craignaient-ils que ces révélations ne fassent oublier les échecs des gouvernements grecs successifs et ne soulignent les manquements des fonctionnaires allemands et français chargés de surveiller les banques prêteuses. Ou bien voulaient-ils éviter que leurs électeurs ne comprennent toutes les conséquences de l'intégration européenne – le fait que, dans une large mesure, leur destin économique était lié, pour le meilleur et pour le pire, à celui de personnes qui n'étaient « pas comme eux » – et ne les trouvent pas à leur goût.

Toujours est-il que, au début du mois de mai, les bourses étaient dans un état tellement effrayant que les dirigeants européens ont dû se rendre à la réalité. Ils ont donné leur aval à un plan de financement abondé conjointement par l'UE et le FMI, et couvrant les paiements de la Grèce sur trois ans. Ce plan comprenait néanmoins des mesures d'austérité et, si toutes les parties en présence savaient que le gouvernement grec ne pourrait les appliquer à cause de leur coût, du moins fournissaient-elles aux gouvernements de l'UE la couverture politique sans laquelle ils auraient refusé. Plus tard cette année-là, les pays de la zone euro ont aussi accepté timidement d'élever leur pare-feu jusqu'au montant suggéré par Tim et abandonné la décote obligatoire. Les marchés financiers européens ont connu des hauts et des bas pendant toute l'année 2010, et la situation restait précaire non seulement en Grèce, mais aussi en Irlande, au Portugal, en Espagne et en Italie. Faute de pouvoir régler de force les problèmes profonds de l'Europe, Tim et moi avons dû nous contenter de désamorcer temporairement une bombe de plus.

Quant aux effets de la crise sur les États-Unis, la reprise qu'affichait notre économie en début d'année s'est arrêtée net. Les nouvelles de la Grèce ont fait chuter les bourses. La confiance des entreprises, mesurée par des enquêtes mensuelles, était elle aussi en berne, et cette incertitude nouvelle leur faisait différer des investissements pourtant programmés. Le rapport sur l'emploi de juin a marqué un retour dans le négatif, où nous allions rester jusqu'à l'automne.

L'« été de la relance » s'était transformé en pétard mouillé.

Cette deuxième année, l'ambiance était différente à la Maison-Blanche. Non parce que nous prenions les choses plus à la légère, mais chaque journée nous rappelait à sa manière la chance que nous avions de participer à l'histoire en train de s'écrire. Et nous ne relâchions pas non plus nos efforts. Pour un observateur extérieur, les réunions pouvaient peut-être paraître un peu plus détendues, car chacun commençait à mieux connaître les autres et à maîtriser son poste et ses responsabilités. Mais, malgré les plaisanteries, personne n'oubliait les enjeux et l'obligation d'exécuter même les tâches les plus ordinaires avec une exigence absolue. Je n'ai jamais eu besoin de dire à qui que ce soit de s'y mettre ou d'en faire un peu plus. La crainte de ne pas se montrer à la hauteur – d'être une source de déception pour moi, pour les collègues ou pour les électeurs qui comptaient sur nous – motivait les équipes bien plus que n'auraient pu le faire mes discours.

Tout le monde manquait de sommeil en permanence. Il était rare que les conseillers principaux travaillent moins de douze heures par jour, et ils revenaient presque tous bosser durant le week-end. Contrairement à moi, ils habitaient à plus d'une minute de leur lieu de travail et ne disposaient pas d'un bataillon de chefs, valets, majordomes et assistants pour faire les courses et la cuisine, passer au pressing ou emmener les enfants à l'école. Les célibataires le restaient plus longtemps qu'ils ne l'auraient souhaité. Les personnes qui avaient la chance de vivre en couple pouvaient se reposer sur un conjoint, débordé et délaissé, ce qui engendrait le type de tensions domestiques que Michelle et moi ne connaissions que trop bien. Les parents rataient les matchs de foot et les spectacles de danse de leur progéniture. Ils rentraient trop tard pour coucher leurs nourrissons. Les personnes qui, comme Rahm et Axe, avaient refusé de perturber leur famille en la faisant déménager à Washington ne voyaient presque jamais leur conjoint ni leurs enfants.

Personne ne s'en plaignait ouvertement. Chacun savait à quoi il s'exposait en intégrant le gouvernement. Concilier travail et vie privée ne faisait pas partie du contrat et, vu l'état de l'économie et du monde, la charge de travail n'était pas près de diminuer. Tout comme les athlètes ne parlent pas des blessures qui les tracassent dans les vestiaires, les membres de notre Maison-Blanche avaient appris à « souffrir en silence ».

Mais les effets cumulés de l'épuisement – combinés à une opinion publique de plus en plus hostile, une presse impitoyable, des alliés désabusés et une opposition qui avait à la fois l'intention et les moyens de transformer toutes nos actions en galères interminables – usaient les nerfs et exacerbaient les tensions. J'ai commencé à entendre des plaintes dues aux emportements de Rahm lors des réunions matinales, des allégations selon lesquelles Larry excluait certaines personnes des discussions de politique économique, des rumeurs insinuant que plusieurs collaborateurs s'étaient sentis floués que Valerie profite de sa proximité avec Michelle et moi pour contourner diverses procédures en vigueur à la Maison-Blanche. Des conflits éclataient entre de jeunes collaborateurs comme Denis et Ben, habitués à me soumettre des idées de manière informelle avant de les injecter dans le circuit normal, et Jim Jones, mon conseiller à la sécurité nationale, qui était issu d'une culture militaire où les chaînes de commandement sont inviolables et où les subordonnés restent à leur place.

Au sein de mon gouvernement non plus, les frictions ne manquaient pas. Si Hillary, Tim Geithner, Robert Gates et Eric Holder captaient le plus clair de mon attention du fait de leurs postes, d'autres accomplissaient un travail inestimable sans que personne leur tienne la main. Tom Vilsack, le secrétaire à l'Agriculture et ancien gouverneur énergique de l'Iowa, utilisait l'argent du Recovery Act pour impulser de nouvelles stratégies de développement dans les zones rurales démunies. Hilda Solis, la secrétaire au Travail, œuvrait avec son équipe pour que les salariés à faibles revenus puissent se faire payer plus facilement les heures supplémentaires qui leur étaient dues. Mon vieil ami Arne Duncan, ancien inspecteur des écoles à Chicago et désormais secrétaire à l'Éducation, menait la charge pour hausser le niveau des établissements les moins bien classés, même lorsque cela lui attirait les foudres des syndicats d'enseignants (qui se méfiaient à juste titre de tout ce qui pouvait se traduire par des tests supplémentaires imposés aux élèves) et des militants conservateurs (pour qui tout ce qui s'apparentait à un programme scolaire commun était un complot gauchiste visant à endoctriner leur progéniture).

Malgré tous ces succès, le labeur quotidien des institutions fédérales ne ressemblait pas toujours au rôle plus prestigieux (conseiller et confident du président, visiteur régulier de la Maison-Blanche) que s'étaient imaginé certains. À l'époque de Lincoln, le président s'appuyait exclusivement sur son gouvernement pour dicter ses politiques ;

le personnel de la Maison-Blanche, réduit au minimum, assurait principalement sa correspondance et ses besoins privés. Mais, à l'époque moderne, l'administration fédérale s'étoffant, les présidents successifs avaient cherché à centraliser le processus décisionnaire sous un seul toit, augmentant énormément le nombre et l'influence du staff de la Maison-Blanche. En parallèle, les membres du gouvernement, devenus de plus en plus spécialisés et désormais occupés à gérer des domaines immenses, n'avaient plus le temps de rebattre les oreilles du président.

Cette réorganisation du pouvoir se traduisait dans mon emploi du temps. Si Rahm ou Jim Jones me voyaient presque tous les jours, Hillary, Tim et Gates étaient les seuls avec qui j'avais des réunions hebdomadaires dans le Bureau ovale. Quant aux autres secrétaires, ils devaient se battre pour décrocher un rendez-vous, sauf lorsqu'un sujet impliquant leur département devenait une priorité de la Maison-Blanche. Les réunions du gouvernement au grand complet, que nous essayions de tenir une fois par trimestre, étaient l'occasion d'échanger des informations, mais elles étaient trop pesantes pour permettre de faire avancer les dossiers ; réussir à faire tenir tout le monde dans la salle du conseil était déjà un casse-tête en soi, et certains devaient se glisser de biais entre les imposants fauteuils en cuir. Dans une ville où la proximité géographique et la capacité à accéder au président étaient considérées comme des indicateurs d'influence (raison pour laquelle les conseillers aguerris convoitaient davantage les bureaux de l'aile ouest – étroits, sombres et infestés de rongeurs – que les espaces confortables du bâtiment Eisenhower, de l'autre côté de la rue), certains membres du gouvernement n'ont pas tardé à se sentir négligés et placardisés, relégués en marge de l'action et livrés aux caprices de conseillers de la Maison-Blanche souvent plus jeunes et moins expérimentés qu'eux.

Aucun de ces problèmes n'était propre à ma présidence, et je dois saluer mon gouvernement et tout le staff d'avoir su rester concentrés alors que l'environnement de travail se durcissait. À de rares exceptions près, nous avons réussi à éviter les conflits ouverts et les fuites continuelles d'informations qui avaient marqué certaines présidences antérieures. Sans la moindre exception, nous avons évité les scandales. Dès le début de mon mandat, j'ai clairement établi que je n'admettrais aucun écart moral, et les personnes à qui cela posait problème n'ont pas été retenues pour travailler avec nous. En outre, j'ai nommé un homme que j'avais connu pendant mes études de droit à Harvard, Norm Eisen, au poste de conseiller spécial du président à la déontologie et à la moralisation du gouvernement, afin de garder tout le monde dans les clous – moi compris. Enjoué et pointilleux, avec des traits anguleux et le regard fixe d'un fanatique, Norm était parfait pour le poste – le genre de personne à savourer son surnom bien mérité de « Dr No ». Lorsque quelqu'un lui a demandé un jour à quels types de conférences le personnel gouvernemental pouvait se rendre, sa réponse a été aussi lapidaire que pertinente : « Si ça a l'air sympa, c'est non. »

Cela étant, parmi les choses que je ne pouvais pas déléguer, il y avait le moral des troupes. Je m'efforçais d'être généreux dans mes compliments et mesuré dans mes critiques. Pendant les réunions, je mettais un point d'honneur à recueillir tous les points de vue, même ceux des plus jeunes. Les petits détails avaient aussi leur importance – je veillais par exemple à apporter moi-même un gâteau pour l'anniversaire d'un collaborateur, ou à prendre le temps d'appeler les parents d'un autre pour leur anniversaire de mariage. Parfois, lorsque j'avais quelques minutes à moi, je me promenais dans les étroits couloirs de l'aile ouest et poussais la porte des bureaux pour demander aux gens comment allaient leurs familles, sur quoi ils travaillaient, et s'ils voyaient des points que nous pouvions améliorer.

Ironiquement, un aspect de la gestion de mes équipes sur lequel j'ai été trop longtemps pris en défaut est l'attention prêtée aux femmes et aux personnes de couleur. J'étais depuis longtemps convaincu que, plus les points de vue sont nombreux autour d'une table, plus l'organisation est performante, et je me targuais d'avoir recruté le gouvernement le plus diversifié de l'histoire. De même, notre Maison-Blanche regorgeait de personnes talentueuses d'origine afro-américaine, hispanique ou asiatique, ainsi que de femmes. Melody Barnes, responsable du Conseil de politique intérieure, Mona Sutphen, sous-directrice de cabinet, Patrick Gaspard, directeur des affaires politiques, Cecilia Muñoz, directrice des affaires intergouvernementales, Chris Lu, secrétaire général de la Maison-Blanche, Lisa Brown, secrétaire, et Nancy Sutley, directrice du Conseil à la qualité environnementale – toutes et tous ont été exemplaires dans leurs fonctions et ont joué un rôle essentiel dans l'élaboration de nos politiques. Et nombre de ces personnes estimées pour leurs conseils sont devenues de bons amis.

Pour les membres de mon gouvernement qui n'étaient pas des hommes blancs, l'adaptation à leur lieu de travail n'a pas été un problème : dans leurs services, ils étaient au sommet de la chaîne, et c'étaient les autres qui s'adaptaient à eux. En revanche, il est apparu que, dans le staff de la Maison-Blanche, les femmes et les personnes de couleur devaient faire face – à des degrés divers et à des moments différents – aux questions, agacements et doutes lancinants que subissaient leurs homologues dans d'autres contextes professionnels, aussi bien les open-spaces des grandes entreprises que les départements des universités. Est-ce que Larry a rejeté ma proposition devant le président parce qu'il pensait qu'elle n'était pas aboutie ou parce que je ne me suis pas assez imposée ? Ou bien parce qu'il prend les femmes moins au sérieux que les hommes ? Est-ce que Rahm a consulté Axe et pas moi parce qu'il avait besoin d'une mise en perspective politique ou parce qu'ils se connaissent depuis longtemps ? Ou bien parce qu'il est moins à l'aise avec les Noirs ? Est-ce que je dois en parler ? Est-ce que je suis trop sensible ?

Étant le premier président afro-américain, j'étais particulièrement attaché à faire régner l'égalité. Pourtant, quand je réfléchissais aux dynamiques de mon équipe, j'avais tendance à moins tenir compte du genre et de l'origine que des frictions qui apparaissent inévitablement lorsqu'un groupe de personnes brillantes se retrouve sous pression dans un espace clos. Cela découlait peut-être du fait que tout le monde se montrait irréprochable en ma présence ; quand j'entendais parler de problèmes entre employés, c'était généralement de la bouche de Pete ou de Valerie, à qui les gens semblaient se confier plus facilement pour des raisons d'âge et de tempérament. Je savais que des personnalités bouillonnantes comme celles de Rahm, Axe, Gibbs et Larry – sans même parler de leur emportement dès lors qu'il s'agissait de prendre des positions fermes sur des questions aussi « clivantes » que l'immigration, l'avortement et les relations entre police et minorités – pouvaient être perçues différemment par les femmes et les personnes de couleur au sein de notre équipe. D'un autre côté, ces types étaient combatifs avec tout le monde, et même entre eux. Moi qui les connaissais bien, je me disais que, si tant est qu'il soit possible de ne pas être cousu de préjugés quand on a grandi aux États-Unis, ils passaient le test. Puisque rien de choquant ne me revenait aux oreilles, je me disais qu'il me suffisait de montrer l'exemple en traitant tout le monde avec courtoisie et respect. Les histoires d'egos froissés, les conflits territoriaux et les vexations pouvaient se régler sans moi.

Mais, vers la fin de notre première année, Valerie a demandé à me voir et m'a fait part d'un mécontentement grandissant parmi les femmes les plus chevronnées de la Maison-Blanche. C'est seulement là que j'ai été confronté à certains de mes angles morts. J'ai appris qu'au moins une de ces femmes avait fondu en larmes à cause de reproches formulés en réunion. Lassées de voir leur point de vue ignoré, plusieurs autres avaient tout simplement cessé de prendre la parole. « Je crois que les hommes ne se rendent même pas compte de leur attitude, m'a dit Valerie. Et, pour les femmes, ça fait partie du problème. »

Préoccupé, j'ai invité une dizaine de femmes du staff à dîner avec moi pour leur donner l'occasion de s'exprimer à ce sujet. Le dîner a eu lieu dans l'ancienne salle à manger familiale, au rez-de-chaussée du bâtiment historique, et, peut-être en raison du raffinement du cadre, des hauts plafonds, des majordomes en livrée et de la porcelaine de la Maison-Blanche, il leur a fallu un moment pour réussir à s'ouvrir à moi. Leurs points de vue n'étaient pas uniformes, et aucune d'elles n'avait eu à subir d'attitudes ouvertement sexistes. Mais, en écoutant ces femmes compétentes pendant plus de deux heures, j'ai compris que certains schémas de comportement, qui étaient une seconde nature pour plusieurs hommes de mon équipe – crier ou jurer pendant un débat, dominer une conversation en interrompant constamment les autres (surtout les femmes), reformuler en se le réappropriant un argument avancé une demi-heure plus tôt par une autre personne (souvent une femme) –, leur avaient donné le sentiment d'être rabaissées et ignorées, et ôté l'envie d'exprimer leurs opinions. Et, bien que la majorité de ces femmes m'aient dit apprécier que je sollicite leur avis et ne pas douter de mon respect pour leur travail, leurs histoires m'ont forcé à me regarder en face et à me demander dans quelle mesure mon penchant machiste – ma tolérance à une certaine ambiance de vestiaire pendant les réunions, le plaisir que je retirais d'une bonne joute verbale – avait pu concourir à leur malaise.

Je ne peux pas affirmer que nous avons résolu toutes les questions soulevées ce soir-là (« C'est difficile de détricoter le patriarcat en un seul dîner », dirais-je par la suite à Valerie), tout comme je ne peux pas assurer que mes discussions régulières avec les membres noirs, hispaniques, asiatiques et amérindiens de l'équipe aient garanti qu'ils ne se sentent jamais exclus. Mais je sais que, lorsque j'ai parlé avec Rahm et les autres hommes de ce que ressentaient leurs collègues femmes, ils sont tombés des nues, ont fait amende honorable et promis de mieux se tenir. De leur côté, les femmes ont paru bien intégrer ma suggestion de s'affirmer davantage (« Si quelqu'un essaie de vous couper la parole, dites que vous n'avez pas terminé ! »). Ce n'était pas uniquement pour le bien de leur santé mentale que je leur avais dit cela, mais parce qu'elles avaient des connaissances et des idées pertinentes qui m'étaient essentielles pour faire convenablement mon travail. Quelques mois plus tard, alors que nous sortions de l'aile ouest pour aller au bâtiment Eisenhower, Valerie m'a dit qu'elle avait noté des progrès dans les rapports entre les employés.

Puis elle m'a demandé : « Et toi, tu tiens le coup ? »

Je me suis arrêté au sommet des marches du bâtiment et j'ai cherché dans les poches de ma veste les notes pour la réunion à laquelle nous nous rendions. « Ça va, ai-je répondu.

– Tu es sûr ? » a insisté Valerie. Elle scrutait mon visage comme un médecin qui examine un patient. J'ai trouvé ce que je cherchais et nous nous sommes remis en marche.

« Certain. Pourquoi ? Tu me trouves différent ?

– Pas du tout. C'est justement ça que je ne comprends pas. »

CE N'ÉTAIT PAS LA PREMIÈRE FOIS que Valerie me faisait observer combien la présidence me changeait peu. Je comprenais qu'il s'agissait d'un compliment, une manière de me dire qu'elle était soulagée que je n'aie pas pris la grosse tête ni perdu mon sens de l'humour, ou que je ne sois pas devenu un sale type amer et colérique. Mais, dans une période où la guerre et la crise économique s'éternisaient et où nos problèmes politiques s'accumulaient, elle commençait à craindre que ce calme ne soit qu'une façade et que je ne refoule tout mon stress.

Elle n'était pas la seule. Des amis se sont mis à m'envoyer des mots d'encouragement empreints de gravité et de sincérité, comme s'ils avaient appris que je souffrais d'une maladie incurable. Marty Nesbitt et Eric Whitaker ont évoqué la possibilité de venir me voir pour que nous regardions un match de basket ensemble – une « soirée entre potes », histoire de me changer les idées. Mama Kaye, en visite chez nous, s'est montrée authentiquement surprise de me trouver aussi en forme.

« À quoi est-ce que tu t'attendais ? ai-je dit pour la taquiner. À ce que j'aie de l'urticaire sur le visage ? Que je perde mes cheveux ?

– Oh, arrête donc un peu ! » a-t-elle répondu en me donnant une tape affectueuse sur le bras. Elle s'est écartée de moi et m'a regardé de la même façon que Valerie, en guettant des signes. « Je crois que je m'attendais juste à ce que tu aies l'air plus fatigué. Est-ce que tu manges comme il faut ? »

Déconcerté par toute cette sollicitude, j'ai fini par m'en ouvrir à Gibbs. Il a gloussé. « Vous savez, patron, si vous regardiez les infos, vous vous feriez aussi du souci pour vous. » Je comprenais ce qu'il voulait dire : une fois qu'on devient président, la perception de nous qu'ont les autres – même ceux qui nous connaissent le mieux – est forcément influencée par les médias. Mais ce qui m'avait en partie échappé, du moins jusqu'à ce que je zappe sur quelques chaînes d'information, c'était que le ton des reportages sur mon gouvernement avait changé. Lorsque nous étions en haut des sondages, entre la fin de la campagne et le début de ma présidence, la plupart des journaux me montraient actif et souriant, en train de serrer des mains ou de parler devant un décor impressionnant, avec des gestes et des expressions irradiant l'énergie et la maîtrise. La majorité des informations étaient désormais négatives, et une autre version de moi était apparue : vieilli, marchant seul sur la colonnade ou la pelouse sud pour rejoindre Marine One, les épaules tombantes, les yeux baissés, les traits creusés par le poids de ma charge.

Maintenant que le vent avait tourné, c'était la version triste de moi qui se trouvait exposée aux regards.

Dans les faits, ma vie était loin d'être aussi lugubre. Comme le reste de mon équipe, j'aurais aimé dormir un peu plus. Chaque journée apportait son lot de contrariétés, de soucis et de déceptions. Je ruminais les erreurs que j'avais commises et les stratégies qui n'avaient pas donné les résultats escomptés. Il y avait des réunions que je redoutais, des cérémonies que je trouvais absurdes, des conversations que j'aurais volontiers évitées. Si je me retenais toujours de crier sur les gens, je jurais et râlais abondamment, et je me sentais injustement dénigré au moins une fois par jour.

Mais, ainsi que je l'avais découvert durant la campagne, il était rare que les obstacles et les difficultés m'affectent en profondeur. Au contraire, je pouvais être sujet à la déprime quand je me sentais inutile, dépourvu de raison d'être – quand je perdais mon temps ou ratais une occasion d'agir. Même les pires jours de ma présidence, à aucun moment cela ne m'est arrivé. Ce poste ne laissait pas de place à l'ennui ou à la paralysie existentielle, et lorsque je rassemblais mon équipe pour répondre à un problème épineux, j'en sortais généralement plus motivé qu'exténué. Tous mes déplacements nourrissaient mon imagination, aussi bien la visite d'une usine pour assister à la fabrication de tel ou tel produit que celle d'un laboratoire pour que des scientifiques me présentent une avancée récente. Apporter du réconfort à une famille déplacée par une tempête ou rencontrer des enseignants qui se battaient pour créer des liens avec des enfants que les autres avaient laissés tomber, et m'autoriser, juste un instant, à éprouver ce qu'ils éprouvaient, tout cela faisait battre mon cœur.

Le tralala de la présidence, la pompe, la presse, les contraintes physiques, je m'en serais bien passé. Mais le vrai travail ?

Le travail, je l'adorais. Même lorsqu'il ne me le rendait pas.

En dehors des heures de bureau, je m'efforçais de me réconcilier avec la bulle dans laquelle je vivais. J'étais attaché à mes rituels : l'exercice le matin, le dîner en famille, une promenade le soir sur la pelouse sud. Durant les premiers mois de ma présidence, en plus de cette routine, je lisais chaque soir quelques chapitres de *L'Histoire de Pi* à Sasha avant de border mes deux filles. Mais, quand est venu le moment de choisir le livre suivant, Sasha et Malia ont décrété qu'elles étaient trop grandes pour que je continue à leur faire la lecture. J'ai masqué ma déception et instauré à la place des parties de billard avec Sam Kass.

Nous nous retrouvions au deuxième étage de la résidence après le dîner, quand Michelle et moi avions fini de nous raconter notre journée et Sam de nettoyer la cuisine. Je mettais un album de Marvin Gaye, OutKast ou Nina Simone sur mon iPod, le perdant de la veille disposait les boules, et nous jouions pendant une demi-heure environ. Sam me rapportait des bruits de couloir ou me demandait des conseils amoureux. Je lui racontais une pitrerie des filles ou poussais un rapide coup de gueule politique. Mais, le plus souvent, nous nous contentions de casser du sucre sur le dos de tout le monde en tentant des coups invraisemblables, et le claquement de la casse ou le doux bruissement d'une boule tombant dans une poche me vidait l'esprit avant que j'aille m'enfermer dans la salle des Traités pour ma séance de travail du soir.

Dans les premiers temps, ces parties de billard étaient aussi un prétexte pour sortir fumer en douce sur la terrasse du deuxième étage. Mais ces escapades ont cessé lorsque j'ai arrêté de fumer, juste après la promulgation de l'Affordable Care Act. J'avais choisi cette date parce que le symbole me plaisait, mais j'avais pris ma décision quelques semaines plus tôt, le jour où Malia, sentant l'odeur du tabac sur mon haleine, avait fait la grimace et m'avait demandé si j'avais fumé. Ayant le choix entre mentir à ma famille et montrer le mauvais exemple, j'avais prié le médecin de la Maison-Blanche de me faire parvenir une boîte de chewing-gums à la nicotine. Et cela a fonctionné, car je n'ai plus jamais fumé. En revanche, j'ai remplacé une addiction par une autre : tout le restant de ma présidence, j'ai mâchouillé sans interruption, les emballages débordaient de mes poches et je semais derrière moi de petits carrés argentés que tout le monde retrouvait par terre, sous mon bureau ou entre les coussins du canapé.

Le basket m'a offert un autre refuge salutaire. Dès que mon emploi du temps du week-end le permettait, Reggie Love invitait ses copains et nous réservait un terrain sur la base de Fort McNair, au siège du FBI ou au département de l'Intérieur. Les matchs étaient intenses – à de rares exceptions près, la plupart des participants réguliers étaient d'anciens joueurs universitaires de haut niveau, âgés tout au plus d'une petite trentaine d'années – et, même si cela me coûtait de l'admettre, j'étais généralement un des moins bons sur le terrain. Toutefois, tant que je ne cherchais pas à en faire trop, je pouvais assurer ma part, distribuer le ballon à celui qui était le mieux placé, tenter un tir quand j'avais une ouverture, lancer des contre-attaques et me dissoudre dans le flot de la camaraderie et de la compétition.

Ces matchs improvisés symbolisaient pour moi une continuité, un lien avec la personne que j'étais autrefois, et lorsque mon équipe battait celle de Reggie, je ne manquais jamais de le lui rappeler toute la semaine. Mais le plaisir qu'ils me procuraient n'était rien comparé à l'excitation – et à la nervosité – que je ressentais quand j'allais encourager l'équipe de Sasha.

Les filles de son équipe s'appelaient les Vipers (bravo à la personne qui avait trouvé ce nom) et, tous les dimanches matin de la saison, Michelle et moi allions nous asseoir dans les gradins d'un petit gymnase du Maryland où, au milieu des autres familles, nous criions comme des fous chaque fois qu'une fille avait une vague occasion de marquer, rappelions à Sasha de s'interposer ou de se replier en défense, et faisions de notre mieux pour ne pas être le type de parents qui hurle sur les arbitres. Maisy Biden, la petite-fille de Joe et une des meilleures amies de Sasha, était la star de l'équipe, mais la plupart des autres n'avaient aucune expérience du sport encadré, et c'était apparemment aussi le cas des entraîneurs, un gentil couple d'enseignants de Sidwell qui, de leur propre aveu, ne considéraient pas le basket comme leur sport de prédilection. Après avoir assisté à quelques matchs aussi adorables que confus, nous avons décidé, Reggie et moi, de prendre un peu de notre temps pour donner quelques entraînements informels le dimanche après-midi. Nous avons repris les bases (dribble, passe, s'assurer qu'on a bien fait ses lacets avant de s'élancer sur le terrain) et, même si Reggie était parfois un peu trop impliqué dans les exercices (« Paige, ne laisse pas Isabel t'emmerder comme ça ! »), les filles paraissaient s'amuser autant que nous. Et lorsque les Vipers ont remporté leur championnat sur le score de 18 à 16 au terme d'un suspense insoutenable, Reggie et moi avons fêté leur victoire comme si c'était la finale du championnat universitaire.

J'imagine que tous les parents savourent ces moments où le monde ralentit, où les difficultés passent au second plan et où rien ne compte plus que d'être entièrement présent pour assister au miracle qu'est l'éclosion d'un enfant. Après tous les événements que j'avais ratés pendant des années de campagnes et de sessions parlementaires, je chérissais d'autant plus les « trucs de père » ordinaires. Seulement, bien entendu, notre vie n'avait plus rien d'ordinaire, et elle s'est chargée de me le rappeler dès l'année suivante, lorsque, à la mode de Washington, quelques parents d'enfants d'une équipe rivale sont venus se plaindre aux entraîneurs des Vipers, et certainement aussi à l'école, que Reggie et moi n'entraînions pas aussi leurs enfants. Nous leur avons expliqué que ces séances n'avaient rien de particulier – qu'elles étaient un simple prétexte me permettant de passer un peu plus de temps avec Sasha – et avons proposé de les aider à en organiser de leur côté. Mais il est vite devenu évident que ces récriminations n'avaient rien à voir avec le basket (« Ils doivent se dire que, si vous entraînez leurs gamins, ça fera bien quand ils essaieront d'entrer à Harvard », raillait Reggie) et que les entraîneurs des Vipers se sentaient évincés, et j'en ai conclu qu'il serait plus facile pour tout le monde que je me contente d'être un simple supporter.

Malgré quelques incidents énervants comme celui-là, je dois bien admettre que notre statut de First Family présentait quantité d'avantages. Nous pouvions visiter les musées de la ville après la fermeture et ainsi éviter la foule. (Marvin et moi rions encore en nous rappelant la fois où, à la Corcoran Gallery, il est allé se poster devant un portrait d'homme nu, très grand et très détaillé, de crainte que les filles ne le voient.) Comme les grands studios hollywoodiens nous faisaient parvenir les DVD de leurs dernières sorties, nous avons amplement profité du cinéma de la Maison-Blanche, même si les goûts de Michelle et les miens divergeaient souvent : elle préférait les comédies romantiques alors que, d'après elle, dans mes films préférés, « il y a toujours des choses horribles et des gens qui meurent ».

En outre, le formidable personnel de la Maison-Blanche nous facilitait la vie quand nous voulions recevoir des invités. Contrairement à la plupart des parents de jeunes enfants, à la fin d'une longue journée de travail nous n'avions pas à surmonter notre fatigue pour sortir faire les courses, cuisiner ou ranger une maison qui semblait avoir essuyé une tornade. En plus des retrouvailles du week-end avec nos amis proches, nous avons commencé à organiser, tous les deux ou trois mois, de petits dîners dans la résidence auxquels nous invitions des artistes, des écrivains, des universitaires, des chefs d'entreprise et d'autres personnes que nous désirions mieux connaître. Généralement ces dîners se prolongeaient bien après minuit, animés de conversations enflammées par le vin et qui nous inspiraient (Toni Morrison, à la fois majestueuse et espiègle, nous racontant son amitié avec James Baldwin), nous instruisaient (le coprésident de mon groupe de conseillers sur les sciences et les technologies, le Dr Eric Lander, nous décrivant les récentes avancées de la médecine génétique), nous enchantaient (Meryl Streep s'avançant pour réciter en mandarin les paroles d'une chanson sur les nuages qu'elle avait apprise pour une pièce des années auparavant) et, dans l'ensemble, me rassuraient quant à l'avenir de l'humanité.

Mais le meilleur à-côté de la vie à la Maison-Blanche avait sans doute trait à la musique. Un des buts que s'était fixés Michelle, en tant que First Lady, était de rendre la résidence plus accueillante, d'en faire une « Maison du peuple » où tous les visiteurs se sentiraient représentés, et non pas un lieu de pouvoir, une forteresse isolée. En collaboration avec le secrétariat social, elle a mis en place des visites plus régulières à destination des écoles du secteur ainsi qu'un programme de tutorat associant des employés de la Maison-Blanche à des enfants défavorisés. Elle a accueilli le *trick or treat* de Halloween sur la pelouse sud et organisé des soirées ciné pour les familles de militaires.

Dans cette optique, son équipe a aussi instauré des événements musicaux récurrents, que nous accueillions en partenariat avec la télévision publique et où certains des artistes les plus importants du pays – de grands noms tels que Stevie Wonder, Jennifer Lopez et Justin Timberlake, mais aussi de jeunes espoirs comme Leon Bridges et des légendes vivantes de la stature de B. B. King – venaient consacrer une partie de la journée à animer des ateliers avec des jeunes avant de se produire devant quelques centaines d'invités sur une scène dressée dans le salon Est. Tout comme le concert du Gershwin Prize, lors duquel la Maison-Blanche célébrait chaque année un compositeur ou un interprète majeur, ces événements permettaient à ma famille de se trouver, trois ou quatre fois par an, au premier rang d'un spectacle musical époustouflant.

Tous les genres étaient représentés : la Motown et Broadway, le blues classique et les danses hispaniques, le gospel et le hip-hop, la country, le jazz et le classique. Les musiciens répétaient généralement la veille et, lorsque j'étais à l'étage de la résidence pendant qu'ils préparaient leur concert, j'entendais les percussions, la basse et la guitare électrique vibrer dans le sol de la salle des Traités. Parfois, je descendais par l'escalier de service, je me faufilais dans la salle et, restant au fond pour ne pas attirer l'attention, je regardais les artistes travailler : un duo qui peaufinait ses harmonies ou un soliste qui modifiait un arrangement avec l'orchestre de la Maison-Blanche. J'étais émerveillé par leur maîtrise de leur instrument, leur générosité dans les moments où ils fusionnaient corps, âme et esprit, et je ne pouvais retenir un pincement de jalousie devant la joie pure et sans réserve de leur démarche, qui contrastait tant avec la voie politique que j'avais choisie.

Quant aux concerts en eux-mêmes, ils étaient absolument électriques. Je revois encore Bob Dylan, simplement accompagné par une basse, un piano et sa guitare, nous offrir une version pleine de tendresse de « The Times They Are a-Changin' ». À la fin de la chanson, il est descendu de scène, m'a serré la main, a souri en s'inclinant devant Michelle et

moi, puis il s'est éclipsé sans un mot. Je me souviens d'un jeune dramaturge d'origine portoricaine, Lin-Manuel Miranda, nous expliquant,
pendant la séance photo précédant une soirée de poésie, de musique
et de lectures, qu'il allait nous présenter en exclusivité une chanson de
son projet de comédie musicale hip-hop sur la vie du premier secrétaire américain au Trésor, Alexander Hamilton. Nous l'avons encouragé
poliment, mais, en notre for intérieur, nous étions sceptiques, jusqu'au
moment où il est monté sur scène et a lancé la musique, et alors le
public est devenu fou.

Il y a eu aussi la fois où Paul McCartney a donné la sérénade à ma
femme en jouant « Michelle ». Elle a ri, un peu gênée, pendant que le
public applaudissait, et je me suis demandé ce qu'auraient dit ses parents
en 1965, quand cette chanson était sortie, si quelqu'un avait frappé à
la porte de leur petite maison du South Side pour leur annoncer qu'un
jour le Beatles qui l'avait écrite la chanterait à leur fille sur une scène
installée dans la Maison-Blanche.

Michelle aimait ces concerts autant que moi, mais je sentais qu'elle
aurait préféré être invitée plutôt qu'organisatrice. Elle avait cependant
toutes les raisons de se féliciter de son adaptation à cette nouvelle vie : nos
filles paraissaient heureuses, elle s'était rapidement constitué un nouveau
cercle d'amies, parmi lesquelles les mères d'un grand nombre de camarades de Sasha et Malia, et elle était un peu plus libre que moi de quitter
l'enceinte de la Maison-Blanche sans se faire remarquer. Son initiative
contre l'obésité infantile – baptisée Let's Move! (« Bougeons ! ») – avait
été bien reçue et montrait déjà des résultats significatifs, et elle s'apprêtait à lancer avec Jill Biden un nouveau programme de soutien aux
familles de militaires, Joining Forces (« Unissons nos forces »). Chaque
fois qu'elle faisait une apparition publique, que ce soit pour visiter une
école ou échanger des plaisanteries sur le plateau d'un talk-show, tout
le monde était conquis par sa franchise et son énergie, son sourire et sa
vivacité d'esprit. En somme, on pouvait dire qu'elle n'avait pas raté une
marche ni fait une seule fausse note depuis son arrivée à Washington.

Et pourtant, malgré son succès et sa cote, je continuais à sentir
en elle une tension sous-jacente, légère mais constante, semblable au
ronronnement lointain d'une machine invisible. À croire que, maintenant que nous étions confinés entre les murs de la Maison-Blanche,
tous ses anciens motifs d'irritation devenaient plus concentrés, plus vifs,
qu'il s'agisse de mon absorption permanente dans mon travail, de la
manière dont la politique exposait notre famille à une surveillance et à
un examen incessants, ou de la tendance généralisée, même chez nos
proches, à traiter sa fonction comme secondaire.

Plus que tout, la Maison-Blanche lui rappelait jour après jour que plusieurs aspects fondamentaux de sa vie lui échappaient désormais en partie. Les personnes que nous voyions, les endroits où nous passions nos vacances, celui où nous habiterions après l'élection de 2012, et même la sécurité de sa famille, tout cela était, à un niveau ou un autre, tributaire de la manière dont je faisais mon travail, de ce que faisait et ne faisait pas le staff de l'aile ouest, des caprices des électeurs, de la presse et de Mitch McConnell, des chiffres du chômage ou d'un événement parfaitement imprévu se produisant à l'autre bout du monde. Plus rien n'était certain. Bien loin de là. C'est pourquoi, consciemment ou non, en dépit des petits triomphes et des petites joies du jour, de la semaine ou du mois, une part d'elle restait sur ses gardes, guettait le prochain revirement du sort et se préparait au pire.

Mais elle me faisait rarement part de ces soucis. Elle savait le poids que je portais et ne voyait pas l'intérêt d'en rajouter, d'autant que, dans l'immédiat, je ne pouvais rien faire pour changer notre situation. À moins qu'elle n'ait arrêté de parler parce qu'elle se doutait que je tenterais de la raisonner ou de la rassurer provisoirement, ou que je laisserais entendre qu'elle avait simplement besoin de regarder les choses sous un autre angle.

Si j'allais bien, elle n'avait aucune raison d'aller mal.

Il y avait encore des moments où tout était bien, des soirs où nous nous blottissions sous une couverture pour regarder la télé, des dimanches après-midi où nous jouions sur le tapis avec les filles et Bo et où les rires résonnaient dans tout l'étage de la résidence. Mais, le plus souvent, Michelle se retirait dans son bureau après le dîner tandis que je m'engageais dans le long couloir menant à la salle des Traités. Quand je finissais de travailler, elle dormait déjà. Je me déshabillais, me brossais les dents et me glissais sous les draps en veillant à ne pas la réveiller. Et même si je n'avais généralement aucun mal à m'endormir – le plus souvent, j'étais tellement fatigué que je ronflais cinq minutes après que ma tête avait touché l'oreiller –, il y avait des nuits où, couché près d'elle dans le noir, je repensais à l'époque où tout était plus léger entre nous, où son sourire était plus présent et notre amour moins entravé, et alors mon cœur se serrait à l'idée que cette époque appartenait peut-être au passé.

Aujourd'hui, avec le recul, je me demande si la réaction de Michelle à tous les changements que nous affrontions n'était pas la plus honnête – tandis que, en feignant le calme pendant que les crises s'amoncelaient et en répétant que tout finirait par s'arranger, je ne faisais en réalité que me protéger –, et si cela n'a pas ajouté à sa solitude.

C'est vers cette période que j'ai commencé à faire un rêve récurrent. Dans ce rêve, je suis dans une ville inconnue, dans un quartier avec des arbres, des vitrines et peu de circulation. C'est une belle journée, l'air est doux et parcouru par une petite brise, et autour de moi les gens font leurs courses, sortent leur chien ou rentrent du travail. Dans une version de ce rêve je suis à vélo, mais le plus souvent je suis à pied, et je déambule sans penser à rien de précis quand tout à coup je me rends compte que personne ne me reconnaît. Ma garde rapprochée a disparu. Je n'ai aucune obligation. Mes choix n'ont plus de conséquences. J'entre dans une épicerie, j'achète une bouteille d'eau ou de thé glacé et je discute un instant avec la personne qui tient la caisse. Ensuite, je vais m'asseoir sur un banc, j'ouvre la bouteille, je bois une gorgée et je regarde le monde défiler devant moi.

J'ai l'impression d'avoir gagné le gros lot.

RAHM CROYAIT AVOIR TROUVÉ LE MOYEN de nous insuffler une nouvelle dynamique politique. La crise de Wall Street avait révélé une panne du système de régulation des marchés financiers et, pendant la transition, j'avais demandé à notre équipe économique de préparer des réformes pour nous prémunir contre les crises futures. De son côté, Rahm était convaincu qu'il fallait présenter le plus tôt possible un projet de « réforme de Wall Street ».

« Ça nous replace du côté des gentils, disait-il. Et si les républicains essaient de le bloquer, on le leur met dans le cul. »

Nous avions toutes les raisons de soupçonner Mitch McConnell de s'opposer à de nouvelles régulations financières. Il faut dire qu'il avait bâti sa carrière sur un rejet systématique de toute forme de régulation gouvernementale (sur l'environnement, l'emploi, la sécurité au travail, le financement de la politique, la protection des consommateurs) susceptible d'empêcher les entreprises américaines de faire tout ce qui leur chantait. Mais McConnell était aussi conscient de traverser un moment politiquement risqué – les électeurs associaient toujours le Parti républicain aux grosses entreprises et aux millionnaires en yacht – et n'avait pas l'intention de laisser les positions antigouvernementales de son parti compromettre sa recherche d'une majorité sénatoriale. C'est pourquoi, sans pour autant dissimuler son intention de faire obstacle à tous mes projets – ce qui lui était plus facile depuis que la victoire de Scott Brown dans le Massachusetts avait privé les démocrates de leur soixantième voix au Sénat –, il a annoncé à Tim dans son bureau du Capitole qu'il ferait une exception pour la réforme de Wall Street. À son retour, Tim nous a résumé leur entretien : « Il va voter contre tout ce qu'on propose, et la majorité de son groupe aussi. Mais il dit qu'on devrait réussir à trouver cinq ou six républicains disposés à bosser avec nous et qu'il ne fera rien pour les retenir.

– Autre chose ? ai-je demandé.

– Rien, à part que l'obstruction a l'air de bien leur convenir. Il paraissait plutôt content de lui. »

Cette concession de McConnell à l'opinion publique était lourde de sens, mais elle ne signifiait pas que l'adoption de la réforme par le Congrès serait une partie de plaisir. Les directions des banques n'exprimaient toujours pas le moindre remords pour les ravages qu'elles avaient causés. Pas plus que les banquiers ne nous témoignaient une quelconque gratitude pour leur avoir sorti la tête de l'eau (la presse financière m'accusait régulièrement d'être « anti-business »). Au contraire, même, ils faisaient passer nos mesures de régulation de leur activité pour des pesanteurs inacceptables, voire carrément insultantes. Ils demeuraient en outre un des lobbies les plus puissants de Washington, qui avait de l'influence dans tous les États et de grandes poches pour arroser les deux partis.

Au-delà de l'opposition frontale des banques, réguler le système financier moderne était une tâche extrêmement ardue. Finie l'époque où la plus grande partie de l'argent des États-Unis décrivait une boucle simple dans laquelle les consommateurs faisaient des dépôts aux banques qui utilisaient ces fonds pour prêter aux ménages et aux entreprises. Désormais, des milliers de milliards de dollars changeaient de continent en un clin d'œil. Les avoirs de certaines structures non conventionnelles comme les fonds spéculatifs ou de capital-investissement rivalisaient avec ceux de nombreuses banques, tandis que la spéculation informatisée et les produits financiers exotiques tels que les contrats dérivés avaient le pouvoir de faire et défaire les marchés. Aux États-Unis, la surveillance de ce système complexe était répartie entre un éventail d'agences (Réserve fédérale, Trésor, FDIC, SEC, CFTC, OCC) qui pour la plupart agissaient de manière indépendante et gardaient jalousement leur territoire. Si nous voulions que notre réforme ait des effets tangibles, nous allions devoir les rassembler dans un cadre législatif commun ; il faudrait également synchroniser notre action avec celle des autres pays pour éviter que les entreprises ne fassent passer leurs transactions par des comptes off-shore leur permettant d'échapper aux contraintes réglementaires.

Enfin, nous devions faire face à un Parti démocrate profondément divisé sur la forme et le périmètre à donner à la loi. Pour les plus centristes (Tim et Larry, ainsi que la majorité des parlementaires), la récente crise avait mis en lumière les défauts sérieux mais rectifiables d'un système par ailleurs solide. Ils soutenaient que Wall Street devait son statut de première place financière mondiale à sa croissance et à sa capacité d'innovation, et que les cycles de hauts et de bas – ainsi que les oscillations correspondantes entre exubérance irrationnelle et panique irrationnelle – étaient inhérents non seulement au capitalisme moderne, mais à la psyché humaine. Considérant qu'il n'était ni possible ni souhaitable d'éliminer tous les risques pour les investisseurs et les entreprises, ils n'avaient qu'une ambition restreinte pour cette réforme : placer des garde-fous autour du système pour circonscrire les prises de risque excessives, garantir la transparence de l'activité des principaux organismes, et « permettre au système d'échouer sans danger », selon la formule de Larry, c'est-à-dire faire en sorte que les individus et acteurs financiers ayant fait de mauvais paris n'entraînent pas tous les autres dans leur chute.

Une grande partie de la gauche estimait que cette approche ciblée était loin d'être suffisante et se bornait à tirer les conséquences tardives d'un système qui desservait les intérêts de la population américaine. Ces parlementaires attribuaient les tendances économiques les plus alarmantes à l'hypertrophie d'une finance moralement douteuse, et dénonçaient autant la prédilection pour les profits à court terme, la réduction des coûts et les licenciements au détriment des investissements à long terme que le comportement de certains fonds de capital-investissement qui démantelaient des entreprises existantes pour les revendre en pièces détachées et engranger une plus-value injustifiée, ou encore l'augmentation constante des inégalités de revenus et la contribution de plus en plus faible des super-riches aux recettes fiscales. Afin de résorber ces effets déformants et mettre un terme aux frénésies spéculatives qui engendraient si souvent les crises financières, ils appelaient à une refonte radicale de Wall Street. Pour cela, ils préconisaient notamment de limiter la taille des banques américaines et de remettre en vigueur la loi Glass-Steagall, adoptée pendant la Grande Dépression et abrogée sous Clinton, qui servait à protéger les banques commerciales des risques pris par les banques d'affaires.

Par bien des aspects, ces divisions internes me rappelaient les débats sur la santé, quand les partisans du régime universel avaient rejeté en les taxant de trahison tous les arrangements avec le système d'assurance privée existant. Et, comme pendant ces débats, je me sentais en résonance avec la gauche qui condamnait le *statu quo*. Au lieu d'affecter le capital à des usages productifs, Wall Street fonctionnait bel et bien comme un immense casino, avec des profits et des rémunérations disproportionnés reposant intégralement sur l'augmentation constante des effets de levier et de la spéculation. Son obsession pour les bilans trimestriels avait effectivement perverti les processus décisionnaires et encouragé une vision à court terme dans les entreprises. Dépourvus d'attaches locales, indifférents aux effets de la mondialisation sur les travailleurs et les populations, les marchés financiers avaient sans aucun doute concouru à l'accélération des délocalisations et à la concentration de la richesse entre les mains d'une poignée de villes et de secteurs économiques, laissant d'immenses zones du pays sans argent, sans talents et sans espoir.

Pour s'attaquer à tous ces problèmes, il fallait une politique audacieuse qui passerait par une réécriture du code fiscal, un renforcement du droit du travail et de nouvelles règles de gouvernance des entreprises. Trois choses qui figuraient sur ma *to-do list*.

Mais, pour ce qui était de réguler les marchés financiers afin de rendre le système plus stable, la gauche était à côté de la plaque. Rien ne prouvait qu'une limitation de la taille des banques américaines aurait pu prévenir la dernière crise ou dispenser du besoin d'intervention fédérale lorsque le système a commencé à capoter. Il était certes vrai que les actifs de JPMorgan ridiculisaient ceux de Bear Stearns ou de Lehman Brothers, mais c'étaient ces plus petites banques qui s'étaient considérablement endettées en pariant sur des subprimes titrisés et qui avaient déclenché la panique. Par ailleurs, les grandes banques n'étaient pas responsables de la précédente crise financière américaine majeure, dans les années 1980 ; au contraire, le système avait été secoué par un déluge de prêts à haut risque octroyés par des milliers de petits organismes d'épargne et de crédit mal capitalisés aux quatre coins du pays. Étant donné l'étendue des opérations des méga-banques telles que Citi ou Bank of America, il nous paraissait sensé que les régulateurs les surveillent de plus près, mais leur couper les vivres n'aurait rien changé. Et puisque, dans la plupart des pays européens et asiatiques, le secteur bancaire était encore plus concentré qu'aux États-Unis, limiter la taille de nos banques les aurait grandement handicapées sur les marchés mondiaux, sans pour autant éliminer le risque général.

Pour des raisons similaires, l'expansion du secteur financier non bancaire rendait largement obsolète la distinction faite par Glass-Steagall entre banques d'investissement et banques commerciales. Celles qui avaient le plus misé sur les titres adossés aux subprimes – AIG, Lehman, Bear Stearns, Merrill Lynch, ainsi que Fannie Mae et Freddie Mac – n'étaient pas des banques commerciales à garantie fédérale. Et, de toute façon, les investisseurs ne s'étaient pas laissé arrêter par l'absence de garantie et avaient injecté des sommes telles dans le système financier qu'il a été menacé dans son intégrité même dès que ces banques ont commencé à battre de l'aile. Inversement, les banques commerciales traditionnelles telles que Washington Mutual et IndyMac se sont mises dans le pétrin non pas en se comportant comme les banques d'investissement souscrivant des titres à très haute valeur, mais en accordant des tonnes de prêts toxiques à des acheteurs qui n'avaient pas un dossier assez solide afin d'augmenter leurs profits. Vu la facilité avec laquelle les capitaux circulaient désormais entre entités financières cherchant des rendements toujours plus élevés, nous allions devoir, pour stabiliser le système, nous concentrer sur la diminution des pratiques à risque plutôt que sur un type précis d'organisme.

Il y avait enfin l'aspect politique. De même que nous n'avions pas obtenu assez de voix au Sénat pour faire adopter le régime universel d'assurance-maladie, nous étions loin de pouvoir ressusciter Glass-Steagall ou limiter la taille des banques américaines. Et, à la Chambre, les démocrates ne voulaient pas donner l'impression d'être trop gourmands, surtout si cela devait se traduire par un ralentissement des marchés financiers et une dégradation de l'économie. « Mes électeurs en veulent à mort à Wall Street, monsieur le Président, m'a dit un élu d'une circonscription de banlieue pavillonnaire, mais ils n'ont pas signé pour un démantèlement complet. » Jadis, après trois années de douloureuse dépression, les électeurs avaient donné à Roosevelt un blanc-seing pour tout tenter, y compris de restructurer le capitalisme américain. Mais, en partie parce que nous avions empêché que la situation en arrive à ce point, notre mandat à nous était bien plus restreint. Je me disais que notre meilleure chance de l'étendre était de remporter quelques victoires tant que nous le pouvions.

EN JUIN 2009, après des mois de peaufinage, notre projet de loi sur la réforme de la finance était prêt à être présenté au Congrès. Et même s'il ne contenait pas toutes les dispositions voulues par la gauche, il n'en demeurait pas moins un geste audacieux pour adapter les règles du XXe siècle à l'économie du XXIe.

Le texte était centré sur l'augmentation des fonds propres que tous les organismes financiers d'importance « systémique », bancaires ou non, avaient l'obligation de détenir. Davantage de capital, c'était moins d'emprunts pour financer des paris risqués. Avec davantage de liquidités, ces organismes absorberaient mieux les pertes brutales provoquées par un effondrement du marché. Obliger les principaux acteurs de Wall Street à conserver un matelas de capital plus consistant pour pallier les pertes fortifierait l'ensemble du système ; et, pour garantir qu'ils atteignent leurs objectifs, ils devraient régulièrement passer des tests de résistance identiques à ceux que nous leur avions imposés à l'apogée de la crise.

Il fallait ensuite prévoir un mécanisme formel grâce auquel n'importe quelle société, peu importe sa taille, pourrait tomber en faillite sans faire sombrer le système tout entier. La FDIC, l'organisme fédéral de garantie des dépôts, avait déjà le pouvoir de soumettre toute banque garantie au niveau fédéral à une procédure de liquidation de ses actifs et de division du reste entre les requérants. Notre projet de loi conférait à la Réserve fédérale une « autorité de résolution » du même type sur tous les organismes d'importance systémique, bancaires ou non.

Afin que la loi soit appliquée uniformément, nous avons proposé de délimiter les fonctions et responsabilités des diverses agences fédérales. Pour diminuer le temps de réaction en cas de trouble important sur les marchés, nous leur avons donné l'autorité nécessaire pour entreprendre une grande partie des actions d'urgence – « la mousse sur le tarmac », comme disait notre équipe économique – que la Fed et le Trésor avaient mises en œuvre au cours de la dernière crise. Et, pour repérer les problèmes potentiels avant qu'ils ne dégénèrent, notre projet prévoyait de durcir les règlements régissant les marchés spécialisés qui constituent le gros de la tuyauterie financière. Nous visions particulièrement l'achat et la vente de produits dérivés, ces titres souvent incompréhensibles qui avaient contribué à l'augmentation des pertes dans tout le système après l'effondrement du marché des subprimes. Ces produits dérivés avaient bien sûr des usages valables – toutes sortes d'entreprises s'en servaient pour se protéger en cas de mouvement important du cours des devises ou des matières premières. Mais, entre les mains de traders irresponsables, ils étaient aussi un moyen de risquer gros en mettant tout le système en danger. Nous avions l'intention de rendre publiques la plupart de ces transactions, ce qui autoriserait une clarification des règles et une supervision plus précise.

Pour l'essentiel, ces propositions étaient extrêmement techniques et portaient sur des aspects du système financier qui échappaient au grand public. Mais notre projet de loi contenait aussi un dernier élément qui concernait moins la finance que la vie quotidienne des citoyens. La crise de Wall Street ne se serait pas produite sans l'explosion des subprimes. Et même si un pourcentage non négligeable de ces prêts était allé à des emprunteurs avertis – qui, tout en cherchant un appartement à Miami ou une maison de vacances dans l'Arizona, comprenaient les risques de l'hypothèque à taux ajustable et des paiements libératoires –, ils visaient en majorité des foyers populaires, souvent noirs et hispaniques, qui avaient cru pouvoir enfin accéder au Rêve américain, jusqu'au jour où une procédure de saisie avait confisqué leur maison et leurs économies.

Cette absence de protection contre les pratiques déloyales ou trompeuses ne concernait pas que le domaine des hypothèques. Constamment dans le rouge alors qu'ils ne ménageaient pas leur peine, des millions d'Américains étaient régulièrement contraints d'accepter des taux d'intérêt exorbitants, des frais cachés ou tout simplement des contrats déséquilibrés de la part des émetteurs de cartes de crédit, prêteurs sur salaire (souvent discrètement financés ou détenus par les grandes banques), revendeurs de voitures, assureurs au rabais, vendeurs de meubles avec paiement différé et courtiers en viager. Souvent ils se retrouvaient emportés par une spirale de dettes accumulées, de traites impayées, d'historiques de crédit désastreux et de saisies qui les laissaient dans une situation pire qu'au commencement. Dans tout le pays, les pratiques crapuleuses en vigueur dans la finance participaient au creusement des inégalités, au ralentissement de l'ascenseur social et à l'alimentation de bulles d'endettement qui rendaient l'économie plus vulnérable aux secousses.

Ayant déjà réformé la législation sur les cartes de crédit, mon équipe et moi voyions dans les retombées de la crise une chance inouïe de progresser sur ce terrain. Or il se trouve qu'Elizabeth Warren, professeure de droit à Harvard et spécialiste des faillites, venait justement d'avoir une idée susceptible de produire l'effet que nous recherchions : une nouvelle agence de protection qui viendrait renforcer la constellation de réglementations locales et fédérales inégalement appliquées afin de prémunir les consommateurs contre les produits financiers douteux, de la même manière que la Consumer Product Safety Commission empêchait que soient commercialisés des produits de grande consommation dangereux ou de mauvaise qualité.

J'admirais le travail de Warren depuis la publication, en 2003, de son livre *The Two-Income Trap*, coécrit avec Amelia Tyagi, dans lequel elle décrivait avec justesse et ardeur les difficultés croissantes des ménages à faibles revenus avec enfants. Contrairement à la plupart des universitaires, Warren savait parfaitement traduire les analyses financières en histoires compréhensibles par tous. Depuis 2003, elle s'était affirmée comme une des critiques les plus incisives de la finance, ce qui avait donné à Harry Reid l'idée de la nommer présidente de la commission parlementaire qui chapeautait le TARP.

Tim et Larry, qui avaient tous deux été convoqués à de multiples reprises devant sa commission, paraissaient moins éblouis que moi par

Warren. S'ils étaient sensibles à son intelligence et approuvaient son idée d'une agence de protection des consommateurs, ils trouvaient qu'elle en faisait trop.

« Elle est très forte pour nous descendre en flèche, m'a dit Tim lors d'une réunion, même quand elle sait qu'il n'y a pas moyen de faire autrement que ce qu'on fait déjà. »

J'ai levé les yeux et feint la surprise. « Ça alors. Un membre d'une commission de surveillance qui sert la soupe à son public ? On a déjà vu ça, Rahm ?

– Jamais, monsieur le Président, a répondu Rahm. Je suis outré. »

Même Tim a bien été obligé de se fendre d'un sourire.

Les aventures de la réforme des marchés financiers devant le Congrès n'ont pas été moins laborieuses que celles de l'Affordable Care Act, mais elles n'ont pas reçu la même attention. Le sujet y était pour beaucoup. Même les parlementaires et les lobbyistes déterminés à enterrer le texte faisaient profil bas, préférant éviter de s'afficher en défenseurs de Wall Street si tôt après la crise, et les dispositions les plus fines du projet étaient trop absconses pour susciter l'intérêt de la presse généraliste.

Une proposition a toutefois fait les gros titres : celle de Paul Volcker, l'ancien président de la Réserve fédérale, qui prévoyait d'interdire aux banques commerciales de spéculer avec leurs comptes ou de monter leurs propres fonds spéculatifs et officines de capital-investissement. D'après Volcker, ce type de clause était une manière simple de rétablir une partie des limites prudentielles imposées par Glass-Steagall aux banques commerciales. Avant que nous ayons le temps de dire ouf, de nombreux parlementaires de gauche ont déclaré qu'ils jugeraient du sérieux de notre volonté de réformer Wall Street à l'inclusion de la « règle Volcker » dans notre texte.

Volcker, deux mètres de haut, fumeur de cigares bourru et économiste de formation, était inattendu dans le rôle de héraut du progressisme. En 1980, lorsqu'il était à la tête de la Fed, il avait prescrit une hausse sans précédent des taux d'intérêt à 20 % afin de briser l'inflation qui faisait rage, ce qui avait eu pour effet une récession brutale et un chômage à 10 %. Ce traitement de cheval avait suscité la colère des syndicats et de nombreux démocrates ; d'un autre côté, il avait apaisé l'inflation et posé les bases de la croissance stable des années 1980 et 1990, faisant de Volcker une figure respectée à New York comme à Washington.

Ces dernières années, il s'était montré très critique envers les excès de Wall Street, ce qui lui avait valu un certain nombre d'admirateurs à gauche. Il avait très tôt soutenu ma candidature, et ses avis s'étaient révélés si précieux que je lui avais confié la présidence d'un groupe de conseillers sur la crise économique. Avec son pragmatisme, sa croyance dans l'efficacité du marché autant que dans les institutions publiques et le bien commun, il avait un côté suranné (ma grand-mère l'aurait beaucoup aimé) et, après l'avoir reçu en entretien privé dans le Bureau ovale, j'ai été convaincu du bien-fondé de sa proposition de restreindre la négociation pour compte propre. Mais, quand je l'ai l'exposée à Tim et à Larry, j'ai buté sur leur scepticisme. Ils ont répliqué qu'elle serait difficile à mettre en œuvre et risquerait d'empiéter sur les services légitimes que les banques fournissaient à leur clientèle. Je trouvais leur réponse un peu légère – c'est l'une des rares fois où j'ai eu le sentiment qu'ils faisaient primer le point de vue de la finance sur les faits – et j'ai continué pendant des semaines à leur casser les pieds à ce sujet. Au début de l'année 2010, alors que Tim craignait de plus en plus que l'élan de notre réforme ne commence à s'épuiser, il a fini par recommander que nous intégrions à notre projet une version de la règle Volcker.

« Si ça peut nous aider à faire passer la loi, a-t-il dit, on trouvera bien un moyen de la faire fonctionner. »

De la part de Tim, c'était une concession exceptionnelle à l'optique politique. Axe et Gibbs, qui saturaient ma boîte mail de sondages montrant que 60 % des électeurs jugeaient mon gouvernement trop tendre avec les banques, ont sauté de joie ; ils ont suggéré que nous fassions une annonce officielle à la Maison-Blanche en présence de Volcker. Je leur ai demandé si le grand public saisirait la portée d'une mesure aussi obscure.

« On n'a pas besoin qu'il comprenne, a répondu Gibbs. Si ça fout les banques en rogne, il se dira que c'est une bonne chose. »

Les paramètres essentiels de notre loi une fois définis, c'était au président de la Commission des services financiers de la Chambre, Barney Frank, et au président de la Commission bancaire du Sénat, Chris Dodd, tous deux vingt-neuf ans de Congrès à leur actif, de nous aider à la faire passer. C'était un duo curieusement assorti. Barney avait une réputation de fauteur de troubles et était le premier membre du Congrès à avoir révélé son homosexualité. Ses grosses lunettes, ses costumes froissés et son fort accent du New Jersey lui donnaient un côté homme du peuple, et il figurait parmi les parlementaires les plus coriaces, intelligents et cultivés du Congrès, capable de traits d'esprit cinglants qui faisaient de lui le chouchou de la presse et le cauchemar de ses adversaires. (Un jour, quand j'étais étudiant à Harvard, Barney était intervenu pendant un cours et m'avait passé un savon pour avoir posé une question qu'il trouvait manifestement stupide. Moi, je n'étais pas de cet avis. Par chance, il ne se souvenait pas de notre première rencontre.)

Chris Dodd, quant à lui, avait tout de l'initié aux arcanes de Washington. Impeccablement mis, des cheveux argentés aussi nets et brillants que ceux d'un présentateur de journal télévisé, toujours prêt à balancer un ragot du Capitole ou une histoire irlandaise à dormir debout, il était tombé tout petit dans la politique – fils d'ancien sénateur, grand ami de Ted Kennedy, et cul et chemise avec quantité de lobbyistes de l'industrie, malgré un historique de vote plutôt progressiste. Nous avions noué une relation chaleureuse à l'époque où j'étais au Sénat, fondée en partie sur ses remarques au sujet de l'absurdité de l'institution (« Vous aussi, vous trouvez que ça sonne faux ? » me demandait-il avec un clin d'œil après qu'un collègue avait terminé un plaidoyer enflammé en faveur d'une loi alors qu'il s'échinait à la saper en coulisses). Mais il était très fier de son efficacité en tant que législateur, et avait été un des moteurs de lois importantes, tel le Family and Medical Leave Act, qui régit les congés pour raisons familiales et médicales.

Ensemble, ils formaient une équipe fantastique dans laquelle chacun était parfaitement adapté aux pratiques de son assemblée. À la Chambre, la forte majorité démocrate signifiait que l'adoption d'une réforme de la finance ne serait pas un problème. Le défi était plutôt d'empêcher le groupe de se disperser. En plus de maîtriser les aspects législatifs, Barney bénéficiait de la crédibilité nécessaire pour calmer les exigences irréalistes de ses camarades les plus progressistes, ainsi que de l'influence requise pour déjouer les manœuvres des plus enclins au compromis qui chercheraient à diluer le texte au profit des groupes d'intérêts. Au Sénat, où tous les votes étaient bons à prendre, la patience de Chris, sa douceur et sa disposition à tendre la main aux républicains, même les plus récalcitrants, rassuraient la frange conservatrice du Parti démocrate ; il nous a aussi permis d'accéder à des lobbyistes qui, bien qu'opposés au projet de loi, n'avaient pas peur de lui.

Malgré ces atouts, il a fallu pour faire avancer ce projet, bientôt surnommé « loi Dodd-Frank », le même type de pinaillages que pour la loi sur la santé, avec un déluge d'accommodements qui me faisaient souvent enrager en silence. Malgré nos protestations, les vendeurs de voitures ont été exclus du champ de notre nouvelle agence de protection des consommateurs : il y avait des concessionnaires automobiles dans toutes les circonscriptions, et ils jouaient souvent un rôle central en sponsorisant des équipes sportives et en donnant aux hôpitaux, ce qui faisait redouter un retour de bâton aux plus fervents régulateurs parmi les démocrates. Quant à notre idée de limiter le nombre d'agences supervisant le système financier, elle a connu une fin peu glorieuse : chaque agence étant subordonnée à une commission parlementaire différente (la CFTC, par exemple, rendait des comptes aux commissions agricoles de la Chambre et du Sénat), les démocrates qui présidaient ces commissions ont ardemment refusé de céder leur pouvoir sur une partie du secteur de la finance. Comme Barney l'a expliqué à Tim, consolider la SEC et la CFTC devait être possible, « mais pas aux États-Unis ».

Côté Sénat, la nécessité d'atteindre soixante votes pour empêcher l'obstruction fournissait à tous les sénateurs un moyen de pression, et nous avons été assaillis de demandes individuelles. Le républicain Scott Brown, récemment sorti victorieux d'une campagne pendant laquelle il avait vilipendé les « petits arrangements » de Harry Reid pour faire passer la loi sur la santé, paraissait disposé à soutenir la réforme de Wall Street – mais non sans un petit arrangement, à savoir l'exemption de deux banques du Massachusetts qui avaient ses faveurs. Il n'y voyait aucune ironie. Un groupe de démocrates plutôt à gauche a présenté en fanfare un amendement censé rendre les dispositions de la règle Volcker encore plus contraignantes. Seulement, lorsqu'on y regardait de près, il créait des niches pour toute une palanquée d'intérêts – assurances, investissements immobiliers, fiducies et ainsi de suite – très puissants dans les États de ces sénateurs.

« Encore une belle journée dans la plus grande assemblée délibérante du monde », disait Chris.

Par moments, je m'identifiais au pêcheur dépeint par Hemingway dans *Le Vieil Homme et la Mer*, entouré de requins qui grignotaient la prise qu'il s'acharnait à rapporter à terre. Mais, les semaines passant, le noyau de notre réforme résistait remarquablement bien au processus d'amendement. Un grand nombre de dispositions introduites par les membres du Congrès ont même amélioré le texte : une transparence accrue sur la rémunération des dirigeants de sociétés cotées en Bourse et sur les agences de notation, et de nouveaux mécanismes de récupération empêchant les cadres de Wall Street de s'en tirer avec des primes de plusieurs millions en récompense de leurs pratiques discutables. Grâce à la coopération sans faille de nos deux parrains, la séance de conciliation des différences entre la Chambre et le Sénat a été épargnée par les querelles intrapartisanes que nous avions connues lors des négociations autour de la loi sur la santé. Et ainsi, à la mi-juillet 2010, le texte ayant remporté 237 voix contre 192 à la Chambre et 60 contre 39 au Sénat (trois républicains votant en faveur du texte dans chaque assemblée), nous avons pu organiser à la Maison-Blanche une cérémonie de promulgation du Wall Street Reform and Consumer Protection Act, dit loi Dodd-Frank.

C'était un triomphe de taille : la plus importante refonte des règles de la finance américaine depuis le New Deal. La loi avait ses défauts et ses compromis regrettables, et elle n'allait évidemment pas faire disparaître l'ineptie, la cupidité, le court-termisme et la malhonnêteté qui régnaient à Wall Street. Mais, en mettant en place « un meilleur code de la construction, des détecteurs de fumée et un système d'extincteurs automatiques », comme Tim aimait à le décrire, Dodd-Frank allait encadrer les pratiques imprudentes, donner aux régulateurs financiers les instruments pour éteindre les incendies avant qu'ils ne deviennent incontrôlables, et diminuer la probabilité de crises comme celle que nous venions de traverser. Et, avec le nouveau Bureau de protection financière des consommateurs (CFPB), les ménages américains disposaient désormais d'un puissant allié dont l'action concourrait à rendre le marché des crédits plus transparent et leur permettrait de constituer une vraie épargne pour acheter une maison ou une voiture, affronter une urgence familiale, payer les études de leurs enfants ou préparer leur retraite.

Mais, si mon équipe et moi pouvions être fiers de ce que nous avions accompli, nous demeurions conscients d'une chose devenue évidente avant même l'adoption de la loi : les réformes historiques de Dodd-Frank n'allaient pas nous aider politiquement. Malgré le zèle de Favs et de toute l'équipe qui écrivait mes discours, il était difficile de mobiliser l'opinion autour de termes comme « compensation des dérivés » et « interdiction des négociations pour compte propre ». L'essentiel des améliorations apportées par cette loi – plus axée sur la prévention que sur le gain d'avantages tangibles – resterait inaccessible au grand public. Les électeurs ont apprécié l'idée d'une agence de protection des consommateurs, mais il faudrait du temps au CFPB pour se mettre en place; or c'était maintenant que la population avait besoin d'aide. Entre les conservateurs qui fustigeaient dans cette loi l'assurance de sauvetages financiers à venir et un pas de plus vers le socialisme, et les progressistes qui regrettaient que nous n'ayons pas fait davantage pour refaçonner les banques, les électeurs pouvaient aisément conclure que tout le battage autour de Dodd-Frank n'avait été finalement que le remue-ménage habituel de Washington – d'autant que, au moment où la loi a été votée, tout le monde avait plutôt envie de parler du trou béant qui bouillonnait au fond de l'océan.

CHAPITRE 23

LES PREMIÈRES OPÉRATIONS DE FORAGE PÉTROLIER dans le golfe du Mexique, à partir de la fin des années 1930, étaient assez rudimentaires, de simples plateformes en bois implantées en eaux peu profondes. Puis, la technologie progressant en même temps que la soif de pétrole des États-Unis, les forages se sont régulièrement éloignés des côtes et, en 2010, plus de trois mille plateformes se dressaient au large du Texas, de la Louisiane, du Mississippi et de l'Alabama, comme autant de châteaux sur pilotis. Elles incarnaient puissamment le poids du pétrole dans l'économie régionale : des milliards de dollars et des dizaines de milliers d'emplois dépendant, directement ou indirectement, du siphonnage de restes végétaux et animaux convertis par la nature en or noir visqueux sous le plancher océanique.

Parmi toutes ces plateformes, l'une des plus impressionnantes se nommait Deepwater Horizon. Haute d'environ trente étages et plus longue qu'un terrain de football, c'était une structure semi-submersible d'une valeur d'un demi-milliard de dollars qui pouvait opérer jusqu'à une profondeur de 3 000 mètres et creuser des puits exploratoires longs de plusieurs kilomètres. Le fonctionnement d'une plateforme de cette taille coûtait à peu près un million de dollars par jour, mais les supermajors du pétrole estimaient que c'était de l'argent bien dépensé. Si elles voulaient maintenir leur croissance et leurs bénéfices, il leur fallait exploiter les gisements potentiellement immenses enfouis à des profondeurs jusque-là inaccessibles.

Deepwater Horizon appartenait à Transocean, une entreprise basée en Suisse qui la louait depuis 2001 à BP, une des plus grosses compagnies pétrolières au monde. BP s'en était servi pour explorer les eaux des États-Unis et avait découvert deux gisements aussi colossaux que lucratifs. À lui seul, le surnommé Tiber contenait selon les estimations le chiffre étourdissant de 3 milliards de barils. Pour y accéder, l'équipage de Deepwater avait foré, en 2009, un des puits les plus profonds jamais creusés : presque 11 kilomètres sous 1 700 mètres d'eau, soit une distance sous la surface supérieure à l'altitude du mont Everest.

Début 2010, espérant réitérer ce succès, BP a envoyé Deepwater Horizon forer un puits d'exploration dans le second champ pétrolifère, baptisé Macondo. Situé à 80 kilomètres au large de la Louisiane, Macondo n'était pas aussi loin de la surface que Tiber – à peine 6 000 mètres. Mais, en matière de forage en eaux profondes, la routine n'existe pas. Chaque gisement présente des complexités uniques et exige souvent des semaines de tâtonnements et de calculs ainsi que des procédures sur mesure. Or Macondo se révélait particulièrement délicat, à cause notamment de la fragilité de ses formations rocheuses et d'une pression interne irrégulière.

Très vite, le projet a pris plusieurs semaines de retard, représentant pour BP des millions de dollars de pertes. Ingénieurs, concepteurs et sous-traitants se disputaient quant à la forme à donner au puits. Malgré tout, le 20 avril, l'ouvrage était pratiquement terminé. Une équipe du parapétrolier Halliburton a scellé les bords du tube de forage en injectant du ciment dans la gueule du puits. Une fois le ciment solidifié, les ingénieurs de BP ont lancé une batterie de tests avant que Deepwater ne reparte vers sa mission suivante.

Peu après 17 heures, un de ces tests a révélé une possible fuite de gaz à travers le coffrage en ciment et signalé une situation potentiellement dangereuse. Sans tenir compte des signaux d'alarme, les ingénieurs ont décidé de poursuivre en injectant de la boue de forage lubrifiante qui sert à compenser les déséquilibres de pression durant le forage. Aux alentours de 21 h 30, il y a eu une puissante remontée de gaz dans le tube. Le bloc obturateur du puits – des valves d'urgence d'un poids de 400 tonnes devant sceller le puits en cas d'augmentation brutale de la pression – n'a pas fonctionné et le gaz combustible à très haute pression est remonté jusqu'à la plateforme, où il a propulsé un geyser de lubrifiant noir dans le ciel. Peu après, des nuages de gaz accumulés dans la salle des machines ont pris feu, et deux explosions ont secoué la structure tout entière. Une colonne de flammes a déchiré le ciel pendant que les membres d'équipage se ruaient vers les canots de sauvetage ou sautaient dans les eaux pleines de débris. Sur les 126 personnes à bord de la plateforme, 98 en sont sorties indemnes, 17 ont été blessées, et 11 ont disparu. Deepwater Horizon continuerait de brûler pendant trente-six heures, colossale boule de feu et de fumée visible à plusieurs kilomètres à la ronde.

J'ÉTAIS DANS LA RÉSIDENCE, tout juste revenu d'une tournée de levée de fonds sur la côte Ouest pour les candidats démocrates au Congrès, quand j'ai appris ce qui se passait dans le Golfe. Ma première pensée a été : « Oh non, ça recommence. » Quinze jours plus tôt, un coup de poussière à la mine d'Upper Big Branch, en Virginie-Occidentale, avait fait 29 morts, soit le plus grand désastre minier depuis presque quarante ans. L'enquête n'en était qu'à ses prémices, mais nous savions déjà que l'exploitant de la mine, Massey Energy, avait un lourd passif de manquements aux normes de sécurité. Deepwater Horizon, pour sa part, n'avait pas connu d'accident grave depuis sept ans. Je ne pouvais néanmoins m'empêcher de relier les deux événements en pensant au coût humain de la dépendance mondiale aux énergies fossiles : chaque jour, des milliers de personnes étaient contraintes de risquer leurs membres, leurs poumons et parfois leur vie pour remplir nos réservoirs et alimenter nos ampoules – dégageant au passage des profits délirants pour des cadres et des actionnaires lointains.

Je savais aussi que l'explosion aurait des répercussions considérables sur notre politique énergétique. Quelques semaines auparavant, j'avais autorisé, *via* le département de l'Intérieur, chargé de la gestion des ressources naturelles, la mise en vente de plusieurs concessions maritimes qui allaient marquer le début de l'exploration pétrolifère le long de la côte orientale du Golfe et dans certaines eaux des États atlantiques et de l'Alaska. J'honorais là une promesse de campagne : à un moment où les prix de l'essence flambaient et où la proposition McCain-Palin d'ouvrir les eaux des États-Unis au forage à grande échelle gagnait du terrain dans l'opinion, je m'étais engagé à envisager une expansion contenue des forages dans le cadre d'une stratégie énergétique « tous azimuts ». Il faudrait des décennies pour accomplir la transition vers des énergies propres ; d'ici là, l'idée d'accroître la production américaine de pétrole et de gaz afin de nous rendre moins tributaires des pétro-États tels que la Russie et l'Arabie Saoudite ne me posait aucun problème.

Et, surtout, ma décision d'autoriser de nouveaux forages exploratoires était une tentative désespérée de sauver notre loi sur le réchauffement climatique, alors sous assistance respiratoire. L'automne précédent, quand le sénateur républicain Lindsey Graham avait accepté de nous aider à faire passer un projet transpartisan, il nous avait avertis que nous devrions céder sur certains points si nous voulions obtenir un nombre suffisant de votes républicains pour éviter l'obstruction, et l'augmentation des forages trônait tout en haut de sa liste. Prenant Graham au mot, Joe Lieberman et John Kerry avaient travaillé pendant des mois en tandem avec Carol Browner pour convaincre les associations écologistes que ces compromis valaient le coup, leur faisant observer que les avancées technologiques avaient réduit les dangers des forages en mer et que le texte final interdirait aux compagnies pétrolières les zones sensibles telles que la réserve naturelle de l'Arctique.

Certaines de ces associations étaient prêtes à jouer le jeu. Hélas, plus les mois passaient et plus il devenait évident que Graham ne remplirait pas sa part du marché. Ce n'était pourtant pas faute d'avoir essayé. Il avait tenté de faire accepter un accord aux compagnies pétrolières et courtisait les républicains modérés (Susan Collins ou Olympia Snowe, par exemple) ainsi que les sénateurs des États pétroliers comme Lisa Murkowski, de l'Alaska, dans l'espoir qu'ils soutiennent le projet de loi. Mais, en dépit de toutes les concessions que Kerry et Lieberman étaient prêts à consentir, Graham n'avait pas trouvé preneur au sein du GOP. Le prix à payer pour la collaboration avec mon gouvernement demeurait trop élevé.

D'ailleurs, le travail de Graham sur le projet de loi commençait à lui attirer les foudres de ses électeurs comme de la presse conservatrice. Ses exigences pour rester avec nous étaient de plus en plus grandes, et Kerry avait du mal à retenir les associations écologistes de claquer la porte. Même l'annonce que nous entamions les démarches d'ouverture de nouvelles zones de forage avait fait hurler Graham : au lieu d'y voir une marque de bonne volonté, il s'était plaint de ce que nous lui coupions l'herbe sous le pied en le privant d'un levier de négociation crucial. Des rumeurs avaient commencé à insinuer qu'il attendait le bon moment pour quitter le navire.

Tout cela s'était produit avant l'accident de Deepwater. À présent, alors que tous les journaux télévisés diffusaient les images d'un incendie infernal sur une plateforme pétrolière, nous pouvions être certains que les associations écologistes allaient rejeter tout projet de loi développant le forage en mer. Ce qui, par ricochet, fournissait à Graham une excuse parfaite pour nous planter. J'avais beau retourner la situation dans tous les sens, j'en venais toujours à la même conclusion : mes chances, déjà maigres, de faire passer une loi sur le climat avant les élections de mi-mandat venaient de partir en fumée.

LE LENDEMAIN MATIN DE L'ACCIDENT, j'ai été quelque peu réconforté d'apprendre qu'une grande partie du pétrole libéré par l'explosion brûlait à la surface de l'océan, allégeant un peu le bilan environnemental que je redoutais. Carol m'a confirmé que les équipes d'intervention de BP et les garde-côtes américains avaient rapidement rejoint les lieux, que les opérations de recherche et de sauvetage des disparus étaient en cours, et que nous étions en contact rapproché avec les autorités locales. Selon les termes de la loi fédérale adoptée à la suite du naufrage de l'*Exxon Valdez* en 1989 en Alaska, le nettoyage du pétrole déversé incombait intégralement à BP. J'ai toutefois mobilisé les garde-côtes, ainsi que l'EPA et le département de l'Intérieur, pour évaluer les dommages et apporter à l'entreprise toute l'aide dont elle pourrait avoir besoin.

Jugeant que nous avions la situation relativement bien en main, j'ai maintenu mon emploi du temps et me suis rendu à New York le lendemain pour prononcer un discours sur la réforme de Wall Street. Mais, à mon arrivée, la catastrophe avait empiré. Fragilisée par l'incendie qui faisait toujours rage, la structure de Deepwater s'était écroulée et ses 33 000 tonnes avaient sombré, dégageant une fumée noire et endommageant sans aucun doute le socle sous-marin. Alors que les inconnues se multipliaient à toute vitesse, j'ai demandé à Rahm de préparer pour mon retour un briefing avec le commandant des garde-côtes, l'amiral Thad Allen, ainsi que Janet Napolitano et Ken Salazar, à la tête du département de l'Intérieur, chargé de superviser les opérations de forage en mer. Le seul créneau possible pour cette réunion était à 18 heures, juste après que je me serais exprimé devant les quelques centaines de personnes que nous avions invitées à une réception dans la roseraie en l'honneur du 40ᵉ Jour de la Terre.

Je n'étais pas d'humeur à relever cette ironie cosmique.

« C'est une sacrée tournée d'adieu qu'on vous offre, Thad », ai-je dit à l'amiral Allen en lui serrant la main tandis que le reste du groupe pénétrait dans le Bureau ovale. Solide, rubicond et moustachu, Allen devait prendre sa retraite un mois plus tard, après trente-neuf ans de service chez les garde-côtes.

« J'espère que nous allons réussir à remettre de l'ordre dans ce bazar avant mon départ, monsieur le Président », a-t-il répondu.

J'ai fait signe à tout le monde de s'asseoir. La tonalité s'est assombrie lorsque Allen nous a expliqué que les garde-côtes avaient peu d'espoir concernant les opérations de sauvetage – trop de temps s'était écoulé, les onze membres d'équipage manquants n'avaient pas pu survivre en haute mer. Quant au nettoyage, BP et les équipes d'intervention des garde-côtes avaient déployé des bateaux spéciaux pour « écumer » le pétrole restant à la surface de l'eau. Des avions devaient bientôt commencer à larguer des dispersants chimiques pour diviser le pétrole en gouttes plus petites. Enfin, les garde-côtes, en coopération avec BP et les États touchés, mettaient déjà en place des estacades – des barrières flottantes faites d'éponge et de plastique – pour éviter que le pétrole n'atteigne le rivage.

« Et pour la responsabilité légale, que dit BP ? » ai-je demandé à Salazar. Le cheveu rare, lunettes sur le nez, il était de nature enjouée et affectionnait les chapeaux de cow-boy et les cravates-lacets. Ken avait été élu au Sénat en 2004, la même année que moi. C'était un collègue fiable, et je m'étais dit qu'il serait parfait pour le poste de secrétaire à l'Intérieur, d'autant plus qu'il avait dirigé le département des Ressources naturelles du Colorado avant de devenir le premier procureur général hispanique de cet État. Il avait grandi dans les plaines somptueuses de la vallée de San Luis, au cœur du Colorado, où certaines branches de sa famille étaient implantées depuis les années 1850, et il connaissait intimement ce double élan d'exploiter et de préserver les terres fédérales qui avaient tant façonné l'histoire de la région.

« J'ai eu de leurs nouvelles aujourd'hui, monsieur le Président, a répondu Salazar. Ils ont confirmé qu'ils prendront en charge tout ce qui n'est pas couvert par le fonds national d'indemnisation. » C'était une bonne nouvelle. Bien que chaque compagnie ait l'obligation de nettoyer les dégâts liés à ses déversements d'hydrocarbures, le Congrès avait décrété que les dommages et intérêts qu'elle devrait verser à des tierces parties tels que les pêcheurs ou les entreprises côtières ne pourraient dépasser le montant misérable de 75 millions de dollars. En contre-partie, les compagnies pétrolières devaient abonder un fonds commun servant à couvrir les dégâts jusqu'à un milliard de dollars. Mais Carol nous avait déjà prévenus que, si la marée noire n'était pas maîtrisée, cela ne suffirait probablement pas. En obtenant dès à présent que BP s'engage à payer la différence, nous pourrions au moins assurer aux États touchés que leur population serait dédommagée.

À la fin de la réunion, j'ai demandé à tous de me tenir informé des prochains développements et je leur ai rappelé de mettre à contri-bution toutes les ressources fédérales disponibles pour atténuer l'impact économique et environnemental de la catastrophe. Tandis que je les raccompagnais à la porte, j'ai remarqué que Carol était pensive. Je lui ai proposé de rester un instant pour parler en privé.

« Est-ce qu'on a omis quelque chose ? lui ai-je demandé.

– Pas vraiment, a répondu Carol. J'ai juste l'impression qu'on ferait mieux de se préparer au pire.

– Comment ça ? »

Elle a haussé les épaules. « D'après BP, le puits ne devrait pas fuir. Si on a de la chance, c'est ce qui va se passer. Mais on parle d'un tube d'un kilomètre et demi de long qui descend jusqu'à un puits au fond de l'océan. Donc je doute qu'ils soient sûrs de quoi que ce soit.

– Et s'ils se trompent ? S'il y a une fuite sous la surface ?

– S'ils ne réussissent pas à sceller le puits rapidement, a dit Carol, alors on va avoir un vrai cauchemar sur les bras. »

MOINS DE DEUX JOURS PLUS TARD, les peurs de Carol ont été confirmées. Macondo a commencé à libérer son pétrole – et pas au compte-gouttes. Dans un premier temps, les ingénieurs de BP ont identifié que la fuite provenait d'une cassure du tube qui s'était produite au moment où la plateforme avait coulé et qui, selon leurs estimations, déversait chaque jour l'équivalent d'un millier de barils dans le Golfe. Le 28 avril, des caméras sous-marines ont découvert deux nouvelles fuites, et les estimations sont montées à 5 000 barils par jour. En surface, la nappe avait désormais une superficie d'environ 1 500 kilomètres carrés et se rapprochait dangereusement des côtes de la Louisiane, empoisonnant les poissons, les dauphins et les tortues, et menaçant de causer des dégâts durables aux bayous, estuaires et criques qui constituaient l'habitat de nombreux animaux.

Plus alarmant encore, BP ne semblait pas savoir combien de temps il faudrait pour boucher le puits. La compagnie envisageait diverses possibilités : utiliser des véhicules commandés à distance pour réparer le bloc obturateur, combler le trou avec de la gomme ou un autre matériau, placer un dôme de confinement au-dessus du puits de façon à canaliser le pétrole vers la surface où il serait recueilli, ou encore creuser des puits transversaux et y couler du béton pour bloquer l'afflux de pétrole. Cependant, d'après nos experts, rien ne garantissait que les trois premières options fonctionnent, et la quatrième risquait de prendre « plusieurs mois ». Vu la vitesse à laquelle jaillissait le pétrole, la fuite pourrait alors s'élever à 86 millions de litres, soit environ 70 % de plus que l'*Exxon Valdez*.

Soudain, nous faisions face à ce qui s'annonçait comme la pire catastrophe environnementale de l'histoire des États-Unis.

Nous avons nommé Thad Allen commandant des interventions, imposé un moratoire de trente jours sur les nouveaux forages en mer ainsi qu'une interdiction de pêcher dans la zone contaminée, et déclaré le désastre de Macondo « catastrophe d'importance nationale ». Le gouvernement fédéral est intervenu pour coordonner l'action de nombreuses entités administratives, auxquelles s'ajoutaient des volontaires civils. Bientôt, plus de 2 000 personnes s'activaient jour et nuit pour contenir la marée noire, avec une armada de 75 bâtiments, dont des remorqueurs, des barges et des écumeurs, plus des dizaines d'avions et 83 kilomètres de barrières flottantes. J'ai envoyé Napolitano, Salazar et Lisa Jackson, de l'EPA, pour surveiller le travail, et dit à Valerie que je voulais qu'elle s'entretienne tous les jours avec les gouverneurs de la Louisiane, de l'Alabama, du Mississippi, du Texas et de la Floride (qui se trouvaient être cinq républicains) pour leur demander ce que nous pouvions faire de plus.

« Et dis-leur que, s'ils ont un problème, je veux être mis au courant directement. Je veux qu'on soit tellement présents et réactifs qu'ils en auront marre de nous avoir au téléphone. »

Il n'est pas exagéré de dire que, le 2 mai, lorsque j'ai visité un poste des garde-côtes à Venice, en Louisiane, afin d'observer les opérations de plus près, nous avions mis toutes nos forces dans la bataille. Comme c'était le cas pour la plupart de mes déplacements, mon but n'était pas tant de recueillir de nouvelles informations que de transmettre notre sollicitude et notre détermination. Après une déclaration à la presse sous une pluie battante, j'ai discuté avec un groupe de pêcheurs qui avaient été engagés par BP pour disposer des barrières sur le trajet de la nappe de pétrole ; sans surprise, ils redoutaient les conséquences à long terme de cette marée noire sur leur mode de subsistance.

Ce jour-là, j'ai aussi passé un long moment avec Bobby Jindal, un ancien parlementaire et expert des politiques de santé sous le gouvernement Bush qui avait tiré profit de son conservatisme acéré pour devenir le premier gouverneur indo-américain du pays. Intelligent et ambitieux, âgé de moins de 40 ans, Jindal était considéré comme une des étoiles montantes du GOP, et c'est lui qui avait été choisi pour prononcer la réponse de son parti à mon premier discours devant le Congrès réuni. Mais l'accident de Deepwater, qui menaçait des secteurs vitaux pour la Louisiane, comme le commerce des fruits de mer et le tourisme, le plaçait dans une position délicate, car, à l'instar de la majorité des politiciens républicains, il défendait ardemment les super-majors du pétrole et s'opposait avec la même vigueur au durcissement des normes environnementales.

Cherchant à devancer un revirement de l'opinion publique, Jindal a consacré une grande partie de notre entretien à me présenter son projet de construction d'une île barrière – une berme – le long d'une partie du littoral louisianais. Il me certifiait que, de cette façon, la marée noire n'atteindrait pas les côtes.

« On a déjà les prestataires pour la fabriquer », m'a-t-il dit. Il paraissait confiant, presque trop sûr de lui, mais ses yeux sombres trahissaient une méfiance, voire une souffrance, même quand il souriait. « Nous avons seulement besoin que vous nous aidiez à obtenir l'approbation du génie militaire, et que BP la finance. »

J'avais déjà eu vent de cette idée de berme ; d'après les premières évaluations de nos experts, elle était irréalisable, chère et potentiel-lement contre-productive. Je soupçonnais Jindal de le savoir aussi bien que moi. Sa proposition était surtout un geste politique, un moyen de paraître actif tout en esquivant les questions plus générales soulevées par la marée noire à propos des dangers des forages en haute mer. Toutefois, vu l'ampleur de la crise, je ne voulais pas qu'on me voie rejeter d'emblée cette idée, et j'ai promis au gouverneur que le génie se pencherait au plus vite sur son projet.

La météo étant trop mauvaise pour faire décoller Marine One, nous avons passé presque toute la journée en voiture. Assis à l'arrière du SUV, je regardais défiler la membrane irrégulière de végétation, boue, vase et marécages qui tapissait les berges du fleuve Mississippi jusqu'au golfe du Mexique. Depuis des siècles, les humains se battaient contre ce paysage ancien pour le plier à leur volonté, comme Jindal proposait à présent de le faire avec sa berme : ils élevaient des digues et des barrages, creusaient des fossés et des écluses, construisaient des ports, des ponts, des routes et des autoroutes pour les besoins de leur commerce et de leur expansion, et ils les reconstruisaient après chaque ouragan, après chaque crue, sans se laisser démonter par les marées implacables. J'ai songé qu'il y avait dans cette obstination une certaine noblesse, une manifestation de l'esprit entreprenant qui avait bâti l'Amérique.

Mais, face à l'océan et au puissant fleuve qui s'y jetait, les victoires des ingénieurs étaient toujours éphémères, et leur maîtrise illusoire. La Louisiane perdait plus de 4 000 hectares de terre chaque année, à mesure que le réchauffement climatique faisait monter le niveau des eaux et augmentait la violence des ouragans dans le Golfe. Entre les dragages, la construction de digues et les déviations constantes du cours du Mississippi afin de faciliter le passage des bateaux, il y avait moins de sédiments qui descendaient de l'amont pour se substituer aux terres perdues. Cette activité qui avait fait de la région une plaque tournante pour le commerce et faisait prospérer l'industrie pétrolière accélérait désormais la progression régulière des eaux. Tandis que je regardais par la vitre zébrée de pluie, je me suis demandé combien de temps il faudrait pour que la route sur laquelle je roulais, bordée de stations-service et de supérettes, soit à son tour engloutie par les vagues.

UN PRÉSIDENT n'a pas le choix, il doit être en permanence sur tous les fronts. (« Tu me fais penser aux acrobates qui font tourner des assiettes sur des bâtons », m'a dit un jour Michelle.) Al-Qaida n'allait pas déclarer une trêve parce qu'il y avait une crise financière ; un tremblement de terre dévastateur à Haïti n'allait pas choisir son moment pour éviter que les opérations de secours ne chevauchent un sommet sur la sécurité nucléaire que je devais présider. C'est pourquoi, malgré le stress causé par la catastrophe de Deepwater, je m'efforçais de ne pas me laisser consumer. Au cours des semaines suivant mon déplacement en Louisiane, j'ai gardé un œil attentif sur notre action en m'appuyant sur mes briefings quotidiens détaillés, sans pour autant délaisser les dix ou douze autres dossiers urgents qui exigeaient mon attention.

J'ai visité une usine à Buffalo pour évoquer la reprise économique et continué à travailler avec une commission bipartite sur les moyens de stabiliser le déficit américain. Il y a eu les coups de téléphone à Merkel au sujet de la Grèce et à Medvedev pour la ratification du START, une visite officielle du président mexicain Felipe Calderón centrée sur la coopération frontalière, et un déjeuner de travail avec le président afghan Hamid Karzaï. En plus des habituels points sur les menaces terroristes, des réunions stratégiques avec mon équipe économique et d'une flopée de devoirs protocolaires, j'ai fait passer des entretiens pour le siège qui venait de se libérer à la Cour suprême depuis que le juge John Paul Stevens avait annoncé son départ à la retraite début avril. J'ai jeté mon dévolu sur Elena Kagan, une jeune et brillante avocate générale, ancienne doyenne de la fac de droit de Harvard, qui, tout comme la juge Sotomayor, sortirait relativement indemne des auditions devant le Sénat et serait intronisée quelques mois plus tard.

Mais, quel que soit le nombre d'assiettes que je faisais tourner en même temps, tous les jours mon esprit était ramené à la marée noire de

Deepwater. À condition de ne pas trop entrer dans les détails, je pouvais me raconter qu'il y avait un *léger* progrès. BP était parvenu à colmater la plus petite des trois fuites en envoyant des robots poser une valve sur le tube percé. L'amiral Allen avait apporté un semblant d'ordre aux opérations de nettoyage en surface qui, à la mi-mai, mobilisaient un millier de navires et presque 20 000 ouvriers de BP, membres des garde-côtes et de la garde nationale, pêcheurs et volontaires. Valerie effectuait un excellent suivi auprès des gouverneurs des cinq États menacés par la marée noire, à tel point que, malgré leur affiliation politique, la plupart ne disaient que du bien de l'action fédérale. (« Je suis devenue super copine avec Bob Riley », m'a dit Valerie avec un sourire, en parlant du gouverneur républicain de l'Alabama.) L'unique exception était le gouverneur Jindal ; Valerie m'a rapporté que, en plusieurs occasions, il avait demandé l'aide de la Maison-Blanche sur tel ou tel point, avant de publier dix minutes plus tard un communiqué de presse pour nous reprocher de ne pas nous occuper de la Louisiane.

Malgré tout cela, le pétrole continuait à se répandre. Les robots de BP ne pouvaient pas fermer l'obturateur bloqué, ce qui laissait les deux principales ouvertures béantes. Les premières tentatives de la compagnie pour placer un dôme de confinement sur les fuites avaient également échoué à cause des températures glaciales qui règnent à ces profondeurs. Il apparaissait de plus en plus évident que BP ne voyait pas très bien comment s'y prendre – pas davantage que les agences fédérales ordinairement chargées des déversements d'hydrocarbures. « Nous avons l'habitude des naufrages de pétroliers ou des pipelines qui cassent, m'a expliqué l'amiral Allen. Mais essayer de reboucher un puits à plus d'un kilomètre sous la surface… c'est pratiquement une mission spatiale. »

L'analogie était pertinente, c'est pourquoi je me suis tourné vers Steven Chu. Malgré son titre, le secrétaire à l'Énergie n'est pas compétent sur les questions de forages pétroliers. Nous ne risquions toutefois rien à associer à notre réflexion un physicien nobélisé, et c'est pourquoi, après la découverte des fuites sous-marines, nous avons demandé à Chu de briefer l'équipe sur les aspects scientifiques à prendre en compte pour les colmater. Bien que Carol l'ait explicitement prié de faire court, son exposé en salle de crise a été deux fois plus long que le temps imparti et comportait trente *slides*. Presque tous les participants ont décroché après la cinquième. Au lieu de gâcher l'intelligence de Chu devant un public comme le nôtre, je lui ai demandé de se rendre à Houston, où l'équipe d'intervention de BP avait installé son camp de base, pour travailler avec les ingénieurs sur une possible solution.

Pendant ce temps, le vent de l'opinion commençait à tourner. Les premières semaines, c'était surtout BP qui avait pris les coups. Au-delà de la méfiance généralisée des Américains envers les compagnies pétrolières, le PDG de BP, Tony Hayward, était un *bad buzz* ambulant, capable de déclarer à la presse que cette fuite représentait une quantité de pétrole « assez petite » dans « un très grand océan », soutenant dans une autre interview qu'il était plus impatient que n'importe qui de voir ce trou rebouché parce que « j'aimerais bien retrouver une vie normale », et incarnant à peu près tous les stéréotypes du patron de multinationale arrogant et déconnecté. (Son absence de finesse m'a rappelé que BP – autrefois British Petroleum – était au départ l'Anglo-Persian Oil Company : celle-là même dont le refus de partager les recettes pétrolières avec le gouvernement iranien dans les années 1950 avait mené au coup d'État qui avait ouvert la voie à la révolution islamique.)

Mais, après le trentième jour de crise, l'attention s'était progressivement déplacée sur une possible responsabilité de mon gouvernement dans tout ce bourbier. Les articles de presse et les auditions parlementaires l'attribuaient notamment à plusieurs exemptions des normes de sécurité et recommandations environnementales accordées à BP par le MMS, la sous-agence rattachée au département de l'Intérieur qui délivrait les licences de forage, collectait les royalties et supervisait les opérations dans les eaux fédérales. Les exemptions octroyées à BP pour le puits Macondo n'avaient rien d'inhabituel ; en matière de gestion des risques, le MMS avait tendance à ignorer les recommandations de ses scientifiques et ingénieurs pour s'en remettre aux experts des compagnies, censément plus au fait des dernières procédures et technologies.

Bien entendu, c'est exactement de là que venait le problème. Avant mon entrée en fonction, nous avions déjà entendu parler de la connivence du MMS avec les compagnies pétrolières et de sa désinvolture réglementaire – notamment par un scandale qui avait fait beaucoup de bruit vers la fin de la présidence de Bush et qui mêlait pots-de-vin, drogues et faveurs sexuelles –, et nous avions promis de le réformer. D'ailleurs, dès que Ken Salazar avait pris la main sur le département de l'Intérieur, il s'était empressé de donner un bon coup de balai. Mais il n'avait pas eu le temps ni les moyens nécessaires pour réorganiser le MMS de fond en comble afin de lui permettre de réguler efficacement un secteur d'un tel poids financier et d'une telle complexité technique.

Je ne pouvais pas vraiment le lui reprocher. Corriger les pratiques et la culture d'une agence gouvernementale est une tâche difficile, rarement accomplie en quelques mois. Nous avions des problèmes semblables dans les agences affectées au système financier, où des régulateurs surmenés et sous-payés avaient toutes les peines du monde à suivre l'évolution et la sophistication constantes des organismes financiers internationaux. Mais cela n'enlevait rien au fait que personne dans mon équipe ne m'avait averti qu'il y avait encore de sérieux problèmes au MMS avant de me recommander de valider le plan proposé par l'Intérieur pour ouvrir de nouvelles zones de forage. Et, de toute façon, en pleine crise, personne ne voulait entendre parler d'augmenter le budget des agences fédérales. Ni d'augmenter le salaire des fonctionnaires pour améliorer la gestion de ces agences et accroître leur compétitivité salariale, de sorte à y attirer les talents. L'opinion voulait seulement savoir qui avait autorisé BP à creuser un trou à 5,5 kilomètres sous la surface de l'océan sans savoir comment le reboucher – et la conclusion, c'était que nous avions laissé faire.

Si les interrogations sur le MMS agitaient la presse, l'opinion publique, elle, a vraiment basculé fin mai quand BP a décidé – avec mon approbation, dans une optique de transparence – de diffuser en temps réel les images des fuites saisies par ses caméras. Les premiers plans sur l'incendie de Deepwater avaient été largement repris. Mais ceux de la nappe elle-même – principalement des plans aériens, de vagues zébrures écarlates sur le bleu-vert de l'océan – n'avaient pas réussi à rendre compte du désastre potentiel. Même les vagues lustrées par le pétrole et les boulettes d'hydrocarbure qui s'échouaient sur les côtes de l'Alabama et de la Louisiane ne donnaient pas des images très saisissantes – d'autant que, après des décennies de forages maritimes, les eaux du Golfe étaient de toute façon loin d'être cristallines.

Ce sont les images sous-marines qui ont changé la donne. Tout à coup, le monde entier a pu voir le pétrole jaillir des décombres en épaisses colonnes. Parfois il était jaune sulfureux, parfois marron ou noir, en fonction de l'éclairage des caméras. Ses panaches tourbillonnants avaient quelque chose de puissant, menaçant, qui évoquait des émanations infernales. Les chaînes d'information en continu ont commencé à diffuser ces images sans interruption dans un coin de l'écran, assorties d'un compteur rappelant aux téléspectateurs le nombre de jours, d'heures, de minutes et de secondes écoulés depuis le début de la crise.

Ces vidéos semblaient corroborer les calculs de nos analystes, menés indépendamment de BP : contrairement aux estimations initiales, les fuites ne laissaient pas échapper 5 000 barils par jour, mais entre quatre et dix fois plus. Pourtant, davantage que ces chiffres terrifiants, ce sont les images sous-marines – ainsi que la soudaine recrudescence des reportages montrant des pélicans couverts de pétrole – qui ont ancré la crise dans les esprits. Des personnes qui jusque-là ne s'intéressaient pas particulièrement à la marée noire voulaient tout à coup savoir pourquoi nous ne faisions rien pour l'arrêter. Chez son dentiste, Salazar s'est retrouvé contraint de regarder ces images sur une télé fixée au plafond tout en se faisant dévitaliser une dent. Les républicains qualifiaient la marée noire de « Katrina d'Obama », et les démocrates n'ont pas tardé à se joindre à la curée – en premier lieu James Carville, ancien conseiller de Clinton et Louisianais de toujours qui, invité à la matinale « Good Morning America », a descendu notre action en flèche et dirigé tout particulièrement ses critiques contre moi : « Il faut que vous veniez ici et que vous preniez les choses en main ! Mettez quelqu'un aux manettes et bougez-vous ! » Un petit garçon handicapé de 9 ans qui visitait le Bureau ovale grâce à la fondation Make-A-Wish m'a prévenu que, si je n'arrêtais pas rapidement cette fuite, j'allais « avoir de gros problèmes politiques ». Même Sasha est entrée un matin dans la salle de bains pendant que je me rasais pour me demander : « Ça y est, Papa, t'as bouché le trou ? »

À mes yeux, ces noirs tourbillons de pétrole ont fini par symboliser la succession de crises que nous traversions. Ils me paraissaient même presque vivants, des présences malveillantes qui me narguaient. Jusque-là, dans l'exercice de la présidence, j'avais réussi à me raccrocher à la certitude que, quoi qu'il arrive, face aux banques, aux constructeurs automobiles, à la Grèce ou à l'Afghanistan, une réflexion bien menée et des choix intelligents me conduiraient toujours à la solution. Mais, dans le cas présent, j'avais beau tanner BP et mon équipe, organiser des réunions en salle de crise et étudier des données et des graphiques comme si nous préparions une guerre, aucune solution ne m'apparaissait. Et, du fait de ce sentiment d'impuissance temporaire, une pointe d'amertume a commencé à s'insinuer dans ma voix – une amertume qui, je le savais, accompagnait le doute.

« Qu'est-ce qu'il veut que je fasse ? ai-je grogné à l'intention de Rahm après avoir entendu la tirade de Carville. Que j'enfile mon putain de costume d'Aquaman et que j'aille donner un coup de clé à molette ? »

Le chœur des détracteurs a atteint son paroxysme lors de la conférence de presse du 27 mai à la Maison-Blanche, où j'ai essuyé un feu roulant de questions sur la marée noire pendant environ une heure. J'ai énuméré point par point tout ce que nous avions fait depuis l'explosion de la plateforme et décrit les complexités techniques des diverses méthodes mises en œuvre pour boucher le puits. J'ai admis l'existence de problèmes au sein du MMS, ainsi que ma confiance excessive dans la capacité de compagnies comme BP à se prémunir contre les risques. J'ai annoncé la constitution d'une commission nationale pour étudier les dégâts et chercher les moyens de prévenir des accidents futurs, et j'ai une fois de plus rappelé l'importance d'une démarche de long terme visant à diminuer la dépendance de l'Amérique aux énergies fossiles et polluantes.

En lisant la transcription aujourd'hui, dix ans plus tard, je me trouve étonnamment calme et convaincant. Peut-être parce que l'écrit ne rend pas compte de mon état émotionnel du moment, et est loin de transmettre ce que j'avais réellement envie de dire aux journalistes rassemblés :

Que le MMS n'était pas pleinement équipé pour faire son travail, en grande partie parce que, depuis trente ans, une fraction importante de la population adhérait à l'idée républicaine selon laquelle le gouvernement est la cause de tous les problèmes et que nous ferions mieux de laisser faire les entreprises ; que cette fraction de la population élisait des dirigeants qui s'étaient donné pour mission de détricoter les réglementations environnementales, sabrer les budgets des agences, discréditer les fonctionnaires et permettre aux pollueurs industriels de faire tout ce qui leur passait par la tête.

Que l'État ne disposait pas de moyens technologiques supérieurs à ceux de BP pour reboucher ce trou parce que ces technologies auraient coûté trop cher et que les Américains n'aiment pas payer d'impôts – surtout quand il s'agit de parer à des problèmes qui ne se sont pas encore produits.

Qu'il était difficile de prendre au sérieux les critiques émanant d'un personnage comme Bobby Jindal, qui avait passé sa carrière à dérouler le tapis rouge aux supermajors du pétrole et appuierait par la suite une action en justice de ces mêmes supermajors demandant qu'une cour fédérale lève notre moratoire temporaire sur les forages ; que, si Jindal et tant d'autres élus du Golfe s'intéressaient réellement au bien-être de leurs administrés, ils auraient mieux fait de se remuer pour que leur parti cesse de nier les effets du réchauffement climatique, car les populations du Golfe étaient justement celles qui risquaient le plus de perdre leur maison à cause de la hausse des températures.

Et que le seul moyen de garantir efficacement qu'il n'y aurait plus jamais de marée noire semblable à celle-ci était d'arrêter de forer ; mais ça, c'était impossible, car au bout du compte, pour les Américains, les grosses voitures et le prix de l'essence passaient avant la préservation de l'environnement, sauf lorsqu'ils étaient confrontés à une catastrophe ; le reste du temps, il était rare que les médias relaient nos efforts pour sortir des énergies fossiles ou faire adopter la loi sur le climat, car la sensibilisation du public aux politiques énergétiques aurait été synonyme d'ennui, et donc de mauvaises audiences ; et si j'étais certain d'une chose, c'était que, malgré l'indignation soulevée par le sort des zones humides, des tortues de mer et des pélicans, dans les faits la majorité voulait juste que le problème disparaisse, que je sorte une solution simple et rapide de mon chapeau pour régler une situation qui couvait depuis des décennies, histoire que tout le monde puisse recommencer à cracher du CO_2 et à gaspiller l'énergie sans mauvaise conscience.

Je n'ai rien dit de tout cela. À la place, j'ai solennellement pris mes responsabilités et affirmé qu'il me revenait de « trouver une solution ». Ensuite, j'ai passé un savon aux membres de mon équipe de presse en leur disant que, s'ils avaient mieux expliqué tout ce que nous faisions pour endiguer la marée noire, je n'aurais pas été obligé de passer une heure à faire un numéro de claquettes tout en prenant une raclée dans les règles de l'art. Ils ont eu l'air blessés. Un peu plus tard ce soir-là, seul dans la salle des Traités, j'ai regretté mes paroles, conscient de leur avoir fait payer à tort ma colère et mon agacement

Ce n'était pas eux que je voulais envoyer au diable, mais ces satanés tourbillons de pétrole.

LA MARÉE NOIRE A CONTINUÉ à dominer l'actualité pendant six semaines. Puisque toutes nos tentatives de colmater le puits échouaient, nous compensions en mettant en scène mon implication personnelle. Je suis retourné deux fois en Louisiane et j'ai aussi fait des déplacements dans le Mississippi, en Alabama et en Floride. En collaboration avec l'amiral Allen, qui avait accepté de retarder son départ en retraite tant que cette crise ne serait pas résolue, nous sommes parvenus à satisfaire les demandes de tous les gouverneurs, y compris Jindal, avec un projet de berme revu à la baisse. Salazar a dissous le MMS par décret et réparti entre trois nouvelles agences indépendantes ses compétences en matière de prospection énergétique, normes de sécurité et collecte des recettes. J'ai annoncé la formation d'une commission bipartite chargée d'émettre des recommandations permettant d'éviter de nouvelles catastrophes. J'ai convoqué le gouvernement au grand complet pour évoquer cette crise et rendu une visite déchirante aux familles des onze membres d'équipage de Deepwater tués dans l'explosion. Je me suis même exprimé – pour la première fois de ma présidence – depuis le Bureau ovale. Ce format, qui me présentait assis à mon bureau, avait quelque chose de guindé, désuet, et tout le monde s'est accordé à dire que je n'avais pas été très bon.

La multiplication des apparitions et des annonces a eu l'effet escompté en éclipsant, à défaut de les éliminer totalement, les articles de presse négatifs. Mais ce sont deux actions entreprises plus tôt qui, en dernier ressort, nous ont permis de triompher de cette crise.

D'une part, je me suis assuré que BP tiendrait sa promesse de dédommager les tiers affectés par la marée noire. Les procédures de demande d'indemnisation obligent en général les victimes à effectuer toute une gymnastique bureaucratique, voire à prendre un avocat. Le traitement de leur demande peut ensuite durer des années, pendant lesquelles un restaurateur ou un organisateur d'excursions maritimes a tout le temps de mettre la clé sous la porte. Nous estimions que, dans le cas présent, l'aide devait parvenir plus rapidement aux victimes. Nous pensions en outre que c'était le moment le plus opportun pour faire pression sur BP : ses actions plongeaient, son image était au plus bas, le département de la Justice avait démarré une enquête pour négligence, et notre moratoire fédéral sur les forages était une source de grande incertitude pour les actionnaires.

« Est-ce que j'ai le droit d'y aller à fond pour les faire cracher ? m'a demandé Rahm.

– Fais-toi plaisir. »

Rahm s'est donc mis au boulot, harcelant, amadouant et menaçant comme lui seul en avait le secret, et, le 16 juin, lorsque je me suis assis en face de Tony Hayward et de Carl-Henric Svanberg, le président de BP, dans la salle Roosevelt, ils étaient prêts à agiter le drapeau blanc. (Hayward, qui n'a presque pas ouvert la bouche pendant ce rendez-vous, annoncerait sa démission quelques semaines plus tard.) Non seulement BP a accepté de dédommager les victimes de la marée noire à hauteur de 20 milliards de dollars, mais il a été convenu que cette somme serait placée sous séquestre et distribuée en toute indépendance par Ken Feinberg, l'avocat qui avait géré le fonds de dédommagement des victimes du 11 Septembre et surveillait les plans de rémunération des cadres dirigeants des banques aidées par le TARP. Ce fonds ne pourrait pas réparer la catastrophe environnementale, mais il allait me permettre de tenir ma promesse que les pêcheurs, les loueurs de bateaux et toutes les personnes ayant subi des pertes seraient indemnisées.

Ma seconde bonne décision avait été de me tourner vers Steven Chu. Mon secrétaire à l'Énergie, consterné par ses premiers contacts avec les ingénieurs de BP (« Ils n'ont aucune idée de ce qu'ils ont en face d'eux »), a bientôt commencé à faire la navette entre Houston et

Washington, insistant auprès de Thad Allen pour que BP « attende que j'aie tout validé avant de faire quoi que ce soit ». En un rien de temps, il a recruté une équipe de géophysiciens et d'hydrologues indépendants pour l'assister. Il a obtenu que BP recoure à l'imagerie par rayonnement gamma pour diagnostiquer la panne du bloc obturateur et installe des jauges de pression pour déterminer ce qui se passait réellement à la base du puits. Chu et son équipe ont aussi martelé que toute tentative de colmater le puits devrait être précédée d'un examen minutieux afin d'éviter de provoquer une cascade de fuites souterraines incontrôlables, et dans leur sillage une catastrophe encore plus grave.

Chu et les ingénieurs de BP ont fini par se mettre d'accord sur le principe d'un second obturateur, plus petit – un « entonnoir » –, posé sur le premier et qui arrêterait la fuite au moyen d'une série de soupapes. Mais, après examen du projet de BP – et après avoir fait exécuter des simulations par les supercalculateurs du laboratoire national de Los Alamos –, Chu a conclu qu'il ne fonctionnerait pas, et le groupe s'est rapidement remis au travail. Un jour, Axe est passé dans le Bureau ovale pour me dire qu'il venait de croiser Chu chez un traiteur, assis devant une assiette pratiquement intacte, en train de dessiner divers modèles d'obturateurs sur sa serviette en papier.

« Il a voulu essayer de m'expliquer comment ça marchait, m'a dit Axe. Je lui ai répondu que j'avais déjà assez de mal à choisir ce que j'allais prendre pour le déjeuner. »

Le produit final pesait 75 tonnes pour 10 mètres de haut et, sur demande expresse de Chu, il comprenait de multiples jauges de pression qui nous fourniraient des données capitales pour mesurer son efficacité. Quelques semaines plus tard, l'entonnoir était en place et prêt à être testé. Le 15 juillet, les ingénieurs de BP ont fermé les soupapes. Elles ont tenu. Pour la première fois depuis quatre-vingt-sept jours, Macondo avait cessé de déverser son pétrole.

Cerise sur le gâteau, une tempête tropicale se dirigeait vers le site de Macondo. Chu, Thad Allen et le directeur général de BP, Bob Dudley, devaient décider rapidement s'il fallait rouvrir les soupapes avant que les bateaux qui endiguaient le déversement et les employés de BP qui surveillaient l'intégrité de l'entonnoir partent se mettre à l'abri. S'ils avaient mal calculé la pression sous-marine, alors il y avait un risque que l'entonnoir cède et que le plancher océanique se fracture, provoquant des fuites encore plus importantes. Bien sûr, en ouvrant les soupapes, nous allions recommencer à libérer du pétrole dans le Golfe, ce qui n'enchantait personne. Après une dernière série de calculs, Chu a déclaré que le jeu en valait la chandelle et que nous devions laisser les soupapes fermées pendant le passage de la tempête.

Cette fois encore, l'entonnoir a tenu.

Il n'y a pas eu d'explosion de joie à la Maison-Blanche quand nous avons appris la nouvelle – juste un immense soulagement. Il faudrait encore deux à trois mois de procédures techniques avant que BP ne déclare Macondo définitivement fermé, et le nettoyage allait se poursuivre jusqu'à la fin de l'été. L'interdiction de pêcher a été progressivement levée et les produits du Golfe déclarés propres à la consommation. Les plages ont rouvert et, en août, j'ai emmené ma famille en Floride, à Panama City Beach, pour deux jours de « vacances », afin de relancer le tourisme dans la région. Une photo de ce voyage, prise par Pete Souza et diffusée par la Maison-Blanche, nous montre, Sasha et moi, en train de nous baigner pour signaler aux Américains que les eaux du Golfe étaient sûres. Malia ne figure pas sur la photo, car elle était alors en camp de vacances. Quant à Michelle, ainsi qu'elle me l'avait expliqué peu après mon élection : « Un de mes grands objectifs de First Lady, c'est de ne jamais être photographiée en maillot de bain. »

Par bien des aspects, nous avions évité le pire et, au cours des mois suivants, même nos détracteurs, comme James Carville, finiraient par admettre que notre action aurait mérité d'être davantage saluée pour son efficacité. Le littoral et les plages du Golfe avaient subi moins de dommages que prévu, et dès l'année suivante la région allait connaître la meilleure saison touristique de son histoire. Nous avons lancé un projet de remise en état de la côte, financé par les pénalités addition-nelles imposées à BP, qui a permis aux autorités locales et fédérales de s'attaquer aux dégradations environnementales qui avaient commencé bien avant l'explosion. Poussé par les tribunaux fédéraux, BP a même versé des dommages et intérêts en supplément du fonds de 20 milliards de dollars. Et même si le rapport préliminaire de la commission spéciale que j'avais créée a épinglé le MMS pour sa mauvaise surveillance des activités de BP sur Macondo, ainsi que notre incapacité à évaluer l'ampleur des fuites juste après l'explosion, une fois l'automne venu, la presse et l'opinion étaient passées à autre chose.

Pourtant, je restais hanté par les images de ces panaches de pétrole jaillissant d'une terre fendue dans les profondeurs spectrales de la mer. Des experts gouvernementaux m'ont expliqué qu'il nous faudrait des années pour prendre toute la mesure de la marée noire de Deepwater. Les estimations les plus fiables concluaient que Macondo avait libéré au moins quatre millions de barils dans la mer, dont les deux tiers au moins avaient brûlé, avaient été captés ou encore dispersés. Ce qu'était devenu le reste, les dégâts qu'il avait infligés à la faune et à la flore, la proportion qui descendrait se poser sur le plancher océanique, et les effets durables sur l'économie du Golfe… tout cela, nous ne le saurions pas avant des années.

Ce qui était très clair, en revanche, c'était l'impact politique de cette marée noire. La crise derrière nous et les élections de mi-mandat se profilant à l'horizon, nous nous sentions prêts à communiquer un optimisme prudent – à déclarer que le pays entrait enfin dans une nouvelle phase et à mettre l'accent sur le travail accompli depuis seize mois pour améliorer concrètement la vie des Américains. Mais tout ce que voyaient les électeurs, c'était qu'une nouvelle calamité s'était abattue et que le gouvernement avait été incapable d'y faire face. J'ai demandé à Axe quelle chance il donnait aux démocrates de conserver le contrôle de la Chambre des représentants. Il m'a regardé comme si je me fichais de lui.

« On est foutus », m'a-t-il répondu.

Dès le jour de mon entrée en fonction, nous savions que les élections de mi-mandat seraient rudes. Historiquement, le parti à la Maison-Blanche perd presque toujours des sièges après ses deux premières années en place, car une partie au moins des électeurs trouve des raisons d'être déçue. Le taux de participation est aussi bien plus faible à la mi-mandat, et – du fait notamment d'une longue histoire de discrimination électorale, ainsi que des procédures alambiquées encore en vigueur dans de nombreux États qui rendaient l'accès aux urnes bien trop difficile – cette baisse était la plus forte chez les jeunes, les classes populaires et les minorités, trois groupes plutôt enclins à voter démocrate.

Tout cela nous aurait déjà compliqué la tâche si nous avions connu un climat de paix et de prospérité relatives. Or, bien entendu, ce n'était pas le cas. Malgré une reprise de l'embauche, le taux de chômage est resté bloqué autour de 9,5 % en juin et en juillet 2010, parce que les collectivités locales, prises à la gorge, continuaient à licencier des fonctionnaires. Au moins une fois par semaine, je me réunissais avec mon équipe économique dans la salle Roosevelt pour tenter d'imaginer des plans de relance complémentaires que plusieurs sénateurs républicains ne pourraient rejeter sans se couvrir de honte. Mais, au-delà d'une extension des prestations de l'assurance chômage d'urgence, consentie à contrecœur avant l'ajournement de la séance parlementaire en août, McConnell a dans l'ensemble réussi à maintenir son groupe dans les clous.

« Ça me fait de la peine de l'avouer, m'a dit un sénateur républicain venu à la Maison-Blanche pour une autre raison, mais plus les gens sont mécontents en ce moment, mieux on se porte. »

Le vent de l'économie n'était pas le seul à souffler contre nous. Les sondages donnaient habituellement l'avantage aux républicains sur les questions de sécurité nationale, et depuis mon entrée en fonction, le GOP cherchait à renforcer cette avance, ne laissant jamais passer l'occasion d'accuser mon gouvernement d'être faible sur les questions de défense et trop gentil avec les terroristes. En général, ces attaques tombaient à l'eau : les électeurs avaient beau être désabusés par ma politique économique, ils continuaient à me donner de bonnes notes en sécurité. Ces chiffres s'étaient maintenus après l'attentat de Fort Hood et celui, avorté, de Noël ; ils sont même restés à peu près inchangés quand, en mai 2010, un homme du nom de Faisal Shahzad – un citoyen américain naturalisé qui avait passé toute sa jeunesse au Pakistan et avait été entraîné par les talibans pakistanais – a tenté sans succès de faire exploser une voiture piégée en plein Times Square.

Mais les 180 000 soldats toujours déployés sur des fronts étrangers ont pesé sur les élections de mi-mandat. Et même si nous entrions dans la dernière phase du retrait d'Irak, le retour des dernières unités de combat étant prévu pour le mois d'août, les affrontements estivaux en Afghanistan laissaient présager une hausse douloureuse du nombre de victimes américaines. J'avais été impressionné par la manière dont Stanley McChrystal avait commandé les forces de la coalition : les troupes supplémentaires dont j'avais autorisé l'envoi avaient aidé à reprendre une partie du territoire aux talibans, l'entraînement de l'armée afghane progressait rapidement, et McChrystal avait même réussi à convaincre le président Karzaï de s'aventurer hors de son palais pour aller au contact de la population qu'il prétendait représenter.

Mais chaque rencontre avec les militaires soignés à l'hôpital Walter Reed et à celui de Bethesda me rappelait le coût terrible d'avancées aussi marginales. Alors que mes premières visites duraient généralement une heure, désormais, les hôpitaux se remplissant, j'y passais le plus souvent le double. Une fois, j'ai découvert dans une chambre un homme victime d'un engin explosif improvisé, sa mère à son chevet. D'épaisses sutures couraient tout le long de son crâne en partie rasé ; il avait perdu l'œil droit, semblait partiellement paralysé et avait un bras gravement blessé pris dans un bandage. D'après le médecin qui m'a exposé son dossier avant que je pousse la porte, il avait passé trois mois dans le coma. Il souffrait de lésions cérébrales permanentes et venait de subir une opération de reconstruction crânienne.

« Cory, le président est là », a dit la mère du jeune homme d'une voix encourageante. Il ne pouvait pas parler, mais il a réussi à m'adresser un petit sourire et un salut de la tête.

« Ravi de vous rencontrer, Cory, ai-je dit en serrant doucement sa main mobile.

– En fait, vous vous êtes déjà rencontrés, a précisé sa mère. Regardez. » Elle a montré du doigt une photo scotchée au mur et, en m'approchant, je me suis vu entouré par un groupe de Rangers souriants. J'ai alors compris que ce soldat blessé était le sergent de première classe Cory Remsburg, le fougueux parachutiste avec qui j'avais discuté moins d'un an plus tôt lors de la commémoration du débarquement allié en Normandie. Celui qui m'avait annoncé qu'il repartait en Afghanistan pour son dixième déploiement.

« Mais oui… Cory », ai-je fait en me retournant vers sa mère. Ses yeux m'ont pardonné de ne pas avoir reconnu son fils. « Comment est-ce que vous vous sentez ?

– Montre-lui comment tu te sens, Cory », a dit sa mère.

Lentement, avec effort, il a haussé le bras et levé le pouce en l'air. Visiblement secoué, Pete nous a pris en photo tous les deux.

Le sort de Cory et de tant d'autres comme lui n'occupait sans doute pas l'esprit des électeurs autant que le mien. Depuis la fin du service militaire et la professionnalisation de l'armée dans les années 1970, les Américains étaient moins nombreux à avoir des parents, des amis ou des voisins sous les drapeaux. Mais, pour autant, dans un pays déjà épuisé, toutes ces pertes humaines semaient le doute quant à la direction prise par une guerre qui, de plus en plus, semblait interminable. Cette incertitude a encore empiré en juin, lorsqu'un long portrait de Stanley McChrystal est paru dans *Rolling Stone*.

L'article, intitulé « The Runaway General » (le général en roue libre), se montrait très critique à l'égard de la politique américaine et suggérait que le Pentagone m'avait dupé en me persuadant de m'acharner pour une cause perdue. Mais ça, ce n'était pas nouveau. Ce qui captivait Washington, c'étaient toutes les scènes auxquelles le journaliste avait pu assister et le tombereau de remarques acerbes que McChrystal et son équipe déversaient sur des alliés, des élus et des membres de mon gouvernement. Dans un passage, McChrystal et un conseiller réfléchissent en plaisantant à ce qu'ils pourraient répondre si on les interrogeait sur le vice-président Biden. (« Vous voulez qu'on parle du vice-président Biden ? » cite l'article. « C'est qui, ça ? » À quoi le conseiller répond : « Joe Biden ? Joe Bidon, oui. ») Ailleurs, McChrystal se plaint d'être obligé de dîner avec un ministre français à Paris (« Je préférerais encore me faire casser la gueule ») et râle devant un e-mail de Richard Holbrooke, conseiller spécial de Hillary et diplomate aguerri (« J'ai même pas envie de l'ouvrir »). Et, bien que je sois plutôt épargné par les moqueries, un collaborateur de McChrystal fait observer que son patron a été déçu par notre rendez-vous précédant sa nomination en tant que commandant de la coalition, et suggère que j'aurais dû accorder davantage d'attention au général.

Au-delà du fait que cet article allait fatalement faire naître des rancœurs – et raviver au sein de l'équipe afghane des dissensions que j'espérais enterrées –, il donnait de McChrystal et de son entourage l'image d'une bande d'étudiants arrogants. Je n'osais pas imaginer la réaction des parents de Cory Remsburg s'ils tombaient sur cet article.

« Je ne sais pas ce qui lui est passé par la tête, m'a dit Gates pour tenter de limiter la casse.

– Rien du tout, ai-je dit. Il s'est fait avoir. »

Mon staff m'a demandé ce que je comptais faire. J'ai répondu que ma décision n'était pas encore prise, mais que, en attendant, je voulais que McChrystal soit dans le prochain vol pour Washington. Au début, je comptais laisser le général s'en tirer avec un blâme – et pas uniquement parce que Bob Gates soutenait que nul ne mènerait mieux que lui l'effort de guerre. Je savais que, si mes conversations avec mes proches collaborateurs avaient été enregistrées, nous n'en serions sans doute pas non plus sortis grandis. Et même si, par imprudence ou vanité, McChrystal et son entourage avaient commis une erreur épouvantable en s'exprimant de la sorte devant un journaliste, chacun à la Maison-Blanche avait déjà dit dans un micro des choses qu'il aurait dû taire. Puisque je n'avais pas viré Hillary, Rahm, Valerie ou Ben pour avoir eu un jour la langue un peu trop bien pendue, je n'allais pas traiter McChrystal différemment.

Mais les vingt-quatre heures suivantes m'ont amené à penser que son cas était bel et bien différent. Comme tous les commandants militaires se plaisaient à me le rappeler, les forces armées des États-Unis reposaient sur une discipline stricte, des codes de conduite clairs, la cohésion de leurs unités et des chaînes de commandement rigoureuses. Parce que les enjeux étaient toujours plus élevés. Parce que les comportements individualistes et les erreurs personnelles avaient des conséquences plus graves qu'un moment de gêne ou un manque à gagner. Des vies étaient en jeu. Un caporal ou un capitaine dénigrant ses supérieurs dans des termes aussi explicites aurait écopé d'une sanction sévère. Il me semblait donc nécessaire que les mêmes règles s'appliquent à un général quatre étoiles, peu importe ses qualités, son courage ou ses décorations.

Cette exigence de responsabilité et de discipline s'étendait au contrôle de l'armée par la société civile – un élément que j'avais rappelé dans le Bureau ovale à Gates et à Mullen, visiblement sans grand effet. Dans le fond, j'admirais l'esprit rebelle de McChrystal, son mépris pour le simulacre et toute autorité qu'il estimait imméritée. Cela faisait de lui sans aucun doute un meilleur chef, et expliquait la loyauté farouche que lui vouaient les troupes qu'il commandait. Mais, dans l'article de *Rolling Stone*, j'avais retrouvé chez ses conseillers et lui le sentiment d'impunité qui régnait chez certains haut gradés pendant les années Bush : l'idée que, une fois la guerre commencée, ceux qui se battent doivent bénéficier d'un blanc-seing absolu, et les politiciens se contenter de leur donner ce qu'ils demandent, puis débarrasser le plancher. C'était une façon de voir séduisante, surtout exprimée par un homme du calibre de McChrystal. Mais elle menaçait de saper un principe fondateur de notre démocratie représentative, et j'étais déterminé à y mettre fin.

C'est par une matinée chaude et lourde que McChrystal et moi nous sommes enfin retrouvés seuls dans le Bureau ovale. Il paraissait assagi et serein. À sa décharge, il n'a pas essayé de se justifier. Il n'a pas prétendu que les citations étaient fausses ou sorties de leur contexte. Il m'a simplement présenté ses excuses et sa démission. Je lui ai expliqué pourquoi, malgré l'admiration et la reconnaissance que j'avais pour lui et ses états de service, j'avais décidé de l'accepter.

Après son départ, j'ai tenu une conférence de presse dans la roseraie pour exposer les raisons de ma décision et annoncer que le général David Petraeus allait prendre le commandement des forces de la coalition en Afghanistan. C'est Tom Donilon qui avait eu l'idée de le promouvoir à ce poste. Non seulement Petraeus était le chef militaire le plus connu et respecté du pays, mais il avait dirigé le commandement central et connaissait donc sur le bout des doigts notre stratégie en Afghanistan. La nouvelle n'aurait pu être mieux accueillie étant donné les circonstances. Malgré tout, à la fin de la conférence de presse, j'étais furieux. J'ai demandé à Jim Jones de convoquer sur-le-champ tous les conseillers en sécurité nationale. La réunion n'a pas duré longtemps.

« Je vous annonce officiellement que j'en ai ma claque, ai-je dit en haussant progressivement le ton. Je ne veux plus lire le moindre commentaire sur McChrystal dans la presse. Je ne veux plus de blabla, plus de rumeurs, et plus de coups de poignard dans le dos. Ce que je veux, c'est que tout le monde se mette au boulot. Et s'il y en a parmi vous qui ne sont pas capables de travailler en équipe, alors pour eux aussi ça va être la porte. Je ne plaisante pas. »

On aurait entendu une mouche voler. J'ai tourné les talons et je suis parti, suivi par Ben ; il était apparemment prévu que nous travaillions ensemble sur un discours.

« J'aimais bien Stan, ai-je dit plus doucement pendant que nous marchions.

– Vous n'aviez pas vraiment le choix, a répondu Ben.

– Je sais. Mais ce n'est pas plus facile à digérer pour autant. »

MÊME SI LE RENVOI DE MCCHRYSTAL a fait les gros titres (et renforcé la conviction de ses fidèles au GOP que je n'étais pas à ma place en tant que commandant en chef), ce n'était pas le type d'information qui allait nécessairement influencer une élection. La mi-mandat approchant, les républicains se sont donc rabattus sur une question de sécurité nationale qui intéressait davantage les électeurs. Il se trouve qu'une bonne majorité des Américains n'était pas à l'aise avec le fait que les personnes accusées de terrorisme soient jugées sur le sol américain par des cours pénales ordinaires. En fait, la plupart des gens n'étaient pas spécialement attachés à l'idée qu'elles aient tout simplement le droit à un procès, encore moins contradictoire et équitable.

Nous l'avions pressenti très tôt, quand nous avions essayé de tenir mon engagement de fermer le centre de détention de Guantánamo. Dans l'absolu, la plupart des démocrates convenaient que ce n'était pas une bonne idée de retenir indéfiniment des prisonniers étrangers dans cet endroit sans les juger. Cela bafouait nos traditions constitutionnelles et enfreignait la convention de Genève, compliquait les choses en matière de politique étrangère et décourageait certains alliés très proches de coopérer avec nous sur les affaires de terrorisme, et, par un effet pervers, bénéficiait au recrutement d'Al-Qaida et nous exposait donc au danger. Quelques rares républicains – John McCain notamment – étaient du même avis.

Mais, avant de pouvoir fermer cette prison, nous devions trouver ce que nous allions faire des 242 détenus qui y étaient enfermés. C'étaient le plus souvent de simples combattants mal entraînés, ramassés au hasard sur le champ de bataille et représentant une menace quasi nulle pour les États-Unis. (Le gouvernement Bush lui-même avait auparavant renvoyé plus de 500 détenus de cette catégorie dans leur pays ou dans un pays tiers.) Une minorité des prisonniers de Gitmo était cependant composée d'éléments endurcis, des détenus de grande importance (DGI) comme Khalid Sheikh Mohammed, qui était de son propre aveu un des cerveaux des attentats du 11 Septembre. Ces hommes étaient accusés d'être directement responsables du meurtre d'innocents, et j'estimais qu'il aurait été à la fois dangereux et immoral de les libérer.

La solution paraissait limpide : nous n'avions qu'à renvoyer les derniers détenus ordinaires dans leur pays d'origine, où ils seraient suivis par leur gouvernement et progressivement réinsérés dans la société, et juger les DGI dans les cours pénales américaines. Malheureusement, plus nous entrions dans les détails, plus nous butions sur des obstacles. Par exemple, concernant le rapatriement, de nombreux détenus étaient originaires de pays incapables de les accueillir dans des conditions de sécurité satisfaisantes. En fait, le plus gros contingent – 99 hommes – venait du Yémen, un État démuni qui souffrait d'un gouvernement dysfonctionnel et de graves conflits tribaux, et qui abritait la branche d'Al-Qaida la plus active en dehors des régions tribales du Pakistan.

La législation internationale nous interdisait de rapatrier les détenus dès lors qu'ils risquaient d'être maltraités, torturés ou tués par leur gouvernement. C'était le cas d'un groupe de Ouïgours, des membres d'une minorité musulmane qui avaient fui en Afghanistan à cause de la répression brutale du gouvernement chinois, et qui étaient à présent emprisonnés à Gitmo. Ces Ouïgours n'avaient pas grand-chose contre les États-Unis. En revanche, Pékin les classait parmi les terroristes – et nous ne doutions pas de l'accueil qui leur serait réservé si nous les renvoyions en Chine.

La comparution des DGI devant les tribunaux américains s'annonçait encore plus épineuse. D'une part, l'administration Bush n'avait pas estimé capital de préserver les faisceaux de preuves ou d'enregistrer les circonstances précises dans lesquelles les détenus avaient été capturés, si bien que leurs dossiers étaient souvent dans un état déplorable. D'autre part, bon nombre de DGI, dont Khalid Sheikh Mohammed, avaient été torturés durant leurs interrogatoires, ce qui rendait leurs aveux invalides au regard des règles de procédure pénale, de même que tous les éléments de preuve obtenus au moyen de ces interrogatoires.

Ce n'était pas un problème pour les responsables du gouvernement Bush car, de leur point de vue, tous les détenus de Gitmo étaient des « combattants irréguliers », non protégés par les conventions de Genève et n'ayant donc pas droit à un procès civil. Un système alternatif de « commissions militaires » avait été créé, dans lesquelles les normes en matière de preuve et de procédure étaient bien moins strictes que dans le circuit ordinaire. Les observateurs judiciaires s'accordaient presque tous à dire que ce dispositif ne remplissait pas les conditions minimales d'un procès équitable ; et, en raison de complications judiciaires incessantes, de retards et d'obstacles procéduraux, ces commissions ne sont parvenues à statuer que sur trois cas en deux ans. Pendant ce temps, un mois avant mon élection, les avocats représentant dix-sept Ouïgours emprisonnés à Gitmo avaient réussi à obtenir qu'un juge fédéral réexamine leur dossier, à la suite de quoi il avait ordonné leur libération et ainsi préparé le terrain à une longue guerre de juridictions. D'autres appels semblables étaient en attente.

« C'est même pas un dossier foireux, a constaté Denis à la fin d'une réunion. C'est carrément une montagne de merde. »

Malgré ces difficultés, nous nous sommes attelés au problème. J'ai ordonné que les commissions militaires ne reçoivent plus aucun nouveau cas – même si, pour faire plaisir au Pentagone, j'ai accepté qu'une équipe interagences étudie la possibilité de les réformer et de les garder en renfort pour les détenus que nous ne pourrions pas faire comparaître devant les tribunaux civils. Nous avons élaboré une procédure permettant d'évaluer quels détenus pouvaient être libérés sans risques et renvoyés soit dans leur propre pays, soit dans un autre qui accepterait de les accueillir. En collaboration avec les avocats du Pentagone et de la CIA, le procureur général Eric Holder et le département de la Justice ont épluché les dossiers en pointant les preuves complémentaires à apporter pour faire juger et condamner tous les DGI de Gitmo. Nous avons commencé à chercher une prison – au sein d'une base militaire ou du système carcéral fédéral – capable de recevoir immédiatement les détenus de Gitmo le temps que nous statuions sur leur cas.

C'est là que le Congrès a déraillé. Les républicains ont eu vent de rumeurs affirmant que nous envisagions d'installer les Ouïgours en Virginie (pour finir, ils ont presque tous été envoyés dans des pays tiers, dont les Bermudes et l'archipel de Palaos) et se sont rués sur les ondes pour prévenir les électeurs que mon gouvernement prévoyait d'implanter des terroristes dans leur quartier – voire dans la maison d'à côté. Naturellement, cela a crispé les parlementaires démocrates, qui ont fini par consentir à un amendement au budget de la Défense interdisant que l'argent des contribuables finance le transfert de détenus sur le sol américain dans un autre but que celui de les juger ; l'amendement exigeait en outre que Bob Gates soumette au Congrès un plan d'action sérieux avant qu'un nouvel établissement ne soit choisi et Guantánamo fermé. Dick Durbin nous a approchés dans le courant de l'été 2010 pour nous parler d'une prison à moitié vide de l'État de l'Illinois qui pouvait recevoir 90 détenus de Gitmo. Malgré cette perspective de nouveaux emplois dans une zone rurale durement frappée par la crise économique, le Congrès nous a refusé les 350 millions de dollars qui nous auraient permis d'acheter et de rénover la prison, et certains démocrates se sont même joints aux républicains, prétendant qu'un centre de détention sur notre territoire ferait une cible de choix pour les terroristes.

Je trouvais tout cela insensé. Al-Qaida n'était pas les forces spéciales américaines : s'il décidait de planifier une nouvelle action contre les États-Unis, poser une bombe artisanale dans le métro de New York ou dans un centre commercial à Los Angeles ferait beaucoup plus de dégâts – et serait beaucoup plus simple – qu'un assaut contre une prison perdue au milieu de nulle part et gardée par des militaires lourdement armés. Du reste, plus d'une centaine de personnes déclarées coupables de terrorisme étaient déjà enfermées dans des prisons fédérales aux quatre coins du pays, sans aucun incident à déplorer. « On fait comme si ces types étaient des super méchants dans un James Bond, ai-je dit à Denis, exaspéré. N'importe quel détenu d'une prison de haute sécurité les boufferait au petit déjeuner. »

Cela étant, j'étais conscient que la population avait réellement peur – une peur née du traumatisme du 11 Septembre et constamment attisée par le précédent gouvernement ainsi qu'une grande partie des médias (sans même parler des films et des séries) depuis presque une décennie. Certains anciens membres de l'administration Bush – en particulier l'ex-vice-président Dick Cheney –, qui s'étaient donné pour mission de continuer à alimenter ces peurs, voyaient dans ma résolution de repenser le traitement judiciaire des personnes accusées de terrorisme une atteinte à leur héritage. Au fil de plusieurs allocutions et interventions télévisées, Cheney a martelé que l'emploi de techniques comme le *waterboarding* et la détention à durée indéterminée nous avaient épargné quelque chose de « bien plus gros et bien plus grave » que les attentats du 11 Septembre. Il m'accusait de revenir à une justice d'avant 2001 en négociant avec les terroristes, de ne pas saisir la « notion de menace militaire », et prétendait que j'exposais ainsi les États-Unis à d'autres attentats.

Difficile pourtant de faire coïncider ces déclarations avec les bataillons supplémentaires que nous avions déployés en Afghanistan et les dizaines d'éléments d'Al-Qaida que visaient nos drones. Du reste, Cheney n'était probablement pas le meilleur messager qui soit, étant donné son impopularité auprès de l'opinion américaine et sa désastreuse absence de discernement vis-à-vis de l'Irak. Néanmoins, beaucoup d'électeurs trouvaient, eux aussi, que nous avions tort de traiter les terroristes comme des « criminels ordinaires ». Surtout depuis Noël 2009 et l'attentat avorté d'Umar Farouk Abdulmutallab, l'« Underwear Bomber ».

Ce jour-là, le département de la Justice et le FBI avaient suivi la procédure de bout en bout. Sous le commandement d'Eric Holder, et avec le concours du Pentagone et de la CIA, les fédéraux avaient arrêté l'homme dès que l'appareil de Northwest Airlines s'était posé à Detroit et l'avaient transporté dans un hôpital pour le faire soigner. La priorité étant de vérifier qu'il n'y avait pas d'autre menace immédiate – d'autres bombes dans d'autres avions, par exemple –, la première équipe du FBI avait interrogé Abdulmutallab sans lui lire préalablement ses droits, en vertu d'une jurisprudence bien établie qui l'autorise dans le cadre de la neutralisation d'une menace active. Pendant cette heure d'interrogatoire, le suspect avait fourni aux agents des renseignements précieux sur ses contacts au sein d'Al-Qaida, son entraînement au Yémen, l'origine de son engin explosif et les autres attentats en préparation. Après quoi ses droits lui avaient été lus et il avait pu prendre un avocat.

À en croire nos détracteurs, nous l'avions pratiquement remis en liberté. « Mais pourquoi est-ce qu'ils ont arrêté d'interroger un terroriste ? » demandait Rudy Giuliani, l'ancien maire de New York, sur un plateau télévisé. Joe Lieberman soutenait qu'Abdulmutallab entrait dans la catégorie des combattants ennemis et, à ce titre, aurait dû être remis aux autorités militaires pour qu'elles l'interrogent et le gardent en détention. Et le républicain Scott Brown, du Massachusetts, s'est servi de ce cas pour mettre au pied du mur son adversaire à l'élection sénatoriale, la démocrate Martha Coakley.

L'ironie, comme Eric Holder aimait à le souligner, était que le gouvernement Bush avait procédé de la même manière avec presque toutes les personnes suspectées de terrorisme et interpellées sur le sol des États-Unis (y compris Zacarias Moussaoui, un des planificateurs du 11 Septembre). Or, s'il l'avait fait, c'est parce que la Constitution l'exigeait : quand, à deux reprises, le gouvernement Bush avait déclaré que des suspects arrêtés sur le sol américain étaient des « combattants ennemis » sujets à une détention indéterminée dans le temps, les tribunaux fédéraux étaient intervenus pour ordonner leur retour dans le circuit pénal ordinaire. Mieux encore, appliquer la loi donnait de bons résultats. Sous Bush, le département de la Justice était parvenu à faire condamner plus de cent personnes suspectées de terrorisme, avec des peines aussi sévères que celles des quelques jugements rendus par les commissions militaires. Moussaoui, par exemple, purgeait plusieurs condamnations à perpétuité dans une prison fédérale. À cette époque-là, tous les conservateurs, Giuliani compris, applaudissaient ces procès conformes à la loi.

« Ce serait moins énervant, m'a dit un jour Eric, si Giuliani et une partie des autres croyaient vraiment ce qu'ils racontent. Mais lui, c'est un ancien procureur. Il sait ce qu'il fait. C'est juste qu'il n'a honte de rien. »

En tant que porte-étendard de notre action visant à aligner nos pratiques antiterroristes sur nos principes constitutionnels, Eric Holder était le premier visé par cette indignation feinte. Il ne se laissait pas déstabiliser, conscient que c'était un des risques du métier – et aussi que ce n'était pas totalement par hasard si, au sein de mon gouvernement, il était la cible favorite du vitriol des républicains et des élucubrations conspirationnistes de Fox News.

« Quand ils me hurlent dessus, disait Eric en me tapant dans le dos avec un sourire en coin, je sais que c'est à vous qu'ils pensent. »

Je comprenais pourquoi mes opposants voyaient en Eric un substitut commode. Grand et placide, il était né à New York, dans le Queens, de parents d'origine barbadienne. (« C'est pour ça que vous avez les îles dans le sang », lui disais-je.) Me précédant de dix ans, il avait comme moi fait ses études à Columbia, où il avait joué dans l'équipe de basket et participé à des sit-in ; son cursus en droit lui avait fait découvrir les droits civiques et il avait été stagiaire pendant un été au NAACP Legal Defense Fund, une organisation œuvrant pour la justice raciale. Ensuite, préférant comme moi la fonction publique au secteur privé, il était devenu procureur au sein de la direction de l'intégrité publique du département de la Justice, et par la suite juge à la cour supérieure du District de Columbia. Enfin, il avait été nommé par Bill Clinton procureur fédéral du District, puis procureur général adjoint des États-Unis, deux postes qu'il avait été le premier Afro-Américain à occuper.

Eric et moi étions de fervents légalistes, certains – du fait de nos expériences personnelles et de notre connaissance de l'histoire – que c'était par l'argumentation rationnelle et la fidélité aux idéaux et institutions de notre démocratie que nous ferions des États-Unis un pays meilleur. C'est sur ce socle commun, plus que sur notre amitié ou une quelconque concordance d'opinions, que je l'ai choisi comme procureur général. C'est aussi pour cette raison que je mettais tant de soin à protéger son bureau de toute interférence avec la Maison-Blanche dans les dossiers et enquêtes en cours.

Aucune loi n'interdisait explicitement ces interférences. Au demeurant, le procureur général et ses assistants relevaient du pouvoir exécutif et obéissaient donc au président. Mais le procureur général est avant tout l'avocat du peuple, et non le *consigliere* du président. L'indépendance de la justice était un impératif démocratique, devenu flagrant lorsque les auditions du Watergate avaient révélé que le procureur général de Richard Nixon, John Mitchell, avait participé activement à couvrir les actes de la Maison-Blanche et lancé des enquêtes criminelles contre les ennemis du président. Le gouvernement Bush avait été accusé d'enfreindre cette norme tacite en 2006, quand il avait démis de leurs fonctions neuf procureurs fédéraux qui n'appliquaient manifestement pas assez son programme idéologique ; et l'unique soupçon entachant le dossier sinon impeccable d'Eric Holder était la possibilité que, à l'époque où il était procureur général adjoint, il ait cédé à des pressions politiques en avalisant la grâce accordée par Bill Clinton à l'un de ses principaux donateurs au crépuscule de sa présidence. Eric a plus tard avoué regretter cette décision, et c'était précisément le type de situation que j'entendais éviter. Si bien que, lorsque nous évoquions ensemble la politique judiciaire, nous veillions à nous tenir à l'écart de tous les sujets susceptibles de compromettre l'indépendance du premier magistrat du pays.

Il n'était pourtant pas possible d'ignorer que les décisions du procureur général avaient des ramifications politiques, chose que mes collaborateurs prenaient soin de me rappeler souvent mais qu'Eric oubliait parfois. C'est pourquoi il a été surpris et vexé quand, un mois après mon entrée en fonction, Axe lui a reproché de ne pas avoir fait valider son discours à l'occasion du Black History Month, qui rend hommage chaque année en février à la contribution des Afro-Américains à l'édification de la nation, discours dans lequel il qualifiait les États-Unis de « pays de lâches » qui rechignait à se confronter aux questions raciales – une observation non dénuée de vérité, mais qui n'était pas ce que nous voulions voir étalé en une de tous les journaux quelques semaines seulement après mon investiture. L'avoinée que nous avons prise à cause de sa décision, légalement sensée mais politiquement nocive, de ne pas inculper les cadres bancaires pour leur rôle dans la crise financière, a aussi paru l'étonner. Et c'est peut-être à cause de sa candeur, de sa conviction que la logique et la raison l'emporteraient toujours, qu'Eric n'a pas vu combien le terrain politique avait changé rapidement lorsqu'il a annoncé, fin 2009, que Khalid Sheikh Mohammed et quatre autres conspirateurs du 11 Septembre seraient finalement traduits en justice devant un tribunal de Manhattan.

Sur le papier, nous trouvions tous que c'était une bonne idée. Pourquoi ne pas profiter du procès des détenus les plus célèbres de Guantánamo pour démontrer que le système judiciaire américain était parfaitement apte à traiter les cas de terrorisme avec une équité irréprochable ? Et quel meilleur endroit pour rendre la justice qu'une des villes qui avaient le plus souffert du terrorisme, dans un tribunal situé à quelques rues de Ground Zero ? Après des mois de travail acharné, Eric et son équipe étaient certains que les instigateurs du 11 Septembre pourraient être jugés sans qu'il soit besoin de recourir aux informations obtenues lors d'« interrogatoires renforcés » – notamment parce que nous avions maintenant l'assistance de plusieurs pays qui, auparavant, ne voulaient pas se mêler de tout ce qui se rapportait à Gitmo. Le maire de New York, Michael Bloomberg, approuvait le projet d'Eric. Tout comme le sénateur de New York, le démocrate Chuck Schumer.

Et puis, aux environs de l'attentat avorté de Noël, l'opinion new-yorkaise a opéré un étourdissant virage à 180 degrés. Un groupement de familles de victimes du 11 Septembre a organisé plusieurs manifestations pour protester contre la décision d'Eric. Nous avons découvert par la suite que la meneuse du groupe, la sœur d'un des pilotes tués dans l'attaque du Pentagone, avait créé une association ayant pour but de contrer toute tentative de revenir sur les politiques sécuritaires de l'ère Bush, financée par des donateurs conservateurs et soutenue par des républicains de premier plan (dont Liz Cheney, la fille de l'ancien vice-président). Dans la foulée, le maire Michael Bloomberg – qui aurait subi des pressions de la part de promoteurs inquiets des conséquences du procès sur leurs plans de réhabilitation – nous a brusquement retiré son soutien au prétexte que ce procès coûterait trop cher et causerait trop de désordre. Chuck Schumer lui a vivement emboîté le pas, tout comme la présidente de la Commission du renseignement au Sénat, Dianne Feinstein. Face à cette coalition d'élus new-yorkais, de familles en colère et de membres influents de notre propre parti, Eric a préféré battre en retraite, déclarant que, si son département restait déterminé à faire comparaître les planificateurs des attentats devant des tribunaux civils et non pas militaires, il allait toutefois explorer d'autres endroits que New York.

C'était un sérieux recul pour notre projet de fermer Gitmo, et les associations de défense des libertés individuelles ainsi que les commentateurs progressistes m'ont reproché de ne pas avoir anticipé cette levée de boucliers ni opposé une défense plus vigoureuse quand nous nous y sommes heurtés. Ils avaient peut-être raison. Si nous n'avions fait que ça pendant un mois, en laissant de côté la santé, la réforme de la finance, le réchauffement climatique et l'économie, nous aurions peut-être réussi à retourner l'opinion et à forcer les élus à faire marche arrière. C'est un combat qui m'aurait plu. C'est un combat qui aurait mérité d'être mené.

Mais, sur le moment, c'est un combat sur lequel personne à la Maison-Blanche n'aurait parié. Naturellement, Rahm n'était pas mécontent que les projets d'Eric soient contrariés, car c'était lui qui passait ses journées au téléphone avec des parlementaires démocrates paniqués qui nous suppliaient d'arrêter de courir autant de lièvres à la fois. Il faut dire aussi que, après une première année ambitieuse, mon capital politique s'était réduit comme peau de chagrin – et nous en ménagions le peu qui restait pour faire voter le plus d'initiatives possible par le Congrès avant les élections de mi-mandat de 2010 et un possible changement de majorité.

D'ailleurs, à la fin de cet été-là, Rahm devait piquer une colère contre moi à cause d'une polémique provoquée par le même groupement de familles de victimes, qui menait cette fois campagne pour empêcher la construction d'un centre socioculturel islamique et d'une mosquée à proximité de Ground Zero, qualifiés d'outrage à la mémoire des morts du World Trade Center. À son crédit, Bloomberg défendait bec et ongles ce projet au nom de la liberté de culte, rejoint en cela par d'autres élus de la ville et même certaines familles de victimes. Mais les commentateurs de droite se sont rapidement emparés de la question, souvent dans des termes ouvertement islamophobes ; les sondages ont montré qu'une majorité d'Américains s'opposait à l'implantation d'une mosquée à cet endroit ; et les stratèges du GOP n'ont pas laissé échapper cette occasion de pourrir la vie des démocrates jusqu'à la mi-mandat.

Coïncidence, la controverse a atteint son point culminant la semaine où nous organisions à la Maison-Blanche un dîner d'*iftar* – de rupture du jeûne – pour marquer le mois de Ramadan en compagnie de plusieurs chefs religieux. Cette soirée devait rester très simple et n'était qu'une manière de témoigner aux musulmans, à l'occasion d'une importante fête religieuse, la même considération qu'aux autres confessions. Mais, quand j'ai revu Rahm, je lui ai annoncé mon intention d'en profiter pour prendre publiquement la défense du projet de mosquée.

« Aux dernières nouvelles, on est encore en Amérique, ai-je dit en glissant des dossiers dans ma mallette avant de rejoindre la résidence pour le dîner. Et, en Amérique, on n'a pas le droit de pointer du doigt un groupe religieux et de lui interdire de construire un lieu de culte sur un terrain qui lui appartient.

– Je comprends, monsieur le Président, a répondu Rahm. Mais vous devez être conscient que, si vous dites ça, vous allez signer l'arrêt de mort de nos candidats dans toutes les circonscriptions indécises.

– Je suis absolument certain que vous avez raison, lui ai-je dit en me dirigeant vers la porte. Mais si on ne peut pas s'exprimer sur un sujet aussi fondamental, alors je ne sais pas à quoi ça sert qu'on soit ici. »

Rahm a soupiré. « Au train où vont les choses, on risque de ne pas y rester longtemps. »

En août, nous sommes partis en famille à Martha's Vineyard, une île au large de Cape Cod, dans le Massachusetts, pour dix jours de vacances. Nous nous y étions rendus pour la première fois une quinzaine d'années plus tôt, à l'invitation d'une des associées de mon cabinet d'avocats, Allison David, encouragés par Valerie qui y passait ses vacances quand elle était enfant. Avec ses vastes plages et ses dunes battues par le vent, ses bateaux de pêche qui rentrent au port, ses petites fermes et ses prés verdoyants entourés de forêts de chênes et de vieux murs en pierre, cet endroit avait une beauté discrète et une atmosphère tranquille qui nous convenaient bien. Nous appréciions aussi son histoire : une partie de ses premiers habitants étaient des esclaves affranchis, et depuis des générations des familles noires y louaient des maisons de vacances, faisant du Vineyard un lieu de villégiature rare où Noirs et Blancs paraissaient autant chez eux les uns que les autres. Nous y passions une ou deux semaines avec les filles tous les deux ans et louions une maison à Oak Bluffs, suffisamment près de la ville pour y aller à vélo et dotée d'une terrasse depuis laquelle nous pouvions admirer le coucher du soleil. Tous ensemble, avec Valerie et d'autres amis, nous lézardions sur la plage, les pieds dans le sable et un livre entre les mains, nagions dans une eau que les filles adoraient, mais un peu froide à mon goût de Hawaïen, et observions parfois des groupes de phoques près du rivage. Ensuite, nous allions manger les meilleures crevettes du monde au restaurant Nancy's, après quoi Malia et Sasha filaient avec leurs copains s'acheter des glaces, faire un tour sur le petit manège ou jouer à des jeux vidéo dans la salle d'arcade.

Mais, depuis que nous étions la First Family, nous ne pouvions plus faire les choses comme avant. Au lieu d'aller en ferry jusqu'à Oak Bluffs, nous arrivions désormais à bord de Marine One. Nous louions onze hectares dans une zone huppée de l'île, une propriété assez grande pour loger les membres du personnel et du Secret Service, et assez isolée pour établir un périmètre de sécurité. Des dispositions étaient prises pour nous permettre d'accéder à une plage privée, déserte sur un kilomètre et demi dans chaque direction ; nos balades à vélo suivaient un itinéraire strictement balisé, que les filles ont emprunté une fois, pour me faire plaisir, avant de déclarer qu'il était « un peu nul ». Vacances ou pas, je commençais mes journées par un brief avec Denis ou John Brennan sur le désordre général du monde, et nous ne pouvions pas aller dîner au restaurant sans être attendus par des hordes de curieux et de caméras.

Malgré tout cela, l'odeur de l'océan et l'éclat du soleil sur les dernières feuilles d'automne, les marches sur la plage avec Michelle, et le spectacle de Malia et Sasha grillant des marshmallows sur un feu de bois avec une concentration de moines zen, toutes ces choses perduraient. Et chaque journée de bon sommeil, de rires et de moments ininterrompus avec les personnes que j'aimais me rendait un peu plus d'énergie et de confiance. À tel point que, lorsque nous avons regagné Washington le 29 août 2010, j'avais réussi à me persuader que nous avions encore une chance de gagner les élections de mi-mandat et de conserver une Chambre et un Sénat démocrates, au mépris des sondages et des croyances populaires.

Et pourquoi pas ? La réalité était que nous avions probablement évité une dépression économique. Nous avions stabilisé le système financier mondial et sauvé du naufrage l'industrie automobile américaine. Nous avions placé des garde-fous autour de Wall Street et réalisé des investissements historiques dans les énergies « propres » et les infrastructures ; protégé les terres fédérales et réduit la pollution atmosphérique ; connecté des écoles rurales à Internet et réformé les prêts étudiants de sorte que des dizaines de milliards de dollars qui atterrissaient auparavant dans les coffres des banques servent plutôt à financer des bourses pour des milliers de jeunes gens qui, autrement, n'auraient jamais pu faire d'études supérieures.

Tout cela mis bout à bout, notre gouvernement et le Congrès à majorité démocrate pouvaient affirmer qu'ils avaient accompli davantage de choses, passé davantage de lois améliorant concrètement la vie des Américains qu'au cours de n'importe quelle autre session parlementaire des quarante dernières années. Et s'il nous restait beaucoup à faire – trop de personnes n'avaient pas retrouvé de travail et risquaient encore de perdre leur maison ; nous n'avions pas fait adopter notre loi sur le climat ni amélioré la politique migratoire –, c'était une conséquence directe de la taille du chantier dont nous avions hérité et de l'obstruction républicaine, à laquelle les Américains pourraient remédier en novembre lorsqu'ils glisseraient leur bulletin dans l'urne.

« Le problème, c'est que je suis cloîtré ici, ai-je dit à Favs tandis que nous travaillions sur mon discours de campagne. Les électeurs entendent des bribes de choses qui viennent de Washington – Pelosi a dit ci, McConnell a dit ça – et ils n'ont aucun moyen de démêler le vrai du faux. C'est notre dernière chance d'aller sur le terrain et de tracer une ligne. De raconter clairement ce qui s'est passé sur le plan économique – de dire que, la dernière fois que les républicains étaient aux commandes, ils ont envoyé le pays dans le mur et qu'il nous a fallu deux ans pour le relever... et, maintenant qu'on est prêts à repartir, les Américains ne peuvent pas se permettre de leur rendre les clés ! »

Je me suis interrompu pour jeter un coup d'œil à Favs, qui tapait sur son clavier. « Qu'est-ce que tu en dis ? J'ai l'impression que ça fonctionne.

– Possible », a dit Favs d'une voix dans laquelle j'aurais espéré sentir un peu plus d'enthousiasme.

Pendant les six semaines précédant l'élection, j'ai écumé le pays pour rameuter les soutiens du Parti démocrate, de l'Oregon à la Virginie, du Nevada à la Floride. Le public remplissait les stades et scandait « *Yes we can !* » et « Au taquet ! Prêts à foncer ! » aussi fort que pendant ma campagne présidentielle, brandissant des pancartes, applaudissant à tout rompre chaque fois que je présentais le ou la parlementaire qui avait besoin de leurs voix, et huant quand je disais que nous ne pouvions pas nous permettre de rendre les clés aux républicains. En apparence, c'était comme au bon vieux temps.

Pourtant, sans même avoir besoin de lire les sondages, je percevais un changement d'ambiance : un soupçon de doute planait sur tous les meetings, quelque chose de forcé, presque désespéré, dans les encouragements et les rires, comme si le public et moi étions un couple qui sort d'une romance enflammée et tente de raviver des sentiments qui ont commencé à se flétrir. Comment lui en vouloir ? Tous ces gens espéraient que mon élection transformerait notre pays, que le gouvernement se mettrait à travailler pour eux, ramènerait un peu de civilité à Washington. Au lieu de ça, pour beaucoup la vie était devenue plus dure, et Washington paraissait plus que jamais lointain, dysfonctionnel et cruellement partisan.

Durant la campagne présidentielle, je m'étais habitué à ce qu'un ou deux éléments perturbateurs assistent à mes meetings, le plus souvent des manifestants anti-avortement qui m'apostrophaient avant d'être noyés sous les huées et calmement raccompagnés vers la sortie. Mais à présent les fauteurs de troubles étaient souvent des personnes dont je soutenais la cause – des militants déçus, pour qui nous n'en avions pas fait assez. Plusieurs fois, j'ai été accueilli par des manifestants qui brandissaient des pancartes réclamant la fin des « guerres d'Obama ». De jeunes Hispaniques m'ont demandé pourquoi mon gouvernement continuait à expulser des travailleurs sans papiers et à séparer des familles à la frontière. Des activistes LGBTQ ont voulu savoir pourquoi je n'avais pas mis fin à la politique surnommée « Don't Ask, Don't Tell » (Ne demandez rien, ne dites rien) qui obligeait les militaires non hétérosexuels à dissimuler leur orientation sexuelle. Un groupe d'étudiants particulièrement insistant m'a interrompu trois ou quatre fois au sujet des aides pour la lutte contre le SIDA en Afrique.

En quittant le meeting, j'ai demandé à Gibbs : « Est-ce qu'on a augmenté les dotations pour le SIDA ?

– Oui. Mais ils vous reprochent de ne pas les avoir assez augmentées. »

J'ai serré les dents toute la fin du mois d'octobre, n'interrompant ma tournée que pour rentrer à la Maison-Blanche le temps d'une journée ou deux de rendez-vous, après quoi je reprenais la route et lançais mes appels à la mobilisation d'une voix de plus en plus rauque. L'optimisme irrationnel que j'avais rapporté de mes vacances était retombé depuis longtemps, et quand est venu le jour de l'élection, le 2 novembre 2010, la question n'était plus de savoir si nous allions perdre la Chambre, mais quelle serait l'ampleur du carnage. Entre un briefing sur une menace terroriste en salle de crise et un rendez-vous dans le Bureau ovale avec Bob Gates, j'ai fait un crochet par le bureau d'Axe, où Jim Messina et lui décortiquaient les premières données remontant des circonscriptions indécises de tout le pays.

« Qu'est-ce que ça donne ? » ai-je demandé.

Axe a secoué la tête. « On va perdre au moins trente sièges. Peut-être plus. »

Au lieu de rester pour la veillée funèbre, j'ai regagné la résidence à mon heure habituelle en indiquant à Axe que je lui passerais un coup de fil quand la plupart des votes seraient clos, et j'ai demandé à mon assistante Katie de préparer la liste des appels téléphoniques que je devrais passer dans la soirée – d'abord aux quatre chefs de file, puis à tous les parlementaires battus. J'ai attendu d'avoir dîné et couché les filles pour appeler Axe depuis la salle des Traités et entendre les nouvelles : la participation était faible, seuls quatre électeurs sur dix s'étaient déplacés, et le vote des jeunes avait plongé. C'était la débâcle pour les démocrates, qui s'apprêtaient à perdre soixante-trois sièges, la pire défaite du parti depuis 1938, quand il avait cédé soixante-douze sièges durant le second mandat de Roosevelt. Plus grave encore, un grand nombre de nos jeunes représentants prometteurs étaient partis, des gens comme Tom Perriello de la Virginie et John Boccieri de l'Ohio, Patrick Murphy de la Pennsylvanie et Betsy Markey du Colorado – celles et ceux qui avaient eu le courage de voter pour la santé et la relance ; qui, bien que venant de circonscriptions indécises, avaient tenu bon face aux pressions des groupes d'intérêts, aux sondages et même à leurs conseillers, et avaient fait ce qui leur semblait juste.

« Ils méritaient mieux que ça, ai-je dit à Axe.

– C'est vrai, a acquiescé Axe. Ils méritaient mieux. »

Après m'avoir promis de me préparer un bilan plus détaillé pour le lendemain matin, il a raccroché. Je suis resté seul, le combiné du téléphone dans la main, les idées se bousculant sous mon crâne. J'ai laissé filer une minute, puis j'ai appelé le standard de la Maison-Blanche.

« J'ai quelques appels à passer.

– Oui, monsieur le Président, a dit l'opératrice. Katie nous a envoyé la liste. Par qui voulez-vous commencer ? »

CHAPITRE 24

« À QUI LE TOUR ? » J'étais assis à la table de réunion d'Air Force One, à côté de Pete Souza et en face de Marvin et de Reggie, et nous examinions nos cartes d'un œil un peu vaseux. Nous étions en route pour Bombay, la première étape d'un voyage de neuf jours en Asie au programme duquel figuraient ma première visite en Inde, un arrêt à Jakarta, une réunion du G20 à Séoul et une autre de la Coopération économique pour l'Asie-Pacifique (APEC) à Yokohama, au Japon. Un peu plus tôt, l'avion bruissait d'animation, entre les membres du staff qui tapotaient sur leurs ordinateurs portables et les conseillers politiques agglutinés autour de notre emploi du temps. Mais, au bout de dix heures de vol et après un ravitaillement sur la base aérienne de Ramstein, en Allemagne, presque tout le monde dormait (Michelle dans la cabine avant, Valerie sur la banquette près de la salle de réunion, et plusieurs conseillers par terre en chien de fusil). Incapable de me détendre, j'avais recruté mes trois partenaires habituels pour une partie d'atout pique, essayant entre deux tours de lire mes briefings et de signer une pile de courrier. Ce manque de concentration – ainsi que le second gin-tonic servi par Reggie – expliquait peut-être que Marvin et Pete nous menaient six parties à deux, à dix dollars chacune.

« C'est à vous, monsieur, a dit Marvin.

– Combien de plis pour vous, Reg ? lui ai-je demandé.

– Peut-être un.

– On est mal partis, ai-je lâché.

– Huit pour nous », a dit Pete.

Reggie a secoué la tête, écœuré. « Après la prochaine main, on change de cartes, a-t-il marmonné avant de porter son verre à ses lèvres. Les nôtres sont maudites. »

Trois jours seulement s'étaient écoulés depuis les élections de mi-mandat, et j'étais ravi de pouvoir quitter Washington. Les résultats avaient laissé les démocrates en état de choc tandis que les républicains jubilaient, et je m'étais réveillé le lendemain avec un mélange de fatigue, de douleur, de colère et de honte, comme en ressentent probablement les boxeurs vaincus après un combat de poids lourds. La presse insinuait que la sagesse populaire ne s'était pas trompée : j'avais voulu trop en faire au lieu de rester focalisé sur l'économie, l'Obamacare était une erreur fatale, et j'avais tenté de ressusciter un interventionnisme et une politique de dépenses que même Clinton avait enterrés des années plus tôt. Le fait que j'aie refusé d'admettre tout cela lors de la conférence de presse du lendemain, tout en continuant à défendre l'action de mon gouvernement – même si nous avions été très mauvais en communication –, était apparu arrogant et délirant aux yeux des éditorialistes, qui y voyaient l'attitude d'un pécheur impénitent.

Il est pourtant exact que je ne regrettais pas d'avoir engagé les démarches permettant à 20 millions de personnes d'accéder à une assurance-maladie. Pas plus que je ne regrettais le Recovery Act, tout concourant à montrer qu'un plan d'austérité aurait eu des effets désastreux. Étant donné les choix qui s'offraient à nous, je ne regrettais pas non plus notre réaction à la crise financière (en revanche, je regrettais de ne pas avoir trouvé de meilleur plan pour bloquer la vague de saisies immobilières). Et je n'allais certainement pas m'excuser d'avoir proposé une loi sur le réchauffement climatique et poussé une réforme de l'immigration. Mais j'enrageais que ces deux textes n'aient pas encore été votés par le Congrès – principalement parce que, à mon entrée en fonction, je n'avais pas eu la prévoyance de dire à Harry Reid et au reste des sénateurs démocrates de modifier le règlement afin de se débarrasser une fois pour toutes de l'obstruction parlementaire.

De mon point de vue, ces résultats ne prouvaient pas que nous avions fait fausse route. Ils prouvaient uniquement que – par manque de talent, de roublardise ou de chance – je n'avais pas réussi à rassembler le pays derrière ce que je savais être juste, comme l'avait fait Roosevelt en son temps.

C'était une conclusion tout aussi accablante.

Au grand soulagement de Gibbs et du service de la communication, j'avais mis fin à la conférence de presse avant de révéler toute l'étendue de mon obstination et de mes cas de conscience. Je m'étais rendu compte que, au lieu de justifier le passé, il fallait préparer l'avenir.

J'allais devoir trouver un moyen de renouer le lien avec les Américains – pas seulement pour renforcer ma position lors des négociations avec les républicains, mais pour assurer ma réélection. Une économie plus vaillante m'y aiderait, sans toutefois rien garantir. Il me faudrait sortir de la bulle de la Maison-Blanche, aller plus souvent à la rencontre des électeurs. Axe m'a expliqué d'où, selon lui, était venu le problème : nous avions été tellement pressés d'agir que nous en avions oublié notre promesse de réformer Washington – de mettre l'accent sur la transparence et la responsabilité budgétaire de toute l'administration fédérale. Si nous voulions faire revenir les électeurs qui nous avaient tourné le dos, nous allions devoir nous atteler à ces chantiers.

Mais était-ce vraiment la chose à faire ? Je n'en étais pas certain. Évidemment, nous avions souffert des pinaillages autour de l'Affordable Care Act et, à juste titre ou non, le sauvetage des banques avait terni notre image. D'un autre côté, nous avions été à l'origine de dizaines d'initiatives de « bonne gouvernance », qu'il s'agisse de limiter l'embauche des anciens lobbyistes, de rendre publiques certaines données des agences fédérales ou d'écumer le budget des agences pour traquer les gaspillages. Toutes ces actions étaient louables, et j'étais heureux que nous les ayons entreprises ; elles étaient l'un des facteurs expliquant que mon gouvernement n'avait pas été visé par le moindre début de scandale.

Cela dit, au niveau politique, notre démarche de moralisation du pouvoir n'avait pas suscité la moindre réaction – pas davantage que notre application à solliciter l'avis des républicains sur chaque projet de loi. Une de nos promesses cardinales avait pourtant été de mettre fin aux chamailleries politiciennes pour mieux nous concentrer sur les demandes des citoyens. Notre problème, comme Mitch McConnell l'avait calculé depuis le début, était que, aussi longtemps que le GOP continuerait à se dresser comme un seul homme contre nos propositions, tout ce que nous ferions, même de plus modéré, passerait pour être partisan, polémique ou radical – sinon illégitime. De fait, nos alliés progressistes étaient nombreux à trouver que nous n'avions pas été suffisamment partisans. Pour eux, nous nous étions compromis et, à force de vouloir être trop rassembleurs, nous avions donné des armes à McConnell et gâché la majorité dont nous bénéficiions, et surtout nous avions refroidi notre base militante, comme en témoignait l'abstention de si nombreux démocrates aux élections de mi-mandat.

En plus de devoir trouver un message et une réorientation politique, il me fallait faire face à un important renouvellement de personnel. Dans mon équipe de politique étrangère, Jim Jones – qui, malgré toutes ses qualités, ne s'était jamais senti réellement à l'aise dans un poste subalterne après avoir été chef pendant des années – avait donné sa démission en octobre. Heureusement, Tom Donilon s'était révélé un véritable bourreau de travail et un conseiller à la sécurité nationale de grande compétence ; Denis McDonough était devenu son adjoint et Ben Rhodes avait récupéré une grande partie des anciennes missions de ce dernier. Côté politique économique, Peter Orszag et Christina Romer étaient repartis dans le privé, remplacés par Jack Lew, un expert qui avait dirigé le Bureau de la gestion et du budget sous Clinton, et Austan Goolsbee, qui avait travaillé avec nous sur la relance. Et puis il y avait Larry Summers, qui, un jour de septembre, avait fait un crochet par le Bureau ovale pour m'annoncer que, la crise financière étant derrière nous, le moment était venu pour lui de tirer sa révérence. Il partirait à la fin de l'année.

« Qu'est-ce que je vais faire quand vous ne serez plus là pour me montrer que je me trompe ? » lui ai-je demandé, à moitié sur le ton de la plaisanterie. Larry a souri.

« Vous savez, monsieur le Président, a-t-il dit, vous vous êtes moins trompé que beaucoup d'autres. »

Je m'étais véritablement attaché à toutes les personnes qui s'en allaient. Non seulement elles avaient été irréprochables, mais, chacune à leur manière, elles avaient apporté un esprit de sérieux – une application dans la prise de décision, fondée sur la raison et les faits – découlant de leur désir de servir le peuple américain. Pour autant, c'était la perte prochaine de mes deux plus proches conseillers politiques, ainsi que la nécessité de trouver un nouveau directeur de cabinet, qui me contrariait le plus.

Axe avait toujours annoncé qu'il partirait après la mi-mandat. Il vivait séparé de sa famille depuis deux ans et avait grand besoin de faire une pause avant de revenir dans mon staff de campagne pour la présidentielle. Gibbs, qui était au front avec moi depuis que j'avais remporté la primaire sénatoriale en 2004, était tout aussi épuisé. Même s'il demeurait affûté et intrépide dans son rôle de porte-parole, sa présence quotidienne sur l'estrade et les coups qu'il avait pris l'avaient usé et avaient dégradé ses rapports avec les correspondants de presse, au point que le reste de l'équipe craignait un effet négatif pour notre image.

Je ne m'étais pas encore fait à la perspective de devoir mener les batailles politiques à venir sans l'appui d'Axe et de Gibbs, même si j'étais rassuré par la continuité apportée par notre jeune et habile directeur de la communication, Dan Pfeiffer, qui avait travaillé à leurs côtés sur les éléments de langage depuis 2007 et le début de notre campagne. Quant à Rahm, j'estimais que c'était un petit miracle qu'il ait tenu aussi longtemps sans tuer personne et sans être foudroyé par une crise cardiaque. Nous avions pris l'habitude de faire notre réunion du soir à l'extérieur quand le temps le permettait ; nous faisions deux ou trois fois le tour de la pelouse sud en cherchant quelle réponse apporter à la dernière crise ou polémique en date. Plus d'une fois, nous nous sommes demandé pourquoi nous avions choisi des vies aussi stressantes.

« Quand on en aura fini avec tout ça, lui ai-je dit un jour, il faudra essayer quelque chose de plus simple. On pourrait s'installer à Hawaï avec nos familles et ouvrir un stand de jus de fruits sur la plage.

– C'est trop compliqué, les jus de fruits. On ferait mieux de vendre des tee-shirts. Mais uniquement des blancs. En taille M. Et c'est tout, pas d'autres couleurs, pas de motifs et une seule taille. Comme ça, on n'aura aucune décision à prendre. Et si les clients veulent autre chose, ils n'auront qu'à aller ailleurs. »

J'avais repéré chez Rahm les signes avant-coureurs du burn-out, mais je pensais qu'il attendrait la fin de l'année pour partir. Au lieu de cela, début septembre, il a profité d'une de nos marches pour me dire que le maire de Chicago, Richard M. Daley, venait d'annoncer qu'il ne briguerait pas un septième mandat consécutif. Rahm souhaitait présenter sa candidature – c'était un poste dont il rêvait depuis son entrée en politique – et, puisque l'élection aurait lieu en février, il devait quitter la Maison-Blanche au 1er octobre s'il voulait avoir une chance.

Il paraissait réellement catastrophé. « Je sais que je vous mets dans une situation difficile, m'a-t-il dit. Mais, avec seulement cinq mois et demi pour faire campagne… »

Je ne lui ai pas laissé le temps de finir sa phrase et lui ai donné ma bénédiction. Une semaine plus tard environ, à l'occasion de son pot de départ, je lui ai remis une copie encadrée de la *to-do list* griffonnée sur un bloc-notes que je lui avais donnée dans les premiers jours de ma présidence. J'ai fait observer à l'équipe rassemblée que presque toutes les entrées avaient été barrées, ce qui montrait à quel point nous avions été efficaces. Rahm a versé une larme – une entaille dans son image de gros dur pour laquelle il m'en voudrait longtemps.

Un renouvellement pareil n'avait rien d'extraordinaire, et il est parfois bon d'apporter un vent de fraîcheur. On nous avait souvent reproché d'être trop isolés, trop fermés, de manquer d'idées neuves. Les compétences de Rahm seraient moins utiles sans une Chambre démocrate pour faire avancer nos projets de loi. Pete Rouse l'a suppléé un temps et j'étais tenté d'engager Bill Daley, ancien secrétaire au Commerce sous Clinton et frère du maire sortant de Chicago, comme nouveau directeur de cabinet. La calvitie bien avancée et une bonne dizaine d'années de plus que moi, doté d'un solide accent du South Side qui rappelait ses origines irlandaises et populaires, Bill avait la réputation d'être un négociateur efficace et pragmatique, en bons termes avec les travailleurs comme avec le patronat ; et, même si je ne le connaissais pas aussi bien que Rahm, je me disais que son style affable et non dogmatique devrait être parfait pour la phase suivante de ma présidence, qui s'annonçait moins effrénée. Et, en plus de tous ces nouveaux visages, j'étais ravi de retrouver David Plouffe à partir de janvier, quand, après deux années sabbatiques auprès de sa famille, il reviendrait en tant que conseiller, un poste auquel il apporterait à la Maison-Blanche la pensée stratégique, la force de travail et l'absence d'ego qui nous avaient tant servis pendant la campagne.

Je ne pouvais pourtant pas m'empêcher d'éprouver une certaine mélancolie à l'abord de la nouvelle année et des changements qui l'accompagnaient : mon entourage comptait de moins en moins de personnes m'ayant connu avant que je devienne président, et de moins en moins de collaborateurs et amis m'ayant vu fatigué, perdu, en colère ou battu, sans jamais cesser pour autant de me soutenir. C'était une bouffée de solitude dans une période solitaire. Ce qui expliquait certainement que je sois encore en train de jouer aux cartes avec Marvin, Reggie et Pete alors que j'avais un planning serré de réunions et d'apparitions publiques qui débutait moins de sept heures plus tard.

« Je rêve ou vous venez encore de gagner ? » ai-je demandé à Pete à la fin du tour.

Pete a opiné, en réponse à quoi Reggie a ramassé toutes les cartes, s'est levé et les a jetées à la poubelle.

« Hé, Reg, elles sont très bien, ces cartes ! a protesté Pete, sans prendre la peine de cacher qu'il était enchanté par la raclée que Marvin et lui venaient de nous infliger. Ça arrive à tout le monde de perdre. »

Reggie l'a fusillé du regard. « Il n'y a que les losers qui aiment perdre », a-t-il répliqué.

Je n'avais encore jamais mis les pieds en Inde, mais ce pays occupait une place spéciale dans mon imagination. Peut-être à cause de sa taille, du fait qu'il abritait un sixième de la population mondiale et environ deux mille groupes ethniques distincts, et qu'on y parlait plus de sept cents langues. Peut-être parce que, dans les années indonésiennes de mon enfance, j'avais beaucoup écouté les deux grandes épopées hindoues, le *Râmâyana* et le *Mahâbhârata*, ou bien parce que je m'étais toujours intéressé aux religions orientales, ou encore parce que, à l'université, un groupe d'amis pakistanais et indiens m'avait appris la recette du *dahl* et du *keema*, et m'avait initié au cinéma de Bollywood.

Mais, avant tout, ma fascination pour l'Inde venait du Mahatma Gandhi. Il avait eu une influence décisive sur ma formation intellectuelle, au même titre qu'Abraham Lincoln, Martin Luther King et Nelson Mandela. Jeune homme, j'avais étudié ses écrits et m'étais rendu compte qu'il mettait en mots certains de mes instincts les plus profonds. Ses idées de *satyagraha*, « attachement à la vérité », et de résistance pacifique pour éveiller les consciences ; son rappel de notre humanité commune et de l'unité fondamentale de toutes les religions ; sa croyance en l'obligation pour toute société, dans ses dispositions politiques, économiques et sociales, de reconnaître une valeur et une dignité égales à tous ses membres : toutes ces conceptions trouvaient un écho en moi. Mais, plus encore que ses idées, c'étaient les actes de Gandhi qui me motivaient ; il avait assumé ses convictions et risqué sa vie, fait de la prison, et il s'était donné entièrement aux combats de son peuple. Sa campagne pacifiste pour l'indépendance de l'Inde, qui avait débuté en 1915 et duré plus de trente ans, n'avait pas uniquement aidé à vaincre un empire et à libérer la plus grande partie du sous-continent. C'était un repère moral, un phare pour les dépossédés et les exclus du monde entier qui entendaient conquérir leur liberté – y compris pour les Américains noirs vivant dans le Sud et soumis aux lois Jim Crow.

Au début de ce voyage, Michelle et moi avons pu visiter Mani Bhavan, la modeste bâtisse, blottie au cœur d'un quartier calme de Bombay, qui avait servi de port d'attache à Gandhi pendant de nombreuses années. Notre guide, une femme élégante en sari bleu, nous a montré le livre d'or que Martin Luther King avait signé en 1959, lorsqu'il était venu en Inde pour attirer l'attention sur le combat pour la justice raciale aux États-Unis et avait rendu hommage à cet homme dont les enseignements étaient pour lui une source d'inspiration.

La guide nous a ensuite invités à monter à l'étage, dans les appartements privés de Gandhi. Après avoir ôté nos chaussures, nous avons pénétré dans une pièce très simple au sol recouvert d'un carrelage patiné à motifs, dans laquelle une brise légère et une lumière vaporeuse entraient par les portes donnant sur la terrasse. J'ai observé le matelas posé par terre et l'oreiller spartiate, la collection de rouets, le vieux téléphone et le bureau bas en bois, et j'ai essayé d'imaginer Gandhi dans cette pièce, frêle et brun dans son dhoti en coton blanc, assis en tailleur, écrivant une lettre au vice-roi britannique ou traçant l'itinéraire de la prochaine étape de la Marche du sel. Comme j'aurais aimé pouvoir m'asseoir et parler avec lui. Lui demander où il avait trouvé la force et l'imagination pour faire autant avec si peu. Lui demander comment il avait surmonté les déconvenues.

Et il n'avait pas été épargné. Malgré l'étendue de ses dons, Gandhi n'avait pas réussi à résoudre les profondes divisions religieuses du sous-continent, ni à empêcher sa scission – d'un côté l'Inde à dominante hindoue, de l'autre le Pakistan majoritairement musulman –, un séisme au cours duquel la violence sectaire avait fait des morts innombrables et où des millions de familles avaient été contraintes d'emporter ce qu'elles pouvaient pour s'exiler de l'autre côté des nouvelles frontières. Malgré tous ses efforts, il n'avait pu déboulonner le système de castes qui étouffait l'Inde. Pourtant, à 70 ans bien passés, il continuait à marcher, jeûner et prêcher – jusqu'à ce jour de 1948 où, tandis qu'il allait prier, il avait été tué à bout portant par un jeune extrémiste hindou pour qui son œcuménisme était une trahison.

À BIEN DES ÉGARDS, l'histoire de l'Inde moderne, qui avait survécu à de multiples changements de gouvernement, à des affrontements acharnés au sein de ses partis politiques, à divers mouvements séparatistes et à toutes sortes de scandales de corruption, était un exemple de réussite. La transition vers une économie de marché dans les années 1990 avait donné libre cours aux extraordinaires talents entrepreneuriaux des Indiens – avec comme résultat un taux de croissance vertigineux, un secteur de la haute technologie florissant, et une classe moyenne en continuelle expansion. L'architecte en chef de cette transformation économique, le Premier ministre Manmohan Singh, incarnait à la perfection le développement du pays : c'était un sikh, membre d'un groupe religieux très minoritaire et souvent persécuté, qui s'était hissé jusqu'au sommet de l'État, ainsi qu'un technocrate discret qui n'avait pas gagné la confiance du peuple en attisant ses passions, mais en améliorant le niveau de vie du pays tout en conservant une réputation d'intégrité parfaitement méritée.

La relation que nous avions nouée était chaleureuse et productive. Même s'il pouvait parfois se montrer circonspect sur le terrain international, veillant à ne pas échauder une bureaucratie qui se méfiait traditionnellement des États-Unis, les moments que j'ai pu passer avec lui n'ont fait que confirmer ma première impression, celle d'un homme d'une sagesse et d'une droiture morale peu communes ; et, lors de ma visite dans la capitale, New Delhi, nous sommes parvenus à plusieurs accords de coopération renforcée en matière de terrorisme, de santé mondiale, de sécurité nucléaire et de commerce.

Je ne parvenais toutefois pas à déterminer si l'arrivée de Singh au pouvoir représentait l'avenir de la démocratie indienne ou une simple aberration. Pour notre premier soir à Delhi, Singh et son épouse, Gursharan Kaur, nous ont invités à dîner dans leur résidence ; avant de rejoindre les autres convives dans une cour éclairée par des bougies, Singh et moi avons eu quelques minutes pour discuter en tête à tête. Sans la foule d'anges gardiens et de scribes qui nous encerclait d'habitude, le Premier ministre a pu me parler plus franchement des nuages qu'il voyait s'accumuler à l'horizon. La situation économique l'inquiétait. L'Inde s'était mieux relevée de la crise financière que la majorité des autres pays, mais le ralentissement mondial allait fatalement brider les créations d'emplois alors que la population indienne était jeune et en augmentation rapide. Et puis il y avait la question du Pakistan : son refus de coopérer avec l'Inde dans l'enquête sur les attentats de Bombay en 2008, qui avaient notamment frappé des hôtels, avait exacerbé les tensions entre les deux pays, en partie parce que le Lashkar-e-Toiba, l'organisation terroriste qui avait commis ces attentats, était soupçonné d'être lié aux services de renseignement pakistanais. Singh avait résisté aux appels à la vengeance contre le Pakistan, mais sa retenue l'avait affaibli politiquement. Il craignait que l'islamophobie grandissante ne fasse le jeu du premier parti d'opposition, le Bharatiya Jana Party (BJP) hindou et nationaliste.

« Monsieur le Président, m'a dit le Premier ministre, dans les moments incertains, la tentation de la solidarité religieuse et ethnique peut se révéler grisante. Et il est très facile pour les politiciens d'exploiter ces situations, en Inde comme ailleurs. »

J'ai acquiescé en me remémorant ma conversation avec Václav Havel lors de ma première visite à Prague, quand il m'avait mis en garde contre la vague illibérale qui déferlait sur l'Europe. Si la mondialisation et une crise économique historique alimentaient ces tendances dans des pays relativement riches – et jusqu'aux États-Unis avec le Tea Party –, comment l'Inde pourrait-elle y être imperméable ? Car, en dépit de la solidité de sa démocratie et de ses impressionnantes performances économiques, l'Inde était toujours loin de ressembler à la société égalitaire, pacifique et durable qu'avait imaginée Gandhi. D'un bout à l'autre du pays, des millions de personnes vivaient encore dans la misère, prisonnières de villages brûlés par le soleil ou de bidonvilles labyrinthiques, tandis que les titans de l'industrie menaient un train de vie à rendre jaloux les rajas et les moghols d'antan. La violence, publique comme privée, était une composante encore trop importante de la vie des Indiens. L'hostilité envers le Pakistan restait le moyen le plus rapide d'unir le pays, et nombre d'Indiens s'enorgueillissaient de ce que leur nation ait développé un programme d'armement nucléaire rivalisant avec celui de son voisin, sans se préoccuper du fait que la moindre erreur de calcul d'un côté ou de l'autre risquait de déboucher sur la destruction totale de la région.

Surtout, le système politique indien demeurait bâti sur la religion, le clan et la caste. Vue sous cet angle, l'accession de Singh au poste de Premier ministre, parfois présentée comme une marque des progrès faits par l'Inde dans le dépassement de ses divisions confessionnelles, était quelque peu trompeuse. Ce n'était pas grâce à sa popularité que Singh était devenu Premier ministre. En réalité, il le devait à Sonia Gandhi, la veuve de l'ancien Premier ministre Rajiv Gandhi et cheffe du Parti du Congrès, qui s'était effacée après avoir remporté l'élection avec la coalition menée par son parti, et avait nommé Singh à sa place. Certains observateurs pensaient qu'elle l'avait choisi précisément parce qu'un Sikh âgé et sans assise politique nationale ne constituerait pas une menace pour son fils Rahul, 40 ans, son successeur désigné à la tête du Parti du Congrès.

Ce soir-là, Sonia et Rahul Gandhi partageaient notre table. Vêtue d'un sari traditionnel, Sonia était une femme remarquable d'une soixantaine d'années, avec des yeux noirs perçants et une présence aussi calme que majestueuse. Le fait que cette ancienne femme au foyer d'origine italienne, dont le mari avait été tué par un séparatiste sri-lankais lors d'un attentat suicide en 1991, ait réussi à surmonter son deuil pour devenir une importante figure politique nationale témoignait du pouvoir de cette dynastie. Rajiv était le petit-fils de Jawaharlal Nehru, qui avait inauguré la fonction de Premier ministre en Inde et était un symbole du mouvement indépendantiste. Sa mère, la fille de Nehru, Indira Gandhi, avait passé en tout seize années à ce poste, où elle avait exercé une politique bien plus dure que celle de son père, jusqu'à son assassinat en 1984.

Sonia Gandhi écoutait plus qu'elle ne parlait, veillait à se référer à Singh sur les questions politiques, et faisait souvent dévier la conversation vers son fils. Il m'est néanmoins apparu évident que son pouvoir était le produit de sa finesse et de sa détermination. Quant à Rahul, il semblait intelligent et sérieux, et avait la même beauté que sa mère. Il nous a fait part de ses réflexions quant à l'avenir des politiques progressistes, s'interrompant parfois pour me poser des questions sur ma campagne de 2008. Mais il avait quelque chose de nerveux, mal défini, un peu comme un étudiant qui a bien fait son travail et cherche à impressionner son professeur, mais qui, dans le fond, n'a pas les dispositions ou la passion nécessaires pour maîtriser son sujet.

L'heure avançant, j'ai remarqué que Singh luttait contre le sommeil et portait régulièrement son verre à sa bouche pour se réveiller en buvant une gorgée d'eau. J'ai fait signe à Michelle que le moment était venu de prendre congé. Le Premier ministre et son épouse nous ont raccompagnés à notre voiture. Dans la pénombre, Singh paraissait fragile, plus vieux que ses 78 ans, et pendant le trajet du retour je me suis demandé ce qui se passerait lorsqu'il se retirerait de la politique. Rahul prendrait-il le relais, accomplissant la destinée voulue par sa mère et préservant la prééminence du Parti du Congrès sur le nationalisme du BJP ?

J'en doutais. Ce n'était pas la faute de Singh. Il avait joué son rôle en appliquant à la lettre le manuel des démocraties libérales de l'après-guerre froide : il avait fait respecter l'ordre constitutionnel, accompli le travail quotidien et souvent technique permettant de stimuler le PIB, et élargi la couverture sociale. Comme moi, il en était venu à considérer que c'était là tout ce que nous pouvions attendre de la démocratie, surtout dans les grandes sociétés multiethniques et multiconfessionnelles comme l'Inde et les États-Unis. Pas d'avancées révolutionnaires, pas de réformes culturelles majeures, pas de remèdes universels, pas de réponses durables aux questions que se posaient les personnes cherchant un sens à leur vie. Rien que l'observation des règles qui nous aidaient à résoudre ou du moins à tolérer nos différences, et des politiques qui amélioraient suffisamment le niveau de vie et d'éducation pour tempérer les plus bas instincts de l'humanité.

Je me demandais si, désormais, ces instincts – violence, cupidité, corruption, nationalisme, racisme et intolérance religieuse, notre désir trop humain de dominer les autres pour faire taire nos doutes, notre condition de mortels et notre sentiment d'insignifiance – n'étaient pas trop puissants pour être éternellement contenus par quelque démocratie que ce soit. Car ils semblaient tapis partout, prêts à resurgir dès que le taux de croissance stagnait, que la démographie évoluait ou qu'un chef charismatique décidait d'attiser les peurs et les ressentiments du peuple. Et, même si je le regrettais parfois, je n'avais auprès de moi aucun Mahatma Gandhi qui puisse me dire quoi faire pour les contrer.

TRADITIONNELLEMENT, LES AMBITIONS DU CONGRÈS sont plutôt modestes pendant la période qui s'étend de l'élection aux vacances de Noël, surtout à la veille d'un changement de majorité. Les perdants, déprimés, ont envie de rentrer chez eux ; les gagnants piaffent en attendant l'investiture du nouveau Congrès. À partir du 5 janvier 2011, nous allions avoir face à nous la Chambre la plus républicaine depuis 1947, ce qui signifiait que je ne réussirais plus à faire passer aucune loi sans l'accord du nouveau président de la Chambre, John Boehner. Et, au cas où nous aurions encore eu des doutes quant à ses intentions, Boehner avait déjà annoncé que la première motion qu'il soumettrait au vote serait une révocation pure et simple de l'Affordable Care Act.

Il nous restait toutefois un créneau pendant les « derniers feux » de cette majorité, et à mon retour d'Asie j'étais décidé à boucler plusieurs initiatives importantes avant les fêtes et la suspension des travaux parlementaires : ratification du nouveau traité START sur la non-prolifération nucléaire que nous avions négocié avec les Russes, abrogation de la loi « Don't Ask, Don't Tell » qui obligeait les militaires LGBTQ à cacher leur orientation sexuelle, et vote du DREAM Act (Development, Relief and Education for Alien Minors) qui ouvrirait les portes de la citoyenneté à de nombreux enfants d'immigrés sans papiers. Pete Rouse et Phil Schiliro, presque soixante-dix ans de Capitole à eux deux, ont pris un air dubitatif lorsque je leur ai présenté ma liste. Quant à Axe, il a tout simplement ri.

« C'est tout ? » a-t-il demandé, moqueur.

Ce n'était pas tout. J'avais oublié d'ajouter que nous devions faire voter une loi sur l'alimentation des enfants, clé de voûte du plan de lutte contre l'obésité infantile orchestré par Michelle. « C'est une bonne mesure, ai-je dit, et l'équipe de Michelle a réussi à avoir le soutien de toutes les associations. Et puis, si on ne fait pas voter sa loi, je ne vais pas pouvoir rentrer chez moi. »

Je comprenais que mes collaborateurs soient sceptiques quant à la possibilité de mener à bien un programme aussi audacieux. Même si nous parvenions à rassembler les soixante votes dont nous avions besoin pour chacun de ces textes controversés, rien n'assurait que Harry Reid puisse obtenir de McConnell l'inscription de tous à l'ordre du jour dans un délai aussi bref. Pourtant, cela ne me paraissait pas complètement délirant. Presque tous ces projets bénéficiaient d'une bonne dynamique législative et avaient été approuvés par la Chambre ou allaient vraisemblablement l'être. Et si jusque-là nous avions souvent buté sur les républicains au Sénat, je savais que McConnell avait de son côté un gros dossier coûteux qu'il voulait absolument faire passer : une loi qui étendait les allégements fiscaux décidés sous Bush et qui allait expirer automatiquement le 31 décembre.

Cela nous donnait un avantage.

J'étais depuis longtemps opposé à ces mesures qui portaient la marque de mon prédécesseur, deux textes adoptés en 2001 et en 2003 qui modifiaient le code fiscal en avantageant considérablement les grandes fortunes tout en creusant les inégalités de patrimoine et de revenu. Warren Buffett aimait faire observer que, grâce à ces lois, il avait un taux d'imposition bien plus bas – au regard de ses revenus, qui provenaient majoritairement de plus-values et de dividendes – que sa secrétaire n'ayant que son salaire. Les modifications des règles de succession avaient à elles seules allégé de 130 milliards de dollars la charge fiscale des 2 % de ménages les plus riches. Et ce n'était pas tout. En privant le Trésor américain d'environ 1 300 milliards de dollars de recettes prévisionnelles, le gouvernement Bush avait transformé l'excédent budgétaire de l'ère Clinton en déficit croissant – un déficit que les républicains instrumentalisaient à présent pour exiger des coupes dans les allocations sociales, Medicare, Medicaid, et plus généralement toute la couverture sociale.

Ces allégements fiscaux étaient bien entendu une mauvaise politique, mais ils avaient aussi légèrement diminué les impôts de la plupart des Américains, et leur abrogation se révélait donc politiquement périlleuse. Tous les sondages montraient qu'une nette majorité de la population était favorable à une hausse des impôts pour les riches. Seulement, même les avocats et les médecins aisés ne s'estimaient pas riches, encore moins ceux qui vivaient dans des villes chères ; et, après une décennie de stagnation pour les 90 % de revenus les plus bas, rares étaient ceux qui souhaitaient voir leurs impôts augmenter. Pendant la campagne, mon équipe et moi avions trouvé ce qui nous semblait un point d'équilibre en proposant une abrogation sélective des allégements Bush profitant aux ménages qui gagnaient plus de 250 000 dollars par an (200 000 pour les célibataires). Cette approche, qui faisait presque l'unanimité parmi les parlementaires démocrates, ne toucherait que les 2 % des foyers fiscaux les plus riches et rapporterait environ 680 milliards de dollars sur les dix ans à venir, qui pourraient nous permettre d'améliorer l'accès des populations les plus modestes aux crèches, à la santé, à la formation professionnelle et à l'éducation.

Je n'avais pas changé d'avis sur ces sujets : imposer davantage les plus riches n'était pas uniquement une question d'équité, c'était le seul moyen de financer de nouvelles initiatives. Mais, comme pour tant d'autres promesses de campagne, la crise financière m'avait contraint à réenvisager le moment propice pour agir. Dans les premiers temps de mon mandat, alors que le pays semblait prêt à sombrer dans la crise, mes conseillers économiques m'avaient convaincu qu'une hausse des impôts – même si elle ne visait que les riches et les grandes entreprises – serait contre-productive puisqu'elle retirerait des liquidités du circuit économique dans une période où nous voulions au contraire que la population et les entreprises dépensent. Dans une économie encore mal en point, la perspective d'une augmentation des impôts continuait à inquiéter mon équipe.

Et, de fait, Mitch McConnell avait menacé de bloquer tout ce qui ne serait pas une extension des allégements Bush. Dans ces conditions, la seule façon de nous en débarrasser tout de suite – comme de nombreux commentateurs progressistes nous pressaient de le faire – était d'attendre le 1er janvier sans bouger pour laisser tous les taux d'imposition revenir à ce qu'ils étaient sous Clinton. Les démocrates pourraient alors proposer un texte qui diminuerait les impôts des ménages dont les revenus étaient inférieurs à 250 000 dollars par an, mettant les républicains au défi de voter contre.

C'était une stratégie tentante. Mais, au vu de la déculottée que nous avions prise à la mi-mandat, Joe Biden et nos conseillers législatifs redoutaient que les démocrates centristes ne se désolidarisent et que les républicains ne profitent de leur défection pour graver les allégements Bush dans le marbre. Ces aspects politiques mis à part, le problème de cette partie de « cap ou pas cap » avec les républicains était qu'elle avait un effet immédiat sur une économie toujours fragile. Même si nous réussissions à préserver le bloc démocrate et si le GOP finissait par craquer sous la pression, il faudrait encore des mois pour faire adopter une loi par un Congrès divisé. Et, pendant ce temps, les classes moyennes et populaires subiraient une baisse de leurs revenus, les entreprises limiteraient encore davantage leurs investissements, les bourses plongeraient une fois de plus, et nous finirions presque certainement avec une récession sur les bras.

Après avoir examiné divers scénarios, j'ai envoyé Joe parlementer avec McConnell. Nous allions concéder une prolongation de deux ans de tous les allégements Bush, mais à la condition expresse que les républicains acceptent de prolonger sur une période équivalente l'assurance chômage d'urgence, le crédit d'impôt accordé aux classes populaires et moyennes par le Recovery Act (Making Work Pay), et un autre ensemble de crédits d'impôts remboursables qui avantageait les bas salaires. McConnell s'est braqué. Lui qui avait déclaré que « notre objectif le plus important est de nous assurer que le président Obama ne fasse qu'un seul mandat » répugnait apparemment à me laisser dire que j'avais diminué les impôts pour la majorité de la population sans y avoir été forcé par les républicains. Je n'étais pas franchement surpris : si j'avais choisi Joe comme intermédiaire – au-delà de son expérience de sénateur et de son habileté législative –, c'est parce que je savais que, dans l'esprit de McConnell, en négociant avec le vice-président il ne s'attirerait pas les foudres de sa base militante comme il l'aurait fait en donnant l'impression de « coopérer avec Obama » (ce socialiste noir et musulman).

Après quantité d'allers-retours, et une fois que nous avons accepté de troquer le crédit d'impôt Making Work Pay contre des exonérations de cotisations sociales, McConnell a fini par céder et, le 6 décembre, j'ai pu annoncer que nous étions parvenus à un accord global.

Sur le plan politique, c'était une conclusion qui nous enchantait. Même s'il était douloureux de maintenir les allégements fiscaux pour les riches pendant deux ans, nous avions réussi à étendre les dégrèvements d'impôts pour les revenus bas et moyens tout en obtenant 212 milliards de dollars supplémentaires qui, injectés dans la relance économique, iraient aux Américains qui en avaient le plus besoin – une mesure que nous n'aurions jamais pu faire adopter indépendamment par une Chambre à majorité républicaine. Quant aux tractations derrière cet accord, j'ai expliqué à Valerie que cette fenêtre de deux ans représentait un pari entre les républicains et moi. Je misais sur le fait que, en novembre 2012, je sortirais réélu de la campagne électorale, et donc en position de force pour abroger ces allégements. De leur côté, les républicains pensaient qu'ils allaient me battre et que le nouveau président les aiderait à entériner les allégements Bush.

Le fait que cet accord fasse reposer tant de choses sur l'issue de la prochaine présidentielle peut expliquer pourquoi il a tant scandalisé les commentateurs de gauche. Ces derniers m'ont accusé de m'être écrasé devant McConnell et Boehner, et d'avoir été compromis par mes copains de Wall Street ainsi que par des conseillers comme Larry et Tim. Ils m'ont aussi averti que les exonérations de cotisations allaient grever le budget des allocations sociales, que les crédits d'impôts remboursables à destination des bas salaires se révéleraient éphémères, et que les allégements Bush deviendraient permanents, comme les républicains le voulaient depuis le début.

En d'autres termes, eux aussi pariaient sur ma défaite.

Or, mi-décembre, la semaine où nous annoncions l'accord avec McConnell, il se trouve que Bill Clinton est venu déjeuner dans la salle à manger du Bureau ovale. Les tensions qui avaient existé entre nous durant la campagne s'étaient alors pratiquement dissipées, et il me paraissait utile d'entendre les leçons qu'il avait tirées de sa défaite aux élections de mi-mandat en 1994, lorsque Newt Gingrich était devenu président de la Chambre. Nous avons discuté dans le détail de l'accord fiscal que je venais d'arracher, et Clinton s'est montré enthousiaste.

« Il faut que vous en parliez à nos amis, lui ai-je dit en faisant référence aux attaques de certains milieux démocrates.

– Je le ferai dès que j'en aurai l'occasion », a acquiescé Clinton.

Cela m'a donné une idée. « Et si vous en aviez l'occasion tout de suite ? » Sans lui laisser le temps de répondre, je suis allé dans le bureau de Katie et lui ai demandé de faire rameuter par le service de la communication tous les correspondants présents. Un quart d'heure plus tard, j'entrais dans la salle de presse de la Maison-Blanche, accompagné par Bill Clinton.

Après avoir expliqué aux journalistes étonnés qu'une mise en perspective de notre accord fiscal par la personne qui avait été à la manœuvre pendant une des périodes économiques les plus prospères que nous ayons connues pourrait leur être utile, j'ai cédé la place à Clinton. Avec son charme irrésistible et sa voix rauque, l'ancien président a plaidé la cause de notre compromis avec McConnell et s'est rapidement mis toute la salle dans la poche. À tel point que, peu après le début de notre conférence de presse improvisée, lorsque je me suis rappelé que j'avais un autre rendez-vous, Clinton paraissait tellement s'amuser que je n'ai pas eu le cœur de l'interrompre. Je me suis donc avancé vers le micro pour annoncer que je devais m'en aller, mais que le président Clinton restait. Un peu plus tard, j'ai demandé à Gibbs comment tout cela s'était passé.

« La presse a adoré. Même si certains observateurs ont dit que vous vous rabaissiez en mettant Clinton en avant. »

Cela ne m'inquiétait pas trop. Je savais que Clinton était bien plus haut que moi dans les sondages à ce moment-là, notamment parce que la presse conservatrice qui le descendait autrefois trouvait à présent utile de l'opposer à moi, de le présenter comme le type de démocrate centriste et raisonnable avec qui les républicains pouvaient travailler.

Son approbation allait nous aider à faire accepter notre accord par l'opinion et à étouffer dans l'œuf une éventuelle rébellion des parlementaires démocrates. Il y avait là une ironie à laquelle, comme tant de chefs d'État actuels, j'ai dû m'habituer : on a toujours l'air moins malin que l'ex-président qui commente depuis le banc de touche.

Cette détente provisoire avec McConnell allait nous permettre de nous concentrer sur les autres points de ma liste. La loi de Michelle sur l'alimentation avait déjà recueilli assez de soutiens républicains pour passer début décembre sans trop de difficultés, même si Sarah Palin, désormais polémiste sur Fox News, accusait Michelle de vouloir priver les parents américains de la liberté de nourrir leurs enfants comme bon leur semblait. En parallèle, la Maison-Blanche parachevait un texte sur la sécurité alimentaire qui serait soumis au vote plus tard dans le mois.

La ratification du nouveau traité START s'est révélée plus délicate – non seulement parce qu'elle exigeait soixante-sept voix et non soixante, mais parce qu'il n'y avait rien à y gagner auprès de l'opinion. J'ai été obligé de tanner Harry Reid pour qu'il en fasse une question prioritaire, en lui expliquant que la crédibilité des États-Unis était en jeu – sans même parler de ma réputation auprès des autres dirigeants – et que cette ratification était essentielle pour faire appliquer des sanctions à l'Iran et inciter les autres pays à renforcer leurs mesures de sûreté nucléaire. Dès que Harry a consenti du bout des lèvres à soumettre le traité au vote (« Je ne sais pas où nous allons trouver le temps, monsieur le Président, a-t-il grommelé au téléphone, mais si vous me dites que c'est important, je vais faire de mon mieux, d'accord ? »), nous nous sommes attelés à la collecte des votes républicains. L'approbation du traité par les chefs d'état-major allait nous y aider, de même que le soutien de mon vieil ami Dick Lugar, qui était encore vice-président de la Commission sénatoriale des affaires étrangères et voyait, à raison, dans le traité START la continuation de son travail antérieur sur la non-prolifération nucléaire.

Malgré tout cela, pour satisfaire aux exigences du sénateur de l'Arizona, Jon Kyl, j'ai dû m'engager, moyennant plusieurs milliards de dollars, à soutenir un plan pluriannuel de modernisation des infrastructures entourant notre arsenal nucléaire. Après avoir milité pendant tant d'années pour l'élimination de ces armes, et sachant tout ce que nous aurions pu faire avec cet argent, cette concession ressemblait à un pacte avec le diable, quand bien même les experts de la Maison-Blanche, qui étaient pour beaucoup des partisans du désarmement, m'assuraient que notre arsenal vieillissant avait besoin d'être modernisé afin de réduire les risques d'accident ou d'erreur catastrophique. Et lorsque le traité

START a été adopté par le Sénat à 71 voix contre 26, j'ai poussé un grand soupir de soulagement.

LA MAISON-BLANCHE n'était jamais aussi belle que pendant les fêtes de fin d'année. Les murs de la colonnade et du grand couloir de l'aile ouest étaient ornés de couronnes de pin fermées par des nœuds rouges, et dans la roseraie les chênes et les magnolias étaient constellés de lumières. Le sapin de Noël officiel de la Maison-Blanche, un arbre majestueux apporté par une voiture tractée par des chevaux, occupait presque tout le salon Bleu, mais on trouvait des arbres presque aussi spectaculaires dans tous les espaces ouverts au public. Pendant trois jours, une armée de volontaires coordonnés par le secrétariat social avait décoré de manière étourdissante les arbres, les couloirs et le grand hall, tandis que les chefs pâtissiers préparaient une maquette du bâtiment historique en pain d'épices, poussant la précision jusqu'à ajouter les meubles, les rideaux et – du moins sous mon mandat – une version miniature de Bo.

Durant cette période, nous organisions des réceptions pratiquement tous les après-midis et tous les soirs pendant deux semaines et demie. C'étaient de grandes réjouissances accueillant chaque fois deux ou trois cents invités qui plaisantaient en mangeant des côtes d'agneau et des cakes au crabe, buvaient du lait de poule et du vin, tout cela au son des standards de circonstance, joués par la fanfare du corps des Marines en grand uniforme écarlate. Pour Michelle et moi, les réceptions en journée étaient simples : nous n'y faisions qu'une brève apparition et, derrière un cordon, présentions nos vœux à toute l'assemblée. Mais les soirées, elles, exigeaient que nous passions au moins deux heures dans le salon de réception des diplomates et prenions des photos avec presque tous les convives. Michelle s'y pliait volontiers lors des fêtes que nous organisions pour les familles des membres du Secret Service et du personnel de la résidence, malgré la douleur que lui causaient les chaussures à talon quand elle devait les porter pendant plusieurs heures d'affilée. Mais, lorsqu'il s'agissait des parlementaires ou de la presse politique, son esprit de Noël avait tendance à s'envoler. Soit parce qu'ils réclamaient davantage d'attention («Arrête de papoter comme ça!» me chuchotait-elle pendant les accalmies), soit parce que certaines personnes qui demandaient régulièrement la tête de son mari sur les plateaux de télévision avaient le culot de passer un bras autour de ses épaules et de sourire pour la photo comme s'ils étaient les meilleurs amis du monde.

Mais, dans l'aile ouest, au cours de ces semaines précédant Noël, mon équipe consacrait principalement son énergie aux deux textes les plus controversés qui restaient sur ma liste : « Don't Ask, Don't Tell » (DADT) et le DREAM Act. Au même titre que l'avortement, les armes et à peu près tout ce qui avait trait aux questions raciales, les droits des personnes LGBTQ et l'immigration se trouvaient depuis des décennies au centre des guerres culturelles de notre pays, parce qu'ils soulevaient la question la plus fondamentale qui soit dans notre démocratie : qui peut être considéré comme un membre à part entière de la famille américaine et mérite donc les mêmes droits, le même respect et la même attention que nous ? J'étais partisan d'une défi-nition large de cette famille, englobant toutes les orientations sexuelles ainsi que les familles immigrées qui s'étaient établies sur notre sol et y élevaient des enfants, même lorsqu'elles n'étaient pas entrées par la grande porte. Comment aurait-il pu en être autrement, alors que les arguments avancés pour les exclure avaient été si souvent utilisés pour exclure les gens comme moi ?

Pour autant, je n'estimais pas que les personnes ayant un avis différent du mien sur les droits des LGBTQ et des immigrés étaient cruelles et intolérantes. D'une part, j'avais assez de recul – ou, en tout cas, assez de mémoire – pour savoir que ma propre attitude vis-à-vis des personnes homosexuelles et transgenres n'avait pas toujours été particulièrement éclairée. J'ai grandi dans les années 1970, une époque où ces groupes avaient moins de visibilité en dehors de leur communauté, au point que la sœur de Toot, ma tante Arlene (une de mes tantes préférées), se sentait obligée de présenter sa compagne Marge, avec qui elle partageait sa vie depuis vingt ans, comme sa « meilleure amie » lorsqu'elle venait nous voir à Hawaï.

Et, comme beaucoup d'adolescents à cette époque-là, il nous arrivait à mes amis et à moi d'employer des mots insultants tels que « tafiole » et « pédale » – tentant ainsi bêtement d'asseoir notre masculinité et de cacher notre manque de confiance en nous. Mais, lorsque je suis arrivé à l'université, j'ai noué des liens d'amitié avec des étudiants et des professeurs ouvertement homosexuels, et j'ai pris la mesure des discriminations et de la haine qu'ils subissaient, ainsi que de la solitude et des doutes que la culture dominante leur imposait. Alors j'ai eu honte de mon comportement passé, et j'ai appris à m'améliorer.

Quant à l'immigration, ce n'était pas un sujet qui me préoccupait beaucoup pendant ma jeunesse, au-delà de la vague mythologie

populaire entourant Ellis Island et la statue de la Liberté. Je n'ai développé une véritable réflexion que plus tard, à Chicago, quand mes activités associatives m'ont fait rencontrer la population principalement
mexicaine de Pilsen et de Little Village, des quartiers où la distinction
habituelle entre Américains de souche, citoyens naturalisés, détenteurs
de carte verte et immigrés sans papiers n'avait pratiquement plus court
puisqu'on trouvait les quatre dans chaque foyer ou presque. Avec le
temps, ces personnes ont commencé à me raconter ce que cela fait de
devoir cacher son identité, de craindre en permanence que la vie dans
laquelle on a investi tant d'efforts ne soit chamboulée en un instant.
Elles m'ont raconté la fatigue et le coût financier de devoir se battre
contre un système d'immigration arbitraire ou impitoyable, le sentiment
d'impuissance qui s'installait à force de travailler pour des employeurs
profitant de leur statut pour les payer en dessous du minimum légal.
Les amitiés que j'ai nouées et les histoires que j'ai entendues dans ces
quartiers, mais aussi de la bouche de personnes LGBTQ pendant mes
études et le début de ma carrière, ont ouvert mon cœur aux dimensions
humaines de questions que je considérais jusque-là dans des termes
plutôt abstraits.

Pour moi, le cas « Don't Ask, Don't Tell » était simple : une politique qui obligeait les militaires LGBTQ à taire leur orientation
sexuelle était à la fois contraire aux idéaux de notre pays et toxique
pour nos forces armées. DADT était le résultat d'un compromis vicié
entre Bill Clinton, qui avait promis durant sa campagne de révoquer
la loi interdisant aux LGBTQ de s'engager, et ses chefs d'état-major,
qui affirmaient que ce changement saperait le moral et la tenue des
troupes. Depuis sa prise d'effet en 1994, DADT avait peu fait pour la
protection ou la dignité des personnes et avait, au contraire, motivé le
renvoi de plus de 1 300 militaires sur la seule base de leurs orientations
sexuelles. Les autres devaient cacher leur identité et leurs amours, ne
pouvaient afficher sereinement des photos de leur famille dans leur
espace de travail ou participer à des rassemblements avec leur compagne
ou compagnon. Puisque j'étais le premier commandant en chef afro-
américain, il m'incombait tout particulièrement de tirer un trait sur
cette politique, car je savais que les Noirs avaient subi les préjugés de
l'institution, s'étaient vu interdire l'accès aux postes de commandement,
et avaient été contraints pendant des décennies de servir dans des unités
ségréguées – des règles finalement abrogées en 1948 par un décret de
Harry Truman.

Restait à décider comment j'allais m'y prendre. Depuis le début,
les militants LGBTQ me poussaient à suivre l'exemple de Truman

en abolissant cette politique par un simple décret – d'autant plus que j'avais déjà légiféré par décret et circulaire dans d'autres domaines où les personnes LGBTQ étaient discriminées, tels les droits de visite à l'hôpital et l'extension des prestations sociales aux conjoints et conjointes de fonctionnaires fédéraux. Mais, en contournant le vote et la formation du consensus qui l'accompagnait, un décret risquait de durcir les résistances au sein de l'armée et de compliquer la mise en application de la nouvelle politique. Sans compter que le président suivant n'aurait besoin que d'une simple signature pour l'annuler.

J'en avais conclu que la meilleure solution serait de pousser le Congrès à agir. Pour cela, j'aurais besoin de la coopération active et volontaire du haut commandement – ce qui ne serait pas chose facile alors que nous menions deux guerres de front. Les précédents chefs d'état-major s'étaient opposés à l'abrogation de DADT, arguant que l'incorporation de personnes ouvertement homosexuelles pourrait compromettre la cohésion et la discipline des unités. (Au Congrès, les adversaires de l'abrogation, dont John McCain, affirmaient qu'un changement de politique aussi radical en temps de guerre équivaudrait à trahir nos troupes.) Je dois reconnaître à Bob Gates et à Mike Mullen de ne pas avoir tiqué quand je leur ai annoncé, au début de mon mandat, mon intention de revenir sur DADT. Gates a répondu qu'il avait déjà demandé à son équipe de commencer à établir discrètement un planning en interne, moins par enthousiasme personnel que par souci pratique : il existait une possibilité que des tribunaux fédéraux déclarent DADT anticonstitutionnel et obligent l'armée à un changement brutal. Au lieu d'essayer de me faire revenir sur ma décision, Mullen et lui m'ont demandé de les laisser monter un groupe de travail pour évaluer les conséquences potentielles sur les opérations militaires – groupe de travail qui finirait par entreprendre une enquête à grande échelle au sein des forces armées pour savoir ce qu'elles pensaient de la présence de personnes homosexuelles dans leurs rangs. L'objectif, m'a expliqué Gates, était de prévenir autant que possible les troubles et les dissensions.

« Si vous voulez le faire, monsieur le Président, a-t-il ajouté, il faut au moins qu'on puisse vous dire comment le faire bien. »

J'ai signalé à Gates et à Mullen que la discrimination envers les LGBTQ n'était à mes yeux pas une question sujette à plébiscite. J'ai néanmoins accédé à leur demande, parce que je leur faisais confiance pour concevoir une procédure d'évaluation honnête, mais surtout parce que je me doutais que leur enquête révélerait que nos troupes – dont la majorité avait plusieurs décennies de moins que les haut gradés – faisaient preuve d'une ouverture d'esprit insoupçonnée envers les gays et les lesbiennes. Lors de son audience du 2 février 2010 devant la Commission des forces armées du Sénat, Gates a confirmé mon intuition en apportant son soutien plein et entier à ma décision de réexaminer DADT. Mais c'est Mullen, témoignant le même jour devant cette même commission, qui a défrayé la chronique en devenant le premier commandant militaire américain en activité à affirmer publiquement que les personnes LGBTQ devaient pouvoir s'engager dans l'armée sans avoir à dissimuler leur orientation sexuelle : « Monsieur le Président, je suis convaincu, et je parle en mon nom propre exclusivement, que permettre aux personnes homosexuelles de servir sans se cacher est la meilleure chose à faire. J'ai beau examiner cette question sous tous les angles, je ne peux m'empêcher d'être troublé par le fait que la politique en vigueur oblige de jeunes hommes et femmes à mentir pour avoir le droit de défendre leurs compatriotes. Pour moi, c'est une affaire d'intégrité, la leur en tant qu'individus et la nôtre en tant qu'institution. »

Mullen n'avait pas fait viser préalablement son intervention par la Maison-Blanche ; je ne suis même pas sûr que Gates ait su à l'avance ce qu'il avait l'intention de dire. Mais cette déclaration catégorique a immédiatement déplacé le débat public et braqué les projecteurs sur les sénateurs indécis, leur donnant ainsi une bonne raison de se ranger du côté de l'abrogation.

Plusieurs mois devaient encore s'écouler entre l'audition de Mullen et la fin de l'enquête que Gates et lui avaient commanditée, ce qui nous a valu quelques migraines. Les partisans de l'abrogation nous sont tombés dessus, en privé comme dans la presse, car ils ne comprenaient pas ce qui m'empêchait de légiférer par décret alors que le président du comité des chefs d'état-major était favorable à un changement de politique – d'autant que, pendant que nous prenions tout notre temps pour achever notre étude, des militaires LGBTQ continuaient à être renvoyés. Valerie et son équipe ont encaissé le plus gros des tirs venant de notre propre camp, et tout particulièrement Brian Bond, un militant gay très estimé qui était notre principal agent de liaison avec la communauté homosexuelle. Des mois durant, Brian a dû défendre mon processus décisionnaire face à des amis sceptiques, d'anciens collègues et des journalistes qui sous-entendaient qu'il avait été récupéré et doutaient de la véracité de son engagement. Je ne peux qu'imaginer sa souffrance.

Les critiques ont franchi un nouveau cap en septembre 2010 quand, conformément aux prévisions de Gates, un tribunal fédéral de Californie a jugé DADT contraire à la Constitution. J'ai demandé à Gates de suspendre officiellement toutes les procédures de renvoi le temps que l'affaire passe en appel. Mais j'ai eu beau insister, il a toujours refusé au motif que, tant que DADT était en vigueur, il avait l'obligation de l'appliquer ; et je savais que, si je lui donnais un ordre qu'il jugeait abusif, je devrais me trouver un nouveau secrétaire à la Défense. C'est peut-être la seule fois que j'ai été à deux doigts d'incendier Gates, et pas uniquement parce que son analyse légale me paraissait erronée. Il semblait considérer l'irritation des militants LGBTQ – ainsi bien sûr que les angoisses des militaires homosexuels qui se trouvaient sous sa responsabilité – comme une broutille « politique » dont je devais le protéger ainsi que le Pentagone, et non pas comme un élément central de sa réflexion. (Il a tout de même fini par modifier les aspects administratifs de DADT pour que l'instruction de la quasi-totalité des dossiers soit suspendue le temps que cette question soit résolue.)

Heureusement, vers la fin du mois, les résultats de l'étude sont enfin tombés. Ils confirmaient ce que je pressentais : deux tiers des personnes interrogées estimaient que la possibilité pour leurs collègues LGBTQ d'affirmer leur orientation sexuelle aurait un impact quasi nul sur les capacités opérationnelles de l'armée – voire qu'elle les améliorerait. En fait, la plupart des sondés étaient convaincus qu'ils avaient déjà des collègues LGBTQ et ne remarquaient aucune différence dans leurs aptitudes.

Je me suis dit qu'il suffisait de s'ouvrir à la vérité d'autres personnes pour faire évoluer les mentalités.

En se fondant sur les résultats de leur enquête, Gates et Mullen ont officiellement approuvé l'abrogation de DADT. Dans le Bureau ovale, les chefs d'état-major ont juré d'appliquer la nouvelle politique sans délai injustifié. Mieux encore, le général James Amos, commandant des Marines et ardent adversaire de l'abrogation de DADT, nous a fait sourire lorsqu'il a dit : « Monsieur le Président, je vous promets qu'aucun autre corps d'armée ne sera plus rapide que les Marines. » Et, le 18 décembre, le Sénat adoptait le texte par 65 voix contre 31, avec 8 votes républicains.

Quelques jours plus tard, j'ai ratifié la loi dans un auditorium rempli de militaires LGBTQ, en service ou réformés. Beaucoup d'entre eux étaient en uniforme, les visages exprimaient un mélange de joie, de fierté et de soulagement, et il y avait quelques larmes. Quand je me suis adressé à l'assemblée, j'ai remarqué que certains militants, qui étaient parmi nos détracteurs les plus acharnés quelques semaines auparavant, souriaient maintenant avec reconnaissance. Lorsque j'ai repéré Brian Bond, je lui ai adressé un salut de la tête. Mais, ce jour-là, c'est Mike Mullen qui a été le plus applaudi. Il a reçu une longue et chaleureuse ovation. En regardant le général sur l'estrade, visiblement ému malgré son sourire gêné, je me suis senti extrêmement heureux pour lui. J'ai songé qu'il n'était pas si courant qu'une authentique démonstration de moralité soit reconnue pour ce qu'elle est.

EN MATIÈRE D'IMMIGRATION, tout le monde s'accordait à dire que le système était en panne. La procédure légale pouvait prendre dix ans, parfois plus, et son issue dépendait souvent du pays d'origine et des moyens financiers du demandeur. Pendant ce temps, le fossé économique qui nous séparait de nos voisins du Sud poussait chaque année des centaines de milliers de personnes à traverser illégalement la frontière américano-mexicaine, longue de 3 110 kilomètres, en quête de travail et d'une vie meilleure. Le Congrès avait dépensé des milliards de dollars pour la renforcer au moyen de barrières, de caméras et de drones, et avait considérablement développé et militarisé la police aux frontières. Mais, loin d'arrêter l'afflux de migrants, ces mesures avaient créé un marché lucratif pour les passeurs – les « coyotes » – qui transportaient leur cargaison humaine dans des conditions barbares, parfois mortelles. Et, alors que la presse et les politiciens se concentraient sur ces populations pauvres en provenance du Mexique et d'Amérique centrale, l'immigration était aussi composée à 40 % de personnes qui arrivaient par les aéroports et autres voies légales et restaient après l'expiration de leur visa.

En 2010, on estimait à 11 millions le nombre de personnes sans papiers qui vivaient aux États-Unis, souvent tout à fait intégrées au tissu social. Beaucoup étaient là depuis longtemps, et avaient des enfants qui avaient obtenu la citoyenneté américaine par le droit du sol, ou qui étaient arrivés si jeunes qu'ils étaient en tout point américains, si ce n'est qu'il leur manquait un bout de papier. Des secteurs entiers de l'économie reposaient sur leur travail, car les sans-papiers acceptaient plus facilement d'accomplir des tâches dures ou ingrates pour un salaire dérisoire – récolter les fruits et les légumes que vendaient nos épiceries, faire le ménage dans les bureaux ou la plonge dans les restaurants, et s'occuper des personnes âgées. Mais certains consommateurs américains, tout en profitant de cette main-d'œuvre invisible, craignaient aussi qu'elle ne vole le travail des citoyens, plombe les programmes d'aides et bouleverse la composition ethnique et culturelle du pays, et réclamaient donc une répression plus sévère de l'immigration illégale. Ce sentiment était le plus fort dans les circonscriptions républicaines, attisé par une presse ultra-conservatrice de plus en plus nativiste. Mais les positions de chaque parti n'étaient pas aussi simples : la base syndicaliste, historiquement démocrate, voyait la présence de travailleurs sans papiers sur les chantiers comme une menace pour l'emploi, tandis que les grandes entreprises, plutôt républicaines, qui désiraient conserver leur approvisionnement en main-d'œuvre bon marché (ou, dans le cas de la Silicon Valley, en développeurs et ingénieurs informatiques d'origine étrangère) se révélaient souvent pro-immigration.

En 2007, John McCain, s'écartant de la ligne du parti avec son acolyte Lindsey Graham, avait même coopéré avec Ted Kennedy pour élaborer une réforme globale qui accorderait la citoyenneté à des millions d'immigrés sans papiers tout en augmentant la sécurité aux frontières afin d'interrompre le flux. Malgré le franc soutien du président Bush, ce texte n'avait pas passé le Sénat. Il avait néanmoins recueilli douze votes républicains, ce qui indiquait une réelle possibilité d'accord transpartisan. Je m'étais engagé pendant ma campagne à relancer ce projet de loi, et dans cette optique j'avais nommé l'ancienne gouverneure de l'Arizona, Janet Napolitano, à la tête de la Sécurité intérieure – le département chapeautant le Service de l'immigration et des douanes (ICE) ainsi que le Bureau des douanes et de la protection des frontières –, parce qu'elle connaissait les questions frontalières et était réputée pour son approche à la fois ferme et humaine de l'immigration.

Jusque-là, tous mes espoirs de faire passer un texte de loi avaient été douchés. En pleine crise économique, alors que les Américains perdaient leurs emplois, peu de parlementaires étaient prêts à se colleter avec un dossier aussi brûlant que l'immigration. Kennedy n'était plus là. McCain, critiqué sur son flanc droit pour la relative modération de ses positions migratoires, paraissait peu désireux de reprendre les armes. Pire encore, nous continuions sous mon mandat à expulser de plus en plus de travailleurs sans papiers. Ce n'était pas le résultat d'une décision de ma part, mais d'une directive parlementaire de 2008 qui avait augmenté le budget de l'ICE et renforcé sa collaboration avec les forces de police locales afin d'augmenter les expulsions d'immigrés sans papiers ayant un casier judiciaire. Mon équipe et moi avons fait le choix stratégique de ne pas tenter immédiatement de revenir sur cette politique dont nous avions hérité, en grande partie parce que nous ne voulions pas donner du grain à moudre à nos détracteurs qui prétendaient que les démocrates refusaient de faire appliquer les lois sur l'immigration – un discours susceptible de torpiller nos chances de faire voter une réforme. Mais, en 2010, les militants pour les droits des immigrés et des Hispaniques critiquaient notre immobilisme, de la même manière que les activistes LGBTQ nous étaient tombés dessus au sujet de DADT. Et quand bien même j'encourageais le Congrès à voter une réforme de l'immigration, je voyais mal comment j'allais pouvoir proposer un nouveau texte avant la mi-mandat.

C'est là qu'intervient le DREAM Act. L'idée d'améliorer la situation des jeunes sans-papiers arrivés aux États-Unis quand ils étaient enfants flottait dans l'air depuis plusieurs années, et au moins dix versions du DREAM Act avaient été retoquées par le Congrès depuis 2001. Les partisans du texte le présentaient souvent comme une étape imparfaite, mais essentielle, vers une réforme plus étendue. Il devait accorder aux « Dreamers » – le surnom donné à ces jeunes gens – un droit de séjour temporaire et les mettre sur la voie de la citoyenneté, à condition qu'ils remplissent certains critères. Le dernier projet en date exigeait qu'ils soient entrés sur le territoire avant l'âge de 16 ans, qu'ils y aient vécu cinq années consécutives, qu'ils aient leur diplôme d'études secondaires (obtenu dans un lycée ou en candidats libres) et fait deux années d'études supérieures ou se soient engagés dans l'armée – et, bien sûr, qu'ils aient un casier judiciaire vierge. Les États pouvaient décider de les rendre éligibles à des réductions de frais de scolarité, sans quoi nombre d'entre eux n'auraient jamais eu les moyens d'aller à l'université.

Les Dreamers avaient fréquenté les écoles américaines, pratiqué des sports américains, regardé la télévision américaine et traîné dans des centres commerciaux américains. Dans certains cas, leurs parents ne leur avaient jamais dit qu'ils n'étaient pas des citoyens américains ; ils l'avaient appris lorsqu'ils avaient tenté de passer leur permis de conduire ou demandé une bourse d'études. J'avais eu l'occasion de rencontrer beaucoup de ces jeunes, avant et après mon entrée à la Maison-Blanche. Intelligents et posés, ils avaient du caractère et tout autant de potentiel que mes filles. Je trouvais même qu'ils avaient une vision moins cynique des États-Unis qu'une grande partie de leurs contemporains de souche – précisément parce qu'ils avaient appris à ne pas considérer la vie dans ce pays comme une chose acquise.

Permettre à ces jeunes gens de rester aux États-Unis, le seul pays que la plupart d'entre eux avaient jamais connu, était un tel impératif moral que Kennedy et McCain avaient intégré les dispositions du DREAM Act à leur loi de 2007 sur l'immigration. Et en 2010, faute de réécriture plus globale de la législation migratoire annoncée dans un avenir proche, Harry Reid, qui n'aurait pas obtenu sa réélection à la mi-mandat sans un fort soutien de la communauté hispanique, avait promis de soumettre le DREAM Act au vote avant la fin de l'année.

Hélas, Harry avait fait cette annonce à la dernière minute et sans avertir personne, ni nous, ni ses collègues sénateurs, ni les groupes qui travaillaient sur la réforme. Agacée qu'il ait fait cavalier seul (« Il aurait quand même pu me passer un coup de fil »), Nancy Pelosi avait toutefois joué le jeu et poussé le texte à la Chambre. Mais, au Sénat, McCain et Graham avaient dénoncé l'opportunisme de Harry et déclaré qu'ils ne voteraient pas le DREAM Act s'il ne s'accompagnait pas d'un renforcement des frontières. Les cinq sénateurs républicains qui avaient soutenu la proposition McCain-Kennedy en 2007 et étaient toujours en poste n'ont pas exprimé leurs intentions de vote, mais leur soutien paraissait précaire. Et puisque nous ne pouvions pas espérer que tous les démocrates se rangent derrière le texte – surtout après le naufrage de la mi-mandat –, tout le monde à la Maison-Blanche a commencé à se démener pour trouver les soixante voix qui nous éviteraient l'obstruction dans les quelques jours restants avant que le Sénat ne baisse le rideau pour les fêtes.

J'avais mis Cecilia Muñoz, la directrice des affaires intergouvernementales, en pointe sur ce dossier. À l'époque où j'étais sénateur, elle était la vice-présidente aux questions politiques et législatives du National Council of La Raza, la plus grande association hispanique du pays, et depuis cette époque elle me conseillait sur l'immigration. Originaire du Michigan et fille d'immigrés boliviens, Cecilia était petite, mesurée, simple et – comme je le lui disais en plaisantant – « tout simplement adorable ». Elle nous rappelait nos institutrices préférées, mais elle était également coriace et obstinée (et fervente supportrice de l'équipe de football du Michigan). En quelques semaines, son staff et elle ont lancé une offensive médiatique totale, trouvant des angles narratifs, rassemblant des chiffres et recrutant presque tous les membres du gouvernement et des agences (jusqu'à la Défense) pour organiser un événement. Surtout, Cecilia a constitué un groupe de Dreamers prêts à dévoiler leur statut de sans-papiers pour raconter leur histoire aux sénateurs indécis et à la presse. À plusieurs reprises, elle et moi avons parlé du courage de ces jeunes, conscients que, à leur âge, nous n'aurions jamais pu endurer une pression pareille.

« J'ai vraiment envie de gagner pour eux », m'a dit Cecilia.

Et pourtant, malgré toutes les heures passées en réunions et au téléphone, nos chances d'obtenir les soixante voix s'amenuisaient un peu plus chaque jour. L'un de nos plus grands espoirs était Claire McCaskill, la sénatrice démocrate du Missouri. Claire avait été parmi mes premiers soutiens et mes meilleurs amis au Sénat, et c'était une politicienne habile, au verbe tranchant et au grand cœur, sans une once d'hypocrisie ou de prétention. Mais elle venait aussi d'un État conservateur à tradition républicaine et constituait une cible de choix pour le GOP dans sa campagne de reconquête du Sénat.

« Vous savez que je veux aider ces jeunes, monsieur le Président, m'a dit Claire au téléphone, mais ici tout ce qui touche à l'immigration est extrêmement impopulaire. Si je vote ce texte, j'ai de grandes chances de perdre mon siège. »

Je savais qu'elle n'avait pas tort. Et si elle perdait, c'était un risque supplémentaire de perdre le Sénat, et donc de ne jamais pouvoir faire passer le DREAM Act, ni la réforme de l'immigration, ni rien du tout. Comment mettre dans la balance ce risque et la situation des jeunes que j'avais rencontrés – l'incertitude et la peur avec lesquelles ils étaient obligés de vivre, la possibilité quotidienne d'être raflés par l'ICE, jetés en cellule et envoyés dans un pays qui leur était aussi étranger qu'à moi ?

Avant de raccrocher, Claire et moi avons conclu un pacte pour tenter de résoudre la quadrature du cercle. « S'il nous manque uniquement votre voix pour arriver à soixante, ai-je dit, alors ces jeunes vont avoir besoin de vous, Claire. Mais si de toute façon nous sommes trop courts, alors ça ne sert à rien de vous tirer une balle dans le pied. »

Le Sénat s'est prononcé sur le DREAM Act par un samedi nuageux de décembre, une semaine avant Noël, le même jour que celui de l'abrogation de DADT. Sur la petite télé du Bureau ovale, en compagnie de Pete Souza, Reggie et Katie, j'ai regardé les sénateurs voter l'un après l'autre et compté les votes favorables : 40, 50, 52, 55. Il y a eu un blanc, toute la chambre est restée en suspens, le temps pour les sénateurs qui le souhaitaient de modifier leur vote, puis le verdict est tombé.

Il nous manquait cinq voix.

Je suis monté par l'escalier à l'étage de l'aile ouest et me suis dirigé vers le bureau de Cecilia, où sa jeune équipe et elle venaient également de regarder le vote. Ils étaient presque tous en larmes, et j'ai pris chacun et chacune dans mes bras. Je leur ai rappelé que, grâce à leurs efforts, nous avions été plus près que jamais de faire adopter le DREAM Act, et que notre rôle était de continuer à essayer tant que nous le pourrions, jusqu'à ce que nous atteignions notre but. Ils ont acquiescé en silence et je suis redescendu. Katie m'avait laissé une sortie papier du résultat du vote. En parcourant la feuille, je me suis aperçu que Claire McCaskill avait voté « oui ». J'ai demandé à Katie de me mettre en communication avec elle.

« Je croyais que vous deviez voter "non" sauf si c'était serré, lui ai-je dit quand elle a décroché.

– Moi aussi, c'est ce que je croyais, monsieur le Président. Mais, au moment de voter, j'ai pensé à tous ces jeunes qui étaient passés dans mon bureau… » Sa voix s'est fêlée sous le poids de l'émotion. « Je n'ai pas pu leur faire ça. Je ne voulais pas qu'ils pensent que je ne m'intéressais pas à eux. » Elle s'est reprise et a poursuivi : « Mais, avec tout ça, je crois que vous allez devoir m'aider à lever pas mal d'argent si je veux pouvoir rivaliser avec les spots des républicains qui m'accusent d'être trop laxiste sur l'immigration. »

J'ai promis à Claire de l'aider. Elle n'assisterait à aucune cérémonie de ratification, et ne serait applaudie par aucune assemblée, mais j'étais convaincu que la discrète démonstration de moralité dont elle venait de faire preuve, au même titre que celle de Mike Mullen, était un pas de plus dans l'amélioration de notre pays.

L'échec du DREAM Act était dur à avaler. Heureusement, toute la Maison-Blanche pouvait se consoler en se disant que nous avions eu la fin de session parlementaire la plus productive de l'histoire récente. En six semaines, la Chambre et le Sénat avaient totalisé quarante-huit jours d'activité et promulgué quatre-vingt-dix-neuf textes – plus du quart des lois adoptées par le 111ᵉ Congrès en deux ans. Et, surtout, l'opinion ne semblait pas insensible à cette recrudescence d'activité parlementaire. Axe nous a rapporté une hausse de la confiance des ménages et de ma cote de popularité – non pas à cause d'un changement de message ou de politique, mais parce que Washington avait abattu un paquet de travail. L'espace d'un mois et demi, tout le monde avait eu le sentiment que la démocratie s'était remise à fonctionner, avec des concessions entre les partis, des transactions avec les groupes d'intérêts, et tous les bons et les mauvais côtés du compromis. Je me demandais toutefois ce que nous aurions pu faire de plus, et jusqu'où nous aurions pu pousser la relance économique, si cette atmosphère avait prévalu dès le début de mon mandat.

SEPTIÈME PARTIE

Sur la corde raide

CHAPITRE 25

SI L'ON M'AVAIT DEMANDÉ, FIN 2010, à quel endroit du Moyen-Orient allait éclater la prochaine grande crise, je n'aurais eu que l'embarras du choix. Il y avait bien sûr l'Irak où, malgré nos avancées, nous avions souvent l'impression qu'il aurait suffi d'un attentat sur un marché ou d'un raid de miliciens pour que le chaos reprenne ses droits. Les sanctions internationales que nous avions imposées à l'Iran en réponse à son programme nucléaire avaient commencé à produire leurs effets, et la moindre bravade ou mesure désespérée du régime pouvait déclencher une confrontation potentiellement incontrôlable. Le Yémen – une des grandes tragédies de ce monde – était devenu le quartier général d'Al-Qaida dans la péninsule Arabique (AQPA), la branche la plus active et meurtrière de l'organisation terroriste.

Et, en plus de tout cela, il y avait les quelques centaines de kilomètres de frontière sinueuse et contestée qui séparaient Israël des territoires palestiniens en Cisjordanie et dans la bande de Gaza.

Mon gouvernement était loin d'être le premier à perdre le sommeil à cause de ces parcelles de terrain. Le conflit opposant Arabes et Juifs était une plaie ouverte dans la région depuis presque un siècle, précisément depuis la déclaration Balfour de 1917, par laquelle les Britanniques, qui occupaient alors la Palestine, s'étaient engagés à créer un « foyer national pour le peuple juif » dans une région très majoritairement arabe. Pendant les deux décennies suivantes, les promoteurs du sionisme

organisèrent une migration de grande ampleur en Palestine et entraî-
nèrent des forces armées pour défendre leurs colonies. En 1947, au
lendemain de la Seconde Guerre mondiale et dans l'ombre de l'Holocauste, les Nations unies approuvèrent un plan de partage créant deux
États souverains, l'un juif et l'autre arabe, et plaçant Jérusalem – ville
sainte pour les musulmans, les chrétiens et les juifs – sous contrôle
international. Les sionistes l'approuvèrent, mais les Arabes de Palestine,
de même que les nations arabes environnantes qui venaient tout juste de
s'émanciper des puissances coloniales, s'y opposèrent vigoureusement.
Lorsque la Grande-Bretagne se retira, les deux camps basculèrent rapidement dans la guerre. Et la victoire autoproclamée des milices juives
en 1948 marqua la naissance officielle de l'État d'Israël.

Pour le peuple juif, c'était un rêve qui devenait réalité : un État
rien qu'à lui, dans son berceau historique, après des siècles d'exil et de
persécution religieuse culminant dans les récentes atrocités de la Shoah.
Mais, pour les 700 000 Arabes de Palestine qui se retrouvaient apatrides
et chassés de leurs terres, ces mêmes événements s'inscriraient dans ce
qui fut surnommé la *Nakba*, la catastrophe. Pendant trente ans, Israël
allait enchaîner les affrontements avec ses voisins arabes – le plus lourd
de conséquences étant la guerre des Six-Jours, en 1967, durant laquelle
Israël mit en déroute la coalition formée par l'Égypte, la Jordanie et la
Syrie, prenant au passage la Cisjordanie et Jérusalem-Est à la Jordanie,
la bande de Gaza et la péninsule du Sinaï à l'Égypte, et le plateau du
Golan à la Syrie. Le souvenir de ces pertes, de même que l'humiliation
qui s'ensuivit, devint un des aspects centraux du nationalisme arabe, et
le soutien à la cause palestinienne un principe directeur de la politique
étrangère des pays arabes.

Les Palestiniens qui vivaient dans les territoires occupés, principalement dans des camps de réfugiés, étaient désormais gouvernés par
l'Armée de défense d'Israël, Tsahal, qui restreignait drastiquement leurs
déplacements et leurs activités économiques, suscitant des appels à la
résistance armée et la montée en puissance de l'Organisation de libération de la Palestine (OLP). Les politiciens arabes dénonçaient régulièrement Israël, souvent dans des termes ouvertement antisémites, et
la majorité des gouvernements de la région voyait dans le dirigeant de
l'OLP, Yasser Arafat, un combattant de la liberté – quand bien même
son organisation et ses affiliés contribuaient à l'escalade de la violence
et commettaient des attentats sanglants contre des civils.

Dans cette histoire, les États-Unis n'étaient pas restés sans rien faire.
Bien que les Juifs américains aient souffert de discriminations pendant
des générations dans leur propre pays, ils avaient, comme ceux qui

avaient émigré en Israël, une langue, des coutumes et une apparence qui les rapprochaient de leurs frères chrétiens, et l'opinion publique leur était tout de même bien plus favorable qu'aux Arabes. Harry Truman avait été, dès 1948, le premier chef d'État étranger à reconnaître officiellement l'existence d'Israël, et la communauté juive américaine enjoignait au gouvernement d'apporter son aide à la jeune nation. Dans la lutte d'influence que se livraient les deux superpuissances de la guerre froide au Moyen-Orient, les États-Unis devinrent le principal protecteur d'Israël – et, du même coup, les problèmes entre Israël et ses voisins devinrent aussi les problèmes des États-Unis.

Depuis lors, presque tous les présidents avaient tenté de résoudre le conflit israélo-palestinien, avec un succès variable. Les accords de Camp David, avancée historique négociée en 1978 par Jimmy Carter, engendrèrent une paix durable entre Israël et l'Égypte, et replacèrent le Sinaï sous contrôle égyptien. Ce traité, pour lequel le Premier ministre israélien, Menachem Begin, et le président égyptien, Anouar El Sadate, reçurent le prix Nobel de la paix, éloigna un peu plus l'Égypte de l'orbite soviétique et fit des deux pays des partenaires essentiels des États-Unis sur les questions de sécurité (ainsi que les deux plus importants bénéficiaires de l'aide économique et militaire américaine, loin devant tous les autres). Mais la question palestinienne demeurait. Quinze ans plus tard, alors que la guerre froide était terminée et l'influence américaine à son zénith, Bill Clinton réunit Yitzhak Rabin, le Premier ministre israélien, et Yasser Arafat pour la signature du premier accord d'Oslo. Par ce texte, l'OLP reconnaissait enfin à Israël le droit d'exister, tandis qu'Israël reconnaissait dans l'OLP le représentant légitime du peuple palestinien et acceptait la création d'une Autorité palestinienne qui exercerait un pouvoir limité mais significatif sur la Cisjordanie et la bande de Gaza.

En plus de donner à la Jordanie toute latitude pour suivre l'exemple de l'Égypte en concluant son propre accord de paix avec Israël, Oslo fournissait un cadre de travail pour la création ultérieure d'un État palestinien qui, dans l'idéal, coexisterait avec un État d'Israël sécurisé et en paix avec ses voisins. Mais les anciennes blessures, ainsi que la présence, dans chaque camp, de factions préférant la violence au compromis, se révélèrent insurmontables. Rabin fut assassiné par un extrémiste de la droite dure israélienne en 1995. Le travailliste Shimon Peres le remplaça pendant sept mois, mais perdit l'élection anticipée contre le Likoud, le parti d'extrême droite, et son chef Benyamin Nétanyahou, surnommé « Bibi », qui avait auparavant prôné l'annexion totale des territoires palestiniens. Mécontentes des accords d'Oslo, des organisations plus intransigeantes comme le Hamas et le Jihad islamique palestinien commencèrent à saper la crédibilité d'Arafat et de son parti, le Fatah, auprès des Palestiniens, et appelèrent à la lutte armée pour reprendre les territoires arabes et repousser Israël dans la mer.

Après la défaite de Nétanyahou à l'élection de 1999, son successeur travailliste Ehud Barak tenta d'enraciner la paix au Moyen-Orient en ébauchant notamment une solution à deux États qui surpassait toutes les précédentes propositions israéliennes. Mais Arafat exigea davantage de concessions et les pourparlers s'envenimèrent. En parallèle, un jour de septembre 2000, le chef du Likoud, Ariel Sharon, organisa avec un groupe de parlementaires juifs une visite volontairement provocatrice et très médiatisée d'un des sites les plus sacrés de l'islam, le mont du Temple à Jérusalem. Cette manœuvre visant à affirmer les revendications d'Israël sur l'ensemble du territoire remettait en cause le leadership d'Ehud Barak et provoqua la colère des Arabes du monde entier. Quatre mois plus tard, Sharon devint Premier ministre, et débuta ce qui fut appelé la Deuxième Intifada : quatre années de violences entre les deux camps, marquées par des tirs de gaz lacrymogène et de balles en caoutchouc contre des manifestants qui lançaient des pierres, des attentats suicides palestiniens devant une boîte de nuit israélienne et dans des bus transportant des personnes âgées et des enfants, des représailles sanglantes de Tsahal et l'arrestation aveugle de milliers de Palestiniens, et des roquettes tirées par le Hamas depuis Gaza sur les villes frontalières israéliennes, auxquelles des hélicoptères de combat Apache fournis par les États-Unis répondirent en rasant des quartiers entiers.

Environ 1 000 Israéliens et 3 000 Palestiniens – y compris des dizaines d'enfants – trouvèrent la mort durant cette période, et lorsque les violences retombèrent, en 2005, les perspectives de résolution du conflit étaient bien différentes. Le gouvernement Bush, concentré sur l'Irak, l'Afghanistan et la « guerre contre le terrorisme », n'avait plus beaucoup de temps de cerveau disponible pour s'occuper de la paix au Moyen-Orient, et si Bush demeurait officiellement favorable à une solution à deux États, il rechignait à faire pression sur Sharon. En surface, l'Arabie Saoudite et les autres États du Golfe continuaient à soutenir la cause palestinienne ; dans les actes, ils cherchaient de plus en plus à brider l'influence de l'Iran et à éradiquer les extrémistes qui menaçaient leurs régimes. Quant aux Palestiniens, ils s'étaient divisés après la mort d'Arafat en 2004 : Gaza passa sous le contrôle du Hamas et fut bientôt verrouillé par un blocus israélien, tandis que l'Autorité palestinienne, émanation du Fatah qui continuait à gouverner en Cisjordanie, commençait à être taxée d'incompétence et de corruption, même par certains de ses partisans.

Et, surtout, Israël avait durci sa posture à l'égard des pourparlers de paix, en partie parce que la paix ne lui semblait plus aussi essentielle à sa sécurité et à sa prospérité. L'Israël de 1960 qui restait gravé dans les esprits, avec ses kibboutz et ses rationnements fréquents, s'était transformé en une puissance économique moderne. Ce n'était plus le courageux David encerclé par des Goliath hostiles : grâce à des aides militaires américaines s'élevant à plusieurs dizaines de milliards de dollars, ses forces armées étaient désormais sans égal dans la région. Les attentats terroristes sur le territoire israélien avaient pratiquement cessé, du fait d'un mur de plus de 600 kilomètres de long construit entre Israël et les centres de population cisjordaniens, et ponctué par des *checkpoints* stratégiquement placés permettant de maîtriser le flot de Palestiniens qui allaient et venaient. De temps à autre, une roquette tirée depuis Gaza continuait à frapper les villes frontalières israéliennes, et la présence de colons juifs en Cisjordanie provoquait parfois des échauffourées mortelles. Mais, pour la majorité des habitants de Jérusalem ou de Tel-Aviv, les Palestiniens demeuraient largement invisibles et leurs problèmes et rancœurs étaient ennuyeux, mais lointains.

Au vu de tout ce qui m'attendait déjà quand je suis devenu président, il aurait été tentant de tout faire pour maintenir le *statu quo*, de me contenter d'étouffer les flambées de violence entre factions israéliennes et palestiniennes, et de ne toucher à rien d'autre. Mais, considérant la situation étrangère dans son ensemble, je ne pouvais pas suivre cette voie. Israël restait un allié essentiel des États-Unis et, bien que les menaces aient diminué, il subissait toujours des attaques terroristes mettant en péril la vie de ses citoyens, mais aussi celle des milliers d'Américains qui y résidaient ou y voyageaient. Cela étant, pratiquement tous les pays du monde jugeaient que, en occupant les territoires palestiniens, Israël enfreignait le droit international, et nos diplomates se retrouvaient contraints de faire le grand écart en défendant Israël pour des actes auxquels nous nous opposions par ailleurs. Ils devaient aussi expliquer comment nous pouvions faire pression sur la Chine ou l'Iran à propos des droits fondamentaux alors que nous paraissions bien peu nous soucier de ceux des Palestiniens. Et, pendant ce temps, l'occupation israélienne continuait à révolter la communauté arabe et à alimenter le sentiment antiaméricain dans tout le monde musulman.

En d'autres termes, l'absence de paix entre Israël et les Palestiniens constituait un risque pour les États-Unis. Dans ce contexte, négocier une solution acceptable par les deux camps améliorerait notre situation sécuritaire, affaiblirait nos ennemis et nous rendrait plus crédibles en défenseurs des droits fondamentaux – d'une pierre, trois coups.

Du reste, le conflit israélo-palestinien m'affectait aussi personnellement. L'instruction morale que j'avais reçue de ma mère était axée sur l'Holocauste, un drame inimaginable qui, à l'instar de l'esclavage, prenait ses racines dans l'incapacité ou le refus de reconnaître l'humanité de l'autre. L'histoire de l'Exode s'était gravée dans mon cerveau, comme dans celui de nombreux jeunes Américains de ma génération. À 11 ou 12 ans, j'avais une vision idéalisée d'Israël, décrit par un animateur de colonie de vacances qui avait vécu dans un kibboutz comme un endroit où tous les habitants étaient égaux et travaillaient ensemble, et où chacun était le bienvenu pour œuvrer à améliorer le monde, en partageant les joies et les difficultés. Au lycée, j'avais dévoré les romans de Philip Roth, Saul Bellow et Norman Mailer, ému par ces personnages qui tentaient de trouver leur place dans une Amérique qui ne voulait pas d'eux. À l'université, en étudiant les débuts du mouvement pour les droits civiques, j'avais été intrigué par l'influence de philosophes juifs tels que Martin Buber sur les sermons et les écrits du révérend King. J'avais remarqué avec admiration que, de manière générale, les électeurs juifs étaient plus progressistes que tous les autres groupes ethniques ou religieux, et à Chicago une partie de mes amis et soutiens les plus fidèles étaient issus de la communauté juive.

J'étais convaincu qu'il existait un lien fondamental entre le vécu des Noirs et celui des Juifs – une histoire faite d'exil et de souffrance que pourraient réparer, à terme, une même soif de justice, une compassion plus profonde et une solidarité communautaire accrue. Pour toutes ces raisons, je défendais vivement le droit des Juifs à avoir leur propre État, même si, ironie du sort, ces valeurs que nous partagions m'empêchaient aussi d'ignorer les conditions dans lesquelles étaient forcés de vivre les Palestiniens des territoires occupés.

Il est vrai qu'Arafat avait souvent employé des tactiques abjectes. Il est vrai que les dirigeants palestiniens avaient laissé passer trop d'occasions de faire la paix ; il n'y avait pas eu de Gandhi ou de Havel doté de la force morale nécessaire pour insuffler un mouvement non violent capable de faire basculer l'opinion israélienne. Toutefois, cela n'enlevait rien au fait que des millions de Palestiniens étaient privés de leur droit à l'autodétermination et de tant d'autres droits dont jouissaient même des populations de régimes non démocratiques. Des générations entières grandissaient dans un monde affamé et circonscrit sans pouvoir s'en échapper, menant une vie soumise aux caprices d'une autorité lointaine et souvent hostile, ainsi qu'à la suspicion des hommes en armes au visage froid qui contrôlaient leurs papiers à chaque *checkpoint*.

Lorsque j'ai pris mes fonctions, la plupart des républicains du Congrès avaient cessé de faire semblant de s'intéresser au sort des Palestiniens. Au contraire, même, une importante majorité des protestants évangéliques blancs – le réservoir de voix républicaines le plus consistant – pensait que la création et l'expansion progressive d'Israël réalisaient la promesse faite par Dieu à Abraham et annonçaient le retour du Christ. Quant aux démocrates, même les plus progressistes redoutaient de paraître moins pro-Israël que les républicains, et du reste une bonne partie d'entre eux étaient juifs ou représentaient des circonscriptions abritant une importante population juive.

En outre, les membres des deux partis préféraient éviter de s'attirer les foudres de l'American Israel Public Affairs Committee (AIPAC), un puissant lobby transpartisan qui veillait à ce que les États-Unis continuent de soutenir inconditionnellement Israël. L'AIPAC pouvait exercer son influence sur presque tous les districts du pays, et pratiquement tous les politiciens de Washington – moi compris – en comptaient des membres parmi leurs plus importants soutiens et donateurs. Autrefois, l'AIPAC hébergeait en son sein une pluralité d'opinions concernant la paix au Moyen-Orient, et il avait pour ligne de conduite que les politiciens cherchant son soutien devaient approuver le prolongement de l'aide américaine et s'opposer aux tentatives d'isoler ou de condamner Israël par l'intermédiaire de l'ONU et autres organismes supranationaux. Et puis la politique israélienne s'était décalée sur la droite, et le sommet de l'organisation avait suivi le mouvement. L'AIPAC avait commencé à prôner un renforcement de l'alliance entre les gouvernements américain et israélien, même lorsque les agissements du second entraient en contradiction avec la politique du premier. Les parlementaires qui critiquaient Israël un peu trop fort risquaient de se voir qualifiés d'« anti-Israël » (et éventuellement d'antisémites), et de découvrir en face d'eux à l'élection suivante un adversaire pourvu d'un budget confortable.

Je n'avais pas été épargné pendant ma campagne présidentielle, et mes soutiens juifs avaient dû, dans les synagogues et les chaînes d'e-mails, démentir les allégations selon lesquelles je n'étais pas assez chaudement pro-Israël – voire que j'y étais carrément hostile. Selon eux, ces ragots n'étaient pas dus à une position quelconque (comme les autres candidats, je défendais une solution à deux États et condamnais les colonies israéliennes), mais au fait que j'exprimais un souci pour le peuple palestinien et que j'avais parmi mes amis plusieurs détracteurs de la politique israélienne, notamment Rashid Khalidi, militant d'origine palestinienne et historien spécialiste du Moyen-Orient ; au fait aussi que, pour reprendre les mots de Ben Rhodes : « Vous êtes noir, vous avez un nom musulman, vous avez habité dans le même quartier que Louis Farrakhan et vous avez fréquenté la paroisse de Jeremiah Wright. » J'ai finalement recueilli 70 % des votes juifs, mais, aux yeux de nombreux membres du conseil d'administration de l'AIPAC, je demeurais suspect, un homme aux allégeances multiples : une personne qui, selon l'expression colorée d'un ami d'Axe, ne soutenait pas Israël avec ses *kishkes* – ses tripes, en yiddish.

« ON N'AVANCE PAS SUR LE DOSSIER DE LA PAIX, m'avait averti Rahm en 2009, quand le président américain et le Premier ministre israélien ne sont pas du même bord politique. » Nous parlions alors du récent retour de Bibi au poste de Premier ministre, le Likoud ayant réussi à bricoler une coalition gouvernementale avec les partis de droite alors qu'il avait remporté un siège de moins que Kadima, plus centriste. Rahm, qui avait brièvement servi dans l'armée israélienne en tant que volontaire et se trouvait auprès de Bill Clinton durant la négociation des accords d'Oslo, convenait que nous devions tenter de relancer les pourparlers entre Israël et la Palestine, au moins parce que cela empêcherait peut-être que la situation ne se dégrade encore davantage. Mais il n'était pas très optimiste, et lorsque j'ai commencé à côtoyer Nétanyahou et son homologue palestinien, Mahmoud Abbas, j'ai compris pourquoi.

Bâti comme un rugbyman, avec une mâchoire carrée, des traits épais et une calvitie sur laquelle il rabattait des mèches de cheveux gris, Nétanyahou était intelligent, habile, coriace, et s'exprimait avec aisance en hébreu comme en anglais. (Il était né en Israël, mais avait passé sa jeunesse à Philadelphie et sa voix grave et élégante en conservait une pointe d'accent.) Sa famille était depuis longtemps liée au mouvement sioniste : son grand-père, rabbin, avait quitté la Pologne en 1920 pour s'installer en Palestine, encore sous domination britannique, et son père – un professeur d'histoire connu pour ses travaux sur la persécution des Juifs durant l'Inquisition espagnole – avait pris la tête de la branche la plus militante du mouvement avant la fondation d'Israël. Bien qu'ayant grandi dans un foyer laïc, Nétanyahou avait hérité du zèle de son père à défendre Israël : il avait fait partie des forces spéciales de Tsahal et combattu pendant la guerre du Kippour en 1973, et son frère aîné était mort en héros au cours du légendaire raid d'Entebbe, en 1976, lors duquel des commandos israéliens avaient sauvé les 102 passagers d'un vol Air France détourné par des terroristes palestiniens.

Il était plus difficile de déterminer s'il avait aussi hérité de l'hostilité paternelle décomplexée envers les Arabes (« La tendance au conflit est dans la nature de l'Arabe. C'est par essence un ennemi. Sa personnalité lui interdit tout accord ou compromis »). Ce qui était certain, c'est qu'il avait bâti son personnage politique autour d'une image de force et de l'idée selon laquelle les Juifs ne pouvaient se satisfaire d'une foi tiède et devaient se montrer aussi durs que la région où ils vivaient. Cette philosophie concordait avec celle des membres les plus bellicistes de l'AIPAC, des dirigeants du Parti républicain et de la droite américaine fortunée. Nétanyahou savait être charmant, ou du moins déférent, lorsqu'il y trouvait un avantage ; il avait par exemple fait des pieds et des mains pour venir me saluer dans un salon de l'aéroport de Chicago peu après mon élection au Sénat, me couvrant d'éloges pour un texte pro-Israël anodin dont j'avais soutenu l'adoption. Mais l'image qu'il avait de lui-même, celle de grand défenseur du peuple juif contre toutes les calamités, lui permettait de justifier à peu près tout ce qui pouvait le maintenir en place – et, avec sa connaissance de la politique et des médias américains, il était convaincu de pouvoir résister à toutes les pressions d'un gouvernement démocrate tel que le mien.

Nos premières discussions – au téléphone et pendant ses visites à Washington – s'étaient plutôt bien passées, malgré des visions du monde très différentes. Il avait surtout envie de parler de l'Iran, qu'il voyait légitimement comme la plus grande menace contre Israël, et nous sommes convenus de nous coordonner pour empêcher Téhéran d'acquérir l'arme nucléaire. Mais lorsque j'ai évoqué la possibilité d'un redémarrage des pourparlers de paix avec les Palestiniens, il a été résolument évasif.

« Je vous assure qu'Israël ne désire que la paix, m'a-t-il dit. Mais une paix qui réponde à nos besoins. » Il m'a confié sans détour, et il le répéterait publiquement, qu'il soupçonnait Abbas de n'en avoir ni la volonté ni la capacité.

Je comprenais son point de vue. Si sa réticence à engager des pourparlers découlait de la puissance grandissante d'Israël, à l'inverse celle du président palestinien provenait de sa faiblesse politique. Le cheveu et la moustache blancs, doux de tempérament et réfléchi dans ses mouvements, Abbas avait aidé Arafat à fonder le Fatah, qui était ensuite devenu la faction dominante au sein de l'OLP, et avait passé l'essentiel de sa carrière à s'occuper des aspects diplomatiques et administratifs, restant dans l'ombre d'un chef plus charismatique que lui. À la mort de ce dernier, il était le successeur potentiel préféré des États-Unis et d'Israël, car il reconnaissait Israël sans réserves et avait depuis longtemps renoncé à la violence. Mais sa prudence innée et son désir de coopérer avec l'appareil de sécurité israélien (sans parler des rumeurs persistantes de corruption au sein de son gouvernement) avaient entaché sa réputation au sein de son propre camp. Ayant déjà perdu le contrôle de Gaza, passé sous domination du Hamas après les élections législatives de 2006, il estimait que les pourparlers de paix avec Israël étaient un risque inutile – en tout cas sans concessions tangibles susceptibles de le couvrir politiquement.

La question immédiate était de savoir comment inciter Nétanyahou et Abbas à s'asseoir à la table des négociations. Pour trouver une réponse, je comptais sur un groupe de diplomates talentueux, et en premier lieu sur Hillary, qui maîtrisait ces questions et avait déjà eu des contacts avec la plupart des acteurs de la région. Afin de bien montrer qu'il s'agissait d'un sujet prioritaire, j'ai nommé un envoyé spécial pour la paix au Moyen-Orient en la personne de George Mitchell, l'ex-chef de file démocrate au Sénat. Mitchell appartenait à l'ancienne garde, c'était un politicien exigeant et pragmatique qui avait fait la preuve de ses talents de pacificateur en négociant l'accord du Vendredi saint en 1998, lequel avait mis fin à des décennies d'affrontements entre catholiques et protestants en Irlande du Nord.

Nous avons commencé par demander un gel temporaire des implantations de colons israéliens en Cisjordanie, source de frictions entre les deux camps, afin que les négociations puissent se dérouler dans de bonnes conditions. La colonisation, autrefois limitée à de petits avant-postes de croyants fervents, était avec le temps devenue une véritable politique, et en 2009 environ 300 000 colons israéliens vivaient hors des frontières reconnues du pays. Les promoteurs immobiliers continuaient à construire à l'intérieur et dans les environs de la Cisjordanie et de Jérusalem-Est, une partie de la ville contestée et majoritairement arabe dont les Palestiniens espéraient un jour faire leur capitale. Tout cela avec la bénédiction des politiciens, soit parce qu'ils partageaient les convictions religieuses du mouvement colonisateur, soit parce qu'ils avaient un intérêt à se mettre les colons dans la poche, soit parce qu'ils cherchaient une solution à la crise du logement en Israël. Pour les Palestiniens, la multiplication des colonies équivalait à une annexion au ralenti et symbolisait l'impuissance de l'Autorité palestinienne.

Nous savions que Nétanyahou regimberait probablement à l'idée de ce gel. Les colons étaient devenus une force politique importante et leur mouvement pesait dans son gouvernement de coalition. Il allait aussi se plaindre de ce que la contrepartie que nous exigions des Palestiniens – une action concrète d'Abbas et de l'Autorité palestinienne pour stopper les provocations en Cisjordanie – était plus difficile à mesurer. Mais, étant donné l'écart de puissance entre Israël et les Palestiniens – au fond, Abbas ne pouvait pas donner grand-chose aux Israéliens qu'ils n'aient déjà pris –, je trouvais raisonnable de demander au camp le plus puissant de faire un pas plus grand sur le sentier de la paix.

Comme je m'y attendais, Nétanyahou a d'abord refusé catégoriquement notre proposition de geler les implantations, et ses alliés à Washington n'ont pas tardé à nous accuser d'affaiblir l'alliance entre Israël et les États-Unis. Les téléphones de la Maison-Blanche ont commencé à sonner sans interruption et mes collaborateurs à répondre aux journalistes et parlementaires qui se demandaient pourquoi nous nous en prenions à Israël au sujet des colonies, alors que tout le monde savait que le plus grand obstacle à la paix était la violence des Palestiniens. Un après-midi, Ben est arrivé en retard en réunion, l'air plus préoccupé que d'habitude, après avoir passé pratiquement une heure en ligne avec un parlementaire de gauche très inquiet.

« Je croyais qu'il était opposé aux colonies, ai-je dit.

– Oui, mais il est aussi opposé à ce qu'on fasse quoi que ce soit pour s'opposer aux colonies. »

Ces pressions ont continué tout au long de l'année 2009, assorties d'interrogations concernant mes *kishkes*. Régulièrement, nous invitions à la Maison-Blanche des dirigeants d'associations juives ou des parlementaires pour les assurer de notre engagement inébranlable à préserver la sécurité d'Israël et l'alliance avec les États-Unis. Les faits parlaient d'eux-mêmes : malgré mon différend avec Nétanyahou au sujet du gel des colonies, j'avais honoré mes promesses et approfondi notre coopération, travaillé à contrer la menace iranienne et contribué au financement d'un système de défense, le Dôme de fer, qui permettrait à Israël d'abattre les roquettes fabriquées en Syrie et tirées depuis Gaza ou les positions du Hezbollah au Liban. Mais le tapage orchestré par Nétanyahou avait produit l'effet escompté en nous faisant perdre du temps, en nous mettant sur la défensive et en me rappelant qu'une divergence normale avec un Premier ministre israélien – même à la tête d'un fragile gouvernement de coalition – avait un coût politique sans équivalent dans les relations avec le Royaume-Uni, l'Allemagne, la France, le Japon, le Canada ou n'importe quel autre allié proche.

Mais, peu après mon discours du Caire, début juin 2009, Nétanyahou a entrouvert la porte en déclarant pour la première fois qu'il était favorable, sous conditions, à une solution à deux États. Et, après plusieurs mois de dissensions, Abbas et lui ont enfin accepté mon invitation à discuter, en marge de l'assemblée générale des Nations unies qui rassemblerait tous les chefs d'État à la fin du mois de septembre. Les deux hommes ont fait preuve de courtoisie mutuelle (Nétanyahou volubile et à l'aise, Abbas plutôt fermé, se contentant d'opiner de temps à autre), mais n'ont rien dit quand j'ai tenté de les pousser à prendre des risques pour parvenir à la paix. Deux mois plus tard, Nétanyahou acceptait pourtant de geler pendant deux mois la délivrance de nouveaux permis de construire en Cisjordanie, tout en refusant d'étendre cette mesure à Jérusalem-Est.

Hélas, mon optimisme devait être de courte durée. Abbas a qualifié cette annonce de dérisoire puisque Jérusalem-Est en était exclue et que la construction de projets déjà approuvés se poursuivait à un rythme soutenu. Il réclamait un gel total, sinon il ne participerait pas aux négociations. D'autres dirigeants arabes ont rapidement fait écho, aiguillonnés par la ligne éditoriale d'Al Jazeera, la chaîne de télévision qatarienne qui était devenue la principale source d'information dans la région et avait acquis sa popularité en attisant la colère et le ressentiment des Arabes avec une précision algorithmique semblable à celle de Fox News pour les Américains blancs et conservateurs.

La situation a encore empiré en mars 2010, alors que Joe Biden se trouvait en Israël pour une visite amicale, quand le ministre de l'Intérieur israélien a annoncé la construction de 1 600 nouveaux logements à Jérusalem-Est. Nétanyahou a eu beau jurer qu'il n'était pour rien dans le moment choisi pour la délivrance de ces permis, cela a eu pour effet de renforcer chez les Palestiniens le sentiment que ce gel était une imposture et que les États-Unis en étaient complices. J'ai demandé à Hillary d'appeler Nétanyahou pour lui faire savoir que je n'étais pas content, et nous avons invité une nouvelle fois son gouvernement à plus de retenue dans l'expansion des colonies. Nétanyahou nous a répondu un peu plus tard dans le mois, depuis la conférence annuelle de l'AIPAC à Washington, lorsqu'il a soulevé un tonnerre d'applaudissements en déclarant que « Jérusalem n'est pas une colonie : c'est notre capitale ».

Nous avions rendez-vous à la Maison-Blanche le lendemain. Afin de désamorcer les tensions, je n'ai pas contesté la fable selon laquelle l'annonce de ces nouvelles constructions était un malentendu, et nous avons ensuite discuté en dépassant amplement le temps alloué à notre rencontre. Puisque j'avais un autre engagement et que Nétanyahou avait encore plusieurs points à évoquer, j'ai suggéré que nous fassions une pause et que nous reprenions une heure plus tard, mettant entre-temps la salle Roosevelt à la disposition de sa délégation. Nétanyahou m'a dit qu'il attendrait avec plaisir et, à la fin de notre deuxième entretien, nous nous sommes séparés en termes cordiaux. Mais, le lendemain, Rahm a déboulé dans le Bureau ovale pour m'annoncer que certains journaux prétendaient que j'avais snobé Nétanyahou en le faisant volontairement poireauter, à la suite de quoi on m'accuserait d'avoir laissé une rancœur personnelle gâter les relations vitales entre les États-Unis et Israël.

C'est l'une des rares fois où j'ai juré encore plus fort que Rahm.

Avec le recul, je me demande parfois, éternelle question, dans quelle mesure la personnalité des différents chefs d'État infléchit l'histoire avec un grand H – si ceux d'entre nous qui accèdent au pouvoir sont de simples vecteurs des courants profonds de l'époque, ou si nous sommes au moins partiellement auteurs des événements à venir. Je me demande si nos doutes et nos espoirs, nos traumatismes d'enfance et nos souvenirs de bontés inattendues ont autant de force que les bouleversements technologiques et les tendances socio-économiques. Je me demande si une présidente Hillary Clinton ou un président John McCain auraient mieux réussi à s'attirer la sympathie des deux camps ; si les choses auraient été différentes avec un autre Premier ministre que Nétanyahou ou avec un Abbas plus jeune, déterminé à marquer son temps plutôt qu'à se préserver des critiques.

Ce dont je suis sûr, c'est que, malgré les heures passées par Hillary et George Mitchell en navettes diplomatiques, nos projets de paix ne menaient nulle part, jusqu'au jour où, fin août 2010, tout juste un mois avant l'expiration du gel des implantations, Abbas a finalement accepté de négocier, grâce à l'intervention du président égyptien Hosni Moubarak et du roi Abdallah de Jordanie. Abbas posait toutefois une condition à sa participation : Israël devait accepter de prolonger le gel – ce même gel qu'il venait de passer neuf mois à dénigrer.

Sans perdre un instant, nous avons invité Nétanyahou, Abbas, Moubarak et Abdallah à entamer officiellement les pourparlers le 1er septembre avec une série de rendez-vous à la Maison-Blanche, suivie par un dîner privé. Les rencontres de la journée devaient être essentiellement protocolaires – le vrai travail d'élaboration de l'accord reviendrait à Hillary, Mitchell et leurs équipes de négociation. Cela ne nous a pas empêchés d'y intégrer des séances photo et des interviews avec toute la pompe possible, et l'ambiance entre les quatre dirigeants s'est révélée tout du long chaleureuse et collégiale. J'ai encore une photo nous montrant tous les cinq en train de consulter la montre du président Moubarak pour vérifier si le soleil était officiellement couché, car c'était le mois de Ramadan et nous devions nous assurer que le jeûne avait été levé avant de pouvoir prendre place pour dîner.

Dans la lumière tamisée de l'ancienne salle à manger familiale, nous avons décrit chacun notre tour l'avenir tel que nous le voyions. Nous avons évoqué des prédécesseurs tels que Begin et Sadate, Rabin et le roi Hussein de Jordanie, qui avaient eu assez de courage et de sagesse pour combler des fossés très anciens. Nous avons parlé du coût des conflits interminables, des pères qui ne retrouvaient jamais leur foyer et des mères qui enterraient leurs enfants.

Vu de l'extérieur, ce moment aurait paru empli d'espoir, comme le début d'une nouvelle ère.

Pourtant, un peu plus tard dans la soirée, une fois le dîner terminé et les chefs d'État rentrés à leur hôtel, alors que je consultais mes briefings du lendemain dans la salle des Traités, je ne pouvais pas m'empêcher de ressentir une vague inquiétude. Les discours, les conversations, la familiarité, tout cela me paraissait *trop* décontracté, presque ritualisé, une comédie que ces quatre chefs d'État avaient sûrement déjà jouée des dizaines de fois et qui servait à endormir le nouveau président américain persuadé que les choses pouvaient changer. Je les ai imaginés en train de se serrer la main après coup, à la façon des acteurs sortis de scène qui se débarrassent de leur costume et de leur maquillage avant de retrouver le monde qu'ils connaissent – un monde dans lequel Nétanyahou pourrait attribuer l'impossibilité de la paix à la faiblesse d'Abbas tout en s'efforçant de l'affaiblir le plus possible, et où Abbas pourrait accuser publiquement Israël de crimes de guerre tout en concluant discrètement des contrats commerciaux avec les Israéliens ; un monde où les dirigeants arabes pourraient déplorer les injustices infligées aux Palestiniens pendant que leurs propres forces de police traquaient sans relâche les opposants et les mécontents susceptibles de fragiliser leur pouvoir. J'ai alors pensé à tous les enfants, à Gaza, dans les colonies israéliennes ou dans les rues du Caire ou d'Amman, qui continueraient de grandir dans la violence, la répression, la peur et la haine parce que, au fond, aucun des chefs d'État que je venais de rencontrer ne croyait en la possibilité d'un avenir différent.

Un monde dénué d'illusions – c'est ainsi qu'ils l'appelleraient.

Israéliens et Palestiniens n'allaient finalement se rencontrer que deux fois – une à Washington, le lendemain du dîner à la Maison-Blanche, et une autre en deux temps, douze jours plus tard, à l'invitation de Moubarak, dans la ville balnéaire de Charm el-Cheikh, qui s'est poursuivie ensuite à Jérusalem, dans la résidence de Nétanyahou. Hillary et Mitchell m'ont rapporté que de nombreux points avaient été abordés et que les États-Unis avaient proposé des contreparties aux deux camps, dont une hausse des aides et même la possible libération anticipée de Jonathan Pollard, un Américain condamné pour espionnage au profit d'Israël et qui était devenu un héros pour la droite du pays.

Mais en vain. Les Israéliens ont refusé de prolonger le gel des implantations. Les Palestiniens se sont retirés des négociations. Trois mois plus tard, en décembre 2010, Abbas menaçait de se présenter devant les Nations unies pour réclamer la reconnaissance d'un État palestinien, et devant la Cour pénale internationale pour demander qu'Israël soit poursuivi pour crimes de guerre à Gaza. De son côté, Nétanyahou menaçait de compliquer encore la vie de l'Autorité palestinienne. George Mitchell a tenté de prendre un peu de recul en me rappelant que, pendant les négociations autour du conflit en Irlande du Nord, « on a eu sept cents journées pourries, et une seule bonne ». J'avais tout de même l'impression que la possibilité d'un accord de paix venait de s'envoler et ne se représenterait pas de sitôt.

Au cours des mois à venir, je repenserais souvent à mon dîner avec Abbas et Nétanyahou, Moubarak et le roi Abdallah, à ce jeu de dupes et à leur absence de détermination. Se persuader que l'ordre ancien persisterait indéfiniment au Moyen-Orient, croire que les enfants du désespoir ne se révolteraient jamais contre ceux qui entretenaient le *statu quo*, cela s'est révélé la plus grande des illusions.

Au sein de la Maison-Blanche, nous avions souvent évoqué les défis qui se présenteraient à long terme pour l'Afrique du Nord et le Moyen-Orient. Les pétro-États ne faisaient rien pour diversifier leur économie et nous nous demandions ce qui arriverait lorsque les recettes pétrolières se tariraient. Nous déplorions les restrictions imposées aux femmes et aux filles qui les empêchaient d'étudier, de travailler et parfois même de conduire. Nous avions noté le ralentissement de la croissance et son effet disproportionné sur les jeunes générations dans les pays de langue arabe : 60 % de leur population avait moins de 30 ans et souffrait d'un taux de chômage deux fois plus élevé que dans le reste du monde.

Plus que tout, c'était le caractère dictatorial et répressif de presque tous les gouvernements arabes qui nous inquiétait – pas uniquement l'absence de réelle démocratie, mais le fait que les détenteurs du pouvoir semblaient n'avoir aucun compte à rendre à leurs administrés. Même si les modalités variaient d'un pays à l'autre, la majorité de ces dirigeants se maintenait au pouvoir grâce à une vieille formule despotique consistant à limiter la participation et l'expression politiques, exercer une intimidation et une surveillance constantes par l'intermédiaire de la police ou des services de sécurité intérieure, pratiquer une justice dysfonctionnelle sans garantie suffisante des normes d'équité du procès, truquer les élections (ou simplement ne pas en organiser), enraciner l'armée à tous les niveaux de la société, censurer la presse, et généraliser la corruption. Bon nombre de ces régimes étaient en place depuis des décennies, entretenus par les tentations nationalistes, les croyances religieuses partagées, les structures tribales, les liens familiaux et les réseaux clientélistes. Il n'était pas impossible qu'ils puissent perdurer encore un moment en se contentant d'étouffer les soulèvements et de parier sur la force d'inertie. Mais, même si nos services de renseignement visaient surtout les réseaux terroristes, et si nos diplomates n'étaient pas toujours au courant de ce qui se passait dans « la rue », nous sentions que la gronde prenait de l'ampleur au sein du peuple arabe – gronde qui, faute d'exutoire autorisé, risquait de dégénérer. Ou, comme je l'ai dit à Denis en rentrant de ma première visite présidentielle dans la région : « Ça va forcément péter quelque part à un moment ou un autre. »

Que faire de ce constat ? C'était tout le problème. Pendant au moins un demi-siècle, la politique américaine au Moyen-Orient s'était bornée à préserver la stabilité, prévenir les troubles affectant notre approvisionnement en pétrole et empêcher les puissances adverses (d'abord les Soviétiques, puis les Iraniens) d'étendre leur influence. Ensuite, à partir du 11 Septembre, c'est la lutte contre le terrorisme qui nous a occupés. Dans la poursuite de ces différents objectifs, nous nous sommes alliés avec des dictateurs, car les dictateurs sont prévisibles et aiment la discrétion. Ils accueillaient nos bases militaires et coopéraient avec nous dans la lutte contre le terrorisme. Et, bien sûr, ils étaient de bons clients pour les entreprises américaines. Notre dispositif de sécurité dans la région reposait largement sur leur coopération et, dans de nombreux cas, se confondait avec le leur. De temps à autre, un rapport du Pentagone ou de la CIA préconisait que nous soyons plus attentifs aux questions de gouvernance et de droits fondamentaux dans nos relations avec nos partenaires moyen-orientaux. Mais, peu après, les Saoudiens nous donnaient une information essentielle permettant d'éviter qu'un avion décolle pour les États-Unis avec à son bord un engin explosif, ou bien notre base navale du Bahreïn se montrait cruciale pour désamorcer un embrasement avec l'Iran dans le détroit d'Ormuz, et ces rapports finissaient invariablement au fond d'un tiroir. Dans toute la haute administration, la possibilité d'un soulèvement populaire qui renverserait un de nos alliés était envisagée avec fatalisme : certes, cela pouvait se produire, de même qu'un ouragan pouvait s'abattre sur les États du golfe du Mexique ou qu'un tremblement de terre pouvait frapper la Californie ; mais, puisque nous n'avions aucun moyen de deviner où et quand cela arriverait, le mieux était de parer à toutes les éventualités et de nous préparer à faire face aux contrecoups.

J'aimais croire que mon gouvernement était épargné par ce fatalisme. Dans le sillage de mon discours du Caire, j'avais profité de plusieurs interviews et apparitions publiques pour inciter les régimes du Moyen-Orient à tendre l'oreille à leur peuple qui réclamait des réformes. Lors des rencontres avec les dirigeants arabes, mon équipe veillait souvent à ce que les droits fondamentaux figurent à l'ordre du jour. Le département d'État s'affairait en coulisses pour protéger des journalistes, faire libérer des opposants et élargir l'espace de la participation politique.

Il était pourtant rare que les États-Unis reprochent à des alliés tels que l'Égypte ou l'Arabie Saoudite leurs violations des droits fondamentaux. Vu les problèmes que nous avions déjà avec l'Irak, Al-Qaida et l'Iran, sans même parler des besoins sécuritaires d'Israël, les enjeux paraissaient trop importants pour mettre en péril nos relations. Accepter ce type de réalisme politique faisait partie de mon travail, c'est en tout cas ce que je me disais pour me réconforter. Sauf que, régulièrement, on déposait sur mon bureau l'histoire d'une militante pour les droits des femmes arrêtée à Riyad, ou bien je lisais dans un article qu'un employé d'une ONG se morfondait dans une cellule du Caire, et alors je ne pensais plus qu'à eux. Je savais que mon gouvernement ne serait jamais capable de transformer le Moyen-Orient en oasis de démocratie, mais j'étais convaincu que nous pouvions et devions faire beaucoup plus pour encourager le changement.

C'est dans cet état d'esprit que j'ai enfin réussi à trouver le temps pour déjeuner avec Samantha Power.

J'avais rencontré Samantha quand j'étais encore sénateur, après avoir lu son livre « *A Problem From Hell* »: *America and the Age of Genocide*, pour lequel elle avait reçu le prix Pulitzer et qui proposait une mise en perspective émouvante et impeccablement argumentée du manque de réaction des États-Unis face aux génocides et de la nécessité d'un leadership mondial plus fort pour empêcher les crimes de masse. À cette époque, elle enseignait à Harvard et, lorsque je l'avais contactée, elle avait tout de suite suggéré que nous dînions ensemble pour échanger des idées la prochaine fois qu'elle serait de passage à Washington. Samantha s'est révélée bien plus jeune que je ne le pensais : elle avait à peu près 35 ans, était grande et mince, avait des cheveux roux et des taches de rousseur, et de grands yeux presque tristes, aux cils épais, dont les coins se plissaient quand elle riait. Et elle avait aussi un tempérament fougueux. Sa mère et elle avaient quitté l'Irlande pour les États-Unis quand elle avait 9 ans ; elle avait joué dans l'équipe de basket de son lycée, étudié à Yale et été reporter indépendante pendant la guerre de Bosnie-Herzégovine. Les massacres et les nettoyages ethniques dont elle avait été témoin l'avaient poussée à devenir juriste, dans l'espoir que le droit lui donnerait des outils pour guérir le monde d'une partie de sa folie. Ce soir-là, après qu'elle m'eut énuméré toutes les erreurs de politique étrangère que, selon elle, les États-Unis devaient absolument corriger, je lui avais proposé de descendre de sa tour d'ivoire et de travailler quelque temps avec moi.

La conversation débutée au cours de ce dîner s'est poursuivie en pointillés durant plusieurs années. Samantha est devenue mon attachée parlementaire à la politique étrangère, poste auquel elle me conseillait notamment sur le génocide en cours au Darfour. Elle a aussi fait partie de mon staff de campagne, au cours de laquelle elle a rencontré son futur mari, mon ami Cass Sunstein, qui deviendrait administrateur de l'OIRA, et elle est devenue l'un de nos meilleurs représentants pour les questions de politique étrangère. (J'ai cependant dû la mettre sur la touche et l'écarter de la campagne quand, dans un moment qu'elle pensait être « off » avec un journaliste, elle avait traité Hillary de « monstre ».) Après l'élection, je l'avais fait entrer au Conseil de sécurité nationale, où elle avait accompli un excellent travail, le plus souvent dans l'ombre, en imaginant par exemple une initiative internationale pour améliorer la transparence et réduire la corruption des gouvernements du monde entier.

Samantha était une de mes amies les plus proches à la Maison-Blanche. Comme Ben, elle me rappelait l'idéalisme de ma jeunesse, la partie de moi qui n'avait pas été contaminée par le cynisme, le calcul, et une forme de prudence déguisée en sagesse. Et je pense que c'est précisément parce qu'elle connaissait cet aspect de ma personnalité et savait faire vibrer ma corde sensible qu'elle me rendait parfois dingue. Je ne la voyais pas très souvent, et c'était un peu le problème ; dès que Samantha obtenait un créneau dans mon emploi du temps, elle se sentait obligée de me rappeler tous les torts que nous n'avions pas réparés. (Et, de mon côté, je lui demandais : « Alors, quels idéaux est-ce qu'on a trahis récemment ? ») Elle a ainsi été atterrée que je ne qualifie pas explicitement de génocide le massacre des Arméniens par les Turcs au XXe siècle (la nécessité de nommer les génocides étant un argument central de son livre). J'avais cependant de bonnes raisons de ne pas le faire : les Turcs étaient très susceptibles à ce sujet et j'étais engagé dans des négociations délicates avec Erdogan sur le retrait des troupes américaines d'Irak – Samantha avait néanmoins réussi à me donner mauvaise conscience. Cela étant, même si son insistance m'exaspérait quelquefois, j'avais besoin à intervalles réguliers de ressentir sa passion et son intégrité, à la fois parce qu'elle servait de boussole à ma conscience et parce qu'elle avait souvent des idées précises et inventives pour régler les problèmes épineux auxquels personne d'autre dans le gouvernement ne prenait le temps de penser suffisamment.

Notre déjeuner de mai 2010 en a été la parfaite illustration. Samantha s'était préparée à parler du Moyen-Orient – et en particulier du fait que les États-Unis n'aient pas officiellement réagi au récent prolongement pour deux ans de l'état d'urgence qui durait en Égypte depuis l'élection de Moubarak en 1981. Cette extension entérinait le pouvoir dictatorial du dirigeant en suspendant les droits garantis aux Égyptiens par la Constitution. « Je comprends parfaitement les considérations stratégiques qui entrent en jeu dans nos relations avec l'Égypte, a dit Samantha, mais pourquoi est-ce que personne ne se demande si notre stratégie est réellement la bonne ? »

Je lui ai répondu que c'était précisément la question que je me posais. Je n'étais pas un grand fan de Moubarak, mais j'étais arrivé à la conclusion qu'une déclaration pour condamner une règle en vigueur depuis près de trente ans n'aurait pratiquement aucun effet. « Le gouvernement américain est un paquebot, ai-je dit. Pas un hors-bord. Si on veut modifier notre approche dans la région, il va nous falloir une stratégie qui se déploie sur la durée. On va devoir s'assurer que le Pentagone et le renseignement nous suivent. Et calibrer notre action pour que nos alliés aient le temps de s'adapter.

– Et est-ce que quelqu'un s'occupe déjà de réfléchir à cette stratégie ? » a demandé Samantha.

J'ai souri. Je voyais les engrenages s'actionner dans sa tête.

Peu après, Samantha et trois de ses collègues du Conseil de sécurité nationale – Dennis Ross, Gayle Smith et Jeremy Weinstein – m'ont présenté un projet de directive postulant que le soutien inconditionnel que nous apportions à des régimes autoritaires nuisait à notre recherche de stabilité au Moyen-Orient et en Afrique du Nord. En août, je me suis appuyé sur ce document pour demander au département d'État, au Pentagone, à la CIA et à plusieurs autres agences de réfléchir à des moyens d'encourager les réformes politiques et économiques dans la région, et d'inciter ces pays à se rapprocher des principes de la démocratie ouverte afin d'éviter les soulèvements déstabilisateurs, les violences, le désordre et l'incertitude qui accompagnent si souvent les changements brusques. Le Conseil de sécurité nationale s'est lancé dans une série de rendez-vous bimensuels avec des experts de tous les départements pour préciser leur idée de réorientation de la politique américaine.

Sans surprise, une grande partie des diplomates et experts chevronnés à qui ils se sont adressés étaient sceptiques quant à la nécessité de remanier notre politique étrangère, au motif que, même si certains de nos alliés arabes n'étaient pas très recommandables, le *statu quo* servait les intérêts américains – ce qui ne serait plus garanti si des gouvernements plus populistes prenaient leur place. Mais, avec le temps, le Conseil de sécurité nationale est parvenu à dégager un ensemble de principes directeurs cohérents. Les différentes agences devraient porter un discours constant et coordonné sur l'importance des réformes ; elles formuleraient des préconisations de libéralisation de la vie politique et encourageraient les différents pays à les adopter au moyen de diverses contreparties. Mi-décembre, les documents exposant cette stratégie n'attendaient plus que mon approbation et, même si j'étais conscient que nous n'allions pas transformer le Moyen-Orient du jour au lendemain, je puisais du courage dans le fait que nous commencions à mettre le navire de la politique étrangère américaine sur le bon cap.

Il aurait simplement fallu que notre timing soit un petit peu meilleur.

Le même mois, en Tunisie, un vendeur de fruits désespéré s'est immolé par le feu devant le siège du gouvernorat de Sidi Bouzid. C'était un acte de protestation, produit de la détresse et de la fureur d'un citoyen face à un gouvernement qu'il savait corrompu et indifférent à ses besoins. L'homme, Mohamed Bouazizi, 26 ans, n'avait pas la réputation d'être un militant et ne s'intéressait même pas spécialement à la politique. Il appartenait à une génération de Tunisiens n'ayant connu que la stagnation économique et le joug du dictateur Zine El-Abidine Ben Ali. Harcelé à répétition par des inspecteurs municipaux, après s'être vu refuser une audience devant le juge, il avait fini par en avoir marre. D'après un témoin, au moment de s'immoler, Bouazizi a crié – à tout le monde en général et à personne en particulier : « Comment est-ce que vous voulez que je gagne ma vie ? »

La souffrance de ce marchand de fruits a déclenché aux quatre coins du pays des manifestations contre le gouvernement tunisien et, le 14 janvier 2011, Ben Ali a fui avec sa famille en Arabie Saoudite. En parallèle, des mouvements similaires, principalement animés par des jeunes, naissaient en Algérie, au Yémen, en Jordanie et à Oman, premiers bourgeons de ce qui allait devenir le Printemps arabe.

Tandis que je préparais le discours sur l'état de l'Union que j'allais prononcer le 25 janvier 2011, mon équipe se demandait dans quelle mesure je devais commenter les événements qui évoluaient à toute allure au Moyen-Orient et au Maghreb. Après la formidable mobilisation des Tunisiens qui était parvenue à renverser un dictateur, la population à travers le pays semblait en ébullition, portée par l'espoir d'un réel changement. La situation était toutefois complexe, et l'issue incertaine. Pour finir, nous avons décidé d'ajouter une phrase, simple et directe, à mon discours : « Ce soir, je veux le dire clairement : les États-Unis d'Amérique sont aux côtés du peuple tunisien et soutiennent l'aspiration de tous les peuples à la démocratie. »

De notre point de vue, les développements les plus retentissants avaient lieu en Égypte, où une coalition de mouvements de jeunesse, militants, partis de gauche, écrivains et artistes de premier plan avait lancé un appel national à l'action contre le régime de Moubarak. Le jour de mon discours sur l'état de l'Union, près de 50 000 Égyptiens ont déferlé sur la place Tahrir, dans le centre du Caire, pour exiger la fin de l'état d'urgence, des violences policières et des restrictions à la liberté politique. Des milliers d'autres personnes participaient à des rassemblements similaires dans tout le pays. La police a tenté de les disperser à coups de canons à eau, de balles en caoutchouc et de gaz lacrymogène, et le gouvernement de Moubarak, non content d'interdire les manifestations, a également bloqué Facebook, YouTube et Twitter pour essayer d'empêcher les participants de s'organiser ou de communiquer avec le monde extérieur. Pendant plusieurs jours et plusieurs nuits, la place Tahrir allait ressembler à un campement permanent, occupée par des légions d'Égyptiens qui défiaient leur président avec comme mot d'ordre « Pain, liberté et dignité ».

C'était précisément le scénario que la directive émise par le Conseil de sécurité nationale avait cherché à éviter : tout à coup, le gouvernement américain se trouvait écartelé entre un allié autoritaire mais fiable et une population tendue vers le changement, cette dernière exprimant les aspirations démocratiques que nous prétendions soutenir. Chose encore plus inquiétante, Moubarak ne semblait pas conscient du soulèvement en cours. Au téléphone, une semaine plus tôt, il s'était montré obligeant et réactif quand nous avions cherché à ramener Israéliens et Palestiniens à la table des négociations et évoqué l'appel à l'unité lancé par son gouvernement à la suite d'un attentat perpétré par des extrémistes musulmans contre une église copte d'Alexandrie.

Mais lorsque j'avais soulevé la possibilité que les manifestations qui avaient débuté en Tunisie se propagent à son pays, Moubarak s'était contenté de me répondre que « l'Égypte n'est pas la Tunisie ». Il m'avait assuré que ce mouvement de contestation de son gouvernement ne durerait pas. Tout en l'écoutant, je l'imaginais assis dans l'une des vastes pièces somptueuses du palais présidentiel où s'était déroulée notre première rencontre – rideaux tirés, Moubarak imposant dans son fauteuil à haut dossier tandis que des conseillers prenaient des notes ou observaient, prêts à répondre à toutes ses demandes. Isolé comme il l'était, il ne verrait que ce qu'il voudrait voir et n'entendrait que ce qu'il voudrait entendre – et cela n'augurait rien de bon.

Pendant ce temps, les reportages sur la place Tahrir ravivaient chez moi d'autres souvenirs. La foule de ces premières journées semblait bien plus jeune et laïque que la moyenne de la population – assez proche en cela des étudiants et militants qui avaient assisté à mon discours du Caire. Dans leurs interviews, ces manifestants apparaissaient réfléchis et informés, et insistaient sur la non-violence de leur action ainsi que sur leur aspiration au pluralisme démocratique, à l'état de droit et à une économie innovante capable de créer des emplois et d'améliorer leur niveau de vie. Armés de leurs idéaux et de leur courage face à un pouvoir répressif, ils n'avaient pas l'air si différents des jeunes qui avaient jadis contribué à abattre le mur de Berlin ou s'étaient dressés devant les chars d'assaut de la place Tian'anmen. Et ils n'étaient pas non plus si différents des jeunes gens qui avaient voté pour moi.

« Si j'étais égyptien et si j'avais 20 ans, ai-je dit à Ben, je serais sûrement avec eux. »

Seulement, je n'étais pas égyptien et je n'avais plus 20 ans. J'étais président des États-Unis. Et, malgré toute l'énergie de ces jeunes, il me fallait garder à l'esprit que, tout comme les professeurs d'université, les militants des droits fondamentaux, les membres des partis laïcs d'opposition et les syndicalistes qui se trouvaient avec eux en première ligne, ils ne représentaient qu'une fraction de la population égyptienne. Si Moubarak se retirait en créant un vide au sommet de l'État, ce n'étaient pas eux qui le combleraient. L'une des tragédies du règne dictatorial de Moubarak était qu'il avait entravé le développement des institutions et traditions qui auraient aidé l'Égypte à effectuer sa transition vers la démocratie : des partis politiques forts, une justice et une presse indépendantes, des observateurs électoraux impartiaux, des associations citoyennes de toutes tendances, une fonction publique efficace, et le respect des droits des minorités. Après l'armée, qui était profondément enracinée dans la société égyptienne et avait des intérêts dans de nombreux secteurs économiques, la faction la plus puissante et rassembleuse du pays était celle des Frères musulmans, une organisation sunnite dont l'objectif premier était l'application stricte de la charia en Égypte et dans le reste du monde arabe. Grâce à leurs actions militantes et caritatives (et bien qu'ils aient été officiellement interdits par Moubarak), les Frères bénéficiaient d'une base très étendue. En outre, ils préféraient la participation politique à la violence pour faire avancer leur cause, et les candidats qu'ils soutenaient auraient de grandes chances de partir favoris lors d'une élection libre et régulière. Mais de nombreux gouvernements de la région voyaient en eux une menace, une puissance subversive, et leur philosophie fondamentaliste faisait d'eux des gardiens douteux du pluralisme démocratique et une possible épine dans les relations entre Washington et Le Caire.

Sur la place Tahrir, les rassemblements continuaient à prendre de l'ampleur, de même que les affrontements entre manifestants et policiers. Visiblement arraché à sa torpeur, Moubarak est apparu à la télévision égyptienne le 28 janvier pour annoncer le limogeage de son gouvernement, mais sans montrer aucune intention de répondre aux demandes de réforme. Estimant que le problème n'allait pas se résoudre de lui-même, j'ai consulté mon équipe de sécurité nationale pour réfléchir à la manière la plus efficace de réagir. Le groupe était divisé, et sa dissension était pratiquement générationnelle. Les membres les plus âgés et expérimentés – Joe, Hillary, Gates et Panetta –, qui connaissaient Moubarak depuis des années, conseillaient la prudence. Ils rappelaient le rôle que son gouvernement avait joué dans la paix avec Israël, la lutte contre le terrorisme et la collaboration avec les États-Unis sur quantité de dossiers dans la région. Et s'ils admettaient qu'il fallait faire pression sur lui pour qu'il accepte une réforme profonde, ils prévenaient que nous n'avions aucun moyen de savoir par qui ou par quoi il pourrait être remplacé. En face d'eux, Samantha, Ben, Denis, Susan Rice et Tony Blinken – le conseiller de Joe à la sécurité nationale – affirmaient que Moubarak avait irrémédiablement perdu sa légitimité aux yeux du peuple égyptien. Plutôt que de donner l'impression que nous cautionnions l'usage croissant de la force contre les manifestants en continuant à nous accrocher à un dictateur corrompu qui n'allait pas tarder à tomber, ils soutenaient que la prudence stratégique autant que la justesse morale nous imposaient de nous ranger du côté des forces du changement.

Je partageais à la fois les espoirs des jeunes et les craintes des aînés. J'ai décidé que le meilleur moyen de préparer une sortie par le haut consistait à persuader Moubarak d'entreprendre une série de réformes importantes, parmi lesquelles la levée de l'état d'urgence, le rétablissement de la liberté politique et de la liberté de la presse, et la programmation d'élections nationales libres et régulières. Cette transition « dans l'ordre », comme la décrivait Hillary, donnerait aux candidats et partis d'opposition le temps de mobiliser leurs soutiens et de formuler un programme sérieux. Elle permettrait aussi à Moubarak de prendre sa retraite, tempérant auprès des autres dirigeants l'impression que nous étions prêts à lâcher nos alliés dans la région aux premiers troubles politiques.

Naturellement, tenter de convaincre un despote âgé et acculé de tirer sa révérence n'irait pas sans peine, même si c'était dans son intérêt. À la fin de notre réunion dans la salle de crise, j'ai appelé Moubarak et lui ai suggéré de proposer un ensemble de réformes ambitieuses. Il s'est immédiatement mis sur la défensive, a répliqué que les manifestants étaient manipulés par les Frères musulmans et m'a de nouveau certifié que tout allait revenir à la normale. Il a tout de même accepté que j'envoie un émissaire au Caire – Frank Wisner, qui avait été ambassadeur en Égypte à la fin des années 1980 – pour échanger plus en profondeur avec lui.

L'idée d'utiliser Wisner pour parler en direct avec le président égyptien venait de Hillary, et je la trouvais bonne : Wisner, dont le père avait joué un rôle central dans les premières années de la CIA, était un pur produit de l'establishment diplomatique américain qui connaissait Moubarak et avait sa confiance. Toutefois, ses relations avec le président et son approche datée risquaient de le rendre excessivement prudent dans son évaluation des possibilités de changement. Avant son départ, je l'ai appelé pour lui donner une consigne : « Soyez audacieux. » Je voulais qu'il pousse Moubarak à annoncer qu'il se retirerait après les prochaines élections – un geste que j'espérais assez spectaculaire et précis pour convaincre les manifestants de l'imminence d'un réel changement.

Tandis que nous attendions l'issue de la mission de Wisner, les médias ont commencé à se pencher sur la réaction de mon gouvernement face à la crise, en se demandant concrètement de quel côté nous étions. Jusque-là, nous nous étions bornés à publier des déclarations standard qui nous faisaient gagner du temps. Mais les correspondants à Washington – dont une grande partie prenait visiblement fait et cause pour les manifestants – se sont mis à harceler Gibbs en exigeant de savoir pourquoi nous ne nous étions pas prononcés clairement en faveur des forces pro-démocrates. Pendant ce temps, les dirigeants de la région nous demandaient pourquoi nous ne soutenions pas Moubarak plus énergiquement. Bibi Nétanyahou déclarait que le plus important était de préserver l'ordre et la stabilité en Égypte sous peine de « voir l'Iran s'y installer en deux secondes ». De son côté, le roi Abdallah d'Arabie Saoudite était encore plus inquiet : la diffusion de ce mouvement dans la région représentait une menace vitale pour une dynastie qui étouffait depuis longtemps toutes les oppositions. Lui aussi pensait que les manifestants égyptiens étaient manipulés, et il m'a cité les quatre factions qui étaient selon lui à la manœuvre : les Frères musulmans, le Hezbollah, Al-Qaida et le Hamas.

Aucune de ces analyses ne tenait la route. Les sunnites, qui composaient la grande majorité de la population égyptienne (et l'intégralité des Frères musulmans), étaient peu sensibles à l'influence chiite de l'Iran et du Hezbollah, et absolument rien n'indiquait qu'Al-Qaida ou le Hamas soient de quelconque façon derrière les soulèvements. Pourtant, même les dirigeants plus jeunes et réformistes comme le roi Abdallah de Jordanie redoutaient que leur pays soit emporté par les manifestations et, même s'ils employaient des termes plus contournés, ils attendaient des États-Unis que nous choisissions, selon les mots de Bibi, la « stabilité » et non le « chaos ».

Le 31 janvier, des chars de l'armée égyptienne étaient stationnés dans tout Le Caire, le gouvernement avait coupé Internet dans la ville et les manifestants planifiaient une grève nationale pour le lendemain. Le compte rendu de Wisner est arrivé : Moubarak allait s'engager publiquement à ne pas briguer un nouveau mandat, mais refusait de lever l'état d'urgence et d'accompagner une passation pacifique du pouvoir. Cette nouvelle a encore accentué les dissensions au sein de mes collaborateurs : pour les plus expérimentés, cette concession justifiait que nous continuions à soutenir Moubarak, tandis que les plus jeunes y voyaient – comme dans sa décision subite de nommer Omar Souleiman, son directeur du renseignement, au poste de vice-président – une simple dérobade incapable d'apaiser les manifestants. Tom Donilon et Denis m'ont fait savoir que les débats avaient tourné au vinaigre et que la presse relevait toutes les divergences entre les déclarations prudentes et lénifiantes de Joe et de Hillary, et celles de Gibbs et des autres qui prenaient moins de pincettes pour critiquer Moubarak.

Afin de m'assurer que tous les violons soient accordés, je suis passé sans prévenir à la réunion des directeurs du Conseil de sécurité nationale qui se tenait en salle de crise le lendemain 1er février. Nous venions tout juste de commencer à discuter quand un conseiller nous a informés que Moubarak était en train de s'adresser au peuple égyptien sur la télévision nationale. Nous avons allumé le poste qui se trouvait dans la pièce pour le regarder en direct. Vêtu d'un costume sombre et lisant un texte préparé à l'avance, Moubarak a d'abord paru honorer son engagement en déclarant qu'il n'avait jamais eu l'intention de se nommer président pour un nouveau mandat et en annonçant qu'il allait demander au parlement égyptien – entièrement sous son contrôle – de réfléchir à des élections anticipées. Mais les termes de la transmission du pouvoir étaient si flous que les spectateurs égyptiens allaient vraisemblablement en conclure que Moubarak reviendrait sur ses promesses à la seconde où les protestations s'éteindraient. De fait, le président a consacré le plus clair de son intervention à dénoncer les provocateurs et les forces politiques sans visage qui avaient infiltré les manifestations pour miner la sécurité et la stabilité du pays. Il a martelé qu'il continuerait à s'acquitter de ses responsabilités, lui qui n'avait « jamais, absolument jamais cherché le pouvoir », et à protéger l'Égypte contre les agents du désordre et de la violence. À la fin de son discours, quelqu'un a éteint le poste et je me suis reculé contre le dossier de ma chaise en étirant les bras derrière ma tête.

« Ça, ai-je dit, ça ne va pas être suffisant. »

Je voulais tenter une dernière fois de convaincre Moubarak d'amorcer une vraie transition. J'ai regagné le Bureau ovale et je l'ai appelé en mettant le téléphone sur haut-parleur pour que mes conseillers entendent notre conversation. J'ai commencé par le féliciter pour sa décision de ne pas se représenter. Je ne pouvais qu'imaginer combien cela allait être difficile pour un homme comme lui, qui était arrivé au pouvoir quand j'étais encore étudiant et qui avait vu défiler quatre de mes prédécesseurs, d'entendre ce que je m'apprêtais à lui dire.

« Maintenant que vous avez pris la décision historique de céder votre place, ai-je dit, je veux parler avec vous de la transition. Je vous le dis avec tout mon respect, j'aimerais vous exposer honnêtement le fruit de mes réflexions sur ce qui vous permettra d'atteindre vos objectifs. » Je suis alors entré dans le vif du sujet : s'il ne se retirait pas et faisait traîner le processus de passation, les manifestations allaient continuer et probablement devenir incontrôlables. S'il souhaitait garantir que le nouveau gouvernement élu soit responsable et indépendant des Frères musulmans, alors le moment était venu de démissionner et de mettre à profit sa stature pour aider un nouveau gouvernement à prendre le relais.

D'ordinaire, Moubarak et moi communiquions en anglais, mais, ce jour-là, il a choisi de me répondre en arabe. L'agitation dans sa voix se passait de traduction. « Vous ne comprenez pas la culture du peuple égyptien, a-t-il répliqué en haussant peu à peu le ton. Président

Obama, si je fais la transition de cette façon, ce sera très dangereux pour l'Égypte. »

J'ai admis que je ne connaissais pas la culture égyptienne aussi bien que lui, et qu'il était en politique depuis bien plus longtemps que moi. « Mais il y a des moments dans l'histoire où les choses cessent d'être ce qu'elles étaient jusque-là, ai-je poursuivi. Vous avez servi votre pays pendant plus de trente ans. Je veux m'assurer que vous ne laissiez pas passer ce moment historique et que vous léguiez un bel héritage. »

Nous avons continué sur ce ton pendant quelques minutes, Moubarak insistant sur le fait qu'il devait rester en place et que les manifestations ne dureraient pas. « Je connais mon peuple, m'a-t-il dit vers la fin de notre conversation. Il est à fleur de peau. Je vous reparlerai bientôt, monsieur le Président, et je vous dirai que j'avais raison. »

J'ai raccroché. Il n'y avait pas un bruit dans la pièce, tous les yeux étaient braqués sur moi. J'avais conseillé Moubarak du mieux que je le pouvais. Je lui avais montré la voie d'une sortie dans la dignité. J'étais conscient que le dirigeant qui lui succéderait serait peut-être un partenaire moins fiable pour les États-Unis – et éventuellement pire encore pour le peuple égyptien. Et, en vérité, si Moubarak avait présenté un plan de transition digne de ce nom, j'aurais pu m'en contenter, même s'il avait laissé en place une grande partie du réseau du régime. J'étais suffisamment réaliste pour comprendre que, sans la ténacité des jeunes gens de la place Tahrir, j'aurais continué à travailler avec Moubarak jusqu'à la fin de ma présidence, malgré tout ce qu'il représentait – de même que j'aurais continué à travailler avec les autres « dictatures corrompues et pourrissantes », selon les mots de Ben, qui régnaient sur le Moyen-Orient et le Maghreb.

Mais il y avait les jeunes de la place Tahrir. Grâce à leur culot et à leur obstination, ils avaient été rejoints par d'autres – des mères, des ouvriers, des cordonniers et des chauffeurs de taxi. Ces centaines de milliers de personnes avaient, l'espace d'un instant du moins, cessé d'avoir peur et n'arrêteraient pas de protester, à moins que Moubarak ne ravive leur peur de la seule manière qu'il connaissait : avec des matraques et des armes à feu, la prison et la torture. Plus tôt dans mon mandat, je n'avais pas réussi à infléchir la réaction brutale du régime iranien face aux manifestants du Mouvement vert. Je ne pourrais peut-être jamais empêcher la Chine ou la Russie de broyer leur opposition. Mais le gouvernement de Moubarak avait reçu des milliards de dollars sortis de la poche des contribuables américains, nous lui avions fourni des armes et des informations, nous l'avions aidé à former ses officiers ; je ne pouvais pas autoriser le destinataire de cette aide, un homme que nous considérions comme un allié, à étouffer par la violence des manifestations pacifiques alors que le monde entier nous regardait. C'était une ligne que je ne voulais pas franchir. J'estimais que cela ferait trop de mal à l'image de l'Amérique. Que cela me ferait trop de mal.

« On va préparer une déclaration, ai-je dit à mon équipe. On va demander à Moubarak de se retirer tout de suite. »

CONTRAIREMENT À UNE CROYANCE RÉPANDUE dans le monde arabe (et chez beaucoup de journalistes), les États-Unis ne sont pas un grand maître-chanteur qui manipule à sa guise les pays avec lesquels il est en affaires. Même les gouvernements qui bénéficient de notre aide militaire et économique pensent avant tout à leur propre survie, et le régime de Moubarak ne dérogeait pas à la règle. Lorsque j'ai exprimé publiquement ma conviction qu'il était temps pour l'Égypte d'entamer sa transition vers un nouveau régime, Moubarak a continué les provocations, cherchant à voir jusqu'où il pourrait aller dans l'intimidation des manifestants. Le lendemain, sans que l'armée bouge le petit doigt, des partisans du président ont déferlé sur la place Tahrir pour s'en prendre aux manifestants – certains montés sur des chameaux ou des chevaux et armés de fouets et de gourdins, d'autres lançant des pierres et des bombes incendiaires depuis les toits alentour. Ils ont fait 3 morts et 600 blessés ; plus de 50 journalistes et défenseurs des droits fondamentaux ont été jetés en prison, où ils sont restés plusieurs jours. Les violences se sont poursuivies le lendemain, assorties d'une importante contre-manifestation organisée par le gouvernement. Les forces loyalistes ont même commencé à malmener des journalistes étrangers qu'elles accusaient d'encourager l'opposition.

Pour moi, le plus grand défi durant ces journées de tension était de m'assurer que mon gouvernement continue à s'exprimer d'une même voix. Le message de la Maison-Blanche était clair. Lorsque la presse demandait à Gibbs ce que je voulais dire par : « La transition en Égypte doit commencer dès aujourd'hui », il répondait : « Dès aujourd'hui, ça signifie hier. » Nous avons aussi obtenu de nos alliés européens une déclaration conjointe reprenant les termes de la mienne. Mais, à peu près au même moment, alors qu'elle était interviewée dans le cadre de la conférence de Munich sur la sécurité, Hillary a expliqué en long et en large qu'une transition rapide serait dangereuse pour l'Égypte. Lors de cette même conférence, Frank Wisner – qui n'avait plus aucun rôle officiel et disait donc s'exprimer en tant que simple citoyen – a émis l'opinion que Moubarak devrait rester en poste le temps de la transition. En entendant cela, j'ai demandé à Katie d'appeler ma secrétaire d'État. Quand j'ai eu Hillary au bout du fil, je n'ai pas caché mon mécontentement.

« Je sais parfaitement ce qui peut se passer si on prend nos distances avec Moubarak, mais j'ai pris une décision et je ne veux pas qu'on multiplie les messages contradictoires. » Sans lui laisser le temps de répondre, j'ai ajouté : « Et dis à Wisner que je me fous de savoir en quelle qualité il s'exprime : il la boucle. »

Même si mes rapports avec un establishment sécuritaire toujours gêné par la perspective d'une Égypte sans Moubarak m'agaçaient parfois, ce même establishment – et en premier lieu le Pentagone et la communauté du renseignement – avait probablement bien plus de poids sur la suite des événements que n'importe quelle noble déclaration de la Maison-Blanche. Une ou deux fois par jour, Gates, Mullen, Panetta, Brennan et d'autres encore s'entretenaient discrètement avec le commandement militaire et les services de renseignement pour bien leur faire comprendre que, si l'armée cautionnait les violences contre les manifestants, cela aurait des conséquences graves sur les relations entre les États-Unis et l'Égypte. Par ces contacts directs, nous laissions entendre que la coopération entre nos deux pays, et l'assistance qui l'accompagnait, ne dépendait pas de la présence de Moubarak au sommet de l'État et incitions les généraux et les chefs du renseignement égyptien à se demander où se trouvait réellement l'intérêt de leurs institutions.

Notre communication a paru fonctionner, car, le soir du 3 février, les troupes égyptiennes se sont interposées entre les forces pro-Moubarak et les manifestants. Les arrestations de journalistes et de militants ont commencé à ralentir. Encouragés par le changement d'attitude de l'armée, de nouveaux manifestants sont venus grossir pacifiquement les rangs des occupants de la place. Moubarak allait encore s'accrocher une semaine en jurant de ne pas céder aux « pressions étrangères ». Mais le 11 février, deux semaines et demie après la première manifestation sur la place Tahrir, le vice-président Souleiman, visiblement éreinté, a annoncé à la télévision que le président Moubarak avait quitté son poste et qu'un gouvernement intérimaire sous l'égide du Conseil supérieur des forces armées allait préparer la tenue de nouvelles élections.

Depuis la Maison-Blanche, nous avons vu sur CNN la foule égyptienne exulter. Le staff a laissé éclater sa joie. Samantha m'a envoyé un message pour me dire combien elle était fière de faire partie de ce gouvernement. Tandis que nous traversions la colonnade pour aller nous adresser à la presse, Ben n'arrivait plus à arrêter de sourire. « C'est génial, disait-il, de faire partie de l'histoire comme ça. » Katie a imprimé et déposé sur mon bureau une photo illustrant une dépêche ; on y voyait un groupe de jeunes manifestants qui brandissaient une pancarte sur laquelle était écrit : YES WE CAN.

J'étais soulagé – et prudemment optimiste. Je pensais parfois à Moubarak, que j'avais reçu à peine quelques mois plus tôt dans l'ancienne salle à manger familiale. Au lieu de fuir le pays, il s'était apparemment installé dans sa résidence privée de Charm el-Cheikh. Je l'imaginais assis dans un salon opulent, le visage éclairé par une lumière diaphane, seul avec ses pensées.

Je savais que, malgré cette atmosphère de fête et d'espoir, la transition égyptienne n'était que le début d'un long combat pour l'âme du monde arabe, dont l'issue était tout sauf certaine. Je me souvenais de ma conversation avec Mohammed Ben Zayed, prince héritier d'Abou Dhabi et dirigeant de fait des Émirats arabes unis, tout de suite après que j'avais appelé Moubarak à démissionner. Jeune, raffiné, proche des Saoudiens et peut-être le dirigeant le plus habile du Golfe, Ben Zayed m'avait expliqué sans détour comment mon message avait été perçu dans la région.

Il m'avait dit que les déclarations des États-Unis au sujet de l'Égypte étaient très suivies dans le Golfe et causaient une inquiétude croissante. Qu'arriverait-il si des manifestations éclataient au Bahreïn pour réclamer l'abdication du roi Hamad ? Produirions-nous le même type de déclaration ?

Je lui avais répondu que j'espérais pouvoir travailler avec lui et les autres, pour éviter de devoir choisir entre, d'un côté, les Frères musulmans et, de l'autre, des affrontements entre peuples et gouvernements.

« Votre message n'a pas eu d'effet sur Moubarak, mais il en a un sur la région », m'a dit Ben Zayed. Il a laissé entendre que, si l'Égypte s'effondrait et si les Frères musulmans s'engouffraient dans la brèche, huit autres dirigeants arabes tomberaient à leur tour, ce qui expliquait qu'il soit aussi critique vis-à-vis de ma position. « Cela montre, a-t-il conclu, que les États-Unis ne sont pas un partenaire fiable à long terme. »

Sa voix était calme et froide. Je me suis rendu compte qu'il s'agissait moins d'une demande d'assistance que d'un avertissement. Tant pis pour Moubarak, l'ordre ancien n'avait pas l'intention de se rendre sans combattre.

Dans le sillage de la démission du président égyptien, les manifestations antigouvernementales ont gagné en ampleur et en intensité dans les autres pays, où la possibilité du changement se révélait de plus en plus crédible. Quelques régimes sont parvenus à faire au moins une concession symbolique aux manifestants tout en évitant les révoltes et les exactions : l'Algérie a levé la loi d'exception en vigueur depuis dix-neuf ans, le roi du Maroc a engagé des réformes constitutionnelles augmentant modestement les pouvoirs du parlement élu, et le monarque de Jordanie n'a pas tardé à l'imiter. Mais, pour beaucoup de dirigeants arabes, la grande leçon à tirer des événements égyptiens était qu'il fallait écraser systématiquement et sans pitié toutes les manifestations – en employant toute la violence nécessaire, et tant pis si la communauté internationale y trouvait à redire.

Parmi ces pays, c'est peut-être en Syrie et au Bahreïn que les violences ont été les plus intenses. Dans les deux cas, les divisions religieuses étaient profondes et une minorité privilégiée régnait sur une large majorité qui l'acceptait mal. En mars 2011, l'arrestation et la torture de quinze écoliers qui avaient peint des graffitis antigouvernementaux sur les murs de leur ville ont déclenché au sein de la population majoritairement sunnite des protestations contre le régime chiite alaouite de Bachar El-Assad. Les gaz lacrymogènes, les canons à eau, les matraques et les arrestations collectives ne parvenant pas à étouffer ces manifestations, les forces de sécurité d'Assad ont alors lancé de véritables opérations militaires dans plusieurs villes, avec tirs à balles réelles, chars d'assaut et perquisitions. Pendant ce temps, et comme l'avait prédit Ben Zayed, à Manama, capitale de la petite nation insulaire du Bahreïn, des manifestations colossales et principalement chiites avaient lieu, et le roi Hamad Ben Issa Al-Khalifa y répondait par la force, au prix de dizaines de morts et de centaines de blessés. Voyant que ces violences ne faisaient qu'alimenter les manifestations, Hamad, aux abois, a franchi un pas inédit en demandant aux armées saoudienne et émiratie de l'aider à contenir sa propre population.

Mes équipes et moi avons passé des heures à nous creuser les méninges pour trouver comment changer le cours des événements en Syrie et au Bahreïn. Hélas, nos options étaient limitées. La Syrie était un adversaire de longue date des États-Unis, un allié historique de la Russie et de l'Iran, et un soutien du Hezbollah. Sans influence économique, militaire et diplomatique comparable à celle que nous avions en Égypte, notre condamnation officielle du régime n'a pas eu beaucoup d'effet (il en irait de même, par la suite, pour notre embargo), et Assad pouvait compter sur la Russie pour imposer son veto à toutes nos tentatives de faire approuver des sanctions par le Conseil de sécurité des Nations unies. Dans le cas du Bahreïn, nous avions le problème inverse. C'était un allié de longue date qui hébergeait la 5ᵉ flotte des États-Unis. Cette relation nous autorisait à faire pression en privé sur Hamad et ses ministres afin qu'ils contentent au moins certaines demandes populaires et mettent un frein aux violences policières. Mais, aux yeux de la classe dirigeante du pays, ces manifestants étaient des ennemis sous influence iranienne qu'il fallait réprimer. Le régime allait nous forcer la main, en accord avec les Saoudiens et les Émiratis, et nous savions pertinemment que, une fois dos au mur, nous ne pourrions pas nous permettre de fragiliser notre position au Moyen-Orient en nous aliénant trois pays du Golfe.

En 2011, personne ne remettait en cause notre influence limitée en Syrie – cela viendrait plus tard. Mais, malgré nos déclarations condamnant la violence au Bahreïn et nos efforts pour ouvrir un dialogue entre le gouvernement et les leaders de l'opposition chiite modérée, le fait que nous ne coupions pas les ponts avec le roi Hamad a été fortement critiqué, surtout en regard de notre attitude face à Moubarak. Il m'était impossible d'expliquer notre incohérence de manière élégante, sauf en admettant que le monde était un vrai sac de nœuds ; que, dans la conduite de ma politique étrangère, j'étais constamment amené à mettre en balance des intérêts contraires, des intérêts façonnés par les choix des gouvernements précédents et les contingences du moment ; et que, même si je n'arrivais pas toujours à faire prévaloir notre souci des droits fondamentaux, cela ne m'empêchait pas d'essayer de faire tout ce que je pouvais, chaque fois que je le pouvais, pour promouvoir ce que j'estimais être nos valeurs les plus hautes. Mais que se passerait-il si un gouvernement commençait à massacrer ses citoyens par milliers alors que les États-Unis avaient le pouvoir de l'en empêcher ?

Depuis quarante-deux ans, Mouammar Kadhafi dirigeait la Libye avec une cruauté qui confinait à la folie, même selon les critères de ses collègues dictateurs. Porté à la flamboyance, aux diatribes incohérentes et aux comportements extravagants (en 2009, en amont de l'assemblée générale de l'ONU, il avait demandé l'autorisation de faire installer une immense tente bédouine en plein Central Park pour lui et sa suite), il s'était néanmoins révélé d'une efficacité redoutable pour terrasser l'opposition dans son pays, utilisant la police secrète, les forces de sécurité et plusieurs milices financées par l'État pour emprisonner, torturer et assassiner toutes les voix qui osaient s'élever contre lui.

Pendant les années 1980, son gouvernement avait en outre été l'un des principaux parrains étatiques du terrorisme mondial, contribuant à des attentats meurtriers comme celui de Lockerbie en 1988, lors duquel une bombe avait explosé dans le vol 103 de la Pan Am, causant la mort de ressortissants de vingt et un pays, dont 189 Américains. Depuis quelque temps, Kadhafi tentait de se parer des habits de la respectabilité en cessant de financer le terrorisme international et en abandonnant son programme nucléaire naissant, en conséquence de quoi les pays occidentaux, dont les États-Unis, avaient repris les relations diplomatiques avec son régime. Mais, à l'intérieur des frontières libyennes, rien n'avait changé.

Moins d'une semaine après la démission de Moubarak en Égypte, les forces de sécurité de Kadhafi avaient ouvert le feu sur un groupe de civils protestant contre l'arrestation d'un avocat. En quelques jours, le mouvement social s'était répandu et plus d'une centaine de personnes avaient été tuées. Une semaine plus tard, le pays était en situation de rébellion ouverte et les forces antigouvernementales prenaient le contrôle de Benghazi, la deuxième ville du pays. Des diplomates libyens et d'anciens loyalistes, dont l'ambassadeur du pays auprès de l'ONU, ont commencé à faire défection en appelant la communauté internationale à venir en aide au peuple libyen. Accusant ses adversaires d'être des faux nez d'Al-Qaida, Kadhafi a alors entamé une campagne de terreur en déclarant : « Tout va brûler. » Début mars, le bilan s'élevait déjà à un millier de victimes.

Horrifiés par ce carnage, nous avons rapidement tout mis en œuvre, hormis le recours à l'armée, pour arrêter Kadhafi. Je l'ai invité à se retirer du pouvoir au motif qu'il n'avait plus aucune légitimité. Nous avons instauré des sanctions économiques, gelé des milliards de dollars en capital appartenant à sa famille et à lui, et, au Conseil de sécurité de l'ONU, mis la Libye sous embargo et porté l'affaire devant la Cour pénale internationale afin que Kadhafi et d'autres soient jugés pour crimes contre l'humanité. Mais il persistait. Selon les prévisions de nos analystes, si ses forces atteignaient Benghazi, elles risquaient de faire des milliers de morts.

À peu près au même moment, des ONG et quelques journalistes se sont fait entendre, rapidement rejoints par le Congrès et l'ensemble de la presse, pour exiger que les États-Unis interviennent militairement contre Kadhafi. Par certains aspects, j'y voyais un progrès moral. Traditionnellement, l'idée d'envoyer nos troupes pour empêcher un gouvernement de tuer son peuple aurait dû être inaudible – parce que les violences étatiques de ce type étaient très courantes ; parce que les décideurs américains ne jugeaient pas que la mort de Cambodgiens, d'Argentins ou d'Ougandais innocents ait quoi que ce soit à voir avec nos intérêts ; parce que les auteurs étaient souvent nos alliés pendant la guerre froide. (Cela comprenait le coup d'État prétendument soutenu par la CIA contre le gouvernement communiste indonésien en 1965, deux ans avant que ma mère et moi nous y installions, qui avait fini dans le sang et causé entre 500 000 et 1 million de morts.) Mais, dans les années 1990, alors que ces crimes commençaient à être couverts en temps réel par la presse internationale et que les États-Unis devenaient l'unique superpuissance au monde, un réexamen de cette doctrine d'inaction a conduit à l'intervention réussie des États-Unis et de l'OTAN en Bosnie. Nous avions désormais une obligation effective de prévenir les atrocités sur tous les continents – c'était tout le sujet du livre de Samantha, et la raison pour laquelle je l'avais fait entrer à la Maison-Blanche.

Pour autant, et malgré mon instinct qui me poussait à sauver les innocents menacés par les tyrans, j'hésitais à ordonner une action militaire en Libye, pour la même raison qui m'avait poussé à refuser la suggestion de Samantha d'inclure dans mon discours du prix Nobel un appel explicite à la « responsabilité de protéger » les civils contre leur gouvernement. Quelle serait la limite de cette obligation d'ingérence ? Et quels en seraient les paramètres ? Combien de morts faudrait-il, et combien de personnes en danger, pour déclencher une réponse militaire des États-Unis ? Pourquoi en Libye et pas au Congo, par exemple, où un enchaînement de conflits avait coûté la vie à des millions de civils ? Devrions-nous intervenir uniquement dans les cas où les pertes américaines seraient nulles ? Bill Clinton avait cru les risques limités en 1993, lorsque, dans le cadre de notre opération de maintien de la paix en Somalie, il avait envoyé les forces spéciales capturer les lieutenants d'un chef de guerre. Entre le 3 et le 4 octobre 1993, la bataille de Mogadiscio, aussi surnommée « Chute du faucon noir », avait fait 18 morts et 73 blessés parmi les soldats américains.

La vérité est que la guerre n'est jamais propre et entraîne toujours des conséquences imprévues, même lorsqu'elle est menée pour une cause juste et contre des pays apparemment peu puissants. Dans le cas de la Libye, les partisans d'une intervention américaine avaient tenté d'occulter cette réalité en se raccrochant à l'idée d'une zone d'exclusion aérienne pour maintenir au sol les appareils du régime et ainsi empêcher les bombardements, mesure présentée comme un moyen de sauver le peuple libyen sans risques et sans bavures. (Question type des correspondants à la Maison-Blanche durant cette période : « Combien est-ce qu'il va encore falloir de morts avant que nous passions à l'action ? ») Ce qu'ils oubliaient de prendre en compte, c'était que, pour instaurer une zone d'exclusion dans l'espace aérien libyen, nous allions d'abord devoir tirer des missiles sur Tripoli afin de détruire les défenses aériennes du régime – un acte de guerre incontestable contre un pays qui ne représentait aucune menace pour nous. Et, en plus de cela, rien ne nous assurait qu'une zone d'exclusion aérienne aurait un quelconque effet, dans la mesure où Kadhafi se servait de ses troupes terrestres, et non de ses avions, pour attaquer les places fortes de la rébellion.

Par ailleurs, nous étions toujours engagés jusqu'au cou dans les guerres d'Irak et d'Afghanistan. Je venais aussi d'ordonner l'envoi de troupes dans le Pacifique pour aider les Japonais à maîtriser le pire accident nucléaire depuis Tchernobyl, provoqué par un tsunami qui avait rasé la ville de Fukushima ; nous redoutions sérieusement que les retombées radioactives atteignent la côte Ouest. Si l'on ajoute à cela le fait que je continuais à me débattre avec une économie qui commençait tout juste à repartir et un Congrès républicain qui avait juré de détricoter tout ce que mon gouvernement avait accompli en deux ans, on comprend aisément que l'idée de partir en guerre dans un pays lointain sans réelle importance stratégique pour les États-Unis me semblait tout sauf prudente. Et je n'étais pas le seul à le penser. Bill Daley, qui deviendrait mon directeur de cabinet en janvier, ne comprenait pas comment quiconque pouvait y songer sérieusement.

« Je suis peut-être à côté de la plaque, monsieur le Président, m'a-t-il dit pendant une de nos réunions du soir, mais je n'ai pas l'impression qu'on se soit fait écraser à la mi-mandat parce que les gens trouvent que vous n'en faites pas assez au Moyen-Orient. Neuf personnes sur dix ne sont pas fichues de situer la Libye sur une carte. »

Et pourtant, plus les journaux rapportaient que les hôpitaux se remplissaient de blessés et que des jeunes étaient exécutés dans les rues sans autre forme de procès, plus l'opinion mondiale réclamait une intervention. À la surprise de beaucoup, la Ligue arabe s'est prononcée en faveur d'une action internationale en Libye – signe que les violences avaient atteint une gravité extrême, mais aussi que le comportement erratique de l'homme fort du régime et son habitude de se mêler des affaires de ses voisins l'avaient isolé des autres dirigeants arabes. (Ce vote pouvait aussi être, pour les pays de la région, une manière pratique de détourner l'attention des violations des droits fondamentaux qu'eux-mêmes commettaient, puisque des États tels que la Syrie et le Bahreïn demeuraient des membres estimés de la Ligue.) Pendant ce temps, Nicolas Sarkozy, durement critiqué en France pour avoir soutenu jusqu'au bout le régime de Ben Ali en Tunisie, a soudainement décidé d'embrasser la cause du peuple libyen. Main dans la main avec David Cameron, il a annoncé son intention de proposer sur-le-champ une résolution au Conseil de sécurité de l'ONU pour autoriser une coalition internationale à établir une zone d'exclusion aérienne au-dessus de la Libye – résolution sur laquelle nous allions devoir nous positionner.

Le 15 mars, j'ai donc réuni mon équipe de sécurité nationale. Nous avons débuté par un briefing sur les avancées de Kadhafi : les troupes libyennes lourdement armées s'apprêtaient à prendre une ville en périphérie de Benghazi, ce qui leur permettrait de couper l'approvisionnement des 600 000 habitants de Benghazi en eau, en nourriture et en électricité. Kadhafi promettait de « purger la Libye une maison après l'autre, une famille après l'autre, une rue après l'autre, une personne après l'autre ». J'ai demandé à Mike Mullen ce que nous pourrions y changer avec une zone d'exclusion aérienne. Pas grand-chose, m'a-t-il répondu, en me confirmant que, comme Kadhafi utilisait presque exclusivement des troupes terrestres, le seul moyen d'empêcher un assaut sur Benghazi était de les cibler directement avec des frappes aériennes.

« Si je comprends bien, ai-je dit, on nous demande de participer à une opération qui donnera l'impression que tout le monde fait quelque chose, mais qui ne sauvera pas Benghazi. »

J'ai alors fait un tour de table pour écouter les préconisations de chacun. Gates et Mullen étaient fermement opposés à toute intervention militaire américaine et insistaient sur la pression que l'Irak et l'Afghanistan exerçaient déjà sur nos troupes. Ils étaient aussi convaincus – à raison, d'après moi – que, malgré les discours de Sarkozy et de Cameron, l'armée américaine finirait par devoir assumer le plus gros de l'opération. Joe estimait que c'était une folie de se lancer dans une guerre supplémentaire, et Bill ne comprenait toujours pas comment nous pouvions encore nous poser la question.

Et puis, l'un après l'autre, les partisans de l'intervention ont avancé leurs arguments. Au téléphone depuis une réunion du G8, Hillary nous a dit avoir été très impressionnée par sa rencontre avec le leader de l'opposition libyenne. Malgré l'approche réaliste qu'elle avait prônée en Égypte, ou peut-être pour cette raison même, elle approuvait à présent notre participation à une coalition internationale. Depuis nos bureaux des Nations unies à New York, Susan Rice nous a dit que la situation lui rappelait le génocide rwandais de 1994. À cette époque, sous Bill Clinton, elle faisait partie du Conseil de sécurité nationale, et notre inaction continuait à la hanter. Si une opération relativement modeste permettait de sauver des vies, alors nous devions y aller – mais

Susan suggérait tout de même que, au lieu de voter la zone d'exclusion aérienne, nous présentions notre propre résolution et demandions un mandat élargi pour entreprendre toutes les actions nécessaires à la protection des civils contre les forces de Kadhafi. Certains jeunes conseillers redoutaient qu'une intervention militaire contre la Libye ait pour effet pervers de convaincre des pays comme l'Iran qu'ils avaient absolument besoin d'armes nucléaires pour dissuader une future offensive américaine. Néanmoins, comme dans le cas de l'Égypte, Ben et Tony Blinken considéraient que nous avions la responsabilité de soutenir les forces réclamant un changement démocratique au Moyen-Orient – surtout si les pays arabes et nos plus proches alliés étaient prêts à agir à nos côtés. Et même si Samantha est restée exception-nellement clinique en présentant une projection des pertes humaines dans le camp des rebelles faute d'intervention de notre part, je savais qu'elle était en contact direct et quotidien avec des Libyens qui implo-raient notre aide. Je n'ai pratiquement pas eu besoin de lui demander ce qu'elle en pensait.

J'ai regardé ma montre, j'allais devoir me rendre au dîner annuel avec les commandants des forces combattantes et leurs épouses dans le salon Bleu du bâtiment historique. « Très bien, ai-je dit. Je ne suis pas encore prêt à prendre ma décision. Mais, après ce que je viens d'entendre, je sais qu'il y a une chose qu'on ne va *pas* faire : participer à l'instauration d'une zone d'exclusion aérienne foireuse qui ne nous permettra pas d'atteindre nos objectifs. »

J'ai dit à tout le monde que nous nous retrouverions dans quelques heures et que je comptais sur eux pour me présenter des plans d'in-tervention réalistes, assortis d'une analyse des coûts, des ressources humaines nécessaires et des risques encourus. « Soit on fait les choses bien, ai-je conclu, soit on arrête de se raconter qu'on veut sauver Benghazi juste pour se donner bonne conscience. »

Lorsque je suis entré dans le salon Bleu, Michelle et nos invités étaient déjà rassemblés. Nous avons pris des photos avec tous les couples, échangé des nouvelles de nos enfants et plaisanté à propos de nos parties de golf. À table, j'étais assis à côté d'un jeune Marine et de sa compagne ; artificier en Afghanistan, il avait perdu les deux jambes en marchant sur un engin explosif artisanal. Il m'a raconté qu'il n'était pas encore tout à fait habitué à ses prothèses, mais il paraissait avoir bon moral et son uniforme le mettait en valeur. J'ai reconnu sur le visage de sa femme le mélange de fierté, de détermination et d'angoisse refoulée que j'avais si souvent vu lors de mes visites aux familles de militaires durant les deux années écoulées.

Pendant ce temps, mon cerveau turbinait, calculait, réfléchissait à la décision que j'allais devoir prendre dès que Buddy, Von et les autres major-domes auraient débarrassé les assiettes à dessert. Les arguments de Mullen et de Gates étaient convaincants. J'avais déjà envoyé au front des milliers de jeunes gens comme le Marine assis près de moi et, quoi que pensent celles et ceux qui n'allaient pas sur le terrain, rien ne nous promettait qu'une nouvelle guerre ne causerait pas d'autres blessures semblables, sinon pires. J'étais agacé de m'être fait coincer par Sarkozy et Cameron, qui cherchaient en partie à arranger leur image dans leur pays, et je n'éprouvais que du mépris envers l'hypocrisie de la Ligue arabe. Je savais que Bill avait raison : en dehors de Washington, peu de monde approuvait ce qui nous était demandé et, si nous intervenions, il suffirait d'un accroc pour que mes problèmes politiques deviennent pires que jamais.

Je savais enfin que, à moins que nous prenions les choses en main, le plan européen avait de grandes chances de ne rien donner. Les troupes de Kadhafi allaient assiéger Benghazi. Dans le meilleur des cas, il s'ensuivrait un conflit prolongé, voire une guerre civile géné-ralisée. Dans le pire, des dizaines de milliers de personnes, peut-être plus, seraient affamées, torturées ou abattues d'une balle dans le crâne. Et, à cet instant précis, j'étais peut-être la seule personne au monde à pouvoir l'empêcher.

Le dîner s'est achevé. J'ai dit à Michelle que j'en avais pour une heure et je suis retourné à la salle de crise, où l'équipe avait examiné toutes les possibilités et attendait mes instructions.

« Je crois que j'ai un plan qui peut marcher », ai-je annoncé à la cantonade.

CHAPITRE 26

Nous sommes restés encore deux heures dans la salle de crise ce soir-là, à examiner point par point le plan que j'avais ébauché pendant le dîner, conscient que nous devions faire le maximum pour éviter un massacre en Libye tout en limitant autant que possible les risques pour notre armée déjà surmenée. J'étais prêt à tenir ma position face à Kadhafi et à donner au peuple libyen la possibilité de constituer un nouveau gouvernement. Mais il faudrait que cela se fasse rapidement, avec le soutien de nos alliés, et selon un ordre d'opération clairement défini.

J'ai dit à mon équipe que je voulais suivre la proposition de Susan Rice, en convainquant les Français et les Britanniques de retirer leur projet de zone d'exclusion aérienne, afin que nous puissions présenter devant le Conseil de sécurité notre propre résolution, par laquelle nous demanderions un mandat élargi pour « prendre toutes les mesures nécessaires » en vue de protéger les civils libyens. Pendant ce temps, le Pentagone mettrait sur pied une campagne avec une stricte division des tâches entre les alliés. Durant la première phase, les États-Unis contribueraient à empêcher Kadhafi d'avancer sur Benghazi et élimineraient ses systèmes de défense antiaérienne – une mission qui nous convenait parfaitement, puisque nous avions les plus grandes capacités opérationnelles. Ensuite, nous passerions le relais aux pays européens et arabes. Les avions de combat européens seraient chargés des frappes aériennes permettant d'éviter que les forces de Kadhafi s'en prennent aux populations civiles (autrement dit, d'instaurer une zone d'exclusion aérienne *et* terrestre), tandis que nos alliés arabes seraient surtout responsables du soutien logistique. Étant donné la proximité géographique de l'Europe avec l'Afrique du Nord, nous comptions demander aux Européens de financer l'essentiel de l'assistance qui servirait ensuite à reconstruire la Libye et à l'aider dans sa transition démocratique une fois que Kadhafi aurait quitté le pouvoir.

J'ai demandé à Gates et à Mullen ce qu'ils en pensaient. Même s'ils renâclaient toujours à s'engager dans une mission essentiellement humanitaire alors que nous avions encore deux guerres sur les bras, ils estimaient que c'était un plan susceptible de réussir, qui limitait les coûts et les risques pour nos militaires, et qui devait pouvoir mettre un coup d'arrêt aux forces de Kadhafi en l'espace de quelques jours.

Susan et son équipe ont travaillé toute la nuit avec Samantha, et le lendemain nous avions un nouveau projet de résolution à soumettre au Conseil de sécurité de l'ONU. Susan a immédiatement entrepris de rallier ses homologues aux Nations unies autour du projet. Puisque la grande inconnue concernait la Russie et son droit de veto, nous espérions que notre travail des deux dernières années avec Dmitri Medvedev nous aiderait à gagner son soutien et avons souligné que, au-delà de l'impératif moral dictant de tout faire pour prévenir un massacre, la Russie autant que les États-Unis avait intérêt à éviter une guerre civile prolongée en Libye, qui risquerait de transformer le pays en vivier pour le terrorisme. Il était évident que Medvedev avait de sérieuses réserves concernant une action militaire dirigée par l'Occident pour amener un changement de régime, mais il n'avait pas non plus envie de faire le jeu de Kadhafi. Pour finir, le 17 mars, le Conseil de sécurité a approuvé notre résolution par dix voix à zéro, avec cinq abstentions (dont la Russie). Sans perdre un instant, j'ai appelé Sarkozy et Cameron. Dissimulant à peine leur soulagement devant la perche que je leur tendais et qui allait les sortir du pétrin où ils s'étaient fourrés, ils ont accepté notre solution avec enthousiasme. Quelques jours plus tard, tous les éléments de l'opération étaient en place, les Européens étaient d'accord pour se ranger sous le commandement de l'OTAN et les pays arabes – Jordanie, Qatar et Émirats – étaient assez nombreux dans la coalition pour éviter que cette mission soit perçue comme une nouvelle guerre des puissances occidentales contre le monde musulman.

Quand le Pentagone a été prêt à recevoir mon ordre de déclencher les frappes aériennes, j'ai publiquement offert une dernière chance à Kadhafi en l'invitant à retirer ses troupes et à respecter le droit du peuple libyen à manifester pacifiquement. J'espérais que, lorsqu'il verrait que le monde entier était contre lui, son instinct de survie se réveillerait et qu'il tenterait de négocier sa fuite vers un pays tiers acceptant de l'accueillir, où il pourrait finir ses jours avec les millions en pétrodollars qu'il avait, au fil des ans, envoyés sur divers comptes en Suisse. Mais, manifestement, Kadhafi avait rompu ses derniers liens avec la réalité.

Il se trouve que je devais partir ce soir-là pour le Brésil, première étape d'une tournée de quatre jours et trois pays visant à redorer le blason des États-Unis en Amérique du Sud. (La guerre d'Irak, ainsi que la politique de Bush vis-à-vis de Cuba et des pays producteurs de drogue, n'avaient pas été très bien reçues dans la région.) Le plus beau dans tout cela, c'est que nous avions choisi ce moment précis parce qu'il tombait pendant les vacances de printemps de Malia et Sasha, et que nous allions ainsi pouvoir voyager en famille.

Nous n'avions pas imaginé, sur le moment, qu'une guerre serait en train d'éclater. Quand Air Force One s'est posé à Brasilia, Tom Donilon m'a informé que les troupes de Kadhafi n'avaient pas reculé d'un pouce ; au contraire, elles avaient commencé à pénétrer dans le périmètre de Benghazi.

« Vous allez sûrement devoir donner l'ordre dans la journée », a conclu Tom.

Quelles que soient les circonstances, il n'est jamais simple de lancer une opération militaire pendant une visite à l'étranger. Le fait que le Brésil évite généralement de prendre parti dans les conflits internationaux – et qu'il se soit abstenu lors du vote de notre intervention au Conseil de sécurité – ne faisait qu'aggraver les choses. C'était ma première visite officielle en Amérique du Sud et ma première rencontre avec Dilma Rousseff, la présidente nouvellement élue du Brésil. Économiste de formation, elle avait été directrice de cabinet de son charismatique prédécesseur, Lula da Silva, et souhaitait notamment améliorer les relations commerciales entre nos deux pays. Entourée de ses ministres, elle a réservé un accueil chaleureux à notre délégation lors de notre arrivée au palais présidentiel, un édifice aérien et moderniste doté de contreforts en forme d'ailes et de hautes parois vitrées. Nous avons ensuite passé plusieurs heures à discuter de l'approfondissement de notre coopération dans les domaines de l'énergie, du commerce et de la lutte contre le réchauffement climatique. Mais, alors que dans le monde entier les spéculations sur notre intervention en Libye allaient bon train, les tensions sont devenues difficiles à ignorer. J'ai présenté mes excuses à Rousseff pour l'inconfort que cette situation pouvait lui causer. Elle a haussé les épaules, me fixant du regard avec un mélange de scepticisme et d'inquiétude.

« Nous nous en remettrons, a-t-elle répondu en portugais. J'espère que ce sera le moindre de vos soucis. »

Au terme de mon entretien avec Rousseff, Tom et Bill Daley m'ont poussé dans une salle de réunion en m'expliquant que les forces de Kadhafi continuaient leur progression et que nous n'aurions pas de meilleur moment pour donner l'ordre. La procédure de déclenchement officiel des opérations militaires supposait que j'appelle Mike Mullen. Sauf que le système de communication mobile dernier cri et sécurisé qui devait me permettre d'exercer ma fonction de commandant en chef depuis n'importe quel endroit de la planète ne fonctionnait pas.

« Je suis désolé, monsieur le Président... nous avons du mal à établir la connexion. »

Tandis que nos techniciens s'affairaient à chercher des câbles mal branchés et des portails défectueux, je me suis installé dans un fauteuil et j'ai pioché une poignée d'amandes dans un bol posé sur une desserte. Il y avait longtemps que j'avais cessé de me tracasser pour les aspects logistiques de la présidence, car je me savais constamment entouré par une équipe de grande compétence. Je voyais cependant des gouttes de sueur se former sur tous les fronts. Bill, dont c'était le premier voyage en tant que directeur de cabinet et qui était évidemment sous pression, frisait l'apoplexie.

« Mais c'est pas croyable ! » disait-il d'une voix de plus en plus stridente.

J'ai regardé ma montre. Dix minutes s'étaient écoulées et notre rendez-vous suivant avec les Brésiliens aurait déjà dû commencer. Je me suis tourné vers Tom et Bill, qui paraissaient tous deux prêts à étrangler quelqu'un.

« Pourquoi on n'utiliserait pas votre portable, tout simplement ? ai-je demandé à Bill.

– Pardon ?

– Ce ne sera pas long. Vérifiez juste que vous avez assez de réseau. »

Après conciliabule de l'équipe pour décider s'il était bien judicieux de me faire passer par une ligne non sécurisée, Bill a composé le numéro et m'a tendu son téléphone.

« Mike ? ai-je fait. Vous m'entendez ?

– Je vous entends, monsieur le Président.

– Vous avez mon autorisation. »

Par ces quatre mots, prononcés dans un appareil qui avait probablement servi à commander des pizzas, je venais d'engager, pour la première fois de ma présidence, une nouvelle intervention militaire.

PENDANT LES DEUX JOURS SUIVANTS, alors même que les bateaux américains et britanniques commençaient à tirer des missiles Tomahawk sur les défenses aériennes de la Libye, nous avons néanmoins respecté l'essentiel de ma feuille de route. J'ai rencontré un groupe de chefs d'entreprise américains et brésiliens pour évoquer le développement de notre relation commerciale. J'ai assisté à un cocktail avec des hauts fonctionnaires et pris des photos avec les familles du personnel de l'ambassade américaine. À Rio de Janeiro, je me suis exprimé devant 2 000 personnalités de la vie politique, civile et entrepreneuriale au sujet des défis et des opportunités qui se présentaient aux États-Unis et au Brésil, les deux plus grandes démocraties du continent. En parallèle, je restais constamment en lien avec Tom, qui m'informait de la situation en Libye, et j'imaginais les scènes qui se déroulaient à plus de 8 000 kilomètres de là : les missiles qui fendaient l'air, les explosions en cascade, les gravats et la fumée, et les partisans de Kadhafi qui levaient les yeux vers le ciel en évaluant leurs chances de survie.

Malgré ma distraction, je gardais à l'esprit que ma présence au Brésil était importante, surtout pour les Afro-Brésiliens qui comptaient pour plus de la moitié de la population du pays et qui, bien que cela soit souvent nié, enduraient le même type de racisme endémique et de pauvreté que les Noirs américains. Avec Michelle et les filles, dans une favela immense de l'ouest de Rio, nous avons visité un centre social où nous avons admiré des danseurs de *capoeira* et où j'ai joué au football avec des gamins du coin. À notre départ, des centaines de personnes s'étaient rassemblées à l'extérieur du centre et, malgré les objections du Secret Service, j'ai persuadé les agents de me laisser sortir pour les saluer. Au milieu de cette rue étroite, j'ai fait signe à des visages noirs, bruns et cuivrés ; les habitants du quartier, dont de nombreux enfants, se massaient sur les toits et les petits balcons et contre les barrières de police. Valerie, qui voyageait avec nous et assistait à la scène, m'a souri quand je suis revenu et m'a dit : « Je parie que ça a changé à jamais la vie de ces gosses. »

Je me demandais si elle avait raison. C'était ce que je me disais à mon entrée en politique, et c'était un des motifs que j'avais donnés à Michelle pour justifier ma candidature à la Maison-Blanche : un président noir pourrait considérablement modifier l'image que les enfants et les jeunes de la terre entière se faisaient d'eux-mêmes et de leur monde. Bien sûr, je savais que, quel que soit l'impact de ma courte visite sur ces enfants des favelas, et même si elle les incitait à relever la tête et à oser rêver, elle ne ferait rien contre la pauvreté accablante qu'ils devaient affronter tous les jours – l'enseignement médiocre, l'air pollué, l'eau empoisonnée et le chaos dans lequel ils baignaient de manière générale. J'estimais que, jusque-là, j'avais eu une influence négligeable sur le quotidien des pauvres, même dans mon propre pays. J'avais passé un temps monstre à me contenter d'empêcher que leurs conditions de vie, aux États-Unis comme ailleurs, se dégradent encore plus : m'assurer qu'une crise mondiale ne les éjecterait pas de leur position déjà précaire sur le marché du travail, m'efforcer d'infléchir un réchauffement climatique susceptible de provoquer des tempêtes ou des inondations meurtrières, et, dans le cas de la Libye, tenter de faire obstacle à un forcené prêt à massacrer sa population. Je me disais que ce n'était quand même pas rien – tant que je n'essayais pas de me persuader que c'était suffisant.

À bord de Marine One, pendant le bref trajet de retour à l'hôtel, nous avons longé la superbe chaîne de montagnes boisées qui borde la côte, et la célèbre statue du Christ rédempteur, haute de 30 mètres et perchée au sommet du Corcovado, a brusquement surgi dans notre champ de vision. Nous avions prévu de visiter le site ce soir-là. Je me suis penché vers Sasha et Malia et leur ai montré, au loin, la silhouette aux bras tendus dans sa robe, blanche sur le bleu du ciel.

« Regardez… c'est là qu'on va ce soir. »

Les deux filles écoutaient leur iPod en feuilletant les magazines de Michelle, effleurant du regard des célébrités au teint de rose qui m'étaient inconnues. Je leur ai fait signe pour attirer leur attention, alors elles ont retiré leurs écouteurs, tourné la tête à l'unisson vers la fenêtre et acquiescé sans un mot, s'interrompant un instant comme pour me faire plaisir avant de remettre leurs écouteurs. Michelle, qui paraissait somnoler en écoutant elle aussi de la musique, n'a émis aucun commentaire.

Un peu plus tard, tandis que nous dînions sur la terrasse du restaurant de notre hôtel, nous avons été informés qu'un épais brouillard s'était abattu sur le Corcovado et que nous allions devoir annuler notre visite. Malia et Sasha n'ont pas semblé le moins du monde chagrinées. Je les ai observées demander la carte des desserts au serveur, un peu déçu par leur manque d'enthousiasme. Avec tout le temps que je passais à suivre l'opération en Libye, je voyais moins ma famille pendant ce voyage qu'à la maison, et cela ne faisait qu'alimenter mon impression – déjà bien trop fréquente – de ne pas voir grandir mes filles. Malia était presque une adolescente – un appareil dentaire scintillant, une drôle de queue de cheval, le corps étiré comme si, en l'espace d'une nuit, elle était devenue longue et fine, déjà presque aussi grande que sa mère. De son côté, à 9 ans, Sasha ressemblait encore à une enfant avec son gentil sourire et ses fossettes, mais je sentais changer son attitude envers moi : elle me laissait moins souvent la chatouiller, s'impatientait et paraissait un peu gênée quand j'essayais de lui tenir la main en public.

Je continuais à m'émerveiller de les voir aussi équilibrées, toutes les deux, aussi bien adaptées aux circonstances étranges et peu communes dans lesquelles elles grandissaient, glissant sans heurts d'une audience avec le pape à une virée au centre commercial. Surtout, à l'école, elles se montraient allergiques aux traitements particuliers et aux attentions indues et ne demandaient qu'à être des élèves comme les autres. (Le jour de la rentrée de Sasha en CM1, un de ses camarades avait tenté de la prendre en photo et elle avait eu le cran de lui arracher l'appareil en l'avertissant qu'il n'avait pas intérêt à réessayer.) En réalité, elles préféraient largement être chez leurs copines, parce que la discipline concernant les sucreries et la télé y était manifestement moins stricte, mais surtout parce qu'il leur était plus facile de prétendre qu'elles menaient une vie normale, malgré la voiture du Secret Service garée dans la rue. Et c'était très bien comme ça, si ce n'est que leur vie était moins normale quand elles étaient avec moi. Je craignais de laisser filer les précieux instants que je pouvais passer avec elles avant qu'elles quittent le nid…

« C'est bon, a annoncé Marvin en s'approchant de notre table. Le brouillard s'est levé. »

Nous nous sommes donc entassés tous les quatre à l'arrière de la Bête, et peu après nous roulions sur une route sinueuse et bordée d'arbres qui s'est arrêtée brusquement à la lisière d'une vaste esplanade baignée par la lumière des projecteurs. Une haute silhouette éblouissante paraissait nous appeler dans la brume. Tandis que nous montions une volée de marches en tendant le cou pour admirer le panorama, j'ai senti la main de Sasha attraper la mienne, et Malia a passé un bras autour de ma taille.

« On doit prier ou un truc comme ça ? m'a demandé Sasha.

– Pourquoi pas ? » ai-je répondu. Alors nous nous sommes blottis les uns contre les autres, nous avons baissé la tête et fait silence, et j'ai su que, ce soir-là, au moins une de mes prières avait été exaucée.

JE NE PEUX PAS AFFIRMER QUE notre court pèlerinage au sommet du Corcovado ait permis d'exaucer mon autre prière. Ce que je sais, en revanche, c'est que les premiers jours de la campagne libyenne n'auraient pas pu mieux se dérouler. Les défenses aériennes de Kadhafi ont été rapidement anéanties. Comme convenu, les avions européens ont pris possession de l'espace (Sarkozy veillant à ce que le premier appareil à y pénétrer soit français) et attaqué les forces loyalistes qui avançaient sur Benghazi. Quelques jours plus tard, elles battaient en retraite et une zone d'exclusion aérienne et terrestre avait été établie sur presque toute la moitié orientale du pays.

Malgré cela, en Amérique du Sud, je n'étais pas serein. Chaque matin, je m'entretenais par visioconférence avec mon équipe de sécurité nationale qui me transmettait les nouvelles du général Carter Ham, le commandant de l'opération, ainsi que de l'état-major au Pentagone, après quoi je passais en revue la liste des étapes suivantes. En plus de garder une vision claire de l'avancée de nos objectifs militaires, je voulais m'assurer que nos alliés remplissent leur part du marché et que l'action des États-Unis ne déborde pas des limites étroites que j'avais définies. Je n'oubliais pas que le soutien de l'opinion à cette mission ne tenait qu'à un fil et que le moindre revers pourrait se révéler catastrophique.

Nous avons d'ailleurs eu une grosse frayeur. Le soir de notre arrivée à Santiago du Chili, Michelle et moi étions invités à dîner par le président Sebastián Piñera, le milliardaire mondain de centre droit élu l'année précédente. Assis à la table d'honneur, j'écoutais Piñera parler de l'intérêt croissant du marché chinois pour les vins chiliens, quand j'ai senti une petite tape sur mon épaule. C'était Tom Donilon, encore plus tendu que d'habitude.

« Qu'est-ce qui se passe ? »

Il s'est baissé pour me murmurer à l'oreille : « On vient d'apprendre qu'un de nos avions s'est écrasé en Libye.

– Abattu ?

– Problème mécanique. Les deux hommes à bord se sont éjectés avant le crash, et on en a récupéré un, le pilote. Il va bien… mais on n'a toujours pas retrouvé l'officier des systèmes d'armes. On a des équipes de recherche tout autour du site et je suis en communication directe avec le Pentagone, je vous tiendrai au courant dès qu'on aura du nouveau. »

Tandis que Tom s'éloignait, Piñera m'a adressé un regard interrogateur. « Tout va bien ? a-t-il demandé.

– Oui, désolé », ai-je répondu alors que divers scénarios, presque tous mauvais, défilaient dans mon cerveau.

Pendant une heure et demie environ, j'ai souri et acquiescé à ce que Piñera et son épouse, Cecilia Morel Montes, me racontaient au sujet de leurs enfants, de leur rencontre et de la meilleure saison pour visiter la Patagonie. À un moment, un groupe de folk-rock chilien, Los Jaivas, a interprété ce qui m'a semblé être une version espagnole de *Hair*. Mais, pendant tout ce temps, je guettais une nouvelle tape sur l'épaule.

J'étais obnubilé par le jeune officier que j'avais envoyé à la guerre et qui était à présent sans doute blessé, qui avait peut-être été capturé ou pire encore. Je me sentais prêt à imploser. C'est seulement à l'issue du dîner, au moment où Michelle et moi allions grimper dans la Bête, que Tom nous a enfin rejoints, légèrement essoufflé.

« On l'a retrouvé, nous a-t-il annoncé. Apparemment, il a été récupéré par des rebelles libyens et il est hors de danger. »

J'ai eu envie d'embrasser Tom, mais j'ai plutôt embrassé Michelle.

Lorsqu'on me demande de décrire ce que ça fait d'être le président des États-Unis, je pense souvent à ce long moment d'impuissance à la table d'un dîner officiel au Chili, sur le fil du rasoir entre un sentiment de réussite et une catastrophe potentielle – en l'occurrence, un militaire et son parachute dérivant en pleine nuit au-dessus d'un lointain désert. Dans l'absolu, à chacune de mes décisions je misais gros ; mais la différence avec une partie de poker était que, s'il est normal qu'un joueur perde plusieurs grosses mains au cours d'une soirée gagnante, à la guerre la plus petite erreur pouvait avoir des conséquences tragiques et éclipser – auprès de l'opinion comme dans mon for intérieur – une éventuelle réussite.

Il se trouve que l'épisode de l'avion n'a pas fait beaucoup de bruit. À mon retour à Washington, les loyalistes libyens étaient mis en échec par la supériorité aérienne écrasante de la coalition, et les milices de l'opposition – qui comptaient dans leurs rangs quantité de gradés ayant déserté l'armée de Kadhafi – commençaient à progresser vers l'ouest. Douze jours après le début de l'opération, l'OTAN en a pris les commandes et plusieurs pays européens se sont chargés de repousser les forces de Kadhafi. Quand je me suis exprimé devant la population des États-Unis le 28 mars, notre armée n'assurait presque plus qu'un rôle secondaire d'appui logistique, de ravitaillement et d'identification des cibles.

Étant donné le nombre de républicains qui avaient réclamé une intervention, nous nous attendions à ce qu'ils nous félicitent de mauvaise grâce pour notre efficacité. Mais il s'était produit quelque chose d'intéressant durant mon voyage. Une partie de ces mêmes républicains avait changé d'avis. À présent, ils reprochaient à notre opération d'avoir été trop étendue, ou trop tardive. Ils déploraient que je n'aie pas suffisamment consulté le Congrès, quand bien même j'avais rencontré les chefs de file des deux partis juste avant le début de la campagne ; ils mettaient en cause le fondement légal de ma décision, sous-entendant que j'aurais dû demander l'autorisation du Congrès, conformément au War Powers Act qui encadre les pouvoirs du président en matière d'engagement dans un conflit armé. Une question légitime et récurrente, si ce n'est qu'elle émanait d'un parti qui avait à maintes reprises donné carte blanche aux gouvernements précédents pour la conduite de la politique étrangère, tout particulièrement lorsqu'il s'agissait de faire la guerre. Mais cette incohérence ne semblait pas tracasser les républicains. Ils m'informaient ainsi que les questions de guerre et de paix, de vie et de mort, faisaient désormais partie du jeu sordide et incessant de la politique partisane.

Et ils n'étaient pas les seuls à jouer à ce petit jeu. Vladimir Poutine avait critiqué publiquement la résolution de l'ONU – et, par ricochet, Medvedev – pour nous avoir accordé un mandat élargi en Libye. Il était inimaginable que Poutine n'ait pas approuvé la décision de Medvedev de voter blanc au lieu de mettre son veto, ou qu'il n'en ait pas saisi les conséquences ; et, comme Medvedev l'a fait remarquer dans sa réponse à Poutine, si les avions de la coalition continuaient à bombarder les forces de Kadhafi, c'était uniquement parce que le dictateur libyen ne semblait pas décidé à se replier ou à maîtriser les groupes de mercenaires brutaux qu'il finançait. Mais ce n'était de toute évidence pas le sujet. En désavouant publiquement Medvedev, Poutine cherchait à déstabiliser le successeur qu'il avait pourtant lui-même choisi – et, quant à moi, j'étais bien obligé d'y voir le signe qu'il avait l'intention de reprendre la main en Russie.

Toujours est-il que, à la fin du mois de mars, il n'y avait pas une seule victime américaine à déplorer en Libye et, pour un coût approximatif de 550 millions de dollars, à peine plus que le coût d'une journée d'opérations en Irak ou en Afghanistan, nous avions rempli notre objectif en sauvant une agglomération et peut-être des dizaines de milliers de vies. D'après Samantha, c'était la première fois de l'histoire moderne qu'une intervention militaire internationale parvenait aussi vite à empêcher un massacre. Néanmoins, concernant le sort du gouvernement libyen, rien n'était sûr. Kadhafi ordonnait de nouvelles attaques malgré les bombardements de l'OTAN, l'opposition était alimentée par une alliance flottante de milices rebelles, et mes collaborateurs et moi redoutions une longue guerre civile. À en croire le diplomate envoyé par Hillary à Benghazi pour servir d'agent de liaison avec le conseil national de transition qui s'y trouvait, l'opposition avait, à défaut d'autre chose, un bon discours sur l'après-Kadhafi et mettait en avant la tenue d'élections libres et régulières, les droits fondamentaux et l'état de droit. Mais, sans traditions ni institutions démocratiques sur lesquelles s'appuyer, les membres du conseil avaient du pain sur la planche – et, à présent que la police de Kadhafi n'était plus là pour maintenir l'ordre, Benghazi et les autres zones rebelles commençaient à ressembler au Far West.

« Qui est-ce qu'on a envoyé là-bas ? ai-je demandé au terme d'un de ces comptes rendus.

– Un certain Chris Stevens, m'a répondu Denis. Ancien chargé d'affaires pour notre ambassade à Tripoli, et avant ça plusieurs postes au Moyen-Orient. Apparemment, il s'est infiltré à Benghazi avec une petite équipe à bord d'un cargo grec. Il a une excellente réputation.

– Courageux, ce type », ai-je dit.

PAR UN TRANQUILLE DIMANCHE D'AVRIL où je me trouvais seul dans la résidence – les filles étaient je ne sais où avec leurs copines et Michelle déjeunait avec des amies –, j'ai décidé de descendre travailler au rez-de-chaussée. Il faisait assez frais, un peu plus de 15 degrés, le ciel était nuageux avec quelques éclaircies, et en passant par la colonnade j'ai pris le temps de contempler les somptueux massifs de tulipes jaunes, rouges et roses que les jardiniers avaient créés dans la roseraie. Il était rare que je travaille dans le Bureau ovale le week-end, car il y avait régulièrement des visites de l'aile ouest, et les curieux n'étaient autorisés à écarter le rideau rouge masquant l'entrée du bureau que si je n'y étais pas. J'allais donc souvent m'installer dans la salle à manger adjacente, une pièce confortable et privée, remplie de souvenirs accumulés au fil des ans : la couverture du numéro de *Life* représentant la marche de Selma et dédicacée par John Lewis ; une brique du cabinet d'avocat d'Abraham Lincoln à Springfield, dans l'Illinois ; une paire de gants de boxe ayant appartenu à Mohamed Ali ; un tableau peint par Ted Kennedy de la côte de Cape Cod, qu'il m'avait offert parce que je l'avais admiré dans son bureau. Mais, lorsque le soleil a transpercé les nuages et éclaboussé la pièce, je suis sorti sur la terrasse de la salle à manger, un joli espace tranquille, avec des haies et des plantes d'un côté, et une petite fontaine de l'autre.

J'avais apporté une pile de mémos à lire, mais je n'arrivais pas à me concentrer. Je venais d'annoncer que je briguais un second mandat. Ce n'était guère qu'une formalité, quelques papiers à remplir et une petite vidéo à tourner – rien à voir avec la journée aussi glaciale que galvanisante où, quatre ans plus tôt, à Springfield, j'avais déclaré ma candidature devant des milliers de personnes à qui je promettais l'espoir et le changement. J'avais l'impression que cela remontait à une éternité et appartenait à une époque pleine d'optimisme, de jeunesse, d'énergie et d'une indéniable innocence. Cette nouvelle campagne serait radicalement différente. Assurés de ma vulnérabilité, les républicains se battaient déjà pour avoir une chance de s'opposer à moi. J'avais remarqué que mon équipe politique avait commencé à insérer dans mon emploi du temps quelques premières collectes de fonds, anticipant une compétition coûteuse et brutale. Une partie de moi répugnait à l'idée de me lancer si tôt dans la course car, si ma première campagne semblait parfois un lointain souvenir, mon travail de président, lui, venait tout juste de commencer. Mais il était inutile d'ergoter, les sondages parlaient d'eux-mêmes.

Comble de l'ironie, notre labeur des deux dernières années portait enfin ses premiers fruits. Au cours des mois écoulés, quand je n'étais pas accaparé par des questions de politique étrangère, j'avais sillonné le pays pour mettre sous le feu des projecteurs les usines automobiles qui venaient de rouvrir, les petites entreprises qui avaient été sauvées, les fermes d'éoliennes et les nouveaux véhicules qui ouvraient la voie à un avenir où l'énergie serait propre. Les grands chantiers financés par le Recovery Act – routes, centres sociaux, transports ferrés urbains – étaient bien avancés ou déjà achevés. Une foule de dispositions de l'Affordable Care Act étaient rapidement entrées en vigueur. Par bien des aspects, nous avions rendu l'administration fédérale plus vertueuse, efficace et réactive. Mais cela n'aurait aucun effet sur l'opinion tant que la croissance n'aurait pas réellement repris. Jusque-là, nous avions réussi à éviter une deuxième récession « en W », grâce notamment aux milliards de dollars de relance imposés en contrepartie de l'extension des allégements fiscaux Bush à la fin de la précédente session parlementaire. Mais cela s'était joué à peu. Et la nouvelle majorité à la Chambre semblait bien décidée à inverser la tendance économique.

Dès l'instant où il avait accédé à la présidence de la Chambre, en janvier, John Boehner avait martelé que les républicains tiendraient leur promesse de campagne en mettant fin à ce qu'il appelait « deux années de dépenses démentes et catastrophiques pour l'emploi ». Paul Ryan, le président de la Commission budgétaire de la Chambre, s'exprimant à la suite de mon discours de 2011 sur l'état de l'Union, avait prédit que, du fait de ces dépenses non maîtrisées, la dette fédérale « submergerait bientôt toute notre économie et atteindrait un niveau dramatique dans les années à venir ». Les nouveaux entrants dans les rangs du GOP, souvent élus sur le programme du Tea Party, faisaient pression sur Boehner pour un dégraissage immédiat, drastique et définitif de la fonction publique fédérale – dégraissage qui, selon eux, devrait enfin restaurer l'ordre constitutionnel aux États-Unis et reprendre leur pays aux élites politiques et économiques corrompues.

Sur le plan purement comptable, la Maison-Blanche était convaincue que les coupes budgétaires voulues par le GOP provoqueraient un désastre total. Le taux de chômage avoisinait encore les 9 %. L'immobilier n'était pas reparti. Les Américains continuaient à essayer de se dépêtrer avec les dettes et les crédits à la consommation accumulés au cours des dix dernières années et dont le montant total s'élevait à 1 100 milliards de dollars ; des millions de personnes devaient rembourser des hypothèques supérieures à la valeur de leur maison. Quant aux entreprises et aux banques, elles faisaient face au même surendettement et réfléchissaient à deux fois avant d'investir ou de contracter de nouveaux prêts. Il est vrai que le déficit fédéral avait bondi depuis mon entrée en fonction – en grande partie parce que les rentrées fiscales avaient baissé tandis que les politiques sociales augmentaient à la suite de ce qu'on appelait désormais la Grande Récession. À ma demande, Tim Geithner était déjà en train de réfléchir à des moyens de ramener le déficit à son niveau d'avant la crise une fois que l'économie aurait rebondi. J'avais aussi créé une commission, menée par Erskine Bowles, ancien directeur de cabinet de Clinton, et Alan Simpson, ancien sénateur du Wyoming, pour imaginer un plan de réduction à long terme du déficit et de la dette. Mais, pour l'heure, le mieux à faire était de stimuler la croissance économique – et, vu la faiblesse de la demande agrégée, cela supposait d'augmenter les dépenses au niveau fédéral, non de les restreindre.

Le problème était que j'avais perdu cette bataille à la mi-mandat, ou du moins était-ce l'avis des personnes qui avaient daigné se rendre aux urnes. Non seulement les républicains pouvaient argumenter qu'ils se contentaient d'exécuter la volonté des électeurs en tranchant dans les dépenses, mais, depuis l'élection, tout Washington semblait être soudainement devenu allergique au déficit. La presse avertissait que les États-Unis vivaient au-dessus de leurs moyens. Les commentateurs déploraient les dettes que nous allions léguer aux générations futures. Même Wall Street et les grandes entreprises, qui avaient amplement bénéficié, directement ou indirectement, du sauvetage du système financier avaient le culot de se joindre au chœur des anti-déficit en déclarant qu'il était grand temps que les politiciens de Washington aient le « courage » de couper les vannes de l'« assistanat » – terme fourretout rassemblant Medicare, Medicaid et tous les autres programmes composant la couverture sociale. (Cependant, peu d'entre eux se montraient disposés à sacrifier leurs propres abattements pour résoudre la prétendue crise.)

Lors de notre première escarmouche avec Boehner, au sujet des niveaux de financement pour la fin de l'exercice 2011, nous avions réussi à limiter les coupes budgétaires à 38 milliards, un montant suffisant pour qu'il revienne victorieux auprès de son groupe conservateur (même s'il visait le double au départ), mais assez faible dans un budget de 3 600 milliards pour éviter tout risque économique – d'autant que, pour une bonne part, ces coupes n'étaient que des tours de passe-passe comptables qui n'empiétaient pas sur les programmes et services essentiels. Mais Boehner nous avait prévenus que les républicains n'en avaient pas fini, suggérant même que son groupe pourrait refuser d'accorder les voix nécessaires à l'augmentation du plafond d'endettement réglementaire si nous ne satisfaisions pas leurs exigences futures. De notre côté, nous ne pensions pas que le GOP irait jusqu'à se montrer aussi irresponsable. Le rehaussement du plafond de la dette était une procédure standard, à laquelle se pliaient les deux partis et qui servait à financer ce qui avait déjà été approuvé par le Congrès. S'il n'était pas voté, cela signifierait que, pour la première fois de leur histoire, les États-Unis se retrouveraient en défaut de paiement de leur dette. Pourtant, le fait même que Boehner ait mis sur la table une idée pareille – et le fait qu'elle ait rapidement trouvé des relais chez les membres du Tea Party et dans les médias conservateurs – laissait entrevoir ce que les républicains nous réservaient.

Je me demandais si, dorénavant, ma présidence allait se réduire à mener des combats d'arrière-garde pour empêcher les républicains de saborder l'économie américaine et de défaire tout ce que j'avais fait. Pouvais-je vraiment espérer trouver un terrain d'entente avec un parti dont le principe unificateur, l'objectif primordial, se résumait progressivement à s'opposer à moi ? Ce n'était pas pour rien que, lorsqu'il avait présenté notre récent accord budgétaire à son groupe, Boehner avait tenu à lui faire comprendre combien j'étais « en colère » pendant les tractations – une fiction commode que j'avais demandé à mon équipe de ne pas contester pour ne pas nous laisser déconcentrer. Aux yeux de son groupe, c'était le meilleur argument qui soit. En fait, je remarquais de plus en plus que l'état d'esprit que nous avions vu apparaître dans les derniers jours de la campagne de Sarah Palin, puis tout au long de l'été du Tea Party, s'était déplacé des marges du GOP jusqu'à son centre : une réaction émotionnelle, presque viscérale, à ma présidence, indépendante de nos divergences politiques et idéologiques. À croire que ma seule présence à la Maison-Blanche avait provoqué une panique profonde, un sentiment que l'ordre naturel avait été perturbé.

Et cela, Donald Trump le comprenait parfaitement lorsqu'il a commencé à prétendre que je n'étais pas né aux États-Unis et que j'étais donc un président illégitime. Aux millions d'Américains terrifiés d'être dirigés par un Noir, il a offert un élixir contre leurs angoisses raciales.

Il n'était toutefois pas le premier à insinuer cela. Depuis 2004 et ma campagne sénatoriale dans l'Illinois, il y avait toujours au moins un hurluberlu conservateur pour soutenir cette théorie. Pendant la primaire, des partisans déçus de Hillary l'avaient eux aussi fait circuler, malgré la franche désapprobation de la direction de la campagne, et des blogueurs et personnalités médiatiques conservatrices s'en étaient saisis, ce qui avait donné lieu à des chaînes d'e-mails effrénées dans les cercles militants de droite. Lorsque le Tea Party l'a attrapée au vol durant ma première année de mandat, l'insinuation s'était changée en authentique théorie du complot : en plus d'être né au Kenya, j'étais un socialiste musulman, un pantin des puissances ennemies, formaté depuis l'enfance et introduit aux États-Unis grâce à des documents falsifiés dans le but d'infiltrer le sommet de l'État.

Mais il a fallu attendre le 10 février 2011, veille de la démission de Hosni Moubarak en Égypte, pour que cette théorie absurde trouve un véritable écho. Lors d'un discours à la Conservative Political Action Conference, Trump a laissé planer la possibilité qu'il se présente à la présidentielle, affirmant que « notre président actuel est sorti de nulle part... Les gens qui étaient à l'école avec lui, ils ne l'ont jamais vu, ils ne le connaissent pas. C'est fou ».

Au début, je n'y ai pas prêté attention. Ma biographie était amplement documentée. Mon acte de naissance était enregistré à Hawaï et nous l'avions publié sur mon site Internet en 2008, pour contrer la première vague de ce mouvement de remise en question de la citoyenneté qui allait prendre le nom de « *birtherism* ». Mes grands-parents conservaient dans leurs archives l'encart du *Honolulu Advertiser* daté du 13 août 1961 qui annonçait ma naissance. Enfant, sur le chemin de l'école, je passais tous les jours devant le centre médical Kapi'olani, où ma mère m'avait donné la vie.

Quant à Trump, je ne l'avais jamais rencontré, mais j'avais pris vaguement conscience de son existence au fil des ans – il avait d'abord été un promoteur immobilier avide d'attention ; ensuite, et de manière plus inquiétante, l'homme qui s'était jeté sur l'affaire dite des Central Park Five quand, en réaction à la condamnation de cinq adolescents noirs et hispaniques incarcérés pour avoir agressé et violé une joggeuse blanche (avant d'être finalement innocentés), il avait acheté des pages entières dans de grands journaux pour réclamer le retour de la peine de mort ; et enfin une célébrité de la télévision se mettant en avant, avec sa marque, comme le parangon de la réussite capitaliste et de la consommation éhontée.

Pendant l'essentiel de mes deux premières années à la Maison-Blanche, Trump n'avait apparemment rien eu à reprocher à ma présidence, déclarant dans le magazine *Bloomberg* : « Je crois qu'il fait du très bon travail, dans l'ensemble. » Et si j'avais du mal à le prendre trop au sérieux, c'est peut-être parce que je regardais peu la télévision. Tous les promoteurs et chefs d'entreprise new-yorkais que je connaissais me le décrivaient comme un type qui brassait de l'air, laissait derrière lui un sillage de faillites, de contrats rompus, d'employés floués et d'arrangements financiers douteux, et dont l'activité consistait en grande partie à monnayer son nom à des entreprises dont il n'avait ni la propriété ni la gérance. En réalité, mon unique contact avec Trump avait eu lieu indirectement pendant la crise de Deepwater Horizon, quand il avait appelé Axe à l'improviste pour suggérer que je le charge de colmater le puits. Informé que le puits serait bientôt rebouché, Trump avait alors changé son fusil d'épaule : ayant noté que nous avions récemment organisé un dîner officiel sous une tente, sur la pelouse sud, il avait dit à Axe qu'il se ferait un plaisir de construire « une magnifique salle de bal » dans les jardins de la Maison-Blanche – une offre que nous avions poliment déclinée.

Ce que je n'avais pas prévu, c'est la réaction de la presse aux soudaines insinuations de Trump sur mes origines. J'avais mésestimé la confusion des genres entre information et divertissement, ainsi que la sauvagerie de la course à l'audience, qui poussait les médias à rivaliser pour offrir une tribune à des discours sans fondement. Bien entendu, tout est parti de Fox News, une chaîne qui avait justement bâti sa puissance et sa richesse sur la xénophobie et les rancunes que Trump entendait attiser. Soir après soir, ses animateurs les plus populaires lui déroulaient le tapis rouge. Dans « The O'Reilly Factor », face à l'éditorialiste Bill O'Reilly, Trump a déclaré : « Pour être président des États-Unis, il faut être né dans ce pays. Et on n'est pas sûr que ce soit le cas pour lui... Il n'a pas d'acte de naissance. » Dans la matinale de la chaîne, « Fox & Friends », il a sous-entendu que l'encart annonçant ma naissance pouvait être un faux. En fait, Trump passait tellement de temps sur Fox News qu'il s'est bientôt senti obligé de renchérir en soutenant qu'il y avait quelque chose de louche dans mon admission à Harvard, étant donné que j'avais « de très mauvaises notes au lycée ». À l'éditorialiste Laura Ingraham, il a affirmé que Bill Ayers, mon voisin à Chicago et ancien militant de la gauche radicale, était le véritable auteur des *Rêves de mon père*, car une personne de mon niveau intellectuel n'aurait jamais pu écrire un livre aussi bon.

Mais il n'y avait pas que Fox. Le 23 mars, juste après notre entrée en guerre contre la Libye, invité dans l'émission « The View » sur ABC, Trump a dit : « Je veux qu'il montre son acte de naissance... Il y a quelque chose là-dessus et il ne veut pas que ça se sache. » Sur NBC, la chaîne qui diffusait son émission de télé-réalité « The Celebrity Apprentice » et n'était visiblement pas mécontente de la publicité que lui faisait son présentateur vedette, Trump a annoncé sur le plateau de « Today », une matinale très regardée, qu'il avait envoyé des détectives à Hawaï pour retrouver mon acte de naissance. « J'ai des gens qui sont en train de l'étudier, et ils découvrent des choses incroyables. » Un peu plus tard, sur CNN, il a dit à Anderson Cooper : « J'ai appris très récemment que son acte de naissance était introuvable. J'ai appris qu'il n'est pas là, qu'il n'existe pas. »

En dehors de la galaxie Fox News, je dois admettre que les journalistes des grandes chaînes n'accordaient pas beaucoup de foi à ces étranges accusations. Ils exprimaient tous une incrédulité polie, en demandant par exemple à Trump pourquoi, selon lui, personne n'avait jamais réclamé à George Bush et à Bill Clinton leurs actes de naissance. (À quoi il répondait généralement quelque chose comme : « Tout le monde sait qu'ils sont nés dans ce pays. ») Mais, à aucun moment, ils ne lui ont rétorqué simplement et sans détour qu'il mentait ou que la théorie du complot dont il se faisait le porte-voix était raciste. Ils n'ont pas fait le moindre effort pour reléguer ses théories au même rang que des inepties comme les enlèvements par les extraterrestres ou les conspirations antisémites telles que le *Protocole des Sages de Sion*. Et plus les médias leur donnaient d'oxygène, plus ces allégations paraissaient dignes d'y avoir leur place.

La Maison-Blanche n'avait pas fait l'honneur à Trump d'opposer un démenti officiel à ses mensonges, car nous refusions de lui donner encore plus d'attention et avions bien mieux à faire. Au sein de l'aile ouest, le *birtherism* était considéré comme une mauvaise blague, et les plus jeunes se raccrochaient aux émissions du soir qui malmenaient « *the Donald* ». Mais j'étais bien forcé de remarquer que les médias ne se contentaient pas d'interviewer Trump, ils couvraient aussi toutes ses incursions en politique, y compris ses conférences de presse et son voyage dans l'État du New Hampshire, l'un des premiers à voter pour la primaire. Les sondages montraient que 40 % des Américains étaient désormais convaincus que je n'étais pas né aux États-Unis, et Axe m'avait récemment raconté que, d'après un sondeur républicain qu'il connaissait, Trump était en tête des candidats républicains potentiels, sans même avoir annoncé sa candidature.

J'ai préféré ne pas en informer Michelle. Trump et la relation de symbiose qu'il entretenait avec les médias la mettaient hors d'elle. Elle voyait clair dans tout ce cirque, qui n'était qu'une variante de leur obsession pour les pin's en forme de drapeaux et les « checks » pendant la campagne, de la légèreté avec laquelle adversaires et journalistes accréditaient l'idée que son mari était un « Autre », suspect et malfaisant. Elle m'avait expliqué que les problèmes que lui posaient Trump et le *birtherism* n'étaient pas liés à mon avenir politique, mais à la sécurité de notre famille : « Les gens croient que c'est un jeu. Ils se fichent de savoir que des milliers d'hommes qui possèdent des armes prennent tout ce qu'il raconte pour argent comptant. »

Je ne l'ai pas contredite. Il était évident que Trump se fichait de propager des théories conspirationnistes qui pouvaient avoir des conséquences graves et qu'il savait très certainement fausses, tant que cela servait ses objectifs ; il avait compris que tous les garde-fous qui encadraient autrefois le discours politique avaient sauté depuis longtemps. De ce point de vue, il n'y avait pas grande différence entre Trump et Boehner ou McConnell. Eux aussi comprenaient que la véracité de leur discours importait peu. Ils n'étaient pas obligés de croire sincèrement que je menais le pays à la faillite ou que l'Obamacare encourageait l'euthanasie. Au fond, l'unique différence entre Trump et eux était le caractère totalement décomplexé du premier. Il saisissait d'instinct ce qui mobilisait la base conservatrice, et il le lui servait sur un plateau. J'avais beau douter qu'il soit prêt à abandonner les affaires ou à se soumettre aux examens par lesquels devaient passer les candidats à la présidence, je savais que, tout le restant de mon mandat, je serais en butte aux passions qu'il exploitait, au récit lugubre et alternatif qu'il répandait et légitimait.

Mais je me suis dit que j'aurais tout le temps de penser aux républicains plus tard. Ainsi qu'au budget, à ma campagne et à l'état de la démocratie américaine. Car, malgré tous les sujets que je ruminais, je savais qu'une chose, et une seule, allait réclamer toute mon attention au cours des semaines à venir.

J'allais devoir décider de déclencher ou non une opération au cœur du Pakistan contre une cible que nous pensions être Oussama Ben Laden – et, quoi qu'il arrive par ailleurs, si j'échouais, ce mandat risquait fort d'être mon dernier.

CHAPITRE 27

L A LOCALISATION EXACTE DE LA TÊTE pensante d'Al-Qaida était un mystère depuis décembre 2001, quand, trois mois après les attentats du 11 Septembre qui avaient fait près de 3 000 victimes innocentes, Ben Laden avait échappé de justesse aux forces de la coalition menée par les États-Unis qui encerclaient son quartier général dans la région montagneuse de Tora Bora, à la frontière entre l'Afghanistan et le Pakistan. Les recherches s'étaient poursuivies pendant plusieurs années, mais, lors de mon entrée en fonction, la piste était perdue. Cependant, Ben Laden était toujours actif : Al-Qaida s'était progressivement réorganisé dans les régions tribales du Pakistan, et son chef diffusait de temps en temps des messages audio ou vidéo appelant ses partisans au djihad contre les puissances occidentales.

Depuis la toute première fois que je m'étais exprimé au sujet de la riposte des États-Unis au 11 Septembre, en me déclarant opposé à la guerre d'Irak à la veille de la campagne sénatoriale de 2002, je soutenais que nous devions reprendre nos efforts pour que Ben Laden ne reste pas impuni. J'avais persévéré pendant ma campagne présidentielle en m'engageant à le pourchasser au Pakistan si le gouvernement local s'y refusait ou n'en avait pas la capacité. Presque tout Washington, y compris Joe, Hillary et John McCain, avait vu là une promesse dans le vent, une façon pour un jeune sénateur novice en politique étrangère de montrer ses muscles. Et, même après l'élection, il paraissait évident à certains que j'allais laisser le dossier Ben Laden de côté pour me concentrer sur d'autres sujets. Mais cela n'avait pas été le cas. En mai 2009, à l'issue d'une réunion sur les menaces terroristes en salle de crise, j'avais demandé à plusieurs conseillers – dont Rahm, Leon Panetta et Tom Donilon – de me suivre dans le Bureau ovale, et j'avais fermé la porte derrière nous.

« Je veux que la traque de Ben Laden devienne une priorité, ai-je dit. Je veux voir un plan de capture crédible. Je veux un bilan de notre progression tous les trente jours sur mon bureau. Et, Tom, nous allons mettre tout ça dans une directive présidentielle, pour être sûrs que tout le monde soit sur la même longueur d'onde. »

J'avais des raisons évidentes de me concentrer sur Ben Laden. Le fait qu'il soit toujours en liberté constituait une source de souffrance pour les familles des victimes du 11 Septembre et un camouflet adressé à la puissance américaine. Même caché, il demeurait le premier recruteur d'Al-Qaida et continuait à radicaliser des jeunes gens désorientés aux quatre coins du monde. D'après nos analystes, lors de mon élection, fin 2008, Al-Qaida avait retrouvé une vigueur qu'il n'avait plus connue depuis de longues années, et des alertes concernant des projets d'attentats orchestrés depuis les régions tribales du Pakistan apparaissaient régulièrement dans mes briefings.

Par ailleurs, l'arrestation de Ben Laden me paraissait essentielle pour réussir à réorienter la stratégie antiterroriste des États-Unis. En cessant de nous concentrer sur la petite bande de criminels qui avait planifié et commis les attentats du 11 Septembre et en définissant la menace dans les termes d'une « guerre contre le terrorisme » aux limites floues, nous étions tombés dans un piège – un piège qui augmentait le prestige d'Al-Qaida, justifiait l'invasion de l'Irak, nous aliénait pratiquement l'intégralité du monde musulman et balayait près d'une décennie de politique étrangère américaine. Au lieu d'aviver la peur d'un vaste réseau terroriste et d'alimenter le fantasme en vertu duquel les extrémistes croyaient participer à un grand combat manichéen, je voulais rappeler au monde – et surtout à notre peuple – que ces terroristes n'étaient qu'une bande d'assassins brutaux et dérangés, des criminels qu'il était possible de capturer, de juger, d'emprisonner ou de tuer. Et, pour le prouver, le meilleur moyen était encore de mettre Ben Laden hors d'état de nuire.

La veille du neuvième anniversaire du 11 Septembre, Leon Panetta et son adjoint à la CIA, Mike Morell, ont demandé à me voir. Je trouvais qu'ils formaient une bonne équipe. Après avoir fait une longue carrière au Congrès et été directeur de cabinet de Bill Clinton, Panetta, 72 ans, dirigeait l'agence de main de maître, mais il était aussi très à l'aise quand il s'agissait de prendre la parole en public, conservait de bonnes relations au Congrès et dans la presse, et avait le nez creux pour tout ce qui concernait la sécurité nationale. Morell, lui, connaissait par cœur tous les rouages de l'agence, avait un esprit méticuleux d'analyste et plusieurs décennies d'expérience à la CIA même s'il n'avait pas encore 60 ans.

« Monsieur le Président, m'a dit Leon, il est encore trop tôt pour en être certain, mais nous pensons avoir une piste – la meilleure depuis Tora Bora. »

J'ai assimilé la nouvelle en silence. Leon et Mike m'ont expliqué que – grâce à un travail patient et rigoureux consistant à compiler et combiner plusieurs milliers d'informations – leurs analystes avaient identifié un homme connu sous le nom d'Abu Ahmed Al-Kuwaiti, qu'ils soupçonnaient de servir de messager pour Al-Qaida et qui avait des liens avérés avec Ben Laden. Ils avaient mis son téléphone sur écoute et suivaient ses déplacements quotidiens, qui les avaient menés non pas au tréfonds des régions tribales, mais à une résidence fortifiée dans une banlieue cossue de la ville d'Abbottabad, au Pakistan, à quelque 60 kilomètres au nord d'Islamabad. D'après Mike, la taille et la structure du complexe indiquaient qu'une personnalité importante y vivait, très probablement un membre éminent d'Al-Qaida. Nos services de renseignement avaient placé la résidence sous surveillance et Leon a promis de me tenir informé de tout ce que nous pourrions apprendre sur ses occupants.

Après leur départ, je me suis efforcé de tempérer mes attentes. Cette propriété pouvait être habitée par n'importe qui ; même si c'était une personne affiliée à Al-Qaida, la probabilité pour que Ben Laden se cache dans une zone urbaine et peuplée me paraissait minime. Mais, le 14 décembre, Leon et Mike sont revenus me trouver, accompagnés cette fois par un officier et un analyste de la CIA. L'analyste était un jeune homme au teint frais et lisse d'attaché parlementaire, tandis que l'officier, plus âgé, mince et barbu, évoquait un professeur un peu débraillé. Il s'est révélé être le directeur du centre antiterroriste de la CIA et le chef de l'équipe chargée de traquer Ben Laden. Je l'ai imaginé au fin fond d'un dédale souterrain, entouré d'ordinateurs et d'épais dossiers cartonnés, parcourant des montagnes de données en oubliant l'existence du monde extérieur.

Les deux hommes m'ont retracé toutes les étapes qui les avaient menés au complexe d'Abbottabad – un formidable travail de détectives. Il apparaissait que le messager, Al-Kuwaiti, avait acheté la propriété sous un nom d'emprunt. Elle était remarquablement spacieuse et sécurisée, huit fois plus vaste que les habitations environnantes, ceinte par un mur de 3 à 5,5 mètres de haut, lui-même coiffé de barbelés et complété par d'autres murs intérieurs. Quant à ses habitants, les analystes m'ont expliqué qu'ils se donnaient beaucoup de mal pour dissimuler leur identité : ils n'avaient ni ligne téléphonique ni abonnement à Internet, ne sortaient presque jamais et brûlaient leurs déchets au lieu de les confier au ramassage. Il y avait toutefois parmi eux des enfants dont l'âge et le nombre semblaient correspondre à ceux des enfants de Ben Laden. Enfin, la surveillance aérienne avait permis de repérer un homme de haute taille qui ne quittait jamais l'enceinte du complexe, mais se dégourdissait régulièrement les jambes dans un petit jardin.

« Nous l'appelons le Promeneur, a dit l'officier en chef. Et nous pensons qu'il pourrait s'agir de Ben Laden. »

J'avais mille questions, mais la plus importante était celle-ci : comment pouvions-nous confirmer l'identité du Promeneur ? Même s'ils continuaient à y travailler, les analystes m'ont avoué ne pas avoir beaucoup d'espoirs. Étant donné la configuration et l'emplacement du complexe, ainsi que la prudence de ses occupants, les différentes méthodes de vérification risqueraient d'éveiller rapidement leurs soupçons ; ils pourraient alors disparaître à notre insu sans laisser de traces. Je me suis tourné vers l'officier en chef.

« Qu'est-ce que vous en pensez ? » lui ai-je demandé.

Il hésitait. Je me doutais qu'il travaillait déjà à l'agence pendant la guerre d'Irak ; la réputation de la communauté du renseignement restait entachée par le soutien qu'elle avait apporté au gouvernement Bush lorsqu'il avait fait croire que Saddam Hussein fabriquait des armes de destruction massive. Malgré cela, j'ai décelé sur son visage la fierté d'un homme qui avait résolu une énigme complexe – même s'il ne pouvait pas le prouver.

« Je pense qu'il y a de fortes chances pour que ce soit notre homme, a-t-il dit. Mais on ne peut pas en être sûr. »

Avec tout ce que je venais d'apprendre, j'ai décidé que nous avions suffisamment d'informations pour commencer à réfléchir à un plan d'attaque. Pendant que la CIA s'efforçait d'identifier le Promeneur, j'ai demandé à Tom Donilon et à John Brennan de plancher sur un projet d'opération. Pour ne rien simplifier, nous devions rester discrets car, si le bruit se répandait que nous avions une piste, nous savions que la cible nous filerait entre les doigts. Par conséquent, seule une poignée de personnes dans l'administration fédérale a été mise au courant. S'ajoutait à cela une autre contrainte : nous devrions agir sans l'appui du gouvernement pakistanais. Même s'il coopérait avec nous sur quantité d'opérations antiterroristes et jouait un rôle vital dans l'approvisionnement de nos forces en Afghanistan, il était de notoriété publique que certains éléments au sein de l'armée, et surtout des renseignements, conservaient des liens avec les talibans, voire avec Al-Qaida, qui leur servaient parfois de ressources stratégiques pour s'assurer que le gouvernement afghan demeure faible et ne puisse pas s'allier avec l'Inde, le premier rival du Pakistan. Le fait que la résidence d'Abbottabad soit située à quelques kilomètres seulement de l'équivalent pakistanais de West Point ne faisait qu'augmenter la possibilité que toute information transmise aux Pakistanais parvienne aux oreilles de notre cible. Dans ces conditions, nous allions être contraints de pénétrer illégalement sur un territoire allié de la manière la plus choquante qui soit, hors actes de guerre – ce qui ne faisait qu'accroître les enjeux diplomatiques et les complexités opérationnelles.

Mi-mars 2011, quelques jours avant l'opération en Libye et mon voyage en Amérique du Sud, l'équipe m'a présenté plusieurs ébauches de plan d'assaut sur le complexe d'Abbottabad. Pour faire simple, j'avais deux possibilités. La première était une frappe aérienne. Les avantages étaient évidents : aucune vie américaine ne serait mise en danger sur le sol pakistanais et nous pourrions nier toute responsabilité, du moins publiquement – les Pakistanais sauraient bien sûr que nous étions responsables, mais il leur serait plus facile de prétendre n'avoir aucune certitude, et ainsi dissiper l'indignation de leur population.

Mais, plus nous entrions dans les détails, plus les inconvénients de cette méthode nous apparaissaient rédhibitoires. Si nous détruisions le complexe, comment être sûr que Ben Laden s'y trouvait ? Si Al-Qaida déclarait qu'il n'était pas mort, comment expliquer que nous venions de faire sauter une maison au cœur du Pakistan ? Pire encore, nous comptions cinq femmes et vingt enfants en plus des quatre hommes. Et, en l'état actuel du projet, la frappe aérienne raserait non seulement l'enceinte fortifiée, mais aussi quelques maisons voisines. Peu après le début de la réunion, j'ai dit à James « Hoss » Cartwright, le vice-président du Comité des chefs d'état-major, que j'en avais assez entendu : il était hors de question que j'autorise le meurtre de trente personnes, voire plus, alors que nous n'étions même pas certains que Ben Laden se trouve dans le complexe. Il n'y aurait pas de frappe aérienne sans projet plus précis.

La seconde possibilité était un raid des forces spéciales : des hommes triés sur le volet entreraient clandestinement au Pakistan en hélicoptère, s'introduiraient dans le complexe et seraient repartis avant que la police ou l'armée pakistanaises n'aient eu le temps de réagir. Pour préserver le secret de l'opération, et afin de pouvoir nous défausser en cas de problème, nous devrions agir sous l'autorité de la CIA et non du Pentagone. Cependant, pour une mission de cette ampleur, et avec un tel niveau de risque, nous allions avoir besoin d'un cerveau militaire de premier ordre : c'est pour cette raison que le vice-amiral William McRaven, directeur du JSOC, était présent pour nous exposer toutes les ramifications de cette proposition.

Collaborer étroitement avec les hommes et les femmes de nos forces armées – observer de près leur sens du devoir et du travail en équipe – comptait parmi les plus belles leçons d'humilité de mes deux années de présidence. Et personne mieux que Bill McRaven n'incarnait l'ensemble des qualités de cette armée. La cinquantaine bien entamée, avec son visage ouvert et chaleureux et son tempérament pince-sans-rire, spontané et dynamique, c'était une sorte de Tom Hanks grisonnant – un Tom Hanks qui aurait fait carrière dans les Navy SEALs. Comme son prédécesseur au JSOC, Stanley McChrystal, dont il avait été l'adjoint, McRaven avait contribué à écrire l'histoire des forces spéciales. Dix-huit ans plus tôt, il avait étudié dans le cadre de sa thèse plusieurs opérations commando menées au XXe siècle – parmi lesquelles la libération de Mussolini ordonnée par Hitler en 1943 et le raid d'Entebbe en 1976, lors duquel les forces israéliennes avaient libéré les passagers d'un avion retenu en otages par des terroristes – en se concentrant sur les situations où un petit groupe de soldats d'élite bien préparés avait réussi, par sa discrétion, à prendre le dessus pendant un temps limité sur des forces plus importantes ou mieux armées.

Les travaux de McRaven lui avaient permis de développer un modèle qui façonnait désormais les opérations spéciales américaines dans le monde entier. Tout au long de sa carrière bien remplie, il avait commandé ou exécuté plus de mille opérations dans les endroits les plus dangereux de la planète, les dernières en date l'amenant à poursuivre des cibles de haute importance en Afghanistan. Il était aussi connu pour ne jamais céder à la pression. En 2001, alors qu'il était capitaine des Navy SEALs, il avait survécu à un accident de parachute, perdant pratiquement conscience au cours d'un saut et tombant sur 1 200 mètres en chute libre avant que son parachute ne s'ouvre. (Il en avait eu le dos brisé et une jambe presque arrachée.) Bien que la CIA soit dotée de ses propres forces spéciales, Leon avait eu la sagesse de consulter McRaven pour tracer le schéma d'un raid sur Abbottabad. Il en avait conclu que personne dans les rangs de la CIA n'atteignait le niveau de compétence et d'expérience des Navy SEALs de McRaven et avait donc recommandé un arrangement inhabituel de la chaîne de commandement, la faisant descendre de moi à lui puis à McRaven, lequel aurait toute autorité pour concevoir et exécuter la mission si nous choisissions cette option.

En s'appuyant sur les photos aériennes du complexe d'Abbottabad, la CIA en avait fabriqué une maquette en trois dimensions et, lors de notre réunion du mois de mars, McRaven nous a montré comment pourrait se dérouler un raid : une équipe de SEALs décollerait de Jalalabad, en Afghanistan, à bord d'un ou plusieurs hélicoptères, volerait de nuit jusqu'à la cible et se poserait dans l'enceinte du complexe. Les SEALs sécuriseraient ensuite toutes les issues – portes et fenêtres – avant de pénétrer dans la maison et de la fouiller en neutralisant toute résistance éventuelle. Ils appréhenderaient ou tueraient Ben Laden et repartiraient en hélicoptère, s'arrêtant pour faire le plein quelque part au Pakistan avant de rejoindre la base de Jalalabad. Quand McRaven a terminé son exposé, je lui ai demandé s'il pensait que ses hommes en étaient capables.

« Pour le moment, ce n'est qu'une ébauche, monsieur le Président. Tant que nous n'aurons pas formé une équipe et fait des répétitions, je ne pourrai pas savoir si c'est la meilleure méthode. Je ne peux pas non plus vous dire comment nous ferons pour arriver et repartir – pour ça, il nous faudra des spécialistes de la planification aérienne. Ce que je peux vous dire, c'est que, si c'est possible, nous réussirons l'opération. Mais je ne peux rien préconiser tant que je n'aurai pas tout étudié en détail.

– Alors, qu'attendez-vous pour vous y mettre ? » lui ai-je demandé.

Quand nous nous sommes retrouvés dans la salle de crise deux semaines plus tard, le 29 mars, McRaven s'est déclaré très confiant concernant le raid. Le redécollage, en revanche, s'annonçait un peu plus « sportif ». D'après les opérations semblables auxquelles il avait participé et les répétitions préliminaires qu'il avait dirigées, il était pratiquement sûr que son équipe pourrait avoir terminé avant que les autorités pakistanaises ne soient alertées. Nous n'écartions pas pour autant les autres scénarios. Que ferions-nous si des avions pakistanais interceptaient nos hélicoptères, à l'aller ou au retour ? Et si Ben Laden était présent mais caché dans une pièce sécurisée, obligeant ainsi les forces spéciales à rester plus longtemps au sol ? Comment réagirait l'équipe si la police ou l'armée encerclait le complexe pendant le raid ?

McRaven a bien précisé que ce projet se fondait sur le postulat que son équipe éviterait tout contact avec les autorités pakistanaises ; si elle était amenée à les affronter au sol, il préconisait que les SEALs tiennent leur position tandis que nos diplomates tenteraient de négocier leur départ. J'étais sensible à ces réflexions, qui attestaient la prudence systématique de notre commandement militaire. Mais les relations entre les États-Unis et le Pakistan étant déjà particulièrement fragiles, Bob Gates et moi avons exprimé de sérieuses réserves. Les frappes de drones sur des cibles liées à Al-Qaida dans les régions tribales avaient dressé l'opinion pakistanaise contre nous. Et ce sentiment anti-américain avait encore empiré fin janvier quand, dans la ville fourmillante de Lahore, Raymond Allen Davis, un sous-traitant de la CIA, avait tué deux hommes armés qui approchaient de son véhicule, donnant lieu à des manifestations contre la présence de la CIA dans le pays et à presque deux mois de tensions diplomatiques pour obtenir la libération de Davis. J'ai déclaré à McRaven et aux autres que je n'allais pas risquer de laisser nos SEALs entre les mains du gouvernement pakistanais, qui subirait forcément des pressions considérables pour garder nos hommes en prison, surtout si, au final, Ben Laden ne se trouvait pas dans le complexe. Je lui ai donc demandé d'étoffer son plan de telle sorte que le groupe puisse repartir quoi qu'il arrive – en ajoutant s'il le fallait deux hélicoptères pour appuyer l'équipe au sol.

Avant que nous nous séparions, Cartwright a proposé une variante de la frappe aérienne, plus chirurgicale, au moyen d'un drone qui tirerait un petit missile de six kilos directement sur le Promeneur pendant sa sortie quotidienne. D'après Cartwright, les dégâts collatéraux seraient minimes et, considérant l'expérience acquise par notre armée dans le ciblage des terroristes de haut niveau, il estimait que cette solution pourrait fonctionner tout en évitant les dangers inhérents à un raid.

Les différentes possibilités étaient à présent sur la table. McRaven allait ordonner la construction d'une reproduction du complexe d'Abbottabad à Fort Bragg, en Caroline du Nord, où les SEALs répéteraient l'opération en conditions réelles. Si j'autorisais le raid, m'a-t-il dit, le moment optimal serait le premier week-end de mai, durant lequel deux nuits sans lune couvriraient l'approche de nos hommes. En filigrane, nous étions naturellement préoccupés par le fait que, plus la planification progressait et plus les jours passaient, plus nombreuses étaient les personnes à connaître notre secret. J'ai dit à McRaven et à Cartwright que je n'étais pas encore prêt à trancher dans un sens ou dans l'autre. Mais, afin qu'ils puissent continuer à avancer, j'ai ajouté : « Considérez que vous avez mon feu vert. »

PENDANT CE TEMPS, le travail quotidien de la Maison-Blanche se poursuivait. Je gardais un œil sur la situation en Libye, sur la guerre d'Afghanistan et sur la crise de la dette grecque, laquelle avait repris et recommençait à affecter les marchés américains. Un jour, en revenant de la salle de crise, j'ai croisé Jay Carney, qui avait succédé à Gibbs au poste de porte-parole. Jay était un ancien journaliste qui s'était retrouvé à de nombreuses reprises aux premières loges pendant des moments historiques. Il était correspondant à Moscou pour le magazine *Time* durant la chute de l'Union soviétique et se trouvait à bord d'Air Force One avec le président Bush le matin du 11 Septembre. Ce jour-là, il m'a annoncé qu'il venait de passer une bonne partie de son point presse quotidien à répondre à des questions sur l'authenticité de mon acte de naissance.

Il y avait un peu plus d'un mois que Donald Trump s'était immiscé dans la conversation politique du pays. Mes conseillers et moi avions cru que, après en avoir fait leur beurre, les médias se lasseraient peu à peu de cette obsession pour ma naissance. Et pourtant, comme des algues dans une eau stagnante, les articles relatant ces élucubrations proliféraient un peu plus chaque semaine. Des émissions consacraient de longues plages à Trump et à ses théories. Des journalistes politiques en quête d'angles neufs parlaient de la signification sociologique du *birtherism*, de son effet sur ma campagne ou (avec une ironie dont ils se rendaient à peine compte) de ce qu'il révélait du secteur des médias. Les discussions tournaient beaucoup autour du fait que le document que nous avions diffusé en 2008 était un « extrait » d'acte de naissance, soit le document standard délivré par l'État de Hawaï pour les demandes de passeport, de numéro de sécurité sociale ou encore de permis de conduire. Mais, à en croire Trump et sa clique, cet extrait ne prouvait rien. On nous demandait donc pourquoi je n'en avais pas fourni la version intégrale. Certaines informations avaient-elles été délibérément omises de l'extrait ? Peut-être des informations indiquant que j'étais musulman ? L'acte intégral avait-il été falsifié ? Que cachait donc Obama ?

Finalement, j'ai décidé que j'en avais ma claque. J'ai appelé Bob Bauer, le conseiller juridique de la Maison-Blanche, et je lui ai demandé de faire extirper l'acte intégral du volume relié dans lequel il était enfoui au fond des archives de l'état civil de Hawaï. J'ai ensuite fait savoir à David Plouffe et à Dan Pfeiffer que j'avais la ferme intention de publier ce document, mais aussi de m'exprimer à son sujet. Ils ont trouvé que c'était une mauvaise idée et soutenu que je ne ferais qu'apporter de l'eau au moulin des conspirationnistes, et que, de toute façon, répondre à des accusations aussi absurdes n'était digne ni de moi ni de ma fonction.

« C'est précisément là où je veux en venir », ai-je répondu.

C'est ainsi que, le 27 avril, j'ai pris place sur l'estrade de la salle de presse de la Maison-Blanche et j'ai salué l'assemblée. J'ai commencé par faire observer que les chaînes nationales avaient toutes décidé, chose très rare, d'interrompre leurs programmes habituels pour diffuser mon intervention. J'ai ajouté que, deux semaines plus tôt, quand les républicains de la Chambre et moi avions dévoilé deux propositions budgétaires opposées, les journaux télévisés étaient restés focalisés sur mon acte de naissance. J'ai ensuite noté que les États-Unis se trouvaient face à des défis importants, exigeant de grandes décisions ; qu'il fallait nous attendre à des débats acharnés et parfois à des désaccords farouches, car c'était le fonctionnement normal de notre démocratie, et que j'étais certain que nous étions capables de construire ensemble un avenir meilleur.

« Mais, ai-je continué, nous n'allons pas y arriver si nous nous laissons distraire. Nous n'allons pas y arriver si nous passons notre temps à nous traîner mutuellement dans la boue. Nous n'allons pas y arriver si nous racontons n'importe quoi en prétendant que les faits n'ont aucune valeur. Nous n'allons pas réussir à régler nos problèmes si nous nous laissons distraire par des clowns et des bonimenteurs de foire. » J'ai parcouru la salle du regard. « Je sais que certains continueront à s'accrocher à cette histoire, quoi que nous disions. Mais c'est à l'écrasante majorité du peuple américain que je m'adresse, ainsi qu'à la presse. Nous n'avons pas le temps pour ces bêtises. Nous avons mieux à faire. J'ai mieux à faire. Nous avons de grands problèmes à résoudre. Et je suis certain que nous parviendrons à les résoudre, mais, pour cela, nous allons devoir nous concentrer sur ces problèmes – pas sur des bêtises. »

Silence dans la salle. Je suis sorti par une des portes coulissantes menant aux bureaux du service de presse, où se trouvaient plusieurs jeunes membres de l'équipe qui avaient vu mon intervention. Ils paraissaient tous avoir la vingtaine. Certains étaient déjà présents pendant ma campagne ; d'autres nous avaient rejoints récemment, mus par l'envie de servir leur pays. Je les ai regardés dans les yeux chacun leur tour.

« On vaut mieux que ça, leur ai-je dit. Ne l'oubliez pas. »

DANS LA SALLE DE CRISE, le lendemain, nous avons étudié une dernière fois les modalités d'une possible opération à Abbottabad le week-end suivant. Plus tôt dans la semaine, j'avais donné mon aval à McRaven pour envoyer les SEALs et les pilotes d'hélicoptère en Afghanistan, et le groupe était arrivé à Jalalabad, où il attendait les ordres. Afin de recouper le travail de la CIA, Leon et Mike Morell avaient demandé au chef du Centre national de l'antiterrorisme, Mike Leiter, de faire examiner les données disponibles sur le complexe par un groupe d'analystes ignorant tout du dossier, pour voir si leurs conclusions correspondraient à celles de l'agence. L'équipe de Leiter a estimé entre 40 et 60 % la probabilité que Ben Laden s'y trouve ; la CIA, pour sa part, donnait entre 60 et 80 %. Un débat s'est ensuivi pour déterminer l'origine de cet écart. Au bout de quelques minutes, j'ai interrompu la discussion.

« Je sais que nous nous efforçons d'être aussi précis que possible, ai-je dit. Mais, au bout du compte, c'est du 50-50. Avançons. »

McRaven nous a annoncé que les préparatifs du raid étaient terminés ; ses hommes et lui étaient prêts. De même, Cartwright nous a confirmé que le bombardement par drone avait été testé et pouvait être ordonné à tout moment. J'ai fait ensuite un tour de table pour recueillir l'avis de chacun. Leon, John Brennan et Mike Mullen avaient une préférence pour le raid. Hillary nous a dit qu'elle était très partagée, puis elle a énuméré prudemment les risques qu'entraînait le raid – notamment une rupture de nos relations avec le Pakistan, ou un affrontement avec son armée. Elle a néanmoins conclu en disant que, cette piste étant la meilleure que nous ayons depuis des années pour arrêter Ben Laden, elle était favorable à l'envoi des SEALs.

Gates, pour sa part, y était opposé, mais il était ouvert à une frappe par drone. Il a invoqué un précédent : l'opération Desert One en avril 1980, organisée pour sauver les cinquante-trois otages retenus en Iran et qui avait viré à la catastrophe quand un hélicoptère de l'armée américaine s'était écrasé dans le désert, causant la mort des huit hommes d'équipage. Il fallait garder à l'esprit, nous a dit Gates, que toute la planification du monde ne pourrait jamais empêcher qu'une opération de ce type tourne au vinaigre. Au-delà du risque humain, il redoutait qu'un échec ait des répercussions négatives sur notre guerre en Afghanistan. Plus tôt dans la journée, j'avais annoncé le départ à la retraite de Bob après quatre années au poste de secrétaire à la Défense, et mon intention de nommer Leon à sa suite. En écoutant ce raisonnement sensé et argumenté, je me suis rappelé combien sa présence m'avait été précieuse.

Joe lui aussi s'est prononcé contre l'option du raid, au motif que le risque d'échec était trop élevé et que je ferais mieux d'attendre pour me décider que les services de renseignement aient confirmé que Ben Laden se trouvait dans le complexe. Comme chaque fois, depuis le début de ma présidence, qu'une décision importante se présentait, j'appréciais la capacité de Joe à faire un pas de côté et à poser les questions qui fâchent, souvent pour me dégager l'espace mental dont j'avais besoin pour mes délibérations intérieures. Je savais aussi que, tout comme Gates, il travaillait déjà à Washington pendant Desert One. Il en gardait certainement de vifs souvenirs : la douleur des familles, le coup porté au prestige des États-Unis, les récriminations, et Jimmy Carter dépeint comme un homme à la fois faible et irréfléchi pour avoir autorisé cette mission. Politiquement, Carter ne s'en était jamais remis. Et Joe sous-entendait qu'il en irait de même pour moi.

J'ai déclaré au groupe que je lui communiquerais ma décision le lendemain matin – si nous choisissions le raid, je voulais être sûr que McRaven dispose d'un créneau aussi large que possible pour déclencher l'opération. Tom Donilon m'a accompagné jusqu'au Bureau ovale, son habituelle pile de dossiers et de carnets sous le bras, et nous avons rapidement parcouru la liste des actions que je pourrais avoir à entreprendre dans les prochains jours. Brennan et lui avaient préparé un scénario pour chaque éventualité ou presque, et sa tension et sa nervosité se lisaient sur son visage. Sept mois après que je l'avais nommé conseiller à la sécurité nationale, il avait décidé de faire davantage de sport et d'arrêter le café, une bataille qu'il était visiblement en train de perdre. J'étais impressionné par sa force de travail, par la foule de détails qu'il gardait constamment en tête, la quantité de mémos, de télégrammes et de données qu'il devait ingurgiter, le nombre de désastres qu'il réparait et de disputes interagences qu'il résolvait, tout cela pour me permettre d'avoir les informations et la concentration nécessaires à mon travail. Un jour, j'avais demandé à Tom d'où lui venaient sa détermination et sa diligence, et il les avait attribuées à ses origines sociales. Il avait grandi dans une famille modeste, d'origine irlandaise, avait bûché pour entrer en fac de droit, puis travaillé sur diverses campagnes électorales et fini par devenir un poids lourd de la politique étrangère. Pourtant, malgré ses réussites, il m'avait confié avoir une peur viscérale de l'échec et ressentir constamment le besoin de faire ses preuves.

J'avais éclaté de rire et répondu que je voyais tout à fait de quoi il parlait.

Ce soir-là, au dîner, Michelle et les filles étaient en grande forme et n'ont pas arrêté de me taquiner à propos de ce qu'elles appelaient mes « manies » : je mangeais toujours les amandes par poignées après les avoir secouées au creux de mon poing, je portais toujours la même paire de vieilles sandales usées dans la maison, je n'aimais pas les sucreries (« Votre père se méfie de tout ce qui est délicieux… c'est trop de plaisir pour lui »). Je n'avais pas parlé à Michelle de la décision que j'allais devoir prendre, car je ne voulais pas l'encombrer avec ce secret tant que moi-même j'hésitais, et, si j'étais plus tendu qu'à l'ordinaire, elle n'a pas paru le remarquer. Après avoir couché les filles, je me suis replié dans la salle des Traités, j'ai mis un match de basket à la télé et j'ai suivi le ballon du regard en récapitulant une dernière fois les différents scénarios.

En réalité, j'avais réduit le champ des possibles au moins deux semaines plus tôt ; depuis lors, chaque réunion n'avait fait que confirmer mon intuition. Je n'étais pas favorable à une frappe aérienne, même aussi précise que celle imaginée par Cartwright : j'estimais que, sans possibilité de confirmer que Ben Laden avait été tué, le jeu n'en valait pas la chandelle. En outre, je ne pensais pas qu'il soit utile d'accorder davantage de temps aux services de renseignement, dans la mesure où les mois que nous avions passés à surveiller le complexe ne nous avaient fourni aucune information supplémentaire. Et, considérant tout le travail préliminaire qui avait déjà été accompli, je doutais que nous puissions garder le secret encore un mois.

Une seule question demeurait donc : fallait-il ou non ordonner le raid ? Les enjeux étaient parfaitement clairs dans mon esprit. Je savais que nous pourrions limiter les risques, mais jamais les éliminer. J'avais une confiance absolue en Bill McRaven et dans les SEALs. Je savais que, depuis Desert One et la bataille de Mogadiscio, les capacités de nos forces spéciales avaient été transformées. Malgré toutes les erreurs stratégiques et les politiques malavisées qui avaient émaillé les guerres d'Irak et d'Afghanistan, les hommes issus de ces forces spéciales avaient exécuté un grand nombre d'opérations et savaient se comporter dans presque toutes les situations imaginables. Étant donné leurs compétences et leur professionnalisme, j'étais convaincu que les SEALs parviendraient à sortir d'Abbottabad, même si certains de nos calculs et suppositions se révélaient erronés.

J'ai regardé Kobe Bryant réaliser un tir sauté dans la raquette. Les Lakers de Los Angeles affrontaient les Hornets de Charlotte, bien partis pour remporter le premier tour des séries éliminatoires. Contre le mur de la salle à manger, l'horloge comtoise marquait le temps. En deux ans, j'avais pris je ne sais combien de décisions – au sujet des banques, de Chrysler, des pirates, de l'Afghanistan, de la santé. La possibilité de l'échec était devenue une présence habituelle, que je ne remarquais presque plus. Chaque fois, avant d'agir, j'avais évalué les probabilités, calmement et souvent tard le soir, dans cette même pièce. Je savais que je n'aurais pu avoir de meilleur *modus operandi* pour soupeser ces éventualités, ni de meilleur entourage pour m'y aider. Je me rendais compte que toutes les erreurs que j'avais commises et toutes les ornières dont j'avais dû nous tirer m'avaient, à leur manière, préparé à cet instant. Et même si je ne pouvais préjuger des résultats de ma décision, j'étais parfaitement confiant et prêt à la prendre.

LA JOURNÉE DU LENDEMAIN, vendredi 29 avril, était consacrée à un déplacement. Je devais me rendre à Tuscaloosa, en Alabama, pour constater les dégâts causés par une tornade dévastatrice, après quoi je prononcerais un discours de remise de diplômes à Miami. Entre-temps, il était prévu que j'emmène Michelle et les filles à Cap Canaveral pour assister au dernier lancement de la navette spatiale *Endeavour*, qui serait ensuite mise hors service. Avant de partir, j'ai envoyé un e-mail à Tom, Denis, Daley et Brennan en leur demandant de me retrouver dans le salon des Diplomates. Ils m'y ont rejoint tandis que Michelle et les filles sortaient sur la pelouse sud, où nous attendait Marine One. Avec le rugissement de l'appareil en fond sonore (doublé par les chamailleries de Sasha et Malia), j'ai officiellement donné mon feu vert à la mission d'Abbottabad, en soulignant que c'était McRaven qui avait le contrôle opérationnel et qu'il lui appartiendrait de déterminer le minutage précis du raid.

L'opération était désormais entre d'autres mains que les miennes. J'étais content de quitter un peu Washington, ne serait-ce que pour une journée, de me concentrer sur un travail différent et d'admirer celui d'autres personnes. Plus tôt dans la semaine, une monstrueuse supercellule orageuse avait fondu sur les États du Sud-Est, provoquant des tornades qui avaient fait plus de trois cents morts, soit la catastrophe naturelle la plus meurtrière depuis l'ouragan Katrina. Une tornade large de deux kilomètres, avec des vents dépassant les 300 kilomètres à l'heure, avait traversé l'Alabama, détruisant sur son passage des milliers de maisons et de commerces.

À l'aéroport de Tuscaloosa, j'ai été accueilli par le directeur de la FEMA, un solide et placide Floridien nommé Craig Fugate, ainsi que par des représentants de l'État et de la ville, avec qui nous avons fait le tour de plusieurs quartiers qui paraissaient avoir été soufflés par une bombe nucléaire. Nous avons visité un centre d'hébergement pour les familles qui avaient tout perdu. Malgré la situation, presque toutes les personnes à qui j'ai pu parler – aussi bien le gouverneur républicain qu'une mère réconfortant un petit enfant – ont vanté le dispositif fédéral mis en œuvre, et notamment la rapidité des équipes d'intervention, l'efficacité de leur collaboration avec les pouvoirs locaux, la précision et le soin avec lesquels elles avaient répondu à toutes les demandes, même les plus anodines. Cela ne me surprenait pas, car Fugate était une de mes meilleures recrues. C'était un fonctionnaire pragmatique, humble et droit dans ses bottes, fort de plusieurs décennies d'expérience dans les catastrophes naturelles et leurs conséquences. J'étais tout de même content de voir ses efforts reconnus, et cela m'a rappelé une fois de plus combien l'administration repose sur les actes quotidiens et discrets de ces personnes qui ne cherchent pas l'attention, mais savent ce qu'elles font et le font avec fierté.

À Cap Canaveral, nous avons eu la déception d'apprendre que la NASA avait dû annuler le lancement à la dernière minute en raison d'une défaillance dans le système électrique. Notre famille a néanmoins pu s'entretenir avec les astronautes et passer un moment avec Janet Kavandi, la directrice des vols habités au centre spatial Johnson, à Houston, qui était venue en Floride pour le lancement. Enfant, l'exploration spatiale me fascinait, au point que, une fois élu, j'avais saisi toutes les occasions pour mettre en avant les sciences et les techniques, en créant par exemple la foire scientifique annuelle de la Maison-Blanche, qui offrait à des jeunes une occasion d'exposer leurs robots, leurs fusées et leurs voitures solaires. J'avais aussi encouragé la NASA à innover dans la conception d'une future mission martienne, en s'associant notamment avec le secteur privé pour le voyage en orbite basse. Et, à présent, je regardais Malia et Sasha écouter ébahies Janet Kavandi qui leur détaillait l'immense travail nécessaire à un seul lancement, avant de leur décrire son parcours, celui d'une jeune fille captivée par le ciel nocturne au-dessus de la ferme parentale dans le Missouri, qui était devenue astronaute et avait réalisé trois missions à bord de la navette spatiale.

La dernière étape de ma journée était la cérémonie de remise de diplômes aux étudiants de Miami Dade College. Cet établissement d'enseignement supérieur proposait des cursus courts et professionnalisants, et, avec plus de 170 000 étudiants sur huit campus, était le plus grand du pays. Son président, Eduardo Padrón, l'avait fréquenté dans les années 1960, à l'époque où, jeune immigré cubain, il parlait un anglais rudimentaire et n'avait pas les moyens d'étudier ailleurs. Sorti de Dade avec un diplôme en poche, il avait ensuite décroché un doctorat d'économie à l'université de Floride, puis avait refusé des postes lucratifs dans le secteur privé pour revenir à Dade où, depuis quarante ans, il se donnait pour mission d'aider les autres autant que cet établissement l'avait aidé. Il en parlait comme d'une « fabrique à rêves » pour ses étudiants, surtout issus de familles pauvres, hispaniques, noires ou immigrées dans lesquelles, le plus souvent, personne avant eux n'avait fait d'études supérieures. « On ne laisse tomber personne, a-t-il conclu. Et si on fait bien notre travail, eux non plus ne laisseront pas tomber. » La générosité de sa vision m'a réchauffé le cœur.

Dans mon allocution ce soir-là, j'ai parlé aux étudiants de leur réussite et de l'idée fondatrice des États-Unis dans laquelle elle s'inscrivait, de la détermination de chacun à transcender sa naissance, et de notre capacité collective à dépasser nos différences pour relever les défis de notre époque. Je leur ai ensuite raconté un souvenir d'enfance, un jour où, assis sur les épaules de mon grand-père, j'avais agité un petit drapeau américain au milieu de la foule compacte venue accueillir l'équipage d'une mission Apollo qui avait amerri au large de Hawaï. J'ai dit à ces nouveaux diplômés que, une quarantaine d'années plus tard, je venais d'assister à la rencontre de mes filles avec une nouvelle génération d'explorateurs de l'espace. Cet épisode m'avait fait réfléchir à tout ce que les États-Unis avaient fait pour moi. Il m'avait montré que la vie est un cycle. Et il était une preuve, au même titre que leurs diplômes ou mon élection, que l'idée fondatrice des États-Unis était toujours vivace.

Les étudiants et leurs parents ont applaudi, beaucoup d'entre eux agitaient aussi des drapeaux américains. J'ai pensé au pays que je venais de leur décrire – un pays d'espoir, de générosité et de courage, un pays ouvert à tous. Quand j'avais à peu près l'âge de ces jeunes gens, je m'étais accroché à cette idée de toutes mes forces. Je voulais qu'elle soit vraie, plus encore pour eux que pour moi.

APRÈS CE VOYAGE QUI M'AVAIT EMPLI D'ÉNERGIE et d'optimisme, je savais que la soirée du lendemain serait moins stimulante, car Michelle et moi devions assister au dîner des correspondants de la Maison-Blanche. Cet événement, organisé par l'association des correspondants de presse et auquel le président assistait au moins une fois par mandat depuis l'époque de Calvin Coolidge dans les années 1920, avait été conçu comme une occasion pour les journalistes et les personnes qu'ils suivaient de mettre de côté leurs différences et oppositions le temps d'une soirée de détente. Mais, avec les années, les milieux de l'information et du divertissement se confondant, ce rassemblement annuel s'était mué en un équivalent washingtonien des Oscars ou du gala du Met : il était désormais animé par un humoriste et retransmis sur le câble, et deux mille journalistes, politiciens, grands patrons et membres du gouvernement, ainsi qu'un éventail de célébrités hollywoodiennes, s'entassaient dans une salle de bal exiguë pour étendre leur réseau, se faire voir et écouter le président déclamer une espèce de sketch dans lequel il se moquait de ses adversaires et plaisantait à propos de l'actualité du jour.

Dans une période où, aux quatre coins du pays, les Américains avaient du mal à trouver du travail, à garder leur maison ou à payer leurs factures à cause de la récession, ma participation à ce pince-fesses

– avec son entre-soi, son tapis rouge et son extravagance – me paraissait politiquement maladroit. Mais, puisque j'y avais assisté les deux années précédentes, je ne pouvais pas me permettre d'éveiller les soupçons en annulant ma participation au dernier moment. J'allais devoir me présenter devant une assemblée de journalistes et faire comme si de rien n'était, comme si je ne pensais pas constamment à McRaven qui allait bientôt rejoindre les SEALs à Jalalabad et pouvait déclencher l'opération quelques heures plus tard. Coup de chance, la plus grande distraction du moment avait été conviée à s'asseoir à la table du *Washington Post*, et, pour ceux d'entre nous qui savaient, nous étions curieusement rassurés de nous dire que, dès l'instant où Donald Trump ferait son entrée, il serait pratiquement certain que personne ne penserait au Pakistan.

Dans une certaine mesure, la diffusion de mon acte de naissance intégral et mes réprimandes à la presse avaient eu l'effet escompté : de mauvaise grâce, Donald Trump avait admis que j'étais bien né à Hawaï, tout en se félicitant de m'avoir obligé – au nom du peuple américain – à lever tous les doutes. La controverse restait cependant présente dans les esprits, et j'en avais eu l'illustration ce samedi-là lorsque, entre deux points avec mon équipe de sécurité nationale, j'avais vu Jon Favreau et les auteurs qui avaient travaillé sur mon intervention – aucun d'eux n'étant au courant de l'opération qui se préparait. Le monologue qu'ils m'avaient écrit était plutôt inspiré, mais je butais sur une phrase qui ridiculisait le *birtherism* en sous-entendant que Tim Pawlenty, l'ancien gouverneur du Minnesota qui avait des ambitions présidentielles, dissimulait que son vrai nom était « Tim Ben Laden Pawlenty ». J'ai demandé à Favs de remplacer « Ben Laden » par « Hosni », arguant que cela collerait mieux à l'actualité. J'ai bien senti qu'il ne voyait pas cette correction comme une amélioration, mais il n'a pas protesté.

En fin d'après-midi, lorsque j'ai passé un dernier coup de téléphone à McRaven, il m'a annoncé que, du fait d'un temps brumeux au Pakistan, il comptait attendre le dimanche soir pour déclencher l'opération. Il m'a assuré que tout était en ordre et son équipe prête. Je lui ai répondu que ce n'était pas pour cela que je l'appelais.

« Dites à vos hommes toute l'estime que j'ai pour eux, lui ai-je demandé.

– Oui, monsieur.

– Bill, ai-je insisté sans trouver les mots pour lui communiquer ce que j'éprouvais. J'y tiens vraiment. Dites-leur.

– Je le ferai, monsieur le Président. »

Ce soir-là, Michelle et moi avons été conduits au Hilton de Washington, où nous avons été photographiés avec diverses personnalités et sommes restés assis deux heures sur une estrade pendant que les invités – Rupert Murdoch, Sean Penn, John Boehner ou encore Scarlett Johansson – faisaient connaissance en buvant du vin et en mangeant des steaks trop cuits. J'ai plaqué un sourire aimable sur mon visage tandis que mon esprit, sur la corde raide, était à des milliers de kilomètres de là. Lorsque est venu mon tour de prendre la parole, je me suis levé et j'ai fait mon numéro. Arrivé à la moitié de mon monologue, je me suis tourné directement vers Trump.

« Je sais qu'il a essuyé quelques critiques dernièrement, ai-je dit, mais personne n'est plus heureux et plus fier que notre ami Donald de pouvoir tirer un trait sur cette histoire d'acte de naissance. Parce que, maintenant, il va pouvoir recommencer à se concentrer sur les vraies questions. Est-ce que nous sommes vraiment allés sur la Lune ? Que s'est-il réellement passé à Roswell ? Et qu'est-il arrivé aux rappeurs Biggie et Tupac ? » Un rire a parcouru l'assistance et j'ai poursuivi sur le même ton, relevant « les qualifications et les vastes connaissances » qu'il avait acquises en présentant l'émission « The Celebrity Apprentice », avant de le féliciter pour sa réaction avisée lors de l'épisode dans lequel « l'équipe des hommes n'avait pas réussi à impressionner les juges du grill Omaha Steaks… C'est le genre de décision qui pourrait me faire perdre le sommeil. Bravo, monsieur. Je vous tire mon chapeau ».

L'assistance riait aux éclats ; au milieu, Trump, muet, souriait jaune. Je n'imaginais même pas les pensées qui avaient pu le traverser pendant les quelques minutes où je l'avais mis en boîte devant tout le monde. Ce dont j'étais sûr, c'est qu'il savait faire le spectacle, et que, en 2011, aux États-Unis, cela constituait en soi une forme de pouvoir. La monnaie avec laquelle commerçait Trump, quoique superficielle, semblait prendre chaque jour un peu plus de valeur. Les journalistes qui riaient à mes blagues continueraient à l'inviter. Leurs employeurs se battraient pour l'avoir à leur table.

Loin d'être ostracisé à cause des conspirations qu'il avait colportées, il apparaissait au contraire plus influent que jamais.

Je me suis levé de bonne heure le lendemain, avant l'appel rituel du standard de la Maison-Blanche pour me réveiller. Exceptionnellement, nous avions annulé toutes les visites de l'aile ouest pour la journée, partant du principe que des rendez-vous importants nous attendaient. J'avais néanmoins décidé de faire une rapide partie de golf avec Marvin, comme souvent les dimanches tranquilles, afin de ne pas laisser soupçonner qu'il pouvait s'agir d'un jour particulier, mais aussi pour être au grand air plutôt que dans la salle des Traités à consulter sans cesse ma montre. C'était une journée fraîche et sans vent, et je n'ai pas bien joué, perdant même trois ou quatre balles dans les bois. En regagnant la Maison-Blanche, j'ai pris des nouvelles de Tom. Il était dans la salle de crise, avec le reste de l'équipe, et s'assurait que nous soyons prêts à parer à toute éventualité. Au lieu de le distraire par ma présence, je lui ai demandé de me prévenir lorsque les hélicoptères transportant les SEALs auraient décollé. Je suis ensuite allé dans le Bureau ovale, où j'ai tenté de lire quelques documents, mais sans succès : mes yeux survolaient les lignes sans rien intégrer. En désespoir de cause, j'ai appelé Reggie, Marvin et Pete Rouse – qui, entre-temps, avaient été mis au courant de ce qui se tramait – et nous nous sommes installés tous les quatre dans la salle à manger pour jouer à l'atout pique.

À 14 heures (heure de Washington), deux hélicoptères Black Hawk modifiés dans une version furtive ont décollé de Jalalabad avec à leur bord vingt-trois SEALs, un interprète américano-pakistanais de la CIA et un chien militaire nommé Cairo, sonnant le coup d'envoi de l'opération baptisée Neptune's Spear (Trident de Neptune). Ils avaient quatre-vingt-dix minutes de vol jusqu'à Abbottabad. J'ai abandonné ma partie de cartes et suis retourné à la salle de crise, convertie en salle de contrôle. Leon était en liaison vidéo avec le siège de la CIA et nous relayait les informations transmises par McRaven, lui-même en lieu sûr à Jalalabad et en communication permanente avec son équipe. Dans une atmosphère évidemment tendue, Joe, Bill Daley et l'essentiel de mon équipe de sécurité nationale – dont Tom, Hillary, Denis, Gates, Mullen et Blinken – étaient assis autour de la table de réunion. Ils m'ont exposé notre plan d'action diplomatique, en cas de réussite comme d'échec, vis-à-vis du Pakistan et des autres pays. Pour le cas où Ben Laden serait tué pendant le raid, toutes les dispositions étaient prises pour que le corps soit immergé en haute mer, conformément aux rites funéraires musulmans, évitant ainsi de créer un lieu de pèlerinage pour les djihadistes. Au bout d'un moment, j'ai deviné qu'ils ne faisaient que me récapituler le travail déjà accompli et, craignant de les déconcentrer, je suis remonté à l'étage. J'en suis redescendu juste avant 15 h 30, quand Leon m'a annoncé que les Black Hawks approchaient du complexe.

Il était prévu que nous suivions l'opération par l'intermédiaire de Leon, car Tom redoutait qu'une communication directe avec McRaven ne laisse croire que j'étais aux commandes de l'opération, ce qui constituerait une faute professionnelle et serait politiquement périlleux en cas d'échec de la mission. Mais, en me rendant à la salle de crise, j'avais remarqué un écran, dans une petite salle de réunion de l'autre côté du couloir, qui diffusait des images aériennes en direct. Lorsque les hélicoptères sont arrivés au-dessus de la cible, je me suis levé de ma chaise et j'ai dit : « Il faut que je voie ça », puis j'ai foncé dans l'autre salle. J'y ai trouvé le général de brigade Brad Webb, assis devant son ordinateur. Il a essayé de me céder son fauteuil, mais je lui ai dit : « Restez assis », en lui posant une main sur l'épaule, et j'ai approché une chaise. Webb a fait savoir à McRaven et à Leon que j'étais à côté de lui et que je regardais les images. Quelques instants plus tard, toute l'équipe est venue se tasser dans la petite salle.

Pour la première et unique fois de ma présidence, j'assistais à une opération militaire en temps réel. Des formes spectrales traversaient l'écran. Nous étions là depuis une minute à peine quand l'un des Black Hawks a légèrement vacillé au cours de sa descente et, avant que j'aie le temps de comprendre ce qui se passait, McRaven nous expliquait que l'hélicoptère avait perdu momentanément de la portance et touché un des murs du complexe. Une décharge de frayeur m'a traversé pendant qu'un film catastrophe se jouait dans ma tête : l'appareil s'écrasait, les SEALs s'en extirpaient péniblement juste avant qu'il ne prenne feu, tous les habitants du quartier sortaient dans la rue pour voir ce qui se passait pendant que l'armée pakistanaise se précipitait sur les lieux. Mais la voix de McRaven a interrompu mon cauchemar.

« Rien de grave, a-t-il dit comme s'il examinait son pare-chocs après avoir accroché un chariot sur le parking d'un supermarché. C'est notre meilleur pilote, il va se poser sans encombre. »

Et c'est exactement ce qui s'est produit. J'apprendrais par la suite que le Black Hawk avait été pris dans un tourbillon dû à des températures plus élevées que prévu et à l'air projeté par le rotor qui était resté coincé entre les hauts murs du complexe, obligeant le pilote et les SEALs à improviser leur atterrissage et leur sortie. (Le pilote avait volontairement posé la queue de l'appareil sur le mur pour éviter de s'écraser.) Mais, sur le moment, je ne voyais que des silhouettes granuleuses qui se mettaient promptement en position avant de pénétrer dans la maison. Pendant vingt minutes insoutenables, même McRaven n'a eu qu'une vision limitée de ce qui se passait – ou alors il taisait les détails de la fouille méthodique menée par son équipe. Et puis, avec une soudaineté à laquelle je ne m'attendais pas, nous avons entendu McRaven et Leon prononcer, presque au même instant, les mots que nous espérions et qui signalaient l'aboutissement de plusieurs mois de préparatifs et de plusieurs années de collecte d'informations.

« Geronimo identifié… Geronimo abattu. »

Oussama Ben Laden – nom de code « Geronimo » pour les besoins de cette mission –, l'auteur du pire attentat terroriste de l'histoire des États-Unis, l'homme qui avait commandité le meurtre de milliers de personnes et fait basculer le monde dans une période tumultueuse de son histoire, avait été puni par une équipe de Navy SEALs de l'armée des États-Unis. J'étais comme hypnotisé par ces images.

« On l'a eu », ai-je soufflé.

Personne n'a bougé pendant encore une vingtaine de minutes, le temps pour les SEALs de terminer leur mission : placer le corps de Ben Laden dans un sac, mettre les trois femmes et les neuf enfants en sécurité et les interroger dans un coin du complexe, ramasser les ordinateurs, les dossiers et tout ce qui était susceptible de nous fournir des renseignements, et fixer des explosifs au Black Hawk endommagé pour le détruire, tandis qu'un hélicoptère Chinook de sauvetage, qui patientait en vol stationnaire non loin de là, venait récupérer les hommes. Quand les deux appareils ont décollé, Joe m'a serré l'épaule.

« Félicitations, patron. »

Je me suis levé et j'ai opiné. Denis m'a tapé dans le poing. J'ai serré la main de tous ceux qui se trouvaient présents. Mais les hélicoptères n'étant pas encore sortis de l'espace aérien pakistanais, l'ambiance restait grave. C'est seulement aux alentours de 18 heures, une fois qu'ils se sont posés à Jalalabad, que je me suis enfin légèrement détendu. Un peu plus tard, par liaison vidéo, McRaven nous a annoncé qu'il avait le corps sous les yeux et qu'il s'agissait sans erreur possible de Ben Laden ; le logiciel de reconnaissance faciale de la CIA parviendrait bientôt à la même conclusion. Par acquit de conscience, McRaven a demandé à un membre de son équipe mesurant 1,89 mètre de s'allonger à côté du corps, afin de comparer sa taille avec celle de Ben Laden, estimée à 1,95 mètre.

« Sérieusement, Bill ? Tous ces préparatifs et vous n'avez même pas pensé à prendre un mètre ? » lui ai-je demandé en riant.

C'était la première phrase légère que je prononçais de la journée, mais les rires se sont rapidement tus, dès que les photos de la dépouille ont commencé à circuler autour de la table. J'y ai jeté un bref coup d'œil ; c'était bien lui. Malgré cette évidence, Leon et McRaven ont déclaré que nous ne pourrions pas en être tout à fait certains tant que nous n'aurions pas les résultats des tests ADN, qui pourraient prendre un jour ou deux. Nous songions à retarder l'annonce officielle, mais la nouvelle du crash d'un hélicoptère américain à Abbottabad commençait déjà à se répandre sur Internet. Mike Mullen avait passé un coup de fil au chef d'état-major de l'armée pakistanaise, le général Ashfaq Parvez

Kayani, et même si la conversation était restée polie, Kayani avait exigé que nous disions la vérité sur le raid et sa cible dans les meilleurs délais pour que ses équipes ne soient pas dépassées par la réaction de la population. Puisqu'il n'était pas possible d'attendre vingt-quatre heures de plus, je suis monté avec Ben pour lui dicter rapidement ce que je pensais dire aux Américains dans la soirée.

Pendant plusieurs heures, l'aile ouest a tourné à plein régime. Tandis que les diplomates entraient en contact avec les gouvernements étrangers et que notre service de presse préparait les communiqués, j'ai appelé George W. Bush et Bill Clinton pour leur annoncer la nouvelle, en veillant à souligner auprès de Bush que cette mission était l'achèvement d'un long et difficile processus entamé sous sa présidence. Malgré l'heure tardive de l'autre côté de l'Atlantique, j'ai aussi appelé David Cameron pour remercier notre allié le plus proche de nous avoir apporté son aide indéfectible depuis le début de la guerre d'Afghanistan. Je m'attendais ensuite à avoir une conversation délicate avec le président pakistanais, Asif Ali Zardari, qui traversait déjà une mauvaise passe et pour qui notre violation de la souveraineté de son pays serait certainement source de critiques supplémentaires. Mais, lorsque je suis parvenu à le joindre, il m'a exprimé ses félicitations et son soutien. « Quelles que soient les conséquences, c'est une très bonne nouvelle », m'a-t-il dit. Il m'a rappelé avec une profonde émotion que son épouse, Benazir Bhutto, avait été assassinée par des extrémistes soupçonnés d'être liés à Al-Qaida.

Avec toute cette frénésie, je n'avais pas vu Michelle de la journée. Un peu plus tôt, je l'avais informée de ce qui allait se passer et, au lieu d'attendre anxieusement à la Maison-Blanche, elle avait confié Malia et Sasha à leur grand-mère et était sortie dîner avec des amies. Je venais tout juste de me raser et d'enfiler un costume quand elle est rentrée.

« Alors ? » m'a-t-elle demandé.

J'ai levé le pouce et elle a souri en m'attirant dans ses bras. « C'est formidable, chéri. Vraiment. Comment tu te sens ?

– Pour le moment, seulement soulagé. Mais on en reparle dans quelques heures. »

Dans l'aile ouest, j'ai mis la touche finale à ma déclaration en compagnie de Ben. Je lui avais donné quelques grandes lignes : je voulais rappeler notre angoisse partagée lors du 11 Septembre et notre sentiment d'unité au cours des jours suivants. Je voulais rendre hommage aux personnes qui avaient permis de mener à bien cette mission, mais aussi à toute notre armée et à la communauté du renseignement qui se sacrifiaient chaque jour pour assurer notre sécurité. Je voulais répéter que c'était contre Al-Qaida que nous nous battions, pas contre l'islam.

Et je voulais terminer en rappelant au monde et aussi à nous-mêmes que les États-Unis accomplissaient ce qu'ils avaient décidé d'accomplir, que notre pays était encore capable de réaliser de grandes choses.

Comme chaque fois, Ben avait réussi à tisser en moins de deux heures un beau discours à partir de mes idées éparses. Je savais que celui-ci revêtait pour lui une signification toute particulière, car l'effondrement des tours jumelles avait changé le cours de sa vie en le poussant vers Washington avec une envie dévorante d'agir. Cette réflexion m'a ramené au souvenir que je gardais de ce jour-là : Michelle avait conduit Malia à sa première journée de maternelle ; je me tenais devant le siège du gouvernement de l'Illinois, à Chicago, accablé et rempli de doutes après avoir eu Michelle au téléphone et lui avoir assuré qu'elle et les filles ne couraient aucun danger ; le soir, Sasha, 3 mois, dormait sur ma poitrine pendant que, assis dans le noir, je regardais les informations en tentant de joindre mes amis new-yorkais. Tout comme celle de Ben, ma vie avait été bouleversée dans des proportions inimaginables par cette journée, qui avait mis en branle une série d'événements devant aboutir à ce moment précis.

Après avoir relu une dernière fois mon discours, je me suis levé, j'ai donné une tape dans le dos de Ben : « Beau boulot, camarade. » Il a acquiescé, une foule d'émotions se bousculaient sur son visage, et il est sorti à toute allure pour ajouter mes dernières modifications dans le prompteur. Il était presque 23 h 30. Les grandes chaînes avaient déjà annoncé la mort de Ben Laden et allaient à présent diffuser mon discours en direct. Derrière les grilles de la Maison-Blanche, plusieurs milliers de personnes en liesse occupaient toute la rue. En sortant dans la fraîcheur de la nuit et en me dirigeant par la colonnade vers le salon Est, depuis lequel j'allais m'exprimer, j'entendais toutes ces voix scander « USA ! USA ! USA ! » dans Pennsylvania Avenue, un bruit qui portait loin et continuerait à résonner tard dans la nuit.

LES JOURS SUIVANTS, même une fois l'exultation retombée, nous avons senti un changement palpable dans l'humeur du pays. Pour une fois au cours de ma présidence, nous n'étions pas obligés de prouver le bien-fondé de notre action. Nous n'avions pas à esquiver les tirs des républicains ou à répondre à des électeurs nous accusant d'avoir enfreint un principe fondamental. Aucun accroc dans l'exécution de la mission et aucune mauvaise surprise ensuite. Il me restait cependant des décisions à prendre, notamment celle de diffuser ou non les photos du corps. (J'étais plutôt contre : je trouvais que nous n'avions pas besoin de « faire un tour d'honneur » en brandissant ce trophée sinistre, et je ne voulais pas que l'image de Ben Laden ayant reçu une balle dans la tête devienne un symbole de ralliement pour les extrémistes.) Il nous fallait aussi veiller à nos relations avec le Pakistan. Même si les documents et ordinateurs saisis dans le complexe s'étaient révélés une véritable mine d'or qui confirmait que Ben Laden avait continué à jouer un rôle central dans la planification d'attentats contre les États-Unis, mais aussi que nous avions fait peser une pression énorme sur son organisation en ciblant ses chefs, nous demeurions convaincus que nous n'en avions pas terminé avec Al-Qaida. Ce qui était indiscutable, en revanche, c'est que nous lui avions porté un coup décisif qui nous rapprochait un peu plus de la victoire stratégique. Même nos détracteurs les plus acharnés ont dû admettre que cette opération avait été un succès total.

Quant au peuple américain, le raid d'Abbottabad lui offrait une sorte de catharsis. Nos soldats se battaient en Afghanistan et en Irak depuis près d'une décennie, avec des résultats plus que discutables. La violence extrémiste allait persister sous une forme ou une autre, et il n'y aurait ni bataille finale ni capitulation officielle. L'opinion s'est donc emparée instinctivement de la mort de Ben Laden, car c'était ce qu'elle obtiendrait de plus proche d'une victoire – et, dans une période de difficultés économiques et de rancœurs partisanes, il y avait une réelle satisfaction à voir le gouvernement remporter une victoire.

Pour les milliers de familles qui avaient perdu des êtres chers lors du 11 Septembre, cette mission revêtait une signification encore plus intime. Le lendemain de l'opération, parmi les dix courriers de citoyens américains qui m'étaient transmis quotidiennement, figurait un e-mail d'une jeune fille, Payton Wall, âgée de 4 ans le jour des attentats et qui en avait désormais 14. Elle m'expliquait que son père se trouvait dans une des tours et leur avait téléphoné avant qu'elle ne s'écroule. Toute sa vie, Payton avait été hantée par le souvenir de la voix de son père et par l'image de sa mère en pleurs au téléphone. Bien que rien ne puisse jamais remédier à cette absence, elle voulait m'assurer, ainsi qu'à toutes les personnes ayant contribué à cette opération, combien il était important pour elle et sa famille que les États-Unis n'aient pas oublié son père.

Seul dans la salle des Traités, j'ai relu plusieurs fois cet e-mail, les larmes aux yeux. J'ai pensé à mes filles et à leur peine si elles perdaient leur mère ou leur père. J'ai pensé aux jeunes gens qui s'étaient engagés dans l'armée après le 11 Septembre, déterminés à servir leur pays quoi qu'il leur en coûte. Et j'ai pensé aux parents des soldats blessés ou tués en Irak et en Afghanistan – aux Gold Star Moms, ces mères qui avaient perdu un enfant sous les drapeaux et que Michelle et moi avions réconfortées, et aux pères qui m'avaient montré des photos de leurs fils disparus. J'étais immensément fier de toutes les personnes qui avaient pris part à cette mission. Il y avait les SEALs, bien entendu, mais aussi les analystes de la CIA qui avaient remonté la piste jusqu'à Abbottabad, les diplomates qui s'étaient préparés à faire face aux retombées, l'interprète américano-pakistanais qui était resté à l'extérieur du complexe pour éloigner les curieux pendant le raid : toutes ces personnes avaient travaillé ensemble, sans heurts et avec altruisme, sans chercher la gloire et au mépris de leurs différences partisanes, tendues vers le même but.

Ces pensées en ont entraîné une autre : cette unité dans l'effort, ce sens du devoir n'étaient-ils possibles que lorsqu'il s'agissait de tuer un terroriste ? C'était une question qui me taraudait. Malgré la fierté et la satisfaction que me procurait cette mission, je n'étais pas aussi euphorique qu'après l'adoption de la loi sur la santé. Je me suis pris à imaginer ce que seraient les États-Unis si nous pouvions rassembler le pays de telle façon que le gouvernement s'attaque avec autant de maîtrise et de détermination à l'éducation de nos enfants ou à l'hébergement des sans-abri, applique la même persévérance et les mêmes ressources à réduire la pauvreté, diminuer les émissions de gaz à effet de serre ou faire en sorte que toutes les familles puissent recevoir des soins corrects. Je savais que ces idées étaient considérées comme utopiques, jusqu'au sein de mon staff. Et le fait que nous soyons incapables de concevoir l'union de notre pays hors des situations où il nous fallait repousser une attaque ou vaincre un ennemi extérieur me montrait combien ma présidence était en deçà de ce que j'aurais souhaité et l'ampleur du travail qu'il me restait à accomplir.

J'ai toutefois remisé ces réflexions dans un coin de ma tête et me suis autorisé à profiter de la fin de la semaine. Bob Gates a participé à sa dernière réunion du conseil, lors de laquelle il a reçu une ovation chaleureuse et, l'espace d'un instant, paru authentiquement touché. J'ai passé du temps avec John Brennan, qui, depuis une quinzaine d'années, œuvrait de près ou de loin à la traque de Ben Laden. J'ai reçu Bill McRaven dans le Bureau ovale, où je lui ai présenté mes sincères remerciements pour son extraordinaire commandement et offert un mètre-ruban fixé sur une plaque commémorative. Et puis, le 5 mai 2011, quatre jours après l'opération, je me suis rendu à New York pour déjeuner avec les pompiers de l'Engine Company 54/Ladder 4/Battalion 9 qui avaient perdu leurs quinze membres de service le jour des attentats, après quoi j'ai assisté à une cérémonie poignante sur le site de Ground Zero. Certains des pompiers qui s'étaient précipités les premiers dans les tours en flammes faisaient partie de la garde d'honneur ce jour-là, et j'ai pu rencontrer certaines familles des victimes du 11 Septembre – dont Payton Wall, que j'ai serrée dans mes bras et qui m'a tout de suite demandé si je pouvais l'aider à rencontrer son idole Justin Bieber. Je lui ai répondu que cela devrait être faisable.

Le lendemain, je me suis envolé avec Joe en direction de Fort Campbell, dans le Kentucky, où McRaven nous a présenté les SEALs et les pilotes qui avaient participé au raid d'Abbottabad. Pendant que le commandant reconstituait l'opération sur une maquette du complexe, j'ai étudié la trentaine de soldats d'élite assis devant moi sur des chaises pliantes. Certains, de jeunes hommes solides aux muscles saillant sous leur uniforme, avaient tout à fait la tête de l'emploi. Mais j'ai été frappé de m'apercevoir qu'une bonne partie d'entre eux, la petite quarantaine, grisonnants et discrets, auraient aussi bien pu être comptables ou proviseurs de lycée. Ils étaient la preuve que les compétences et le discernement acquis par l'expérience se révélaient irremplaçables dans les missions les plus dangereuses – une expérience, comme l'a rappelé le commandant, qui avait coûté la vie à beaucoup de leurs collègues. Une fois le briefing terminé, j'ai serré la main de tous ces hommes et leur ai décerné la Presidential Unit Citation, la plus haute distinction qui puisse être accordée à une unité militaire. Puis, à leur tour, ils m'ont fait la surprise de me remettre un cadeau : le drapeau américain qui les accompagnait à Abbottabad et qu'ils avaient encadré et signé au dos. Au cours de cette visite, aucun d'eux n'a jamais précisé lequel était l'auteur du tir qui avait tué Ben Laden – et je n'ai pas posé la question.

Pendant le vol du retour, Tom m'a fait un point sur la situation en Libye, j'ai passé en revue mon emploi du temps pour le mois à venir avec Bill Daley, et j'ai traité un peu de paperasse en retard. Vers 18 h 30, nous nous sommes posés sur la base aérienne d'Andrews, où je suis monté à bord de Marine One pour le court trajet jusqu'à la Maison-Blanche. J'étais détendu ; par le hublot, j'ai observé le paysage du Maryland et les quartiers proprets qui défilaient en dessous de nous, puis les reflets du soleil couchant sur le fleuve Potomac. L'hélicoptère a viré doucement et mis le cap au nord en travers du National Mall. Tout à coup, le Washington Monument s'est matérialisé sur la droite, si proche que j'aurais presque pu le toucher ; à gauche, je voyais la statue de Lincoln assis dans les ombres, sous les colonnes de marbre du mémorial. Marine One a commencé à vibrer un peu, d'une manière que je connaissais bien désormais et qui indiquait le début de la descente à l'approche de la pelouse sud. J'ai regardé la rue en contrebas, encombrée par la circulation à l'heure de pointe : autant de travailleurs qui, comme moi, étaient pressés de rentrer chez eux.

REMERCIEMENTS

Ce livre a impliqué le travail en coulisses de nombreuses personnes dévouées à qui je suis extrêmement reconnaissant. Mon éditrice de longue date aux éditions Crown, Rachel Klayman, me soutient fidèlement depuis seize ans désormais, appliquant à la moindre virgule que je publie son esprit affûté, son jugement avisé et son œil impitoyable pour les détails. Sa générosité, sa patience et son abnégation ont fait toute la différence. Je souhaite à tous les auteurs de connaître une telle chance.

Sara Corbett a accompagné ce projet par son savoir-faire éditorial et sa vision créative, coordonnant notre équipe, révisant de nombreuses versions du texte et apportant des suggestions décisives d'un bout à l'autre du processus. Elle a également fait preuve d'une grande sagesse, d'entrain, et n'a cessé de m'encourager, ce qui a rendu ce livre bien meilleur qu'il ne l'eût été autrement.

Cody Keenan, qui m'a aidé à écrire certains des discours les plus connus de ma carrière, est demeuré un collaborateur précieux durant ces trois dernières années, menant des entretiens afin de replacer certains événements dans leur contexte, réfléchissant avec moi à la structure du livre et contribuant à cet ouvrage avec bienveillance à bien des égards.

Ben Rhodes a non seulement été à mes côtés lors de nombreux épisodes évoqués dans ce livre, mais il m'a également apporté un soutien crucial à chaque étape de la rédaction, tant au niveau éditorial qu'en termes de recherche. Surtout, nos longues conversations et l'amitié qui nous unit depuis des années ont largement concouru à donner forme aux réflexions exposées dans ces pages.

Samantha Power a lu le texte avec une rigueur et une intelligence qui m'ont été d'une aide inestimable. Je suis redevable à son intégrité et à son ardeur : elle fait de moi un homme meilleur, dans la vie comme dans les mots.

Je dois une reconnaissance toute particulière à Meredith Bohen, qui a contribué à ce projet par son exigence scrupuleuse et son extraordinaire conscience professionnelle, apportant des éléments de recherche et de vérification cruciaux du début à la fin. Elle a été assistée dans cette tâche par les talents considérables de Julie Tate et de Gillian Brassil, à qui j'exprime également toute ma gratitude.

Tout ce que je fais est alimenté par le talent, le travail acharné et la bonne humeur des personnes pleines d'esprit et d'énergie qui constituent mon équipe, et qui, pour certaines, sont à mes côtés depuis de nombreuses années : Anita Decker Breckenridge a œuvré sans relâche pour me permettre d'écrire en toute quiétude et nous a admirablement guidés tout au long du processus de publication. Henock Dory s'est dévoué pour ce livre de mille et une façons et avec un professionnalisme sans faille, en se montrant attentif aux moindres détails et en m'aidant à garder le cap. Emily Blakemore, Graham Gibson, Eric Schultz, Katie Hill, Addar Levi, Dana Remus et Caroline Adler Morales nous ont aussi accompagnés pour réaliser cette publication. Merci également à Joe Paulsen, Joelle Appenrodt, Kevin Lewis, Desiree Barnes, Greg Lorjuste, Michael Brush et Kaitlin Gaughran.

J'ai une dette éternelle envers toutes les personnes qui ont servi dans mon gouvernement et dans mon staff, dont le travail exceptionnel et l'optimisme indéfectible ont fait toute la différence pour permettre à mon administration de mener à bien ses projets. Un certain nombre de ces collaborateurs ont publié leurs propres témoignages sur leur passage à la Maison-Blanche et les questions dont ils se sont occupés, et ces récits se sont révélés d'excellentes sources d'information (et des lectures fascinantes).

Je suis redevable aux nombreux anciens collègues et membres de mon staff qui ont pris le temps de me livrer leur point de vue unique et leurs souvenirs personnels tandis que je replongeais dans les années que j'ai passées à la Maison-Blanche et sur les routes des campagnes électorales, parmi lesquels l'amiral Thad Allen, David Axelrod, Melody Barnes, Jared Bernstein, Brian Deese, Arne Duncan, Rahm Emanuel, Matt Flavin, Ferial Govashiri, Danielle Gray, Valerie Jarrett, Katie Johnson,

Jack Lew, Reggie Love, Chris Lu, Alyssa Mastromonaco, Marvin Nicholson, Nancy Pelosi, Kal Penn, Dan Pfeiffer, David Plouffe, Fiona Reeves, Harry Reid, Christy Romer, Pete Rouse, Kathy Ruemmler, Ken Salazar, Phil Schiliro, Kathleen Sebelius, Pete Souza, Todd Stern et Tommy Vietor. Et j'adresse mes remerciements tout particuliers à ceux de mes collègues qui ont eu la générosité de bien vouloir lire certaines parties du manuscrit et de me faire part de leurs commentaires avisés : John Brennan, Carol Browner, Lisa Monaco, Cecilia Muñoz, Steven Chu, Tom Donilon, Nancy-Ann DeParle, Jon Favreau, Tim Geithner, Eric Holder, Jeanne Lambrew, Denis McDonough, Susan Rice et Gene Sperling.

Je suis reconnaissant à Anne Withers et à Mike Smith, du Conseil de sécurité nationale, pour leur lecture du manuscrit, ainsi qu'à Bob Barnett et à Deneen Howell, du cabinet Williams & Connolly, qui ont été des conseillers précieux sur le front juridique.

Je suis pleinement conscient du travail énorme et de la confiance sans faille qu'a exigés de très nombreuses personnes aux éditions Crown et Penguin Random House la réalisation d'un tel projet éditorial, surtout dans les conditions chaotiques d'une pandémie.

J'exprime ma reconnaissance en premier lieu à Markus Dohle, qui a soutenu ce projet dès ses débuts et qui a mobilisé avec enthousiasme les ressources de Penguin Random House dans le monde entier afin de rendre possible cette publication. Gina Centrello s'est révélée une partenaire talentueuse et inébranlable, pilotant chaque département du groupe Penguin Random House U.S. pour faire en sorte que ce livre soit publié dans les règles de l'art. Mes remerciements sincères également à Madeline McIntosh et à Nihar Malaviya, qui, tout au long de ce projet, et à mesure qu'il prenait plus de temps que prévu, ont fait preuve d'un dévouement et d'une patience admirables.

Aux éditions Crown, l'expertise et l'organisation stratégique de David Drake et de Tina Constable ont été cruciales à chacune des étapes. Non seulement ils ont mis toute leur créativité et leur capacité de réflexion au service de la publicité et du marketing, mais ils ont travaillé main dans la main avec leurs collègues, mon équipe et les éditeurs étrangers de ce livre afin d'orchestrer l'ensemble du processus éditorial, qui s'est révélé parfois d'une complexité redoutable. Ils ont en outre témoigné un grand respect pour les choix littéraires de l'auteur, même lorsque cela signifiait qu'il n'y aurait au bout du compte non pas un seul, mais deux tomes. J'ai beaucoup de chance que mon livre ait été confié à leurs mains expertes.

Gillian Blake a lu le manuscrit avec une minutie extrême et m'a fait part d'observations précieuses tant sur la structure que sur le texte proprement dit. La façon dont Chris Brand a envisagé ce livre visuellement, comme en témoigne son design – de la couverture aux cahiers photo en passant par le site Internet dédié –, fait preuve d'une immense inspiration. Lance Fitzgerald a vendu les droits de ce livre dans vingt-quatre langues à ce jour, et a été un intermédiaire fantastique pour nos homologues en Grande-Bretagne et nos autres partenaires étrangers. Lisa Feuer et Linnea Knollmueller ont fait l'impossible pour que ce livre soit fabriqué dans les temps et avec un soin méticuleux, accomplissant rien moins que des miracles avec les imprimeurs et les fournisseurs. Sally Franklin a rédigé et jeté à la poubelle d'innombrables plannings et a fait en sorte que le projet continue de suivre son cours, même quand cela paraissait impossible. Christine Tanigawa a passé de longues nuits à scruter chaque mot, chaque point-virgule, afin de relever les erreurs et de s'assurer que je disais bien ce que j'avais voulu dire. Elizabeth Rendfleisch a fait en sorte que l'intérieur du livre soit aussi élégant que l'extérieur.

Merci également à la multitude d'autres personnes chez Crown et Penguin Random House qui se sont retroussé les manches et données sans compter pour ce livre : Todd Berman, Mark Birkey, Tammy Blake, Julie Cepler, Denise Cronin, Kellyann Cronin, Amanda D'Acierno, Sue Dalton, Benjamin Dreyer, Skip Dye, Carisa Hays, Madison Jacobs, Cynthia Lasky, Sue Malone-Barber, Matthew Martin, Maren McCamley, Dyana Messina, Lydia Morgan, Ty Nowicki, Donna Passannante, Jennifer Reyes, Matthew Schwartz, Holly Smith, Stacey Stein, Anke Steinecke, Jaci Updike, Claire Von Schilling, Stacey Witcraft et Dan Zitt. Je suis aussi redevable à Maureen Clark, Jane Hardick, Janet Renard, Do Mi Stauber et Bonnie Thompson pour leur travail remarquable de préparation de copie, de relecture et d'indexation ; à Scott Creswell, qui a coproduit le livre audio ; à Carol Poticny pour ses formidables recherches photographiques ; ainsi qu'à North Market Street Graphics pour leur travail de mise en page minutieux et la diligence dont ils ont fait preuve en travaillant nuit et jour.

Enfin, je tiens à remercier Elizabeth Alexander et Michele Norris-Johnson, deux formidables auteures qui se trouvent être par ailleurs de proches amies de la famille, de m'avoir fait part de leurs réflexions précieuses sur le texte – et d'avoir encouragé Michelle à faire preuve de patience à mon égard lors des tout derniers mois particulièrement frénétiques de l'écriture et de l'élaboration éditoriale de ce livre.

CRÉDITS PHOTOGRAPHIQUES

Parti démocrate, 27 juillet 2004, Boston, Massachusetts. (Spencer Platt/Getty Images)

Barack et Michelle Obama après son discours à la convention du Parti démocrate, 27 juillet 2004, Boston, Massachusetts. (Tiré de *Barack Before Obama*, de David Katz. Copyright © 2020 by David Katz. Avec l'autorisation de HarperCollins Publishers)

Malia Obama regarde son père, Barack Obama, pendant sa campagne sénatoriale de 2004, 2 août 2004. (Tiré de *Barack Before Obama*, de David Katz. Copyright © 2020 by David Katz. Avec l'autorisation de HarperCollins Publishers)

Barack Obama, Michelle Obama et leurs filles Malia et Sasha fêtent sa victoire à l'élection sénatoriale face à son rival républicain Alan Keyes, 2 novembre 2004, Chicago, Illinois. (Scott Olson/Getty Images)

Le sénateur Barack Obama au Capitole, 17 novembre 2005. (Pete Souza/Chicago Tribune/TCA)

Le sénateur Barack Obama et son directeur de cabinet Pete Rouse. (David Katz)

Le sénateur Barack Obama dans son bureau au Capitole, janvier 2005. (Pete Souza/Chicago Tribune/TCA)

Le sénateur Barack Obama discute avec le député John Lewis (*main tendue*) devant la Maison-Blanche, 26 janvier 2005. (Pete Souza/ Chicago Tribune/TCA)

Le sénateur Barack Obama visite un entrepôt destiné à la destruction d'armes conventionnelles à Donetsk, en Ukraine, le 30 août 2005. (Pete Souza/Chicago Tribune/TCA)

Des Kenyans attendent l'arrivée du sénateur Barack Obama devant un hôpital à Kisumu, au Kenya, le 26 août 2006. (Pete Souza/Chicago Tribune/TCA)

Le sénateur Barack Obama arrive à un meeting pour annoncer sa candidature à la nomination du Parti démocrate pour l'élection présidentielle, le 10 février 2007, devant l'ancien capitole de Springfield, Illinois. (Mandel Ngan/AFP *via* Getty Images)

Le sénateur Barack Obama fête sa victoire à une attraction de fête foraine avec sa fille Sasha lors de la foire annuelle de l'Iowa à Des Moines, 16 août 2007. (Scott Olson/ Getty Images)

Le sénateur Barack Obama salue des supporters lors d'un meeting à Austin, Texas, 23 février 2007. (Scout Tufankjian/Polaris)

Le sénateur Barack Obama mène un rassemblement de supporters au « Steak Fry » annuel du sénateur Tom Harkin à Indianola, Iowa, 16 septembre 2007. (David Lienemann/Getty Images)

Des supporters venus écouter le candidat aux primaires démocrates Barack Obama et Oprah Winfrey lors d'un meeting au Hy-Vee Conference Center à Des Moines, Iowa, 8 décembre 2007. (Brian Kersey/UPI/Alamy Stock Photo)

Le directeur de campagne David Plouffe et le sénateur Barack Obama en coulisses lors de la convention nationale du Parti démocrate à Denver, Colorado, 28 août 2008. (David Katz)

Le sénateur Barack Obama, candidat désigné du Parti démocrate à l'élection présidentielle, prononce un discours devant la Colonne de la Victoire à Berlin, Allemagne, 24 juillet 2008. (Sebastian Willnow/ DDP/AFP *via* Getty Images)

Le sénateur John McCain, candidat désigné du Parti républicain à l'élection présidentielle, et le sénateur Barack Obama, candidat désigné du Parti démocrate à l'élection présidentielle, déposent des fleurs sur le site des Tours jumelles à New York, 11 septembre 2008. (Peter Foley/ Reuters)

Le président George W. Bush rencontre des membres dirigeants du Congrès, dont les deux candidats désignés à l'élection présidentielle, dans la salle du conseil de la Maison-Blanche, le 25 septembre 2008, pour discuter de la crise financière. (*Assis, de gauche à droite*) Le directeur de cabinet Joshua Bolten, le vice-président Dick Cheney, le secrétaire au Trésor Henry Paulson, le député Spencer Bachus, le député Barney Frank, le chef de la majorité démocrate à la Chambre des représentants Steny Hoyer, le sénateur candidat du Parti républicain à l'élection présidentielle John McCain, le chef de l'opposition à la Chambre des représentants John A. Boehner, la présidente de la Chambre des représentants Nancy Pelosi, le président Bush, le chef de la majorité démocrate au Sénat Harry Reid, le chef de l'opposition au Sénat Mitch McConnell et le sénateur candidat désigné du Parti démocrate à l'élection présidentielle Barack Obama. (Pablo Martínez Monsiváis/Associated Press)

Le sénateur candidat désigné du Parti démocrate à l'élection présidentielle Barack Obama donne l'accolade à son directeur de la stratégie et conseiller en communication David Axelrod au quatrième jour de la convention nationale du Parti démocrate, 28 août 2008, Denver, Colorado. (Charles Ommanney/ Getty Images)

Le sénateur candidat désigné du Parti démocrate à l'élection présidentielle Barack Obama à l'University of Mary Washington lors d'un meeting à Fredericksburg, Virginie, 27 septembre 2008. (Tiré de *Barack Before Obama*, de David Katz. Copyright © 2020 by David Katz. Avec l'autorisation de HarperCollins Publishers)

Le sénateur candidat désigné du Parti démocrate à l'élection présidentielle Barack Obama prend la parole lors d'un meeting sous la Gateway Arch à Saint Louis, Missouri, 18 octobre 2008. (David Katz)

Barack Obama et sa belle-mère, Marian Robinson, le soir de l'élection présidentielle à Chicago, Illinois, 4 novembre 2008. (Tiré de *Barack Before Obama*, de David Katz. Copyright © 2020 by David Katz. Avec l'autorisation de HarperCollins Publishers)

Barack Obama, sa femme Michelle et leurs filles Sasha (*à gauche*) et Malia à Grant Park après sa victoire à l'élection présidentielle, Chicago, Illinois, 4 novembre 2008. (Ralf-Finn Hestoft/Corbis *via* Getty Images)

Des gens rassemblés autour d'un poste de radio devant le Lincoln Memorial pour écouter Barack Obama prononcer son discours le soir de l'élection présidentielle, Washington, 4 novembre 2008. (Matt Mendelsohn)

Le président élu Barack Obama en coulisses avant de sortir sur le balcon du Capitole pour prêter serment, Washington, 20 janvier 2009. (Pete Souza/The White House)

La main de Barack Obama est posée sur une bible pendant qu'il est investi 44e président des États-Unis par le président de la Cour suprême, John Roberts, au Capitole, 20 janvier 2009. (Timothy A. Clary/AFP *via* Getty Images)

Le président Barack Obama prononce son discours d'investiture au Capitole, 20 janvier 2009. (Pete Souza/The White House)

Le président Barack Obama et la première dame Michelle Obama remontent Pennsylvania Avenue pendant la parade inaugurale à Washington, 20 janvier 2009. (Pete Souza/The White House)

Le président Barack Obama assis dans le Bureau ovale le premier jour de son mandat, 21 janvier 2009. (Pete Souza/The White House)

Le président Barack Obama traverse la colonnade de la Maison-Blanche avec ses filles Malia (*à gauche*) et Sasha, 5 mars 2009. (Pete Souza/The White House)

Cahier 2

Le président Barack Obama et le directeur de cabinet Rahm Emanuel au pique-nique du staff de la Maison-Blanche, 26 juin 2009. (Pete Souza/The White House)

Le président Barack Obama avec des conseillers lors d'une réunion de travail sur les questions économiques dans la salle Roosevelt de la Maison-Blanche, 15 mars 2009. Parmi les participants figurent le directeur du Conseil économique national Larry Summers, le secrétaire au Trésor Timothy Geithner, la directrice du Groupe des conseillers économiques Christina Romer, le directeur de cabinet Rahm Emanuel et le conseiller David Axelrod. (Pete Souza/The White House)

Le président Barack Obama avec le chef de file de la majorité démocrate au Sénat Harry Reid en coulisses avant son débat public à Henderson, Nevada, 19 février 2010. (Pete Souza/The White House)

Le président Barack Obama serre dans ses bras la première dame Michelle Obama dans le salon Rouge de la Maison-Blanche aux côtés de la conseillère Valerie Jarrett, 20 mars 2009. (Pete Souza/The White House)

Le président Barack Obama court sur la colonnade est avec le chien de la famille, Bo, 15 mars 2009. (Pete Souza/The White House)

Le président Barack Obama visite les Pyramides et le Sphinx en Égypte le 4 juin 2009. (Pete Souza/The White House)

Des Palestiniens regardent la retransmission télévisée du discours du président Barack Obama au Caire, chez eux, dans le sud de la bande de Gaza, 4 juin 2009. (Ibraheem Abu Mustafa/Reuters)

Le président Barack Obama s'entretient avec la juge Sonia Sotomayor avant sa cérémonie d'investiture à la Cour suprême, 8 septembre 2009. (Pete Souza/The White House)

Le président Barack Obama avec Denis McDonough, directeur de cabinet du Conseil de sécurité nationale, à l'hôtel Waldorf Astoria, New York, 23 septembre 2009. (Pete Souza/The White House)

De gauche à droite : Le Premier ministre japonais Taro Aso, le Premier ministre canadien Stephen Harper, le Premier ministre italien Silvio Berlusconi, le président Barack Obama, le président russe Dmitri Medvedev, le Premier Ministre britannique Gordon Brown, le président français Nicolas Sarkozy, la chancelière allemande Angela Merkel, le Premier ministre suédois Fredrik Reinfeldt et le président de la Commission européenne José Manuel Barroso lors du sommet du G8 à L'Aquila, Italie, 8 juillet 2009. (Pete Souza/The White House)

Le président Barack Obama et le conseiller adjoint à la sécurité nationale Ben Rhodes dans le Bureau ovale, 21 mai 2009. (Pete Souza/The White House)

Le président Barack Obama et des membres de la délégation américaine, parmi lesquels (*de gauche à droite*) le général Jim Jones, conseiller à la sécurité nationale, le sous-secrétaire d'État aux Affaires politiques Bill Burns et le directeur des affaires russes au Conseil de sécurité nationale Mike McFaul, rencontrent le Premier ministre Vladimir Poutine dans sa datcha près de Moscou, Russie, 7 juillet 2009. (Pete Souza/The White House)

Le président Barack Obama au Kremlin avec sa fille Sasha, Moscou,

Russie, 6 juillet 2009. (Pete Souza/The White House)

Le président Barack Obama dirige une séance d'entraînement de l'équipe de basket de Sasha avec le concours de son assistant personnel Reggie Love à Chevy Chase, Maryland, 5 février 2011. (Pete Souza/The White House)

Le président Barack Obama plaisante avec le porte-parole de la Maison-Blanche Robert Gibbs et son assistant personnel Reggie Love (*à droite*), 26 octobre 2009. (Pete Souza/The White House)

Le président Barack Obama lit dans la roseraie de la Maison-Blanche, 9 novembre 2009. (Pete Souza/The White House)

Le président Barack Obama accueille un jeune visiteur dans le Bureau ovale, 5 février 2010. (Pete Souza/The White House)

Bob Dylan serre la main du président Barack Obama après son concert dans le salon Est de la Maison-Blanche, 9 février 2010. (Pete Souza/The White House)

Sur la base de l'armée de l'air de Dover, dans le Delaware, le 29 octobre 2009, le président Barack Obama et le procureur général Eric Holder (*tout à droite*) assistent à la cérémonie du rapatriement solennel de dix-huit soldats américains morts en Afghanistan. (Pete Souza/The White House)

Le président Barack Obama prononce un discours sur l'Afghanistan à l'académie militaire de West Point, État de New York, 1er décembre 2009. (Pete Souza/The White House)

Le président Barack Obama salue Cory Remsburg lors d'une visite aux combattants blessés soignés à l'hôpital militaire de Bethesda, Maryland, 28 février 2010. (Pete Souza/The White House)

Le président Barack Obama salue des soldats américains dans un mess de la base de l'armée de l'air de Bagram en Afghanistan, 28 mars 2010. (Pete Souza/The White House)

Des conseillers du président, parmi lesquels (*de droite à gauche*) la secrétaire d'État Hillary Rodham Clinton, le secrétaire à la Défense Robert Gates, le secrétaire aux anciens combattants Eric K. Shinseki, l'amiral Michael Mullen, chef d'état-major des armées, et le général David Petraeus, chef du Commandement central américain, écoutent le discours du président Barack Obama sur l'Afghanistan à l'académie militaire de West Point, État de New York, 1er décembre 2009. (Pete Souza/The White House)

Le président Barack Obama et la première dame Michelle Obama s'entretiennent avec la reine Élisabeth II et le prince Philippe, duc d'Édimbourg, avant de quitter Winfield House à Londres, Angleterre, 25 mai 2011. (Pete Souza/The White House)

Le président Barack Obama avec le président chinois Hu Jintao au palais de l'Assemblée du peuple à Pékin, Chine, 17 novembre 2009. (Feng Li/Getty Images)

Le président Barack Obama et Jon Favreau, directeur du bureau de rédaction des discours, peaufinent un discours sur la réforme du système de santé dans le Bureau ovale, 9 septembre 2009. (Pete Souza/The White House)

Le président Barack Obama, le vice-président Joe Biden et des membres dirigeants du staff présidentiel réunis dans la salle Roosevelt à la Maison-Blanche réagissent au vote du projet de loi sur la réforme du système de santé à la Chambre des représentants, 21 mars 2010. (Pete Souza/The White House)

Le président Barack Obama donne l'accolade à la secrétaire à la Santé et aux Services sociaux Kathleen Sebelius (*à gauche*) et à la présidente de la Chambre des représentants Nancy Pelosi après la signature de l'Affordable Care Act, 23 mars 2010. (Pete Souza/The White House)

Le président Barack Obama écoute un briefing au poste des garde-côtes à Venice, Los Angeles, le 2 mai 2010, sur la situation dans le golfe du Mexique à la suite de la marée noire provoquée par l'explosion de la plateforme pétrolière de BP. Parmi les personnes présentes, l'amiral Thad Allen, commandant des garde-côtes américains (*assis à gauche*), le conseiller auprès du président pour la sécurité intérieure et la lutte antiterroriste John Brennan, le directeur de cabinet Rahm Emanuel et l'administratrice de l'Agence pour la protection de l'environnement Lisa Jackson (*tout à droite*). (Pete Souza/The White House)

Le président Barack Obama sur la balançoire de la pelouse sud avec sa fille Malia, 4 mai 2010. (Pete Souza/ The White House)

Le président Barack Obama s'entretient avec l'ambassadrice Samantha

Power, représentante permanente des États-Unis auprès des Nations unies, après une réunion du cabinet, 12 septembre 2013. (Pete Souza/ The White House)

Le président Barack Obama, lauréat du prix Nobel de la paix, arrive à la cérémonie de remise du prix à l'hôtel de ville d'Oslo, Norvège, 10 décembre 2009. (John McConnico/AFP *via* Getty Images)

Le président Barack Obama et le vice-président Joe Biden s'apprêtent à signer la loi Dodd-Frank sur la réforme des marchés financiers, 21 juillet 2010. (Pete Souza/The White House)

Le président Barack Obama s'apprête à s'adresser à la nation depuis le Bureau ovale sur la fin de la mission militaire en Irak, 31 août 2010. (Pete Souza/The White House)

Le président Barack Obama et le vice-président Joe Biden, aux côtés de membres de l'équipe de sécurité nationale, sont informés de la progression de l'opération menée contre Oussama Ben Laden dans la salle de crise de la Maison-Blanche, 1er mai 2011. *Assis, de gauche à droite :* le Brigadier General Marshall B. Webb, assistant du commandant en chef du JSOC, le conseiller adjoint à la sécurité nationale Denis McDonough, la secrétaire d'État Hillary Rodham Clinton et le secrétaire à la Défense Robert Gates. *Debout, de gauche à droite :* l'amiral Mike Mullen, chef d'état-major des armées, le conseiller à la sécurité nationale Tom Donilon, le directeur de cabinet Bill Daley, le conseiller auprès du vice-président pour la sécurité intérieure Tony Blinken, la directrice de la lutte antiterroriste Audrey Tomason, le

conseiller auprès du président pour la sécurité intérieure et la lutte antiterroriste John Brennan et le directeur du renseignement national James Clapper (*hors cadre*). (Pete Souza/The White House)

Le président Barack Obama, assis entre le Premier ministre Manmohan Singh (*à gauche*) et le président Pratibha Devisingh Patil lors d'un dîner d'État au palais présidentiel de Rashtrapati Bhavan à New Delhi, Inde, 8 novembre 2010. (Pete Souza/The White House)

Le président Barack Obama et (*de gauche à droite*) le président de l'Autorité palestinienne Mahmoud Abbas, le président égyptien Hosni Moubarak et le Premier ministre israélien Benyamin Nétanyahou, dans le salon Bleu de la Maison-Blanche, guettent l'heure officielle du coucher du soleil, 1er septembre 2010. (Pete Souza/The White House)

Le président Barack Obama regarde par la fenêtre dans le salon Bleu de la Maison-Blanche, 3 novembre 2010. (Pete Souza/The White House)

Le président Barack Obama, la première dame Michelle Obama et leurs filles Sasha et Malia visitent la statue du Christ rédempteur à Rio de Janeiro, Brésil, 20 mars 2011. (Pete Souza/The White House)

Le président Barack Obama sur la colonnade ouest de la Maison-Blanche, 8 janvier 2011. (Pete Souza/The White House)

TABLE

Préface.. 11

PREMIÈRE PARTIE
Le pari... 17

DEUXIÈME PARTIE
Yes we can... 115

TROISIÈME PARTIE
« Renegade ».. 271

QUATRIÈME PARTIE
Le noble combat... 419

CINQUIÈME PARTIE
Le monde tel qu'il est.. 535

SIXIÈME PARTIE
Dans les remous... 635

SEPTIÈME PARTIE
Sur la corde raide.. 745

Remerciements... 831

Crédits photographiques... 835

Photocomposition Nord Compo
Imprimé au Canada sur les presses de Marquis Imprimeur (Québec) en octobre 2020
5320172/04